Textbook of
Surgical Ultrasound
외과초음파학

대한외과초음파학회
The Korean Surgical Ultrasound Society

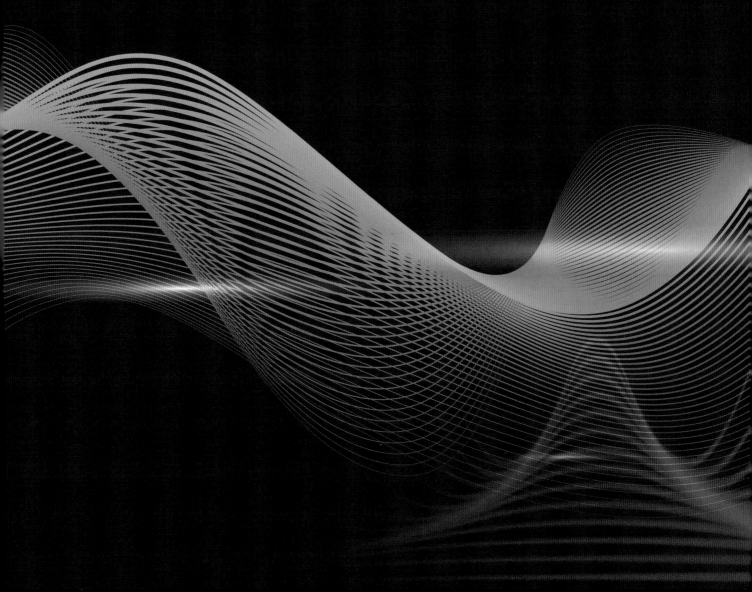

외과초음파학
Textbook of Surgical Ultrasound

첫째판 1쇄 인쇄 | 2021년 11월 03일
첫째판 1쇄 발행 | 2021년 11월 19일

지 은 이   대한외과초음파학회
발 행 인   장주연
출 판 기 획   김도성
편집디자인   유현숙
표지디자인   김재욱
일 러 스 트   김경렬
발 행 처   군자출판사
　　　　　등록 제4-139호(1991.6.24)
　　　　　(10881) 파주출판단지 경기도 파주시 회동길 338(서패동 474-1)
　　　　　전화 (031)943-1888   팩스 (031)955-9545
　　　　　www.koonja.co.kr

ISBN 979-11-5955-776-7

정가 150,000원

외과
초음파학

___

TEXTBOOK
OF SURGICAL
ULTRASOUND

집필진

author

간행위원장

정진향 | 경북의대 외과

간행위원

계봉현 | 가톨릭의대 외과   **윤현조** | 전북의대 외과   **조항주** | 가톨릭의대 외과
김향경 | 울산의대 외과   **이윤석** | 가톨릭의대 외과   **최호중** | 가톨릭의대 외과
민선영 | 경희의대 외과   **이지연** | 경북의대 외과   **홍석경** | 울산의대 외과
유영재 | 전남의대 외과   **조재영** | 서울의대 외과
윤우성 | 경북의대 외과   **조진현** | 경희의대 외과

집필진 (가나다 순)

강민창 | 순천향의대 외과   **김지훈** | 국립암센터 외과
강태우 | 부산대학교병원 부산지역암센터 유방암클리닉   **김향경** | 울산의대 외과
계봉현 | 가톨릭의대 외과   **김형기** | 경북의대 외과
고 진 | 인천세종병원 외과   **노영남** | 계명의대 외과
고승상 | 박희붕외과   **노혜원** | 바른유외과
고양석 | 전남의대 외과   **모혜진** | 서울의대 외과
곽진영 | 연세의대 영상의학과   **민선영** | 경희의대 외과
구본용 | 유앤유외과   **민준원** | 단국의대 외과
금민애 | 울산의대 외과   **박근명** | 인하의대 외과
김구상 | 고신의대 외과   **박기혁** | 대구가톨릭의대 외과
김대현 | 이앤김연합내과   **박민호** | 전남의대 외과
김미진 | 예수병원 외과   **박상욱** | 인천세종병원 외과
김병섭 | 조아유외과   **박상준** | 울산의대 외과
김상동 | 가톨릭의대 외과   **박순철** | 가톨릭의대 외과
김슬기 | 전남의대 영상의학과   **박은화** | 동아의대 외과
김영균 | 세이브외과   **박의준** | 계명의대 외과
김유석 | 조선의대 외과   **박일영** | 가톨릭의대 외과
김은영 | 가톨릭의대 외과   **박해린** | 차의대 외과
김일봉 | 김일봉내과   **박형섭** | 서울의대 외과
김임경 | 연세의대 외과   **박희붕** | 박희붕외과
김장용 | 가톨릭의대 외과   **백광열** | 가톨릭의대 외과
김재일 | 인제의대 외과   **백종관** | 한림의대 외과

서현석 | Icahn School of Medicine at Mount Sinai 외과
선우영 | 가톨릭의대 외과
선현우 | 을지의대 외과
송기환 | 구병원 외과
신정희 | 성균관의대 영상의학과
신혁재 | 명지병원 외과
안상현 | 서울의대 외과
양신석 | 성균관의대 외과
엄태익 | 하이유외과
염차경 | 염차경유외과
오승영 | 서울의대 외과
오행진 | 인제의대 외과
우정우 | 경상의대 외과
유니나 | 가톨릭의대 외과
유영범 | 건국의대 외과
유영재 | 전남의대 외과
윤상섭 | 가톨릭의대 외과
윤영철 | 가톨릭의대 외과
윤우성 | 경북의대 외과
윤정현 | 연세의대 영상의학과
윤현조 | 전북의대 외과
이경복 | 동국의대 외과
이길재 | 가천의대 외과
이아란 | 고려의대 외과
이우형 | 울산의대 외과
이윤석 | 가톨릭의대 외과
이은지 | 순천향의대 영상의학과
이재길 | 연세의대 외과
이재명 | 고려의대 외과
이재훈 | 대구가톨릭의대 외과

이준서 | 서울의대 외과
이지연 | 경북의대 외과
이지현 | 순천향의대 외과
이학재 | 울산의대 외과
이호균 | 전남의대 외과
임영아 | 한림의대 외과
전영산 | 구병원 외과
전예원 | 가톨릭의대 외과
전흥만 | 인제의대 외과
정민규 | 경북의대 내과
정윤태 | 울산의대 외과
정진향 | 경북의대 외과
정파종 | 정파종외과
정혁재 | 부산의대 외과
조대현 | 가톨릭의대 외과
조재영 | 서울의대 외과
조진현 | 경희의대 외과
조항주 | 가톨릭의대 외과
조현민 | 가톨릭의대 외과
최영록 | 서울의대 외과
최영진 | 충북의대 외과
최정은 | 영남의대 외과
최호중 | 가톨릭의대 외과
하태권 | 인제의대 외과
한승림 | 가톨릭의대 외과
허선희 | 연세의대 외과
홍석경 | 울산의대 외과
황정기 | 가톨릭의대 외과
황홍필 | 전북의대 외과

foreword

대한외과초음파학회 회원 여러분

진료 현장에서 방역과 외과 환자 진료에 최선을 다하시는 회원 여러분께 진심으로 격려와 감사의 말씀을 보냅니다.

우리 대한외과초음파학회는 "초음파의 최신 연구와 학술활동 및 교육을 통해 초음파를 이용한 외과 진료의 패러다임 전환에 힘쓴다"라는 미션으로 어느덧 창립 10주년을 넘어, 청년기를 맞이하는 중견 학회로 발전하였습니다. 또한 본 학회 주관으로 아시아외과초음파학회 학술대회를 3회에 걸쳐 성공적으로 개최하여 외과의 진단과 치료 영역에서 초음파의 활용 방법과 최신 지견을 아시아 외과의사 간 서로 공유하였으며 이를 통하여 본 학회가 초음파에 대한 배움의 장으로 국제적으로도 인정받았습니다.

학회의 회원은 1300명을 넘어 외과의사라면 모두가 당연히 가입하여야 하는 학회로 인식되었고, 인증의 제도를 통하여 초음파에 대한 지식과 술기의 질 향상을 꾸준히 이루어 왔습니다. 외과의사는 모든 진료 영역 즉, 진단과 치료 그리고 추적 관찰의 모든 단계에 관여하며, 이 모든 단계에서 초음파검사가 반드시 필요한 술기임에 틀림이 없습니다. 내과의사에게 청진기가 있다면 외과의사에게는 청진기 대신 초음파가 있겠습니다. 따라서 외과 전공의 시기부터 초음파 활용법을 교육하여 초음파를 쉽게 접할 수 있어야 하겠습니다.

이러한 요구에 발맞추어 초음파의 체계적인 교육과 정확한 지식 전달을 위하여, 학회에서는 숙원 사업으로 한국 의료에 맞고 외과의사에게 적합한 "외과초음파학"을 간행하고자 하였으며 비로소 출간을 하게 되어 다행스럽고 기쁘게 생각합니다. 이 "외과초음파학"은 실제로 외과의 모든 학과의 초음파 전문가들이 외과 환자 진료에 필요한 지식과 술기를 모두 포함시켜, 외과의사들에게는 초음파의 교과서가 될 것입니다. 이 교과서를 활용하여 외과 전공의 초음파 교육과 전임의 또는 개원의가 초음파를 배우고 익히는데 큰 도움이 될 것으로 믿으며 이는 우리나라 외과 발전에도 큰 도움이 될 것입니다. 부디 이 교과서를 통하여 외과의사들이 초음파를 쉽게 접하고 활용할 수 있기를 기대합니다.

그동안 "외과초음파학"을 위하여 준비해 주신 모든 저자 한 분 한 분의 노고를 치하하며 간행위원회 위원 및 특히 위원장이신 정진향 교수님께 학회를 대표해서 깊은 감사의 말씀을 드립니다.

그동안 수고 많으셨습니다.

윤 상 섭
대한외과초음파학회 회장

머리말

preface

외과의에게 있어 초음파는 진단과 치료, 수술 및 경과 관찰에 이르기까지 모든 진료의 과정에서 그 필요성과 중요성이 증대되고 있습니다. 대한외과초음파학회는 외과 영역에 있어 초음파검사의 중요성을 인식하고 외과의들이 나날이 발전하는 초음파 기술과 지식을 보다 쉽게 습득하고 적용할 수 있도록 하고자 뜻을 모아 준비하여 드디어 '외과초음파학' 초판을 발간하게 되었습니다.

대한외과초음파학회 간행위원회에서는 교과서 발간의 실무를 맡아 대상 범위를 설정하고 그에 맞는 목차를 구성한 후 여러 의견을 바탕으로 수정하고 보완하여 최종적으로 외과초음파학 분야를 총론, 경부, 유방, 복부, 직장항문, 혈관, 외상 및 중환자 초음파 section으로 나누어 주제를 정리하였습니다. 교과서의 집필에는 학회의 발전에 기여하고 학술 활동이 활발하며 초음파 관련 전문성이 뛰어난 회원님들과 저명한 외부 저자를 포함하여 102분이 참여하였습니다. 외과초음파학은 초음파의 기초적인 이해를 돕기 위한 총론을 서두로 7개의 분야에 대한 다양한 내용들이 33 chapter로 구성되어 있으며, 방대한 초음파 영상 자료와 일러스트를 포함하고 있습니다.

대한외과초음파학회에서 처음 발간하는 '외과초음파학' 교과서가 이 책을 필요로 하는 모든 외과의들에게 초음파 관련 최신 기술과 지식을 습득할 수 있는 필독서가 되길 바라며 관심 있는 관련 분야의 의료인과 수련의에게도 도움이 되기를 기대합니다.

바쁜 일정에도 기꺼이 저술에 참여해 주신 모든 저자분들과 많은 수고를 아끼지 않으신 간행위원님들께 깊은 감사를 드립니다. 외과초음파학 교과서 발간을 결정하고 후원해 주신 대한외과초음파학회 회장님, 임원진 여러분과 책이 무사히 출판될 수 있도록 많은 도움 주신 군자출판사 관계자분들께 진심으로 감사드립니다.

정 진 향
대한외과초음파학회 간행위원회 위원장

SECTION 2. 경부 초음파

목차

contents

SECTION 3. 유방 초음파

SECTION 4. 복부 초음파

SECTION 6. 혈관 초음파

SECTION 7. 외상초음파

SECTION 8. 중환자 초음파

총론
Introduction

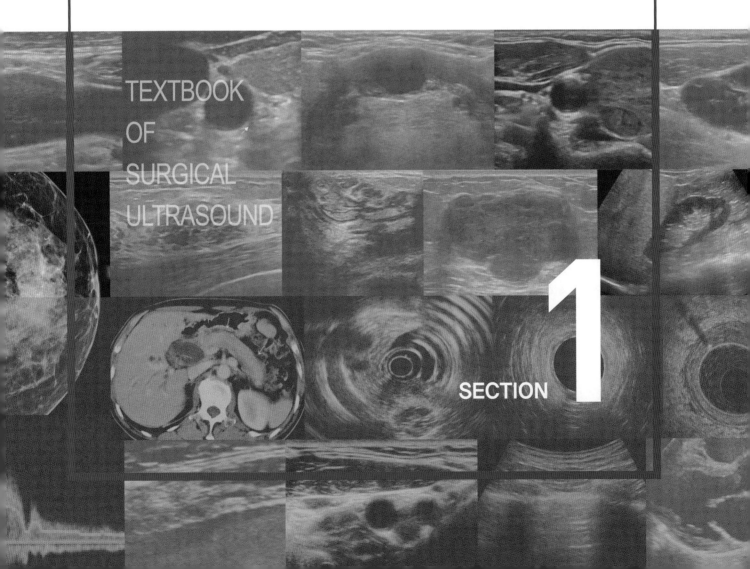

TEXTBOOK
OF
SURGICAL
ULTRASOUND

SECTION 1

SECTION 1. 집필진

초음파 정의 및 탐색자

1. 초음파의 정의

1793년 어둠 속에서 자유롭게 날아다니는 박쥐의 능력을 연구하던 이탈리아의 생물학자 Abate Lazzaro Spllanzani에 의하여 처음으로 초음파의 존재가 알려졌다. 박쥐는 어둠속에서 눈을 가려도 문제 없이 날아다니지만, 입을 가리면 장애물에 부딪치는 것을 보고 사람이 들을 수 없는 소리를 이용하여 비행을 한다고 생각하였다. 초음파(ultrasound, ultrasonic wave)는 인간이 들을 수 있는 가청 범위를 넘어서는 주파수를 갖는 물리적 에너지로 정의된다. 초음파의 의학적 활용에 대하여 알기 위해서는, 음파의 속성(nature of sound)과 초음파의 발생에 대하여 살펴볼 필요가 있다.

1) 음파

음파(sound wave), 즉 소리는 공기, 물, 금속과 같은 매개체를 통하여 전달되는 역학적 압력파(mechanical pressure wave)이다. 이와 대비하여, 빛으로 대표되는 전자기파는 전기장과 자기장이 서로 상호작용하면서 파동의 형태로 매개체 없이도 공간 속을 진행할 수 있다. 음파는 압력파에 의해 전달되는 물리적 에너지(mechanical energy)로, 그 에너지를 발생하는 음원과 이를 전달하는 매개체가 있어야 한다. 음파는 음원의 진동(vibration)에 의해 발생되며, 진동 횟수(주파수)에 의해 음의 높고 낮음이 결정된다. 매개체로 공기, 물, 연부조직(soft tissue), 혈액, 뼈 등 진동할 수 있는 모든 것이 가능하고, 음파에 의해 만들어진 압력파는 매개체 분자의 앞뒤 진동을 통하여 밀도 변화를 일으킨다. 음파가 매개체를 통해 전달되면서 압력이나 밀도가 증가하는 부분과 감소하는 부분이 만들어진다. 압력이나 밀도가 증가하는 부분을 압축(compression)이라 하고, 감소하는 부분을 희박(rarefaction) 이라고 한다. 이러한 압축과 희박 상태가 반복됨으로써 음파가 전달된다(그림 1-1).

역학적 파동은 횡파(transverse wave)와 종파(longitudinal wave)의 두 가지 형태가 있다. 횡파란 파동의 모든 점이 파의 진행방향에 직각으로 진동하는 것으로 물 위의 수면파, 2차 지진파(S파) 등이 있다. 잔잔한 수면에 돌이 던져졌을 때 발생하는 수

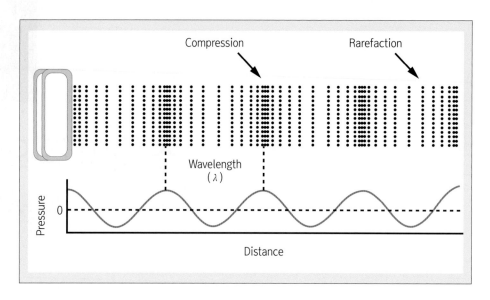

그림 1-1 음파는 매개체의 압력과 밀도의 변화를 반복적으로 일으키면서 종으로 전파되는 압력파이며, 매개체에 전달된 압력을 기록하면 사인파(sine wave)의 모양을 갖게 된다.

면파를 생각해보면, 매개체인 물분자는 위아래로 진동을 하지만 수면파는 발생한 곳에서부터 바깥쪽으로 물의 밀도에 의해 결정된 일정한 속도로 퍼져나가게 된다. 이와 달리 종파는 파동이 진행하는 방향과 같은 방향으로 매질의 분자가 진동하는 것으로 용수철의 운동을 생각해보면 이해할 수 있다. 용수철의 한쪽 끝을 잡아당겼다가 놓으면 용수철의 한 점은 파동에 따라 움직였다가 제자리를 거쳐 반대방향으로 앞뒤로 움직이는 운동을 하면서 파동은 전파하게 된다. 요약하면, 음파는 음원의 진동에 의해서 발생하며 매개체의 압력과 밀도의 변화를 반복적으로 일으키면서 종으로 전파되는 압력파로서, 매개체의 각 분자에 전달된 압력을 기록하면 사인파(sine wave)의 모양을 갖게 된다.

2) 음파의 분류

공간의 고정된 한 지점을 1초 동안 통과하는 완전한 파동의 수를 주파수라 한다. 주파수의 단위는 초당 파동수, 헤르츠(Hz = cycle/sec)를 사용한다. 사람이 들을 수 있는 가청음의 주파수는 20~20,000 Hz이며, 가청범위 미만의 주파수를 가진 음파를 저음파(infrasound), 가청범위를 초과하는 주파수의 음파를 초음파(ultrasound)라 한다. 일반적으로 영상 진단에 이용되는 초음파의 주파수는 1~20 MHz로 사람의 가청 상한보다 훨씬 높다. 초음파의 주

표 1-1 음파의 분류와 의료 진단용 초음파 주파수

분류	주파수 범위
저음파(infrasound)	0-16 Hz
가청음파(audible sound)	16-20 kHz
의료용 초음파(ultrasound)	1-15 MHz
1) 심장	2-3 MHz
2) 복부	3-5 MHz
3) 유방 & 갑상선	7.5-13 MHz
4) 눈	7.7-12 MHz
5) 혈관	5-15 MHz

파수 범위와 의료 진단에 사용되는 주파수 범위는 표 1-1과 같다.

의료에 이용되는 초음파 기계의 원리는 파장이 짧은 펄스파를 생성하고, 음향저항(acoustic impedence)이 각기 다른 조직에 펄스파를 투과시켜 반사되어 나오는 신호를 증폭, 변환하여 영상을 얻는 것이다. 이에 대해서는 뒤에서 알아보기로 한다.

2. 압전효과

압전이라는 용어는 "누르다"를 의미하는 그리스어 *piezo*와 "호박석-amber"을 의미하는 *electron*의 합성어이다. 호박석은 소나무의 송진등이 흘러나와 돌처럼 굳어진 광물로, 호박석 표면을 문지르면 작은 물체가 달라붙는 정전기가 발생하여 전기(electricity)의 어원으로 여겨진다. 초음파의 역사에서 가장 획기적인 발전은 1880년 프랑스의 물리학자 Pierre Curie와 Jacques Curie 형제에 의한 압전효과의 발견이다. 압전효과란 어원에서 보여지듯이, 로셀염(Rocelle salt), 석영과 같은 결정체에 물리적 압력을 가하면 전류가 발생하고, 반대로 결정체에 전류를 흘리면 물리적변형이 발생하는 것이다. Curi 형제가 처음 발표한 것은 석영결정체에 물리적 자극을 가하면 전류가 발생하는 직접 압전효과(direct piezoelectric effect) 였으며, 1년 후인 1881년 룩셈부르크의 물리학자 Gabriel Jonas Lippmann은 열역학적으로 반대의 효과도 존재한다고 하였고, Curie 형제가 실험을 통하여 이 또한 증명하였다. 이러한 성질을 갖는 물질을 압전물질, 압전결정체라고 한다.

그림 1-2에서와 같이 어떤 한 결정체가 기계적으로 늘어나거나 줄어드는 변형이 발생하거나, 외부 스트레스에 의하여 변형되면 결정체의 표면에 전하가 나타나게 된다. 또한 결정체의 변형 방향이 바뀌면 전하의 극성도 역전된다. 이것이 직접 압전효과이다. 반대로 압전결정체가 전기장 내에 놓이게 되거나, 외부에서 결정체 표면에 전하를 유도하면, 결정체의 수축과 팽창이 일어나게 된다. 전기장의 방향이 역으로 바뀌면 결정체의 변형도 반전하게 된다. 이것을 역압전효과(converse piezoelectric effect)라고 한다(그림 1-3).

압전결정체와 음파에 대하여 간단히 살펴보면, 음파와 같은 기계적 압력이 압전결정체에 가해지면 압전결정체 표면에 전류가 생성되고, 반대로 압전결정체에 전류가 흐르면 팽창하거나 수축하게 되고 빠르게 변화하는 교류전류를 압전결정체에 가하여 수축과 팽창을 반복하면서 진동으로 인하여 음원으로 작용하여 초음파가 발생하게 된다. 이러한

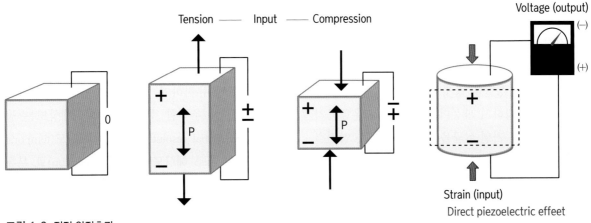

그림 1-2 직접 압전효과

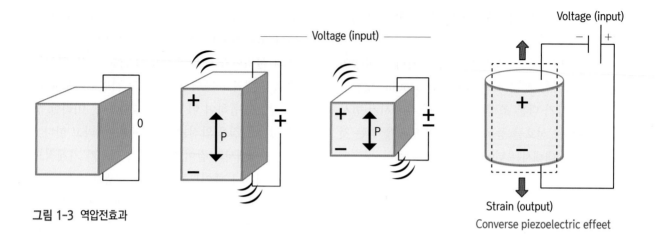

그림 1-3 역압전효과

초음파를 발생하는 압전물질에는 자연적으로 존재하는 석영(quartz), 로셸염(Rochelle salt) 및 전기석(tourmaline) 등이 있다. 하지만 더 일반적으로는 납 지르코네이트 티타네이트(lead zirconate titanate, PZT) 또는 세라믹과 같은 합성 결정체를 초음파를 생성하고 수신하는 데 사용한다.

초음파 탐색자(probe)의 변환기(transducer)는 전기전도체로 압전물질을 둘러싼 회로판이다. 변환기 내 압전물질의 압전효과에 의하여 전기에너지를 기계에너지(초음파)로 변환시키고, 또한 조직에서 돌아오는 기계에너지(초음파)를 전기에너지로 변환하여 영상을 얻는 것이다. 즉, 전기에너지를 기계에너지로 전환하는 것은 송신초음파에, 기계에너지를 전기에너지로 전환하는 것은 수신초음파에 사용된다(그림 1-4). 이러한 이미지 생성 기술을 "펄스 에코 기술"이라 한다.

압전결정체는 큐리 온도-Curie temperature (PZT의 경우 360℃) 이상으로 가열되거나 탈분극이 일어나면 압전의 성질을 잃게 된다. 고온은 압전물질의 특성을 파괴하기 때문에 변환기를 고온멸균기(autoclave) 혹은 가열 살균을 해서는 안된다. 압전결정체의 두께와 적용된 교류 전압은 변환기가 생성하는 초음파의 주파수를 결정하는 중요 요소이며, PZT 변환기에서 PZT 두께가 파장의 절반과 같은 초음파 주파수에서 가장 효율적인 공명이 일어난다. 즉, 압전결정체에 의해 생성되는 초음파의 주파수는 결정체를 통과하는 초음파의 속도를 결정체의 두께의 2배로 나눈 값과 같다(PZT에서 음파의 속도는 5 mm/μs). 예를 들어, 0.25 mm 두께의 PZT에 전류를 가하면 생성되는 주파수는 5 mm/μs ÷ (2 × 0.25 mm)=10 MHz이다. 압전결정체가 얇을수록 생성되는 초음파의 주파수는 높아진다. 변환기가 비싼 이유이기도 하다.

3. 해상도

영상의 해상도는 영상의 질을 결정하는 요소 중 하나로, 서로 근접해 있는 두 구조물을 구분하여 각각의 분리된 영상으로 보여주는 능력을 말한다. 해상도가 높은 경우, 조직의 특성을 잘 반영하고, 허상이 적게 만들어지며, 영상 전체가 영상의 특성들을 고르게 유지하여, 검사자가 영상 내 구조물의 변화를 잘 추적할 수 있게 한다. 해상도는 공간 해상도(spatial resolution), 시간 해상도(temporal resolution), 대조 해상도(contrast resolution)로 분류된다.

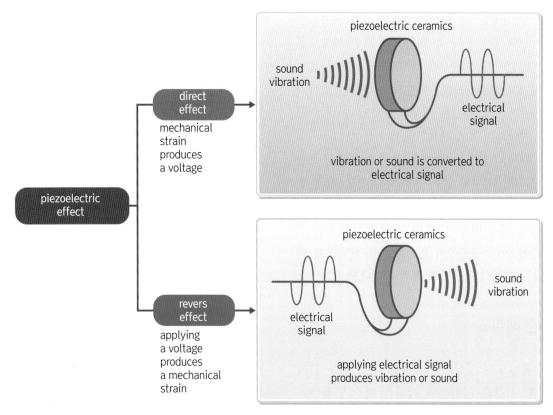

그림 1-4 송수신초음파에 이용되는 압전물질의 압전효과의 모식도

1) 공간 해상도

공간 해상도는 축 해상도(axial resolution)와 측면 해상도(lateral resolution), 단면 두께 해상도(slice thickness resolution)에 의해 영향을 받는다. 축 해상도는 초음파 빔에 평행하게 위치한 두 개의 물체를 구분할 수 있는 최소 거리를 의미하며, 펄스 길이 (pulse length)로 결정되는데, 펄스 길이는 파장에 비례하고, 주파수에 반비례한다. 즉 , 짧은 펄스 길이를 갖는 고주파가 긴 펄스 길이를 갖는 저주파에 비해 축 해상도가 좋다. 최상의 축 해상도는 펄스 길이의 1/2과 같으며 해상도는 mm로 표기된다. 예를 들어, 펄스 길이가 1 mm라면 축 해상도는 0.5 mm이며, 초음파 빔에 평행한 두 점의 위치가 0.5 mm

이하일 때는 이 둘을 분리해서 이미지를 만들 수 없다. 그러므로 0.3 mm 파장을 갖는 5 MHz 탐색자보다 0.15 mm 파장을 갖는 10 MHz 탐색자가 보다 좋은 축 해상도를 보이게 된다.

측면 해상도는 초음파 빔에 수직으로 위치한 물체, 즉 평면에 나란하게 위치한 물체를 구분할 수 있는 최소 거리를 의미하며, 초음파 빔의 폭(beam width)에 영향을 받는다. 초음파 변환기에서 초점까지의 길이를 근거리 영역 길이(near zone length) 라고 하는데, 측면 해상도는 근거리 영역 길이가 길 때 좋다. 근거리 영역 길이는 짧은 파장, 고주파수 일 때 길어지므로, 측면 해상도를 좋게 하려면, 고주파수의 탐색자를 선택하는 것이 좋다. 빔이 가장 좁아진 초점 주변을 초점 영역이라고 하며, 이 영역

에서 가장 선명한 영상이 형성된다. 고주파수의 탐색자를 선택하는 것이 축 해상도와 측면 해상도를 높이는 방법이기는 하지만, 주파수가 높으면 조직 침투 깊이가 얕아지므로, 관찰하고자 하는 조직의 깊이에 따라 가장 적합한 해상도를 보일 수 있는 탐색자를 선택하는 것이 필요하다.

단면 두께 해상도는 초음파 빔의 입체적 구조를 생각했을 때, 얼마나 얇은 두께의 단면을 만들 수 있느냐로 결정된다. 초음파 영상은 한 장의 평면으로 표현이 되기 때문에, 단면 두께가 두꺼우면 그 두께 안에 여러 구조물이 영상으로 표현되면서 원하지 않는 단면의 영상이 합쳐져 나타나게 된다.

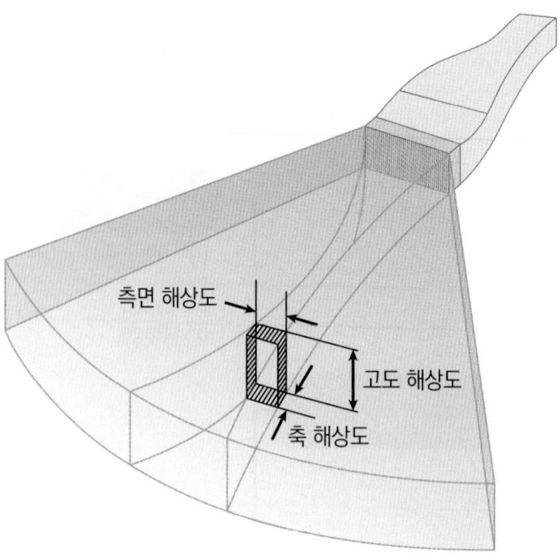

그림 1-5 해상도 모식도

2) 시간 해상도

시간 해상도는 영상의 한 프레임에서 다음 프레임까지의 시간을 의미하며 이것은 펄스 반복주기(pulse repetition period)로 표현된다. 시간 해상도는 빠르게 움직이는 구조물의 순간적인 변화를 구별하는 능력을 말하는데, 이를 향상시키기 위해서는 펄스 반복주기를 짧게 하고, 고주파 탐색자를 사용해 초음파의 침투 깊이를 줄이는 게 좋다.

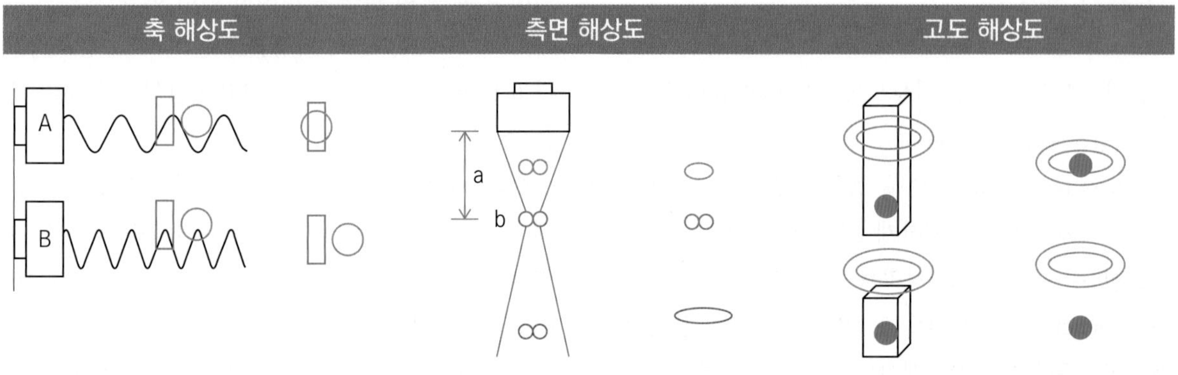

축 해상도	측면 해상도	고도 해상도
A는 저주파수의 긴 파장을 생성하고, B는 고주파수의 짧은 파장을 생성한다. 동일한 두 개의 물체에 각 변환기를 적용하면 A는 두 물체를 각각을 구분하여 영상으로 구현한다.	초음파 빔에 수직으로 위치하는 동일 평면의 두 물체는 초점(b) 주변에서 가장 잘 구분되어 구현된다. 변환기에서 초점까지의 거리(a)는 짧은 파장, 고주파수일 때 길어지며, a가 길 때 측면 해상도가 좋다.	초음파 빔의 입체적 단면의 두께에 따라 단면을 따라 위치하는 높이가 다른 두 물체를 구분하는 능력이 달라진다. 두께가 얇을수록 높이가 다른 물체를 잘 구분하여 각각의 영상으로 구현한다.

그림 1-6 해상도와 영상구현

3) 대조 해상도

대조 해상도는 인접한 구조물 사이의 초음파 강도의 차이를 구분하는 능력을 말하며, 압축이나, 조영제 사용 등 영상을 얻는 다양한 과정을 통해 향상될 수 있다. 대조 해상도는 공간 해상도에 영향을 받으며, 동일한 공간 해상도에서, 고주파수, 넓은 폭의 탐색자를 사용할 때 더 좋다. 대조 해상도는 초음파나 변환기의 물리적 특성 뿐만 아니라, 영상을 처리하는 전·후처리 과정을 통해서도 향상될 수 있다. 반향 신호가 기록되고 전산화되는 전처리 과정은 감쇠 조정, 깊이 보정 등의 기술이 포함되며, 영상을 처리하는 합성 기법, 회색조 간섭을 낮추거나, 대비를 강화하거나, 윤곽을 향상시키는 필터값을 조정하거나, 색상을 입히는 등의 조정 가능한 후처리를 통해서도 향상시킬 수 있다.

4. 탐색자의 구성 및 종류

탐색자는 전기적인 신호를 초음파 진동으로 바꾸어 주고 반대로 반사되어 들어오는 초음파 신호를 전기적인 신호로 바꾸어 주는 역할을 하는 초음파 장비의 구성품이다.

초음파 탐색자는 전기가 가해지면 변형되고 또한 반대로 압력이 가해지면 전위차가 발생하는 압전물질(piezoelectric material)이 주요한 역할을 한다. 여러 개의 작은 크기의 압전소자와 이에 연결된 각각 두 개의 전극으로 이루어진 전선 다발이 주요한 구조이다. 압전소자의 초음파 에너지가 인체에 전달되기 위한 정합층(matching layer)이 있고, 인체와 직접 만나는 부위에는 음파를 모아주는 음향 렌즈(acoustic lens)가 있다. 또한 압전소자를 기준으로 인체의 반대편인 케이블 쪽에서 압전소자에서 발생되어 뒤로 가는 음파와 앞쪽으로 갔다가 반사되어 들어온 초음파 에너지가 다음 번의 전기 신호에 따른 음파와 간섭되지 않도록 음파 에너지를 흡수하는 흡음 물질(backing material)로 이루어진 흡음층(backing layer)이 있다.

탐색자의 제일 바깥 부위에는 내부에 많은 전선과 전극이 있어서 감전을 피하기 위해서 방수가 되는 외피 케이스가 있다(그림 1-7).

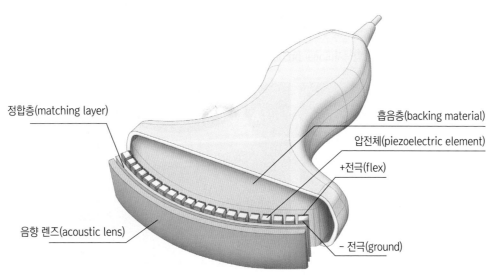

정합층(matching layer)

흡음층(backing material)

압전체(piezoelectric element)

+전극(flex)

음향 렌즈(acoustic lens)

- 전극(ground)

그림 1-7 탐색자의 구조

1) 탐색자의 종류

탐색자는 기능과 형태에 따라 구분한다. 압전소자의 배열이 일직선이라서 선형 탐색자, 압전소자의 배열일 약간 곡선인 곡선 탐색자, 압전소자 각각의 전기 신호에 차이를 두어서 음파 방향을 조절하는 위상차배열 탐색자로 구분된다.

(1) 선형 탐색자(linear probe)

선형 탐색자는 압전소자의 배열이 직선으로 나란히 배열되어 있고 각 압전소자에서 소자 배열 방향의 직각으로 초음파를 발생시켜 사각형의 영상을 얻게 된다(그림 1-8). 주로 압전소자에서 가까운 거리의 해상도가 좋아서 초음파 중에서 해상도가 좋은 높은(5~12 MHz)의 주파수를 사용한다.

외과에서는 주로 유방, 갑상선의 검사와 조직 검사 가이드 용, 혈관외과의 동맥과 정맥 등의 질환(예: 경동맥, 정맥류)을 검사하거나 시술 가이드로 많이 사용된다. 소아외과의 탈장 검사에도 사용되고, 흉부의 늑막과 폐의 일부를 검사하기 위해서도 사용될 수 있다.

(2) 곡선 탐색자(convex probe)

곡선 탐색자는 볼록 탐색자로도 불리는데 압전소자가 직선이 아닌 약간의 곡선으로 배치되어 있어서 초음파가 부챗살처럼 방출되고 돌아오므로 탐색자에서 멀어질수록 더 넓은 부위의 영상을 얻을 수 있다(그림 1-9). 주로 깊은 부위의 검사를 위해서 사용되고 주파수도 선형 탐색자 보다는 낮은(2~7 MHz)의 주파수를 주로 사용한다. 주로 복부 검사에

그림 1-8 선형 탐색자(linear probe)

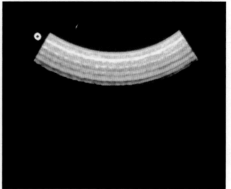

그림 1-9 곡선 탐색자(convex probe)

사용되며 수술 전 간, 담낭, 담도 및 췌장 등을 검사할 때 사용되거나 외상환자에서 복강내 출혈 등을 검사할 때도 유용하게 사용된다.

(3) 위상차배열 탐색자(phased array probe)

위상차배열 탐색자는 압전소자의 결합이 위상차배열로 되어 있는 것으로 초음파가 나오는 입구의 크기는 작고 주로 낮은(2~7.5 MHz) 주파수를 사용한다. 초음파가 부챗살처럼 퍼지는 것은 곡선 탐색자와 같지만 탐색자가 작아서 접히는 부채처럼 작은 탐색자를 중심으로 거의 삼각형과 같은 검사 영역을 가진다(그림 1-10). 주로 심장 검사에 유용하다.

2) 특수초음파 탐색자

(1) 체강내 탐색자(intracavitary prove)

이들 탐색자는 주로 압전소자가 곡면으로 배치되어 있고, 길게 디자인되어서 체강내의 해부학적 구조들을 검사하기에 용이하게 만들어졌다(그림 1-11). 체강내 탐색자는 곡선 탐색자보다 더 넓은 시야를 가지고 있고, 주파수도 장기를 가까이 접근해서 해상도를 높게 보기 위해 높은 주파수(8~13

MHz)를 사용한다.

(2) 수술 중 초음파와 복강경 수술용 탐색자 (intraoperative or laparoscopic probe)

선형 탐색자로 되어 있는데, 수술 중 내장 장기를 좀더 가까이에서 보다 높은 주파수로 검사하여 종양의 위치와 경계 그리고 중요한 해부학적 구조들과의 관계를 알기 위해서 사용한다. 종양을 보다 정확하고 깨끗하게 제거하면서 혈관과 신경 등 보존해야 할 구조들을 보호할 수 있다.

복강경 탐색자는 복강경이 들어가는 트로카(troca)를 통해서 삽입이 되고 좁은 공간 내에 한정된 이동 범위에서 검사해야 하는 어려움이 있다. 탐색자가 가장 작고, 얇고, 좁게 만들어져 있다. 탐색자의 주파수는 장기 가까이에서 해상도가 높은 영상을 얻기 위해 비교적 높은 주파수(5~12 MHz)를 이용한다.

(3) 볼륨 탐색자 또는 3차원 탐색자

산부인과에서 주로 쓰이는 탐색자로 선형 또는 곡선으로 구성된 초음파 소자를 기계적 장치로 영상을 얻으면서 계속적으로 회전시켜서 입체 또는 3D영상을 얻은 탐색자이다.

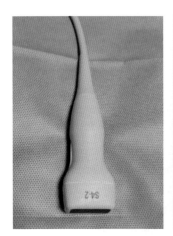
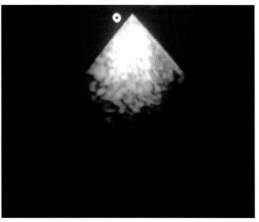

그림 1-10 위상차배열 탐색자(phased array probe)

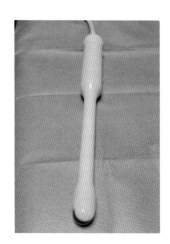

그림 1-11 체강내 탐색자 (intracavitary prove)

(4) 유방 자동초음파용 탐색자

이 특수 탐색자는 볼륨 탐색자와 같이 초음파 소자를 이동시키며 연속적인 영상을 얻는 것은 같으나, 볼륨 탐색자는 초음파 소자가 한 개의 축에 대한 회전으로 여러 방향의 영상을 합쳐서 입체영상을 얻는 반면, 유방 초음파는 초음파 소자를 직선으로 이동시켜서 유방 전체에 대한 볼륨영상(3D 영상)을 얻는다. 유방을 압박하는 장치와 함께 장착되어 있다. 탐색자는 15~24 cm 길이로 많은 압전소자자가 배열되어 있고, 기계적으로 일정 속도로 초음파 소자를 이동시키는 모터가 내장되어 있다(그림 1-12).

(5) 기타 초음파 탐색자

초음파 탐색자는 검사하려는 부위에 따라 다양한 크기와 모양과 주파수를 사용하는 탐색자 들이 있는데, 최근에는 초고주파수 탐색자, 무선 탐색자, 인체 부착형 탐색자 등 더욱 다양한 탐색자들이 개발되고 있다.

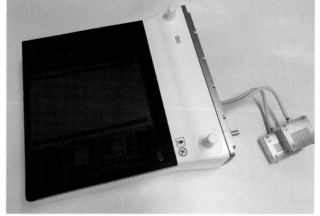

그림 1-12 유방 자동초음파용 탐색자

·⑴》 **참고문헌**

1. 조진현. 혈관초음파. 서울: 가본의학. 2007.

2. Erb J. Basic principles of physics in echocardiographic imaging and Doppler techniques. Cambridge: Cambridge University Press; 2010. pp. 13-33.

3. Hagopian EJ, Machi J. Abdominal ultrasound for surgeons. New York: Springer. 2014.

4. Hoskins PR, Martin K, Thrush A. Diagnostic Ultrasound: Physics and Equipment. 2nd ed. Cambridge: Cambridge University Press; 2010. pp. 64-7.

5. Lieu D. Ultrasound physics and instrumentation for pathologists. Arch Pathol Lab Med 2010;134:1541-56.

6. Ng A, Swanevelder JL. Resolution in ultrasound imaging. Continuing Education in Anaesthesia Critical Care & Pain 2011;11:186-92.

7. Pellerito JS, Polak JF. Introduction to vascular ultrasonography. 7ed. Philadelphia: Elsevier; 2019.

8. Stavros AT. Breast Ultrasound. Philadelphia: Wolters Kluwer Health; 2003.

초음파의 특성

1. 주파수, 파장, 주기, 진폭, 강도, 전파속도

초음파를 물리적 측면에서 설명한다면, 기기로부터 방사되는 압력파(pressure wave)가 매질(medium) 내에서 반복적인 미세입자의 진동을 일으켜 음향에너지를 전달하는 것이다. 압력파는 파동의 진행방향과 미세입자의 진동방향이 일치하는 종파와 파동의 진행방향과 미세입자의 진동방향이 직교하는 횡파로 분류할 수 있으며, 음향에너지는 종파에 해당

한다. 또한 압력파는 주변의 밀도보다 높아지는 과정과 낮아지는 과정을 통해 파형(waveform)을 만드는데, 이를 각각 압축과 희박이라 한다(그림 2-1). 초음파의 특성을 이해하기 위해서는 하나의 압축과 하나의 희박으로 구성되는 하나의 파동을 대상으로 파동을 구성하는 요소, 즉 주파수(frequency), 파장(wavelength), 주기(period), 진폭(amplitude), 강도(intensity), 전파속도(wave velocity)에 대하여 이해하는 것이 중요하다.

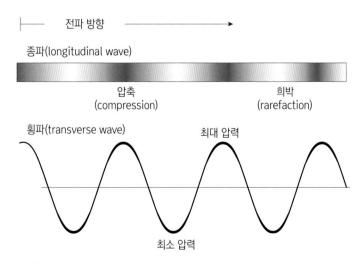

그림 2-1 압력파(pressure wave)의 양상

1) 주파수

주파수는 하나의 파동이 초당 몇 번 반복되는지를 나타내는 것이다. 알파벳 소문자 f로 표시하며, 단위는 hertz (Hz) 또는 cycles/second (cps)로 쓴다. 사람이 들을 수 있는 소리는 일반적으로 20 Hz에서 20,000 Hz 사이의 주파수이며, 20,000 Hz 이상의 높은 주파수를 초음파라고 한다. 의료초음파 기기에서 가장 많이 사용되는 주파수는 2-20 MHz이다.

2) 파장과 주기

주기적으로 반복적인 파동에서 파장은 거리 또는 길이의 개념이다. 하나의 파동에서 특정 지점을 기준으로 다음 파동에서 동일한 지점까지의 거리를 의미하며, 일반적으로 최고점에서 최고점 또는 최저점에서 최저점의 거리를 측정한다(그림 2-2). 그리스 문자 λ로 표시하며, 단위는 mm이다. 반면에 주기는 시간의 개념이며, 한 번의 완전한 진동이 발생하는 데 걸리는 시간을 의미한다. 알파벳 대문자 T로 표시하며, 단위는 sec (s), μsec (μs)이다. 주기는 주파수와 반비례 관계이며, 다음의 식으로 표현된다.

$$T = \frac{1}{f}$$

3) 진폭과 강도

진폭은 파동의 진동 폭을 의미한다. 그래프로 표현되는 파형에서는 최대치부터 최저치까지로 파의 전체 높이를 나타낸다(그림 2-2). 측정단위는 decibel (dB)이다. 강도는 단위 면적에 파동의 방향에 따라 전달된 힘의 정도를 의미하며, 단위는 Watt/㎡ 이다. 강도는 진폭의 제곱에 비례한다.

4) 전파속도

파동의 전파속도는 파동이 단위 시간 동안 이동한 거리이다. 알파벳 소문자 v로 표시하며, 단위는 m/s, mm/μs 이다. 파동은 매질의 한 점이 한 번 진동하는 동안에 한 파장의 거리를 진행하므로 전파속도는 파장을 주기로 나누면 구할 수 있으며, 다음의 식으로 표현된다.

$$v \text{ (mm/}\mu s) = \lambda \text{ (mm)} \times f \text{ (MHz)} = \frac{\lambda \text{ (mm)}}{T \text{ (}\mu s)}$$

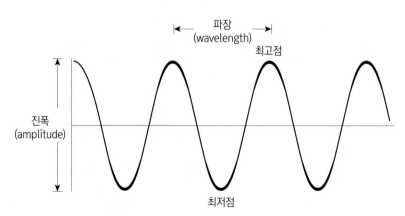

그림 2-2 파동(wave): 파장(wavelength)과 진폭(amplitude)

2. 조직과 만날 때

1) 조직과 경계면에서 발생하는 현상

초음파가 생체 내 서로 다른 2개의 어떤 매질을 통과할 경우, 그 매질의 음향저항을 가지며 각 매질에는 종류에 따른 고유한 음향저항치를 갖는다. 또한 매질에 닿을 때 산란(scattering), 반사(reflection), 굴절(refraction), 흡수 등에 의해 경계면에서 초음파가 감쇠되는 경향이 발생한다. 초음파의 감쇠는 높은 주파수일수록 정도가 심해지며, 조직의 심부로 갈수록 초음파가 도달하기 어렵게 된다. 따라서, 복부초음파검사에서는 비교적 낮은 주파수의 초음파를 이용해야 하는 반면에 갑상선이나 유방 초음파 등의 검사에서는 상대적으로 높은 주파수의 초음파를 사용해서 검사해야 한다.

(1) 산란

경계면이 넓고 평탄한 면에서는 입사한 파장이 정반대 방향에서만 고르게 반사하는 정반사를 한다. 하지만 생체 중 세포조직처럼 불균일한 조직에서는 반사와 산란이 일어날 수 있는데, 이처럼 입사한 음파와 반대 방향의 반사신호를 후방산란이라 한다. 세포조직처럼 파장보다 작은 다수의 반사체가 모여있는 경우, 각각에서 생겨난 반사파와 산란파 등이 서로 간섭하여 얼룩덜룩한 모양의 반사에코가 생기게 되는데 이를 스페클 패턴(speckle pattern)이라 한다.

(2) 반사와 굴절

음파는 생체 내의 음향저항치가 다른 조직 간의 경계 면에서 반사를 일으킨다. 이 저항치를 음향저항(Z)이라 부르고 매질의 밀도와 음속 C의 곱(Z=C)으로 표시한다. 즉 생체 내부의 밀도나 음속이 다른 조직이나 장기의 경계면에서는 음향저항치의 값에 따라 강한 반사가 보인다. 한편 경계면에 경사지도록 초음파가 입사한 경우에는 입사각 1과 반사각은 같게 되고 굴절각 2는 Snell의 법칙 C1/sin 1=C2/sin 2에 따르게 된다(그림 2-3).

초음파 음속에 대해 수직으로 위치하는 경계선으

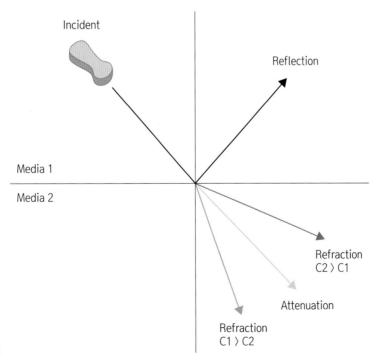

그림 2-3 반사와 굴절

로부터 탐색자를 향해 오는 초음파는 강하게 반사되기 때문에 수신에너지도 강하고 경계도 뚜렷한 반면, 수직이 아닌 경계선으로부터 오는 반사파는 이론적으로는 탐색자에 되돌아오지 않기 때문에 상이 맺히지 않지만(그림 2-4) 실제 생체 내의 경계선은 표면이 고르지 않아 일부 초음파가 탐색자를 향해 반사되므로 결과적으로는 영상이 맺히게 된다(그림 2-5).

① 음향증강(acoustic enhancement)

초음파가 생체 내의 조직을 통과할 때 조직이 액체로 가득 차 있는 경우에는 반사가 거의 일어나지 않아 초음파 영상이 맺혀지지 않고, 액체가 없는 경우에는 투과될 때 반사가 일어나서 초음파 영상이 맺힌다. 낭성 구조의 경우 후방에코가 증가되는 반면, 종괴의 경우에는 후방에코가 감소하는 경향을 보인다(그림 2-6).

② 음향음영(acoustic shadow)

생체 내의 서로 다른 조직의 경계면에서는 음향저항의 차이가 생기게 되고, 이 차이가 클수록 반사파는 크고 투과파는 작게 되어 두 경계면의 후방으로 음향음영이 생기게 된다. 뼈, 장관내 가스, 담석 등에서 이러한 음향음영을 쉽게 볼 수 있다(그림 2-7).

③ 측방음영 또는 가장자리음영 (lateral shadow, edge shadow)

혈관이나 낭종의 벽과 같이 크게 만곡된 표면을 갖는 병변의 가장자리에서는 특이한 형태의 음영이 발생할 수 있다. 예를 들어 낭성 병변의 가장자리에 후방으로 가늘고 미세한 검은 음영들이 퍼져 보이는데 이들은 낭종에 의해 후면에 발생하는 증강과 대조되어 두드러지게 보인다. 이를 측방음영 또는 가장자리음영이라고 한다(그림 2-8).

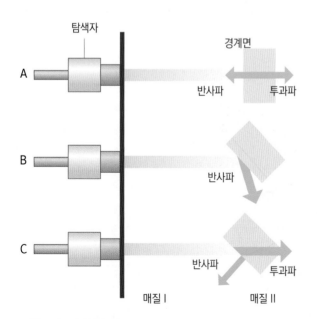

그림 2-4 반사와 굴절
A와 같이 반사체 표면이 초음파 음속에 수직이면 강한 반사신호가 나타나서 초음파 영상이 뚜렷하게 맺힌다.

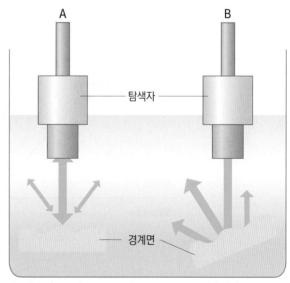

그림 2-5 초음파 산란의 효과
표면이 고르지 못한 경우 초음파의 산란으로 매질의 경계면이 (B)와 같이 초음파 음속과 수직이 아니더라도 일부는 반사되어 영상이 맺혀진다.

그림 2-6 후방에코의 음향증강과 감쇠

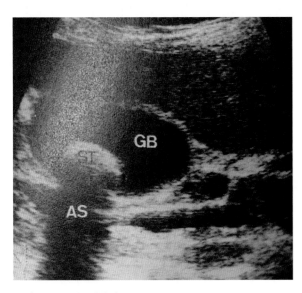

그림 2-7 담석의 음향음영
AS: acoustic shadow

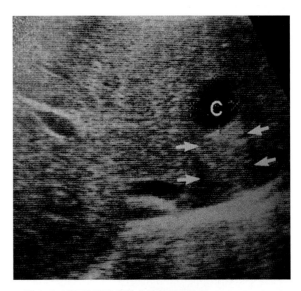

그림 2-8 낭종의 벽에 의한 측방음영(화살표)
C: 낭종(cyst)

(3) 감쇠와 흡수

초음파가 생체 내를 지나게 될 때, 액체보다 밀도가 높은 조직에서는 입사된 초음파의 일부는 흡수되고 투과된 초음파의 강도는 약해져서 감쇠현상이 일어나게 된다. 이처럼 초음파가 생체 내에 전파되면 흡수, 산란, 확산 등에 의해 그 강도가 약해지는 것을 감쇠라 부른다. 흡수에 의한 감쇠는 초음파가 전파될 때 그 에너지의 일부가 열에너지로 변환되기 때문에 일어나지만 조직에 따라 달라서 액체에서는 작고 지방이나 근육 등에서는 크다. 감쇠 때문에 심부에서는 초음파 강도가 약해져서 초음파진단장치에는 깊이에 관계없이 똑같은 휘도로 조절할 수 있는 STC [sensitivity time control = TGC (time gain control)]에 의해 조정이 가능하다. 산란에 의한 감쇠는 초음파가 그 파장보다도 훨씬 작은 대상물에 도달해서 진행방향 이외의 방향으로 진행함으로써 생기는 감쇠이다. 생체조직에서는 산란에 의한 감쇠보다도 흡수에 의한 감소가 크다. 공기 중에서 감쇠는 생체 내보다 크고 폐 등의 공기가 상대적으로 많은 장소에서 초음파진단장치가 무력한 이유는 이 때문이다. 일반적으로 초음파는 주파수가 높은 만큼 감쇠가 크고, 낮을수록 생체의 심부까지 도달된다. 따라서 고형성 종괴의 초음파상은 종괴 후부의 에코가 감쇠되어 검은 그림자로 나타나는 것이다.

2) 초음파 영상의 특징

초음파검사에서 장기 및 병변의 윤곽과 조직 구조는 윤곽(contour), 조직(tissue), 관상(tubular)의 세 가지 특징을 갖는 영상으로 표현된다(표 2-1).

(1) 윤곽영상

장기 및 병변의 윤곽을 나타내는 초음파 영상은 격벽영상(septation image), 경계면영상(interface image), 그리고 벽영상(wall image)으로 나뉜다. 이 중 격벽영상은 액체가 고인 낭성 물체를 둘로 뚜렷하게 구분하는 선상에코를 말한다(그림 2-9). 경계면영상은 서로 다른 음향저항을 갖는 두 영역을 분리하는 연속적인 선을 말하고 이는 액체와 고체 사이나(그림 2-10) 간, 콩팥 등의 경계면에서 뚜렷하게 관찰될 수 있다. 벽영상은 2개의 서로 다른 조직 영역을 구분해주는 연속적인 선을 의미하며 혈관벽(그림 2-11)이나 간, 콩팥의 경계 에코에서 잘 관찰된다. 이렇게 윤곽영상을 구분, 분석하는 일이 초음파 진단의 첫 번째 단계이며 검사자는 해당 윤곽영상을 연속성, 규칙성, 선명도의 관점에서 평가해야 한다.

(2) 조직영상
① 액체 및 고체 영역의 에코양상

초음파검사에서 관찰되는 액체와 고체 영역의 에코양상은 각각의 특징에 따라 명확히 구분될 수 있

표 2-1 기본적인 초음파 영상의 형태

윤곽영상(contour images)	경계면영상(interface image)
	격벽영상(septation image)
	벽영상(wall image)
조직영상(tissue images)	액체성(liquid)
	반고형성(semisolid)
	고형성(solid) - 균질성(homogenous) - 비균질성-결절성(heterogeneous-nodular): 대결절성 혹은 - 소결절성(macro or micro), 저에코성 혹은 고에코성(hypo- or hyperechoic)
관상영상(tubular images)	침윤성(infiltrative)
	혼합형(mixed)

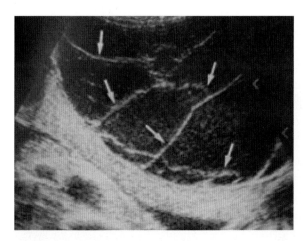

그림 2-9 만성 경화성 복막염
만성 경화성 복막염에서 보이는 격벽영상(화살표)

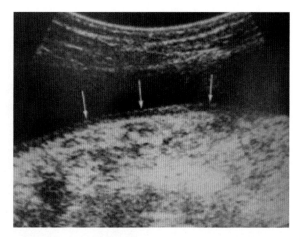

그림 2-10 만성 경화성 복막염
만성 경화성 복막염에 의해 두꺼워진 복막과 복수 사이에 보이는
경계면영상(화살표)

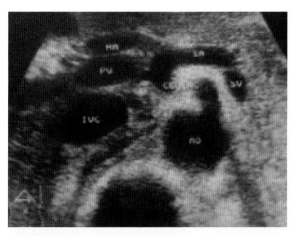

그림 2-11 췌장 주위의 혈관들의 벽영상
HA: 간동맥, SA: 비장동맥, PV: 간문맥, SV: 비장정맥, IVC: 하대
정맥, Ao: 대동맥

다. 먼저 액체의 경우, 고주파수에서도 무에코로 관찰되는 반면, 액체가 고여있는 영역의 후방으로는 후방에코가 증강되어 보인다. 그러나 고형 조직의 경우, 내부에코질감(internal echotexture)으로 구분, 표현되는데 정상 실질에서 관찰되는 것처럼 내부 에코가 규칙적으로 배열되어 있고 균질한 경우를 가리켜 고형성 균질 에코양상이라고 표현한다.

장기의 종류에 따라서도 초음파검사에서 관찰되는 에코발생도(echogeneity)의 정도가 다르다. 췌장 실질의 경우, 간 실질보다 높은 에코발생도를 보이는 반면 신장 피질은 간 실질보다 에코발생도가 낮다(그림 2-12, 13). 지방조직의 경우에는 음향 특성에 따라 일정하지 않은 에코발생도를 보이는데, 예를 들어 피하지방은 저에코인데 반해 장간막지방이나 신장동지방(renal sinus fat), 혈관근지방종(angiomyolipoma) 등은 고에코양상으로 보인다. 또한 지방조직의 에코발생도는 나이 및 환자 개개인에 따라 서로 다르게 나타난다. 지방조직의 에코 반사 정도는 지방 내부의 교원섬유질(collagen fiber) 양에 따라 매우 다양하게 나타나는데, 섬유질의 양에 비례하여 반사 정도가 증가한다. 따라서, 순수 지방은 근본적으로 무에코이며, 만약 서로 다른 에코발생도를 갖거나 다양한 크기의 지방 섬(fat islands)이 다수 있으면 해당 에코양상을 고형성 비균질 에코양상이라고 표현하는데, 이는 다음과 같이 세 종류로 분류할 수 있다. 소결절성, 대결절성, 그리고 침윤성으로 나눌 수 있으며 침윤성은 대결절성 또는 미만성으로 분류 가능하다(그림 2-14).

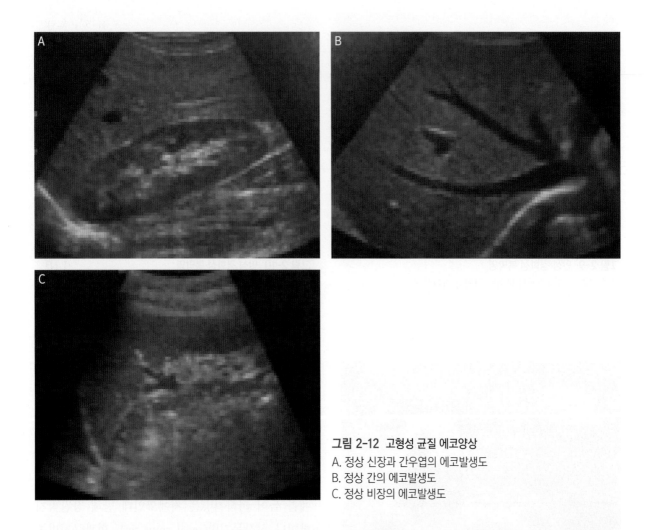

그림 2-12 고형성 균질 에코양상
A. 정상 신장과 간우엽의 에코발생도
B. 정상 간의 에코발생도
C. 정상 비장의 에코발생도

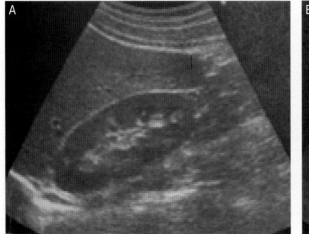
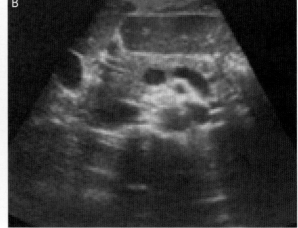

그림 2-13 장기에 따른 에코발생도 차이
A. 간과 우측 신장의 에코발생도
B. 췌장의 에코발생도

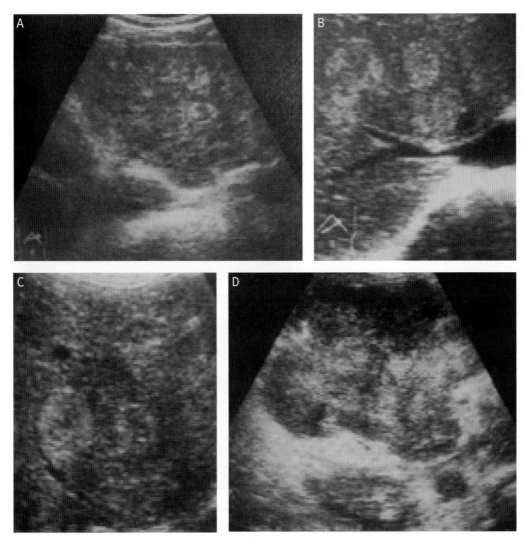

그림 2-14 고형성, 비균질 에코양상
A. 소결절성, B. 대결절성, C. 대결절성, 침윤성, D. 미만성, 침윤성

② 반고형 에코양상(semisolid echotexture)

반고형 에코양상의 경우 위에서 설명한 액체나 고체의 에코양상에 비하여 구분하기 좀더 까다롭다. 일반적으로는 무에코이며, 수신 강도를 높여도 에코양상은 그대로이나 후방에코의 증강은 관찰할 수 없다. 이는 중등도의 감쇠를 보이는 균질한 고형 조직의 경우에서 나타날 수 있으며, 이러한 경우를 반고형 에코양상 혹은 반액상 에코양상이라고 표

현한다(그림 2-15). 고형 조직에서 관찰되는 이런 에코양상은 괴사나 부종에 의한 액체를 포함하고 있음을 의미한다. 또한 액체 내에 진한 덩어리 같은 물질이나 조직 부스러기가 포함된 경우에도 이와 비슷하게 보일 수 있다. 따라서 반고형 에코양상을 띠는 경우에 해당 조직이 액체인지 고체인지 감별이 쉽지 않은 경우가 많다. 특히 후방에코의 감쇠가 동반되지 않은 고형 조직은 구분이 상대적으로

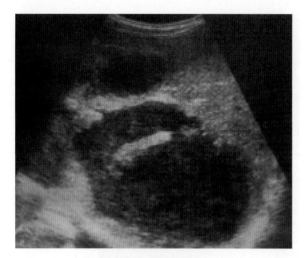

그림 2-15 반고형성, 괴사성 간농양

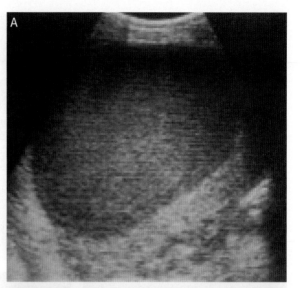

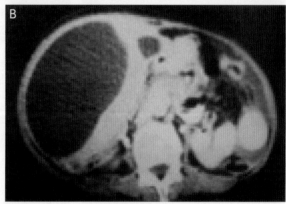

그림 2-16 초음파상 커다란 균질, 고형성 종괴처럼 보이나 천자 시 혈액으로 확인됨(초음파상의 함정)
A. 초음파상, B. CT상

뚜렷한 후부경계를 보이며, 농(pus)이나 혈액, 기타 결정체로 된 물질을 함유하고 있는 액체는 고에코 상을 보인다(그림 2-16).

(3) 관상영상

체내에는 혈관이나 담도와 같은 다양한 관상 구조가 있는데, 초음파 영상에서 이들은 구분이 용이한 벽과 무에코로 구성되어 보인다. 하대정맥(그림 2-17)이나 대동맥(그림 2-18)은 혈관 전체가 두꺼운 혈관벽으로 둘러싸여 잘 보이나 혈관벽이 얇은 혈관의 경우에는 혈관벽의 에코가 뚜렷하지 않을 때도 있다. 일반적으로 혈관 내강은 무에코이지만 적혈구의 응집도에 따라 고에코로 보일 수 있다. 혈관이나 담관과 같은 관상 구조물은 초음파 영상에서 잘리는 단면, 즉 횡단면, 종단면, 사면에 따라 다르게 나타난다(그림 2-19). 따라서 초음파 영상을 분석할 때는 다양한 조건을 종합적으로 평가, 분석해야 한다(표 2-2).

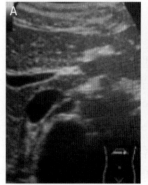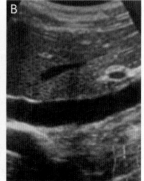

그림 2-17 관상영상
A. 하대정맥의 횡단상, B. 하대정맥의 종단상

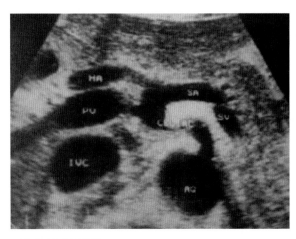

그림 2-18 관상영상
HA: 간동맥, SA: 비장동맥, PV: 간문맥, SV: 비장정맥, IVC: 하대정맥, Ao: 대동맥

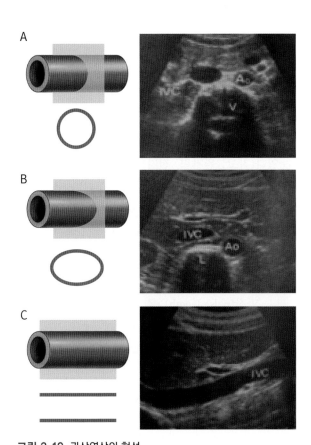

그림 2-19 관상영상의 형성
A. 혈관의 종단면상, B. 혈관의 사단면상, C. 혈관의 횡단면상
Ao: 대동맥, IVC: 하대정맥, V: 척추

표 2-2 초음파 영상의 분석

윤곽의 분석 (contour analysis)	규칙성(regularity)
	연속성(continuity) 혹은 분할성(partition)
	벽의 두께(thickness of wall)
조직의 분석 (tissue analysis)	에코양상의 형태(type of echotexture)
	감쇠(attenuation)
	해부학적 관계(anatomic relations)
	허상(artifacts)

3. 펄스파 초음파

1) 펄스파 초음파의 정의

초음파는 사람이 들을 수 없는 높은 진동수를 갖는 음파이며 진동 에너지를 포함하고 있는 에너지의 전달 방식이다. 음파 에너지의 전달은 진동을 기본으로 하고, 각 조직은 외부에서 전달된 음파 에너지를 1) 내재화(굴절; refraction, 흡수; absorption, 투과; transmission, 감쇠; attenuation) 혹은 2) 외부로 발산(반사; reflection, 산란; scattering)하게 되고, 이 패턴을 수신하여 분석하는 것이 초음파 해석 방식이다.

이 진동의 형태를 지속적으로 발사하는 연속파 초음파와 간헐적으로 발사하는 펄스파 초음파로 나눌 수 있다. 도플러 효과를 이용하여 혈류의 속도 및 방향 등을 측정하는데 사용되는 방식으로 펄스파와 연속파를 이용하게 된다. 연속파 초음파는 연속적으로 초음파를 발신 및 수신을 하게 되며, 기계적으로 발신부와 수신부가 분리되어 있다. 주파수는 4~10 MHz의 범위를 많이 사용하게 되며, 말초 혈관 혹은 두개의 경동맥의 검사에 주로 이용된다.

연속파 초음파와 비교하여, 보다 적은 에너지로 운용이 가능하고, 단일 송수신기로 송수신이 가능하고, 펄스 간의 위상차 변화로 대상물의 속도 측정이 가능한 특징이 있다.

펄스파 초음파는 펄스의 형태로 초음파를 발사하는 장비로, 기계적으로는 발신부와 수신부가 하나의 부품으로 이뤄져있다. 전체 음파 송수신 시간 중에 발신하는 시간이 1%(약 1 μsec)이고, 수신하는 시간이 99%로 구성된다. 펄스파 초음파는 짧은 소리 파동을 전파한 뒤, 남은 시간은 반사된 에코를 받아들이는 데 사용된다.

초음파에서 쓰이는 시간 단위는 대개 초(sec, second)를 사용하며, msec는 밀리초, 1/1,000초를 뜻하며, μsec는 마이크로초, 1/1,000,000초를 뜻하며, 특이하게 마이크로 μ는 그리스어에서 차용하여 사용한다.

2) 펄스파 파형의 이해

(1) 파장(wave length)

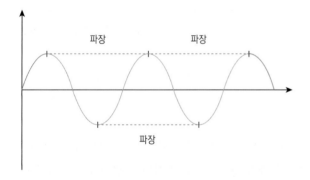

파동에서 같은 위상을 가진 서로 이웃한 두 점 사이의 거리로, 즉 주기적으로 반복되는 파형에서 마루에서 다음 마루까지의, 또는 골에서 다음 골까지의 거리이다.

파장 = 광속 / 주파수 이다.

(2) 펄스 폭(pulse width)

에너지 파형에서 단일 펄스의 선두 및 후미 모서리 사이에서 경과된 시간을 측정한 것이다.

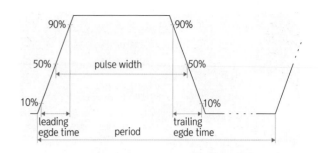

(3) 펄스 지속 시간(pulse duration)

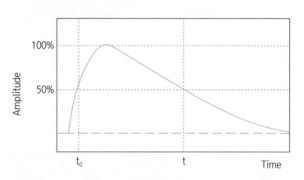

초음파에 있어서는 펄스파 파형의 50% 상승부터 50% 하강까지의 시간 개념이다. 즉, 시간 축에서의 파형의 중간 에너지 상태의 최대 시간 개념으로 볼 수 있다(참고: 원자력, 전자회로에서의 에너지 파형을 파장, 펄스폭, 펄스 지속 시간(pulse length, pulse width, pulse duration) 등을 혼용하여 쓰는 경우가 있어 해석에 혼동이 있을 수 있다).

① 초음파 분야
- 파장(pulse length): 같은 위상을 가진 서로 이웃한 두 점 사이의 거리
- 펄스 폭(pulse width): 파형의 시작점과 끝점을 잇는 시간 간격
- 펄스 지속 시간(pulse duration): 파형의 50% 상승~50% 하강의 시간 간격

② 원자력, 전자, 레이저분야

펄스 지속 시간(pulse duration)는 원자력, 전자, 레이저 분야에서 통상 pulse length/width 라고도 한다.

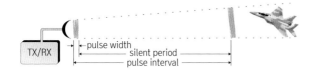

상기 과학분야에서의 파형, 파동은 빛(전자)의 광파 에너지 이동은 음파에 비해서 빠른 속도(수소 내핵을 돌고 있는 전자의 속도 2,200 km/sec vs. 섭씨 온도 t℃에서의 음파의 속도 v는 대략 v=331 m/sec+0.6 t)에 있어서, pulse length와 width를 잴 수 없는 만큼의 빠른 상황에서 혼용하여 사용하는 것으로 판단된다.

혼용에 대한 오역 가능성이 있으나, pulse length, pulse width, pulse duration은 각각 다른 개념임을 양지해야겠다.

(4) 펄스 반복주파수
(pulse repetition frequency, 이하 PRF)

펄스 활동이 초당 발생하는 횟수로 정의하며, 통상 시간은 1초로 제시한다. 이는 다른 유형의 파형을 설명하는 데 사용되는 초당 싸이클과 유사한 의미이다. 1초 당 반복되는 펄스의 수로 단위는 pps (pulse per second)이며, 초음파에서는 많은 경우 Herz (Hz)를 대표단위로 사용한다.

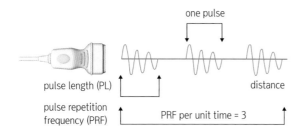

상기 그림에서 개별 펄스파는 총 3회로, 1초 단위 시간 이내 발생했다면, 펄스반복주파수는 3 된다.

펄스가 반복되는 횟수를 "펄스 반복주파수(pulse repetition frequency, PRF)"라고 하며, 4,000 – 12,000 pulse/sec (=Hz)의 범위가 주로 사용된다.

진단용 초음파로는 1,000~10,000 Hz가 유용하다.

PRF는 거리를 측정하는 시스템에서 굉장히 중요하다.

특정한 주기를 가지고 반복적인 펄스 신호를 발신한 후 PRF 시간 별로 수신된 신호를 사이의 위상차를 이용해 새로운 신호를 재구성하여 거리를 산정할 수 있고, 시간의 흐름을 대입하여 속도를 계산할 수 있는 방식이다. 이는 혈류속도를 측정해내는 방식 중에 하나로 사용 가능하다.

저주파수의 초음파는 상대적으로 감쇠가 적으므로 더 먼거리로 더 높은 에너지를 전파할 수 있다. 즉, 더 낮은 PRF를 이용하여 깊은 조직을 확인하는 데 쓰인다. 반면 고주파수의 초음파는 감쇠가 더 많이 일어나므로 깊은 조직보다는 얕은 조직을 관찰할 때 사용되며 상대적으로 해상도가 높다.

예를 들어, 물 속에서의 음속은 1,497 m/sec이고, 인체 체간의 두께가 대략 50 cm이라고 가정하면, 인체 체간을 통과하는 초음파 영상에 대한 PRF는 약 3 kHz 미만이어야 한다(2,994 Hz = 1,497 m/sec / 0.5 m). 바다 깊이가 약 2 km 일 때, 소리가 해저에서 돌아오는 데, 1초 이상이 걸린다. 이 경우 대략 0.75 Hz 로 낮은 PRF 값을 갖는다.

검사하는 깊이를 조절하는 원리의 다른 예로, 초음파가 적혈구까지 왕복하는 시간이 지난 후에 수신 gate를 여는 것이다. 초음파 속도가 1,497 m/sec 이므로, 100 mm 깊이의 적혈구까지 초음파가 도달하는 시간은 100 mm/1,497,000 mm/sec = 약 66 μsec의 시간이 걸린다. 초음파는 반사되어 수신되는 데까지 시간이 두 배 걸리게 되므로, 기계의 수신부가 약 130 μsec 후에 열리도록 조절해놓으면 100 mm 깊이에 있는 적혈구의 속도가 측정 가능하다. 같은 원리로 120 mm의 거리에 있는 적혈구의 속도를 측정하려면 수신부가 약 156 μsec 후에 열리도록 조절해 놓으면 된다.

위와 같이 펄스파 도플러는 혈류의 위치에 관한

정보를 얻을 수 있으므로 초음파 영상을 구성하는 데 이용되는 반면, 연속파초음파는 태아의 심장 동맥파 등의 움직임을 탐지할 수는 있으나 보통 이차원적 영상으로 만들어지지는 않는다.

다음에 설명할 개념인 펄스 반복주기(pulse repetition period, PRP)와 PRF는 서로 역수 관계에 있고, PRF는 시간에 반비례한다.

$$T = \frac{1}{PRF}$$

PRF는 일반적으로 다음 펄스가 발생하기 전에 펄스가 이동하는 거리인 펄스 간격과 연관이 있다.

$$Pulse\ spacing = \frac{Propagation\ speed}{PRF}$$

(5) 펄스 반복주기(pulse repetition period, PRP) = 펄스 간 간격(inter-pulse period, IPP) 펄스 반복구간(pulse repetition interval, PRI)

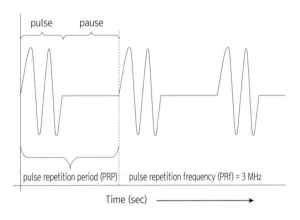

하나의 펄스가 발신되고 나서 다음 펄스가 발신될 때까지 펄스가 반복되는 데 걸리는 시간/주기/구간으로, 펄스 반복주기가 짧은 수록(이는 펄스 반복주파수(PRF)가 많아지는 것을 의미하기에) 영상의 선명도는 좋아지나, 반사되는 펄스 시간 간격이 짧아져 탐지 거리가 짧아진다.

단위로는 시간의 단위로, 초[sec, msec(밀리초, 1/1,000초), µsec(마이크로초, 1/1,000,000초, 마이크로 µ는 그리스어) 등] 단위를 차용한다.

(6) 공간펄스길이(spatial pulse length, SPL)

한 펄스가 정하는 공간의 길이이다. 파형의 길이에 파장 개수의 곱으로 정의하며, 다음 도식으로 표현할 수 있다.

SPL = wave length x number of cycles로 계산할 수 있다. 길이의 개념으로 단위는 길이 단위를 차용하여 사용한다.

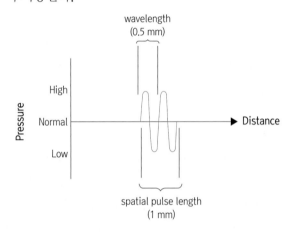

위의 그림을 보면, wave length 0.5 mm의 wave가 2회로 하나의 pulse wave를 구성하며, 이 때 공간 펄스 길이는 0.5 mm × 2 cycles로 1 mm가 된다.

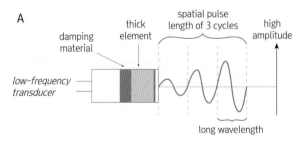

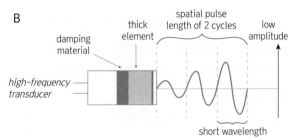

SPL은 트랜스듀서의 축방향 해상력(axial resolution)에 결정에 필요하며 SPL이 작아질수록 축방향 해상력(axial resolution)은 향상된다.

펄스 지속 시간(pulse duration)이 길어지면, SPL가 길어지게 되고, 고진폭(high-amplitude)을 가지게 되어 대역폭(band width)이 좁아진다. SPL과 트랜스듀서의 대역폭(transducer band width)은 서로 역 비례한다.

(7) 충격계수(duty factor)

신호의 한 주기(period)에서 신호가 켜져 있는 시간의 비율을 백분율로 나타낸 수치이다.

Duty factor = Pulse Duration / Pulse Repetition Period

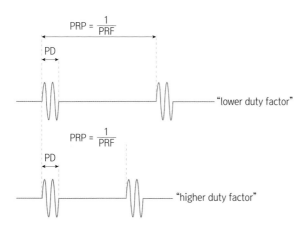

펄스파 트랜스듀서는 켜짐과 꺼짐을 반복하면서 작동하는데, 송수신의 가동시간의 꺼짐(수신시간)이 99% 정도의 시간을 차지한다. 충격계수는 단위는 없고, %(percent)로 표현한다.

만약 충격계수가 1.5 μs이고 펄스 반복주파수(PRF)가 1,000 Hz이라고 한다면, 펄스 반복주기(PRP) = 1/1,000 = 1 msec (=1,000 μs)

DF = 1.5 μs/1,000 μs = 0.0015 × 100% = 0.15%이다. 우리가 사용하는 진단용 초음파는 충격계수가 0.1-1% 정도 된다. 참고로 Continous Wave

mode에서는 계속해서 crystal(송신부)이 가동되므로 충격계수가 1이 된다.

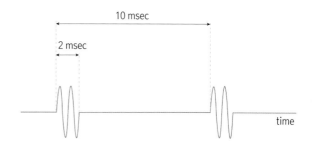

상기 그림의 경우, 충격계수는 2 msec/10 msec로, 20%로 확인할 수 있다.

(8) 혼동하기 쉬운 내용

파형에 따른 시간 개념 vs. 파형에 따른 거리 개념

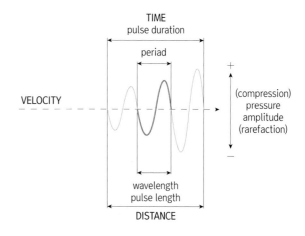

Spatial pulse length

- The distance from start to the end of one pulse.

- Can not be changed by sonographer

- Determines Axial Resolution

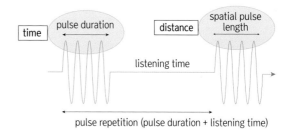

·⫸ 참고문헌

1. 심찬섭. 복부초음파진단학. 제4판. 서울: 여문각; 2019.

2. Hagopian EJ, Machi J. Abdominal ultrasound for surgeons. 1st ed. London: Springer; 2014.

3. Jin SM. The Physics of Sound. The Journal of the Korean Society of Logopedics and Phoniatrics 2011;22:99-102.

4. Lumb PD. Karakitsos D. Critical Care ultrasound. Elsevier Saunders; 2015.

5. Rumack CM, Levine DA. Diagnostic ultrasound. 5th ed. Philadelphia: Elsevier Saunders; 2018.

6. Soni NJ, Arntfield RT, Kory P. 응급 현장초음파. 제1판. 파주: 군자출판사; 2019.

도플러

1. 기원

도플러 원리는 1842년 별의 빛을 연구하여 이 효과를 처음으로 설명한 수학자이자 물리학자였던 크리스티안 요한 도플러(Christian Johann Doppler, 1803.11.29~1853.3.17)에 의해 처음 설명되었다. 그는 음향 현상과 광학 현상을 연구하여 관측자와 진동원과의 상대 운동에 의해 진동수가 변하는 것을 「도플러 효과」라고 명명하였고 그의 저서 《이중성(二重星)의 다색광(多色光)과 천체의 그 외 몇 개의 다색광에 대하여》에 발표하였다.

2. 도플러 원리

진동을 갖는 음원이 이동할 때 이동 속도만큼 주파수가 변하고, 관찰자의 귀에는 변화된 주파수로 들린다는 이론이다. 관찰자와 진동을 갖는 음원이 서로 가까워질수록 이 도플러효과로 인해 파장이 짧아지고(주파수 증가), 관찰자와 음원이 서로 멀어질수록 파장이 길어진다(주파수 감소).

이에 대해 가장 잘 알려진 예가 구급차 사이렌 소리이다. 사이렌에 의해 방출되는 주파수는 동일하게 유지되지만 관찰자와 구급차가 가까워지면 사이렌 소리는 더 높은 피치를 보이고, 관찰자로부터 차량이 멀어질 때는 더 낮은 피치를 보이게 된다. 이때 구급차가 관찰자를 지나는 그 순간 피치의 높낮이가 바뀐다. 따라서 관찰자의 귀에 의해 감지되는 사이렌의 피치는 관찰자에 대한 운동방향에 의존하여, 차량이 접근하는 동안에는 일정하게 높게 유지되고 멀어지는 동안에는 지속적으로 낮게 유지된다. 이때 이 피치의 변화(주파수 변화)를 도플러 변위(shift)라고 부른다.

이러한 도플러 원리가 혈관에서 사용될 때, 혈류를 감지하고 혈관질환을 정량화 하는데 사용될 수 있다. 이때 진동을 일으키는 음원은 도플러 탐색자에서 방출되는 빔이며, 이것이 움직이는 혈액 세포에 부딪히며 도플러 변위를 일으키게 된다. 이 도플러 변위를 이용하여 혈류의 속도를 확인할 수 있다.

3. 도플러 방정식

도플러 탐색자와 혈류 방향에 따라 탐색자로의 복귀 에코의 주파수 높낮이가 결정되게 된다. 특히 혈류를 피부에서 측정할 경우, 초음파 빔의 축이 혈류 방향(혈관의 종축)과 일치하지 않기 때문에 속도를 계산하기 위해서는 이에 대한 각도 보정이 필요하다. 상이한 속도 벡터를 나타내는 변환은 수학적으로 도플러 탐색자 빔과 혈관(cos θ) 사이의 각도의 코사인 함수로서 표현할 수 있다. 이러한 모든 양상을 고려하여 나타낸 식이 바로 도플러 방정식이다.

이 도플러 방정식을 통해 도플러 변위를 확인할 수 있으며 이때 도플러 변위의 값이 양의 값이라면 수신된 주파수가 원래 주파수보다 높다는 것이고 이는 혈류가 탐색자쪽으로 향하는 것을 의미하며, 도플러 변위가 음의 값이라면 수신된 주파수가 원래 주파수보다 낮다는 것이고 혈류가 탐색자쪽에서 멀어지는 것을 의미한다.

$$FD = Fr - F0 = 2F0 x v x \cos\theta/c$$

FD   도플러 변위

F0   송신된 원래 주파수

Fr   적혈구에 반사되어 탐색자에서 수신되는
      주파수

c   연조직에서의 음파 속도 (대략 1,540 m/s)

θ   초음파 빔과 혈류 방향 사이의 각도

이 방정식에 따르면 도플러를 이용하여 속도를 측정할 때 이 속도 추정의 정확도는 각도에 따라 달라지게 된다. 도플러 각도가 90°인 경우 코사인 함수는 0 주위의 값을 생성하며, 초음파 빔이 혈류 방향에 수직으로 들어가 도플러 탐색자와 적혈구 사이에 상대적인 움직임이 없기 때문에 이때에는 도플러 주파수 변위가 없고 이 도플러 각도가 감소함에 따라 도플러 변위가 증가하게 된다. 이론상 도플러 각도가 0°일 때(α = 0°에서 최대 cosα가 1임) 코사인 함수는 1의 값을 생성하게 되고 이때는 도플러 빔과 혈류가 평행하게 정렬(입사각 0°)되어 최적의 결과를 보이게 된다(표 3-1, 그림 3-1).

표 3-1에는 다양한 입사각에 대한 도플러 변위 주파수가 나열되어 있으며, 도플러 각도에 따라 혈류 속도를 추정 할 때의 오차 백분율이 어떻게 증가하는지를 보여준다. 이에 따르면 60° 보다 높은 각도에서는 불가피하게 속도도 왜곡되어 50% 이상 오차가 증가하는 것을 확인할 수 있고, 90°의 각도까지 도달할 경우 도플러 변위는 더 감지될 수 없고 이때는 흐름 방향을 결정할 수 없다. 이에 허용할 수 없을 정도의 오차를 줄이기 위해서는 60° 미만의 도플러 각도를 유지하는 것이 이상적이다.

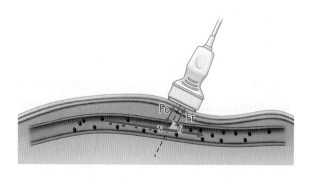

표 3-1 도플러 입사각에 따른 혈류 속도의 오차 백분위

각도	코사인 값	오차범위
0°	1	0
30°	0.866	13
45°	0.707	29
60°	0.5	50
90°	0	100

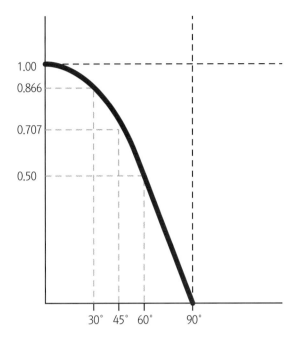

그림 3-1 코사인 그래프

4. 진단 도플러의 종류

1) 연속파 도플러

연속파 도플러(continuous wave doppler, CW doppler)는 초음파의 지속적인 전송 및 수신을 사용한다. 이는 두 가지 전용 탐색자 요소로 이루어진다. 하나는 신호를 단독으로 보내고 다른 하나는 수신만 하는 요소로 구성된다. 펄스가 방출되지 않기 때문에 이 연속파 도플러는 음파가 반사되는 위치를 결정할 수 없다. 따라서 연속파 도플러는 특정한 한 지점을 결정하여 그 부분의 도플러를 확인할 수는 없으며, 여기서 보이는 속도 곡선은 초음파 탐색자 빔의 경로를 따라 어딘가에서 반사가 된다는 것

만 알 수 있다. 따라서 여러 개의 혈관이 중첩되는 경우 특정 도플러 신호를 구별할 수 없다는 단점이 있으나, 좁은 면적에서 펄스 도플러(pulse doppler, PW doppler)로 측정이 불가능할 정도의 빠른 속도를 보이는 경우(심장판막질환 예: 대동맥 협착) 유용하게 사용될 수 있다.

2) 펄스 도플러

Chapter 2-3의 펄스 초음파 내용을 참고하자.

3) 이중 도플러

이중 도플러(duplex doppler)는 초음파를 이용해 해부학적 영상을 제공하는 밝기 모드(brightness mode, B mode) 영상과 혈류 속도 측정이 가능한 도플러검사를 동시에 수행하는 것을 말한다.

대부분 실시간 B 모드와 펄스 도플러를 함께 확인하고, B 모드와 컬러 도플러, 펄스 도플러를 모두 함께 보는 경우 삼중 모드라고 불리기도 한다. 이러한 이중 도플러는 혈관의 해부학적 정보 및 병태 생리학적 정보를 함께 파악할 수 있는 장점이 있다.

4) 컬러 도플러

컬러 도플러(color doppler)는 지정된 시야 내에서 산란과 반사를 통해 초음파 빔 방향에 대한 속도를 표시함으로 나타난다. 각 샘플의 속도에는 미리 색상이 할당되고 이렇게 표시된 컬러 도플러 이미지 데이터가 그레이 스케일 이차원(2D) 이미지에 중첩되어 합성이미지를 얻는다. 대부분 초음파 도플러로 가까워지는 경우 파란색, 초음파 도플러로부터 멀어지는 경우 빨간색으로 표시된다. 이 방법의 가장 큰 장점은 해부학적 정보와 혈류에 대한 정보를

동시에, 그리고 실시간으로 빠르게 화면에 표시해 줄 수 있다는 것이다.

5) 파워 도플러

도플러 신호의 전체 강도(진폭)에만 의지하고 방향 정보를 무시하는 신호처리 방법을 이용한 것이 파워 도플러(power doppler)이다. 방향성 및 정량적 흐름 정보를 희생시키는 대신 움직임에 대한 민감도(예: 느린 혈류)를 증가시킨다. 따라서 흐름 방향이나 속도를 알 수는 없으나 이미지 노이즈가 줄어들기 때문에 소량의 흐름을 감지하는데 더 민감하다. 또한 컬러 도플러에서 쉽게 발생 가능한 엘리어싱이 나타나지 않으며 초음파 빔과 혈관 간의 각도에 영향을 받지 않아 구불구불한 혈관의 이미징에 유용하다. 그러나 탐색자의 움직임이나 환자의 움직임이 있을 때 모션 허상이 잘 발생한다는 단점이 있다.

⠀⠀참고문헌

1. 김향경. 퍼펙트 경동맥초음파. 서울: 대한의학서적; 2018.

2. AbuRahma AF. Noninvasive Vascular Diagnosis: A Practical Textbook for Clinicians. 4th ed. Springer; 2017.

3. Pellerito JS, Polak JF. Introduction to Vascular Ultrasonography. 6th ed. Elsevier Health Sciences; 2012.

4. Rasalingam R, Makan M, Perez JE. The Washington Manual of Echocardiography. Philadelphia: Wolters Kluwer Health; 2012.

5. Schäerle W. Ultrasonography in Vascular Diagnosis: A Therapy-Oriented Textbook and Atlas. 2nd ed. Berlin: Springer Science & Business Media; 2010.

6. Thrush AJ, Hartshorne T. Vascular Ultrasound E-Book: How, Why and When. 3rd ed. London: Churchill Livingstone; 2009.

CHAPTER

4

허상

초음파 장비는 조직으로부터 되돌아온 음파를 이용하여 영상을 구성한다. 이 과정에 초음파 빔의 전파에 대한 일반적인 가정, 즉 음파의 속도, 감쇠, 경로, 빔의 속성에 관한 몇 가지 가정이 적용된다. 즉 조직을 통과하는 음파의 속도는 1,540 m/s로 일정하고 초음파 빔이 조직을 통과할 때 감쇠의 정도가 일정한 비율로 일어난다고 가정한다. 그리고 초음파는 똑바른 경로로 이동하여 조직사이의 경계에서 수직으로 한 번 반사되고, 조직에서 되돌아오는 음파는 정확히 음파가 나갔던 위치에 돌아오고, 초음파에서 만들어진 모든 에너지는 아주 가는 주된 빔으로 전달된다고 가정한다. 허상은 이러한 가정이 한 개 혹은 그 이상 만족되지 않을 때 다양한 기전으로 만들어지게 된다. 사실 거의 모든 초음파 영상에는 허상이 포함되어 있으나 대부분의 경우 주변영상과 섞인 잡음(noise)형태로 나타나 알아차리지 못하고 지나가게 된다. 허상은 영상의 질을 떨어뜨릴 수 있고 진단을 어렵게 할 수 있을 뿐만 아니라 경우에 따라서는 허상으로 인해 진단에 도움을 받을 수도 있으므로 잘 이해해야 한다.

1. 오기 허상

초음파는 조직을 통과하는 음파의 속도는 1,540 m/s로 가정하나 실제로 조직에 따라서 음파의 전파속도가 다르다. 예를 들어 지방조직을 통과하는 경우 음파의 전파속도는 1,450 m/s로, 가정된 속도보다 느리므로 돌아오는 에코는 느리게 도착하게 되고 초음파 기기는 더 깊은 곳에서 돌아온 에코로 인식하게 되어 실제구조물과 다른 영상이 만들어지게 된다.

2. 음향음영

주변조직과 감쇠의 정도가 다른 구조물 때문에 그 구조물보다 깊이 위치하는 조직의 에코가 약하게 보이거나 보이지 않는 경우이다(그림 4-1).

3. 음향증강

음향음영과 비슷한 원리에 의해 발생하는 허상으로 주변조직과 감쇠의 정도가 다른 구조물 때문에 그 구조물보다 깊이 위치하는 조직의 에코가 더 강하게 보이는 경우이다(그림 4-2).

4. 거울상 허상

음파가 경계가 곡면인 강한 반사체와 만날 때 일어나는 허상으로 강한 반사체가 거울과 같이 작용해 반대편에 같은 영상이 나타나는 허상이다. 음파가 강한 반사체 1에 도착한 다음 탐색자쪽으로 돌아올 때 일부가 다른 반사체 2와 만나게 되면 음파가 다시 강한 반사체 1쪽으로 반사된 후 다시 탐색자로 전달된다. 반사되는 데 소요된 시간 때문에 반사체 1보다 깊은 곳에서 나온 것으로 인식하게 되어 2의 반사된 거울상이 강한 반사체 1기준으로 대칭으로 나타나게 된다. 조직에서 되돌아오는 음파는 정확히 음파가 나갔던 위치에 한 번 돌아온다는 가정에 위배되어 발생하는 허상이다. 거울상 허상은 컬러모드에서도 발생할 수 있다(그림 4-3).

5. 다중반사 허상

거울상 허상과 마찬가지로 조직에서 되돌아오는 음파는 정확히 음파가 나갔던 위치에 한 번 돌아온다는 가정에 위배되어 발생하는 허상으로 강한 반사체가 초음파 빔에 수직으로 위치할 때, 즉 탐색자면에 평행하게 위치할 때 발생하는 허상이다. 강한 반사체와 탐색자 사이에 초음파 빔이 갇혀서 반사된 에코가 반사를 반복하여 평행한 다중의 영상이 만들어지는 것이다. 다중반사 허상은 피부, 근막,

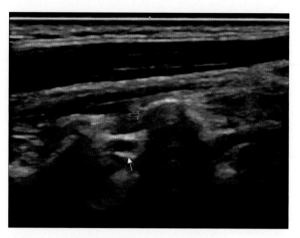

그림 4-1 척추뼈에 의해 발생한 음향음영(화살표)
척추 사이에서 척추동맥이 관찰된다(흰 화살표).

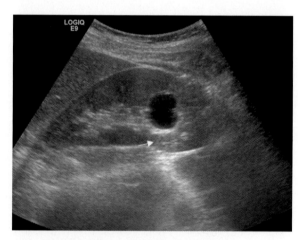

그림 4-2 신장 낭종으로 인한 음향증강(화살표)
신장 낭종 아래 신장 실질의 에코가 더 밝게 관찰된다.

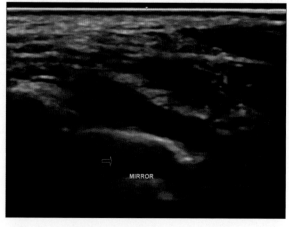

그림 4-3 우측쇄골하동맥의 영상
흉막을 경계로 쇄골하동맥이 상하대칭으로 관찰된다.

가스, 연부조직, 가스 액체계면에서 발생할 수 있다. 반사체가 초음파빔에 수직으로 위치할 때 발생하기 때문에 같은 부위를 관찰하더라도 초음파 각도에 따라 허상의 정도가 다를 수 있다. 따라서 이 허상으로 인해 병변 관찰에 방해가 될 경우 초음파 각도를 달리해보거나 초음파 윈도우를 다르게 해보거나 게인을 줄여 볼 수 있다(그림 4-4, 5).

6. 혜성꼬리 허상

거울상 허상과 마찬가지로 조직에서 되돌아오는 음파는 정확히 음파가 나갔던 위치에 한 번 돌아온다는 가정에 위배되어 발생하는 허상으로 다중반사 허상과 같은 원리로 인해 발생하는 허상이다. 작은 반사체에 의해 혹은 가까이 위치한 두 개의 반사체에 의해 반복적인 반사가 일어날 경우 초음파가 전파되는 방향을 따라 밝은 선이 나타나는데 점점 강도가 약해지는 혜성꼬리모양의 형태로 나타난다(그림 4-6).

7. 굴절

탐색자로부터 나간 초음파 빔이 일직선상으로 이동한 후 돌아온다는 가정에서 비롯된 허상이다. 전파속도가 다른 조직을 통과할 때 경계면에서 음파의 방향이 바뀌는데 마치 수직으로 진행한 것처럼 영상이 만들어지게 된다. 굴절에 의한 허상이 의심될 때에는 되도록 초음파 빔이 조직 경계면에 수직으로 진행할 수 있도록 초음파 각도를 조절해볼 수 있다(그림 4-7).

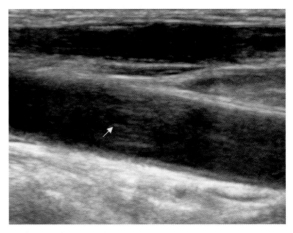

그림 4-4 다중반사 허상
경동맥 내부에 경동맥벽에 평행한 다중의 선이 관찰된다.

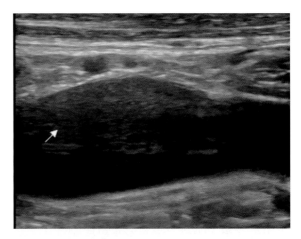

그림 4-5 다중반사 허상
쇄골하정맥 내부에 정맥벽에 평행한 다중의 선이 관찰된다.

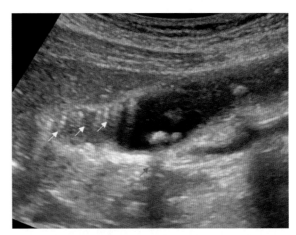

그림 4-6 혜성꼬리 허상
담낭의 선근종증에 의한 혜성꼬리 허상(흰 화살표)와 담석에 의한 음향감소(빨간 화살표)가 관찰된다.

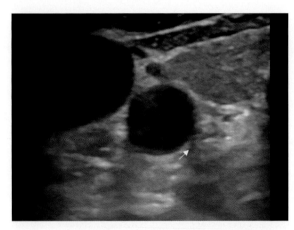

그림 4-7 굴절현상에 의한 가장자리음영(edge shadowing)
주로 혈관 가장자리, 낭상 구조물, 뼈 등에서 심한 굴절현상에 의해
가장자리음영이 관찰된다.

8. 사이드로브, 그레이팅로브 허상

초음파 빔이 매우 가는 선이라는 가정과는 달리 초음파 빔이 탐색자 종류와 모양에 따라 다양한 프로파일을 가지기 때문에 나타나는 허상이다. 탐색자에서 발생된 에너지는 대부분 탐색자의 중심선을 따라 주된 빔으로 송출되지만 일부 에너지는 사이드로브(side lobes)나 그레이팅로브(grating lobe)로 중심선의 가장자리로 송출된다. 사이드로브나 그레이팅 로브는 주된 빔보다 강도는 약하나 스캔면 바깥쪽의 강한 반사체와 만날 경우 허상으로 나타날 수 있다.

9. 도플러에서의 허상

1) 앨리어싱

도플러 모드에서 속도를 측정하기 위한 샘플링이 충분하지 않아서 속도가 부정확하게 나타나는 것을 앨리어싱(aliasing)이라고 한다. 샘플링은 혈류의 한 주기당 최소 두 번은 되어야 속도 측정이 정확하게 되는데 이보다 샘플링이 적게 되면 앨리어싱(aliasing)이 일어난다. 이 기준을 Nyquist limit이라고 한다. 앨리어싱은 컬러 도플러에서는 컬러의 모자이크 형태로, 스펙트럴 도플러에서는 속도가 가장 빠른 곳에서 도플러 파형이 반전되어 나타난다. 앨리어싱이 관찰된다면 기저선을 낮추거나 높여보고, 펄스 반복주파수(스케일)을 높여보거나 낮은 주파수의 탐색자로 바꾸어 볼 수 있다(그림 4-8).

2) 반짝임 허상

조직에 크리스탈 덩어리가 있는 경우 혈류나 움직임이 없는데도 색깔 신호가 나타나는 것을 반짝임 허상(twinkle artifact)이라고 한다. 해당 부위에 국소적으로 색깔이 빠르게 바뀌고 섞여서 나타나며 동맥류로 오인하지 않도록 유의해야 한다. 이 현상을 반대로 이용하면 이 허상이 나타나는 부분에 크리스탈 덩어리가 있다는 것을 알 수 있으며 작은 결석, 석회화, 다른 종류의 크리스탈이 쌓인 것을 찾아낼 수 있다. 반짝임허상이 의심될 경우 B 모드로 전환하여 석회화 덩어리를 직접 관찰하거나 스펙트럴 도플러로 혈류가 보이는지 확인해 볼 수 있다.

3) 스펙트럼의 거울현상

도플러 모드에서 도플러 신호의 방향이 불명확하게 나타나는 현상이다. 즉 기저선을 기준으로 거울대칭으로 도플러 신호가 그려진다. 거울현상에 의해 나타난 스펙트럼 신호는 원래의 신호에 비해 약하게 나타나며 실제 스펙트럼과 완벽히 거울상으로 나타나거나 일부분만 거울상으로 나타날 수 있다. 도플러 각도가 혈관과 90°를 이룰 때 나타나고 게인을 높게 설정하면 더 심해지기 때문에 거울현상

으로 혈류의 방향을 알기 어려운 경우에는 도플러
각도를 60° 이하로 조정하고 게인을 줄여본다(그림
4-9).

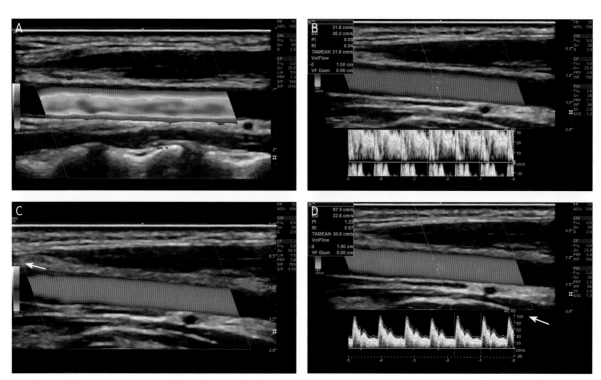

그림 4-8 컬러모드(A)와 스펙트럴 도플러모드(B)에서의 앨리어싱
스케일(PRF)을 조절하거나(C, D, 흰색화살표) 기저선의 높이를 조절해볼 수 있다.

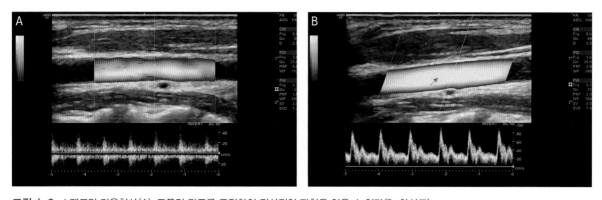

그림 4-9 스펙트럼 거울현상(A). 도플러 각도를 조절하여 정상적인 파형을 얻을 수 있다(B, 화살표).

⋙ 참고문헌

1. Adams GA, Forrester JA, Rosenberg GM, Bresnick SD. On Call Surgery. 4th ed. Elsevier; 2020. pp. 511-45.

2. Cosgrove DO, Eckersley RJ, Harvey CJ, Lim A. Grainger & Allison's Diagnostic Radiology. 6th ed. Elsevier; 2015. pp. 52-75.

3. Giuffrida MJ, Gecelter G. Abdominal ultrasound for surgeons. New York: Springer; 2014. pp. 61-8.

4. Khalili K, Yu H, Jesurum A, Levine D. Appendix: Ultrasound Artifacts. In: Rumack CM, Levine DA. Diagnostic ultrasound. 5th ed. Philadelphia: Elsevier Saunders; 2018. pp. 1-38.

5. Merritt CR. Physics of Ultrasound. In: Rumack CM, Levine DA. Diagnostic ultrasound. 5th ed. Philadelphia: Elsevier Saunders; 2018. pp. 1-33.

6. Preston DC, Shapiro BE. Electromyography and Neuromuscular Disorders. 4th ed. Philadelphia: Elsevier Science Health Science; 2020.

7. Seibert JA, Fananapazir G. Artifact. In: McGahan JP, Schick MA, Mills L, editors. Fundamentals of Emergency Ultrasound. Philadelphia: Elsevier Science Health Science; 2019.

8. Strakowski JA. Introduction to Musculoskeletal Ultrasound: Getting Started. New York: Demos Medical; 2015.

9. Welkoborsky HJ, Jecker P. Ultrasonography of head and neck. United States: Springer; 2020.

경부 초음파
Neck ultrasound

외·과·초·음·파·학
Textbook of Surgical Ultrasound

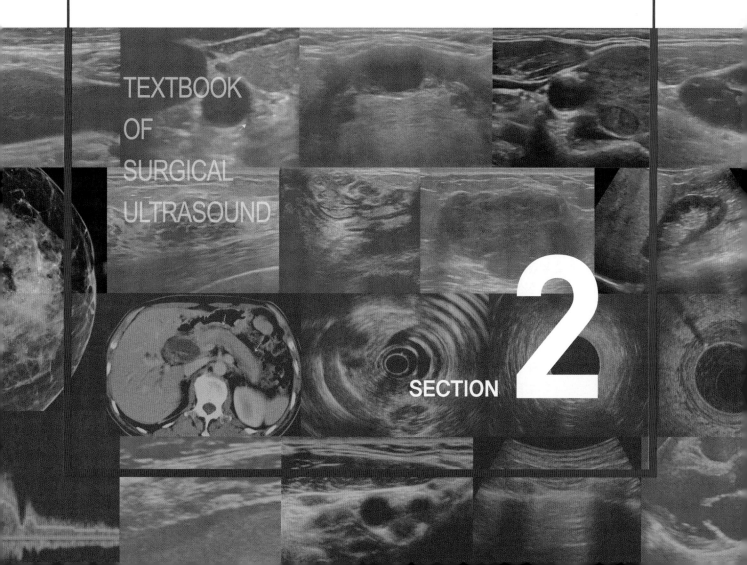

TEXTBOOK
OF
SURGICAL
ULTRASOUND

SECTION 2

SECTION 2. 집필진

갑상선 초음파

1. 정상 해부학

1) 갑상선의 발생

갑상선의 전구조직아(tissue bud)는 원시소화관으로부터 기원하는 내배엽기원의 세포들로 구성되고 인두기저의 정중게실(midline divertivulum)로부터 발생해 경부로 하강하여 두 엽을 가지는 고형기관으로 발달한다. 갑상선 전구조직아는 구강안의 막구멍(foramen cecum)에 부착되어 있다 하강하면서 상피배열의 관상구조인 갑상설관(thyroglossal duct)을 형성한다. 갑상설관은 태아 6주째에 흡수되어 소실된다. 이 구조의 가장 원위부의 말단에 남아 있는 잔여조직이 성숙하여 성인의 갑상선에서 추체엽(pyramidal lobe)이 된다.

갑상선 여포(follicles)는 측부엽이 발달함에 따라 처음으로 보이기 시작하고 태아 길이가 약 6 cm 정도가 되면 교질(colloid)을 형성하기 시작한다. 태아 3개월 경부터 여포세포들은 요오드 흡수를 시작하고 갑상선 호르몬을 처음으로 분비하기 시작한다.

칼시토닌을 분비하는 C 세포는 갑상선에서 내배엽기원이 아닌 유일한 구성요소이고, 4번째 인두공(pharyngeal pouch)에서 생성되어 신경릉(neural crest)에서 갑상선의 측부엽으로 이동한다. 성인에서 C 세포들은 갑상선엽의 상부와 중부의 후면과 정중면에 제한적으로 남아 있다.

2) 해부학 구조

성인에서의 정상 갑상선은 두 개의 엽으로 이루어진 기관으로 정상적인 갑상선의 무게는 10~20 g 정도이다. 정상적으로 발달된 갑상선은 갑상연골(thyroid cartilage) 다음에 위치하고 후두와 기관 연결부위의 전방과 측방에 걸쳐서 약 75%를 둘러싸고 있는 2개의 엽으로 이루어진 기관이다. 두 개의 엽은 협부(isthmus)에 의해 정중선에서 연결되며, 협부는 윤상연골(cricoid cartilage)의 바로 전방이나 약간 하방에 위치하며, 2~4번 기관연골고리(tracheal ring)와 접해있다.

각각의 엽은 길이 약 4 cm, 너비 약 2 cm, 두께가 약 2~3 cm 크기이다. 협부는 너비가 약 2 cm, 높이 약 2 cm, 그리고 2~6 mm의 두께를 가진다.

갑상설관의 가장 원위부에 나타나는 추체엽은 협부의 정중선에서 설골까지 뻗어 있으며, 갑상선 수술시 약 50% 이상에서 발견된다.

갑상선은 기관을 감싸고 있는 근막의 일부인 얇은 결체조직층으로 둘러싸여 있어 수술 도중 갑상선 피막으로부터 쉽게 분리된다. 이 근막은 갑상선의 후측방에서 갑상선 피막과 합쳐져서 지지조직을 형성하는데 이 인대를 Berry 인대(ligament of Berry)라고 불린다. Berry 인대는 윤상연골에 단단히 붙어 있으며 되돌이후두신경과의 관계 때문에 외과적으로 상당히 중요한 구조이다.

3) 혈액공급

갑상선의 동맥 분포는 양측에 상갑상선동맥과 하갑상선동맥 4개의 주요한 동맥으로 이루어진다. 외경동맥의 첫 번째 분지인 상갑상선동맥은 총경동맥이 둘로 갈라진 바로 위에서 분지한 후 갑상선 엽의 상부 끝부분에서 앞쪽과 뒤쪽 가지로 분지되어 갑상선에 분포한다. 이 동맥은 상후두신경의 내측으로 주행하므로 동맥을 결찰하기 위해서는 이 신경과 분리시켜야 한다.

하갑상선동맥은 갑상선의 대부분 및 부갑상선의 혈액공급을 담당한다. 이 동맥은 갑상경동맥줄기(thyrocervical trunk)에서 기원하여 갑상선의 뒤쪽으로 들어간다. 갑상선의 아래쪽 경계에는 직접적인 동맥의 분포가 없고 대부분 정맥으로 분포되어 있다.

때로는 맨아래갑상동맥(thyroidea ima artery)이 있는데 보통 무명동맥(innominate artery)이나 대동맥에서 직접 나오며, 5% 이하의 환자에서 볼 수 있다.

갑상선에 분포하는 정맥은 상·중·하갑상선정맥 3가지이며, 상·중갑상선정맥은 내경정맥으로 들어가고, 하갑상선정맥은 보통 2~3개로 무명정맥이나 완두정맥(brachiocephalic vein)으로 들어간다.

4) 신경

(1) 되돌이후두신경(recurrent laryngeal nerve)

되돌이후두신경의 운동 기능은 성대를 정중선으로부터 외전시키는 역할을 담당한다. 손상 시 동측의 성대마비가 유발된다.

우측 되돌이후두신경은 쇄골하동맥 부위에서 미주신경과 분리되어 쇄골하동맥의 후방을 통과하여 기관의 측방에서 기관식도고랑(tracheoesophageal groove)을 따라서 올라간다. 드물게 직접 미주신경에서 분지되어 곧장 정중 방향으로 주행하여 후두에 도달하는 비회귀후두신경(nonrecurrent laryngeal nerve)이 0.5~1.5% 가량에서 나타날 수 있으므로 수술 시 주의를 요한다.

좌측 되돌이후두신경은 미주신경이 대동맥궁을 지날 때 분리되어 대동맥궁을 아래쪽으로 감고 후두방향으로 올라가 갑상선 하부 경계 부근에서 기관식도고랑을 따라 올라가 윤상갑상연골 부위에서 후두로 들어간다.

되돌이후두신경이 후두로 들어가기 전에 여러 분지로 나뉘기도 한다. 이러한 경우 분지 중 하나만이 운동신경이고 그 외에는 감각신경이다.

(2) 상후두신경(superior laryngeal nerve)

상후두신경은 두개골 기저부에서 미주신경에서 분리되어, 내경동맥 주행을 따라 갑상선의 상극(superior pole)을 향해 내려가다 설골각(hyoid cornu) 높이에서 굵은 안쪽가지(internal branch)와 가는 바깥쪽가지(external branch)로 갈라진다.

안쪽가지는 갑상설골막으로 들어가서 후두에 분포하며 성문위(supraglottis)와 이상와(pyriform sinus) 부위의 감각을 담당한다. 바깥쪽가지는 하인두수축근의 외측을 따라 보통 상갑상선동맥의 전, 내측으로 내려가 윤상갑상근으로 들어간다. 이 신경이 손상되면 음질과 음량에 심각한 영향을 줄 수 있다.

고음을 내기가 힘들어지며, 오랫동안 말을 했을 때 쉽게 피로를 느끼게 된다.

5) 림프조직

갑상선과 근처의 구조는 풍부한 림프조직을 가지고 있어서 갑상선에서 거의 모든 방향으로 배액이 된다. 갑상선 내 림프의 흐름은 갑상선 근처의 구조와 연결되며 수많은 림프 통로를 통해 주변의 림프절로 연결된다. 보통 중심경부(central neck) 림프절은 양쪽 경동맥초 사이의 림프절을 의미하며, 경동맥초 바깥의 림프절은 측경부 림프절이라 한다. 갑상선 주변 림프절은 갑상선 협부의 바로 위쪽 기관앞 림프절(pretracheal nodes), 기관옆 림프절(paratracheal nodes), 기관식도고랑 림프절(tracheoesophageal groove nodes), 전상종격동 림프절(anterior superior mediastinal nodes), 상·중·하 경정맥 림프절(superior, middle, inferior jugular nodes), 후인두 림프절(retropharyngeal nodes) 등이 존재한다.

갑상선유두암은 흔히 주변 림프조직으로 전이한다. 갑상선수질암 역시 림프절 전이가 잘 되며, 보통 중심구획으로 전이된다.

2. 검사 방법 및 정상 초음파 소견

갑상선 질환의 진단을 위해서는 임상 진찰, 검사실 검사, 갑상선 스캔 등과 함께 갑상선 내 이상 병변을 찾아내기 위한 초음파검사가 필수적이다.

갑상선은 피부에 근접해 있는 장기이고 혈관분포, 에코발생(echogenecity) 등의 이유로 초음파검사가 타 영상검사에 비해 매우 적당하고 유용한 장기이다. 특히 초음파검사는 다른 검사에 비해 상대적으로 비용이 저렴하고 접근도가 좋으며 해상도가 우수하고 또한 초음파로 관찰하면서 실시간으로 중재적 시술을 할 수 있는 큰 장점이 있다. 초음파검사는 갑상선의 모양과 크기, 결절의 진단에 일차적이고 필수적인 검사이며, 이제 갑상선 진단에 있어서 마치 청진기처럼 이용되고 있다. 그러나 정확한 진단을 위해서는 정상 경부 및 갑상선의 해부학 구조에 대한 지식, 해상력이 좋은 적절한 장비가 필요하고 초음파장비에 대한 이해, 장비 시술방법의 숙지 그리고 영상에 대한 판독능력이 필수적이다.

1) 초음파검사 대상 및 적응증

(1) 정상 갑상선의 크기와 위치 평가

(2) 갑상선 결절의 위치 및 특징 평가

갑상선 초음파검사는 현재 1 mm 크기의 병변도 발견할 수 있어 갑상선 결절의 유무, 양성과 악성의 감별 그리고 결절의 주위 조직과의 관계 등을 알 수 있다.

(3) 수술 전 위치 선정 및 경부 림프절 전이 평가

갑상선암으로 진단된 환자에서 수술 전 주위 조직과의 관계 그리고 경부 림프절 전이 유무 등을 판단할 수 있어 수술 범위를 결정하는 데 큰 역할을 한다.

(4) 수술 후 추적검사

수술 직후 출혈을 초음파검사를 통하여 조기에 알 수 있다. 갑상선의 양성종양 혹은 암의 수술 후 국소재발이나 경부 림프절 전이 등을 조기에 파악할 수 있는 가장 유용한 검사이다.

(5) 갑상선 결절의 추적검사

발견된 갑상선 결절에 대한 크기, 개수 그리고 모양의 변화에 대한 추적검사가 용이하다.

(6) 중재적 시술의 유도

갑상선 결절의 크기가 작아 만져지지 않거나 만져지는 결절일지라도 종괴 내부의 의심 병변과 의심되는 경부 림프절에 대한 조직검사 시 유도 초음파가 필수적이다. 그리고 갑상선 낭종의 에탄올치료, 갑상선 양성종양에 대한 고주파열치료 때에도 초음파 유도가 필요하다.

(7) 선별검사

근래에 와서 갑상선에 대한 선별검사로서 초음파 검사의 유용도와 필요성에 대하여 논란이 많지만 갑상선암의 고위험군 즉, 어릴 때 경부에 방사선치료를 받은 경력이 있는 사람 그리고 갑상선암의 병력 및 가족력이 있는 환자군 등에서 선별검사로 이용될 수 있다. 다른 갑상선 질환에서도 초음파검사의 편리성 및 정확성 등의 장점으로 다른 영상검사 및 핵의학검사를 대체하여 시행되고 있다.

2) 갑상선 초음파의 역사

어떤 사물의 그 존재 유무와 위치, 크기 등을 탐색하는 방법은 그 사물에서 발생되는 냄새, 소리, 빛 등을 지각함으로써 알 수 있지만, 그 사물에 어떠한 자극을 주어 그것에 대한 응답을 지각하여 알아내는 방법도 있다. 후자의 방법으로 자연계에서는 박쥐나 돌고래가 자신들의 생리적 자극으로 초음파를 발생하여 물체를 알아내는 음파 위치인식(echo location)을 하고 있다. 이런 원리에 기초하여 역사적으로 1912년 침몰된 타이타닉호의 선체를 탐사하는데에 이용하였으며, 제1차 세계대전 때 Langenvin이 Sonar (sound, navigation, and ranging)라는 초음파를 이용한 장비를 개발하여 바다에서 적함을 탐색하는 데 이용하였다. 이후 군사용 혹은 수산 어군탐지기 등에서 이용되어 왔다.

인체의 장기를 진단하기 위해 초음파를 임상에 이용하기 시작한 것은 1949년 Dussik의 초음파 투과법을 이용한 뇌실 검사가 처음이며, 이후 기술의 발달로 괄목할만한 발전을 이루어왔다. 1950년 Denaka 등에 의해 A mode, 1952년 Wild에 의해 B mode, 1957년 Imura에 의해 Doppler법이 개발되고, 1980년에는 연속적으로 움직이는 구조물의 영상을 동시에 표시하는 실시간 영상(real time image)이 개발되면서 초음파는 진단 수단으로서 획기적인 발전을 이루었다. 이후 3차원 영상이 개발되었고, 지금도 화질을 높이기 위한 노력이 계속되고 있다.

갑상선은 초음파검사 대상으로 매우 적합할 뿐 아니라 처음 알려진 기관이다. 1967년 Fujimoto에 의해 환자 184명의 갑상선 초음파검사에 대한 첫 보고가 있은 후 많은 논문들이 발표되고 있는 분야이다.

A 모드(amplitude) 영상에서 B 모드(brightness) 영상 이후에 저해상도의 회색도 영상(low grade gray scale)에서 현재는 고해상도 영상까지 발전되었다. 이후 하모닉 영상, 복합 영상, 3차원 영상 그리고 도플러 영상, 탄성초음파 등의 새로운 기법들이 발달되어 진단에 큰 도움을 주고 있다.

1977년 Wallfish 등이 세침흡인세포검사를 초음파와 동시에 사용함으로써 갑상선암의 진단의 정확도를 높일 수 있었다고 발표한 이후로 1980년대에는 실시간 영상 기술이 개발되면서 조직검사뿐만 아니라 중재적 시술의 정확도를 개선시키는 보편적인 기술로 발전하였다.

3) 검사방법

검사 자세는 환자가 등을 대고 바로 누운 상태에서 어깨 밑에 베개를 받쳐 목을 약간 뒤로 젖힌 자세(extended/hyperextended position)가 표준 자세이다(그림 1-1). 그러나 소아나 나이가 많은 환자, 어지럼증 환자 그리고 경추질환이 있어 목을 뒤로 젖히

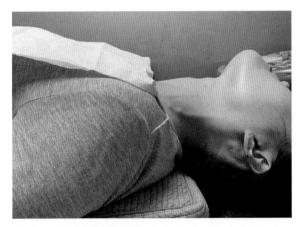

그림 1-1 갑상선 초음파검사를 위한 환자의 자세

기 어려운 환자는 조심해서 가능 범위 내에서 시행한다. 심하면 앉은 자세에서 시행하기도 한다.

환자에게 검사 도중에는 침을 삼키거나 말을 하지 말 것을 권유하고 호흡은 가볍게 정상적으로 하도록 한다. 검사자는 보통 환자의 오른편에 앉아서 검사한다. 갑상선 초음파검사에서는 높은 주파수 고해상도의 선형 탐색자가 적당하나 큰 결절 혹은 갑상선종(goiter) 그리고 흉골 뒤쪽이나 쇄골 뒤쪽으로 연장되어 깊이 있는 결절 또한 짧은 목을 가진 고도 비만 환자에서는 곡선 탐색자가 검사하기에 용이할 수 있다.

갑상선 검사는 영상 영역이 피부에서 갑상선 후면까지 모든 갑상선 조직을 포함하고 있다는 것을 확인하기 위하여 검사자는 화면 바닥에서 식도와 경장근(longus coli muscle)을 확인하여야 한다.

또한 좋은 영상을 얻기 위해 탐색자 스캔 시 적당한 압박을 가하는 것이 중요한데 지표는 갑상선의 앞 경계가 피부면에 거의 평행한 것으로 가름할 수 있다. 특히 남자의 경우 갑상선 앞에 있는 근육이 두꺼울 경우 압박을 적절히 가하지 않으면 초음파가 감쇠되어 갑상선의 후면이 잘 보이지 않게 되어 병변의 발견, 감별이 어려울 수 있다.

초음파검사를 할 때 피하 지방조직에서 경부의

후면까지 일정한 회색으로 보이도록 초점영역과 TGC를 적절히 조절하는 것이 중요하다. 갑상선 초음파검사는 갑상선의 횡단면 및 종단면을 모두 검사해야 한다. 횡단(가로) 스캔은 갑상선 결절의 위치 및 기관, 경동맥초와의 관계 그리고 동반된 림프절 유무 등을 파악하고 그 결절의 내부 구조, 갑상선외 침범을 아는 데 용이하다. 종단(세로) 스캔은 갑상선 내부 구조, 도플러검사에서 혈관 분포와 갑상선외 침범 특히 횡단 스캔에서 갑상선 하극에서 분리된 갑상선, 결절 혹은 부갑상선으로 착각할 수 있는 hypertrophic tongue of thyroid tissue의 가짜 종괴(pseudo mass)를 감별하는 데 용이하다. 이 병변은 그레이브스병이나 갑상선염 환자의 갑상선 하극에서 흔히 보일 수 있다(그림 1-2).

기록하는 영상은 갑상선의 좌엽과 우엽에서 각각 횡단면으로 위, 중간, 아래 중 2개 이상의 영상을 포함하고 종단면에서도 좌엽과 우엽의 내측, 중앙, 외측을 포함하며 갑상선 협부의 가로 영상을 포함해야 한다.

컬러 도플러나 펄스 도플러는 갑상선의 혈류 평가에 유용하다. 컬러 도플러는 낭성 종괴에서 혈관을 구별하는 데 도움이 되며 갑상선 주위의 혈관 이상을 진단하는 데 이용되기도 한다. 특히 조직검사 시 결절 주위의 혈관 분포를 평가함으로써 시술 시 출혈을 예방할 수 있다. 최근에 와서는 기존의 도플러 영상에 비하여 매우 낮은 속도 혈류 측정을 통하여 동작 허상(motion artifact)이나 어수선한 영상(clutter noise)이 없는 깔끔한 영상을 얻을 수 있는 초미세 혈류영상(superb micro-vascular imaging, SMI) 기술이 개발됨으로써 갑상선 종양 내 혹은 주위의 미세 혈류 분포도를 관측하여 갑상선 결절의 특징을 알아냄으로써 양성과 악성을 구별하고자 하는 노력이 시도되고 있다(그림 1-3).

탄성초음파는 조직의 탄성도(단단한 정도)를 영상화하여 객관적으로 보여주는 방법이다. 일반적

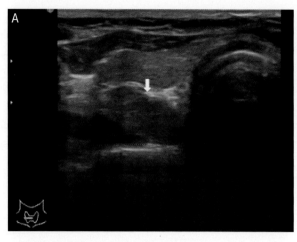

그림 1-2 Thyroid tongue (pseudo mass)
A. 횡단면, B. 종단면

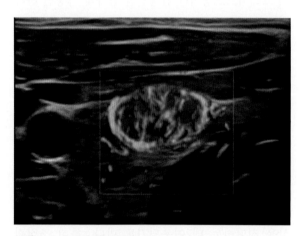

그림 1-3 초미세 혈류영상(Superb microvascular imaging, SMI)

으로 악성종양이 정상 조직 또는 양성종양보다 더 단단한 특징이 있다는 점을 이용하여 조직의 단단한 정도를 객관적으로 평가해 주어 양성과 악성종양의 감별에 도움을 주는 영상 기법이다.

탄성초음파는 1991년 Ophir 등에 의해 조직의 단단한 정도(stiffness)를 관찰하기 위하여 처음 고안되어 조직의 탄성 정도를 수치화하여 색으로 나타내는 영상 기술이다.

변형 탄성초음파(strain elastography)는 조직에 약한 압박을 가해 압박 전과 후의 조직의 변형률을 측정하는 방법으로, 조직의 경직도를 색 뿐만 아니라 상대적 수치로 나타낸다. 최근에는 전단파 탄성초음파(shear wave elastography, SWE)가 개발되어 객관적으로 전단파의 전파 속도를 실시간으로 측정할 수 있고 속도, 탄성도 및 전파를 나타내는 절대값을 객관적으로 평가할 수 있어 종양의 양성과 악성의 감별진단에 도움을 주고 있다(그림 1-4). 2016년 WFUMB (World Federation for Ultrasonography on Medicine & Biology)의 가이드라인에 따르면 고식적인 회색도 초음파 영상과 함께 전단파 탄성초음파가 갑상선 결절 환자에서 수술 여부를 판단하기 위해 사용되며, 세침흡인세포검사상 양성결절로 진단된 환자에서 추적관찰에 도움을 줄 수 있다고 하였다. 그러나 이후 많은 연구들에서 초미세 혈류영상이나 전단파 탄성초음파는 갑상선 결절의 양성과 악성을 구별하는 데 찬반 논란이 많아 현재로는 고식적인 회색도 영상과 함께 보완자료로 이용하는 것이 좋을 것 같다.

갑상선 검사 시 갑상선을 충분히 보는 것과 함께 주위의 구조물들 즉, 기관, 식도, 전경근, 경동맥, 내경정맥, 경부 림프절 등 모두 관찰을 하여야 한다.

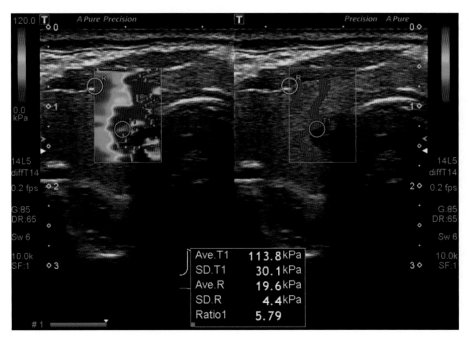

그림 1-4 전단파 탄성초음파(Shear wave elastography, SWE)

4) 정상 갑상선 초음파

정상 갑상선은 경부 중앙부 아래쪽 기관 전면에 균질한 에코로 보이며, 주위의 경장근이나 흉쇄유돌근보다 약간 높은 에코와 밝은 음영을 보인다(그림 1-5, 6).

갑상선 초음파 소견의 표현 방식으로

① 에코 정도는 전경근군, 악하샘의 에코 정도를 기준으로 등에코(isoechoic), 저에코(hypoechoic), 현저한 저에코(markedly hypoechoic), 고에코(hyperechoic) 패턴으로 구분한다.

② 에코 질감(echotexture)으로는 부드러운(fine), 거친(coarse), 미세 결절성(micronodulative) 패턴으로 구분한다.

③ 갑상선의 경계(margin)는 부드러운(smooth), 불규칙적인(irregular), 소분엽성(microlo-bulated), 거대 분엽성(macrolobulated) 패턴으로 구분한다.

로 구분한다.

④ 갑상선의 혈관 분포(vascularity)는 정상(nomal), 약간 증가(mildly increased), 현저히 증가(markedly increased), 감소(decreased) 패턴으로 나누어진다.

⑤ 미세석회화 유무 등을 관찰한다.

갑상선은 경부의 앞면 아래쪽에 'H' 혹은 'U' 모양의 내분비 기관으로 경추 5번부터 흉추 1번 위치의 경부의 설골 하방(infrahyoid)의 내장 공간(visceral space)에 위치한다. 기관의 앞면을 중심으로 양 엽이 있고 각 엽은 위(upper pole)로 좁고 길며 아래(lower pole)는 넓으며 보통 우엽이 좌엽보다 약간 크다. 이 양 엽은 기관의 2, 3, 4번째 기관연골고리의 앞 부분에서 협부로 연결된다. 일반적으로 갑상선은 여성에서 남성보다 약간 높게 위치한다. 갑상설관의 잔존물인 추체엽은 좌엽에 가까운 갑상선의 협부에서 설골 쪽 위로 연장되고 전후 크기가 작아 잘 보이지 않는 경우가 많아 정상인의 약 10~40%

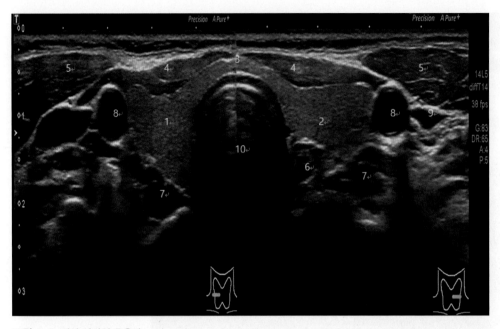

그림 1-5 정상 갑상선 초음파
1. 갑상선 우엽, 2. 갑상선 좌엽, 3. 갑상선 협부, 4. 전경근, 5. 흉쇄유돌근, 6. 식도, 7. 경장근, 8. 총경동맥, 9. 내경정맥, 10. 기관

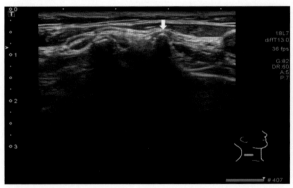

그림 1-6 경추의 횡돌기

에서 보일 수 있으며 특히 젊은 환자, 갑상선종이나 그레이브스병을 가진 환자에게서 더욱 잘 보인다. 추체엽은 갑상선과 같은 에코를 보이나 협부 결절이나 기관앞 림프절과 혼동하지 않는 것이 중요하다.

갑상선 앞쪽에는 흉갑상근과 그 바깥쪽으로 흉설골근으로 이루어진 전경근군이 있다. 앞 옆쪽에는 흉쇄유돌근과 견갑설골근의 상부 힘살이 존재한다.

갑상선 뒤 옆쪽으로는 경동맥, 내경정맥, 미주신경을 싸고 있는 경동맥초와 사각근에 근접해 있다. 뒤쪽으로는 경장근이 있고, 기관과 갑상선의 정중간의 좌측 아래에 식도가 보이는데 식도의 근육이나 식도 내 공기 액체 등으로 인해 황소 눈(bull's eye)처럼 보이고 환자에게 침을 삼키라고 하면 넓어지고 움직이는 것을 볼 수 있다. 그러나 간혹 갑상선 결절, 부갑상선 병변 혹은 림프절로 오인하는 수가 있어 조심해야 한다. 이 식도의 음영은 목을 좌측으로 돌리면 갑상선 우엽의 뒤쪽에서 보일 수도 있다.

기관식도고랑은 양측 갑상선의 뒤 안쪽에 있으며 보통 되돌이후두신경, 기관옆 림프절 및 부갑상선 등이 존재한다. 되돌이후두신경은 경장근의 앞으로 올라가지만 초음파에서는 잘 관찰되지 않는다.

갑상선에 분포하는 동맥은 갑상선의 상, 하극에서 도플러를 이용하여 찾을 수 있는 데 특히 하갑상선동맥은 되돌이후두신경 및 부갑상선을 찾는 데 해부학적 표지가 될 수 있다.

원발성 갑상선암의 전이로 가장 흔하게 침범하는 림프절은 기관앞 림프절, 기관옆 림프절이고 내경정맥 주위의 심부 경부 림프절(deep cervical nodes)이므로 초음파검사 시 이 부분을 상세히 보아야 한다. 때로는 기관 음영 때문에, 기관옆 림프절 특히 침범된 림프절의 크기가 작을 경우 잘 보이지 않을 수 있다.

갑상선 각 엽의 크기는 중간 부위에서 종단(세로)면 및 횡단(가로)면에서의 길이와 전후 직경을 측정한다. 각 엽은 타원체 모양이고 보통 중간 위치에서 1~1.5 cm 너비와 높이, 4~6 cm의 길이를 가진다. 높이가 2 cm 이상이면 갑상선이 커졌다고 생각할 수 있다. 양 엽을 연결하는 협부는 보통 4~6 mm 정도의 두께를 가져 무시하는 경우가 많다. 초음파

검사로 갑상선 용적을 측정할 수 있으며 이는 수술 전 검사 혹은 요오드 치료 전의 용적을 평가하는 데 도움을 줄 수 있으나 15% 정도의 오차가 있을 수 있다. 가장 많이 쓰이는 브룬 방법(Brune method)은 각 좌우엽의 중간 부위에서 $4/3\Pi \times$너비$/2 \times$높이$/2 \times$길이$=0.523 \times$너비$\times$높이$\times$길이로 계산하는 데 보통 초음파에서 자동적으로 계산되는 경우가 많다 (그림 1-7).

갑상선의 평균 부피는 18.6±4.5 mL이고 남성에서는 19.6±4.7 mL, 여성에서 17.5± 4.2 mL로 남성에서 다소 부피가 크다. 요오드 결핍 지역에 사는 사람이나, 급성 간염 또는 만성 신부전증을 가진 사람에서 커질 수 있고, 만성 간염, 티록신의 장기 복용 환자나 방사성아이오딘 치료를 받은 환자에서는 크기가 작을 수 있다.

3. 갑상선의 발생 이상

1) 이소성 갑상선

갑상선의 발생 초기에 갑상선 조직이 혀의 막구멍으로부터 정상 갑상선 위치로 이동하는 통로를 갑상설관이라고 하고 이 이동과정에 문제가 생길 때 이소성 갑상선 조직이 발생한다. 이소성 갑상선

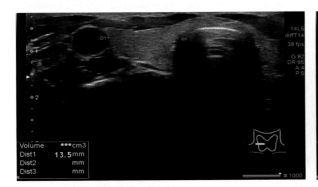
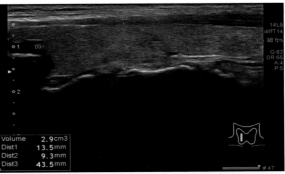

그림 1-7 갑상선 용적 측정

조직은 갑상설관의 경로 뿐만 아니라 드물게 턱밑, 기도 내부, 종격, 폐와 심장 같은 흉곽 내부 장기, 부신, 십이지장, 췌장, 소장, 난소(struma ovarii)에서 발견되기도 한다(그림 1-8).

(1) 설갑상선(lingual thyroid)

설갑상선은 혀의 기저부에 위치한 갑상선 조직으로 이소성 갑상선의 약 90%를 차지한다. 설갑상선의 70~75%에서는 설갑상선이 유일한 갑상선 조직이기 때문에 설갑상선을 다른 병변으로 오인하여 절제하지 않도록 유의해야 한다.

(2) 갑상설관낭(thyroglossal duct cyst)과
갑상설관굴(thyroglossal duct sinus)

갑상설관낭은 경부의 가장 흔한 선천적 이상으로서 갑상설관이 퇴화되지 않아 발생하고, 갑상설관낭이 감염되어 파열되거나 부적절한 처치로 인해 누공이 발생하기도 하는데 이를 갑상설관굴이라고 한다. 갑상설관낭은 대부분 설골의 하부(65%), 설

골의 상부(20%), 그리고 설골 근접부(15%)에 위치하는 것으로 알려져 있으나 갑상선 이동 경로 상의 어디에라도 발생할 수 있다. 갑상설관낭은 정중선에서 주변부로 치우친 경우도 있지만 대부분 경부의 정중선에 위치하고, 촉진 시 부드럽고 경계가 뚜렷하며 삼키거나 혀를 내미는 동작을 취할 때 종괴가 위쪽으로 움직인다면 임상적으로 진단할 수 있다. 약 20%의 갑상설관낭에서 갑상선 조직이 발견되는 한편 약 1%의 갑상설관낭에서 암이 발견되며 그 중 약 85%가 유두암으로 보고되었다. 따라서 초음파검사 시 낭 내에 고형성분(solid component)이 관찰된다면 이소성 갑상선 조직이나 종양을 의심하는 것이 필요하다. 초음파검사에서 관찰되는 갑상설관낭의 모양은 원형, 난원형이 흔하고 시상면(sagittal plane)에서 상하로 긴 삼각형 모양을 보이기도 한다. 또한 내부는 에코 또는 무에코로 다양하게 나타날 수 있고, 감염이 동반되면 에코 증가, 비균질 에코, 낭종 내 격막 등이 발생하기도 한다(그림 1-9, 10).

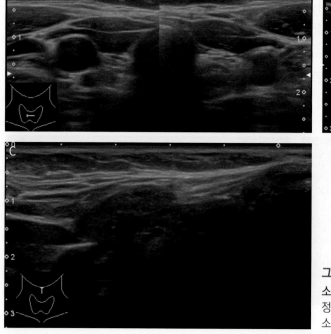

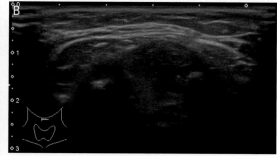

그림 1-8 갑상선의 무형성증에 동반된 이소성 갑상선의 초음파 소견
정상 갑상선의 전체 무형성증(A)과 함께 설골 하방에 위치한 이소성 갑상선(B, C)이 관찰된다.

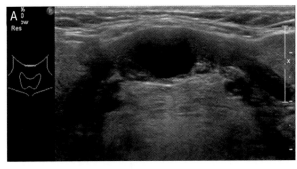

그림 1-9 갑상설관낭의 초음파 소견
설골 위치에 경계가 분명한 갑상설관낭이 관찰된다(A, B).

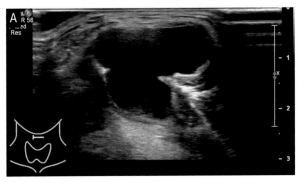

그림 1-10 갑상설관낭의 초음파 소견
설골을 관통하고 있는 경계가 분명한 갑상설관낭이 관찰된다(A, B).

2) 갑상선 무형성증

드물지만 갑상선의 일부 또는 전체가 형성되지 않는 경우가 있는데 이는 다양한 양상으로 나타날 수 있다. 갑상선의 한쪽 엽만 형성이 안된 반측 무형성증(hemiagenesis), 정상 갑상선 전체가 형성되지 않은 전체 무형성증(total agenesis), 양측 엽은 형성되었으나 협부가 형성되지 않은 협부 무형성증(isthmic agenesis), 양측 엽이 없고 협부만 존재하는 양엽 무형성증(bilobar agenesis) 등이 있다. 이러한 갑상선 무형성증 중에는 좌엽 무형성증이 가장 흔

한 것으로 알려져 있다(그림 1-11, 12).

3) 추체엽

갑상선 쪽의 갑상설관이 퇴화되지 않고 남아 있게 되는 경우에 추체엽(pyramidal lobe)이 발생할 수 있고 발생 빈도는 보고에 따라 15%에서 75%까지 다양하다. 정상 성인에서는 추체엽이 촉지되지 않으나 그레이브스병, 하시모토병 같은 갑상선 비대를 야기하는 질환에서는 비대된 추체엽이 촉지되기도 한다(그림 1-12).

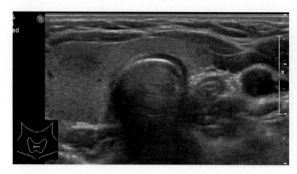

그림 1-11 갑상선 반측 무형성증의 초음파 소견
갑상선 좌엽이 거의 형성되지 않은 반측 무형성증이 관찰된다.

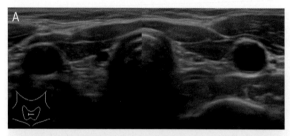

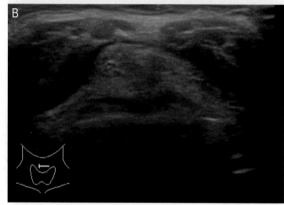

그림 1-12 갑상선 전체 무형성증에 동반된 추체엽의 초음파 소견
정상 갑상선의 전체 무형성증(A)과 함께 비대된 추체엽(B)이 관찰
된다.

4. 미만성 갑상선 질환

외과의는 주로 갑상선의 결절을 접하는 경우가 많으나, 갑상선에 발생하는 미만성 질환의 특징을 알고 감별하면 필요 없는 세포검사를 줄이고 좀 더

빠른 진단과 치료를 도울 수 있다. 특히 세포검사를 요하는 결절성 질환과의 감별에 중점을 두어 발병률이 높은 질환을 중심으로 살펴보자.

미만성 갑상선 질환은 갑상선 전체를 침범하는 질환을 뜻하며, 초음파 소견과 함께 환자의 증상, 진찰소견, 혈액검사 결과 등을 종합하여 진단을 내리는 것이 중요하다. 미만성 갑상선종이 있는 경우, 다결절성 갑상선종과의 감별이 필요하다. 다결절성 갑상선종은 정상 갑상선 에코를 배경으로 여러 개의 결절들이 다양하게 나타나며, 미만성 갑상선종은 갑상선 전체의 실질 에코가 정상과 달라지게 되는데, 그 원인에 따라 양상이 다양하게 나타나게 된다. 갑상선염과 그레이브스병이 대표적인 질환이다. 통증 유무와 원인, 병리, 임상 소견에 따라 여러 가지로 분류된다. 초음파 소견은 질병의 정도와 유병 기간에 따라 매우 다양하게 나타나며, 진단에 주요한 단서를 제공한다.

1) 만성 림프구성 갑상선염, 하시모토 갑상선염

만성 림프구성 갑상선염인 하시모토 갑상선염 (chronic lymphocytic thyroidtis, Hashimoto thyro-iditis)은 갑상선기능저하증의 가장 흔한 원인으로, 자가면역반응으로 인해 림프구와 형질세포가 침윤되고 갑상선 소포세포가 파괴되면서 섬유화가 진행된다.

하시모토 갑상선염의 전형적인 초음파 소견으로는 표면이 거칠어지면서 불분명하게 보이고 두께가 두꺼워지면서 내부 에코가 불균질하게 보인다. 종종 전체적으로 저에코를 보이는 경우도 있으며, 현무암과 같은 다발성 미세 저에코 결절처럼 보이는 경우도 많다(그림 1-13). 도플러 소견은 다양하게 나타나는데, 초기에 갑상선이 종대되거나, TSH가 상승하는 경우에는 혈류가 증가되어 보이기도 한

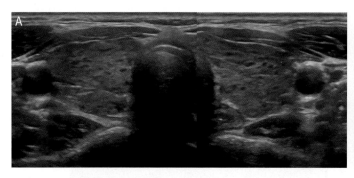
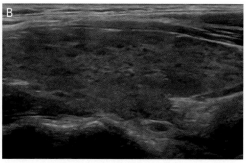

그림 1-13 만성 림프구성 갑상선염
정상 갑상선에 비해 크기가 큰 편이며, 주변 근육과 동일하거나 저에코로 보인다. 초기에는 크기 증가가 뚜렷하지 않으며, 주변에 미세결절성 변화가 생기며, 주변 림프절 크기가 커진다. 림프구 침윤부위는 저에코로, 갑상선 소포세포는 등에코로 보이며, 섬유화된 선들이 관찰된다. A. 횡단면, B. 종단면

다. 전반적인 변화를 보이는 경우도 있지만, 국소적인 저에코 변화만 있거나, 종괴와 감별이 어렵도록 위종양을 형성하기도 하는데, 1 cm 안팎의 저에코 종괴처럼 보이거나 내부에 낭성 부분을 포함하기도 하고, 석회화가 동반되기도 한다(그림 1-14). 초기에는 갑상선 비대 소견을 보이나, 후기로 진행할수록 조직 파괴가 진행되어 갑상선이 전반적으로 위축되어 보이며, 내부 에코가 저명하게 저하되어 보이며, 도플러 영상에서 혈류가 감소되어 있다(그림 1-15). 갑상선의 상하부와 기관지 주위의 림프절이 종대되어 있는 경우가 많고, 경계가 분명한 타원형 또는 원형 모양으로 지방문(fatty hilum)이 잘 보이지 않는다. 내부의 결절이 발견되는 경우는 갑상선염 여부와 별개로 결절의 모양과 크기를 기준으로 세포검사 여부를 결정해야 한다(그림 1-14E, F).

하시모토 갑상선염의 경과 중 고령자에서 급격한 갑상선종의 종대가 있을 때는, 악성 림프종 여부를 확인하기 위해 초음파 유도 세침흡인세포검사 또는 중심부 침생검을 시행해야 한다.

2) 그레이브스병

그레이브스병(Graves disease)은 갑상선기능항진증의 가장 흔한 원인으로 자가면역 질환이다. 갑상선 크기의 증가를 동반하는 경우가 많으나, 정상 범위의 크기로 보이는 경우도 있다.

초음파 영상에서는 비특이적으로 균질한 동일 에코에서 불균질한 저에코까지 다양하다. 정상 갑상선보다 저에코로, 만성갑상선염에 비해 고에코로 보이는 경우가 많고, 대부분 갑상선 전체의 크기가 전반적으로 커지며, 협부의 두께가 증가한다. 갑상선염에 비해서는 표면이 고른 경우가 많다. 컬러 도플러에서 증가된 혈류를 보이며, 기능이 정상화가 되면 혈류가 감소한다(그림 1-16).

3) 아급성 갑상선염

아급성 갑상선염(subacute thyroidtis)은 갑상선 부위의 통증 및 압통이 특징적인 갑상선염으로 초음파에서 압통 부위에 경계가 불분명한 저에코 또는 복합에코 부위가 비교적 넓게, 하나 또는 여러 부위에서 나타나며, 갑상선의 전체 크기도 증가한다. 편측 또는 양엽에 나타나며, 갑상선 주위 림프절 크기가 증가하며, 며칠 사이에도 저에코 병변의 범위가 달라질 수 있다. 한쪽이 호전되고 반대편 엽에 새로운 병변이 발견되기도 해서 이동하는 것처럼 보인

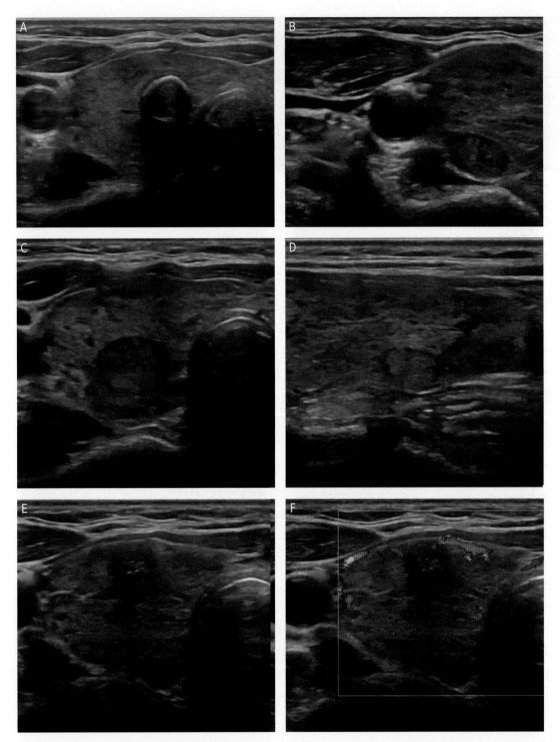

그림 1-14 만성림프구성 갑상선염과 동반된 결절들
A. 퇴화된 갑상선종 – 석회화된 변연을 가진 저에코의 둥근 결절로 주변 실질과 경계가 뚜렷하며, 추적검사에서 크기가 변화 없거나, 줄어드는 경우가 있다. – 퇴화된 갑상선종
B, C, D. 위종양(pseudotumor) – 다양한 형태로 나타나는데, 갑상선 실질과 동에코이거나 저에코로 경계가 있는 것처럼 보이나, 주변 혈관 음영이거나, 가성막으로 다른 방향에서 보면 경계가 분명하게 보이지 않는다.
E, F. 유두암 – 주변부가 불규칙하고 내부의 미세석회화가 있는 결절, 결절 주위의 혈류가 증가되어 있다.

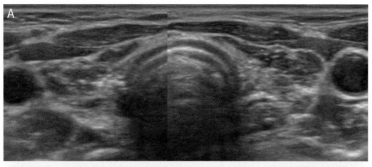

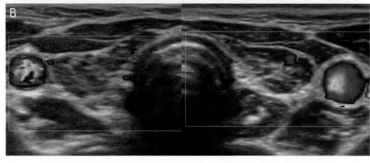

그림 1-15 말기의 위축성 갑상선염
A. 정상보다 작은 크기의 갑상선이 복합성 에코 양상을 보이며, B. 도플러 영상에서 전반적으로 혈류가 감소된다.

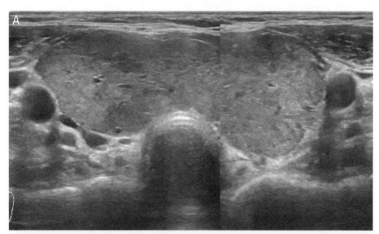

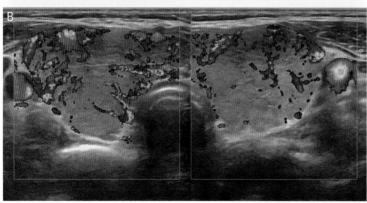

그림 1-16 그레이브스병
갑상선 실질은 복합성 또는 저에코로 보이며 표면은 하시모토 갑상선염에 비해 미세결절성 변화, 저에코 변화가 더 적게 나타나고, 경계면의 분엽성 변화가 덜 하기 때문에 전체적으로 볼록하게 보인다. 도플러 영상에서 혈류는 증가되어 있어, 갑상선 화염(thyroid inferno)이라고 불리기도 한다.

다. 스테로이드 치료를 할 경우, 증상이 먼저 호전되고, 초음파 소견이 나중에 호전되며, 완전히 정상 소견으로 회복되는 경우도 있으나, 저에코 부위가 남아 있는 경우도 많다(그림 1-17).

도플러 영상에서 급성기에 저에코 부위에 혈류가 잘 보이지 않는 것이 그레이브스병과 감별점이다. 회복기에 혈류가 증가되는 양상이 보인다.

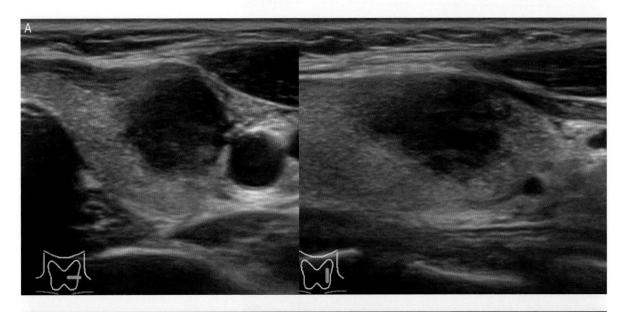

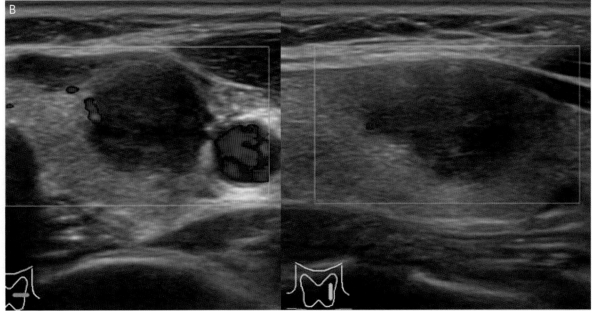

그림 1-17 아급성 갑상선염
압통이 있는 부위에 경계가 불분명한 저에코의 병변이 나타난다. 영상만으로는 악성 결절과 감별이 어려워 세포검사가 필요할 때가 있다. 저에코 부위 주변의 혈류가 줄어든다.

5. 결절성 갑상선 질환

1) 갑상선 결절의 판독체계

갑상선 결절은 상당히 흔한 질환으로 민감도가 높은 초음파검사에서 성인의 67%까지 발견된다는 보고가 있다. 갑상선 결절의 진단에 가장 좋은 방법은 초음파이다. 그렇지만 불과 20년 전까지만 해도 초음파 교과서에서 초음파로 갑상선 결절의 양성 악성을 구분할 수 없다고 했다는 것을 아는 의사는 많지 않은 것 같다. 초음파에서 갑상선 결절의 양성, 악성 구분의 가능성을 최초로 제시한 논문은 연세대 김 등이 2002년 AJR에 투고한 논문이다. 이 논문에서 155개의 만져지지 않는 결절을 대상으로 현저한 저에코(주변 근육보다 낮은 에코), 미세석회화, 불규칙 또는 미세소엽 경계, 앞뒤로 긴 모양 중 하나의 소견이라도 있는 경우 의심스러운 결절로 정의하였고 이때 민감도 93.8%, 특이도 66%, 양성예측도 56.1%, 음성예측도 95.9%, 정확도 74.8%였다. 이 연구는 이후 수많은 갑상선 결절의 초음파 진단에 관한 연구에 영향을 미쳤고 이 장에서 이야기하고자 하는 갑상선 결절 판독체계(Thyroid Imaging Reporting And Data System, 이하 TIRADS)의 근간이 되는 논문이다.

갑상선암 발견을 위해 초음파로 건강검진을 하는 것에 대해 반대의 목소리가 많음에도 한국에서는 광범위하게 시행되고 있다. 건강검진 목적의 갑상선 초음파는 의미있는 갑상선암을 발견할 수도 있으나 더 많은 경우는 아주 작은 갑상선암 또는 의미 없는 수많은 갑상선 결절의 발견으로 인한 여러 문제점들을 야기한다. 갑상선암 건강검진으로 인한 우려의 목소리들이 유수한 의학잡지에 게재되었으나 한국은 갑상선 초음파를 포함한 건강검진이 계속 진행중이다. 이를 막거나 줄일 수 있을까? 개인적 선택으로 건강검진을 통해 일부 환자는 도움을 받을 수 있고 이건 당장 우리일 수도 우리 가족일 수도 있다. 그러기에 현 시점에서 갑상선암 건강검진을 막거나 줄이는 불가능에 가까운 미션보다는 오히려 발견된 결절을 어떻게 다루는지에 대한 체계적 학습 방법을 의료공급자에게 제공하는 것이 더 중요하지 않은가 생각한다.

(1) 갑상선 결절의 판독체계(thyroid imaging reporting and data system, TIRADS)란 무엇인가?

이에 대한 이해를 위해 유방의 Breast Imaging Reporting and Data System (BIRADS)에 대한 이해가 필수적이다. 1993년에 만들어진 이 시스템은 지속적인 업데이트를 하면서 오랫동안 사용되고 있는 체계적이고 합리적인 시스템이다. BIRADS는 영상의학과 의사와 타과 의사 또는 환자와의 원활한 소통이 목적이고 더불어 영상의학과 의사 스스로에 대한 의학적 감시(medical audit)를 통한 판독의 질 향상에 근간을 둔다. BIRADS는 유방촬영술 소견에 따라 범주와 악성도를 제시하고 범주에 따른 진료 지침을 제공한다. 이와 더불어 판독의가 적절한 판독을 하고 있는지를 스스로 검토하는 의학적감시에 대한 제시를 하고 있다. 의학적감시는 사실 BIRADS의 정수라 할 수 있다. 의학적감시란 무엇인가? 판독의가 자신의 판독이 적절한 악성도 범주에 맞게 잘 하고 있는 것을 스스로 검토하는 것이다. 예를 들어, BIRADS의 범주 3은 악성도 2% 미만을 제시한다. 어떤 판독자가 100개의 결절을 범주 3이라 판독을 했는데 이 중 암이 10개가 나왔다면 이 판독의는 너무 관대한 판독을 하고 있고 이런 피드백을 통해 자신의 다음 판독에 참고해야 한다. 반대로 누군가는 범주 3이라 판독한 병변에서 전혀 암이 진단되지 않는다면 이 판독의는 너무 과한 판독을 하고 있는 것이다. 극단적으로 우리가 모든 병변을 다 암으로 판독을 한다면 절대로 암을 놓치지는 않는다. 이런 판독은 누구에게도 가치가 없으며 이것은 병변의 발견이지 판독이라 할 수 없다. 그러기에 현재의 TIRADS에서 의학적감시가 거의 주목받지 못하는 현실은 상당히 안타깝다.

TIRADS도 BIRADS와 비슷한 구조적 형태를 가진다. 그렇지만 가장 큰 차이는 TIRADS에서는 환자 진료에 있어 결절의 크기를 구체적으로 제시한다는 것이다. TIRADS는 초음파 소견을 기반으로 한 범주, 범주에 따른 악성도, 그리고 범주와 크기를 고려한 결절의 진료지침으로 크게 나눌 수 있다. 유방의 판독체계는 American College of Radiology (ACR)에서 제시한 BIRADS가 많은 국가에서 사용되고 있는 반면 TIRADS는 다양한 국가, 다양한 학회에서

조금씩 다른 형태로 제시하고 있다.

(2) 갑상선 결절 판독체계(표 1-1)

이제 본격적으로 TIRADS에 대해 검토해보자. 갑상선 결절의 초음파 소견을 이용한 TIRADS는 칠레의 Horvath 등이 최초로 사용하였다. 이후 경북의대 박 등은 로지스틱회귀분석을 통해 결절의 악성도를 결정하고 점수화하는 방법의 TIRADS를 제시하였다. 세 번째 TIRADS는 연세의대 곽 등이 간단하고 이용하기 쉬운 TIRADS를 보고하였다. Horvath 등이 제시한 TIRADS는 패턴을 이용한 American Thyroid Association (ATA) 가이드라인의 근간이 되었고 나머지 두 개의 TIRADS는 초음파 소견을 점

표 1-1 세 가지 갑상선 결절 판독체계

TIRADS	범주				
	1	2	3	4	5
2015년 American Thyroid Association 가이드라인					
범주명	benign	very low suspicion	low suspicion	intermediate suspicion	high suspicion
제시된 악성도	< 1%	< 3%	5~10%	10~20%	> 70~90%
FNA크기 범위	No	≥ 2 cm 또는 관찰	≥ 1.5 cm	≥ 1 cm	≥ 1 cm
FU US	No	> 1 cm에서 한다면 24 months 이후에	12~24 months	12~24 months	6~12 months
2016년 Korean Thyroid Association/Korean Society of Thyroid Radiology (KTA/KSThR) 가이드라인					
범주명	No nodule	benign	low suspicion	intermediate suspicion	high suspicion
제시된 악성도		< 1% or < 3%	3~15%	15~50%	> 60%
FNA크기 범위	No	≥ 2 cm (spongiform인 경우)	≥ 1.5 cm	≥ 1 cm	≥ 1 cm (> 0.5 cm, selective*)
2017년 American college of radiology Thyroid Imaging Reporting and Data System (TIRADS)					
범주명	benign	not suspicious	mildly suspicious	moderately suspicious	highly suspicious
제시된 악성도		< 2%	< 5%	5~20%	≥ 20%
FNA크기 범위	No	No	≥ 2.5 cm	≥ 1.5 cm	≥ 1 cm
FU US	No	No	if ≥ 1.5 cm	if ≥ 1 cm	if ≥ 0.5 cm

* 피막외침범, 임파선 전이, 원격전이, 기도나 되돌이후두신경 침범가능성이 있는 피막하 위치, 3 mm 이상 커지는 결절

수화 하는 ACR TIRADS의 근간이 되었다.

이 장에서는 비교적 여러 문헌에서 인용 및 비교검토되고 있는 대표적인 세 가지 TIRADS에 대해 언급하고자 한다. 2015년 ATA 가이드라인, 2016년 Korean Thyroid Association/Korean Society of Thyroid Radiology (KTA/KSThR) 가이드라인(이하 Korean 가이드라인), 2017년 ACR TIRADS이다. 문헌들을 검토하다 보면 TIRADS와 가이드라인 등 여러 용어들이 혼재되어 있어서 사실 논문작성하는 연구자조차 헛갈리고 통일성이 없어 방황할 때도 많다. 여기서는 처음 제시안으로 썼던 용어를 그대로 살려 가이드라인 또는 TIRADS로 사용하고자 한다. 그렇지만 가이드라인이든 TIRADS이든 앞서 이야기한 세 가지 구성요소를 모두 가지고 있어서 용어의 차이일 뿐 의미의 차이는 없다고 편히 생각하면 될 것 같다. 판독체계시스템의 가장 기본적인 요소는 영상소견에 따라 위험도를 나누는게 제일 먼저이다. 갑상선 결절의 초음파에서는 위험도를 나누는 방식을 크게 두 가지로 나눌 수 있다. 하나는 패턴으로 하나는 낱개의 초음파 소견의 합으로 접근하는 방식이다. 패턴으로의 접근은 2015년 ATA 가이드라인과 2016년 Korean 가이드라인이 대표적이다. 각 초음파 소견의 합을 이용하는 방식은 2017년 ACR TIRADS가 대표적이다.

① 2015년 ATA 가이드라인

학회차원의 TIRADS는 2005년 Society of Radiologists in Ultrasound (SRU)에서 가장 먼저 제시하였다. 이 논문은 여러 분야 패널들이 고심하여 발표를 하였으나 당시에 환영받지 못하였다. 실제적으로 TIRADS로서 주목받고 사용되는 처음은 2015년 ATA 가이드라인이라 할 수 있다. 이 가이드라인은 초음파 소견을 낱개로 분류한 접근이 아닌 결절의 초음파 소견을 5가지 패턴으로 분류한다. 또한 각 분류에 해당하는 결절의 초음파 소견을 글자

로 부연 설명하였다. 글자를 읽으면 도대체 이 가이드라인이 왜 사용하기 편리한가 하는 의문을 가질 수 있으나 패턴에 해당하는 영상을 보고 다른 TIRADS를 검토한다면 아마 편리한 시스템이란 생각에 동의할 의사들이 많으리라 생각한다. 5가지 패턴은 "benign", "very low suspicion", "low suspicion", "intermediate suspicion", 그리고 "high suspicion"으로 나뉜다. 어떤 결절을 초음파에서 발견했을 때 이 5가지 범주 중 하나로 분류하면 된다는 의미이다. 그렇지만 각 범주에 대한 언어적 설명이 있고 이에 따르면 일부 결절은 5가지 범주 중 어디에도 속하지 않는 약점이 있었다. 실제로 2016년 연세의대 윤 등의 연구에서 포함된 결절 중 3.4%는 5가지 패턴에 속하지 않는 "not specified pattern"이었는데 고에코 또는 등에코 + 고형 또는 혼합형 + 다음의 의심되는 소견 중 하나라도 있는 경우 (미세소엽 또는 불규칙 가장자리, 미세석회화, 앞뒤로 긴 모양)의 조합인 결절이었다. 이 패턴에 속하는 결절의 악성도는 18.2%로 2015년 ATA 가이드라인 기준으로 intermediate suspicious의 악성도 범주에 속하는 결절로 포함시킬 수 있다.

② 2016년 Korean 가이드라인(2016년 Korean Thyroid Association/Korean Society of Thyroid Radiology (KTA/KSThR) 가이드라인, 표 1-2, 그림 1-18~20)

한국에서는 갑상선영상의학회를 중심으로 2011년에 갑상선 결절의 초음파 소견과 진단 접근에 대한 보고를 하였고 2016년에 이를 좀 더 업데이트한 가이드라인을 제시하였다. 이 가이드라인은 "no nodule", "benign", "low suspicion", "intermediate suspicion", 그리고 "high suspicion"으로 분류하였다. 개인적으로 2015년 ATA 가이드라인의 약점이 개선된 가이드라인이라 생각한다. 2015년 ATA 가이드라인에서 "benign"을 제외한 ATA 가이드라인의 4가

표 1-2 2016년 Korean Thyroid Association/Korean Society of Thyroid Radiology (KTA/KSThR) 가이드라인의 범주 별 초음파 소견

범주	초음파 소견
high suspicion	고형 저에코 결절 + 의심스러운 3개의 초음파 소견(미세석회화, 앞뒤로 긴 모양, 또는 침상형이나 미세소엽경계) 중 하나 이상
intermediate suspicion	의심스러운 3개의 초음파 소견이 없는 고형 저에코 결절 의심스러운 3개의 초음파 소견(미세석회화, 위아래 길줄한 모양, 또는 침상형이나 미세소엽경계) 중 하나 이상이 있는 혼합형(고형+낭성) 또는 고형 등에코 결절
low suspicion	의심스러운 3개의 초음파 소견이 없는 혼합형(고형 + 낭성) 또는 고형 등에코 결절
benign	물혹, 스펀지 모양 결절, 혜성꼬리 허상이 있는 혼합형(고형 + 낭성) 결절

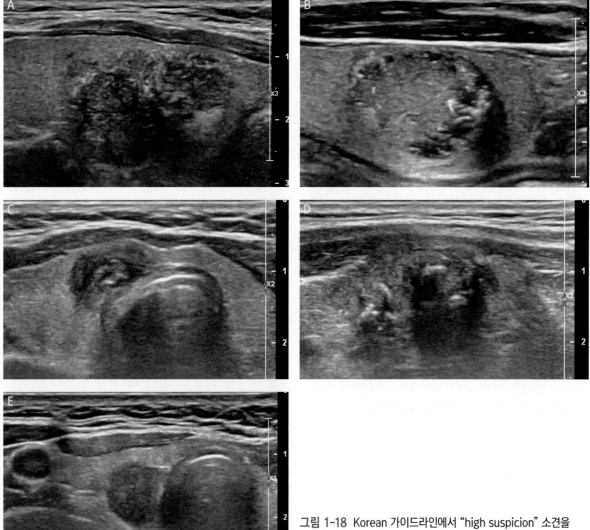

그림 1-18 Korean 가이드라인에서 "high suspicion" 소견을 보이는 결절들

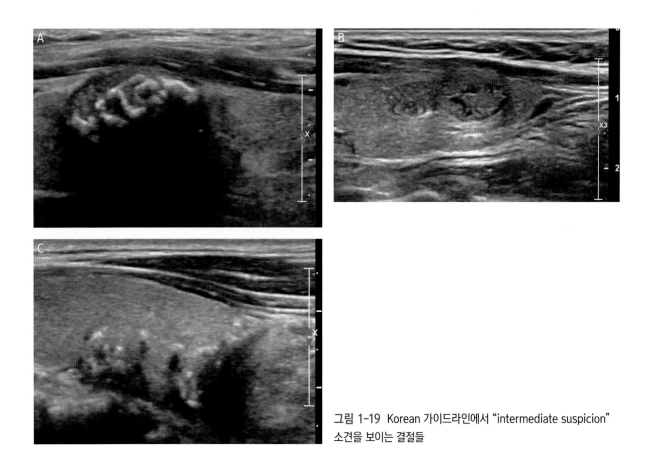

그림 1-19 Korean 가이드라인에서 "intermediate suspicion" 소견을 보이는 결절들

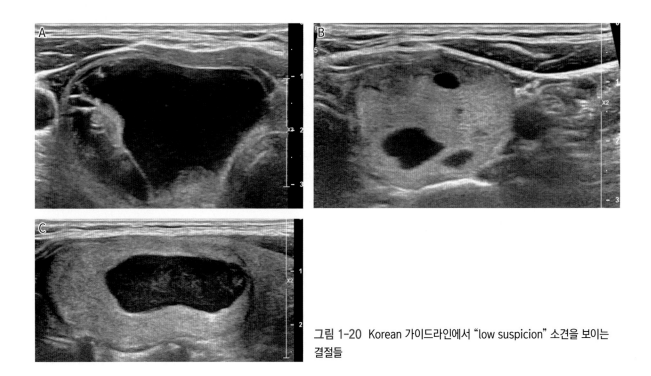

그림 1-20 Korean 가이드라인에서 "low suspicion" 소견을 보이는 결절들

지 범주와 비교 시 2016년 Korean 가이드라인은 "no nodule"과 "benign"을 제외하면 3가지로 좀 더 단순화된다. 앞서 언급한 ATA 가이드라인에서 어느 범주에도 포함되지 않던 "not specified pattern"의 결절은 Korean 가이드라인에서 "intermediate suspicion"으로 분류하였다. 2015년 ATA 가이드라인과 2016년 Korean 가이드라인을 범주별 제시된 악성도를 고려하면 ATA 가이드라인에서 "low suspicion"과 "very low suspicion"로 나눠 구분했던 범주들이 2016년 Korean 가이드라인에서는 "low suspicion"으로 단순화되었음을 알 수 있다. 사실 ATA 가이드라인에서 "low suspicion"과 "very low suspicion"의 두 범주를 구분하는 것의 실용성에 의문이 있었고 연세의대 이 등의 연구에서 ATA 가이드라인의 "low suspicion"과 "very low suspicion"의 악성도를 구하였을때 각각의 악성도가 2.1%와 1.3%로 의미있는 차이가 없어 이 두 범주를 통합하는 것이 더 효율적이라는 제시를 한 바 있다.

③ 2017년 ACR TIRADS

초음파 각각 소견에 가중치를 두어서 이를 모두 합산한 점수로 결절의 범주를 나누는 방식이다. 영상의학과에서 American college of radiology (ACR)은 굉장히 권위있는 단체이다. 유방 분야에서 널리 사용되는 BIRADS를 만든 단체이기도 하다. 많은 장기의 판독체계시스템을 관리하고 있으며 저자가 바라는 의학적 감시에 대해 훌륭한 권고를 하고 있는 기관이기도 하다. 그런데 유독 갑상선을 오래 연구한 연구자로서 TIRADS만큼은 ACR이 지금까지 한 여러 업적을 고려할 때 많이 아쉽다. 일단 직관을 중시하는 패턴식 접근에 비해 많이 복잡하다. ACR TIRADS는 각각의 초음파 소견을 분류하여 이후 각 소견에 대해 다양한 점수로 바꾸어서 이를 합산하고 합산된 점수가 어느 범주에 들어가는지를 다시 확인해야 한다. 이런 접근은 이론적으로 의심스럽

다고 생각되는 여러 초음파 소견들이 동일한 악성도를 반영하지는 않으므로 타당성이 있다. 그러나 실제 임상에서 적용하기에는 너무 복잡하다. 이런 복잡한 노력을 한 시스템과 각 초음파 소견들에 개별적인 점수를 주지 않는 단순한 합산과 비교할 때 진단성적이 과연 더 뛰어난가? 초음파 각각의 소견을 가중치를 주지 않고 단순히 합산한 제안은 학회 차원이 아닌 개인 연구자가 논문으로 제시하였다.

이 시스템은 현재 1저자의 이름을 따서 Kwak TIRADS로 불리고 있다. 이 시스템은 고형, 저에코 또는 현저한 저에코, 미세소엽 또는 불규칙 가장자리, 미세석회화, 위아래 긴모양 소견을 의심스러운 소견으로 간주하고 의심스러운 소견을 합산하여 의심스러운 소견이 1개이면 "low suspicion for malignancy", 2개이면 "intermediate suspicion for malignancy", 3개 또는 4개이면 "moderate suspicion for malignancy", 5개이면 "highly suggestive of malignancy"로 분류하였다. 각 초음파 소견에 대해 점수를 달리하는 ACR TIRADS와 Kwak TIRADS를 비교한 연구에서 크기를 고려하지 않거나 동일한 크기를 기준으로 진단성적을 비교하였을 때 Kwak TIRADS의 성적이 ACR TIRADS에 비해 조금 더 우수하여 각 초음파 소견에 개별적인 가중치를 두는 복잡한 방식이 굳이 필요한가에 대한 의문이 드는 결과들이 있다. 그렇지만 ACR TIRADS를 만든 그룹에서는 다양한 방식으로 이 시스템의 우수성을 보여주고자 노력하고 있고 초음파 소견별 가중치를 두는 복잡함도 홈페이지(https://deckard.duhs.duke.edu/~ai-ti-rads/)를 이용하여 클릭만 하면 범주화되는 내용을 소개하기도 하였다. 그렇지만 왜 이런 단계를 거쳐서 복잡하게 해야 하는가 하는 의문을 해결하기에는 역부족이라 생각한다.

그렇다면 ACR TIRADS는 왜 이런 시스템을 구축하게 되었을까? 영상의학과 의사가 전적으로 판독을 하는 유방촬영술의 BIRADS와는 달리 갑상선 초

음파는 미국에서 영상의학과 의사가 직접 검사를 하는 경우가 많지 않다. 초음파 자체를 소노그래퍼가 하는 경우가 많아서 실제적으로 TIRADS를 이용하는 유저에 대한 고려 없이 좀 더 정교한 학문적인 추구를 위한 시스템이 아닌가 생각이 든다. ACR TIRADS는 위의 두 대표적인 패턴 접근을 한 ATA 가이드라인, Korean 가이드라인과 또 하나의 큰 차별점은 FNA을 하는 결절의 크기의 기준이 좀 더 크다는데 있다.

(3) Korean 가이드라인을 이용한 여러 증례들 (그림 1-21~25)

(4) 결론

이 장에서 주로 Korean 가이드라인을 중심으로 증례를 제시하였고 현재의 가이드라인에 따른 진료지침을 제시하였다. 그렇지만 Korean 가이드라인은 다른 TIRADS에 비해 세포검사를 하는 결절의 크기가 상대적으로 작고 이로 인한 문제점을 내포하고 있다. 이에 대해 갑상선영상의학회에서 끊임없이 고민하고 있으며 향후 보완된 가이드라인을 기대한다.

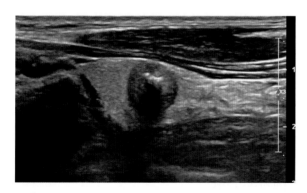

그림 1-21
59세 남자가 우연히 좌측 갑상선에 10 mm 결절이 발견되었다. Korean 가이드라인은 패턴으로 접근하기 상식적이고 단순하다. 아주 나빠보이는가? 그렇다면 high suspicion으로 판독을 하면 된다. 이것을 각 초음파 소견으로 분석을 해 보면 고형 결절이고 저에코와 앞뒤로 긴모양인 2개의 악성이 의심스러운 소견이 있다. 초음파 소견과 크기를 고려할 때 세포검사의 대상이 되는 결절이다. 세포검사에서 악성으로 진단되었다.

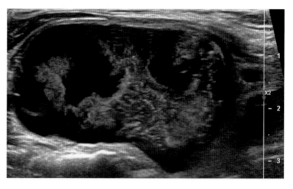

그림 1-22
75세 여자가 좌측 갑상선에 만져지는 병변이 있어 초음파를 하여 47 mm 결절이 발견되었다. Korean 가이드라인의 어떤 패턴으로 보이는가? 아주 나쁜가? 조금 나쁜가? 별로 나쁘지 않은가? 본원의 검사자는 조금 나쁘다고 판단을 하였고 그 이유는 내부에 미세석회화가 의심되어서였다. 이 결절은 세포검사에서 양성으로 진단되었다. 결절의 크기가 1 cm 이상일 경우 "intermediate suspicion"이든 "high suspicion"의 소견을 가졌던 세포검사의 적응증이 되는데 굳이 구분을 할 이유가 있는가 하는 의문이 들 수 있다. 보통 전자의 경우는 초음파 추적검사를 권하지만 후자의 경우는 세포검사를 시행하는 크기의 결절이라면 추적 세포검사를 한 번 더 확인하는 차이가 있다.

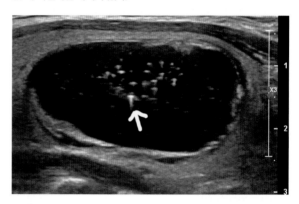

그림 1-23
55세 남자가 우측 갑상선에 만져지는 병변이 있어 초음파를 하여 36 mm 결절이 발견되었다. Korean 가이드라인의 어떤 패턴으로 보이는가? 아주 나쁜가? 조금 나쁜가? 별로 나쁘지 않은가? 초음파가 주관성이 강한 검사이지만 이 결절에 대해서는 대부분 "benign" 결절이라는데 동의하리라 생각한다. 병변의 내부의 검은 부분은 모두 액체이고 뒤쪽의 아주 일부 고형성분이 있다. 병변의 내부에 헬리혜성꼬리 같은 혜성꼬리 허상(화살표)이 보여 내부 액체가 콜로이드성분임을 알 수 있다. Korean 가이드라인을 고려할 때 세포검사의 대상이 되지 않는다. 이 결절은 만져지는 병변이라 환자가 세포검사를 원하여 진행하였고 "nondiagnostic" 결과를 얻었다. 세포검사에서 분명 무엇인가 검체를 얻었는데도 "nondiagnostic" 결과가 나올 수 있는데 세포검사에서 검체를 충분히 얻었다는 의미는 갑상선의 follicular cells의 검출되어야 하므로 이 결절처럼 대부분이 액체라면 양성으로 간주해도 되리라 생각한다.

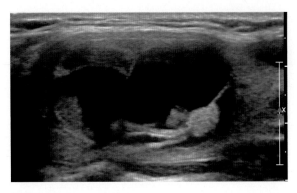

그림 1-24

21세 여자가 우측 갑상선에 만져지는 병변이 있어 초음파를 하여 35 mm 결절이 발견되었다. Korean 가이드라인의 어떤 패턴으로 보이는가? 아주 나쁜가? 조금 나쁜가? 별로 나쁘지 않은가? 이 결절의 경우 대부분은 의사들은 별로 나쁘지 않다라고 판단하리라 생각한다. 본원에서도 Korean 가이드라인 기준 "low suspicion" 결절이고 크기를 고려 시 세포검사 적응이 된다. 초음파 소견을 분석하면 고형과 낭성이 섞여 있는 결절로 내부에 의심스러운 초음파 소견이 전혀없다. 이 결절의 경우 ATA 가이드라인을 적용하면 어떤가? 본문에서 언급한 것처럼 ATA 가이드라인에서 "low suspicion"과 "very low suspicion"을 구분하는 것은 어떤 결절에서 어려울 수 있다. 이 결절의 고형부분이 eccentric한 위치라고 판단되면 "low suspicion"으로 아니면 "very low suspicion"으로 구분할 수 있다. Korean 가이드라인 기준 "low suspicion" 결절은 1.5 cm 이상은 세포검사가 권고된다 (FNA is recommended). 그렇지만 ATA 가이드라인에서 "low suspicion"이나 "very low suspicion" 소견의 결절의 경우 전자는 "observation may be warranted until the size is ≥ 1.5 cm"이고 후자는 "If FNA is performed, the nodule should be at least 2 cm. Observation without FNA may also be considered for nodules ≥ 2 cm"로 권고하고 있어 비슷한 패턴 분류를 하고 있으나 두 가이드라인에서 세포검사에 대한 운신의 폭은 ATA 가이드라인이 좀 더 여유롭고 Korean 가이드라인은 다소 강한 어조의 권유임을 알 수 있다. 이 결절은 세포검사에서 양성으로 진단되었다.

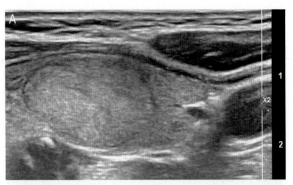

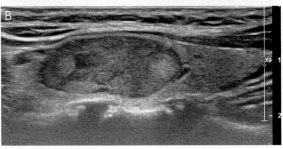

그림 1-25

A는 20 mm, B는 25 mm 결절이다. A의 결절은 Korean 가이드라인에서는 "low suspicion", B의 결절은 "intermediate suspicion"의 소견을 가진다. 두 결절의 차이는 무엇인가? 둘 다 경계가 좋은 고형 결절이고 내부에 미세석회화나 위아래 길쭉한 의심스러운 초음파 소견은 보이지 않는다. A사진은 갑상선과 동일한 에코를 B사진은 갑상선보다 떨어지는 에코의 소견을 보이는 결절이다. Korean 가이드라인에서 A는 1.5 cm 이상, B는 1 cm 이상은 세포검사를 권하고 있다. ATA 가이드라인의 경우도 세포검사의 크기 기준은 동일하다. 그렇지만 ACR TIRADS의 경우 A는 2.5 cm 이상, B는 1.5 cm 이상에서 세포검사가 권유된다. 앞서 본문에서 언급한 것처럼 ACR TIRADS의 이런 크기 기준은 불필요한 세포검사를 많이 줄여주는 효과가 있다. 두 결절 모두 세포검사에서 양성으로 진단되었다.

2) 양성 갑상선 결절

갑상선의 결절은 전체 인구의 절반 정도에서 관찰되며 그 중 갑상선의 양성 결절은 낭성 결절, 양성 소포성 결절, 소포성 선종, 염증성 병변 등이 있다.

중요한 점은 대다수 양성 결절의 초음파 소견은 악성과 겹치는 부분이 많으며 초음파로만 악성과 양성을 감별하기에는 민감도와 특이도가 낮다.

양성의 결절로 의심된다 하더라도 세침흡인세포검사의 적응증이 될 경우 반드시 현미경적 분석을 시행하여야 한다.

갑상선의 낭성 결절은 내피세포(endothelium)로 구성된 낭종(true cyst)은 매우 드물다. 대부분 일부 고형의 종괴와 동반된 경우가 많으며 샘종성갑상선종(adenomatous goiter)의 낭변성(cystic degeneration) 혹은 복합 콜로이드성 낭종과 같은 가성 낭종(pseudo-

표 1-3 갑상선의 양성 결절

낭성 결절(Cyst, Pseudocyst)
양성 소포성 결절(Benign follicular nodule)
샘종성갑상선종(Adenomatous goiter)
소포성 샘종(Follicular adnomea)
휘르틀레세포샘종(Hurthle cell adenoma)
염증성 병변
하시모토 갑상선염
리델 갑상선염
아급성 갑상선염

cyst)인 경우가 많다.

갑상선의 낭종은 악성인 경우가 매우 드물며 경과를 관찰할 경우 대부분의 경우 크기의 변화가 없으므로 증상이 없을 경우 치료 및 세포검사가 필요하지 않다.

낭종은 무에코의 경계가 명확한 형태를 보이며 음향증강이 있다. 콜로이드낭종의 경우 혜성꼬리 허상(comet tail artifact)이 관찰될 수 있다(그림 1-26).

고형의 결절 중 양성을 시사하는 초음파 소견은 스폰지 형태의 결절(그림 1-27), 고음영의 결절(그림 1-28), 액체부위가 고형의 부분보다 많은 결절(그림 1-29), 결절 주위 저음영의 테두리(halo)가 있는 경우(그림 1-30), 중앙보다 주변부위의 혈류량이 증가한 경우(그림 1-31)로 볼 수 있다. 하지만 많은

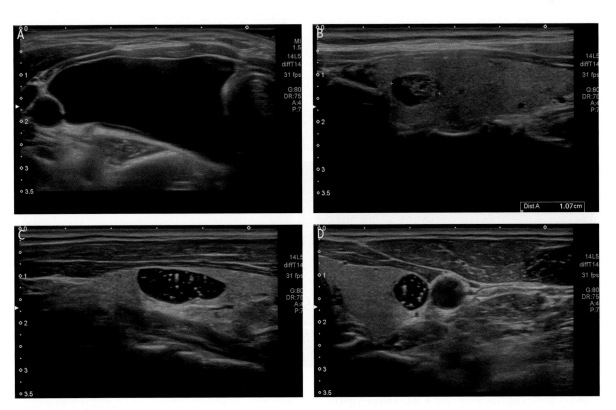

그림 1-26 낭성 결절
A. 순수낭종 무에코 결절
B. 복합낭종
C, D. 콜로이드 낭종 및 혜성꼬리 허상(comet tail artifact)

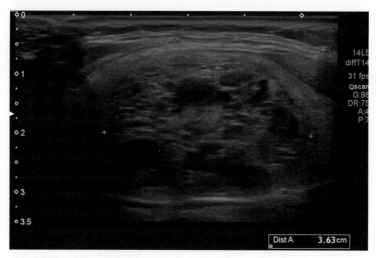

그림 1-27 스폰지 형태의 결절

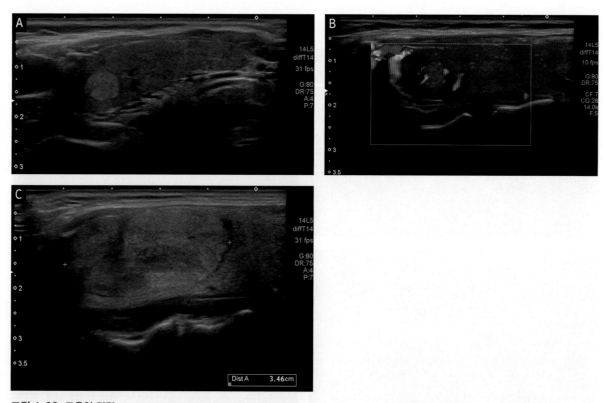

그림 1-28 고음영 결절
A. 염증성 병변의 배경위에 보이는 고음영 결절(white knight)
B. A의 도플러 영상
C. 균질음영의 고음영 결절

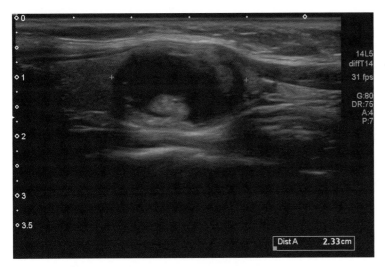

그림 1-29 액체부위가 고형의 부분보다 현저히 많은 결절

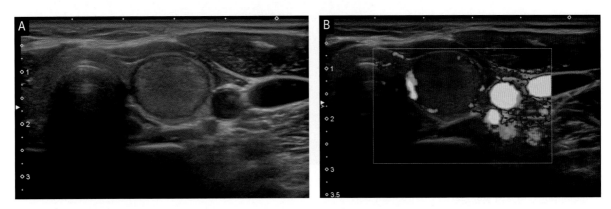

그림 1-30 결절 주위 섬유화 등의 캡슐의 발달로 어두운 음영의 테두리(halo)의 소견을 보임
A. 고음영의 결절 주위 발달한 저음영의 테두리(섬유화 등으로 인한 저음영의 테두리가 발달한 경우)
B. 저음영 테두리의 도플러 사진

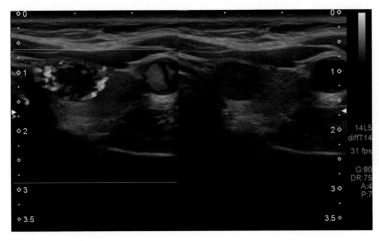

그림 1-31 중앙보다 주변의 혈류량이 증가한 균질음영의 결절(ring of fire)

경우 악성에서도 위와 겹치는 초음파 소견이 있을 수 있으므로 반드시 결절에 대해서는 추적관찰을 시행하며 필요한 경우 세침흡인세포검사를 시행하여야 하겠다.

그 밖에 초음파에서 악성이 의심되나 실제 양성인 결절이 있다. 낭성 결절을 추적관찰하다 보면 추후 석회화를 동반한 퇴행성 변화를 한 경우(그림 1-32), 고주파 치료 후 섬유화가 진행되어 심한 저음영의 결절 소견을 보이는 경우(그림 1-33) 등이 있다.

3) 악성 갑상선 결절

갑상선암은 가장 흔한 내분비계통 암으로 전세계적으로 발생하는 암의 약 2.2%를 차지하고, 약 77%는 여성에서 발병하는 것으로 알려져있다. 이러한 현상은 국내에서도 유사하게 나타나고 있으며 2017년 국가암발생통계에 따르면 갑상선암 발생률은 인구 10만명당 51.1명으로 여성암 중 유방암에 이어 두 번째로 흔한 암이다.

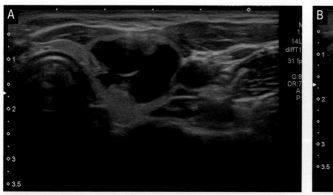
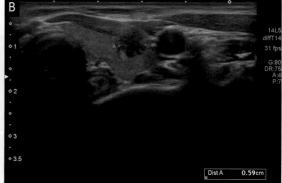

그림 1-32 퇴행성 변화 이전의 낭성 결절
A. 퇴행성 변화가 있기 전 복합낭종
B. 복합낭종의 1년 후 변화. 퇴행성 변화로 저음영 석회화 소견이 있어 악성으로 보이나 A와 동일 병변임

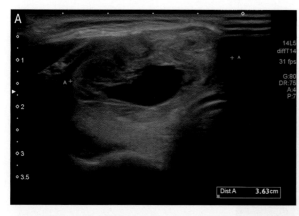
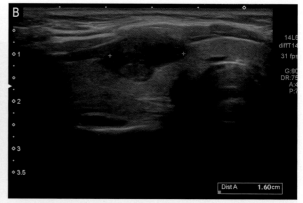

그림 1-33 고주파 전후 양성 결절의 초음파 음영변화
A. 고주파 치료 전 고음영의 결절
B. 고주파 치료 후 1년 지난 소견. 저음영의 병변. 내부의 혈류 흐름이 없음

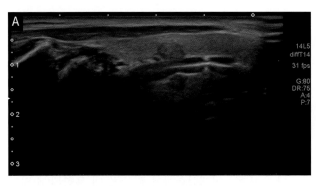
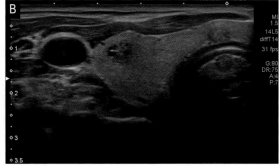

그림 1-34 초음파의 음향 반사로 인한 가짜영상
A. 초음파의 반향(reflection echo)으로 기관지 내의 결절이 환영으로 보이는 경우
B. A의 횡측 영상

악성 갑상선 결절은 크게 여포세포(follicular cell) 기원과 여포곁세포(parafollicular cell) 기원, 그리고 기타 종류로 분류할 수 있다(표 1-4). 여포세포 기원 악성 갑상선 결절은 분화암(유두암, 여포암, 저분화암)과 미분화암(역형성암)으로 분류된다. 여포

곁세포 기원 악성결절로는 수질암이 있고, 기타 악성결절에는 림프종과 전이성암이 있다. 빈도순으로 분화암이 전체 갑상선암의 94%, 수질암이 약 5%, 미분화암 혹은 역형성암이 1%를 차지한다.

(1) 유두암(papillary carcinoma)

유두암은 분화갑상선암 중 가장 흔한 형태로 약 80~90%를 차지한다. 여성에서 남성보다 약 2~3배 이상 호발하고, 다발성의 빈도가 높다. 주변 경부 림프절로의 전이를 가장 많이 보이고 림프절 전이가 발견이 되더라도 예후가 매우 좋다. 원격 전이는 2~3% 정도로 드물게 나타나 유두암의 치료 후 생존율은 98% 이상 보고되고 있다.

표 1-4 WHO Classification에 따른 악성 갑상선 결절의 분류

코드	기술 진단명
8050	유두암(Papillary carcinoma)
8341	유두미세암(Papillary microcarcinoma)
8340	여포변이갑상선유두암(Follicular variant)
8230	고형변이갑상선유두암(Solid variant)
8290	휘르틀레세포변이갑상선유두암(Hürthle cell variant)
8330	여포암(Follicular carcinoma)
8331	피막형비침습여포종양 (Encapsulated noninvasive)
8335	최소침습여포암(Minimally invasive)
8350	광범위침습여포암(Widely invasive)
8290	휘르틀레세포암(Hürthle cell carcinoma)
8337	저분화암(Poorly differentiated carcinoma, insular carcinoma)
8021	역형성암(Anaplastic carcinoma)

① 유두암의 초음파 소견

최근 여러 연구들 및 권위있는 가이드라인에서 악성 갑상선 결절의 초음파 소견을 카테고리화하여 정리하였는데 이는 대부분 유두암의 초음파 소견을 기반으로 한 것이다. 악성 갑상선 결절에서 흔한 초음파 소견은 정상 갑상선 실질 혹은 띠근육과 비교해 저에코 혹은 현저한 저에코 소견(hypoechoic or markedly hypoechoic), 결절 내 미세석회화(presence of microcalcifications), 불규칙 경계(irregular margin),

앞뒤로 긴 모양(taller-than-wide shape)이다(그림 1-35). 2015 American Thyroid Association Management Guidelines for Thyroid Nodules에 의하면 여러 종류의 악성의심 초음파 소견 중 진단특이도(specificity)가 90% 이상인 소견은 미세석회화, 불규칙 경계, 그리고 앞뒤로 긴 모양으로 이들 소견을 가진 결절을 가장 악성도가 높은 결절로 분류하였다. 거대석회화(macrocalcification)가 보이는 결절에서 미세석회화가 동반된 경우 악성도가 높아지는 것으로 알려져 있다(그림 1-36). 특히, 주변부 거대석회(peripheral macrocalcification) 혹은 계란껍질형석회(egg-shell calcification)를 동반한 결절에서 석회가 파열되면서 석회 주변으로 연부 조직이 관찰되는 경우 강한 악성을 시사하는 소견으로 분류된다(그림 1-37).

② 경부 림프절 전이 소견

유두암에서 주변 경부 림프절 전이 소견을 초음파로 진단할 수 있는데, 유두암으로 인한 경부 림프절 전이의 초음파 소견은 림프문 소실, 에코 증가, 낭성 변화, 미세석회화가 림프절 내 포함된 소견이 특징적이다(그림 1-38). 경부 림프절 전이 소견이 보이는 경우, 갑상선 결절의 크기가 작거나 악성 초음파 소견을 동반하지 않는다 하더라도 진단 목적의 세침흡인세포검사를 권유하도록 한다.

수술 전 림프절 전이 여부를 진단하기 위해 림

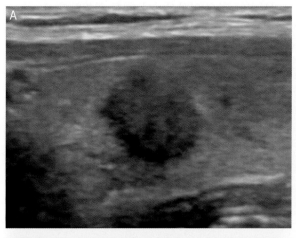
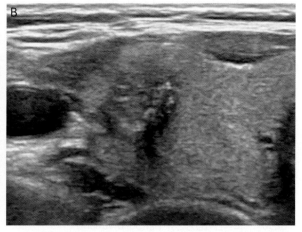
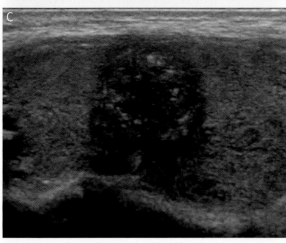

그림 1-35 유두암의 다양한 초음파 소견
A. 현저한 저에코, 불규칙 경계, 앞뒤로 긴 모양
B. 불규칙 경계, 미세석회화, 앞뒤로 긴 모양
C. 현저한 저에코, 불규칙 경계, 미세석회화, 앞뒤로 긴 모양

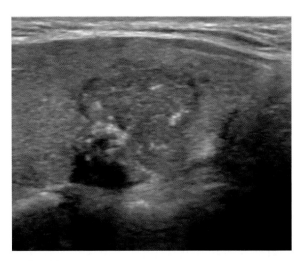

그림 1-36
거대석회화와 미세석회화가 동반된 경우도 유두암에서 흔히 보인다.

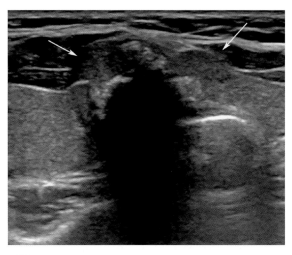

그림 1-37
주변부거대석회를 가진 결절에서 석회 파열과 함께 주변으로 연부조직(화살표)이 관찰되는 경우 강한 악성을 시사하는 소견이다.

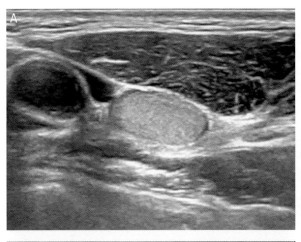

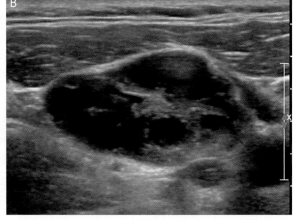

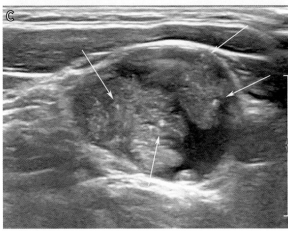

그림 1-38 유두암 경부 전이 림프절 초음파 소견
A. 림프절 내 림프문 소실, 에코 증가
B. 낭성 변화
C. 낭성 변화, 에코 증가, 미세석회화(화살표).

프절에 초음파 유도 세침흡인세포검사를 시행하게 되는데, 이때 흡인 검체의 갑상선글로불린(thyroglobulin, FNA-Tg) 증가로 전이 여부를 예민하게 진단할 수 있다. 보고에 따르면 세포학적 진단 단독에 비해 FNA-Tg를 추가하면서 진단 예민도가 97~100%까지 나타났는데, 그 중 FNA-Tg 단독의 예민도(95%)가 세침흡인세포검사(87%)에 비해 유의하게 진단 예민도가 높게 나타났다.

③ 유두암의 조직학적 아형

조직학적 형태에 따라 유두암의 아형이 전체 유두암의 약 10~15%를 차지하는데 여포변이유두암(follicular variant), 고형변이유두암(solid variant), 휘르틀레세포변이유두암(Hürthle cell variant), 키큰세포변이(tall cell variant), 원주세포변이(columnar cell variant), 미만경화변이(diffuse sclerosing variant) 등이 있다. 이 중 여포변이유두암이 가장 흔한 형태로 육안적으로는 여포선종과 유사한 형태를 보이나 세포학적으로 유두암에서 보일 수 있는 핵상 변화를 보이는 것으로 진단 가능하다. 초음파로는 유두암에 비해 상대적으로 양성 초음파 소견으로 보이는 것으로 알려져 있는데, 여포변이유두암의 초음파 소견을 분석한 연구에 의하면 가장 흔히 보이는 초음파 소견으로 저에코성의 경계가 분명한, 타원형의 종괴로 미세석회화를 동반하지 않는 경우가 많았다(그림 1-39). 유두암과 여포변이유두암의 초음파 소견을 비교해 보았을 때, 악성 예측 특이도가 높은 소견인 불규칙 경계, 앞뒤로 긴 모양,

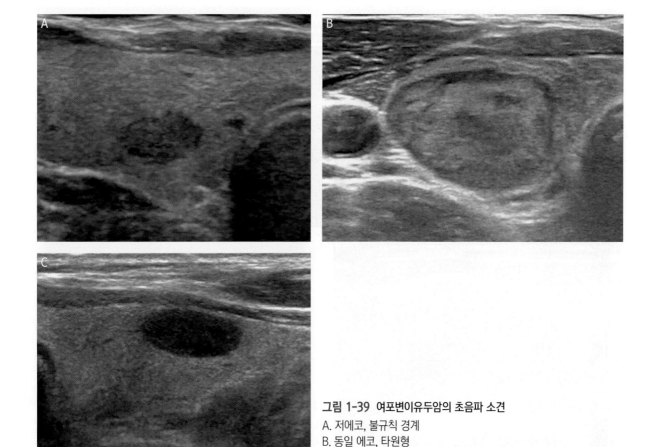

그림 1-39 여포변이유두암의 초음파 소견
A. 저에코, 불규칙 경계
B. 동일 에코, 타원형
C. 현저한 저에코, 불규칙 경계, 타원형. A~C 모두 미세석회화는 없다.

그리고 미세석회화는 유두암에서 유의하게 많은 빈도로 보인 반면, 여포변이유두암에서는 동일에코, 결절 주변의 저에코 테두리(hypoechoic halo), 납작한 모양이 유의하게 많은 빈도로 보였다. 그럼에도 불구하고 여포변이유두암 중 1개 이상의 악성의심 초음파 소견을 보이는 병변이 약 66.7%로 초음파 소견이 비교적 양성 소견으로 보이는 결절에서 비특이적(indeterminate) 혹은 악성의심(suspicious for malignancy) 세포학적 진단이 나오는 경우 여포변이유두암의 진단을 생각해 볼 수 있다.

미만경화변이유두암은 특징적으로 15~30세 가량의 젊은 환자에서 호발하고 진단 당시에 경부 림프절 전이를 동반하는 경우가 많다. 이름에서 알 수 있듯이 갑상선 조직에서 양측 갑상선에 유두암의 소견과 섬유화, 편평화생, 림프구침윤이 특징적이다. 이러한 병리학적 소견으로 인해 초음파에서 경계를 구분짓기 어려운 저에코성 변화, 미만성 미세석회화로 보이고 유두암에서 특징적인 경부 림프절

전이 소견을 동반한다(그림 1-40).

키큰세포변이유두암과 원주세포변이유두암은 매우 드물게 진단되고 유두암과 초음파 소견은 유사하게 보이나 상대적으로 림프절 전이와 원격 전이가 흔하게 발생하여 예후가 나쁜 변이로 알려져 있다.

(2) 여포암(follicular carcinoma)

여포암 또는 소포암은 캡슐로 주변 조직과 경계가 잘 지워지는 갑상선 분화암의 일종으로 내부에 섬유화, 종괴 내 출혈 낭성 변화를 흔하게 보인다. 임상적으로 여포암은 세 가지 형태로 분류하게 되는데 피막형비침습여포종양(encapsulated, non-invasive), 최소침습여포암(minimally invasive follicular carcinoma), 광범위침습여포암(widely invasive follicular carcinoma)으로 분류할 수 있다. 최소침습여포암은 치료 후 5년 생존율이 약 81~97%로 보고되어 있으나 광범위침습여포암의 경우 진단 당시 약 50%의 환자에서 뼈, 폐 등에 원격 전이를

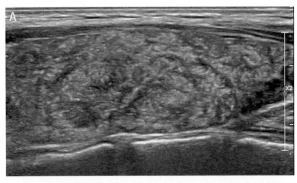

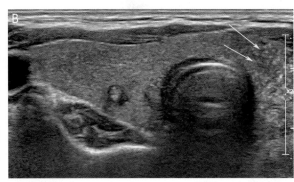

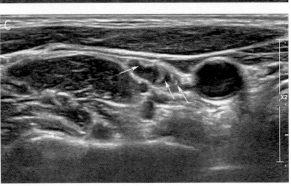

그림 1-40 미만경화변이유두암의 초음파 소견
A. 갑상선 전체에 분포한 미만성 미세석회화
B. 우측 갑상선 실질과는 구분(화살표)
C. 미만경화변이유두암에 동반된 전이성 경부 림프절, 미세석회화가 보인다(화살표).

동반하여 예후가 좋지 않다(그림 1-41). 이들 여포 종양 혹은 여포암의 감별 진단은 종양의 피막 혹은 혈관 침범을 기준으로 진단하므로 수술 전 세포검사 혹은 조직검사로 진단이 어려워 감별 진단을 위해 수술적 절제술이 필요하다.

여포암은 유두암에 비해 양성 결절에 가까운 영상 소견을 보이는 것으로 알려져 있다. 여포암의 흔한 초음파 소견으로 갑상선 실질과 동일에코 (isoechoic) 혹은 고에코(hyperechoic), 석회화를 동반하지 않고(non-calcified), 매끈한 경계(smooth, circumscribed), 그리고 납작한 모양(wider-than-tall shape)으로 정리된다(그림 1-41). 초음파 소견만으로 여포선종과 여포암을 구분하기는 어려우나, 유두암에서 흔히 보이는 악성 초음파 소견은 여포암의 감별 진단에도 사용될 수 있음을 일부 연구들에서 보고하고 있다. 여포선종에 비해 여포암에서 저에코 테두리와 낭성 변화의 빈도가 적으며 저에코성 변화가 많이 나타나는 것으로 보였고, 석회화 소견과 비균질 에코 소견을 이용하여 광범위침습여포암의 감별 진단에 도움이 되기도 한다(사진 1-41).

(3) 저분화암(poorly differentiated carcinoma, insular carcinoma)

저분화암은 갑상선암의 약 2~7%까지 보고되는 상대적으로 빈도가 낮은 분화암이나, 진단 당시 원격 전이가 약 85%까지 나타나고 분화암 중에서는 가장 예후가 좋지 않은 암으로 치료 후 생존율이 20% 미만이다. 발생 빈도가 적어 저분화암의 영상 소견에 대한 연구는 많지 않으나 다양한 악성 초음파 소견을 보인다(그림 1-42). 임상 경과와 영상 소

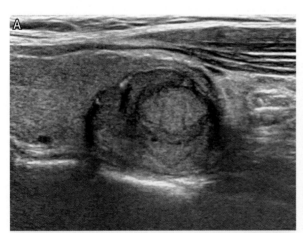

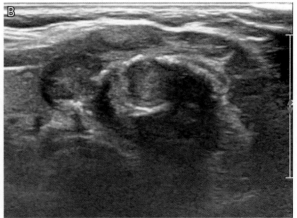

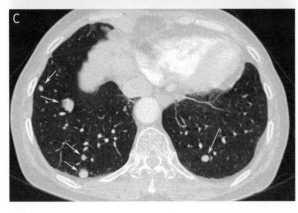

그림 1-41 여포암의 초음파 소견
A. 최소침습여포암 - 저에코, 타원형 종괴로 거대석회화
B. 광범위침습여포암 - 저에코, 불규칙 경계, 거대석회화
C. 폐 CT- 광범위침습여포암에 동반된 양측 폐전이(화살표).

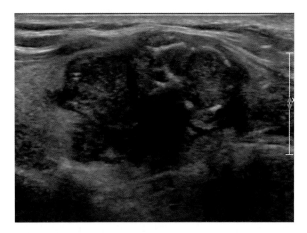

그림 1-42 저분화암의 초음파 소견
현저한 저에코, 불규칙 경계, 거대/미세석회화, 주변 조직으로의
침범을 보인다.

견이 비슷하게 보이는 역형성암의 영상 소견과 비교한 연구에 따르면 저분화암에서 상대적으로 타원형 모양과 매끈한 경계를 보이는 경우가 많았다.

(4) 역형성암(anaplastic carcinoma)

역형성암은 전체 갑상선암의 약 1~2%로 드문 질환이나 갑상선암으로 인한 사망률의 약 50% 이상을 차지할 정도로 예후가 가장 좋지 않다. 진단 후 생존율은 평균 약 3~6개월로 1년 생존율은 20% 미만으로 알려져 있다. 분화갑상선암에 비해 비교적 고령, 6~70대에서 호발하고 급격히 자라는 경부 종괴로 진단 당시 주변 기관과 경부 조직에 침범을 동반한 진행된 상태로 발견되는 경우가 많다. 원격 전이는 약 43%에서 발견되는데, 급격한 진행과 불량한 예후 등을 원인으로 역형성암이 진단되는 경우 American Joint Committee on Cancer TNM system에서는 진단 당시 stage IV로 평가하도록 하고 있다.

역형성암의 초음파 소견은 비특이적으로 현저한 저에코의 불규칙한 모양의 고형 종괴가 주변 조직으로의 침범을 동반한 양상으로 관찰된다(그림 1-43). 매우 짧은 기간에 급격한 크기 변화를 보이는 임상 경과가 특징적이다. 분화암과 마찬가지로 내부 석회화가 나타나기도 하는데 약 52.9~62%에서 보이는 것으로 보고되어 있다. 역형성암의 영상 소견을 정리한 한 연구에서 대부분 경부 CT에서 내부에 괴사(necrosis)를 동반한 커다란 종괴로 보이는데 이중 약 91%에서 갑상선 조직 외 침범을 보이면서 경부 림프절 전이는 약 56%에서 나타났다. 이들 림프절은 내부 괴사 혹은 낭성 변화를 보이나 석회화를 동반하지 않는다(그림 1-43).

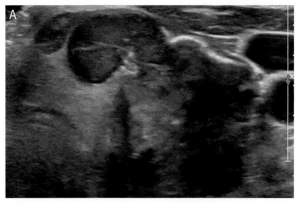
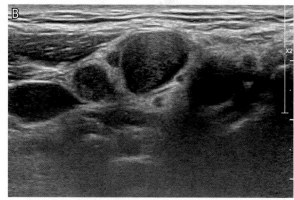

그림 1-43 역형성암의 초음파 소견
A. 현저한 저에코, 불규칙 경계, 주변 조직으로의 침범
B. 역형성암 진단 2주 후 경부 림프절 전이가 새로이 발견

세침흡인세포검사를 이용한 역형성암의 진단 정확도는 78.7~90%로 분화암에 비해 낮은 것으로 알려져 있다. 그 이유로 역형성암은 분화암과 섞여 있는 경우가 있고 내부에 괴사 혹은 낭성 변화를 동반하는 경우 등이 원인으로 알려져 있다. 세포검사로 분화암 혹은 비진단적 검체로 보인 갑상선 종괴 중 임상 경과가 급격히 진행하는 소견을 보일 때 반드시 역형성암을 의심해 보아야 하며 적절한 조직학적 진단을 위해 중심부 침생검 등을 고려해볼 수 있다.

(5) 수질암(medullary carcinoma)

수질암은 갑상선의 여포곁세포에서 기원하는 갑상선암으로 전체의 약 1~2%를 차지한다. 수질암의 약 20~25%에서는 다발내분비종양(multiple endocrine neoplasm, MEN IIA or IIB) 또는 가족성 수질암의 형태로 발현한다. 산발성인 경우 단독 병변으로 나타나지만 가족성의 경우 양측 갑상선에 여러 개의 병변으로 나타나기도 한다. 종양 세포에서 칼시토닌 및 암배아항원(carcinoembryonic antigen)이 분비되므로 혈청 수치가 상승되어 종양 표지자로 이용된다.

수질암의 초음파 소견은 흔하게 불규칙한 저에코의 고형 종괴로 흔하게 보이는데, 유두암과 비슷한 형태로 보이는 경우도 많다(그림 1-44). 임상적으로 수질암이 의심되는 경우 갑상선에서 보이는 결절에 세침흡인세포검사를 시행할 때, 세포검사 검체에서 칼시토닌 검사가 도움이 되기도 한다. 최근 연구들에서 초음파에서 보이는 영상 소견이 악성

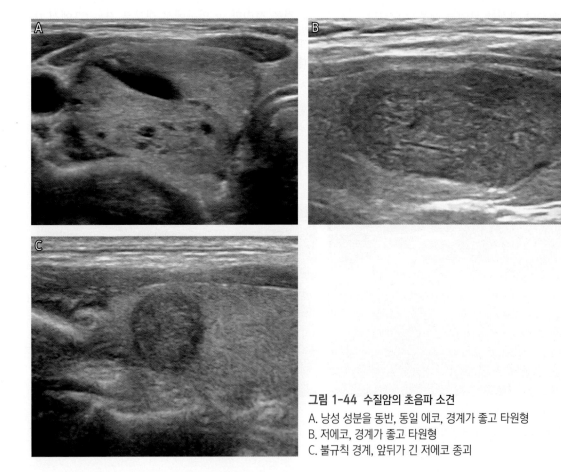

그림 1-44 수질암의 초음파 소견
A. 낭성 성분을 동반, 동일 에코, 경계가 좋고 타원형
B. 저에코, 경계가 좋고 타원형
C. 불규칙 경계, 앞뒤가 긴 저에코 종괴

의심 소견이 있는 수질암의 경우 경부 림프절 전이, 주변 조직 침범과 같은 불량 예후 인자를 유의하게 많이 동반하여 수질암의 병기를 예측하는데 도움이 된다는 결과도 있다.

(6) 림프종(lymphoma)

갑상선의 림프종은 흔하지 않은 질환으로 전체 갑상선암의 약 1~5%를 차지한다. 갑상선 림프종은 여성에서 호발하고 5~60대 연령에서 흔하다. 림프종은 급격히 자라는 경부 종괴를 주 증상으로 하며 이 종괴로 인해 기도폐쇄, 연하곤란 등의 증상을 보인다. 갑상선 림프종은 하시모토 갑상선염과 연관성을 보이고 대부분 비호지킨림프종(Hodgkin B lymphoma)이다.

초음파 소견은 주변 정상 갑상선 실질에 비해 저에코 혹은 현저한 저에코 소견을 보이는 고형 종괴로 보인다(그림 1-45). 특히, 정상 갑상선과 경계가 지어지는 저에코 소견이 갑상선엽과 협부에 분포하고 있거나, 낭성 변화로 보일 정도의 현저한 저에코 소견이 내부 도플러 신호를 동반하는 고형 종괴가 보일 때 림프종을 의심해 볼 수 있다(그림 1-45). 림프종의 진단에는 세침흡인세포검사의 예민도가 50~54.5%로 다른 갑상선암종에 비해 떨어지므로 림프종의 진단을 위해서는 중심부 침생검을 권한다.

(7) 전이암(metastatic carcinoma)

갑상선으로의 전이암은 드물게 발생하는데, 신장암, 유방암, 폐암 등이 원발 병소로 많다. 갑상선으

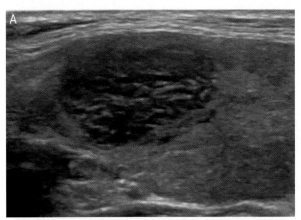
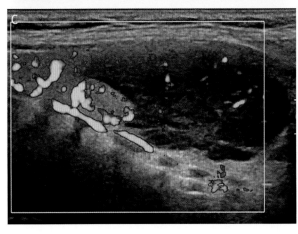
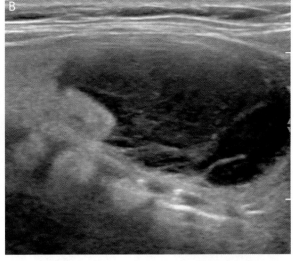

그림 1-45 림프종 초음파 소견
A. 저에코 고형 종괴로 내부 불균질한 에코, 갑상선 실질 불균질 에코.
B, C. 현저한 저에코, 낭성 변화로 생각했던 부위에 도플러 신호가 보인다.

로의 전이암이 드문 이유로 갑상선으로 상당히 많은 양의 혈류가 지나가고, 갑상선 조직 내에 산소와 요오드 성분이 풍부하여 전이 세포가 생착하여 증식하기 어려운 환경으로 되어 있기 때문으로 알려져 있다.

전이암에서 흔하게 보이는 초음파 소견으로는 저에코, 불규칙 경계를 보이는 고형 종괴가 석회화를 동반하지 않으며 타원형의 모양으로 보이는 경우가 많았다(그림 1-46). 경부 림프절 전이도 흔하게 동반되는데 한 연구에서는 약 78.3%에서 림프절 전이가 동반되는 것으로 보고했다. 대부분의 전이암은 악성이 의심되는 초음파 소견을 가지고 있어 원발 갑상선암과 감별진단을 위해 세포병리학적 검사가 필요하다. 세침흡인세포검사로 약 95.5%에서 진단이 가능하나, 비진단적 검체의 결과 또는 추가 조직병리학적 염색 등의 검사가 필요한 경우 중심부 침생검을 고려해봐야 한다.

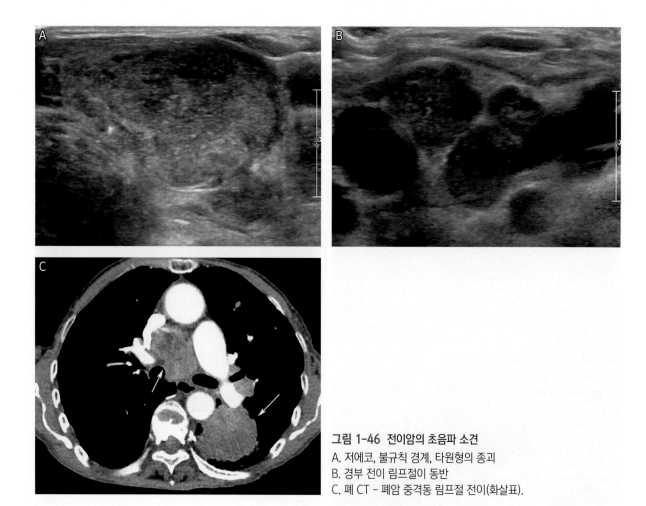

그림 1-46 전이암의 초음파 소견
A. 저에코, 불규칙 경계, 타원형의 종괴
B. 경부 전이 림프절이 동반
C. 폐 CT – 폐암 중격동 림프절 전이(화살표).

6. 초음파 유도 세침흡인세포검사

초음파 유도 세침흡인세포검사는 갑상선 결절의 진단에서 간편하고 안전하며 효율적이어서 가장 중요한 진단방법으로 사용되고 있다. 갑상선 결절의 세침흡인세포검사가 널리 보급되면서 수술 전 갑상선암 진단율을 크게 향상시켰으며, 불필요한 수술을 25%까지 감소시켰고 암 진단율을 14%에서 30%로 증가시켰다. 초음파 유도 세침흡인세포검사는 만져지지 않는 갑상선 결절의 채취를 가능하게 하며 실시간으로 시술의 진행을 평가할 수 있고 세침의 정확한 위치를 모니터링할 수 있다. 초음파 유도 세침흡인세포검사는 촉지 유도 세침흡인세포검사에 비해 더 많은 양의 샘플을 채취할 수 있고 위음성률을 줄일 수 있는 장점이 있다.

1) 초음파 유도 세침흡인세포검사의 기법

(1) 시술 전 조치

환자에게 시술 전 세침흡인세포검사의 목적 및 시술의 과정에 대해 설명하고 사전동의서를 받아야 한다. 혈액응고인자에 대한 선별검사는 통상적으로 불필요하지만, 아스피린이나 와파린 같은 항응고제의 복용력에 대해서는 주의 깊게 물어봐야 한다. 실제 환자 진료에서 갑상선 내 출혈이나 혈종의 위험을 줄이기 위해서 4~7일 전에 항응고제를 중단하는 경우가 있으나 이에 대해서는 논란이 많다. 아스피린이나 항응고제를 복용하는 환자에서 세침흡인세포검사의 안정성에 대한 연구가 많지 않고 대부분의 연구들이 소수의 환자들을 대상으로 하고 있기 때문이다. 일부 연구에서 항응고제 복용 중 초음파 유도 갑상선 세침흡인세포검사가 합병증을 증가시키거나 진단율을 감소시키지 않는다고 보고하였고 향후 대규모 전향적 연구의 필요성이 요구되고 있다.

(2) 시술 방법

환자는 바로 누워서 목을 약간 펴서 늘린 자세를 취한다. 초음파로 병변을 찾은 후에는 포비돈요오드 용액으로 소독을 하고 7.5 MHz 이상의 고해상도 일자형 탐색자를 갖춘 초음파를 사용한다. 2~3번 이하의 세침흡인이 계획되어 있다면 마취는 필요하지 않을 수 있다. 하지만 다수의 세침흡인이 필요하고 환자의 불편을 줄이고 싶다면 국소마취제를 사용할 수도 있는데 1% 염산 리도카인 1~2 mL를 피부와 피하조직에 주사할 수 있다. 22~27게이지 바늘(gauge needle)이 달린 2~20 mL 주사기를 이용한다. 바늘을 주입하기 전에 컬러 도플러 모드를 이용해서 결절 주위의 큰 혈관을 살피고 시술 중 혈관손상을 피하도록 주의한다. 바늘은 탐색자에 직각으로 삽입하거나 평행하게 삽입하고(그림 1-47) 바늘 끝은 시술 동안 주의 깊게 관찰한다. 검체 채취는 흡인방법과 비흡인방법 2가지로 할 수 있다. 흡인방법은 종괴에 바늘을 삽입하고 주사기 내 음압을 유지한 상태에서 여러방향으로 흡인하여 세포액을 얻는다. 이 과정은 바늘을 뽑기 전 적어도 5번은 반복해서 진행해야 한다. 비흡인방법(capillary action)은 바늘을 종괴에 삽입하고 앞뒤로 움직이고 축을 회전시켜서 세포액이 바늘 허브에 모일 때까지 충분하게 진행한다. 이런 비흡인방법은 흡인을 하지 않기 때문에 혈액도말의 가능성이 많은 과혈관결절(hypervascular nodule)에서 유용하다. 세침흡인세포 시술은 한 결절 당 적어도 2번 이상은 시행되도록 권고되고 있다. 채취된 세포액을 Papanicolaou 염색을 할 때는 슬라이드에 도말하여 95% 에틸 알코올에 빨리 고정한다. Diff-Quik 또는 Giemsa 염색을 할 때는 검체를 공기 건조되게(air dry) 한다.

(3) 시술 후 관리

시술 후에는 지혈을 위해 바늘을 찌른 부위를 약 30분 이상 손으로 누르도록 한다. 집으로 가는 중이

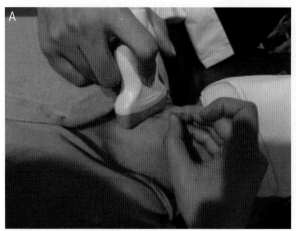
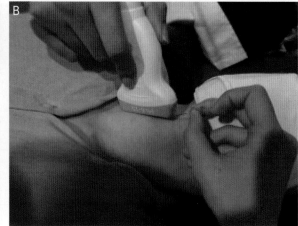

그림 1-47 주사기 바늘의 삽입방법
A. 탐색자에 직각으로 삽입, B. 탐색자에 평행하게 삽입

나 집에서 목 부위가 부으면 병원에 연락을 하거나 응급실을 방문하도록 지시한다.

2) 갑상선 결절에 대한 세침흡인세포검사의 결과 및 처치

갑상선 결절의 진단에서 세침흡인세포검사가 널리 보급되었음에도 불구하고 진단적 용어에 대한 혼란이 있었다. 세침흡인세포검사 결과 보고시스템이 일정하지 않아서 진단의 민감도 및 특이도의 차이가 많았다. 이런 이유로 세침흡인세포검사의 결과에 따라 환자를 치료하는 의사들 사이에서도 혼란이 있을 수밖에 없었다. 이런 문제는 2007년 갑상선 세침흡인세포검사의 용어 및 형태학적 기준을 정한 Bethesda 시스템이 도입되면서 해결이 되었다. Bethesda 시스템은 진단 범주 및 악성위험도를 '비진단/부적합'(1~4%), '양성'(0-3%), '비정형성'(5~15%), '여포성종양'(15~30%), '악성의심'(60~75%), '악성'(97~99%)으로 분류하였다. '비진단/부적합'인 경우는 초음파 유도 세침흡인세포검

사 재검이 필요하다. '양성'인 경우는 수술의 적응증이 아닌 경우를 제외하고는 추적관찰하고, '비정형성'인 경우는 세침흡인세포검사 재검이 필요하다. '여포성종양'인 경우는 수술 후 조직에서 종양의 피막 혹은 혈관침범 유무를 확인해야 악성의 진단이 가능하여 수술적 엽절제술이 권고된다. '악성의심' 혹은 '악성'인 경우는 수술이 필요하다(표 1-5).

표 1-5 갑상선 결절에 대한 세침흡인세포검사의 진단 소견, 악성 위험도 및 처치

진단 소견	악성 위험도	처치
비진단/부적합	1~4%	재검사
양성	0~3%	추적관찰
비정형성(이형성)	5~15%	재검사
여포성종양	15~30%	수술
악성 의심	60~75%	수술
악성	97~99%	수술

3) 세침흡인세포검사 결과의 정확도를 높이는 방법, 정확도에 영향을 미치는 인자

초음파 유도 세침흡인세포검사의 민감도와 특이도는 보고자에 따라 차이가 있으나 민감도는 76~98%, 특이도는 71~100%로 보고되고 있다. 세침흡인세포검사의 불가피한 제한점인 비진단/부적합 검체율은 2~29%로 다양하게 보고되고 있다.

갑상선 결절의 세침흡인세포검사의 정확도를 높이기 위해서는 병소 검체의 정확한 채취와 유능한 세포병리학자가 필요하다. 부적합 검체는 결절의 성질, 검사 기법, 시술자의 경험 등 여러가지 인자들에 의해서 초래될 수 있다. 결절의 성질은 경화성, 괴사, 과혈관성, 섬유화 및 석회화, 낭성 우세 소견 등이 보고되고 있다. 결절의 구성에서 낭성 변화, 석회화, 섬유화가 검체의 부적절성과 관계가 있다고 보고되고 있다. 세침흡인세포검사를 시행할 때 낭성 변화, 석회화, 섬유화가 있는 부분은 피해야 한다. 목표 병변에 낭성 부분이 있으면 더 큰 바늘로 유체 성분을 흡인한 후 남아있는 고형 부분에서 더 작은 바늘로 세침흡인세포검사를 시행한다. 결절의 병리학적 소견에 대해서는 연구가 많지 않지만, 양성 갑상선 결절이 악성 갑상선 결절에 비해서 부적합 검체의 비율이 높다는 보고가 있다.

갑상선 결절의 크기에 대해서는 상반된 결과가 보고되고 있다. 큰 결절이 작은 결절에 비해 채취하기가 쉽고 진단율도 높을 것이라는 보고가 있는 반면 초음파 유도 세침흡인세포검사가 크기와 관계없이 높은 정확도를 가지고 있다는 보고도 있다. Degirmenci 등은 1 cm 미만의 결절에서 검체 적합성(76.4%)이 가장 높았고 3 cm 이상의 결절에서 검체 적합성(56.9%)이 가장 낮았다고 보고하였는데 이는 큰 결절의 경우 혈관이 많아서 혈액염색(bloodstaining)의 가능성이 높고 낭성 및 괴사 부분이 더 많기 때문일 것으로 추론하였다.

갑상선 결절에 대한 세침흡인세포검사에서 선호되는 바늘의 크기는 23~27게이지이다. 바늘의 크기와 검체 채취율의 관계는 논란의 여지가 많다. 더 굵은 바늘을 사용하면 더 큰 검체를 채취할 수 있는 반면 세포의 파종(seeding), 출혈 및 환자의 불편감을 증가시킬 수 있다. 굵은 바늘을 사용하면 혈액염색의 빈도가 높아서 현미경적 검사가 더 어렵고 가는 바늘을 사용한 경우에 검체 채취율이 더 높다는 보고도 있으나 전향적 연구에서 바늘의 크기가 진단율에 차이를 보이지 않는다고 하였다.

검체를 채취하는 방법 중 흡인방법과 비흡인방법의 차이에 대해서도 상반된 결과들이 보고되고 있다. 검체 채취 방법과 진단의 정확도를 비교한 대부분의 연구들에서 흡인방법과 비흡인방법의 결과가 차이가 없는 것으로 보고되고 있다. 일부 연구자들은 비흡인방법이 배우기 쉽고 빠르다는 면에서 흡인방법보다 우수하다고 하였다. 세포가 없는 결절에서는 흡인방법이 더 좋을 수 있고 세포가 많은 병변에서는 비흡인방법이 더 좋을 수 있다고 보고하였다. 결론적으로 결절의 성질을 고려하여 선택할 수 있으나 시술자의 편의가 선택에 있어서 중요한 사항이다.

시술자의 경험이 부적합 검체를 줄일 수 있는지에 대해서는 연구가 많지 않아서 이견이 있다. 숙련된 시술자와 덜 숙련된 시술자의 적합 검체율의 차이가 없다는 보고도 있으나, 숙련도에 대한 정의가 일정하지 않다는 제한점이 있다. 외과의사가 시행한 초음파 유도 세침흡인세포검사의 적합 검체율 학습곡선을 분석한 연구에서 200례를 시행하면 적절한 결과를 얻을 수 있고 300례 이상을 시행하면 훌륭한 결과를 얻을 수 있다고 보고하였다. 시술자의 세침흡인세포검사의 횟수에 대해서 한달에 적어도 1~5번의 시술을 해야 적절한 검체율을 유지할 수 있다는 보고도 있다.

4) 세침흡인세포검사의 합병증

세침흡인세포검사는 30년 전부터 갑상선 결절의 진단에 널리 사용되어지고 있다. 침습적인 검사의 특징에도 불구하고 간단하고, 신뢰도가 높고 환자의 수용성이 높다는 장점이 있다. 약간의 통증이나 불편감을 제외하고는 합병증은 드물다. 체계적인 검토를 통한 한 연구에서 세침흡인세포검사의 안전성은 의심할 여지가 없으나 시술자는 개별 환자의 위험도 및 이득을 잘 고려해야 하고 합병증에 대해서 인지해야 한다고 하였다. 심각한 합병증으로 조절되지 않는 출혈 및 거대한 혈종으로 시술이나 수술이 필요한 경우도 보고되고 있다(그림 1-48). 내피하 경동맥 혈종도 보고되는 심각한 합병증의 하나로 경동맥 근처의 갑상선 결절에 대한 세침흡인세포검사는 초음파 유도하에 시행하는 것이 권고되고 있다. 바늘자국을 통한 암세포의 파종도 드물게 보고되고 있는데 바늘의 크기와 암의 공격성이 위험도를 높이는 것으로 간주되고 있다. 반면에 흔한 합병증으로는 국소 혈종이 있는데 이는 저절로 좋아지고 압박이나 냉찜질로 조절이 될 수 있다. 기도나 후두의 천자는 연골조각이 검체에서 보이면 추정할 수 있다. 그 밖에 연하곤란이나 혈관미주신경

반응도 발생할 수 있다. 세침흡인세포검사의 합병증은 예측할 수가 없기 때문에 시술자는 이를 인지하고 있어야 하며 시술 전 동의서를 받을 때 충분히 설명을 해야 한다.

7. 초음파 유도 중심부 침생검

중심부 침생검(core needle biopsy, CNB) 장치는 종류가 다양하지만, 최근 기술의 발전에 따라 바늘의 삽입과 조직 채취가 내장된 스프링에 의해 자동으로(단일 또는 이중으로) 이루어지는 장비가 주류를 이루고 있다(그림 1-49). CNB용 바늘 직경은 보통 세침흡인세포검사용 바늘보다 굵으면서 대상 조직에서 표본을 원통형으로 잘라내는 메커니즘을 가지고 있다.

CNB 장비의 종류에 따라 일부는 바늘 삽입의 전 과정을 수동으로 조작하는 것도 있으나, 거의 대부분의 최근 장비는 내부 스프링의 힘으로 바늘이 전진 발사되므로 검사자는 병변에 맞추어 바늘의 위치를 잘 조준하기만 하면 된다. 그러나 이 경우 바늘의 전진 거리를 잘못 예측하거나 잘못 조작하는 경우, 또는 환자가 갑자기 움직이는 경우에는 통증

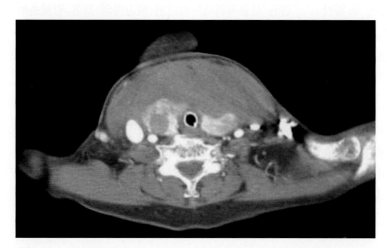

그림 1-48 세침흡인세포검사 후 발생한 기도를 압박하는 거대 혈종의 경부 CT 소견

을 포함한 위험한 합병증을 유발할 수 있으므로 주의를 요한다. 예를 들면 경추나 경동맥과 같은 주변 구조에 손상을 주는 경우도 있다. CNB에 따른 합병증에는 혈종, 목소리변화, 감염, 각혈, 부종, 미주신경반응, 연하곤란 등이 있다. 최근에는 갑상선을 포함한 두경부 병변에 대한 검사에 고해상도 초음파의 사용이 널리 이루어짐에 따라 생검에 따른 합병증을 최소화하면서 보다 정확하고 세밀한 진단이 가능하게 되었다. 갑상선의 CNB는 숙련된 검사자에 의해 시행되는 경우에는 합병증의 빈도가 낮아 안전하게 시행될 수 있는 검사 방법이다(그림 1-50).

CNB는 더 많은 조직을 채취하여 갑상선 여포 세포의 부족으로 인한 부적절한 진단 결과를 줄이고 병변 내부와 캡슐의 연관 조직 구조에 대한 추가 정보를 제공할 수 있어 FNA의 한계를 극복할 수

있다. 여러 연구 보고에서 CNB는 반복적인 FNA에 비해 비진단적, 비정형과 같은 악성여부가 불명확하게 보고되는 경우[non-diagnostic or atypia of undetermined significance (AUS)/follicular lesion of undetermined significance (FLUS)]가 유의하게 낮다고 보고되었다. CNB에 대한 적응증은 아직 명확하게 정의되지 않았으며, 대부분의 갑상선 진료 권고안에 따르면 갑상선 병변에 대한 1차적 생검은 FNA가 추천되고 있으며, CNB는 보완적인 수단이다. 현재 CNB는 먼저 시행한 FNA에서 비진단적, 비정형 (AUS/FLUS)과 같이 악성여부가 불명확한 경우, 임상적으로 드문 갑상선암 종류(수질암, 림프종 등)가 의심되는 경우에 시행하는 것이 권고되고 있다. 나아가 최근에는 갑상선 결절에 대한 1차 진단 방법으로서 CNB를 시행하는 것에 대한 연구들도 발표되었다.

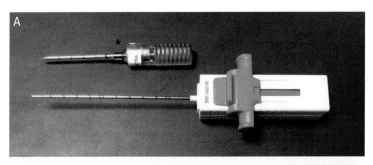
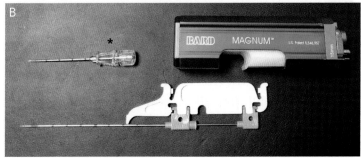

그림 1-49 다양한 중심부 침생검용 장비
A. 벡스코어 14게이지 일체형 장비(Bexcore fast Kit, 14G), 외부 유도 바늘* 포함, 메디칼파크(주), 대한민국 경기도 용인시.
B. 매그넘 총생검 장비, 바늘(18게이지) 교체식 장비(Magnum Biopsy System, 18G), 외부 유도 바늘* 포함, Bard Inc., Murray Hill, NJ, USA.
* 외부 유도 바늘(outer introducer needle): 생검 시 이 유도 바늘을 먼저 삽입하여 병변 근처에 위치시킨 후 이 바늘을 통해 생검바늘을 삽입하면 정상 조직의 손상을 최소화하면서 조직을 여러 번 채취할 수 있다.

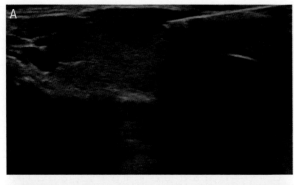
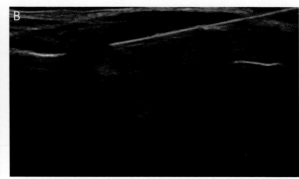
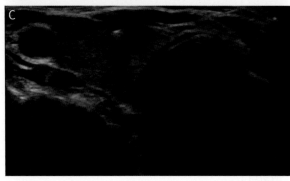

그림 1-50 초음파 유도 중심부 침생검 영상
42세 여자 환자. 우엽 상부 경계성 결절, 병리결과 갑상선유두암
진단, 갑상선 우엽절제술 시행
A. 중심침 발사 전 유도 바늘 삽입 후 상태(세로보기)
B. 중심침 발사 후 상태(세로보기)
C. 중심침 발사 후 상태(가로보기)

결론적으로 갑상선 결절에 대한 검사 시 경우에 따라 FNA와 CNB를 적절하게 선택하는 것이 환자의 삶의 질을 개선함과 동시에 더 나은 결과를 달성하는 데 좋은 방법일 것이다.

8. 갑상선암의 수술 전 병기 결정

국가암정보센터 암등록통계 자료에 따르면 2017년 현재 갑상선암은 전체 성별에서 4번째, 남자에서는 6번째, 여자에서는 두 번째로 많이 발생하는 암종으로 보고되고 있다. 특히 우리나라에서는 1 cm 미만의 비교적 작은 크기에서 발견되는 비율이 많은 것으로 보고되고 있다. 비교적 크기가 작고 갑상선 내에 한 쪽 엽에만 국한되어 있으며 림프절이나 전신전이가 없는 경우 갑상선엽절제술을 시행할 수 있으며 이는 갑상선전절제술을 시행한 경우에 비

해 환자의 삶의 질을 향상시키는 데 크게 도움이 된다. 따라서 초음파를 이용해 정확한 수술 전 병기 결정 후 수술범위와 치료를 결정하는 것이 필수적이다. 본 편에서는 최근 개정된 AJCC Cancer Staging Manual 8판을 기준으로 갑상선암에서 수술 전 초음파를 이용한 병기 결정에 대해 알아보고자 한다.

1) T 병기(표 1-6)

갑상선 내에 국한된 작은 크기의 갑상선암은 추가적인 검사 없이 초음파만으로도 병기 결정이 충분하다. T 병기는 종양의 크기와 갑상선 외부로의 침범여부에 따라 결정이 된다.

T1은 갑상선 내에 종양이 국한되어 있으면서 크기가 2 cm 이하로 정의되며, 이중 미세갑상선유두암에 해당하는 1 cm 이하는 T1a로, 1 cm 보다는 크며 2 cm 이하인 경우를 T1b로 세분한다(그림

표 1-6 갑상선유두암, 여포암, 저분화암, 휘르틀레세포, 역형성암의 T병기

Level	Anatomic landmark
TX	Primary tumor cannot be assessed
T0	No evidence of primary tumor
T1	Tumor ≤ 2 cm in greatest dimension, limited to the thyroid
T1a	Tumor ≤ 1 cm in greatest dimension, limited to the thyroid
T1b	Tumor > 1 cm but ≤ 2 cm in greatest dimension, limited to the thyroid
T2	Tumor > 2 cm but ≤ 4 cm in greatest dimension, limited to the thyroid
T3	Tumor > 4 cm limited to the thyroid, or gross extrathyroidal extension invading only strap muscles
T3a	Tumor > 4 cm limited to the thyroid
T3b	Gross extrathyroidal extension invading only strap muscles (sternohyoid, sternothyroid, thyrohyoid, or omohyoid muscles) from a tumor of any size
T4	Includes gross extrathyroidal extension
T4a	Gross extrathyroidal extension invading subcutaneous soft tissue, larynx, trachea, esophagus, or recurrent laryngeal nerve from a tumor of any size
T4b	Gross extrathyroidal extension invading prevertebral fascia or encasing the carotid artery or mediastinal vessels from a tumor of any size

AJCC Cancer Staging Manual 8판

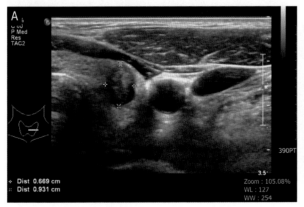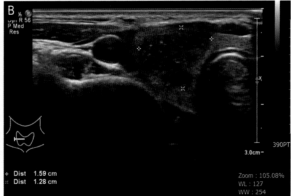

그림 1-51 T1의 초음파 사진
A. 앞뒤로 긴모양이며 내부에 석회화를 동반하고 있는 악성을 시사하는 결절로 크기가 1 cm 미만이고 왼쪽 갑상선엽 내에 국한된 T1a에 해당하는 갑상선유두암.
B. 내부에 석회화가 동반된 경계가 불규칙한 악성을 시사하는 결절로 크기가 1 cm 보다는 크고 2 cm 미만이며 오른쪽 갑상선엽 내에 국한된 T1b에 해당하는 갑상선유두암.

1-51). T2는 종양이 갑상선 내에 국한되어 있으며 크기가 2 cm 보다는 크고 4 cm 이하인 경우로 정의한다(그림 1-52). 여전히 논란의 여지는 있지만 2015년에 개정된 미국갑상선학회의 권고안에 따르면 한쪽 엽에만 국한되어 있으면서 림프절 전이가 없는 T2까지에 해당하는 분화갑상선암은 갑상선엽절제술의 대상으로 권고하고 있다. 하지만, 크기가 작아도 양쪽 엽에 다발성으로 존재하는 경우 초음파 유도 세침흡인세포검사를 시행하여 악성으로 판명되는 경우 갑상선전절제술의 대상이 되므로 수술 전 세심한 평가가 필수적이라 하겠다.

T3는 4 cm보다 크거나 크기에 상관없이 육안적으로 띠근육(strap muscle)을 침범한 경우로 정의하며(그림 1-53), T4는 종양의 크기에 상관없이 주변의 기관이나 되돌이후두신경 또는 혈관의 육안적인 침범이 관찰되는 경우로 정의한다. 이러한 소견은 수술 전 초음파를 통해 평가 가능하며, 큰 갑상선암의 전체 범위를 평가하거나 특히 T4에 해당하는 갑상선 외 침범이 관찰되는 경우 경부 CT나 MRI를 통해 추가적으로 병기 설정을 하는데 도움을 줄 수 있다. 특히 T4에 해당하는 경우에는 이러한 추가 검사를 통해 재건수술이 필요한지 혹은 수술이 불가능한 상태인지를 판단할 수 있다.

2) N 병기(표 1-7)

갑상선암이 경부 림프절로 전이되는 빈도는 갑상선유두암에서 30~90%로 가장 흔하게 보고되고 있으며 수질암에서 50%정도, 역형성암에서 40%정도로 보고되며 이에 반해 혈행성 전이를 주로 한다고 알려져 있는 여포암에서도 10% 정도에서 림프절 전이를 하는 것으로 보고되고 있다. 초음파는 이러한 림프절 전이를 평가하는 일차 도구로 이용되고 있으며, 림프절 전이를 의심할 수 있는 소견이 관찰되면 세침흡인세포검사를 통해 확인을 하는 데 역시

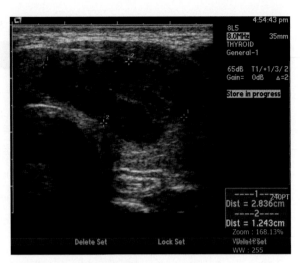

그림 1-52 T2의 초음파 사진
크기 2 cm 이상의 갑상선유두암으로 갑상선 내에 국한되어 있다.

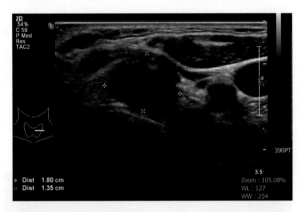

그림 1-53 T3의 초음파 사진
갑상선유두암이 갑상선피막을 뚫고 띠근육을 침범한다.

초음파가 이용되고 있다.

수술 전 초음파를 통한 림프절 전이여부를 평가하는 것은 수술의 범위를 결정하는 데 필수이다. 중심구획(Level VI)이나 상종격동구획(Level VII)에 전이가 있는 상태를 N1a로 정의하며(그림 1-54), 이 구획의 림프절은 수술 전 초음파로 확인을 하는데 해부학적으로 한계가 있지만 초음파의 탐색자를 흉골 뒤편 아래로 기울여 관찰할 수 있다. 그에 반해 갑상선암이 있는 편측, 양측 혹은 반대측 경부 림

표 1-7 갑상선유두암, 여포암, 저분화암, 휘르틀레세포, 역형성암의 N병기

Level	Anatomic landmark
NX	Regional lymph nodes cannot be assessed
N0	No evidence of locoregional lymph node metastasis
N0a	One or more cytologically or histologically confirmed benign lymph nodes
N0b	No radiologic or clinical evidence of locoregional lymph node metastasis
N1	Metastasis to regional nodes
N1a	Metastasis to level VI or VII (pretracheal, paratracheal, or prelaryngeal/Delphian, or upper mediastinal) lymph nodes. This can be unilateral or bilateral disease.
N1b	Metastasis to unilateral, bilateral, or contralateral lateral neck lymph nodes (levels I, II, III, IV, or V) or retropharyngeal lymph nodes

AJCC Cancer Staging Manual 8판

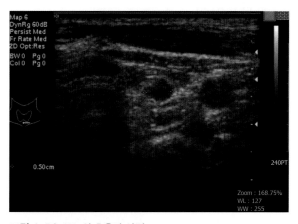

그림 1-54 N1a의 초음파 사진
왼쪽 갑상선 아래 중심구획에 지방문이 소실되고 경계가 불규칙한 림프절 전이를 시사하는 소견이다.

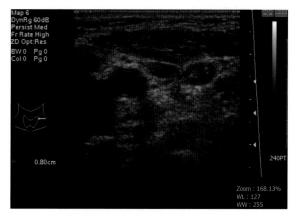

그림 1-55 N1b의 초음파 사진
왼쪽 경정맥 바깥쪽으로 지방문이 소실되고 내부에 석회화를 동반한 림프절 전이를 시사하는 소견이다.

프절(Level I, II, III, IV or V)로 전이가 있는 상태를 N1b로 정의하며(그림 1-55), 보통 갑상선암으로 수술하는 경우 중심구획림프절(Level VI)과 달리 통상적으로 림프절절제술을 시행하는 부위가 아니므로 수술 전 세심하고 정확한 평가가 필수적이며 전이가 확인된 경우 변형근치경부림프절 절제술(modified radical neck dissection)을 계획하고 시행

해야 한다. 특히 목의 어느 구획이든 수술 전 림프절 전이가 확인된 경우에는 갑상선의 수술 범위도 갑상선전절제술을 시행해야 하므로 수술 전 림프절 전이여부를 확인하는 것은 아무리 강조해도 지나치지 않는다. 수술 전 림프절 전이 평가를 하는데 초음파와 더불어 필요한 경우 CT나 MRI가 도움을 줄 수 있다.

9. 수술 중 초음파의 유용성

1) 서론

1942년 오스트리아의 신경과 의사인 Karl Theo Dussik이 뇌종양 환자에서 뇌실(cerebral ventricle)의 위치를 알기 위해 초음파를 처음 사용한 이후, 놀라운 발전을 통해 초음파는 인체의 다양한 기관들을 조사하는 매우 유용한 영상학적 진단 도구가 되었다. 또한 기술의 발달로 최근에는 손에 들고 다닐 수 있을 정도로 작은 초음파가 개발되어 '21세기의 시각 청진기'라고 불릴 정도로 환자 진료에 있어 필수적인 장비로 여겨지고 있다.

다른 영상학적 검사와 비교하였을 때 초음파가 가진 여러 장점 중 검사 방법이 비침습적이고 편리하며 이동이 쉽다는 특징으로 수술실에서 직접 사용하는 수술 중 초음파(intraoperative ultrasound; IOUS)가 자연스럽게 도입되었다. Cook과 Lytton이 신장에서 결석을 찾기 위해 수술 중에 초음파를 이용한 것이 IOUS의 첫 보고이며, 이후 Makuuchi 등은 간 종양 환자에서 수술 중 간내 병변을 찾는 데 초음파를 유용하게 사용할 수 있음을 보고하였다.

IOUS의 역사는 크게 세 기간으로 나누어 볼 수 있다. 1960년대에 A 모드와 비실시간 B 모드를 이용한 IOUS가 처음 소개되었는데 판독의 어려움 때문에 많이 사용되지는 않았다. 이후 1970~80년대에 고주파의 실시간 B 모드 초음파가 보급되면서 IOUS가 간담췌외과, 신경외과, 흉부외과 등에서 널리 사용되기 시작하였고, 1990년대에 이르러 복강경 초음파, 컬러 도플러 이미지 등 진보한 초음파들이 접목되면서 IOUS는 다양한 수술에서 수술 방법의 결정 및 수술 술기 지침에 반드시 필요한 항목이 되었다.

갑상선 결절은 중년 여성의 약 50%에서 발견되는 흔한 질환으로 악성종양의 감별에 초음파를 이용한 진단이 매우 효과적이다. 갑상선암은 국내에서 2017년 한 해 동안 약 26,000명의 환자가 새로 발생해 전체 암 4위, 여성 암 2위를 차지하는 흔한 암으로 특별한 증상이 없어 초음파를 이용한 건강 검진을 통해 우연히 발견되는 경우가 많다. 또한 건강 검진의 확대 및 진단 방법의 발전에 힘입어 조기에 발견되는 비율이 증가하고 있다. 초음파는 세침흡인세포검사를 통한 갑상선암의 진단뿐 아니라 수술 전 경부 림프절 전이 여부를 포함한 병기 결정, 수술 범위 결정, 수술 중 병변의 위치 결정 및 수술 후 추적 관찰에도 매우 유용하게 사용된다. 본 장에서는 갑상선 질환 중 특히 갑상선암 수술에 있어 IOUS의 유용성을 알아보고자 한다.

2) 갑상선암의 수술 중 초음파

(1) 배경

1960년대 말에 갑상선 질환의 진단에 초음파가 처음 사용된 이후 고주파의 선형 탐색자가 개발되면서 초음파는 갑상선 질환의 진단에 필수적인 도구가 되었다. 국내 갑상선암은 약 95% 이상이 갑상선유두암으로 경부 림프절 전이가 많은 특징이 있으며 수술 환자의 약 20~50%에서 경부 림프절 전이가 발견된다. 경부 림프절 전이는 갑상선암의 재발과 밀접한 관련이 있으며 조직학적 형태, 갑상선 외 침범, 수술 시 절제 범위 등에 따라 좌우되지만 전체 갑상선암 환자의 약 10~45%가 재발을 경험한다. IOUS는 갑상선암 수술에서 매우 유용한데 탐색자는 7~12 MHz의 선형 탐색자가 적합하다. 갑상선암 환자에서 IOUS는 수술의 완결성을 향상시키고 특히 재발 병변의 위치 결정에 탁월한 장점이 있다.

(2) 수술 완결성 향상

수술 전 종양의 효과적인 위치 결정을 위한 조건으로 '4S'의 원칙이 있다. 한 단계(single stage)로 외과 의사가 행하며(surgeon performed) 단순하고 빠르면서(simple and fast) 안전하고 효과적인(safe and effective) 방법을 찾는 것이다. 그런 면에서 IOUS는 갑상선암 환자에게 매우 유용하게 사용될 수 있다. 즉, IOUS는 수술 시 적절한 절개 위치를 정하고 수술적 절제가 어렵고 촉지되지 않는 작은 병변의 위치 결정에 도움을 준다.

McCoy 등은 갑상선유두암 환자에서 IOUS를 이용하여 촉지되지 않는 단일 림프절 전이가 있는 위치에 직접 피부 절개를 함으로써 모든 환자에서 성공적으로 절제를 할 수 있었던 반면 IOUS를 적용하지 않은 군에서는 50%에서 적절한 절제술을 시행하지 못했다고 보고하였다. 갑상선암 환자의 수술 시 IOUS의 유용성을 살펴 본 또 다른 연구에 따르면 IOUS를 시행한 군에서 시행하지 않은 군에 비해 통계적으로 의미있게 낮은 재발률을 보였다(1.9% vs. 12.5%, $p<0.05$). 따라서 갑상선암 환자의 진단 및 추적 관찰뿐만 아니라 수술 중에도 초음파를 사용함으로써 수술 성공률을 증가시켜 매우 유용하게 사용될 수 있음을 보고하였다. 또한 Agcaoglu 등은 갑상선암 환자 중 변형근치경부림프절 절제술을 시행하는 25명의 환자를 대상으로 IOUS를 적용하였을 때 4예(16%)에서 IOUS를 통해 II, IV와 V 구역에서 잔존하는 림프절을 찾아 절제함으로써 수술의 완결성을 높일 수 있었다고 하였으며, 특히 BMI가 30이 넘는 비만 환자에서 IOUS가 유용하다고 보고하였다. IOUS 적용에 따른 제한점으로 수술 시간의 연장이 있는데 갑상선과 부갑상선 종양 환자에서 외과 의사가 IOUS를 이용하여 생체 염료 주입 후 수술을 시행하였을 때 5~10분의 추가만으로 모든 예에서 수술을 성공적으로 마쳤다는 보고가 있었다. 또한 절제 병변을 목표로 하여(targeting) 접근함으로써 오히려 수술 시간을 줄일 수 있었다는 보고도 있었다. 따라서 수술실에서 마취 후 외과의사에 의해 시행되는 IOUS는 환자의 불안감과 불편함

을 최소화하면서 앞서 언급한 수술 전 병변의 효과적인 위치 결정을 위한 '4S'에 가장 합당한 방법이라 생각한다.

(3) 재발 병변의 위치 결정

임상적으로 림프절 전이가 명백하지 않은 분화갑상선암 환자에서 예방적 중심경부림프절 절제술은 재발률을 낮출 수 있지만 생존율을 증가시키는지에 대해서는 아직까지 명확하게 입증된 바 없다. 따라서 분화갑상선암의 고위험 환자 즉, T3 혹은 T4 병변, 15세 미만 또는 45세 이상, 다발성 병변, 갑상선외 침범, 임상적으로 측경부림프절 전이가 있는 경우를 제외하고 예방적 중심경부림프절 절제술은 권고되지 않는다. 또한 분화갑상선암 환자에서는 예방적 측경부림프절 절제술도 시행하지 않는다. 이에 전체 갑상선암 환자의 약 1/3이 중심경부와 측경부림프절 재발을 포함한 국소, 구역 및 전신 전이를 경험하게 된다.

갑상선암의 수술 후 경부에 국소 또는 구역 재발 시 수술적 절제가 표준 치료이다. 그러나 이전 수술에 의한 유착과 반흔 그리고 섬유화에 의해 정상적인 해부학적 구조물에 변형이 생겨 특히 중심경부림프절(VI 구역)에 전이가 발견되는 경우에는 병변의 완전 제거가 어려울 수 있다. 재수술 시에는 첫 수술보다 되돌이후두신경과 부갑상선 손상 등의 합병증 발생률(각각 1~12%, 1~4%)이 높으며 수술 시간도 더 오래 걸리는 것으로 알려져 있다. 따라서 재발 병변의 정확한 위치 결정은 성공적인 수술 결과를 얻기 위해 가장 중요한 인자 중의 하나이다.

촉지되지 않는 갑상선암 재발 병변의 위치 결정을 위해 지금까지 다양한 방법들이 소개되었다. 그러나 이러한 방법들은 몇 가지 제한점이 있다. 방사성 유도 병변 결정(radio-guided lesion localization)은 핵의학과 예약을 위한 시간 조정 및 방사선 노출의 위험이 있고, 수술 2주 전에 시행하는 챠콜

(charcoal) 주입을 통한 위치 결정은 안전하고 효과적이나 수술 전에 한 번 더 병원을 방문해야 하는 불편함이 있다. 바늘 위치 결정(hook-needle localization)은 수술 전 환자의 자세를 잡거나 박리 도중 바늘이 빠질 수 있는 단점이 있다. 또한 수술 전 피부 표시(skin marking)는 수술 시 자세 변화 및 절개 후 위치 변동에 의해 정확한 위치 결정에 제한 점이 있을 수 있다.

재발 갑상선암 환자에서 IOUS의 적용은 2001년에 Desai 등이 처음으로 보고하였다. IOUS의 적용을 통해 재발 병변의 위치 결정과 되돌이후두신경 손상 등의 합병증을 줄이는 데 도움을 준다고 보고한 이후, Karwowski 등은 중심경부림프절 전이와 병변의 크기가 2 cm 미만이고 중심구획에 위치한 경우 그리고 이전에 외부 방사선 조사를 받은 경우에 IOUS가 특히 효과적이라고 보고하였다. Harari 등은 재발 갑상선암 환자의 재수술 시 IOUS 유도 생체 염료(vital dye) 주입의 유용성에 대해 연구하였는데 53건의 수술 중 91% (48건)에서 성공적인 절제술을 시행하였으며 단 2예의 되돌이후두신경 손상과 1예의 저칼슘혈증만을 보여 IOUS 유도 생체 염료 주입은 매우 안전하고 효과적인 술기라고 보고하였다.

재발 갑상선암 환자에서 병변의 IOUS 유도 생체 염료 주입은 수술실에서 외과 의사가 직접 시행하는 경우 수술 시 목표 병변의 위치를 가늠하는데 매우 효과적이며 불필요한 박리를 최소화하고 집중된 절제술(focused resection)을 시행함으로써 수술 후 합병증을 줄일 수 있다(그림 1-56). 또한 대부분 영상의학과 의사가 시행하는 수술 전 위치 결정 시술을 위해 예약할 필요가 없고, 절제된 병변의 동결절편검사를 시행하지 않아도 되기 때문에 환자의 불편을 줄이며 수술 시간 및 의료 비용도 절약할 수 있는 장점이 있다. 경부림프절 전이 병변의 절제 시에는 목표 병변과 함께 주변 림프절까지 함께 절제해야(en-bloc resection) 수술의 완결성을 높이는 것

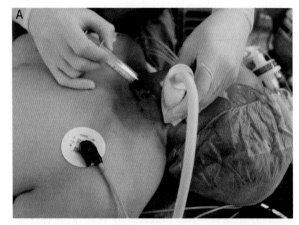

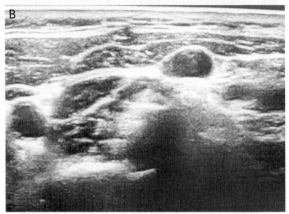

그림 1-56 갑상선유두암이 재발된 환자에서 수술 중 초음파 유도 생체 염료 주입
A. 좌측 경부 III 구역에 있는 재발 림프절에 수술 중 초음파 유도 생체 염료를 주입하는 모습이다.
B. 초음파 유도 생체 염료를 주입하는 초음파 소견이다.

으로 알려져 있는데 IOUS 유도 생체 염료 주입을 통해 염색된 병변들을 실제로 확인하고 제거함으로써 성공적인 수술을 시행할 수 있다(그림 1-57).

3) 향후 전망

갑상선 질환 특히 갑상선암 환자에게 초음파는 정확한 진단과 치료 후 추적 관찰뿐만 아니라 수술 중 수술 방법의 결정 및 수술의 완결성을 향상시키기 위한 필수 장비이다. 갑상선암 환자에서 IOUS는

그림 1-57 수술 중 초음파 유도 생체 염료를 주입한 후 보여지는 염색된 우측 경부 II구역의 재발 림프절

수술의 완결성을 향상시켜 재발을 줄일 수 있으며 재발 병변에 IOUS 유도 하에 생체 염료를 주입하여 위치를 결정하는 방법은 매우 안전하고 효과적인 술기라고 할 수 있다. IOUS는 환자들이 마취된 상태에서 시행하므로 편리하고, 실시간 이미지를 통해 수술 중 의료진들간의 소통이 가능하다는 장점이 있으며, 특히 외과 의사가 시행하는 IOUS는 매우 안전하고 효과적인 것으로 판단된다. 따라서 향후 갑상선암의 치료에 있어 IOUS를 적용함으로써 수술의 정확도와 치료 결과의 향상에 크게 기여할 것이라고 생각한다.

10. 갑상선암의 수술 후 추적검사

2019년 발표된 중앙암등록본부 자료에 의하면, 우리나라 갑상선암 전체 발생 건수 가운데 유두암이 96.4%, 여포암이 1.8%로 분화갑상선암이 대부분을 차지하고 있다. 분화갑상선암은 비교적 서서히 자라며 예후가 양호한 것으로 알려져 있으나 일차

치료 후 5~20%의 환자는 장기적으로 재발을 경험하게 된다. 이러한 재발의 약 2/3는 치료 후 첫 10년 이내에 발생하며 60~75%가 경부 림프절에, 20%는 갑상선 수술부위(thyroid bed)에 재발하고, 대개의 재발은 원발암과 동측에 발생한다. 분화갑상선암의 재발이 장기 생존에 미치는 영향에 대해서는 아직 논란이 있다. 일부 연구에서는 국소재발이 사망의 위험을 5배까지 증가시킨다고 보고하고 있지만, 국소재발의 유형에 따라 생존에 다른 영향을 미친다는 보고도 있다. 대부분의 국소재발은 외과적 절제를 포함한 치료에 반응하는 경우가 많아 상당수가 단기추적관찰에서 무병 상태를 유지하지만, 결국 8% 정도의 환자는 국소재발로 인한 사망을 경험하게 된다.

수술 후 재발 감시를 위한 검사로는 혈청 갑상선글로불린 및 항갑상선글로불린항체 농도의 측정, 경부 초음파검사 및 방사성아이오딘 전신스캔 등을 시행할 수 있다. 대한갑상선학회 갑상선 결절 및 암 진료 권고안 개정안과 2015년 미국갑상선학회 권고안에 따르면, 갑상선 수술부위와 중심 및 측경부 림프절 구획을 평가하기 위해 경부 초음파검사를 수술 후 6~12개월에 시행하며, 이후 환자의 재발 위험성과 Tg 수준에 따라 정기적으로 시행할 것을 권고하고 있다. 최근 엽절제술을 시행하여 잔여 갑상선을 가진 저위험군 환자가 증가하면서 재발 감시를 위한 경부 초음파의 역할이 더욱 중요해지고 있다.

경부 초음파검사는 분화갑상선암 환자에서 경부 재발 및 전이를 발견하는데 매우 예민한 검사로, 빠르고 비침습적이며 초음파 유도 세침흡인세포검사 또는 수술에 용이하나 검사자에 상당히 의존적인 검사라는 한계를 가지고 있어 좋은 결과를 위해서는 검사자의 노력이 필수적이다. 다양한 경험뿐만 아니라 경부의 해부학적 구조와 림프절 구획 및 감별 질환에 대한 풍부한 지식 또한 필요하다.

1) 갑상선 수술 후 경부 초음파검사 방법

수술 후 재발 감시를 위한 경부 초음파검사는 적어도 가로스캔과 세로스캔을 포함하여 두 개 이상의 영상으로 일정한 순서에 따라 갑상선 엽절제술 후 잔여 갑상선, 갑상선 수술부위와 경부 림프절 level I~VI까지 빼놓지 않고 관찰하여야 한다(표 3-1, 그림 3-1). 검사는 먼저 가로스캔으로 목의 중심 상부 턱끝밑의 림프절 level I부터 아래로 흉골 절흔까지 진행하며, 갑상선 수술부위와 level VI의 중심경부림프절의 재발 유무를 확인한다. 갑상선 수술부위 검사 시에는 가로스캔이 세로스캔보다 병변을 발견하는 데 좀 더 유리하다. 다음으로 환자의 목을 좌측으로 돌리게 한 다음 우측 측경부를 검사한다. 우측 악하샘 후외측부터 경정맥을 따라 아래로 상부(level II), 중간(level III), 하부(level IV) 순서로 쇄골까지 검사한 후 세로스캔으로 한번 더 확인한다. 흉쇄유돌근 후방의 level V도 귀의 후하방에서 시작하여 쇄골까지 가로 및 세로스캔을 시행한다. 좌측 측경부도 동일한 방법으로 검사한다(그림 1-58). 이상 소견이 발견되면 환자의 자세를 바

꾸거나 탐색자를 돌려가며 최대한 인공음영을 줄여 실제 병변인지 확인한다.

2) 갑상선 수술부위

갑상선 절제수술 후 경동맥과 경정맥은 갑상선이 차지하고 있던 공간으로 이동하게 되어 우측 경동맥은 기도 바로 옆에 위치하게 되고 좌측은 식도와 인접하여 위치하게 된다(그림 1-59). 이러한 특징으로 수술 후 초음파검사에서 기도와 경동맥 사이에 공간점유병변(space occupying lesion)이 보이면 재발을 의심해 봐야 한다. 갑상선 수술부위의 재발은 실제 수술부위의 재발뿐만 아니라 중심경부림프절의 재발일 경우도 있다. 초음파에서 두 재발 병변을 구분하기는 쉽지 않으며, 세침흡인세포검사에서 암세포 주위의 림프조직을 확인함으로써 감별진단이 가능하다.

갑상선 수술부위 재발암의 초음파 소견은 일반적으로 저에코의 둥근 모양으로, 명확한 경계를 가진 경우가 흔하며, 일부에서 미세석회화나 낭성 변화를 보이기도 한다(그림 1-60). 그러나 Rondeau G

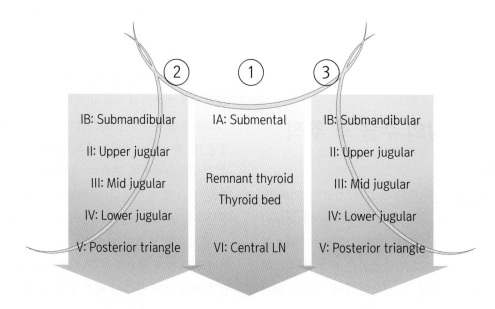

IB: Submandibular	IA: Submental	IB: Submandibular
II: Upper jugular		II: Upper jugular
III: Mid jugular	Remnant thyroid / Thyroid bed	III: Mid jugular
IV: Lower jugular		IV: Lower jugular
V: Posterior triangle	VI: Central LN	V: Posterior triangle

그림 1-58 갑상선 수술 후 경부 초음파검사 방법

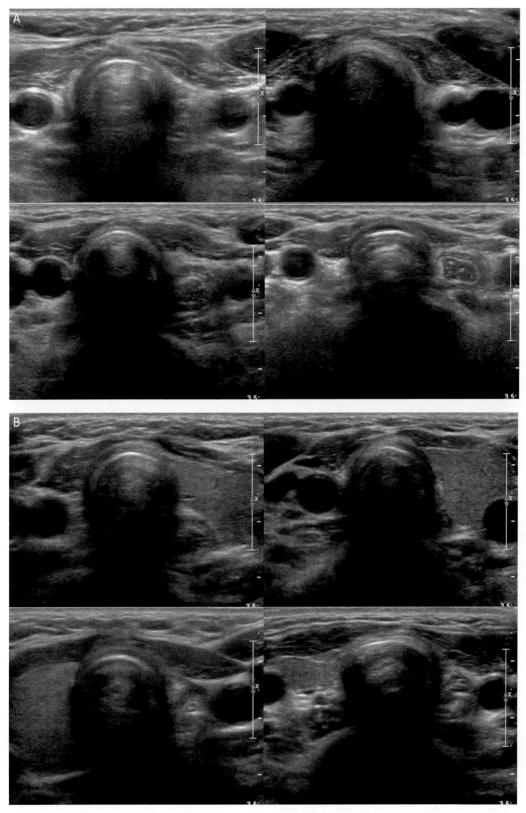

그림 1-59 갑상선 전절제수술(A)과 엽절제수술(B) 후 정상 초음파 소견

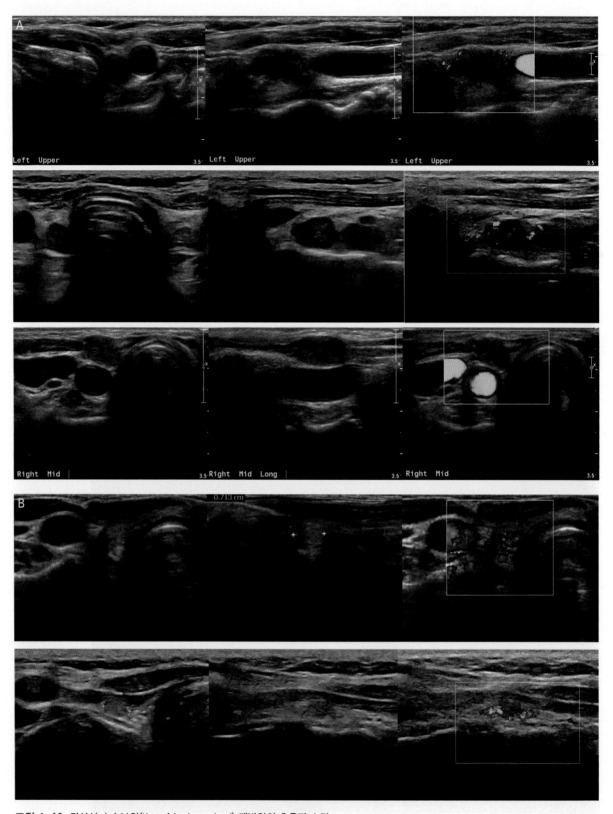

그림 1-60 갑상선 수술부위(thyroidectomy bed) 재발암의 초음파 소견

등은 재발 감시를 위한 갑상선 수술부위에 대한 초음파검사는 80%의 민감도와 52%의 특이도를 나타내어 측경부림프절 전이의 진단에 비해 정확도가 떨어진다고 보고하였으며 대부분 비특이적 소견으로 아직까지 명확한 진단 기준은 없는 상태이다.

갑상선 수술부위의 재발암으로 오인할 수 있는 병변으로는 수술로 인해 생긴 국소적인 조직의 왜곡, 잔여 갑상선 조직, 봉합육아종(suture granuloma), 부갑상선종, 양성 림프절이 있으며 이외에도 띠근육, 기도 연골, 추체엽, 및 수술 후 섬유화, 낭종, 지방괴사 등도 종종 재발암으로 오인할 수 있다(그림 1-61).

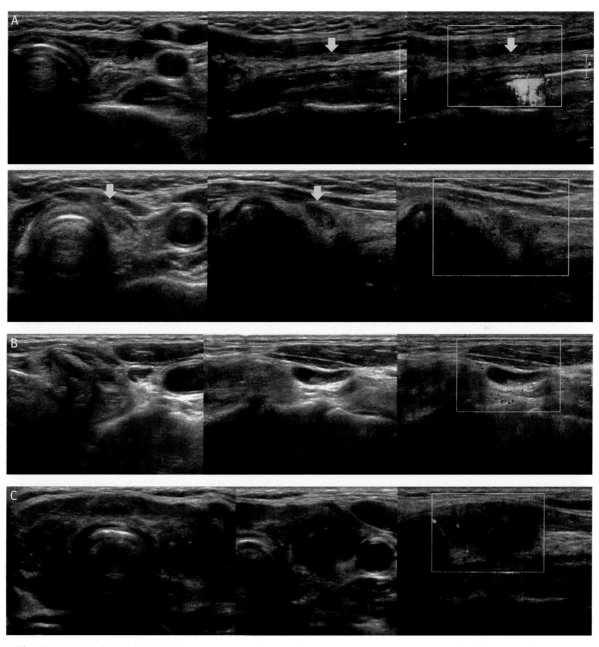

그림 1-61 갑상선 수술 후 초음파 소견
A. 잔여 갑상선 조직, B. 양성 림프절, C. 수술 후 조직 변화

봉합육아종은 수술 중 사용하는 봉합사 주변으로 육아종이 발생하는 것으로 내부에 석회화와 유사한 고에코의 점(spot)을 가진 저에코의 결절 형태로 나타나며, 재발암의 초음파 소견과 잘 구분이 되지 않는다. 봉합육아종을 좀 더 시사하는 소견은 내부의 고에코가 결절의 중심에 위치하며 1 mm 보다 크고 거칠며 가상의 선을 따라 여러 개가 보인다는 것이다. 또한 시간이 지나면서 줄어들거나 없어지는 경우도 있다. 초음파로 구분이 어렵다면 세침흡인세포검사를 통해 육아조직이나 거대세포 반응(giant cell reaction), 이물 육아종 등을 확인하면 감별이 가능하다.

3) 경부 림프절

경부에 존재하는 정상 림프절은 나이가 들수록 초음파에서 보이는 숫자가 늘어난다. 크기는 3~25 mm로 다양하며 특히 턱밑과 상부 경정맥 주위의 림프절들이 크기가 크다. 정상 또는 양성 림프절의 초음파 소견은 타원형의 저에코 피질 중심부에 고에코의 지방문이 존재하며 도플러검사에서 지방문을 따라 혈류 패턴을 확인할 수 있다(Chapter 3-1. 림프절 참조). 고에코 지방문은 양성 림프절의 강력한 예측인자이나 크기가 작은 림프절의 경우 고에코 지방문이나 혈류를 확인하기 어려운 경우도 있다. 그러므로 하나의 진단 기준이 아닌 여러 초음파 소견들을 고려하여야 한다.

경부 림프절 재발을 의심할 수 있는 초음파 소견으로는 둥근 모양 또는 불규칙한 모양, 지방문의 소실, 도플러검사에서 주변부 또는 불규칙한 혈류 소견, 미세석회화, 낭성 변화 등이 있다. 갑상선유두암의 림프절 전이의 경우에는 림프절 내 갑상선글로불린의 침착으로 인해 내부에코가 증강되어 보일 수도 있다(그림 1-62, 63).

분화갑상선암에서 경부 림프절 전이에 대한 초음파 진단 기준들의 정확도는 림프절 단위 분석으로 초음파 소견과 병리소견을 비교 분석한 연구들에 의하면 림프절의 증강된 에코, 석회화, 낭성 변화, 이상 혈류 소견은 각각 예민도가 86%, 12~50%, 11~21%, 86%였으며, 특이도는 96%, 100%, 100%, 82%로, 석회화와 낭성 변화는 100% 특이도를 보이는 악성 림프절의 특징적인 소견이나 예민도가 낮은 단점을 보였다. 림프절 모양이나 크기, 고에코 지방문의 소실 소견들은 다양한 진단율이 보고되고 있으며, 상대적으로 진단적 정확도와 특이도가 낮았다.

경부 림프절의 재발은 첫 수술 시 림프절의 상태와 밀접하게 연관되어 있어서 대부분의 림프절 전이는 이미 침범된 경부 림프절 구역에서 발생한다. 재발 위험은 전이 림프절의 개수가 많을수록, 림프절 피막 외 침습이 있는 경우 및 현미경적 전이보다는 육안적 전이가 있는 경우에 더욱 증가한다.

4) 초음파 해석 및 보고서

갑상선 수술 후 초음파검사에서 확인된 병변에 대해서는 세침흡인세포검사 시행 여부 결정과 이후 추적검사에서 변화 유무를 확인하기 위해 자세한 판독 소견과 각각의 병변에 대한 해석을 기록해 두어야 한다. 림프절의 위치는 림프절 level(표 3-1)에 따라 기록하고 크기는 장경, 단경, 높이의 세 단면에서 측정한다. 각각의 초음파 소견을 따로 기록하고 도플러검사에서 림프절의 혈류 패턴은 지방문(hilar), 주변부(peripheral), 혼합형(mixed), 무혈류(absence)로 분류하여 기록한다. 결절이나 림프절의 위치, 크기, 초음파 및 도플러검사 소견 등을 종합하여 양성(benign), 불확정(indeterminate), 의심(suspicious) 병변으로 분류한다.

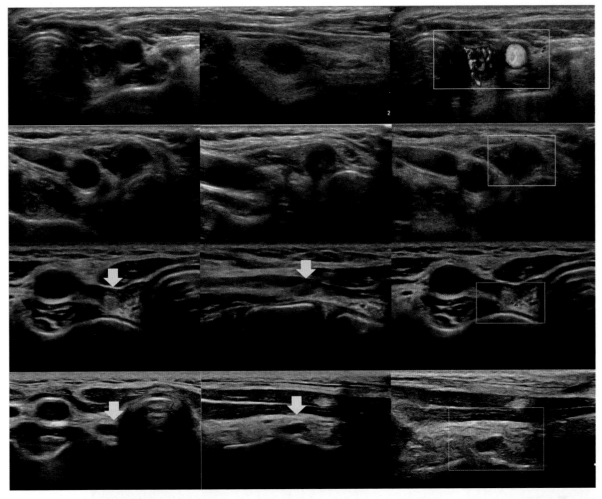

그림 1-62 중심경부림프절 재발의 초음파 소견

5) 초음파 유도 세침흡인세포검사의 적응증

초음파에서 국소재발이 의심되는 경우에 다른 질환과의 감별진단을 위해서는 초음파 유도 세침흡인세포검사가 도움이 된다. 또한, 흡인물의 갑상선글로불린의 측정이 진단의 민감도를 향상시킬 수 있다. 전이 림프절의 경우 흡인물 갑상선글로불린의 농도가 >10 ng/mL로 증가된 경우가 흔하며, 그 이상 증가된 경우 전이의 가능성이 매우 높다. 흡인물

갑상선글로불린 농도가 1~10 ng/mL이면 전이의 가능성은 중간 정도이며, 흡인물과 혈청의 갑상선글로불린의 농도를 비교하는 것이 도움이 된다.

경부 초음파검사로 직경 2~3 mm 정도의 작은 림프절도 발견이 가능하나 8~10 mm 미만의 재발 림프절의 조기 발견과 치료에 대한 이득에 대해서는 아직까지 논란이 있다. 또한 의심스러운 초음파 소견을 보이더라도 세침흡인세포검사에서 절반 정도는 양성으로 판정된다고 보고되어 있다. 대한갑상선학회 갑상선 결절 및 암 진료 권고안 개정안과

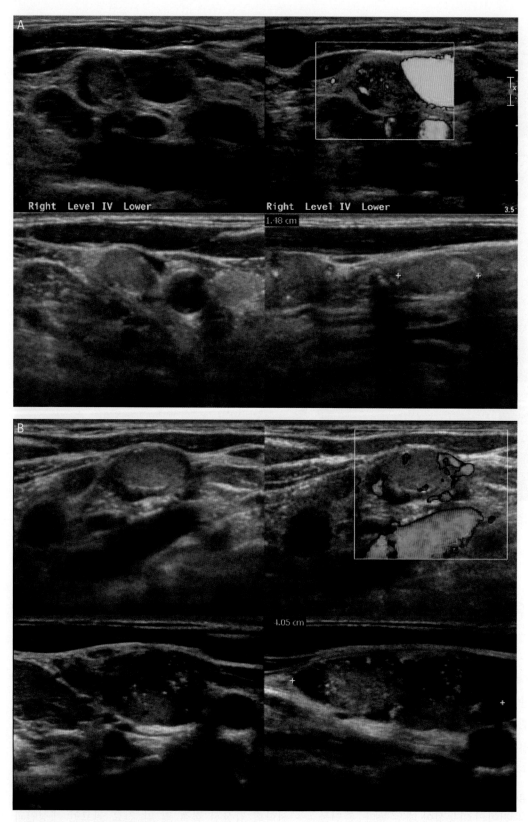

그림 1-63　악성 림프절의 초음파 소견

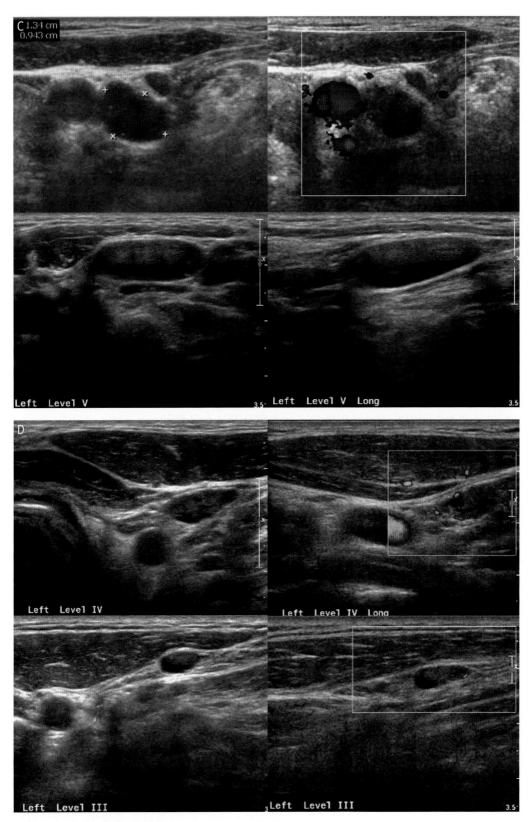

그림 1-63 악성 림프절의 초음파 소견

2015년 미국갑상선학회 권고안에 따르면, 초음파검사에서 전이가 의심되는 단경 ≥8~10 mm 이상의 림프절이 발견되거나 악성으로 확인되면 치료 방침이 바뀌게 되는 경우에 대해서는 세침흡인세포검사 및 흡인물의 갑상선글로불린 농도를 측정하되, 의심되는 림프절의 단경이 8~10 mm 미만인 경우에는 경과 관찰하여 커지거나 인접 중요 장기로의 침습이 의심되는 경우에 세침흡인세포검사나 중재를 고려하도록 권고하고 있다.

11. 초음파 유도 중재 시술

1) 서론

우연히 발견된 갑상선 양성 결절의 경우 크기 변화가 없고, 증상이 없는 경우가 많아 추적 관찰하는 경우가 많다. 일부 양성 결절은 크기가 커져서 압박 증상, 삼킬 때 불편함, 누워 있을 때 답답함을 유발하는 경우가 있으며, 증상을 유발하는 양성 결절은 치료가 필요하다. 수술적 치료는 결절을 완전히 제거할 수 있지만, 단점으로 수술 자국과, 되돌이후두신경 마비, 저칼슘혈증, 출혈 등의 합병증 발생 위험이 있다. 수술적 치료의 대체 방법인 초음파 유도 중재 시술은 국소마취로 치료가 가능하다. 초음파 유도 중재 시술은 초음파를 이용하여 바늘의 위치를 확인하면서 도구를 이용하여 치료하는 것으로, 에탄올 주입술, 고주파 절제술, 레이저 절제술, 극초단파 절제술 등이 있다. 고강도 집속 초음파(high intensity focused ultrasound, HIFU)는 바늘과 도구를 사용하지 않고 초음파로 직접 열을 만들어낸다. 에탄올 주입술은 화학적 반응을 이용하고, 나머지 시술은 모두 열을 이용한다.

2) 에탄올 주입술

(1) 원리

세포가 에탄올에 노출이 되면 세포막 용해, 단백질 변성 및 혈관 응고가 발생하면서 세포 괴사가 유발된다. 괴사된 조직 주변으로는 염증 반응이 일어나고, 섬유모세포가 발달하여 육아종성 조직으로 치환된다. 낭종을 유발하는 세포들이 괴사되어 더 이상 낭종이 생기지 않게 된다.

(2) 적응증

목에 압박감과 불편함, 미용상 문제를 일으키는 거대 양성 낭종과 재발성 낭종에 대해서 일차적 치료 목적으로 사용된다. 거대 고형 결절 및 기능성 갑상선 결절 치료에서도 사용 가능하다.

(3) 방법
① 환자 전신 상태 확인
기저질환, 복용 중인 약물 확인

② 동의서 받기
시술 방법, 효과 및 부작용에 대해서 설명 한다.

③ 자세 잡기
바로누운자세에서 베개를 어깨 밑에 넣어 머리를 뒤로 젖히는 자세를 취한다. 시술자는 초음파 유도 바늘 추적이 용이하도록 본인이 익숙한 위치에 있는다. 모니터는 시술자가 보기에 편한 위치에 놓는다.

④ 결절 확인
바늘이 들어갈 자리를 확인하고, 바늘이 지나갈 길에 혈관이 있는지 도플러 초음파로 확인한다.

⑤ 피부 마취
바늘이 들어갈 피부 자리를 소독 후 1~2% 리도

카인으로 국소 마취한다.

⑥ 바늘 삽입

한 손에는 초음파 탐색자를, 다른 손은 바늘을 들고 초음파를 보면서 갑상선 협부를 통해서 바늘을 삽입하여 바늘 끝을 낭종 내 중간에 위치시킨다. 바늘은 내용물의 점도에 따라서 16~24게이지에서 선택한다. 갑상선 협부를 지나도록 바늘을 삽입하는 것을 갑상선 협부 접근(trans-isthmic approach)이라고 한다(그림 1-64).

갑상선 협부 접근의 방법을 선호하는 이유는 환자가 침을 삼키거나 말을 할 때 바늘의 위치 변화가 적고, 에탄올이 새서 주변에 자극을 주는 경우가 적기 때문이다. 흡인용 바늘을 굵은 것으로 사용할 경우에는 바늘이 낭종 뒷부분을 관통해서 갑상선을 벗어나지 않도록 주의해야 한다. 낭종 뒷부분을 관통 시 알코올이 관통한 길로 새어 나가 부작용을 야기할 수 있다.

⑦ 낭종 흡인

주사기에 음압을 주어서 내용물을 흡인한다. 점도

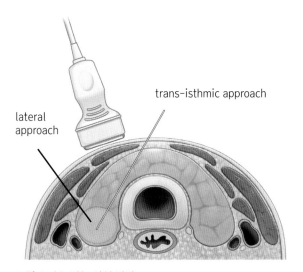

그림 1-64 바늘 삽입 방법
갑상선 협부 접근(transisthmic approach) 방법과 외측 접근(lateral approach) 방법이 있다.

가 높아서 흡인 시간이 오래 걸릴 경우는 바늘에 수액 연결줄을 사용하여, 보조자가 음압을 주고 흡인한다. 점도가 너무 높거나 부유물이 남아 있으면, 생리식염수를 넣어 희석한 다음에 흡인하기도 한다.

⑧ 에탄올 주입

바늘은 그대로 놓아둔 채 흡인물이 들어있는 주사기를 분리하고, 99% 에탄올이 들어있는 주사기를 연결 후 에탄올을 천천히 주입한다. 에탄올 주입 전에 바늘의 위치는 꼭 초음파를 보면서 확인한다. 결절의 가장자리와 3~5 mm 떨어진 위치에서 에탄올을 주입한다. 소량씩 넣으면서 초음파로 내부의 에코가 증가하는 것을 확인한다. 주입하는 에탄올 양은 흡인한 양의 10~50% 정도로 시술자마다 넣는 양이 달라서 표준화되지 않았다. 주입하는 에탄올 양이 많으면 치료 효과가 좋지만 합병증 발생 확률도 올라간다. 에탄올을 넣는 도중 환자가 통증을 호소하면, 주입을 멈추고, 에탄올이 낭종 밖으로 새지 않았는지 확인한다. 새는 것을 예방하기 위해서는 너무 많은 양을 넣지 않도록 하고, 주입 시 압력을 세게 주지 않는다. 에탄올을 넣은 후에 바늘을 빼고 2~10분 정도 기다린 후 다시 바늘을 주사해서 넣었던 에탄올을 흡인한다. 2분은 알코올이 세포 변성을 일으킬 수 있는 최소 시간이다. 시술자에 따라서 에탄올을 10 mL 이하로 넣고 에탄올을 흡인하지 않고 시술을 종료하는 경우도 있다. 주입한 에탄올을 흡인하여 제거하는 방법과 남겨 두는 방법은 시술자마다 다르다. 에탄올을 흡인하는 방법이 환자의 통증과 불편함을 줄이고, 에탄올이 새는 합병증 발생이 적다라는 연구가 있다. 반대로 주입한 에탄올을 흡인하는 방법이 낭종 내 출혈 가능성을 높이고, 시술 시간이 길어진다는 연구도 있다.

⑨ 압박

시술이 끝나면 가볍게 5~10분 정도 눌러준다.

(4) 치료 결과

갑상선 낭종에 대해서 에탄올 주입술을 받은 환자들의 97%에서 치료 효과를 보였으며, 부피는 약 82% 정도 감소, 재발률은 약 20% 정도로 보고된다. 낭종 내 격막이 있는 경우는 부피 감소율이 낮고, 낭종이 20 mL 이상으로 큰 경우와 낭종 벽에 혈관이 발달되어 있는 경우는 재발 빈도가 높다.

(5) 합병증

에탄올 주입술 후 약 20%에서 통증을 호소하였으며, 드물게 미주신경 반응, 낭종 내 출혈, 일시적인 쉰 목소리, 일시적인 갑상선기능항진증이 있었다. 개인에 따라서 시술 후 알코올 영향으로 얼굴이 빨개지고 화끈거리는 등 술에 취한 듯한 기분 변화가 있을 수도 있는데, 시간이 지나면서 금방 소실된다.

3) 고주파 절제술

(1) 원리

고주파 절제술(radiofrequency ablation)은 바늘을 결절에 넣고 고주파를 보내면 바늘 주변의 세포에 이온 불안정(ionic agitation)이 발생하여 마찰열이 발생한다. 50℃ 이상의 열 발생 시 수분 기화(evaporation) 및 응고 괴사(coagulation necrosis)를 유발하게 된다. 마찰열은 고주파 전류의 전압과 소작 시간에 비례한다. 괴사 조직 주변으로 염증 반응이 일어나면서 반흔 조직으로 바뀌고 서서히 결절 부피가 줄어들게 된다.

(2) 적응증

고형의 갑상선 양성 결절이 크기가 커서 음식 삼킬 때 불편함, 이물감, 기침 같은 압박 증상을 유발하거나, 미용상 문제가 있는 경우에 시행한다. 양성 판단은 세포검사나 조직검사에서 연속 2회 양성으로 나온 경우로 한다. 2회 검사하는 것은 검사상

위음성의 가능성을 고려한 것으로, 초음파검사에서 모양과 패턴이 전형적인 양성 결절일 경우에는 1회 검사만으로도 양성으로 판단하고 고주파 치료를 고려해 볼 수 있다. 고형 성분과 낭성 성분이 혼합되어 있는 복합 낭종은 고형성분이 50% 이상인 경우에 고주파 절제술에 반응이 좋다. 낭성 성분이 많은 경우에는 우선 에탄올 주입술 치료 후, 반응이 적은 경우에 고주파 절제술을 추가하면 반응이 좋다. 기능성 갑상선 결절에 대해서도 고주파 절제술로 갑상선 호르몬이 정상으로 되었다는 보고가 있다. 재발성 갑상선암에 대해서는 환자가 수술 받기 어려운 경우에 고주파 절제술로 치료 효과가 있어, berry picking 수술의 대체 방법으로 사용된다. 갑상선 원발암에 대한 일차 치료로 고주파 절제술에 대한 연구들은 진행 중이다. 갑상선 원발암에서 고주파 절제술 후 잔존암이 없다는 보고가 있으나, 다른 연구에서는 잔존암이 발견되기도 한다. 원발암에 대한 고주파 절제술은 아직 장기 추적 결과가 나오지 않았다.

(3) 시술 방법
① 환자 전신 상태 확인
기저질환, 복용 중인 약물 확인

② 동의서 받기
시술 방법, 효과, 부작용에 대해서 설명한다. 고주파 절제술 후 변화에 대해서 환자의 기대와 의학적 결과가 다를 수 있어 충분히 설명한다. 환자들은 고주파 절제술 후 결절이 없어지는 것을 원하지만, 치료 결과는 결절이 100% 없어지는 것이 아니고 서서히 줄어들어 6개월에 54.7% 줄어들고, 1년 지나면 62.7%, 2년 지나면 62.1% 정도의 부피 감소가 있다는 것을 설명한다. 섬유화된 부분이 초음파상 불규칙한 소결절로 보일 수 있다는 것과 결절의 재성장 가능성도 설명한다(그림 1-65).

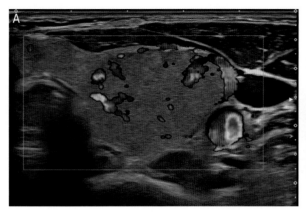
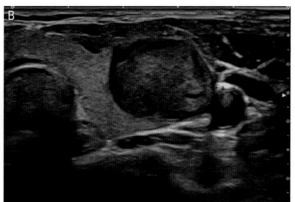

그림 1-65 A. 고주파 절제술 전, B. 고주파 절제술 후 6개월 경과

③ 자세 잡기

세침흡인세포검사 때와 자세가 같다. 바로누운자세에서 베개를 어깨 밑에 넣어서 머리를 뒤로 젖히는 자세로 한다.

④ 판(Plate) 부착 및 장비 확인

고주파는 전기를 이용하는 것으로 환자 몸에 반지, 열쇠 같은 금속 물질이 없는지 확인하고, 환자 다리나 복부 등 비교적 근육이 많은 곳에 판을 부착한다.

⑤ 바늘 삽입 위치 확인 및 고주파 바늘 길이 결정

결절의 위치에 따라서 바늘이 들어가는 방향이 다르다. 대부분은 갑상선 협부 접근 방법으로 바늘이 목 중앙에서 갑상선 협부를 지나 결절로 들어가는 것이 안전하다. 협부를 지나 들어가면 바늘이 안정적으로 고정되고, 기도 위쪽으로 지나가서 되돌이후두신경을 피할 수 있다. 대부분의 결절 위치는 협부에서 접근하는 것이 좋으나 간혹 기도 쪽에 붙어 있는 경우는 외측 접근이 용이할 수 있다. 외측 접근 시에는 흉쇄유돌근에 혈관이 있을 수 있으므로 도플러 초음파로 혈관 위치를 확인한다. 피부 구멍 하나로 결절 전체에 열을 주기 위해서는 바늘을 부챗살 모양으로 이동해야 한다. 한 점을 중심으로

다리쪽부터 머리쪽 혹은 머리쪽부터 다리쪽으로 순차적으로 이동한다(그림 1-66). 결절이 큰 경우에는 한 점에서 초음파 유도하기가 어려운 경우가 있어 2곳에 구멍을 뚫어 시행하기도 한다. 초음파로 결절의 모양과 위치를 확인 후 피부에 바늘이 들어갈 위치를 정하여 표시해 둔다.

결절의 크기에 따라 고주파 바늘 끝의 길이를 정한다. 고주파는 노출된 바늘을 중심으로 타원모양으로 열 발생을 한다. 바늘 끝에서 2 mm 정도까지 열 전도가 퍼질 수 있다(그림 1-67). 갑상선 결절 치료 시 18게이지, 노출 길이가 1 cm 인 바늘을 주로 사용한다.

⑥ 피부 국소 마취

초음파로 결절의 위치를 보고 바늘이 들어갈 피부에 2% 리도카인으로 마취한다.

⑦ 희석 마취액 준비

희석 마취제를 주입하는 것은 마취 효과 외에도 주요 장기(경동맥, 되돌이후두신경, 식도)로부터 결절과의 거리를 넓히는 효과가 있다. 저자는 2% 리도카인에 생리식염수를 1:9로 혼합하여, 0.2% 리도카인 희석 용액을 만든다. 이것을 갑상선 피막에 주

상갑상선동맥

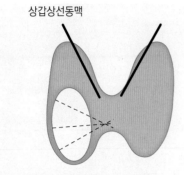
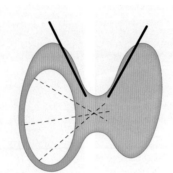
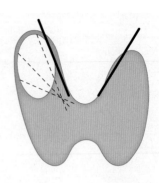

그림 1-66 고주파 절제술 시술 방법
부챗살 모양으로 움직인다.

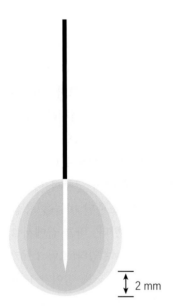

2 mm

그림 1-67 고주파 절제술 열 발생 범위
바늘 끝에서 약 2 mm 떨어진 부위까지 열이 발생한다.

입하여 5 mm 이상의 안전 거리를 확보할 수 있음을 보고하였다. 희석 마취액의 장점은 마취 효과와 부피 팽창 효과 두 가지가 동시에 있다는 것이다. 희석 리도카인의 총 허용량은 28 mg/kg 이다. 시술자마다 희석 마취액 만드는 방법의 차이가 있어, 에피네프린(epinephrine)과 중탄산염(bicarbonate)을 혼합하는 경우도 있고, 희석 농도의 차이도 있다.

⑧ 갑상선 피막 마취

시술자마다 본인이 사용하기 익숙한 주사기와 긴 바늘을 사용한다. 바늘을 삽입 전에 도플러 초음파로 갑상선 앞쪽 혈관을 확인하고 혈관을 피해서 마취제를 주입한다.

• 갑상선 앞쪽 피막 마취

띠근육과 갑상선 사이에 희석 마취액을 주입한다. 띠근육과 갑상선 사이에 저에코 수액층이 생기는 것을 볼 수 있다.

• 갑상선 뒤쪽 피막 마취

띠근육쪽 마취 후에 갑상선 뒤쪽에 경장근과 인접하고 있는 피막에 마취액을 주입한다. 초음파 빔 방향과 바늘 들어가는 방향의 각이 작으면 바늘이 잘 안 보일 수 있으며, 바늘이 확인되지 않으면 안전을 위해 진입하지 않는다. 결절이 큰 경우에 갑상선 뒤쪽 접근을 위해서 바늘이 결절을 관통해야 하는 경우도 있다. 갑상선 뒤쪽은 되돌이후두신경과 인접한 곳으로, 절개 수술 시 라이트앵글이나 모스키토로 주의해서 박리하는 곳이다. 고주파 절제술 시에는 이 부위에 희석 마취액을 주입하여 되돌이후두신경과 결절 사이의 거리를 넓힌다. 액체를 주입하여 두 구조물 사이를 박리하는 것을 수액박리(hydrodissection)라고 한다.

- 갑상선 외측 피막 마취

경동맥과 인접하고 있는 갑상선 외측 피막에 마취액을 주입한다. 이 부위는 갑상선 앞·뒤쪽에 넣은 마취액의 피막 내 이동으로 이미 수액층이 형성되어 있는 경우도 있다. 이 부위는 조직 결합이 약한 곳으로 쉽게 수액박리가 된다.

- 갑상선 내측 피막 마취

마지막으로 기도와 갑상선 사이에 희석 마취액을 주입한다. 절개 수술 시 기도와 갑상선 사이가 박리가 잘 되는 경우와 결합이 단단해서 잘 안 떨어지는 경우가 있듯이, 수액박리로 잘 벌어지는 경우와 잘 안 벌어지는 경우가 있다. 결절의 내측 경계면이 기도와 5 mm 이상 떨어져 있다면 기도와 갑상선 사이에 수액박리는 필요 없다(그림 1-68).

⑨ 고주파 바늘 삽입

마취제 주입 후, 다시 한번 고주파 바늘이 들어갈 피부 위치를 확인한다. 간혹 마취제 주입 후 결절의 위치 변동이 생겨서 기존에 표시했던 부위가 아니고 새로운 부위로 접근하는 것이 시술에 용이할 때가 있다. 이런 경우는 피부 위치를 변경하여 2% 리도카인으로 피부 마취를 다시 한다. 그 후 피부를 11번 수술칼로 1~2 mm 절개하거나, 18게이지 굵은 바늘로 구멍을 낸다. 이 구멍을 통해 고주파 바늘을 넣는데, 바늘을 넣기 전에 바늘이 지나갈 통로에 상갑상선동맥이 있는지 도플러 초음파로 확인한다. 상갑상선동맥은 수술 시 초음파 절삭기나 클립 혹은 실로 묶어 결찰하는 것이 안전한 혈관으로, 고주파 시술 시에 상갑상선동맥 주변으로 바늘을 넣는 것은 피하는 것이 좋다. 만일 상갑상선동맥 파열이 있을 경우 재빨리 혈관 파열 부위를 압박하고 목이 붓는지, 기도 압박이 있는지 살펴 보아야 한다. 혈관 압력이 작은 경우는 압박으로 지혈이 되기도 한다. 상갑상선동맥 이외의 이름없는 혈관들은 대부분 고주파로 지혈이 가능하다. 혈관이 발달되어 있는 결절은, 결절 주위 혈관을 먼저 고주파로 응고시키면 열배출현상(heat sink effect)이 줄어들어 열전도 효과가 좋아지고 결절 내 출혈도 적어진다는 연구도 있다. 열배출현상이란 결절 주위 혈관의 혈

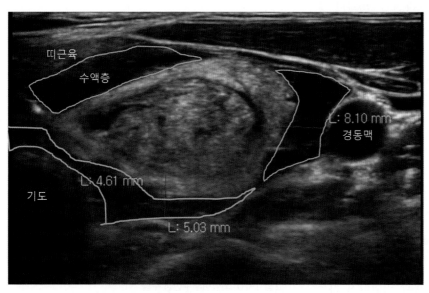

그림 1-68 갑상선 피막 마취 후 초음파 소견
희석 마취액을 주입한 후 형성된 갑상선 주위 수액층이 확인된다.

액 이동으로 바늘 주변 온도 하강이 발생하여 고주
파 절제술 효과가 떨어지는 현상이다.

⑩ 고주파 전류 보내기

처음에는 고주파 바늘을 결절의 깊은 쪽에 위치시
킨다. 고주파 전류를 보내면 열에 의한 변성으로 수
증기가 발생하는데, 이 수증기가 초음파에서 고에
코 병변으로 보이게 된다. 고에코 병변 뒤쪽은 초음
파가 투과하지 못하여 잘 안 보이게 되므로, 바늘은
깊은 쪽에서부터 얕은 쪽으로 단계적으로 이동해야
한다(그림 1-69). 깊은 쪽에서 얕은 쪽이 다 되면 부
챗살 모양으로 다음 평면으로 이동하여 다시 깊은
쪽에서 얕은 쪽으로 절제술을 반복한다(그림 1-66).

처음 고주파 시술을 할 때 적정 출력 와트(W)는
기계와 결절 크기, 조직마다 차이가 있다. 처음에는
보편적인 조건으로 설정하고, 반응을 보고 출력을
조절한다. 고주파 바늘 끝 길이가 1 cm인 경우 대
개 30와트에서 시작한다. 고주파 전류를 보내기 시
작한지 10초가 지나도 고에코 병변이 발생하지 않
는다면 고주파를 멈추고 5~10와트 정도 출력을 높
여서 다시 시작한다. 반대로 고주파를 보내자마자
1~2초 내에 고에코 병변이 발생하면 5~10와트 낮
추어서 시행한다. 고에코 병변이 5~10초 사이에 발
생하는 출력을 찾는다. 고에코 병변이 나타나면 바
늘을 서서히 바늘 노출 길이만큼 뺀 후 새로운 고에
코 병변이 나타나면 다시 바늘을 조금씩 뺀다. 고주
파 전류를 계속 보내고 있는 상태에서 바늘을 움직
이는 것을 Moving shot technique이라고 한다. 고주
파 장비는 바늘에 감지 장치가 있어, 적정온도 이상
으로 올라가거나 조직의 임피던스(impedance)가 높
으면 고주파 중지(cut-off)가 발생한다. Moving shot
technique은 고주파 중지(cut-off) 발생이 적다.

되돌이후두신경은 초음파상 보이지 않으니 주행
경로를 생각하여 바늘 끝이 신경과 인접하지 않도
록 해야 한다. 되돌이후두신경의 주행 경로는 좌우

가 다르다. 절제 수술 시 좌측 되돌이후두신경은 기
도와 평행하게 주행하지만, 우측 신경은 기도와 평
행이 아니라 외측에서 비스듬히 올라오는 것을 경
험하였을 것이다(그림 1-70).

만약 갑상선 결절이 우측 아래쪽에 있는 경우에
는 되돌이후두신경의 위치가 기도 옆이 아니고, 결
절 중간에 붙어 있을 가능성도 있다. 그러므로 이
부위는 고주파 바늘이 깊이 들어가지 않도록 주의
해야 한다.

⑪ 바늘 방향 전환

결절의 내측 경계 부위까지 고에코 병변이 발생
하면 고주파 전류 보내기를 멈춘다. 그 다음 바늘을

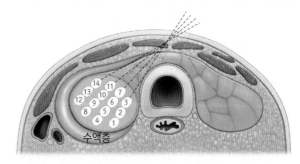

그림 1-69 고주파 전류 보내기
1번부터 시작하여 결절의 깊은 곳부터 전류를 보낸다.

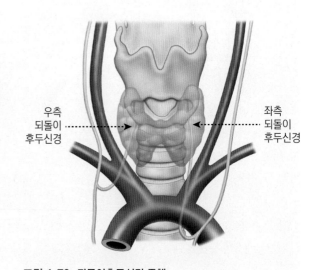

그림 1-70 되돌이후두신경 주행
우측은 기도 외측에서 비스듬히 주행하고, 좌측은 기도와 평행하
게 주행한다.

서서히 당겨서 바늘 끝이 피하층까지 나오면 방향을 바꾸어서 결절 안으로 다시 밀어 넣는다. 바늘을 당길 때 가끔 바늘 끝에서 조직이 떨어져 나가는 느낌이 들 수 있다. 이는 바늘 끝에 붙어 있는 조직 응고체(coagulum)가 떨어지는 것이다. 고주파 바늘 주변 온도가 100℃ 이상으로 올라가면 바늘 주변 조직이 응고체가 되어 바늘에 붙는 경우가 있다.

⑫ 시술 시 확인할 것

환자 목소리 변화 여부를 시술 중간에 체크한다. 고주파를 보낼 때 환자가 통증을 호소하면 바로 전류 보내는 것을 멈춘다. 통증이 있다는 것은 마취가 덜 되었거나, 고주파 열이 갑상선을 벗어나서 인접한 근육이나 주변으로 퍼졌을 가능성이 있다. 마취액을 추가로 주입한 후에 전류 출력을 낮추어 시도해 보거나 바늘을 다른 부위로 옮겨서 다른 곳부터 시행한다.

고주파절제술 중간에 고에코 병변이 형성되지 않고, 고주파 장비의 출력 와트가 설정한 수치까지 올라가지 않거나, 급격히 올라간 후 수치 변화가 없다면 바늘 끝에 탄화 물질이 붙어 있을 가능성이 있다. 탄화물이 바늘에 붙어 있으면 고주파가 주변으로 전달되는 것을 방해하고 임피던스가 높아, 열 발생이 일어나지 않는다. 고주파 바늘에 냉각수를 순환시키는 기능은 급격한 열상승을 방지하여 탄화물 발생을 적게 하는 효과가 있다. 시술 도중에 출력이 설정한 수치까지 올라가지 않거나, 급격하게 올라간 후 출력의 변화가 없다면 전류 보내는 것을 멈추고 바늘을 몸 밖으로 빼서, 바늘 끝에 붙어 있는 탄화물을 제거한다.

⑬ 시술 끝내기

결절이 전반적으로 불균질 저에코로 변하고, 고에코 점성 병변이 결절 전체에 생겼으면 마지막으로 결절의 경계면을 확인한다. 경계면에 살아 있는 세포가 남아 있다면 결절이 재성장할 가능성이 있다. 경계면은 Moving shot technique로 작은 범위를 만들면서 처리한다. 도플러 초음파로 결절 안에 혈류가 없는지 확인한다. 남아 있는 부분이 있다면 다시 고주파 바늘을 넣어 혈류 부위를 처리한다. 일부 연구에서는 혈류 확인을 위해 조영 증강 초음파(contrast-enhanced ultrasound)를 사용하기도 한다. 시술 직후 얼음주머니로 시술 부위를 약하게 누른다. 얼음주머니는 출혈과 피부 열 손상을 예방하는 효과가 있다. 통증이 있으면 진통제를 투여한다.

(4) 치료 결과

비중독성 양성 결절의 부피 감소율은 메타분석 연구에서 고주파 절제술 후 6개월 때 54.7%, 1년 경과 시 62.8%, 2년 경과 시 62.1%, 3년 경과 시 62.7%이었다. 시술 후 6개월 동안 가장 많이 크기가 감소하고, 그 이후에는 조금씩 줄어든다. 결절의 양상에 따라서 반응률의 차이가 있다. 스폰지 형태와 혼합 결절이 균일한 결절보다 부피 감소율이 좋다. 기능성 갑상선 결절에 대한 메타분석 연구에서는 고주파 시술 후 6~24개월 추적 관찰 시 갑상선자극호르몬이 정상화되는 경우가 57~71.2% 정도이고, 1년 지나서 부피 감소율은 69.4~79%로 보고 하였다. 영상학적 스캔검사로 확인하였을 때 반응률은 60%였다. 단순 낭종에서의 효과는 에타올주입술과 비슷한 90% 이상의 부피 감소율을 보인다.

(5) 합병증

가장 흔한 것은 시술 부위 통증이다. 통증은 대부분 진통제 복용으로 조절된다. 간혹 어깨 방사통을 호소하는 경우도 있다. 일시적 성대마비로 목소리 변형이 있을 수 있는데 대부분 시간이 지나면 회복된다. 일시적 성대마비는 고주파 바늘이 직접 신경에 닿지는 않았지만, 열 전도 현상으로 발생하는 것으로 추정된다. 혈종, 오심, 구토, 미주신경 반응도 있을 수 있다. 바늘 자리에 피부 화상이 보고된 경우도 있다. 그 외 일시적 갑상선중독증, 영구적인 갑상선기능저하증, 감염, 종양 파열, 호너 증후군 (Horner's syndrome) 등의 부작용이 드물게 보고 되었다.

(6) 추적 관찰

시술 후 3개월째 갑상선기능의 변화가 있는지 확인한다. 6개월, 12개월째는 부피 감소와 남아 있는 부위를 평가한다. 비중독성 갑상선 결절 치료 3개월 후 갑상선호르몬 수치가 정상이면 추적 혈액 검사는 필요치 않다. 시술 후 3~5년에 재성장 가능성이 높다. 재성장 시 다시 고주파 절제술을 할 수 있고, 수술적 치료를 고려해 볼 수도 있다.

4) 레이저 절제술

(1) 원리

레이저(laser)는 Light Amplification by the Stimulated Emission of Radiation의 머리글자를 딴 표현으로 번역하면 유도방출에 의해 증폭된 빛이다. 빛 에너지는 출력이 높으면 열에너지를 발산한다. 빛을 내는 광섬유를 결절 내로 삽입하여 레이저를보내면 열이 발생한다. 레이저는 빛을 만드는 매질의 이름을 명시하는데, 갑상선 절제술에서는 주로 Nd; YAG (Neodymium-yttrium aluminum garnet)을 사용한다.

(2) 적응증

고주파 열절제술과 적응증이 같다.

(3) 고주파 절제술과 레이저 절제술의 비교

Pacella 등은 양성 결절에 대해서 레이저가 고주파보다 부피 감소율이 더 크다라고 하였고, 반대로 Ha

등은 고주파가 레이저보다 효과적이라고 하였다. 절제술 효과는 기구를 다루는 시술자의 숙련도 영향이 있다. 메타분석 연구와 전향적 연구에서는 고주파가 레이저보다 효과적이라고 하였다. 논문마다 시술 방법에 따른 부피 감소율 차이는 있지만, 고주파와 레이저 절제술 모두 압박 증상을 없애고 부피를 줄이는 데 효과적이다.

5) 고강도 집속 초음파

고강도 집속 초음파(high-intensity focused ultrasound, HIFU)는 바늘을 사용하지 않는다. 몸 밖에서 국소 고에너지 초음파빔을 몸 안의 하나의 초점에 집중시키면 1,000분의 1초의 짧은 시간에 열이 발생한다. 마치 볼록렌즈로 햇볕을 한 곳에 집중시켜 불을 피우는 것과 비슷한 원리이다. 고강도 집속 초음파는 열 발생하는 것 외에 추가적으로 음향공동현상(acoustic cavitation)을 만들어서 조직괴사를 효율적으로 유도한다. 음향공동현상은 기포의 운동에너지를 초음파 파장으로 조절하여 세포 괴사를 유발하는 기술이다. 다른 치료와 달리 바늘을 사용하지 않는다는 장점이 있다.

6) 극초단파 절제술

극초단파 절제술(microwave ablation)은 극초단파를 바늘을 통해서 조직에 보내면, 조직 마찰열이 발생하여 조직괴사를 일으킨다. 고주파와 같이 마찰로 열을 발생시키는데, 고주파와의 차이는 주파수 차이이다. 고주파는 450~500 kHz의 주파수를 사용하는데, 극초단파는 915~2,450 MHz의 주파수를 사용한다. 고주파는 50~100℃의 열이 발생하는데, 극초단파는 150℃ 이상의 열을 짧은 시간 내에 발생시켜 균일하게 태운다.

·›» 참고문헌

1. 김은영, 곽진영. 갑상선초음파와 중재. 제4판. 서울: 가본의학서적; 2017.

2. 대한갑상선영상의학회. 갑상선 영상진단과 중재시술. 제2판. 서울: 일조각; 2013.

3. 정파종. 초음파기기의 이해 및 이용. 대한내분비외과학회지 2008;8:1-6.

4. Abu-Yousef MM, Larson JH, Kuehn DM, et al. Safety of ultrasound-guided fine needle aspiration biopsy of neck lesions in patients taking antithrombotic/anticoagulant medications. Ultrasound Q 2011;27: 157-9.

5. Agcaoglu O, Aliyev S, Taskin HE, et al. The utility of intraoperative ultrasound in modified radical neck dissection: a pilot study. Surg Innov 2014;21:166-9.

6. Ahmed S, Ghazarian MP, Cabanillas ME, et al. Imaging of Anaplastic Thyroid Carcinoma. AJNR Am J Neuroradiol 2018;39:547-51.

7. Ahn D, Sohn JH, Kim H. Surgeon-performed intrao-perative tumor localization in recurrent papillary thyroid carcinoma by ultrasound-guided intratumoral indigo carmine injection. World J Surg 2014;38:1995-2001.

8. Ahn HS, Kim HJ, Welch HG. Korea' thyroid-cancer "epidemic"-screening and overdiagnosis. N Engl J Med 2014;371:1765-7.

9. Ahn HS, Welch HG. South Korea' Thyroid-Cancer "epidemic"-Turning the Tide. N Engl J Med 2015;373: 2389-90.

10. Ahn HS, Youn I, Na DG, et al. Diagnostic performance of core needle biopsy as a first-line diagnostic tool for thyroid nodules according to ultrasound patterns: Comparison with fine needle aspiration using propensity score matching analysis. Clin Endocrinol (Oxf) 2020;94:494-503.

11. Ahuja AT, Dai EYL, Tang EWL, et al. Diagnostic Ultrasound Head and Neck. 2nd ed. Philadelphia: Elsvier; 2019.

12. AJCC Cancer Staging Manual. 8th ed. New York: Springer; 2017.

13. Al-Hilli Z, Strajina V, McKenzie TJ, et al. Thyroglobulin Measurement in Fine-Needle Aspiration Improves the Diagnosis of Cervical Lymph Node Metastases in Papillary Thyroid Carcinoma. Ann Surg Oncol 2017;24:739-44.

14. American College of Radiology. Breast imaging reporting and data system, breast imaging atlas. 4th ed. Reston, Va: American College of Radiology; 2003.

15. Amin M, Edge S, Greene F, et al. AJCC Cancer Staging Manual. 8th edition. New York: Springer; 2016

16. Baek JH, Ha EJ, Choi YJ, et al. Radiofrequency versus ethanol ablation for treating predominantly cystic thyroid nodules: a randomized clinical trial. Korean J Radiol 2015; 16:1332-40.

17. Baek JH, Lee JH, Valcavi R, et al. Thermal ablation for benign thyroid nodules: radiofrequency and laser. Korean J Radiol 2011;12:525-40.

18. Baloch ZW, Livolsi VA. Fine-needle aspiration of thyroid nodules: past, present, and future. Endocrine practice: official journal of the American College of Endocrinology and the American Association of Clinical Endocrinologists 2004;10:234-41.

19. Baloch ZW, Livolsi VA. Follicular-patterned lesions of the thyroid: the bane of the pathologist. Am J Clin Pathol 2002;117:143-50.

20. Barczyński M, Konturek A, Stopa M, et al. Prophylactic central neck dissection for papillary thyroid cancer. Br J Surg 2013;100:410-8.

21. Basaria S, Westra WH, Cooper DS. Ectopic lingual thyroid masquerading as thyroid cancer metastases. J Clin Endocrinol Metab 2001;86:392-5.

22. Baskin HJ, Duick DS. Thyroid Ultrasound and Ultrasound-Guided FNA. 3rd ed. New York: Springer Science + Business Media; 2013.

23. Baskin HJ. Detection of recurrent papillary thyroid carcinoma by thyroglobulin assessment in the needle washout after fine-needle aspiration of suspicious lymph nodes. Thyroid 2004;14:959-63.

24. Batsakis JG, El-Naggar AK, Luna MA. Thyroid gland ectopias. Ann Otol Rhinol Laryngol 1996;105:996-1000.

25. Belfiore A, La Rosa GL. Fine-needle aspiration biopsy of the thyroid. Endocrinol Metab Clin North Am 2001;30:361-400.

26. Bennedbaek FN, Hegedüs L. Treatment of recurrent thyroid cysts with ethanol: a randomized double-blind controlled

trial. J Clin Endocrinol Metab 2003;88:5773-7.

27. Bongiovanni M, Spitale A, Faquin WC, et al. The Bethesda System for Reporting Thyroid Cytopathology: a meta-analysis. Acta Cytol 2012;56:333-9.

28. Bourjat P, Cartier J, Woerther JP. Thyroglossal duct cyst in hyoid bone: CT confirmation. J Comput Assist Tomogr 1988;12:871-3.

29. Brunn J, Block U, Ruf G, et al. Volumetric analysis of thyroid lobes by real time ultrasound. Dtsch Med Wochenschr 1981;106:1338-40.

30. Burch HB. Evaluation and management of the solid thyroid nodule. Endocrinol Metab Clin North Am 1995;24:663-710.

31. Cabanillas ME, McFadden DG, Durante C. Thyroid cancer. Lancet 2016;388:2783-95.

32. Cervera PFJ, Roquette GJ, Bartual PJ. Ectopic primitive thyroid papillary carcinoma: Report of a fetal case and review of literature. Acta Otorhinolaryngol Esp 1994;45: 124-7.

33. Cesareo R, Pacella CM, Pasqualini V, et al. Laser ablation versus radiofrequency ablation for benign non-functioning thyroid nodules: six-month results of a randomized, parallel, open-label, trial (LARA Trial). Thyroid 2020;30: 847-56.

34. Cesareo R, Palermo A, Benvenuto D, et al. Efficacy of radiofrequency ablation in autonomous functioning thyroid nodules. A systematic review and meta-analysis. Rev Endocr Metab Disord 2019;20:37-44.

35. Cesareo R, Palermo A, Pasqualini V, et al. Radiofrequency ablation for the management of thyroid nodules: A critical appraisal of the literature. Clin Endocrinol (Oxf) 2017; 87:639-48.

36. Cesur M, Corapcioglu D, Bulut S, et al. Comparison of palpation-guided fine-needle aspiration biopsy to ultrasound-guided fineneedle aspiration biopsy in the evaluation of thyroid nodules. Thyroid : official journal of the American Thyroid Association 2006;16:555-61.

37. Chintakuntlawar AV, Foote RL, Kasperbauer JL, Bible KC. Diagnosis and Management of Anaplastic Thyroid Cancer. Endocrinol Metab Clin North Am 2019;48:269-84.

38. Cho B, Choi H, Park Y, et al. Changes in the clinico-pathological characteristics and outcomes of thyroid cancer in Korea over the past four decades. Thyroid 2013;23:

797-804.

39. Cho HN, Choi E, Seo DH, et al. Determinants of undergoing thyroid cancer screening in Korean women: a cross-sectional analysis from the K-Stori 2016. BMJ Open 2019;9:e026366.

40. Cho SJ, Baek JH, Chung SR, et al. Long-term results of thermal ablation of benign thyroid nodules: a systematic review and meta-analysis. Endocrinol Metab (Seoul) 2020; 35:339-50.

41. Choi JS, Kim J, Kwak JY, et al. Preoperative staging of papillary thyroid carcinoma: comparison of ultrasound imaging and CT. AJR Am J Roentgenol 2009;193:871-8.

42. Chung AY, Tran TB, Brumund KT, et al. Metastases to the thyroid: a review of the literature from the last decade. Thyroid 2012;22:258-68.

43. Chung SR, Baek JH, Choi YJ, et al. Long-term outcomes of radiofrequency ablation for locally recurrent papillary thyroid cancer. Eur Radiol 2019;29:4897-903.

44. Chung SR, Suh CH, Baek JH. Safety of radiofrequency ablation of benign thyroid nodules and recurrent thyroid cancers: a systematic review and meta-analysis. Int J Hyperthermia 2017;33:920-30.

45. Chung SY, Kim EK, Kim JH, et al. Sonographic findings of metastatic disease to the thyroid. Yonsei Med J 2001;42: 411-7.

46. Cibas ES, Ali SZ, Conference NCITFSotS. The Bethesda System For Reporting Thyroid Cytopathology. Am J Clin Pathol 2009;132:658-65.

47. Cook JH 3rd, Lytton B. Intraoperative localization of renal calculi during nephrolithotomy by ultrasound scanning. J Urol 1977;117:543-6.

48. Cui D, Ding M, Tang X, et al. Efficacy and safety of a combination of hydrodissection and radiofrequency ablation therapy for benign thyroid nodules larger than 2 cm: a retrospective study. J Cancer Res Ther. 2019;15:386-93.

49. Degirmenci B, Haktanir A, Albayrak R, et al. Sonogra-phically guided fineneedle biopsy of thyroid nodules: the effects of nodule characteristics, sampling technique, and needle size on the adequacy of cytological material. Clinical radiology 2007;62:798-803.

50. Denham SL, Ismail A, Bolus DN, et al. Effect of Anticoagulation Medication on the Thyroid Fine-Needle

Aspiration Pathologic Diagnostic Sufficiency Rate. Journal of ultrasound in medicine : official journal of the American Institute of Ultrasound in Medicine 2016;35:43-8.

51. Desai D, Jeffrey RB, McDougall IR, et al. Intraoperative ultrasonography for localization of recurrent thyroid cancer. Surgery 2001;129:498–500.

52. Dettmer MS, Schmitt A, Komminoth P, et al. Poorly differentiated thyroid carcinoma : An underdiagnosed entity. Pathologe 2020;41:1-8.

53. Dighe M, Barr R, Bojunga J, et al. Thyroid Ultrasound: State of the Art Part 1 - Thyroid Ultrasound reporting and Diffuse Thyroid Diseases. Med Ultrason 2017;19:79-93.

54. Ding M, Tang X, Cui D, et al. Clinical outcomes of ultrasound-guided radiofrequency ablation for the treatment of primary papillary thyroid microcarcinoma. Clin Radio 2019;74:712-7.

55. Donatini G, Masoni T. Is fine-needle aspiration cytology for thyroid nodules a routine and safe procedure? A series of emergency cervicotomies following FNAC. Langenbecks Arch Surg 2010;395:873-6.

56. Duick DS, Levine, RA., Lupo MA. Thyroid and Parathyroid Ultrasound and Ultrasound- Guided FNA. 4th Edition. London: Springer; 2018.

57. Eom TI, Kim BS. Safety and technical efficacy of tumescent anesthesia in radiofrequency ablation for thyroid nodules close to the surrounding structure. J Surg Ultrasound 2019; 6:20-6.

58. Ertas B, Kaya H, Kurtulmus N, et al. Intraoperative ultrasonography is useful in surgical management of neck metastases in differentiated thyroid cancers. Endocrin 2015; 48:248-53.

59. Ferlay J, Soerjomataram I, Dikshit R, et al. Cancer incidence and mortality worldwide: sources, methods and major patterns in GLOBOCAN 2012. Int J Cancer 2015;136: 359-86.

60. Fernandes VT, Magarey MJ, Kamdar DP, et al. Surgeon performed ultrasound-guided fine-needle aspirates of the thyroid: 1067 biopsies and learning curve in a teaching center. Head & neck 2016;38:1281-4.

61. Fish SA, Langer JE, Mandel SJ. Sonographic imaging of thyroid nodules and cervical lymph nodes. Endocrinol Metab Clin North Am 2008;37:401-17.

62. Frasoldati A, Pesenti M, Gallo M, et al. Diagnosis of neck recurrences in patients with differentiated thyroid carcinoma. Cancer 2003;97:90–6.

63. Frates MC, Benson CB, Charboneau JW, et al. Management of thyroid nodules detected at US: Society of Radiologists in Ultrasound consensus conference statement. Radiology 2005;237:794-800.

64. Frates MC. Ultrasound in recurrent thyroid disease. Otolaryngol Clin North Am 2008;41:1107-16.

65. Frosberg F, Machado P, Segal S, et al. Microvascular blood flow in the thyroid: preliminary results with a novel imaging technique. Int ultrasonic symposium proc 2014;2237-40.

66. Fujimoto F, Oka A, Omoto R, et al. Ultrasound scanning of the thyroid gland as a new diagnostic approach. Ultrasonics 1967;5:177–80.

67. Gao L, Xi X, Jiang Y, et al. Comparison among TIRADS (ACR TI-RADS and KWAK- TI-RADS) and 2015 ATA Guidelines in the diagnostic efficiency of thyroid nodules. Endocrine 2019;64:90-6.

68. Gelczer RK, Charboneau JW, Hussain S, et al. Complications of percutaneous ethanol ablation. J Ultrasound Med 1998;17:531-3.

69. Gharib H, Goellner JR, Johnson DA. Fine-needle aspiration cytology of the thyroid. A 12-year experience with 11,000 biopsies. Clin Lab Med 1993;13:699-709.

70. Gharib H, Goellner JR. Fine-needle aspiration biopsy of the thyroid: an appraisal. Ann Intern Med 1993;118:282-9.

71. Gharib H, Hegedüs L, Pacella CM, et al. Clinical review: Nonsurgical, image-guided, minimally invasive therapy for thyroid nodules. J Clin Endocrinol Metab 2013;98:3949-57.

72. Gharib H, Papini E, Garber JR, et al. American association of clinical endocrinologists, american college of endocrinologists medical guidelines for clinical practice for the diagnosis and management of thyroid nodules. 2016 Update. Endocr Pract 2016;22:622-39.

73. Gharib H, Papini E, Paschke R, et al. American Association of Clinical Endocrinologists, Associazione Medici Endocrinologi, and European Thyroid Association medical guidelines for clinical practice for the diagnosis and management of thyroid nodules. J Endocrinol Invest 2010;33:1-50.

74. Gillman LM, Kirkpatrick AW. Portable bedside ultrasound: the visual stethoscope of the 21st century. Scand J Trauma Resusc Emerg Med 2012;20:18.

75. Gimm O, Rath FW, Dralle H. Pattern of lymph node metastases in papillary thyroid carcinoma. Br J Surg 1998; 85:252-4.

76. Girard M, Deluca SA. Thyroglossal duct cyst. Am Fam Physician 1990;42:665-8.

77. Guglielmi R, Pacella CM, Bianchini A, et al. Percutaneous ethanol injection treatment in benign thyroid lesions: role and efficacy. Thyroid 2004;14:125-31.

78. Ha EJ, Baek JH, Kim KW, et al. Comparative efficacy of radiofrequency and laser ablation for the treatment of benign thyroid nodules: systematic review including traditional pooling and bayesian network meta-analysis. J Clin Endocrinol Metab 2015;100:1903-11.

79. Ha EJ, Baek JH, Lee JH. Moving-shotversus fixed electrode techniques for radiofrequency ablation: comparison in an ex-vivo bovine liver tissue model. Korean J Radiol 2014;15: 836-43.

80. Ha EJ, Baek JH, Lee JH. The efficacy and complications of radiofrequency ablation of thyroid nodules. Curr Opin Endocrinol Diabetes Obes 2011;18:310-4.

81. Ha EJ, Baek JH, Na DG, et al. The Role of Core Needle Biopsy and Its Impact on Surgical Management in Patients with Medullary Thyroid Cancer: Clinical Experience at 3 Medical Institutions. AJNR Am J Neuroradiol 2015;36: 1512-7.

82. Ha EJ, Baek JH, Na DG, et al. US Fine-Needle Aspiration Biopsy for Thyroid Malignancy: Diagnostic Performance of Seven Society Guidelines Applied to 2000 Thyroid Nodules. Radiology 2018;287:893-900.

83. Hahn SY, Shin JH, Na DG, et al. Ethanol ablation of thethyroid nodules: 2018 consensus statement by the Korean society of thyroid radiology. Korean J Radiol 2019;20: 609-20.

84. Hahn SY, Shin JH, Oh YL, et al. Comparison Between Fine Needle Aspiration and Core Needle Biopsy for the Diagnosis of Thyroid Nodules: Effective Indications According to US Findings. Sci Rep 2020;10:4969.

85. Hahn SY, Shin JH. Description and Comparison of the Sonographic Characteristics of Poorly Differentiated Thyroid Carcinoma and Anaplastic Thyroid Carcinoma. J Ultrasound Med 2016;35:1873-9.

86. Halenk M, Frysak Z. Atlas of Thyroid Ultrasonography. New York: Springer International Publishing AG; 2017.

87. Hamou AB, Ghanassia E, Espiard S, et al. Safety and efficacy of thermal ablation (radiofrequency and laser): should we treat all types of thyroid nodules? Int J Hyperthermia 2019;36:666-76.

88. Harari A, Sippel RS, Goldstein R, et al. Successful localization of recurrent thyroid cancer in reoperative neck surgery using ultrasound-guided methylene blue dye injection. J Am Coll Surg 2012;215:555-61.

89. Haugen BR, Alexander EK, Bible KC, et al. 2015 American Thyroid Association Management Guidelines for Adult Patients with Thyroid Nodules and Differentiated Thyroid Cancer: The American Thyroid Association Guidelines Task Force on Thyroid Nodules and Differentiated Thyroid Cancer. Thyroid 2016;26:1-133.

90. Hiromatsu Y, Ishibashi M, Miyake I, et al. Color Doppler ultrasonography in patients with subacute thyroiditis. Thyroid 1999;9:1189-93.

91. Hisham AN, Lukman MR. Recurrent laryngeal nerve in thyroid surgery: a critical appraisal. ANZ J Surg 2002; 72:887-9.

92. Hong S, Won YJ, Park YR, et al. Cancer Statistics in Korea: Incidence, Mortality, Survival, and Prevalence in 2017. Cancer Res Treat 2020;52:335-50.

93. Horvath E, Majlis S, Rossi R, et al. An ultrasonogram reporting system for thyroid nodules stratifying cancer risk for clinical management. J Clin Endocrinol Metab 2009; 94:1748-51.

94. Huh S, Lee HS, Yoon J, et al. Diagnostic performances and unnecessary US-FNA rates of various TIRADS after application of equal size thresholds. Sci Rep 2020;10:10632.

95. Iñiguez-Ariza NM, Lee RA, Singh-Ospina NM, et al. Ethanol ablation for the treatment of cystic and predominantly cystic thyroid nodules. Mayo Clin Proc 2018; 93:1009-17.

96. Ito Y, Tomoda C, Uruno T, et al. Needle tract implantation of papillary thyroid carcinoma after fine-needle aspiration biopsy. World J Surg 2005;29:1544-9.

97. Iwata M, Kasagi K , Kawai N. 갑상선과 경부의 초음파 진단. 제3판. 서울: 메디안북; 2018.

98. Jeong SY, Baek JH, Choi YJ, et al. Radiofrequency ablation of primary thyroid carcinoma: efficacy accordingto the types of thyroid carcinoma. Int J Hyperthermia 2018;34:611-6.

99. Joshi SD, Joshi SS, Daimi SR, et al. The thyroid gland and its variations: a cadaveric study. Folia Morphol (Warsz) 2010;69:47-50.

100. Jung CK, Baek JH, Na DG, et al. 2019 Practice guidelines for thyroid core needle biopsy: a report of the Clinical Practice Guidelines Development Committee of the Korean Thyroid Association. J Pathol Transl Med 2020;54:64-86.

101. Jung JH. Post-thyroidectomy Neck Ultrasonography for Surveillance in Patients with Differentiated Thyroid Cancer. J Surg Ultrasound 2015;2:74-80.

102. Jung SL, Baek JH, Lee JH, et al. Efficacy and safety of radiofrequency ablation for benign thyroid nodules: a prospective multicenter study. Korean J Radiol 2018;19: 167-74.

103. Kang TW, Shin JH, Han BK, et al. Preoperative ultrasound-guided tattooing localization of recurrences after thyroidectomy: safety and effectiveness. Ann Surg Oncol 2009;16:1655-9.

104. Karwowski JK, Jeffrey RB, McDougall IR, et al. Intraoperative ultrasonography improves identification of recurrent thyroid cancer. Surgery 2002;132:924-8.

105. Kebebew E, Clark OH. Differentiated thyroid cancer: _ complete_rational approach. World J Surg 2000;24:942-51.

106. Kebebew E, Ituarte PH, Siperstein AE, et al. Medullary thyroid carcinoma: clinical characteristics, treatment, prognostic factors, and a comparison of staging systems. Cancer 2000;88:1139-48.

107. Khanafshar E, Lloyd RV. The spectrum of papillary thyroid carcinoma variants. Adv Anat Pathol 2011;18:90-7.

108. Kim C, Baek JH, Ha E, et al. Ultrasonography features of medullary thyroid cancer as predictors of its biological behavior. Acta Radiol 2017;58:414-22.

109. Kim DS, Kim JH, Na DG, et al. Sonographic features of follicular variant papillary thyroid carcinomas in comparison with conventional papillary thyroid carcinomas. J Ultrasound Med 2009;28:1685-92.

110. Kim E, Park JS, Son KR, et al. Preoperative diagnosis of cervical metastatic lymph nodes in papillary thyroid carcinoma: comparison of ultrasound, computed tomography, and combined ultrasound with computed tomography. Thyroid 2008;18:411-8.

111. Kim EK, Park CS, Chung WY, et al. New sonographic criteria for recommending fineneedle aspiration biopsy of nonpalpable solid nodules of the thyroid. AJR Am J Roentgenol 2002;178:687-91.

112. Kim HC, Kim YJ, Han HY, et al. First-Line Use of Core Needle Biopsy for High-Yield Preliminary Diagnosis of Thyroid Nodules. AJNR Am J Neuroradiol 2017;38:357-63.

113. Kim JH, Baek JH, Lim HK, et al. 2017 thyroid radiofrequency ablation guideline: Korean society of thyroid radiology. Korean J Radiol 2018;19:632-55.

114. Kim JH, Lee JH, Shong YK, et al. Ultrasound features of suture granulomas in the thyroid bed afterthyroidectomy for papillary thyroid carcinoma with an emphasis on their differentiation from locally recurrent thyroid carcinomas. Ultrasound Med Biol 2009;35:1452-7.

115. Kim MJ, Kim EK, Kim BM, et al. Thyroglobulin measurement in fine-needle aspirate washouts: the criteria for neck node dissection for patients with thyroid cancer. Clin Endocrinol (Oxf) 2009;70:145-51.

116. Kim MJ, Kim EK, Park SI, et al. US-guided fine-needle aspiration of thyroid nodules: indications, techniques, results. Radiographics : a review publication of the Radiological Society of North America, Inc 2008;28:1869-86.

117. Kim MK, Mandel SH, Baloch Z, et al. Morbidity following central compartment reoperation for recurrent or persistent thyroid cancer. Arch Otolaryngol Head Neck Surg 2004;130: 1214-6.

118. Kim SM, Lee HK, Yoon JH, et al. Thyroglossal Duct Cyst: Sonographic Findings Revisited. J Korean Radiol Soc 2001; 44:1-6.

119. Kim TY, Kim WB, Gong G, et al. Metastasis to the thyroid diagnosed by fine-needle aspiration biopsy. Clin Endocrinol (Oxf) 2005;62:236-41.

120. Kitahara CM, Sosa JA. The changing incidence of thyroid cancer. Nat Rev Endocrinol 2016;12:646-53.

121. Kong J, Li JC, Wang HY, et al. Role of superb microvascular imaging in the preoperative evaluation of thyroid nodules:

comparison with power Doppler flow imaging. J Ultrasound Med 2017;1-9.

122. Kwak JY, Han KH, Yoon JH, et al. Thyroid imaging reporting and data system for US features of nodules: a step in establishing better stratification of cancer risk. Radiology 2011;260:892-9.

123. Kwak JY, Jung I, Baek JH, et al. Image reporting and characterization system for ultrasound features of thyroid nodules: multicentric Korean retrospective study. Korean J Radiol 2013;14:110-7.

124. Kwak JY, Kim EK, Hong SW, et al. Diffuse sclerosing variant of papillary carcinoma of the thyroid: ultrasound-features with histopathological correlation. Clin Radiol 2007;62:382-6.

125. Kwak JY, Kim EK, Ko KH, et al. Primary thyroid lymphoma: role of ultrasound-guided needle biopsy. J Ultrasound Med 2007;26:1761-5.

126. Kwak JY, Kim EK, Son EJ, et al. Papillary thyroid carcinoma manifested solely as microcalcifications on sonography. AJR Am J Roentgenol 2007;189:227-31.

127. Kwak JY. Postoperative Surveillance of Thyroid Cancer: in View of US. J Korean Thyroid Assoc 2012;5:15-9.

128. Lang BHH, Wu AL. High intensity focused ultrasound (HIFU) ablation of benign thyroid nodules: a systematic review. J Ther Ultrasound 2017;5:11.

129. Leatherdale BA. An unusual thyroid gland. Br J Surg 1973;60:410-3.

130. Leboulleux S, Baudin E, Travagli JP, et al. Medullary thyroid carcinoma. Clin Endocrinol (Oxf) 2004;61:299-310.

131. Leboulleux S, Girard E, Rose M, et al. Ultrasound criteria of malignancy for cervical lymph nodes in patients followed up for differentiated thyroid cancer. J Clin Endocrinol Metab 2007;92:3590-4.

132. Lee JH, Han K, Kim EK, et al. Validation of the modified 4-tiered categorization system through comparison with the 5-tiered categorization system of the 2015 American Thyroid Association guidelines for classifying small thyroid nodules on ultrasound. Head Neck 2017;39:2208-15.

133. Lee KH, Shin JH, Oh YL, et al. Atypia of undetermined significance in thyroid fine-needle aspiration cytology: prediction of malignancy by US and comparison of methods for further management. Ann Surg Oncol 2014;21:2326-31.

134. Lee SJ, Jung SL, Kim BS, et al. Radiofrequency ablation to treat loco-regional recurrence of well-differentiated thyroid carcinoma. Korean J Radiol 2014;15:817-26.

135. Lee YJ, Kim DW, Jung SJ. Comparison of sample adequacy, pain-scale ratings, and complications associated with ultrasound-guided fine-needle aspiration of thyroid nodules between two radiologists with different levels of experience. Endocrine 2013;44:696-701.

136. Lee YJ, Kim DW. Sonographic Characteristics and Interval Changes of Subacute Thyroiditis. J Ultrasound Med 2016; 35:1653-9.

137. Li P, Zhang H. Ultrasonography in the Diagnosis and Monitoring of Therapy for Primary Thyroid Lymphoma. Ultrasound Q 2019;35:246-52.

138. Liao LJ, Chen HW, Hsu WL, et al. Comparison of strain elastography, shear wave elastography, and conventional ultrasound in diagnosing thyroid nodules. J Med Ultrasound 2019;27:26-32.

139. Lim HK, Baek JH, Lee JH, et al. Efficacy and safety of radiofrequency ablation for treating locoregional recurrence from papillary thyroid cancer. Eur Radiol 2015;25:163-70.

140. Lloyd RV, Buehler D, Khanafshar E. Papillary thyroid carcinoma variants. Head Neck Pathol 2011;5:51-6.

141. Lloyd RV, Osamura RY, Kloppel G, et al. WHO Classification of Tumours of Endocrine Organs. 4th ed. International Agency for Research on Cancer; 2017.

142. Lundgren CI, Hall P, Dickman PW, et al. Influence of surgical and postoperative treatment on survival in differentiated thyroid cancer. Br J Surg 2007;94:571-7.

143. MacDonald L, Yazdi HM. Nondiagnostic fine needle aspiration biopsy of the thyroid gland: a diagnostic dilemma. Acta Cytol 1996;40:423-8.

144. Makuuchi M, Hasegawa H, Yamazaki S. Newly devised intraoperative probe. Image Technol Info Display Med 1979;11:1167-8.

145. Makuuchi M, Torzilli G, Machi J. History of intraoperative ultrasound. Ultrasound Med Biol 1998;24:1229-42.

146. Mauri G, Cova L, Monaco CG, et al. Benign thyroid nodules treatment using percutaneous laser ablation (PLA) and radiofrequency ablation (RFA). Int J Hyperthermia

2017;33:295-9.

147. Mazzaferri EL, Jhiang SM. Long-term impact of initial surgical and medical therapy on papillary and follicular thyroid cancer. Am J Med 1994;97:418-28.

148. Mazzeo S, Cervelli R, Elisei R, et al. mRECIST criteria to assess recurrent thyroid carcinoma treatment response after radiofrequency ablation: a prospective study. Endocrinol Invest 2018;41:1389-99.

149. McCoy KL, Yim JH, Tublin ME, et al. Same-day ultrasound guidance in reoperation for locally recurrent papillary thyroid cancer. Surgery 2007;142:965-72.

150. Melnick JC, Stemkowski PE. Thyroid hemiagenesis (hockey stick sign): a review of the world literature and report of four cases. J Clin Endocrinol Metab 1981;52:247-51.

151. Middleton WD, Teefey SA, Reading CC, et al. Comparison of Performance Characteristics of American College of Radiology TI-RADS, Korean Society of Thyroid Radiology TIRADS, and American Thyroid Association Guidelines. AJR Am J Roentgenol 2018;210:1148-54.

152. Mittendorf EA, Tamarkin SW, McHenry CR. The results of ultrasound-guided fine-needle aspiration biopsy for evaluation of nodular thyroid disease. Surgery 2002;132:648-53.

153. Moon HJ, Kwak JY, Kim EK, et al. Ultrasonographic characteristics predictive of nondiagnostic results for fineneedle aspiration biopsies of thyroid nodules. Ultrasound Med Biol 2011;37:549-55.

154. Moon WJ, Baek JH, Jung SL, et al. Ultrasonography and the ultrasound-based management of thyroid nodules: consensus statement and recommendations. Korean J Radiol 2011;12:1-14.

155. Na DG, Min HS, Lee H, et al. Role of Core Needle Biopsy in the Management of Atypia/ Follicular Lesion of Undetermined Significance Thyroid Nodules: Comparison with Repeat Fine-Needle Aspiration in Subcategory Nodules. Eur Thyroid J 2015;4:189-96.

156. National Cancer Information Center. c2020 [cited 2020 January 22]. Available from: https://www.cancer.go.kr.

157. Neinas FW, Gorman CA, Devine KD, et al. Lingual thyroid. Clinical characteristics of 15 cases. Ann Intern Med 1973;79:205-10.

158. Network, N. C. C. NCCN clinical practice guidelines in oncology. Thyroid carcinoma V. 2 2017. National Comprehensive Cancer Network website. https ://www. nccn.org/ profe ssion als/physi cian_gls/ (2017).

159. Noguchi S, Noguchi A, Murakami N. Papillary carcinoma of the thyroid I. developing pattern of metastasis. Cancer 1970; 26:1053-60.

160. Ophir J, Cespedes I, Ponnekandi H, et al. Elastography: A quantitative method for imaging of elasticity of biological tissues. Ultrasonic Imaging 2005;27:101-10.

161. Pacella CM, Mauri G, Cesareo R, et al. A comparison of laser with radiofrequency ablation for the treatment of benign thyroid nodules: a propensity score matching analysis. Int J Hyperthermia 2017;33:911-9.

162. Paja M, Del Cura JL, Zabala R, et al. Core-needle biopsy in thyroid nodules: performance, accuracy, and complications. Eur Radiol 2019;29:4889-96.

163. Panagiotis A, Dimitrios GG, Dimitrios L, et al. Ectopic thyroid tissue: anatomical, clinical, and surgical implications of a rare entity. Eur J Endocrinol 2011;165:375-82.

164. Papi G, Fadda G, Corsello SM, et al. Metastases to the thyroid gland: prevalence, clinicopathological aspects and prognosis: a 10-year experience. Clin Endocrinol (Oxf) 2007;66:565-71.

165. Papini E, Monpeyssen H, Frasoldati A, et al. 2020 European thyroid association clinical practice guideline for the use of image-guided ablation in benign thyroid nodules. Eur Thyroid J 2020;9:172-85.

166. Papini E, Rago T, Gambelunghe G, et al. Long-term efficacy of ultrasound-guided laser ablation for benign solid thyroid nodules. Results of a three-year multicenter prospective randomized trial. J Clin Endocrinol Metab 2014;99:3653-9.

167. Park HS, Baek JH, Choi YJ, et al. Innovative techniques for image-guided ablation of benign thyroid nodules: combined ethanol and radiofrequency ablation. Korean J Radiol 2017; 18:461-9.

168. Park HS, Baek JH, Park AW, et al. Thyroid radiofrequency ablation: updates on innovative devices and techniques. Korean J Radiol 2017;18:615-23.

169. Park IY. History and future of medical ultrasound. J Surg Ultrasound 2014;1:1-4.

170. Park JY, Lee HJ, Jang HW, et al. A proposal for a thyroid imaging reporting and data system for ultrasound features of thyroid carcinoma. Thyroid 2009;19:1257-64.

171. Park MH, Yoon JH. Anterior neck hematoma causing airway compression following fine needle aspiration cytology of the thyroid nodule: a case report. Acta Cytol 2009;53:86-8.

172. Park S, Oh CM, Cho H, et al. Association between screening and the thyroid cancer "epidemic" in South Korea: evidence from a nationwide study. BMJ 2016;355:5745.

173. Park SY, Kim EK, Kim MJ, et al. Ultrasonographic characteristics of subacute granulomatous thyroiditis. Korean J Radiol 2006;7:229-34.

174. Pavlidis ET, Pavlidis TE. A Review of Primary Thyroid Lymphoma: Molecular Factors, Diagnosis and Management. J Invest Surg 2019;32:137-42.

175. Perros P, Boelaert K, Colley S, et al. Guidelines for the management of thyroid cancer. Clin Endocrinol (Oxf) 2014; 81:1-122.

176. Polyzos SA, Anastasilakis AD. Clinical complications following thyroid fine-needle biopsy: a systematic review. Clinical endocrinology 2009;71:157-65.

177. Pyo JS, Sohn JH, Kang G. Core Needle Biopsy Is a More Conclusive Follow-up Method Than Repeat Fine Needle Aspiration for Thyroid Nodules with Initially Inconclusive Results: A Systematic Review and Meta-Analysis. J Pathol Transl Med 2016;50:217-24.

178. Radzina M, Cantisani V, Rauda M, et al. Update on the role of ultrasound guided radiofrequency ablation for thyroid nodule treatment. .Int J Surg 2017;41:82-93.

179. Ralls PW, Mayekawa DS, Lee KP, et al. Color-flow Doppler sonography in Graves` disease: "hyroid inferno" AJR Am J Roentgenol 1988;150:781-4.

180. Ranade AV, Rai R, Pai MM, et al. Anatomical variations of the thyroid gland: possible surgical implications. Singapore Med J 2008;49: 831-4.

181. Robitschek J, Straub M, Wirtz E, et al. Diagnostic efficacy of surgeon-performed ultrasoundguided needle aspiration: a randomized controlled trial. Otolaryngology--head and neck surgery official journal of American Academy of Otolaryngology-Head and Neck Surgery 2010;142:306-9.

182. Rosáio PW, Bessa B, Valadã MM, et al. Natural history of mild subclinical hypothyroidism : prognostic value of ultrasound. Thyroid 2009;19:9-12.

183. Ruan JL, Yang HY, Liu RB, et al. Fine needle aspiration biopsy indications for thyroid nodules: compare a point-based risk stratification system with a pattern-based risk stratification system. Eur Radiol 2019;29:4871-8.

184. Russ G, Bonnema SJ, Erdogan MF, et al. European Thyroid Association Guidelines for Ultrasound Malignancy Risk Stratification of Thyroid Nodules in Adults: The EU-TIRADS. Eur Thyroid J 2017;6:225-37.

185. Ryan WR, Orloff LA. Intraoperative tumor localization with surgeon-performed ultrasound-guided needle dye injection. Laryngoscope 2011;121:1651-5.

186. Saglietti C, Onenerk AM, Faquin WC, et al. FNA diagnosis of poorly differentiated thyroid carcinoma. A review of the recent literature. Cytopathology 2017;28:467-74.

187. Salvatori M, Rufini V, Reale F, et al. Radio-guided surgery for lymph node recurrences of differentiated thyroid cancer. World J Surg 2003;27:770-5.

188. Samir AE, Vij A, Seale MK, et al. Ultrasound-guided percutaneous thyroid nodule core biopsy: clinical utility in patients with prior nondiagnostic fine-needle aspirate. Thyroid 2012;22:461-7.

189. Sancho JJ, Lennard TW, Paunovic I, et al. Prophylactic central neck dissection in papillary thyroid cancer: a consensus report of the European Society of Endocrine Surgeons (ESES). Langenbecks Arch Surg 2014;399: 155-63.

190. Schlumberger MJ. Papillary and follicular thyroid carcinoma. N Engl J Med 1998;338:297-306.

191. Shah KS, Ethunandan M. Tumour seeding after fine-needle aspiration and core biopsy of the head and neck- a systematic review. The British journal of oral & maxillofacial surgery 2016;54:260-5.

192. Sharma A, Jasim S, Reading CC, et al. Clinical Presentation and Diagnostic Challenges of Thyroid Lymphoma: A Cohort Study. Thyroid 2016;26:1061-7.

193. Shen Y, Liu M, He J, et al. Comparison of Different Risk-Stratification Systems for the Diagnosis of Benign and Malignant Thyroid Nodules. Front Oncol 2019;9:378.

194. Sherman SI. Thyroid carcinoma. Lancet 2003;361:501-11.

195. Shin JH, Baek JH, Chung J, et al. Ultrasonography Diagnosis and Imaging-Based Management of Thyroid Nodules: Revised Korean Society of Thyroid Radiology Consensus Statement and Recommendations. Korean J Radiol 2016;17:370-95.

196. Shin JH, Han BK, Ko EY, et al. Differentiation of widely invasive and minimally invasive follicular thyroid carcinoma with sonography. Eur J Radiol 2010;74:453-7.

197. Shin JH, Han BK, Ko EY, et al. Sonographic findings in the surgical bed after thyroidectomy: comparison of recurrent tumors and nonrecurrent lesions. J Ultrasound Med 2007;26:1359-66.

198. Sillery JC, Reading CC, Charboneau JW, et al. Thyroid follicular carcinoma: sonographic features of 50 cases. AJR Am J Roentgenol 2010;194:44-54.

199. Sofferman RA, Ahuja AT. Ultrasound of the Thyroid and Parathyroid Glands. New York: Springer Science+Business Media; 2012.

200. Stack BC Jr, Ferris RL, Goldenberg D, et al American Thyroid Association Surgical Affairs Committee. American Thyroid Association consensus review and statement regarding the anatomy, terminology, and rationale for lateral neck dissection in differentiated thyroid cancer. Thyroid 2012;22:501-8.

201. Stewart BW, Wild CP. World Cancer Report 2014. In. Lyon: International Agency for Research on Cancer 2014:503-11.

202. Suen KC. Fine-needle aspiration biopsy of the thyroid. CMAJ 2002;167:491-5.

203. Suh HJ, Moon HJ, Kwak JY, et al. Anaplastic thyroid cancer: ultrasonographic findings and the role of ultrasonography-guided fine needle aspiration biopsy. Yonsei Med J 2013; 54:1400-6.

204. Takashima S, Takayama F, Wang Q, et al. Thyroid metastasis from rectal carcinoma coexisting with Hashimoto's thyroiditis: gray-scale and power Doppler sonographic findings. J Clin Ultrasound 1998;26:361-5.

205. Tangpricha V, Chen BJ, Swan NC, et al. Twenty-one-gauge needles provide more cellular samples than twenty-five-gauge needles in fine-needle aspiration biopsy of the thyroid but may not provide increased diagnostic accuracy. Thyroid : official journal of the American Thyroid Association 2001; 11:973-6.

206. Tauro LF, Lobo GJ, Fernandes H, et al. A Comparative Study on Fine Needle Aspiration Cytology versus Fine Needle Capillary Cytology in Thyroid Nodules. Oman Med J 2012;27:151-6.

207. Tessler FN, Middleton WD, Grant EG, et al. ACR Thyroid Imaging, Reporting and Data System (TI-RADS): White Paper of the ACR TIRADS Committee. J Am Coll Radiol 2017;14:587-95.

208. Trimboli P, Castellana M, Sconfienza LM, et al. Efficacy of thermal ablation in benign non-functioning solidthyroid nodule: A systematic review and meta-analysis. Endocrine 2020;67:35-43.

209. Triponez F, Poder L, Zarnegar R, et al. Hook needleguided excision of recurrent differentiated thyroid cancer in previously operated neck compartments: a safe technique for small, nonpalpable recurrent disease. J Clin Endocrinol Metab 2006;91:4943-7.

210. Tublin ME, Martin JA, Rollin LJ, et al. Ultrasound-guided fine-needle aspiration versus fine-needle capillary sampling biopsy of thyroid nodules: does technique matter? Journal of ultrasound in medicine : official journal of the American Institute of Ultrasound in Medicine 2007;26:1697-701.

211. Walfish PG, Hazani E, Strawbridbe HTG, et al. Combined ultrasound and needle aspiration cytology in the assessment and management of hypofunctioning thyroid nodule. Ann Intern Med 1917;87:270-4.

212. Wang D, He YP, Zhang YF, et al. The diagnostic performance of shear wave speed (SWS) imaging for thyroid nodules with elasticity modulus and SWS measurement. Oncotarget 2017;8:13387-99.

213. Wildman-Tobriner B, Buda M, Hoang JK, et al. Using Artificial Intelligence to Revise ACR TI-RADS Risk Stratification of Thyroid Nodules: Diagnostic Accuracy and Utility. Radiology 2019;292:112-9.

214. Williams BA, Bullock MJ, Trites JR, et al. Rates of thyroid malignancy by FNA diagnostic category. J Otolaryngol Head Neck Surg 2013;42:61.

215. Wunderbaldinger P, Harisinghani MG, Hahn PF, et al. Cystic lymph node metastases in papillary thyroid carcinoma. AJR Am J Roentgenol 2002;178:693-7.

216. Yan L, Luo Y, Zhang Y, et al. The clinical application of core-needle biopsy after radiofrequency ablation for lowrisk

papillary thyroid microcarcinoma: a large cohort of 202 patients study. Cancer 2020;11:5257-63.

217. Yeon JS, Baek JH, Lim HK, et al. Thyroid nodules with initially nondiagnostic cytologic results: the role of core-needle biopsy. Radiology 2013;268:274-80.

218. Yi KH, Park YJ, Koong SS, et al. Revised Korean Thyroid Association Management Guidelines for Patients with Thyroid Nodules and Thyroid Cancer. Korean J Otorhinolaryngol-Head Neck Surg 2011;54:8-36.

219. Yim JH, Kim WB, Kim EY, et al. The outcomes of first reoperation for locoregionally recurrent/persistent papillary thyroid carcinoma in patients who initially underwent total thyroidectomy and remnant ablation. J Clin Endocrinol Metab 2011;96:2049-56.

220. Ying M, Ahuja A. Sonography of neck lymph nodes: Part I. Normal lymph nodes. Clin Radiol 2003;58:351-8.

221. Yoon JH, Kim EK, Hong SW, et al. Sonographic features of the follicular variant of papillary thyroid carcinoma. J Ultrasound Med 2008;27:1431-7.

222. Yoon JH, Kim EK, Kwak JY, et al. Application for various additional imaging techniques for thyroid ultrasound: direct comparison of combined various elastography and Doppler parameters to gray-scale ultrasound in differential diagnosis of thyroid nodules. Ultrasound in Med & Biol 2018;1-8.

223. Yoon JH, Kim EK, Kwak JY, et al. Sonographic features and ultrasonography-guided fineneedle aspiration of metastases to the thyroid gland. Ultrasonography 2014;33:40-8.

224. Yoon JH, Kim JY, Moon HJ, et al. Contribution of computed tomography to ultrasound in predicting lateral lymph node metastasis in patients with papillary thyroid carcinoma. Ann Surg Oncol 2011;18:1734-41.

225. Yoon JH, Lee HS, Kim EK, et al. Malignancy Risk Stratification of Thyroid Nodules: Comparison between the Thyroid Imaging Reporting and Data System and the 2014 American Thyroid Association Management Guidelines. Radiology 2016;278:917-24.

226. Zhang M, Luo Y, Zhang Y, et al. Efficacy and safety of ultrasound-guided radiofrequency ablation for treating lowrisk papillary thyroid microcarcinoma: a prospective Study. Thyroid 2016;26:1581-7.

227. Zhao J, Yang F, Wei X, et al. Ultrasound features value in the diagnosis and prognosis of medullary thyroid carcinoma. Endocrine 2021 Jun;72(3):727-734.

부갑상선 초음파

1. 정상 해부 및 초음파 소견

1) 개요

부갑상선은 부갑상선호르몬(parathyroid hormone, PTH)을 분비하여 체내의 칼슘 농도를 조절하는 역할을 하는 장기이다. 역사적으로 인간에서는 1880년에 처음 발견된 것으로 기술되고 있으나 1900년대에 들어서야 부갑상선과 칼슘의 항상성과의 상관관계가 밝혀졌다. 대부분의 부갑상선은 크기가 아주 작아 초음파 영상에서는 잘 보이지 않는다. 본 장에서는 정상 부갑상선의 발생 및 해부를 이해하여 주위 조직과의 감별진단 및 부갑상선 질환의 평가와 위치를 파악하는 데 이해를 돕고자 한다.

2) 정상 해부

(1) 부갑상선의 발생

부갑상선은 임신 5~6주에 배아의 내배엽기원의 인두주머니(pharyngeal pouch)에서 발생한다. 평균적으로 체내에 4개 정도 존재하며 우측과 좌측, 그

리고 상부갑상선과 하부갑상선으로 구분할 수 있다. 상부갑상선은 4번째 인두주머니에서 발생하여 분화를 거친 후 갑상선에 부착된 채로 하강한다(그림 2-1A). 하강거리가 비교적 짧기 때문에 대부분 일정한 위치에 존재한다. 하부갑상선의 경우 3번째 인두주머니에서 발생하여 흉선과 함께 하강하다 분리된 후 갑상선 하부의 후면에 위치하게 된다. 상대적으로 긴 거리를 이동하게 되므로 그 위치가 하악골각(mandible angle)에서 종격동까지 어디든 존재할 수 있다(그림 2-1B).

(2) 부갑상선의 정상 해부

부갑상선은 부갑상선호르몬을 만드는 부갑상선으뜸세포(parathyroid chief cell)와 아직 기능이 알려지지 않은 호산성세포(oxyphilic cell), 그리고 지방으로 이루어져 있다. 주로 밝은 갈색을 띄지만 나이가 들수록 지방조직은 커지고 부갑상선 실질 조직은 감소하여 성인이 될수록 점점 노란 빛으로 변하여 주위 지방 조직과 감별이 어려워질 수 있다. 정상 부갑상선은 길이 4~6 mm, 너비 3~4 mm, 두께 1~2 mm 크기의 둥글고 납작한 원반 모양으로

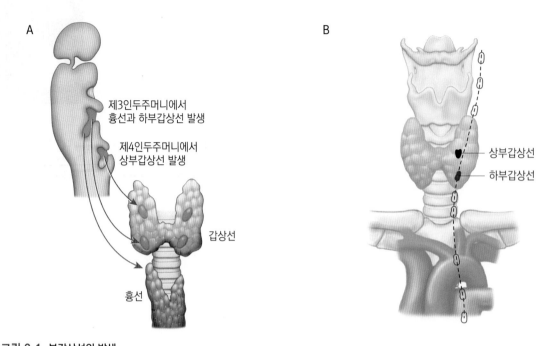

그림 2-1 부갑상선의 발생
A. 3번째 인두주머니에서 하부갑상선이 흉선과 함께 발생하여 하강한다. 4번째 인두주머니에서 상부갑상선이 발생하여 하강한다.
B. 하부갑상선이 흉선과 함께 하강하는 과정에서 이소성 부갑상선이 다양한 위치에서 발생할 수 있다.

갑상선 피막에 부착되어 있다. 하나의 무게는 대략 30~60 mg으로 평균적으로 체내에 4개 정도 존재하지만 부검을 이용한 연구에서는 3~6%에서는 4개보다 적거나 많은 부갑상선을 가지는 것으로 확인되고 있다. 부갑상선의 혈류는 대부분 하갑상선동맥에서 공급받는다. 경우에 따라서 상부갑상선은 상갑상선동맥에서 혈류를 공급받기도 하고 하부갑상선은 쇄골동맥이나 대동맥에서 직접 혈류를 공급받기도 한다. 부갑상선의 혈류 배출은 갑상선정맥을 통해 이루어진다.

(3) 부갑상선의 위치와 이소성 부갑상선

부갑상선의 질환을 이해하기에 앞서 이소성 부갑상선이 발생 가능한 위치를 숙지해야 한다. 발생 시 하강이 이루어지는 부위 어디에서나 부갑상선이 위치할 수 있으나 상부갑상선은 주로 되돌이후두신경

의 등(dorsal)쪽에, 하부갑상선은 되돌이후두신경의 배(ventral)쪽에 위치하고 있다. 상부갑상선은 대부분 일정한 위치, 즉 윤상연골 하연의 높이에서 갑상선 상부의 후외측에 위치하지만(그림 2-2) 경우에 따라 경동맥초 내부, 인두, 식도 또는 기관지 뒤쪽, 그리고 인두곁공간(parapharyngeal space) 등 깊은 곳에 위치할 수 있다. 하부갑상선은 상대적으로 하강거리가 길기 때문에 위쪽으로는 설골 또는 경동맥 분기에서부터 아래쪽으로 종격동 상부까지 다양한 위치에서 발견될 수 있다. 주로 하갑상선동맥과 되돌이후두신경이 교차하는 부위에서 1 cm 이내에 존재한다고 알려져 있으나 발견이 되지 않는 경우에는 흉선 내에 존재하는 경우도 있다. 부갑상선이 갑상선 내부에서 발견되는 경우는 0.2% 정도로 보고되고 있으며 상부갑상선보다는 하부갑상선인 경우가 많다.

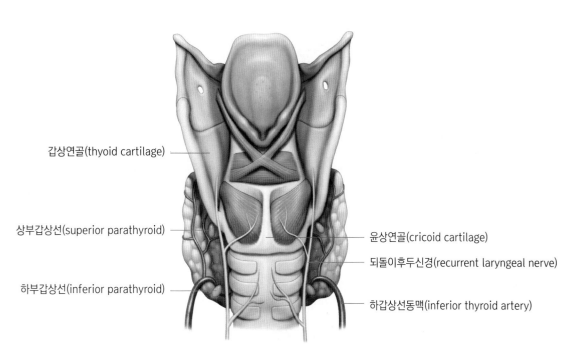

갑상연골(thyoid cartilage)

상부갑상선(superior parathyroid)

하부갑상선(inferior parathyroid)

윤상연골(cricoid cartilage)

되돌이후두신경(recurrent laryngeal nerve)

하갑상선동맥(inferior thyroid artery)

그림 2-2 부갑상선의 위치 및 주위 조직과의 관계
갑상선의 후면에 상부갑상선이 윤상연골 하연의 높이에 위치하고 하부갑상선이 되돌이후두신경과 하갑상선동맥의 교차지점 부근에 위치하고 있다.

3) 부갑상선 초음파

(1) 초음파를 위한 준비

정상 부갑상선은 크기가 작아 초음파에서는 대부분 확인하기 어렵다. 부갑상선 초음파는 주로 부갑상선기능항진증의 평가 또는 부갑상선종(parathyroid adenoma)의 위치파악을 위해 이용된다. 초음파는 10 MHz 이상의 고해상도 선형 탐색자가 필요하고 혈류 도플러 영상이 진단에 도움을 줄 수 있다. 부갑상선의 초음파는 환자가 누운 상태에서 목과 어깨 뒤 쪽을 베개로 받치고 목을 신전시킨 상태에서 시행한다. 목을 신전시키면 쇄골에 의해 가려지거나 흉곽 내에 위치하고 있는 부갑상선의 노출이 용이해진다. 초음파는 갑상선의 뒤쪽, 아래쪽을 중심으로 양측 경동맥 내측, 식도 고랑(esophageal groove), 쇄골하부, 상종격동까지 모두 포함하는 것이 중요하다.

(2) 부갑상선 초음파 소견

크기가 커져 있는 정상 부갑상선이나 부갑상선종은 초음파에서 대부분 난원형의 경계가 분명 하고 고형의 균질한 저에코성 병변으로 보이며(그림 2-3A, B, 그림 2-4A, B) 혈류를 공급하는 하갑상선동맥이 부갑상선의 주변부를 감싸는 혈관(peripheral vascular arc)으로 동반되어 나타나기도 한다(그림 2-3C, 그림 2-4C, D). 갑상선 후면의 피막에 부착되어 있어 갑상선과 경계 부위에 고에코선이 보이기도 한다. 주위 연부조직과 감별이 힘들 경우 탐색자를 이용하여 압박을 가하면 연부조직은 압박이 되지만 부갑상선은 잘 압박되지 않는 것을 관찰할 수 있다. 갑상선 하방에 위치한 중심경부림프절이 부갑상선으로 오인되는 경우가 있으나(그림 2-5) 림프절의 경우 내부에 고에코를 띄는 지방문을 동반하고 있고 지방문에 혈류가 증가되어 있는 점으로 감별할 수 있다.

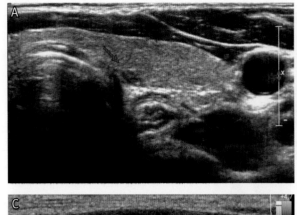
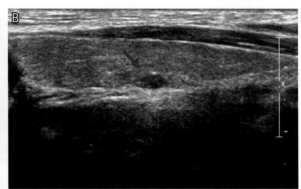
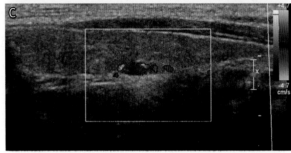

그림 2-3 정상 부갑상선의 초음파 소견
A, B. 난원형의 저에코성 병변이 기도와 식도 사이에서 관찰되고 있
    다(A.가로영상, B.세로영상).
C. 혈류 도플러 영상에서 주변부를 감싸는 혈관이 동반되어 나타나
   부갑상선임을 알 수 있다.

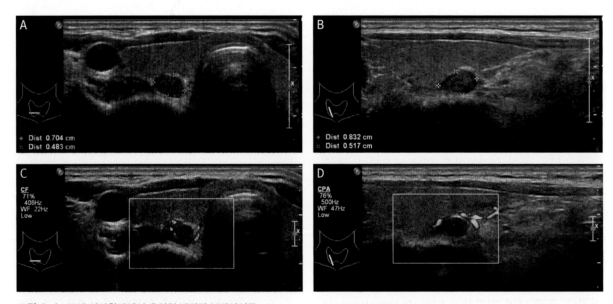

그림 2-4 47세 여자환자에서 우연히 발견된 부갑상선종
A, B. 검진으로 시행한 초음파에서 난원형의 경계가 분명하고 고형의 균질한 저에코성 병변으로 확인되고 있다. 혈중 칼슘 수치와 부갑상선
    호르몬 수치는 정상이다.
C, D. 부갑상선 주위를 감싸는 혈관이 관찰된다.

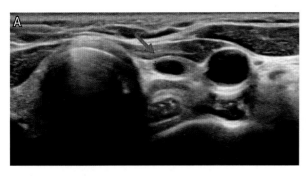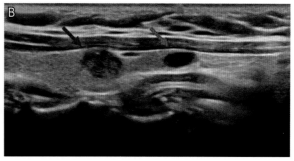

그림 2-5 여자환자에서 갑상선암(파란색 화살표)
수술을 위해 시행되었던 초음파에서 발견된 부갑상선(빨간색 화살표)의 예(A. 가로영상, B. 세로영상).
좌측 갑상선암으로 수술을 시행하였고 수술 전 커져있는 림프절로 의심하였으나 수술 중 부갑상선으로 확인되었다.

(3) 초음파의 발견율

부갑상선 병변을 발견하는 초음파의 민감도는 연구자에 따라 다양하게 보고되고 있다. 민감도가 차이를 보이는 이유는 초음파가 시술자의 경험에 따라 발견율이 다르며 부갑상선이 기관옆, 식도뒤, 종격동 등 이소성으로 위치하는 경우에는 초음파에서 관찰이 어렵기 때문이다. 정상 갑상선의 돌출성 병변, 하시모토 갑상선염, 커져 있는 중심림프절, 경부 수술로 인한 반흔 등이 동반된 경우에는 감별에 주의하여야 한다. 상부갑상선의 경우 상극부근에서는 갑상선 연골과 윤상연골에 의한 허상(artifact)의 존재 시 진단이 어려우며 경부 신전이 곤란한 환자와 목이 굵고 짧은 경우에는 하부갑상선 관찰의 한계가 있을 수 있다.

부갑상선 병변의 검사 방법으로는 초음파, ^{99m}Tc sestamibi 스캔, 컴퓨터단층촬영, 자기공명영상 등이 있다. 초음파 단독으로는 병변의 발견에 한계가 있으며 핵의학 검사 후 위치 결정을 위한 보조수단으로 시행 시 민감도가 증가한다. 부갑상선종의 경우 초음파의 민감도는 70~93% 사이로 보고되고 있지만 핵의학 검사와 함께 시행 시 민감도는 97%, 특이도는 100%까지 보고된다. 최근 4차원 컴퓨터단층촬영을 이용한 부갑상선 위치결정이 정확도가 높은 검사로 보고되고 있으며 초음파와 함께 시행할 경우 민감도는 94%까지 증가한다. 초음파와 핵의학 검사, 컴퓨터단층촬영은 상호보완적인 검사이지만 이 중 방사선 노출을 피할 수 있는 것은 초음파검사이다.

(4) 부갑상선 초음파의 적응증

수술 전 초음파는 부갑상선과 정상 주위 구조물과의 관계를 평가하여 최소침습 부갑상선절제술을 가능할 수 있도록 한다. 부갑상선기능항진증이 의심되는 경우 부갑상선종의 위치 및 주위 구조물과의 관계를 평가하거나 다발성 부갑상선과다형성증에서 병변의 위치 및 개수 확인을 위해서 시행될 수 있다. 수술 중에는 제거하고자 하는 부갑상선 병변의 위치를 확인하거나 부갑상선종 제거 후 확인을 위한 검사로 시행될 수 있다. 초음파 유도 하에 1%의 메틸렌 블루 용액을 부갑상선에 소량(약 0.1cc가량) 주사할 경우 수술 중 병변의 확인을 용이하게 할 수 있다.

(5) 세침흡인세포검사

세침흡인세포검사는 부갑상선 병변의 진단에 필수적인 검사는 아니며 굵은 바늘을 이용한 부갑상선의 세침흡인세포검사는 주위 조직으로 부갑상선 착상의 우려로 권장되지 않는다. 하지만 갑상선 병변 또는 림프절 등의 주위 조직과 감별이 어려울 경우에는 도움이 될 수 있다. 23~25게이지 바늘을 이용하여 세침흡인을 시행 후 병리검사를 의뢰할 수 있으나 세포 소견만으로는 갑상선 결절과 구분이 어렵고 세침세척액에서 부갑상선호르몬 수치를 측정해 혈액수치보다 높다면 부갑상선병변을 진단할 수 있다. 한 연구에서는 부갑상선 초음파와 세침세척액 검사의 민감도를 95%까지 보고하고 있다.

2. 부갑상선 질환

초음파는 수술 전 부갑상선 병변을 국소화하는데 가장 중요하고 접근성이 용이한 방법이다. 부갑상선이 정상인 경우 크기가 작으므로 초음파에서 잘 보이지 않는다. 병적으로 커졌을 때 초음파에서 발견될 수 있다.

부갑상선낭종은 갑상선의 아래쪽에서 잘 생긴다. 초음파에서 대부분 순수낭종으로 보이고, 세침흡인검사에서 맑은 액체가 나오고, 흡인액에서 부갑상선호르몬 수치가 증가되어 있다(그림 2-6). 콜로이드성 혹은 검붉은 색을 띠는 갑상선낭종과는 다르다. 일반적으로 기능성인 경우는 드물다. 부갑상선기능항진증을 유발하는 부갑상선 질환은 부갑상선종, 부갑상선과다형성증(parathyroid hyperplasia), 부갑상선암 등이 원인이 된다.

정상인에서 부갑상선은 양측 갑상선 후면의 위쪽 혹은 아래쪽에 걸쳐 4군데 중에서 단일성 혹은 다발성으로 흔히 존재한다. 주로 고칼슘혈증을 주소로 초음파를 시행하는 환자는 갑상선 후면 및 아래쪽을 주위깊게 검사해야 한다. 이소성 부갑상선은 초음파에서 보이지 않고, ^{99m}TcSestamibi 스캔이나, SPECT/CT (single photon emission computed tomography/computed tomography)에서 발견할 수 있다.

부갑상선종은 일차 부갑상선기능항진증의 약

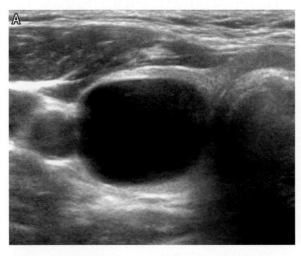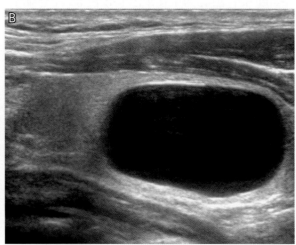

그림 2-6 부갑상선낭종
57세 남자 환자가 목불편감으로 갑상선 우엽하부에서 순수낭종이 발견되었다(A, B).
세침흡인검사에서 맑은 액체가 나오고 병변은 줄어 들었다. 이 액의 부갑상선호르몬 수치가 284.5 pg/mL로 증가되어 있어, 부갑상선낭종을 진단할 수 있다.

85%로 가장 흔한 원인으로 알려져 있다. 단일성 혹은 드물게 다발성인 경우도 있다. 다발성인 경우 영상으로 부갑상선과다형성증과 구분하기 어렵다. 신부전으로 이차 혹은 삼차 부갑상선기능항진증을 가진 경우 다발성 병변으로 나타나기 쉽다(그림 2-7). 부갑상선종은 초음파에서 원형 혹은 타원형으로 갑상선실질보다 저에코를 흔히 보이며 드물게 낭성 변화를 동반한다(그림 2-8). 출혈이나 석회화를 보일 수 있다. 컬러 도플러검사에서 부갑상선종을 공급하는 굵은 영양동맥(feeding artery)을 특징적으로 볼 수 있다.

부갑상선종은 갑상선외병변(extrathyroidal lesion)

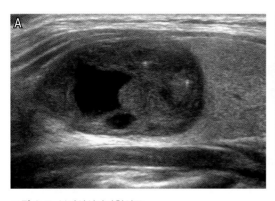
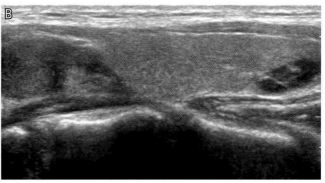

그림 2-7 부갑상선과다형성증
31세 여자환자가 만성신장질환과 부갑상선기능항진증으로 갑상선 우측 위쪽(A), 좌측 위와 아래쪽(B)으로 세 군데의 다양한 크기의 저에코 결절들이 있다.

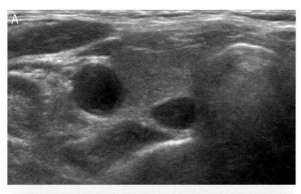
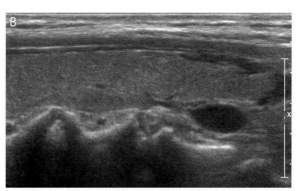
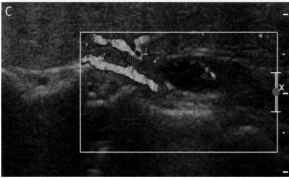

그림 2-8 부갑상선종
69세 여자환자가 고칼슘혈증을 주소로 초음파를 시행해서, 우측 갑상선 아래쪽으로 0.8 cm 타원형의 저에코 결절이 있고, 결절 내부로 과혈류를 보인다(A~C).

인 림프절과 감별이 필요하고, 중심문(central hilum)에 혈류가 존재하는 림프절과 구분된다. 갑상선 결절이 바깥으로 성장하여 부갑상선종과 구분이 어려울 때가 있지만, 갑상선실질과 구분되는 피막 유무와 혈류패턴으로 감별되기도 한다. 초심자에서 정상 갑상선의 튀어나온 후방부(Zuckerkandl tubercle)를 부갑상선종으로 오인하기 쉽다. 이 경우 정상 변이이므로 갑상선과 동일에코일 때가 많다.

부갑상선암은 매우 드물고, 일차 부갑상선기능항진증의 1% 이하를 차지한다. 초음파를 이용해 부갑상선암과 양성 부갑상선 질환을 구분하는 데는 한계가 있다.

부갑상선암의 병리적 기준은 혈관이나 주위 신경 및 주위 조직 침범, 전이가 있는 것으로 수술된 조직에서만 진단 가능하므로 수술 전 세침흡인세포검사나 중심부 침생검으로 부갑상선암을 구분할 수 없다. 하지만 부갑상선기능항진증 환자가 초음파에서 2 cm 이상으로 종양이 크고, 비균일한 에코조직(heterogeneous echotexure), 불규칙한 모양이나 경계, 내부 석회화가 존재하고, 주변 조직 침범이 있다면, 부갑상선종보다는 부갑상선암을 의심해야 한다(그림 2-9).

3. 수술 전 위치 결정

부갑상선 절제가 필요한 부갑상선 질환 중 가장 흔한 것은 부갑상선종에 의한 일차성 부갑상선기능항진증이며, 부갑상선호르몬의 과잉 분비로 인한 골흡수 증가로 고칼슘혈증을 유발한다. 단일 부갑상선종이 80~90%로 가장 흔하며 그 외 미만성 부갑상선증식증 6%, 2개 이상의 부갑상선종인 경우 4%, 선암의 경우 1% 미만에서 발생한다.

부갑상선기능항진을 일으키는 병변을 완전히 제거하기 위해 양측의 부갑상선을 모두 확인하고 제거하는 것이 가장 정확한 방법이지만, 최근 수술의 침습성을 줄이기 위해 병변이 있는 부갑상선만을 제거하는 최소침습 부갑상선절제술이 이루어지고 있다. 부갑상선종이나 증식으로 인해 부갑상선이 커지면 영상 검사에서 부갑상선을 쉽게 발견할 수 있으므로 수술은 더 용이해진다. 뿐만 아니라, 갑상선 전절제술이나 엽절제술 시행 시 정상 부갑상선의 보존은 중요하다. 정상 부갑상선은 정상 림프절이나 지방 조직과 구별이 어려울 수 있으며, 경부의 다양한 곳에 위치하고 있다. 따라서, 병변이 있는 부갑상선에 대한 수술 전 위치 국소화는 정상 부갑상선을 보존하고, 병변을 완전히 제거

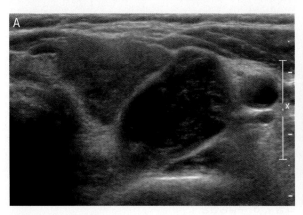
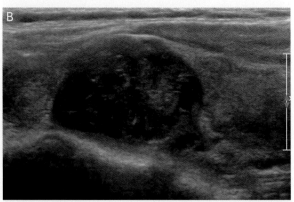

그림 2-9 부갑상선암
58세 여자환자는 부갑상선기능항진증을 보이고, 좌측 갑상선 후면에 2.9 cm의 비균질한 저에코 결절이 있다(A, B). 수술에서 주위 연부조직과 갑상선 피막 침범을 보였다.

하는 것을 용이하게 한다. 부갑상선 기능이 정상이며, 부갑상선의 크기가 확대되어 있지 않으면 경부 초음파나 컴퓨터단층촬영 또는 자기공명영상에서 부갑상선을 발견하는 것은 어렵다. 병변이 있는 부갑상선의 위치를 국소화하는데 일반적으로 사용되는 영상학적 방법은 고해상도 초음파(high-resolution ultrasound), 세절편컴퓨터단층촬영(thin-setion computed tomography) 및 자기공명영상, 핵섬광조영술(nuclear scintigraphy), 양전자방출단층촬영(FDG-PET) 및 단일광자방출컴퓨터단층촬영(SPECT) 등이다.

1) 초음파

정상 부갑상선은 크기가 작고, 갑상선 주변에 깊이 위치하고 있어서 초음파에서는 보이지 않는다. 연령이 높아짐에 따라 정상적인 부갑상선은 더 많은 지방 세포와 과립이 축적되어 주변 지방조직보다 더 높은 음영을 가지며, 초음파 창과 관련된 여러 인자 등이 갑상선과 유사한 음영을 보이므로 정상 부갑상선의 발견은 어렵다. 부갑상선종은 갑상선엽의 후방이나 측방에 위치하며, 균일하고 갑상선조직보다 저에코의 경계가 분명한 타원형 결절이 특징적이다. 도플러 초음파를 통해 선종 내부 혹은 주변부에 하갑상선동맥에서 공급되는 혈류 증가 소견이 있다면 정확도를 높일 수 있으나, 비특이적이다. 대부분 고형 종괴로 관찰되지만 때로 낭성 변화가 동반되기도 한다(그림 2-10, 11).

부갑상선종은 높은 세포충실성으로 인해 균일한 저음영으로 보이며, 비대해진 갑상선 주변의 림프절과 구별이 어렵고, 갑상선 내 위치한 부갑상선종이나 다결절성 갑상선종이 있는 경우 갑상선 결절과 감별이 쉽지 않다. 초음파는 실시간 검사가 가능하며 방사선 노출이 없고 부갑상선종 외에 갑상선을 포함한 주위 조직의 위치 확인에 용이하다. 검사자의 숙련도에 따라 민감도의 차이가 발생하며, 공기나 뼈가 포함된 해부학적 구조물을 투과할 수 없어 이소성 부갑상선 등을 찾아내는 데 제한이 있다. 갑상선의 돌출성 병변은 부갑상선종과 구별이 힘들며, 하시모토 갑상선염 등을 가진 환자에서 중심구역에 커진 여러 개의 림프절로 인해 부갑상선종을 찾기 어려울 뿐만 아니라 부갑상선 질환으로 혼동될 수 있다. 단일 부갑상선종에서 민감도는 약 70~90%이며, 종격동이나 기관식도고랑에 위치하

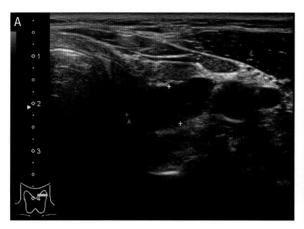
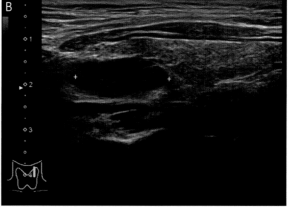

그림 2-10 부갑상선종
갑상선 좌상엽 후면에 위치한 갑상선 바깥쪽 병변으로 에코가 매우 낮고 균질하며 길쭉한 모양으로 보임. A. 가로영상, B. 세로영상

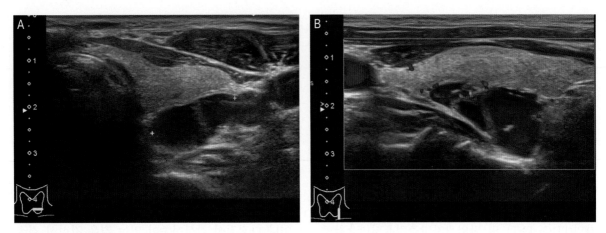

그림 2-11 부갑상선종
갑상선 좌하엽 주변으로 낭성변화를 동반한 갑상선 바깥쪽에 있는 병변. A. 가로영상, B. 세로영상

는 이소성 부갑상선 종양은 진단율이 떨어지므로 추가적인 영상학적 검사가 필요하다. 부갑상선종의 경부 초음파의 민감도는 70~80%, 양측예측도는 93%로 알려져 있다.

2) 컴퓨터단층촬영

컴퓨터단층촬영은 초음파검사나 핵의학 검사에서 명확한 위치가 확인되지 않은 경우 주로 이용하며 처음부터 검사를 시행하는 경우는 드물다. 초음파가 접근하기 힘든 종격동에 대한 평가나, 이소성 부갑상선을 찾는 데 편리한 검사법이지만, 촬영 시 환자의 호흡이나 연하로 인하여 림프절이나 혈관을 부갑상선으로 오인할 수 있다. 조영 전 컴퓨터단층촬영에서 병변은 비특이적인 저음영이나, 조영 증강 후 강하게 조영 증강되는 것이 특징이다.

부갑상선종의 컴퓨터단층촬영의 검사 예민도는 35~76%이며 수술 시 병변의 위치가 확실하지 않은 경우에 수술 후 5~10%의 환자에서 고칼슘혈증이 지속되거나 재발하여 재수술이 필요하게 된다. 부갑상선 수술 전 해부학적 위치관계의 확인이 어려운 경우 다른 국소화검사 외에 진단에 많은 도움이

된다. 또한, 부갑상선암의 재발에 대한 평가에 주로 이용되며 이전 수술 부위에서 40~60%가 재발할 뿐만 아니라, 림프절 전이를 동반한다.

3) 핵자기공명영상

핵자기공명영상은 비정상 부갑상선을 국소화 하는데 유용하며, 컴퓨터단층촬영과 유사한 적응증을 보인다. 부갑상선종의 경우 70%, 과다형성증의 경우 40%에 가까운 민감도를 보여주고 있다. 컴퓨터단층촬영보다 부갑상선종에 대한 민감도가 더 우수하다. 핵자기공명영상에서 림프절이나 경부의 신경절이 부갑상선으로 오인되기도 하지만 컴퓨터단층촬영과는 달리 혈관과의 구분이 용이하다. 핵자기공명영상의 부갑상선종에 대한 민감도는 약 78%로, 종격동내에 있는 경우에 가장 높은 민감도를 보이며, 90%까지 증가한다. 부갑상선과다형성증에 대한 민감도는 약 71%이다.

4) 핵섬광조영술

세포의 대사 활동 차이에 따라 얻어지는 핵섬광

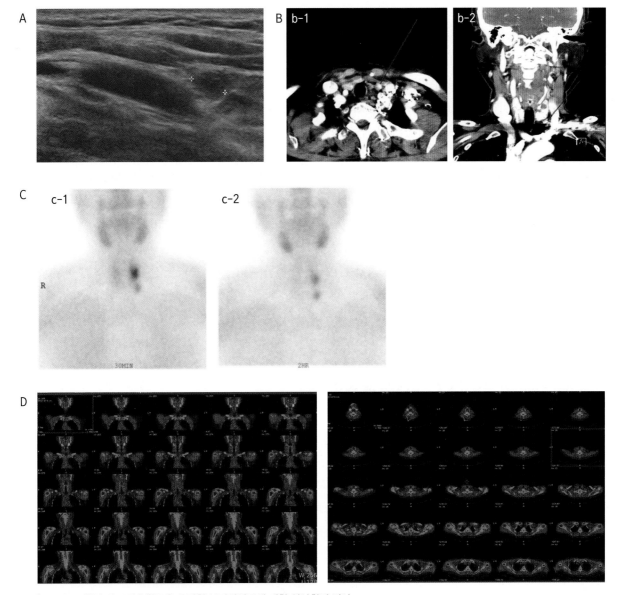

그림 2-12 고혈압 및 고칼슘혈증을 유발한 부갑상선종에 대한 영상학적 검사.

A. 초음파 영상: 갑상선 좌하엽에 경계가 분명한 저에코 병변(0.7 cm).

B. CT 영상: 좌측경부(level IV)에서 강하게 조영되는 저밀도성 결절(0.8 cm, 좌 총경동맥 앞쪽).
   b-1. 횡단면(transverse plane), b-2. 관상면(coronal plane)

C. 핵섬광촬영술(nuclear scintigraphy): 20 mCi ^{99m}Tc- sestamibi를 주입한 후 30분, 2시간 후에 이미지를 얻었다. 좌측 갑상선 아랫면에서 활동성 병변이 보인다.
   c-1. 30분, c-2. 2시간

D. SPECT 영상: 갑상선 좌엽 및 갑상선 좌엽의 하방에서 국소적 흡수가 관찰되고, 지연 영상(delayed images)에서도 지속적으로 관찰됨.

영상은 흔히 이용되는 이미지보다 더 유용한 정보를 제공한다. 갑상선과 부갑상선에 흡수되는 방사선핵종(67Ga, ^{99m}Tc, 111In, 123I, 201Tl)를 사용하여 잔류와 방출 시간의 차이에 따라 체내에 분포된 상태를 신틸레이션카메라(scintillation camera)로 이미지를 얻어 비정상적인 부갑상선의 위치를 확인한다. ^{99m}Tc-sestamibi이 가장 많이 사용되며, 혈액의 흐름에 따라 분포하며 높은 대사율을 나타낸다. ^{99m}Tc-sestamibi은 갑상선과 부갑상선의 미토콘드리아에서 흡수되지만 갑상선 조직보다는 부갑상선의 미토콘드리아에 풍부한 호산세포성분(mitochondria-rich oxyphil cells) 때문에 과활동성 부갑상선에서 두드러진다. ^{99m}Tc-sestamibi 주입 직후 평면 이미지를 바로 얻고, 과기능결절과 연관하여 방사성 활동성 여부를 확인하기 위해 2시간 후에 영상을 얻는다. 이중상 기법(double phase)을 통하여 얻어진 이미지의 부갑상선종 민감도는 68~95%이며, 특이도는 75~100%이다. 미토콘드리아의 성분이 낮은 부갑상선종은 위음성의 가능성이 있으며, 동위원소가 빨리 방출되는 부갑상선과다형성증은 선종과의 구별이 어렵다. 다발성일 경우, 가장 큰 부갑상선에만 흡수가 이루어질 수가 있어 단일 부갑상선종과 구분이 어렵다. 부갑상선의 크기가 증가된 부갑상선종이나 과증식된 부갑상선의 위치를 확인할 수 있는 방법으로 경부 초음파와 ^{99m}Tc-sestamibi 스캔검사의 조합이 가장 민감도가 높은 효율적인 검사 방법이다.

5) 단일광자단층촬영

부갑상선의 삼차원적인 위치파악이 용이하며, 주위 구조물에 가려진 부갑상선 종양의 위치파악에 우수한 진단 능력을 보인다. 목의 높은 부위, 갑상선 내, 전방 종격동 및 후방 종격동 등에 있는 이소성 부갑상선 발견에 도움이 되며, 특히, 종격동에 위치한 부갑상선 종양 발견에 유용하다. 흉골 상부에 위치한 이소성 선종을 제거할 때 흉골 절개술이 아닌 경부로 접근을 결정할 수 있도록 도와주며, 기관 뒤에 위치하여 수술 중에는 발견이 어려운 이소성 선종의 위치 결정에 도움을 준다.

6) 양전자방출단층촬영

부갑상선종의 발견에 있어서 ^{99m}Tc-sestamibi, 보다 우수한 영상을 제공함이 보고되고는 있으나, 다른 진단법으로 발견이 어려울 때를 제외하고는 필수 검사로는 사용되지 않는다.

·⫸ 참고문헌

1. 김은경, 곽진영. 갑상선 초음파와 중재. 제2판. 서울: 가본의학; 2010.

2. 김일봉, 박선우, 사공미. 갑상선과 경부의 초음파 진단. 제3판. 서울: 메디안북; 2018.

3. 대한갑상선내분비외과학회. 내분비외과학(갑상선, 부갑상선, 부신, 내분비췌장). 파주: 군자출판사; 2012.

4. 대한갑상선영상의학회. 갑상선 영상진단과 중재시술(부갑상선질환). 일조각; 2013.

5. Akerstrom G, Malmaeus J, Bergstrom R. Surgical anatomy of human parathyroid glands. Surgery 1984;95: 14-21.

6. Cheung K, Wang TS, Farrokhyar F, et al. A metaanalysis of preoperative localization techniques for patients with primary hyperparathyroidism. Ann Surg Oncol 2012;19: 577–83.

7. De Feo ML, Colaqrande S, Biagini C, et al. Parathyroid glands: combination of (99m) Tc MIBI scintigraphy and US for demonstration of parathyroid glands and nodules. Radiology 2000;214:393–40.

8. Dotzenrath C, Goretzki PE, Sarbia M, et al. Parathyroid carcinoma: problems in diagnosis and the need for radical surgery even in recurrent disease. Eur J Surg Oncol 2001; 27:383-9.

9. Dudney WC, Bodenner D, Stack BC, Jr. Parathyroid carcinoma. Otolaryngol Clin North Am 2010;43:441-53.

10. El-Housseini Y, Hubner M, Boubaker A, et al. Unusual presentations of functional parathyroid cysts: a case series and review of the literature. J Med Case Rep 2017;11: 333.

11. Fakhran S, Branstetter BF 4th, Pryma DA. Parathyroid imaging. Neuroimaging Clin N Am 2008;18:537-49.

12. Gervasio A, Mujahed I, Biasio A, et al. Ultrasound anatomy of the neck: the infrahyoid region. J Ultrasound 2010;13: 85–9.

13. Harari A, Waring A, Fernandez-Ranvier G, et al. Parathyroid carcinoma: a 43-year outcome and survival analysis. J Clin Endocrinol Metab 2011;96:3679-86.

14. Hupper BJ, Reading CC. Parathyroid sonography: imaging and intervention. J Clin Ultrasound 2007;35: 144–55.

15. Johnson NA, Carty SE, Tublin ME. Parathyroid imaging. Radiol Clin N Am 2011;49:489–509.

16. Johnson NA, Tublin ME, Ogilvie JB. Parathyroid imaging: technique and role in the preoperative evaluation of primary hyperparathyroidism. AJR Am JRoentgenol 2007;188: 1706-15.

17. Julia EN, Lisa AO. Ultrasound of the Parathyroid Glands. New York: SpringerLink; 2019.

18. Krausz Y, Bettman L, Guralnik L, et al. Technetium-99m-MIBI SPECT/CT in primary hyperparathyroidism. World J Surg 2006;30:76-83.

19. Lopez Hänninen E, Vogl TJ, Steinmüller T, et al. Preoperative contrast-enhanced MRI of the parathyroid glands in hyperparathyroidism. Invest Radiol 2000;35: 426–30.

20. Moon HJ, Kim HS. Imaging diagnosis of parathyroid disease. In: Korean Society of Thyroid Radiology, editors. Thyroid Imaging and Intervention, 2nd ed. Seoul: 일조각; 2013.

21. Nam M, Jeong HS, Shin JH. Differentiation of parathyroid carcinoma and adenoma by preoperative ultrasonography. Acta Radiol 2017;58:670-5.

22. Noussios G, Anagnostis P, Natsis K. Ectopic parathyroidglands and their anatomical, clinical and surgical implications. Exp Clin Endocrinol Diabetes 2012;120:604-10.

23. Page C, Cuvelier P, Biet A, et al. Thyroid tubercle of Zuckerkandl: anatomical and surgical experience from 79 thyroidectomies. J Laryngol Otol 2009;123:768-71.

24. Phillips CD, Shatzkes DR. Imaging of the parathyroid glands. Semin Ultrasound CT MR 2012;33:123-9.

25. Policeni BA, Smoker WR, Reede DL. Anatomy andembryology of the thyroid and parathyroid glands. Semin Ultrasound CT MR 2012;33:104-14.

26. Raruenrom Y, Theerakulpisut D, Wongsurawat N, et al. Diagnostic accuracy of planar, SPECT, and SPECT/CT parathyroid scintigraphy protocols in patients with hyperparathyroidism. Nucl Med Rev Cent East Eur 2018;21: 20-5.

27. Richard B. Primary hyperparathyroidism: ultrasonographyand scintigraphy. J Radiol 2009;90:397-408.

28. Rickes S, Sitzy J, Neye H, et al. High resolution ultrasound

in combination with colour-Doppler sonography for preoperative localization of parathyroid adenomas in patients with primary hyperparathyroidism. Ultraschall Med 2003; 24:85-9.

29. Smith RB, Evasovich M, Girod DA, et al. Ultrasound for localization in primary hyperparathyroidism. Otolaryngol Head Neck Surg 2013;149:366-71.

30. Strakowski JA. Introduction to Musculoskeletal Ultrasound: Getting Started. New York: Demos Medical; 2015.

31. Sukan A, Reyhan M, Aydin M, et al. Preoperative evaluation of hyperparathyroidism: the role of dual-phase parathyroid scintigraphy and ultrasound imaging. Ann Nucl Med 2008; 22:123–31.

32. Sung JY. Parathyroid ultrasonography. the evolving role of the radiologist. Ultrasonography 2015;34:268-74.

33. Thompson NW. Localization studies in patients with primary hyperparathyroidism. Br J Surg 1988;75:97-8.

34. Toneto MG, Prill S, Debon LM, et al. The history of the parathyroid surgery. Rev Col Bras Cir 2016;43:214-22.

35. Vazquez BJ, Richards ML. Imaging of the thyroid andparathyroid glands. Surg Clin N Am 2011;91:15–32.

36. Vitetta GM, Neri P, Chiecchio A, et al. Role of ultrasonography in the management of patients with primary hyper parathyroidism: retrospective comparison with technetium-99m sesta MIBI scintigraphy. J Ultrasound 2014;17:1–12.

37. Wang CA. The anatomic basis of parathyroid surgery. Ann Surg 1976;183:271–5.

38. Wojtczak B, Syrycka J, Kaliszewski K, et al. Surgical implications of recent modalities for parathyroid imaging. Gland Surg 2020;9:86-94.

39. Yeh R, Tay YD, Tabacco G, et al. Diagnostic Performance of 4D CT and Sestamibi SPECT/CT in Localizing Parathyroid Adenomas in Primary Hyperparathyroidism. Radiology 2019;291:469-76.

기타 경부 초음파

1. 림프절

1) 개요

경부에는 대략 300여개의 림프절이 존재하며 다양한 질환에 의해 림프절 비대가 발생 할 수 있다. 림프절 비대의 대부분은 상기도 감염 또는 구강내 염증에 의한 반응성 림프절 비대가 대부분이나 바이러스 또는 박테리아에 의한 급성 림프절염, 결핵성 림프절염, 조직구 괴사성 림프절염, 악성림프종, 타장기로부터 전이 등에 의해서도 림프절 비대가 발생한다. 따라서, 정확한 감별 진단을 위해 환자의 과거력, 임상 증상, 혈액학적 검사, 영상학적 검사 등을 통해 종합적으로 판단하여야 하며 이 중 초음파검사는 경부 림프절 평가에 가장 중요한 역할을 하는 영상학적 진단 도구 중 하나이다.

이 장에서는 정상 경부 림프절의 초음파 소견과 염증성 경부 림프절 비대, 갑상선암에 의한 경부 림프절 전이의 초음파 소견에 대해 알아보고자 한다.

2) 환자 자세와 검사 장비

경부 초음파를 위한 환자의 자세는 앙와위로 등쪽 상부에 베개 등을 받혀서 목을 뒤로 젖힌 상태에서 시행하며 우측 경부 검사를 위해서는 환자의 턱을 좌상향으로, 좌측 경부 검사를 위해서는 우상향으로 위치한다. 검사 시에는 반드시 양측 경부 림프절을 동시에 검사해야 하며 양측 림프절의 비대칭 또한 감별 진단에 도움을 준다. 검사는 일반적으로 높은 주파수(7~12 MHz)의 선형 탐색자를 이용하나 깊은 곳에 위치한 림프절이나 상부 종격동 림프절의 검사를 위해서는 낮은 주파수(5~7 MHz)의 작은 섹터 탐색자를 이용할 수 있다. 컬러 도플러는 림프절 내의 혈류 존재와 분포를 확인하는 데 유용하며 전이성 병변을 확인하는 데 도움을 준다.

3) 위치에 따른 경부 림프절 분류

과거에는 경부 림프절 분류에 뤼비에르체계(Rouviere system)를 사용하였으나 현재 가장 흔히 사용하는 임상적 분류법은 AJCC 레벨체계에 기초한 영상기준경부 림프절 분류법이다(그림 3-1, 표 3-1).

Level VI의 경계는 설골의 하단부터 흉골병 (manubrium)의 위끝 사이와 양쪽 경동맥의 안쪽이다. Level II, III, IV 림프절은 경정맥을 따라 위치한 림프절이며 내측으로는 level VI, 외측으로는 흉쇄유돌근의 뒤쪽 가장자리로 경계 지워진다. Level II는 위속목림프절(internal jugular nodes)을 포함하고 있으며, 위아래의 경계는 두개저(skull base)에서 설골 하단까지다. Level III는 중간목림프절을 포함하고 있으며 설골의 하단부터 윤상연골의 하단까지, level IV는 아래목림프절을 포함하고 있고 윤상연골의 하단부터 쇄골까지다. Level V는 뒤삼각림프절을 포함하고 있으며 위아래의 경계는 두개저부터 쇄골까지 내측 경계는 흉쇄유돌근과 전사각근의 뒤쪽 외측 가장자리, 외측 경계는 승모근의 앞쪽 가장자리이다. Level I은 턱끝밑과 아래턱밑림프절을 포함하고 있으며 설골 위, 악설골근 아래, 악하샘 뒤쪽 가장자리의 앞쪽으로 경계가 이루어진다.

4) 경부 림프절의 크기 측정과 정상 림프절의 초음파 소견

보통 장기에서 발생하는 결절의 크기를 평가할 때 횡축(transverse axis)과 시상축(sagittal axis)으로 크기를 측정하는 반면, 림프절의 크기 측정은 장축 (long axis)과 단축(short axis)의 지름을 측정하여 평가한다. 초음파에서 보이는 림프절의 가장 긴 지름을 장축지름(long-axis diameter)이라 하고 이 장축지름의 수직이 되는 지름 중 가장 긴 지름을 단축지름(short-axis diameter)이라고 한다. 림프절의 장축지름은 수 mm부터 수 cm까지 다양하므로 보통 림프절의 크기는 단축지름의 크기로 정의한다. 정상림프절의 크기는 대개 단축의 지름이 5 mm를 넘지 않으나, level Ib와 II 림프절의 경우 상기도, 입안, 인두, 부비동 등에서 발생하는 반복적인 염증으로 인해 반응성으로 크기가 큰 경향을 보이는 반면, Level VI의 림프절은 갑상선에 기저 질환이 없다면 잘 보이지 않으며 보이더라도 크기가 매우 작다. 연령과 성별에 따른 크기의 큰 차이는 없

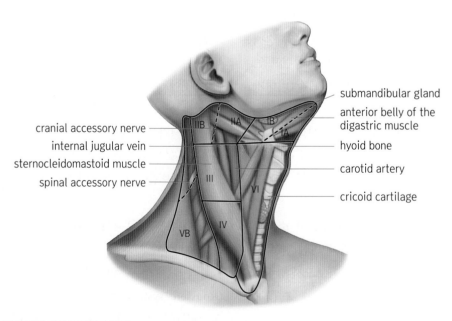

그림 3-1 위치에 따른 경부 림프절의 분류

표 3-1 위치에 따른 경부 림프절의 분류

I	경계: 설골(hyoid bone)의 위쪽 악설골근(mylohyoid muscle) 아래 악하샘(submandibular gland) 뒤쪽 가장자리의 앞쪽	
	IA - 턱끝밑(submental)	이복근(digastric muscle)의 양쪽 앞힘살(anterior belly)의 내측 경계 사이
	IB - 아래턱밑(submandibular)	IA 림프절의 후외측
II	경계: - 두개저부터 설골의 하단까지 - 악하샘의 뒤쪽 - 흉쇄유돌근(sternocleidomastoid muscle)의 뒤쪽 가장자리	
	IIA	내경정맥의 앞, 내측, 외측에 위치한 림프절과 정맥의 뒤쪽으로 정맥과 맞닿아 있는 림프절
	IIB	내경정맥의 뒤쪽에 위치하는 림프절로 내경정맥과는 지방면(fat pad)으로 분리가 되어 있는 림프절
III	경계: - 설골의 하단부터 윤상연골(cricoid cartilage)의 하단까지 - 흉쇄유돌근의 뒤쪽 가장자리의 앞쪽	
IV	경계: - 흉쇄유돌근의 하단부터 쇄골(clavicle)까지 - 흉쇄유돌근의 뒤쪽 가장자리와 전사각근의 뒤쪽 가장자리를 연결한 가상의 선의 앞쪽 - 경동맥의 외측	
V	경계: - 두개골저부터 쇄골까지 - 흉쇄유돌근의 뒤쪽 가장자리와 전사각근의 뒤쪽 가장자리를 연결한 가상의 선의 뒤쪽 - 승모근(trapezius muscle)의 앞쪽 가장자리	
	VA	두개골저부터 윤상연골의 하단까지
	VB	윤상연골의 하단부터 쇄골까지
VI	경계: - 설골의 하단부터 흉골병의 위쪽 가장자리까지 - 양쪽 경동맥의 안쪽	
VII	흉골병의 위쪽 가장자리부터 무명정맥(innominate vein) 사이와 양측 경동맥의 안쪽	

으나, 연령이 증가함에 따라 경부 림프절의 크기도 증가하는 양상을 보인다.

정상 림프절의 전형적인 초음파 소견은 대개 편평한 난원형의 모양(그림 3-2)이나 악하샘, 이하샘 림프절에서는 특별한 기저 질환 없이 원형의 모양을 보일 수 있다(그림 3-3). 그리고, 주위 연부 조직보다 균일하게 낮은 에코를 보이는 피질을 관찰할 수 있으며, 중심부에는 주위 연부조직과 연결된 높

은 에코의 림프절문(hilum)을 관찰할 수 있다. 림프절문이 높은 에코를 보이는 이유는 지방조직과 림프집합굴(lymph collecting sinus) 때문인 것으로 알려져 있다. 컬러 도플러 초음파검사에서는 림프절문이 위치하는 중심부에서 방사형의 혈류 분포를 관찰할 수 있는데 림프절문의 혈류 유무 판정은 전이림프절과 반응림프절의 구분에 도움을 줄 수 있다(그림 3-4).

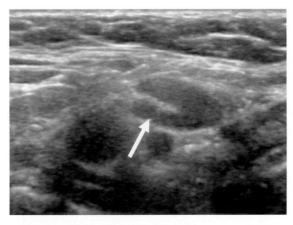

그림 3-2 정상 경부 림프절의 초음파 소견
Level 3의 편평한 난원형의 모양을 가진 정상 림프절이며 균일한 낮은 에코를 보이고 있다. 중심부에는 주위 연부 조직과 연결된 높은 에코의 림프절문(화살표)이 보인다.

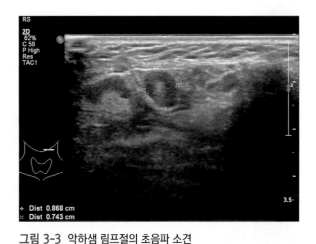

그림 3-3 악하샘 림프절의 초음파 소견
단축지름이 7.5 mm, 장축지름이 8.5 mm로 악하샘 및 이하샘림프절의 림프절의 경우 구형에 가까운 모양을 가지는 경우도 있다. 주위 연부조직과 연결된 높은 에코의 림프절문이 보인다.

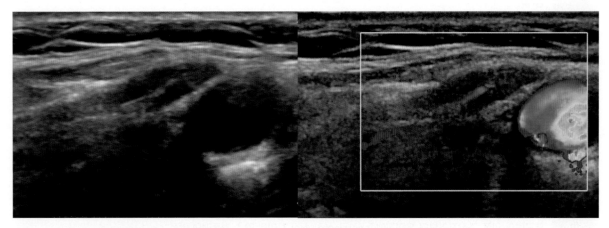

그림 3-4 정상림프절의 컬러 도플러 초음파 소견
우측 Level 3의 정상 림프절이며 컬러 도플러 초음파에서 중심부 림프절문을 따라 혈류가 잘 보인다.

5) 반응성 림프절염

반응성 림프절염(reactive lymphadenitis)은 경부 림프절 비대의 가장 흔한 형태 중 하나이며 대부분 바이러스 또는 세균에 의한 상기도 감염 또는 두경부의 염증, 감염 이후에 이차적으로 발생하나 원인 병원체를 확인할 수 있는 경우는 매우 제한적이다. 어린이나 청소년에서 흔하며 양측성으로 오는 경우도 흔하다.

반응성 림프절염의 전반적인 초음파 소견은 앞에서 언급한 정상 림프절의 초음파 소견과 같다. 난원형이며 균일한 낮은 에코의 피질을 가지고 높은 에코의 림프절문이 대개 잘 보인다. 반응성 림프절염의 크기는 매우 다양하고 특히 어린이의 경우 2 cm 이상 커지는 경우도 흔하기 때문에 단일 장축 지름의 타 질환과의 감별진단을 위한 진단적 가치는 떨어진다. 따라서, 타 질환과의 감별을 위해 주로 사용하는 림프절 크기 인자는 장축지름/단축지름 비율(long-axis/short-axis ratio, L/S ratio)을 많이 사용한다. 대개 반응성 림프절염의 크기는 단축 지름이 8 mm를 초과하지 않고 모양은 L/S 비율이 2 이

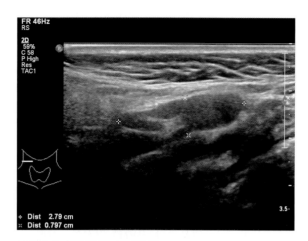

그림 3-5 반응성 림프절염의 예
장축의 지름은 약 28 mm 보이고 있으나 단축의 길이는 8 mm를 초과하지 않고 장축지름/단축지름 비율(long-axis/short-axis ratio, L/S ratio)은 2 이상이며 주위 연부조직과 연결된 높은 에코의 림프절문 또한 잘 관찰되고 있다.

상인 난원형을 보인다(그림 3-5). 림프절문은 대략 75%정도에서 관찰되며 관찰되지 않는 경우도 드물지 않게 있다. 이 경우 컬러 도플러 초음파를 이용하여 중심부 혈류를 관찰하면 진단에 도움이 된다(그림 3-6).

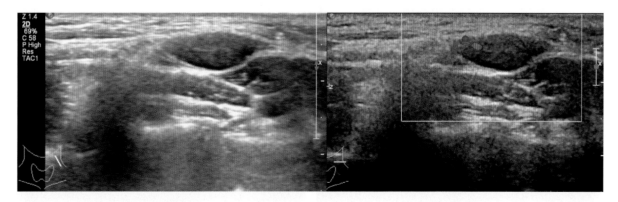

그림 3-6 반응성 림프절염의 중심부 혈류
수일간의 좌측 경부 림프절 비대로 내원한 18세 여자 환자로 초음파상 림프절문이 명확히 관찰되지 않지만 컬러 도플러에서 중심부 혈류를 관찰할 수 있다. 세침흡인세포검사에서 반응성 림프절염으로 진단되었다.

6) 기쿠치병

기쿠치병(Kikuchi disease)은 조직구괴사성 림프절염으로 1972년에 일본에서 처음 언급된 질환이며 현재까지도 정확한 발병 기전은 알려져 있지 않다. 호발 연령은 주로 40세 미만의 젊은 연령층이며 우리나라 등 아시아에 흔하고 여자에서 빈도가 약간 높지만 소아에서는 남자의 빈도가 약간 높은 것으로 알려져 있다. 임상 양상은 매우 다양하여 전신 증상이 없는 경우부터 고열과 전신통, 심한 경우 드물게 혈구탐식성조직구증식증(hemophagocytic lymphohistiocytosis)까지도 동반하며 가장 흔한 임상 증상은 경부 림프절 비대이다. 대부분 평균 1~4개월 내에 저절로 소실되지만 6개월까지도 임상 증상이 지속될 수 있다.

기쿠치병에 동반되는 경부 림프절염의 진단을 위한 특이적 초음파 소견은 없으며 병의 초기에는 앞에서 언급한 반응성 림프절염의 소견을 보인다. 주로 편측의 경부에 다발성으로 균일하게 커져 있으며 동일한 에코를 보이는 림프절들을 관찰할 수 있고 level II~V까지 넓게 분포한다. 이들 커진 림프절은 서로 염증 반응에 의해 엉켜 붙어(matted) 있는 경향이며 림프절 내에 농양이나 석회화는 동반하지 않는다. 또한 환자의 약 65%에서 주위 연부조직으로의 염증성 침윤으로 인해 커져 있는 림프절 주위로 높은 에코의 테두리를 관찰할 수 있다(그림 3-7).

병리학적 진단은 주로 세침흡인세포검사를 시행하는데 진단율이 대략 50% 내외이며 세침흡인세포검사에서 진단이 애매한 경우 중심부 침생검이나 절개 생검술을 시행할 수 있다.

7) 결핵성 림프절염

결핵성 림프절염(tuberculous lymphadenitis)은 개발도상국에서 흔한 질병이나 선진국인 우리나라의 경우 풍토병으로 유행하고 있는 질환이므로 환자가 편측 경부에 동통 또는 압통을 동반하지 않는 림프절의 비대로 내원 시 반드시 감별을 해야 하는 질환이다.

결핵성 림프절염의 초음파 소견은 매우 다양하다. 초기에는 앞에서 언급한 반응성 림프절 모양을

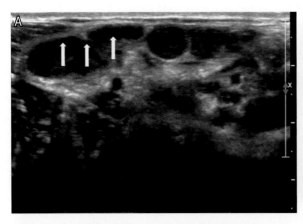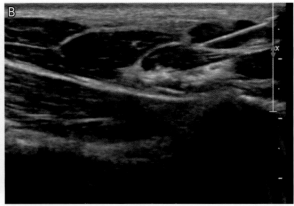

그림 3-7 기쿠치병에 동반된 경부 림프절염의 초음파 소견
우측 경부 림프절 비대로 내원한 18세 남자 환자로 초음파 소견상 균일하게 커져 있으면서 서로 엉켜 붙어 있는 림프절들이 보인다. 커져 있는 림프절 주위로 염증 반응에 의한 연부조직의 변화로 높은 에코의 테두리를 관찰할 수 있다(A, 화살표). 중심부 침생검을 시행하였으며 기쿠치병으로 진단되었다(B).

가질 수 있고 진행 정도에 따라 불균질한 에코 양상, 불분명한 림프절의 경계, 악성 또는 전이성 림프절 소견을 보일 수도 있으며, 석회화 동반, 림프절내 괴사로 인한 낭성 변화, 농양 형성, 림프절문의 소실, 림프절 간의 군집 형성, 림프절 주위 연부조직의 높은 에코 변화 등의 소견을 보일 수 있다.

초기 결핵성 림프절염의 소견은 림프절의 비대와 원형 변화이며 약 79%의 결핵성 림프절염 환자에서 림프절의 모양이 원형으로 보인다. 림프절문의 소실은 76~86%에서 보고되며 림프절 내 낭성 괴사로 인한 후방음향증강을 동반하는 경우가 많다(그림 3-8).

병이 진행됨에 따라 림프절 내에 냉농양(cold abscess)을 형성하는데 이 때의 초음파 소견은 경계가 불분명한 낮은 에코의 덩어리로 보이며 내부는 불균질한 에코양상 또는 석회화 변성에 의한 높은 에코의 점(hyperechogenic spot)들을 관찰할 수 있으며 괴사로 인한 액화변성으로 부분적인 무에코 소견을 보이는 경우도 있다. 그리고 농양을 형성한 림프절 주위 연부조직의 부종으로 인해 높은 에코의 테두리가 보인다(그림 3-9).

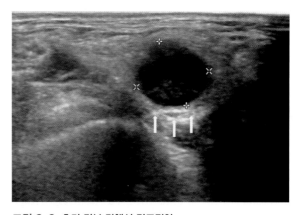

그림 3-8 초기 경부 결핵성 림프절염
L/S 비율이 거의 1에 가까운 원형의 모양을 가지고 있으며 림프절문은 소실되어 있고 림프절 내 낭성 괴사로 인해 후방음향증강을 보이고 있다(화살표).

심한 경우 주위 연부조직으로의 공동(sinus)을 형성하고 이로 인해 주위 연부조직에 농양을 형성하기도 하며 피부와 가까이 위치한 경우 누공을 형성하기도 한다(그림 3-10).

진단은 초음파 유도 세침흡인세포검사를 통한 현미경적 세포검사를 시행할 수 있으나 민감도가 35%로 낮으며 흡인을 통한 결핵균 배양의 민감도는

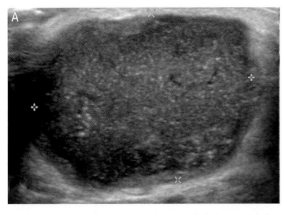
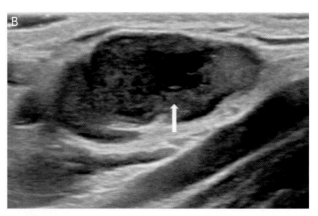

그림 3-9 좌측 경부 결핵성림프절염으로 진단된 level III(A), level V(B) 림프절
좌측 경부 결핵성림프절염으로 진단된 63세 남자 환자의 림프절 초음파 소견으로 낮은 에코의 덩어리 내에 높은 에코의 많은 점들을 관찰할 수가 있고 주위 연부조직의 부종으로 인해 높은 에코의 테두리가 보이며(A) 동일 환자의 level V에서는 괴사에 의한 부분적 무에코소견을 보이고 있다(B, 화살표).

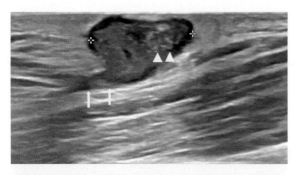

그림 3-10 좌측 경부 결핵성림프절염으로 진단된 level II 림프절
좌측 level II의 경부 림프절로 주위 연부조직과 공동을 형성하고 (화살표) 피부로의 누공을 형성한 결핵성 림프절 내부에는 불균질한 석회화도 동반되어 있다(삼각형).

표 3-2 갑상선암 전이림프절의 초음파 소견에 따른 민감도와 특이도

초음파 소견	민감도(%)	특이도(%)
석회화 동반	5~69	93~100
낭성 변화	10~34	91~100
변연부 혈류증가	40~86	57~93
림프절의 높은 에코변화	30~87	43~95
원형의 모양	37	70

86%로 높으나 배양에 시간이 많이 걸린다는 단점이 있다. 수술적 절개생검술은 결핵성 림프절염의 진단에 최적표준 진단법이나 수술 부위의 상처가 잘 낫지 않고 누공을 형성하는 경우가 많은 단점이 있다. 따라서, 최근에는 초음파 유도 중심부 침생검을 이용한 검사가 수술적 생검술을 대체하고 있으며 진단의 정확도도 비슷하게 보고되고 있다.

8) 갑상선암 전이림프절

분화갑상선암의 경부 림프절 전이는 20~50%로 보고 되며 미세전이까지 포함한 경우 90%까지 보고되기도 한다. 갑상선암에 의한 경부 전이림프절의 병소는 level II 보다는 level III, IV, VI에서 흔하나 갑상선암의 위치가 갑상선의 위끝에 위치하는 경우에는 level II와 III로의 건너뜀 전이(skip metastasis)가 종종 발견된다. 따라서, 갑상선암으로 수술이 예정되어 있는 환자의 경우 반드시 수술 전 평가에 경부 림프절의 전이 여부를 포함시켜야 한다.

갑상선암 전이림프절의 초음파 소견들은 아래와 같으며 초음파 소견의 민감도와 특이도는 표 3-2에 정리하였다.

– 크기의 증가: 단축의 지름이 5 mm 이상,
  단, level II에서는 8 mm 이상
– 림프절문의 소실
– 원형에 가까운 림프절 모양(L/S 비가 2 미만)
– 림프절의 높은 에코성 변화
– 림프절의 낭성 변화
– 석회화 동반
– 림프절 내의 변연부 또는 미만성 혈류 증가

위의 초음파 소견을 기준으로 유럽갑상선학회와 미국갑상선학회에서는 갑상선암 환자에서 림프절 전이의 의심 수준을 중간 수준의 의심과 높은 수준의 의심으로 나누고 아래와 같이 초음파상 영상학적 진단 기준을 만들었다.

① 중간 수준의 의심
림프절문의 소실을 동반하고 아래 소견 중 적어도 하나(그림 3-11)
– 원형에 가까운 림프절 모양(L/S 비가 2 미만)
– 단축의 지름이 5 mm 이상, 단, level II에서는 8 mm 이상
– 증가된 중심부 혈류

② 높은 수준의 의심: 아래 중 하나(그림 3-12~14)
– 미세석회화 동반

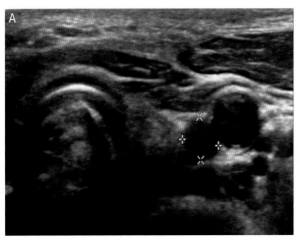
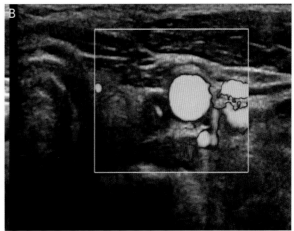

그림 3-11 갑상선유두암 전이림프절, 중간 수준의 의심 초음파 영상
유두암으로 갑상선전절제술 시행 후 추적 관찰 중 발견된 level VI 림프절. 림프절문은 소실되어 있고 단축의 길이가 5.5 mm로 증가되어 있으며 L/S 비율이 1에 가까운 원형의 모양을 가지고 있지만(A) 중심부 혈류는 잘 관찰되고 있다(B). 세침흡인세포검사에서 갑상선유두암 전이림프절로 진단되었다.

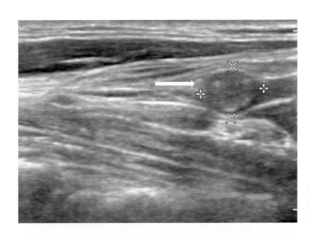

그림 3-12 갑상선유두암 전이림프절, 높은 수준의 의심 초음파 영상
좌측 갑상선유두암 환자로 level IV에 높은 에코 변화를 보이면서 원형의 모양을 가지고 있고 미세석회화를 동반한 전이림프절(화살표)

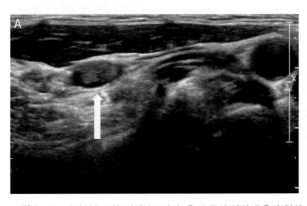
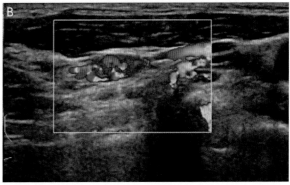

그림 3-13 갑상선유두암 전이림프절, 높은 수준의 의심 초음파 영상
우측 갑상선유두암으로 진단된 48세 여자 환자로 level III 에 L/S 비율은 2 이상으로 정상 범위이나 림프절문은 소실되어 있고 비균질한 에코 증가를 보이며(A, 화살표), 림프절 전체에 미만성 혈류 증가 소견이 있다(B). 세침흡인세포검사에서 갑상선유두암 전이림프절로 진단되었다.

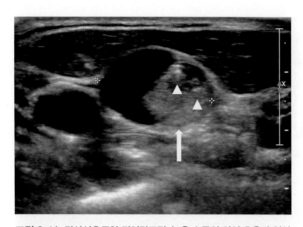

그림 3-14 갑상선유두암 전이림프절, 높은 수준의 의심 초음파 영상
갑상선 유두암으로 진단된 24세 남자의 level III 림프절로 림프절 내에 낭성 변화를 보이며 낭 내에 미세석회화(삼각형)를 동반한 고형 결절(화살표)이 보인다. 세침흡인세포검사에서 갑상선유두암 전이림프절로 진단되었다.

- 낭성 변화
- 변연부에 증가된 혈류 또는 미만성 혈류 증가
- 비균질한 에코 증가(hyperechoic change)

특히 이들 소견 중 미세석회화 동반과 림프절의 낭성 변화가 있을 시 림프절 전이를 강하게 의심해야 하는데 이들의 특이도는 각각 93~100%, 91~100% 이며, 양성예측도는 각각 88~100%, 77~100%로 보고 된다.

진단은 주로 초음파 유도 세침흡인세포검사로 진단이 되며, 분화갑상선암의 경우 림프절 세침흡인 후 세척액(wash-out)의 갑상선글로불린 값을 측정하면 세침흡인세포검사 단독보다 예민도가 높고 특이도는 거의 100%를 보이기 때문에 세침흡인세포검사와 함께 세척액의 Tg 값을 측정하는 것이 가장 정확한 검사법이라 할 수 있다. 특히, Tg 측정법은 낭성 변화를 동반한 전이성 림프절의 진단에 도움이 되는데 낭성 변화가 심할 경우 세포검사를 위한 충분한 세포를 얻기 힘들기 때문이다(그림 3-15). 그러나 level VI의 림프절에서는 주위 정상 갑상선 때문에 위양성결과가 종종 보고되고 있으며 진단의 판정 기준이 되는 절대적 수치는 아직 확립되지 않았으므로 주의를 요하지만 혈청 Tg 수치와 비교하여 의미 있게 높은 경우 양성으로 진단한다.

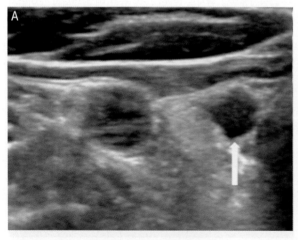
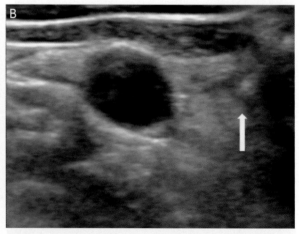

그림 3-15 낭성 변화가 있는 전이림프절의 진단
좌측 갑상선유두암 환자로 좌측 level 4에 낭성 변화를 동반한 림프절이 관찰되며(A, 화살표) 세침흡인세포검사 시행 중 완전히 흡입이 되어 낭이 소실되었다(B, 화살표). 현미경 검사에서 세포 수 부족으로 정확한 진단이 되지 않았으나 세척액의 Tg 값이 〉 500 ng/mL로 측정되었으며 수술 후 조직 검사에서 갑상선유두암의 전이림프절로 진단되었다.

2. 타액선

침샘은 이하샘, 악하샘, 설하샘으로 나뉘며 염증, 종양, 유전성 질환 등이 생길 수 있다. 외과의 주 영역은 아니지만 경부 초음파를 보는 과정에서 흔히 악하샘이 보이며, 증상이 있을 때 양성 질환의 기능 손실을 막고, 악성종양을 진단하기 위해 진단 초음파를 시행할 수 있다. 침샘은 보통 5~10 MHz, 광대역 선형 탐색자가 사용되며, 모든 샘은 적어도 두 개 이상의 수직면을 보아야 한다. 병변의 크기, 모양, 초음파의 균질성, 혈관 패턴 등을 확인하여야 하며 도플러 초음파나 최근에는 탄성 초음파검사가 도움이 될 수 있다.

침샘은 초음파에서 일반적으로 균질하고 주변 근육보다 밝은 고에코를 보이는데 이는 침샘 내부의 지방 조직 때문이다. 지방 조직이 초음파를 억제하기 때문에 일부 침샘의 깊은 부분은 에코가 흐려져서 잘 보이지 않는다. 침샘의 주 배출관도 병변 때문에 커져 있지 않으면 일반적으로는 찾기 어렵다 (그림 3-16~18).

이하샘은 귀와 흉쇄유돌근의 앞쪽, 하악골의 후방에 위치하고 표층이 하악골과 교근의 뒤쪽부분을 덮고 있다. 이하샘의 주 배출관(stent duct)은 교근에 위치하고, 광대활의 1 cm 아래에 위치하는데 확장되어 있지 않으면 잘 보이지 않는다. 악하샘은 저작근의 앞쪽, 뒤쪽 힘살과 하악골 몸체의 턱밑삼각에 위치해 있으며, 안면동맥이 악하샘의 실질을 구불구불하게 지나간다. 악하샘의 배액관(Wharton duct)은 악설골근의 경계를 따라 지나간다. 설하샘은 이복근, 혀, 구강 근육들 사이에 타원형으로 위치한다.

1) 염증 질환

급성 염증일 때 양측의 통증을 동반한 부종을 보이며 보통 바이러스는 볼거리와 거대세포바이러스

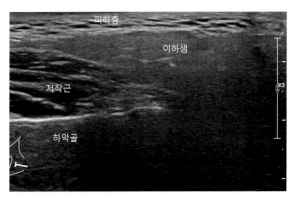

그림 3-16 좌측 이하샘

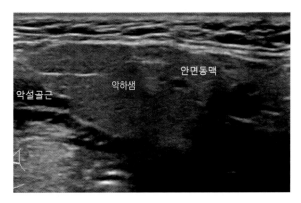

그림 3-17 좌측 악하샘

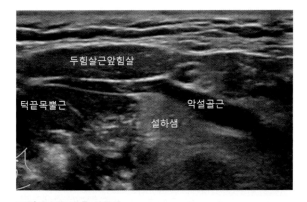

그림 3-18 좌측 설하샘

에 의한 경우가 많고, 세균 감염의 경우는 황색포도알균이나 구강균주에 의한 경우가 많다. 급성 염증일 때 침샘은 커져 있고 불규칙한 저에코를 보이며 혈류량이 증가되어 있다. 또한 주변 림프절이 커

져 있는 것을 관찰할 수 있다. 급성 염증이 심해지면 돌이나 섬유화 때문에 주 배출관이 막혀 농양이 생기는데 저에코와 후방음향음영을 보이며, 내부가 액상화 되어 있고 부스러기가 움직이는 모습을 보인다. 농양을 배액하기 위해 초음파를 사용하기도 한다. 만성 염증의 경우는 침샘이 작아지고, 불균질한 저에코를 보이며 혈류량이 증가되어 보이지 않아 다른 질환과 감별이 잘 되지 않는다.

2) 타석증

타석증은 주로 악하샘에서 60~90%, 이하샘에서 10~20%에서 보인다. 증상으로는 침샘관이 막혀 먹을 때마다 침샘이 붓거나, 세균 감염이 생길 수 있다. 초음파에서 타석은 강한 고에코를 보이며 후방 음향음영을 보인다. 증상이 생기면 주 배출관이 늘어나 초음파에서 보이기도 한다.

3) 자가면역질환

쇼그렌 증후군은 만성 자가면역 질환으로 40대 이상의 여성에 호발한다. 림프구나 플라스마 세포가 침샘 및 눈물샘을 파괴시켜 눈과 입이 마르는게 주 증상이다. 침샘 실질이 파괴되어 초음파에서 작은 타원의 저에코성 병변들이 흩뿌려져 보이고, 혈류가 부분적으로 증가되어 보인다. 2 cm 이상이거나 빨리 자라는 병변은 조직검사를 시행하여야 한다.

4) 종양

침샘 종양은 드문편으로 대부분 양성이고, 이하샘에서 주로 발견된다. 10~12%는 악하샘에서 발견되며 그중 절반은 악성이다.

(1) 양성종양(그림 3-19, 20)

대부분의 주 침샘의 양성종양은 다형태샘종, 와틴종양 등으로 주로 천천히 자라며 통증이 없다. 다형태샘종은 주로 이하샘에 생기며, 40~50대, 여성에 좀더 많이 생긴다. 보통 한쪽에 고형화되어 보이고, 느리게 자라며 증상이 없다. 치료하지 않으면 악성으로 변할 수 있어 수술적 절제가 필요하다. 초음파에서 저에코의 잘 형성된 후방음향증강을 보이고, 석회가 보일 수 있다. 완전 절제를 하지 않으면 재발할 수 있다.

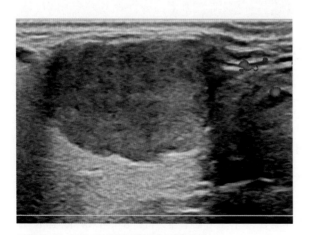

그림 3-19 우측 이하샘에 발생한 다형성샘종
저에코에 불규칙한 경계와 후방음향증강을 보인다.

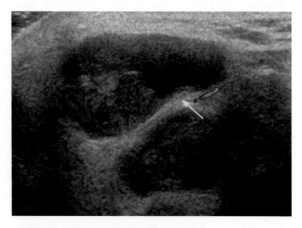

그림 3-20 좌측 이하샘에 발생한 와틴종양
경계가 분명한 둥그런 모양으로 불규칙한 무에코 영역들이 보인다
(화살표)

와틴종양은 두 번째로 많은 침샘 종양이고, 50~60대 남성에서 호발하며 흡연과 연관이 있다. 보통 한쪽에 단일성으로 느리게 자라지만, 10~60%에서 양쪽에, 다발성으로 생길 수도 있다. 초음파에서 타원의 저에코성 병변이 잘 경계지어져 있고, 다발성 무에코성 영역이 보일 수 있다. 보통 혈류가 증가되어 보인다. 진단은 테크니슘 99 m 스캔으로 할 수 있다. 이외에 혈관종, 지방종 등의 양성종양도 보일 수 있다.

(2) 악성종양(그림 3-21, 22)

침샘에 발생하는 악성종양은 대부분 점액표피모양암종과 샘낭암종이다. 이하샘 종양은 악성인 경우가 30% 이내이지만, 악하샘은 50%에서 악성이다. 양성과 달리 악성종양은 빨리 자라고, 불편감과 압통이 있으며, 고정되어 있고, 안면신경 마비를 일으킬 수 있다. 점액표피모양암종은 30~50대에 생기며, 여러 단계의 분화도를 보여, 분화도가 좋은 종양은 초음파에서 양성종양처럼 보이기도 한다. 분화도가

좋지 않은 암의 초음파는 불규칙한 모양, 불규칙하고 불분명한 경계, 불균질한 저에코를 보인다. 고형화되어 있지만 낭성 병변을 보이기도 한다. 컬러 도플러 영상으로 악성과 양성을 구별할 수는 없지만, 보통 혈류량이 증가하면 악성 위험도가 높게 생각된다. 주변에 전이성 림프절들이 보이면 악성으로 볼수 있다.

(3) 림프종(그림 3-23)

침샘의 림프종은 일차적으로 생기기보다는 대개 전신질환의 하나로 발생한다. 임상적으로 침샘의 림프종은 통증이 없고, 빨리 붓는다. 초음파에서 림프종은 단일성의 저에코성 균질화된 병변으로 보이지만 다른 종양과 구별하기는 어렵다.

(4) 전이(그림 3-24)

침샘은 전이가 잘 안되는 부위지만, 두경부암이 전이되는 경우가 있고, 흑색종, 유방암, 폐암이 이하샘 내 림프절에 전이되는 경우가 있다.

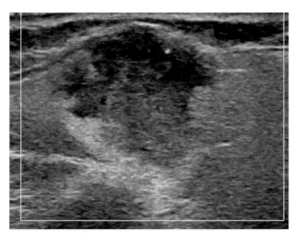

그림 3-21 좌측 이하샘에 발생한 점액표피모양암종
불규칙한 경계에 불균질한 저에코를 보인다.

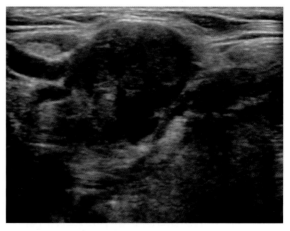

그림 3-22 우측 악하샘에 발생한 샘낭암종

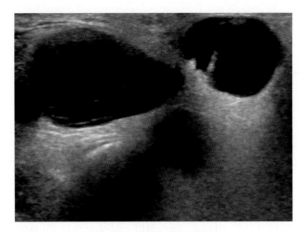

그림 3-23 좌측 이하샘에 발생한 악성 림프종

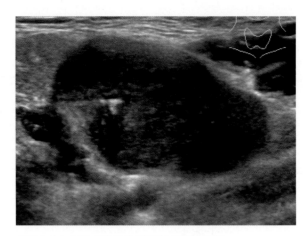

그림 3-24 좌측 이하샘에 발생한 편평세포암종

3. 기타 경부 종괴성 질환

1) 아가미틈새낭

아가미틈새낭(branchial cleft cyst)은 발생학적으로 아가미틈새의 퇴화가 이루어지지 않은 원인으로 생기며, 흉쇄유돌근의 전연부를 따라서 악하샘 후방에서 발생하는 제2아가미틈새낭이 가장 흔하다. 보통 통증이 없고 유동성이 있는 종괴로 발견되나 시간이 지나면서 크기가 커지고 감염이 동반된 경우에는 압통이 동반될 수 있다. 아가미틈새낭의 내부는 액체로 채워져 있고 경계가 명확하여 대부분의 경우에는 저에코로 보이고 후방음향증강이 관찰된다. 낭 내부의 다양한 물질들(cellular debris, cholesterol crystals, keratin)에 의해 가성 종괴(pseudosolid)를 보이는 경우에는 다양한 에코를 나타내기도 한다. 특히 아가미틈새낭의 초음파 소견은 괴사를 보이는 림프절과 유사하므로 환자의 임상적인 검진과 과거력에 대한 정보를 감별하는 데 중요한 요소가 될 것이다(그림 3-25, 26).

2) 갑상설관낭

갑상선설관낭(thyroglossal duct cyst)의 초음파 특징은 설골과의 관련성이 있고, 설골의 위 또는 아래에 위치할 수 있다. 저에코의 내부와 후방음향증가가 관찰된다. 갑상설관낭은 발생학적으로 갑상선의 하강을 보여주기 때문에 낭 내부에 갑상선 조직이 포함될 수 있다. 설골에 인접한 갑상설관낭의 해면(spongiform) 결절은 양성 소견을 시사하나, 초음파 소견에서 불균질의 조직과 미세석회화가 동반된 경우에는 갑상선암의 가능성이 있기 때문에 세밀한 평가가 필요하겠다(그림 3-27).

3) 유피낭종, 표피모양낭종

유피낭종(dermoid cyst) 또는 표피모양낭종(epidermoid cyst)은 주로 구강의 저부(the floor of the mouth) 또는 흉골 상부 공간에서 관찰되는 목의 중앙선에 많이 발생하는 무통성의 낭종이다. 초음파에서 낭 내부는 보통 균질한 고에코로 보인다(그림 3-28~31).

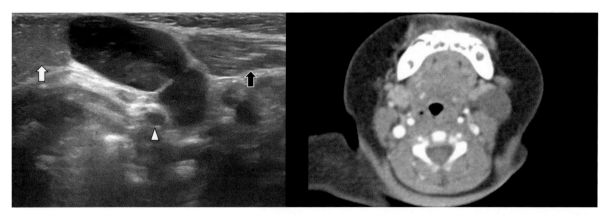

그림 3-25 제2아가미틈새낭
1세 남아. 초음파 영상에서 왼쪽 악하샘(흰 화살표)과 경동맥(화살표머리) 그리고 흉쇄유돌근(검은 화살표)이 이루는 삼각형 지역 내에 경계가 분명한 무에코의 낭성종괴가 보인다.

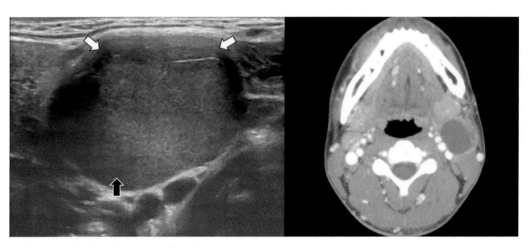

그림 3-26 감염이 동반된 제2아가미틈새낭
17세 남자. 초음파 영상에서 왼쪽 악하샘과 경동맥 그리고 흉쇄유돌근이 이루는 삼각형지역 내에 경계가 분명한 낭성종괴가 보인다. 두꺼운 벽과(흰 화살표) 낭성종괴 내부에 에코 증가를(검은 화살표) 보이고 있어 감염이 동반되었음을 알 수 있다.

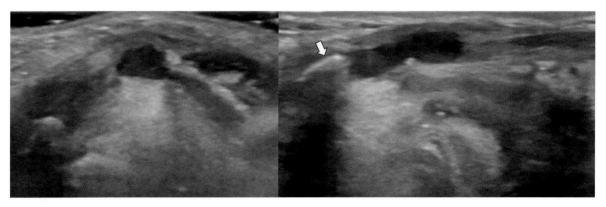

그림 3-27 갑상설관낭
4세 남아. 초음파 영상에서 전방 경부 정중앙에 경계가 분명한 단방성 낭성종괴가 보인다. 이 병변은 설골과(화살표) 인접하여 직하방에 위치하고 있다.

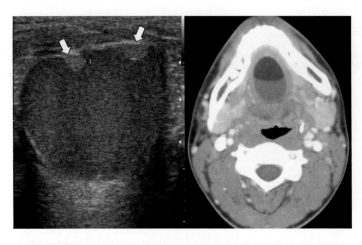

그림 3-28 유피낭종

15세 남아. 초음파 영상에서 구강저부 정중앙에 경계가 분명한 단방성 낭성종괴가 보인다. 종괴 내부의 에코는 비교적 균질하게 약간 증가되어 있으며, 높은 에코의 결절로 보이는 fat globule(화살표)들이 관찰된다.

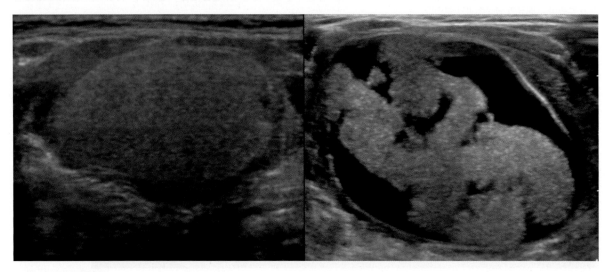

그림 3-29 유피낭종

16세 남자. 좌측 초음파 영상에서 구강저부 정중앙에 경계가 분명한 단방성 낭성종괴가 보인다. 4년 후 추적 초음파 영상(우측)에서 종괴 내부에 높은 에코의 융합된 fat globule들이 관찰된다.

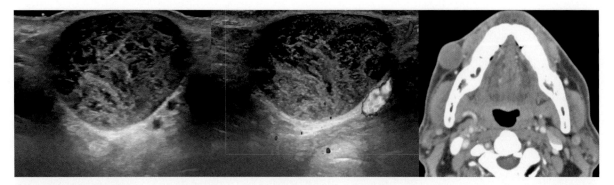

그림 3-30 표피모양낭종

55세 남자. 초음파 영상에서 우측 볼 부위의 피하 지방층에 경계가 명확하며 내부에 다양한 에코를 보이는 종괴가 관찰됨. 도플러검사에서 내부에 혈류는 관찰되지 않으며 종괴 후방으로 음향증강 소견이 보임.

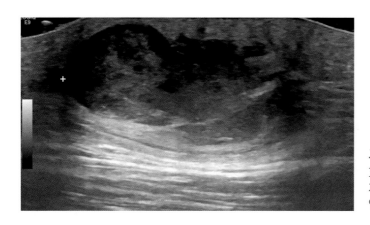

그림 3-31 파열 표피모양낭종
37세 여자. 초음파 영상에서 왼쪽 볼 부위에 일부에서 경계가 불분명한 비균질 에코의 종괴가 관찰됨. 병변 주위 연부조직의 부종이 동반되어 있음.

4) 혈관 기형

혈관 기형(vascular malformation)은 주로 피하층에 위치한다. 에코는 다낭성 병변(multicystic disease)과 비슷하게 보일 수 있기 때문에 종괴 내부로 들어가는 혈관 확인이 필요하다. 도플러 영상을 이용한 경우에는 종괴 내부의 션트(shunt)로 인해 높은 수축기 속도가 관찰될 수 있다. 정맥 기형인 경우에는 발살바법(Valsalva maneuver)를 할 경우 종괴의 부피 증가를 확인할 수도 있다. 혈관종은 비교적 명확한 경계와 내부는 비균질성 에코의 특징을 갖는다. 혈관 분포의 관찰은 어려울 수 있으나, 혈류의 흐름은 관찰될 수 있다. 검사자는 도플러 영상을 활용하여 가능한 종괴 내부의 혈관을 관찰하도록 한다(그림 3-32, 33).

5) 림프관 기형

림프관 기형(lymphatic malformation)은 낭성종양과 비슷하게 보이며 두경부에서 70~80% 정도를 차지하고 있다. 보통 초음파에서 저에코로 관찰되고, 격막이 존재할 경우에는 고에코로 관찰된다. 후방음향증강이 흔하게 보이지만 대체로 주변에 혈관들은 관찰되지 않는다. 인두곁공간(parapharyngeal space)에서 발생하는 림프관 기형을 조직학적으로 낭림프관종(cystic hygroma)으로 부르기도 한다(그림 3-34, 35).

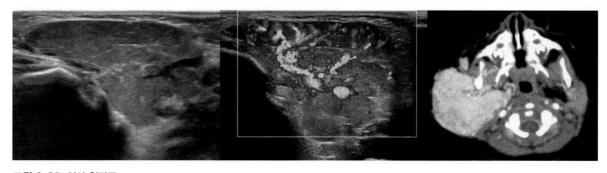

그림 3-32 영아 혈관종
생후 1개월 여아. 초음파 영상에서 우측 이하샘 부위에 주위 근육과 비슷한 에코를 보이는 연부조직 종괴가 관찰됨. 도플러 영상에서 종괴 내부에 저명한 혈류의 증가가 보임.

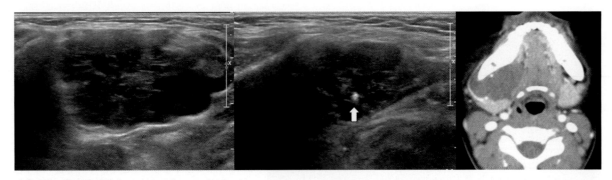

그림 3-33 정맥기형

3세 여아. 초음파 영상에서 우측 악하샘 부위에 다방성의 낭성부위를 포함하는 낮은 에코의 연부종괴가 관찰됨. 내부에 결절모양의 석회화가(phlebolith, 정맥석) 동반되어 있음.

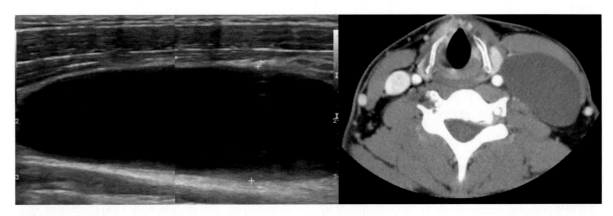

그림 3-34 낭림프관종

35세 남자. 왼쪽 목의 종괴에 대해 시행한 초음파 영상에서 단방성의 낭성 종괴가 관찰됨.

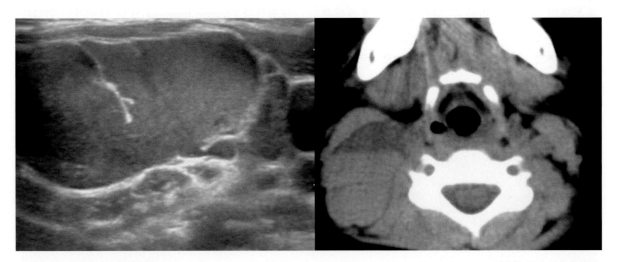

그림 3-35 출혈동반 낭림프관종

5세 여아. 우측 목의 종괴에 대해서 시행한 초음파 영상에서 내부에 격막을 동반한 낭성종괴가 관찰됨. 출혈에 의해 종괴 내부의 에코가 증가함.

6) 경부섬유종증

경부섬유종증(fibromatosis colli)은 생후 2주부터 2개월 사이에 사경(torticollis)이 있으면서 흉쇄유돌근의 하방 1/3지점 부위에서 종물이 촉지되어 발견된다. 초음파 소견으로는 정상측 흉쇄유돌근에 비해 고에코로 관찰되며, 병변 내부는 근섬유에 의한 에코형태가 유지된다(그림 3-36).

7) 신경성 종양

신경초종(schwannoma)은 신경집종(neurilem-moma)으로도 알려져 있고, 슈반 세포(schwann cell)에서 발생하는 양성종양이다. 두경부에서 25%정도의 발생하는 것으로 알려져 있다. 경부에서 발생하는 신경초종은 후두삼각에 위치하는 경우가 많으나 때때로 경부 영역에 존재하는 신경이 위치하는 부위에서 발견될 수 있다. 다양한 임상 증상과 비특이적인 영상 소견으로 진단이 어렵다. 초음파 소견으로는 경계가 명확한 방추형 모양의 저에코로 관찰되며, 내부가 물혹 양상으로 보일 수도 있다(그림 3-37).

신경성 종양(neurogenic tumor)의 일종으로써 천천히 자라는 부신경절종(paraganglioma)은 두경부

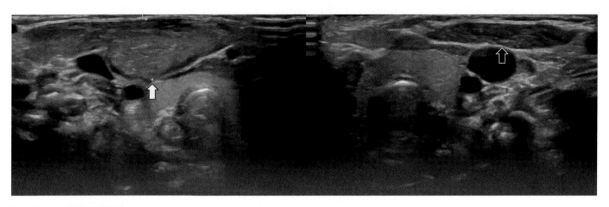

그림 3-36 경부섬유종증
생후 1개월 여아. 우측 흉쇄유돌근 하부 1/3 내부에 방추형 모양의 종괴(흰 화살표)가 관찰됨. 정상 좌측 흉쇄유돌근(검은 화살표)과 비교하여 고에코로 관찰되며, 병변 내부에 근섬유에 의한 에코패턴이 비교적 유지되고 있음.

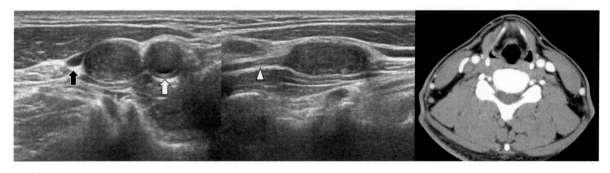

그림 3-37 미주신경 신경초종
45세 남자. 가로 초음파 영상에서 우측 경동맥(흰 화살표)과 내경정맥(검은 화살표) 사이를 벌리며 경동맥 공간(carotid space)에 위치하고 있는 난원형의 저에코 병변이 관찰됨. 세로 초음파 영상에서 이 병변과 직접 연결된 미주신경(화살표머리)이 보임.

에서 세 가지의 타입이 있다(Glomus vagale, carotid body tumor, and glomus jugulare). 이 중에서 glomus jugulare는 보통 초음파로 접근이 어렵다. 대부분의 부신경절종은 신체의 장축 방향으로 가동성이 없는 종괴로 관찰된다. 또한 양측성이 흔하기 때문에 일측 부신경절종이 확인되면 반대편도 반드시 확인이 필요하다. 초음파에서는 경계가 명확하고 원형 또는 타원형의 저에코 종괴로 관찰된다. 컬러 도플러 검사에서 풍부한 혈관 구조가 종괴 주변 및 내부로

까지 보여질 수 있다(그림 3-38).

8) 지방종

지방종(lipoma)은 지방 조직으로 구성된 양성종양으로, 목에서 흔하게 발견된다. 목에 발생하는 지방종은 무통의 움직임이 있고 비교적 경계가 명확한 부드러운 연부 종물로 임상적으로 진단될 수 있다. 하지만 지방종의 위치에 따라서 임상적으로 진단이

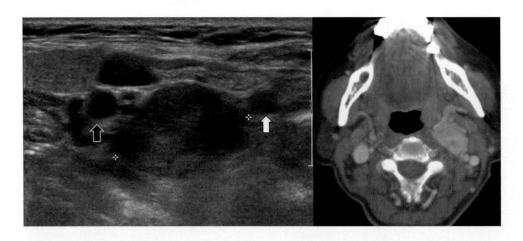

그림 3-38 경동맥체 부신경절종
72세 여자. 초음파 영상에서 내경동맥(흰 화살표)과 외경동맥(검은 화살표)을 벌리는 경계가 명확한 저에코의 연부조직 종괴가 관찰됨.

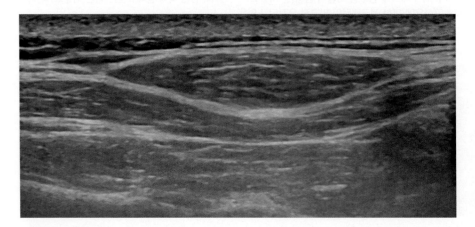

그림 3-39 지방종
56세 여자. 초음파 영상에서 피하 지방층에 피부표면과 평행한 경계가 좋은 타원형의 연부조직 종괴가 관찰됨. 종괴내부에 특징적으로 피부표면과 평행한 다수의 고에코 선들이 보임.

어려울 수 있다. 표피에 위치하는 지방종은 쉽게 촉지되지만, 심부에 위치한 지방종은 임상적으로 발견이 어려울 수 있다. 초음파에서는 피부 표면과 평행한 타원형의 모습을 하고 있으며, 내부 에코는 피하 지방과는 비슷하고 주위 근육보다는 상대적으로 고에코로 보여진다. 또한 내부에 선상 에코 라인이 포함되기도 한다. 지방종 주변의 혈류 공급은 약한 경우가 일반적이나 피막 근처에서 혈관들이 관찰되기도 한다. 위치에 따라서 악하샘 종양과 감별이 필요할 수 있다(그림 3-39).

4. 성대 검사를 위한 후두초음파

1) 서론

성대 마비(vocal cord palsy)는 갑상선 또는 부갑상선 수술 후에 발생하는 가장 중요한 합병증으로 환자에게 목소리 변화와 음식물 흡인 등의 고통스러운 증상을 유발할 수 있다. 성대 마비는 갑상선 또는 부갑상선 수술 중 되돌이후두신경의 손상으로 발생하는데, 그 빈도는 수술자와 검사방법에 따라 1.5~30.0%까지 다양하게 보고되었다. 이는 미국에서 갑상선 또는 부갑상선 수술 후 가장 흔한 법정 분쟁의 원인으로 지목되었으며, 그에 따라 미국갑상선학회는 2015년 갑상선암 진료 권고안에 되돌이후두신경 손상이 우려될 경우 갑상선 수술 전후에 성대 검사를 하도록 권고하였다(그림 3-40).

성대의 표준적인 검사방법은 후두경을 이용한 검사이다. 후두경은 비강으로 접근하는 굴곡성 후두경(flexible laryngoscope)과 구강으로 접근하는 경직성 후두경(rigid laryngoscope)으로 나뉜다(그림 3-41). 두 가지 방법 모두 성대의 움직임을 직접적으로 관찰하고 평가할 수 있다는 장점이 있기는 하나 동시에 환자에게 구역감과 기침 등의 불편감을 유발하는 단점도 있다.

이에 침습적인 후두경 검사를 대체하여 비침습적으로 성대의 움직임과 기능을 평가할 수 있는 새로운 기술인 후두초음파(laryngeal ultrasound, LUS)를 소개하고 현재까지의 연구 결과에 대해 논하고자 한다.

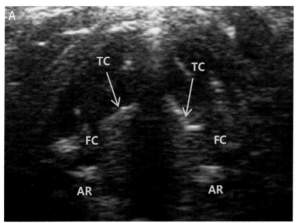

그림 3-40 A. 후두초음파로 관찰한 성대, B. 후두경으로 관찰한 성대
TC: 성대(true cord), FC: 거짓성대(false cord), AR: 모뿔(arytenoid)

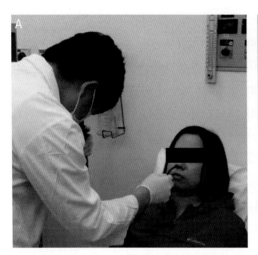
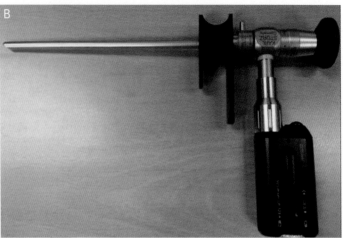

그림 3-41 A. 비강으로 접근하는 굴곡성 후두경, B. 구강으로 접근하는 경직성 후두경

2) 역사

연조직으로 둘러싸인 갑상선과 달리 성대는 갑상연골로 둘러싸여 있어 초음파로 관찰하기에는 다소 어려운 구조물이었다. 그러나 의료용 초음파 장비의 성능이 계속해서 발전하면서 성대의 움직임을 초음파로 관찰하려는 시도가 있었고 문헌 상 최초의 보고는 1992년 싱가포르의 Ooi가 발표한 6개의 증례가 초음파로 성대를 관찰한 최초의 보고라고 추정된다. 그 후에도 일부 외과 의사들과 영상의학과 의사들이 간헐적으로 초음파를 이용해서 성대의 움직임을 평가하려는 시도를 하였으나 본격적으로 후두초음파가 외과 의사들의 주목을 끈 것은 2014년 시카고에서 개최된 미국내분비외과학회(American Association of Endocrine Surgeons, AAES)였다. 당시 홍콩대학 Queen Mary Hospital 외과 의사인 Wong과 Lang 등이 204명의 환자에게 후두초음파와 후두경 검사를 서로 다른 외과 의사가 다른 방법의 성대검사 결과를 모른 채 실시한 후 결과를 비교하였고 93.3%의 민감도와 97.8%의 특이도를 보고하여 성대검사를 위한 선별검사로서 후두초음파의 가능성을 제시하였다.

그들은 그 학회에서 연구 결과를 보고하고 후두초음파 기술을 직접 시연해 보임으로써 당시 학회에 참석했던 전세계 여러외과 의사들에게 이 기술의 우수성을 알리고 활발한 후속연구를 독려하였다. 이듬해인 2014년 보스턴에서 열린 미국내분비외과학회에서 Wong과 Woo 등은 국제공동연구를 통해 후두초음파의 유용성을 다시 한번 입증함과 동시에 hands-on session 실습 교육을 통해 후두초음파가 초보자도 쉽게 학습 가능한 유용한 진단적 기술임을 보여 주었다. 이는 미국, 중국, 한국을 포함한 세계 곳곳에서 후두초음파 연구가 활성화되는 계기가 되었다. 2015년 내쉬빌에서 열린 미국내분비외과학회에서는 Woo와 Suh 등이 가측 접근 후두초음파(lateral approach LUS)를 발표하여 갑상연골의 후두융기(laryngeal prominence)가 돌출된 남성 환자에게도 후두초음파를 쉽게 시행할 수 있게 하였다. 최근에는 수술 전후의 성대검사라는 본래의 목적 외에도 소아의 성대결절의 진단에서도 비침습적인 후두초음파의 유용성이 입증되며 후두초음파의 영역이 더욱 폭 넓게 확장되는 중이다.

3) 후두초음파의 장점

후두초음파의 가장 큰 장점은 현재 표준 검사인 후두경 검사에 비해 검사의 준비 과정 및 기술 자체가 매우 단순하고 비용면에서도 우수하다는 점이다. 또한 환자의 입장에서도 불편감 없이 편하게 검사를 받을 수 있다.

갑상선 수술이나 부갑상선 수술을 받는 환자는 수술 전 반드시 갑상선/부갑상선 초음파검사를 받는다. 그러므로 초음파 기술은 내분비외과 의사에게 필수적인 기술이며 초음파 기계 또한 필수적인 장비이다. 필요에 따라 목 초음파를 시행하는 동안 후두초음파를 쉽게 병행할 수 있고 특히 수술 전후로 목소리 변화가 있어 성대의 기능 저하가 우려되는 환자에게는 바로 검사를 시행하여 선별 및 진단을 내릴 수 있는 우수한 기술이다. 이에 반해 후두경 검사는 심한 기침을 유발하므로 수술 직후에는 출혈의 위험이 있어 일반적으로 수술 후 출혈의 위험이 줄어든 다음에야 검사가 가능하다.

후두경 검사를 위해서는 후두경 및 모니터, 마취제, 살균 장비 등이 필요하다. 이에 비해 초음파는 기본적인 장비로 대부분의 내분비외과 의사들이 갖추고 있고 추가적인 준비가 필요 없기 때문에 비용적 측면에서도 우수하다. 또 주로 시행되는 굴곡성 후두경 검사는 후두경으로 코, 비인두 및 입인두를 통해서 성대를 보는 것인데 부분 마취를 하더라도 환자가 통증이나 구역질 반사로 인해 불편할 수 있고 지속적인 마취의 영향 때문에 후각과 미각이 영향을 받을 수도 있다. 이에 비해 후두초음파는 비침습적인 검사로서 환자들이 편하게 검사를 받을 수 있다.

이러한 여러 가지 장점을 고려해 봤을 때 후두초음파는 환자와 의사 모두에게 도움이 되는 기술이라 볼 수 있다.

4) 기술적 조언

후두초음파의 기본 요령은 갑상선 초음파 방법과 유사하다. 먼저 환자를 바로 누운 자세에서 목을 뒤로 젖히게 하고 검사를 시작한다. 앞서 설명한 바와 같이 성대는 갑상연골 안에 위치하기 때문에 초음파가 갑상연골을 투과하기 위해서는 일반적인 갑상선 초음파보다 약간 낮은 주파수의 탐색자를 사용하는 것이 유리하며 초음파 영상의 밝기를 조절하는 수신 강도도 상향 조정해야 한다(그림 3–42). 그리고 갑상연골의 후두융기가 돌출된 환자의 경우 탐색자와 피부 사이로 공기가 들어가지 않도록 일반적인 갑상선 초음파검사보다 많은 양의 젤을 필요로 한다. 후두초음파로 성대를 관찰할 때는 후두경으로 성대를 관찰할 때와 마찬가지로 성대의 3가지 지표를 확인해야 한다. 3가지 지표는 섬유성 조직인 성대(true cord, TC), 성대 양 옆의 막성 구조물인 거짓성대(false cord, FC), 그리고 후면에 3개의 연골 조각들로 이루어진 모뿔(arytenoid, AR)이다(그림 3–40). 초음파 탐색자를 흉골파임(sternal notch)에서부터 갑상선을 지나 위로(cephalic) 이동하면 모뿔, 성대, 거짓성대의 순서로 3개의 지표를 관찰할 수 있다. 가능하다면 3개의 지표를 모두 확인하는 것이 이상적이나 불가피한 경우에는 1개 이상의 지표만 확인해도 검사의 정확도에는 영향이 없다. 지표를 찾기 위해 우선 갑상연골 정면부터 서서히 윤상갑상연골 사이로 내려온다. 만약 지표가 잘 보이지 않으면 납작한 갑상연골 부위 가측/측면에서 초음파를 시행하면 도움이 된다(그림 3–43, 44).

후두초음파는 성대의 움직임을 평가하는 검사이므로 검사를 진행하는 동안 성대를 움직이게 해야 한다. 성대를 움직이게 하기 위해 후두경 검사와 마찬가지로 호흡, 발성, 그리고 발살바법의 3가지 동작을 환자에게 지시할 수 있다. 발성 시에는 윤상갑상근(cricothyroid muscle)의 수축으로 성대의 높이

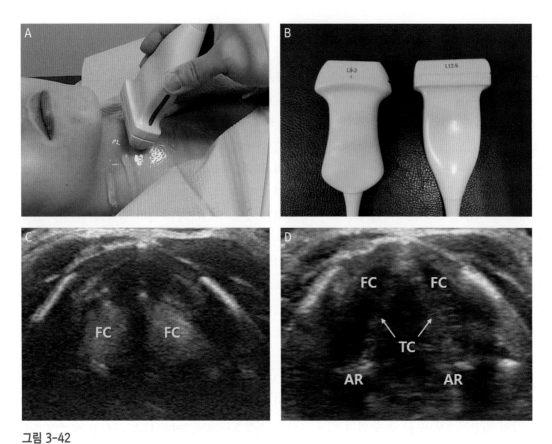

그림 3-42

A. 후두초음파

B. 경동맥 초음파에 사용하는 낮은 주파수(9-3 MHz)의 탐색자(좌측)와 갑상선 초음파에 사용하는 높은 주파수(12-5 MHz)의 탐색자(우측)

C. 높은 주파수(12-5 MHz)의 탐색자를 사용한 후두초음파. 거짓성대(false cord, FC)의 움직임만 관찰할 수 있다.

D. 낮은 주파수(9-3 MHz)의 탐색자를 사용한 후두초음파. 성대(true cord, TC)와 거짓성대(false cord, FC), 그리고 모뿔(arytenoid, AR)의 움직임을 모두 관찰할 수 있다.

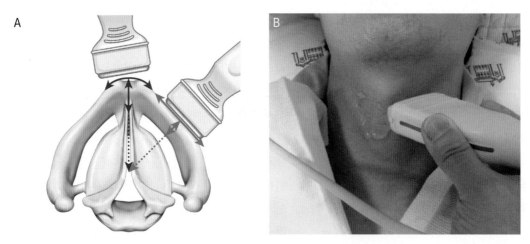

그림 3-43 가측 접근 후두초음파(lateral approach LUS)

보다 얇고 평평한 갑상연골을 초음파로 통과하여 성대의 움직임을 더 가까이서 관찰할 수 있다.

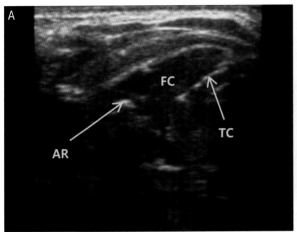
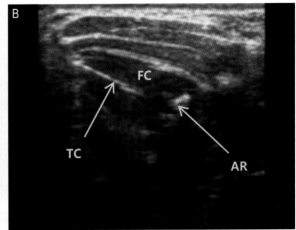

그림 3-44 가측 접근 후두초음파
A. 우측 성대와, B. 좌측 성대를 따로 관찰한 모습

가 변하므로 가능하면 저음/낮은 음으로 짧게 발성을 반복적으로 하는 것이 효과적이다. 초창기 후두초음파 연구에서는 주로 호흡을 환자에게 지시하여 성대의 움직임을 관찰하였으나 발살바법은 지시하면 성대가 높이 변화 없이 보다 광범위하게 움직이는 것을 관찰할 수 있으므로 후두초음파에서는 발살바법이 성대의 움직임을 가장 잘 평가할 수 있는 방법이다.

5) 방해 요소

이상 설명한 여러 가지 방법들을 동원하여도 후두초음파검사가 항상 성공적인 것은 아니다. 후두초음파는 연구자에 따라 다양한 시각화율(visualization rate) (77.0~95.3%)을 보이는데, Wong 등은 고령, 남성, 장신, 갑상연골에 가까운 절개창이 후두초음파에서 성대의 시각화를 방해하는 요소라고 보고한 바 있다.

이에 Woo와 Suh 등은 남자 환자의 두껍고 석회화된 갑상연골을 투과하여 성대를 초음파로 더 잘 관찰하기 위해 가측 접근 후두초음파를 고안하였다.

그리고 해당 연구에서 82명의 남자 환자를 대상으로 100% 시각화율을 보고하였고(그림 3-43, 44), 또한 초음파용 gel pad를 이용하여 시각화율을 89.9%에서 98.3%로 향상시키기도 하였다(그림 3-45).

후두초음파의 정확성에 대해서는 여러 연구에서 활발히 논의 중이다. 앞서 Wong과 Woo 등은 90.0% 이상의 민감도를 보고하여 선별검사로서의 가능성을 제시하였으나 Kandil 등은 수술 후의 후두초음파 검사에서 정상 체중 환자(BMI < 25)에서는 83.3%, 과체중 환자(BMI ≥ 25)에서는 47.6%의 민감도를 보고하여 성대검사를 위한 선별검사로서 후두초음파는 부적절하다고 보고하였다.

아시아와 북미 지역에서 후두초음파의 정확도가 큰 차이를 보이는 이유는 아직 명확하지 않다. 후두초음파를 시행하는 의사의 숙련도나 아시아와 북미 환자의 체형 차이 등의 이유일 수 있으나, 같은 북미에서 시행한 연구라도 미국내분비외과학회에서 직접 후두초음파를 교육받은 의사가 시행한 연구에서 상대적으로 높은 62.0~93.0%의 민감도를 보인 점을 감안한다면 후두초음파를 시행하는 의사의 숙련도가 중요한 요소임을 짐작할 수 있다. 보다 정확

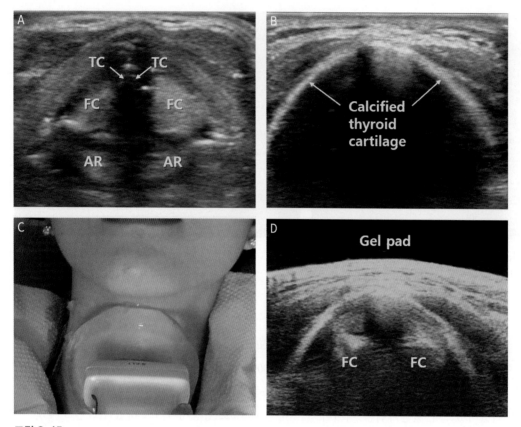

그림 3-45
A. 일반적인 후두초음파로 관찰한 정상적인 성대(TC: true cord, FC: false cord, AR: arytenoid)
B. 초음파 투과를 가로막는 갑상연골의 미만성 석회화. 일반적인 후두초음파로는 성대의 움직임을 전혀 관찰할 수 없음
C. Gel pad를 이용한 후두초음파
D. Gel pad 후두초음파로 관찰한 동일 환자의 성대. 증강된 초음파가 석회화된 갑상연골을 투과하여 거짓성대(false cord, FC)의 움직임을 포착한 모습

한 원인을 찾기 위해서는 다양한 인종에 대한 광범위한 후속 연구가 필요하다.

6) 후두초음파의 숙련

후두초음파는 기존에 초음파 교육을 받지 않은 외과 의사도 쉽게 배울 수 있다. Wong 등이 외과 수련의들에게 후두초음파를 교육하면서 관찰한 결과,

약 40번의 연습 후에는 정확하게 후두초음파를 시행할 수 있었다고 보고하였다.

최근에는 미국내분비외과학회와 대한외과초음파학회 등 여러 학회에서 후두초음파를 교육하고 있으며, 특히 미국 하버드 의대의 Brauner 등은 후두초음파 교육 내용을 동영상으로 공개하여 전세계 누구나 후두초음파 기술을 배울 수 있게 하였다.

7) 결론

후두초음파는 모든 환자에게서 후두경 검사를 완전히 대체할 수는 없다. 그러나 숙련된 의사가 잘 선택된 환자들에게 시행할 경우 많은 환자들에게 도움을 줄 수 있는 유용한 검사 방법이다. 특히 많은 갑상선, 부갑상선 수술 환자들이 수술 전후에 초음파검사를 받는 점을 고려한다면 초음파검사 시 후두초음파를 동시에 시행하여 비용과 시간을 절약할 수 있을 뿐 아니라 침습적인 검사로 인한 환자의 불편감을 줄여줄 수 있으리라 기대된다.

후두초음파는 아직까지 완벽하지는 않지만, 비교적 최근에 각광을 받는 비침습적 진단 기술로, 향후 추가적인 후속 연구와 초음파 기기의 발전을 통해 앞으로 더욱 발전이 기대되는 기술이다. 특히 환자에게 불편감을 유발하지 않는다는 장점으로 인해 많은 환자들이 거부감 없이 성대검사를 받을 수 있으므로 앞으로 추가적인 연구를 통해 더욱 향상된 후두초음파 기술의 최적화와 환자 선택의 기준 정립이 필요할 것으로 보인다.

·))) 참고문헌

1. Ahuja AT, King AD, Metreweli C. Second branchial cleft cysts: variability of sonographic appearances in adult cases. AJNR Am J Neuroradiol 2000;21:315-9.

2. American Institute of Ultrasound in Medicine. American institute of ultrasound in medicine AIUM practice guideline for the performance of a thyroid and parathyroid untrasound examination. J ultrasound med 2003;22(10):1126-30.

3. Benninger MS, Crumley RL, Ford CN, et al. Evaluation and treatment of the unilateral paralyzed vocal fold. Otolaryngol Head Neck Surg 1994;111:497-508.

4. Bialek EJ, Jakubowski W, Zajkowski P, et al. US of the major salivary glands: anatomy and spatial relationships, pathologic conditions, and pitfalls Radiographics 2006;26: 745-63.

5. Brauner E, Lang BHH, Wong KP, et al. Learning Laryngeal Ultrasound. J VideoEndocrinology. 2014

6. Brook I. Acute bacterial suppurative parotitis: microbiology and management. J Craniofac Surg 2003;14:37–40.

7. Carneiro-Pla D, Miller BS, Wilhelm SM, et al. Feasibility of surgeon-performed transcutaneous vocal cord ultrasonography in identifying vocal cord mobility: A multi-institutional experience. Surgery 2014;156:1597-602.

8. Chou CH, Yang TL, Wang CP. Ultrasonographic features of tuberculous cervical lymphadenitis. J Med Ultrasound 2014; 22:158–63.

9. Chung J, Kim EK, Lim H, et al. Optimal indication of thyroglobulin measurement in fine-needle aspiration for detecting lateral metastatic lymph nodes in patients with papillary thyroid carcinoma. Head Neck 2014;36:795–801.

10. Coste AH, Lofgren DH, Shermetaro C. Branchial Cleft Cyst. Treasure Island (FL): StatPearls; 2020.

11. Ellis GL, Auclair PL, Gnepp DR. Surgical pathology of the salivary glands. Philadelphia, Pa: Saunders; 1991.

12. Grani G, Fumarola A. Thyroglobulin in lymph node fineneedle aspiration wash-out: a systematic review and metaanalysis of diagnostic accuracy. J Clin Endocrinol Metab 2014;99:1970–82.

13. Gritzmann N, Hollerweger A, Macheiner P, et al. Sonography of soft tissue masses of the neck. J Clin Ultrasound 2002;30:356-73.

14. Gritzmann N, Rettenbacher T, Hollerweger A, et al. Sonography of the salivary glands. Eur Radiol 2003;13: 964–75.

15. Gritzmann N. Sonography of the neck: current potentials and limitations. Ultraschall Med 2005;26:185–96.

16. Grundfast KM, Harley E. Vocal cord paralysis. Otolaryngol Clin North Am 1989;22:569-97.

17. Haugen BR, Alexander EK, Bible KC, et al. 2015 American Thyroid Association management guidelines for adult patients with thyroid nodules and differentiated thyroid

cancer. Thyroid 2016;26:1–133.

18. Haugen BRM, Alexander EK, Bible KC, et al. 2015 American Thyroid Association Management Guidelines for Adult Patients with Thyroid Nodules and Differentiated Thyroid Cancer. Thyroid 2016 Jan;26(1):1-133.

19. Hay ID, Grant CS, van Heerden JA, et al. Papillary thyroid microcarcinoma: a study of 535 cases observed in a 50-year period. Surgery 1992;112:1139–46.

20. Hong YP. Epidemiology of tuberculosis on the basis of nation-wide tuberculosis prevalence surveys. J Korean Med Assoc 1991;34:468–76.

21. Inarejos Clemente E, Oyewumi M, Propst EJ, et al. Thyroglossal duct cysts in children: Sonographic features every radiologist should know and their histopathological correlation. Clin Imaging 2017;46:57-64.

22. Ito Y, Uruno T, Nakano K, et al. An observation trial without surgical treatment in patients with papillary microcarcinoma of the thyroid Thyroid 2003;13:381–7.

23. J. Seo, H. Shim, J. Park, et al. A clinical study of histiocytic necrotizing lymphadenitis (Kikuchi' disease) in children. Int J Pediatr Otorhinolaryngol 2008;72:1637-42.

24. Jatzko GR, Lisborg PH, Muller MG, et al. Recurrent nerve palsy after thyroid operations-principal nerve identification and a literature review. Surgery 1994;115:139-44.

25. Jin ZQ, He W, Wu DF, et al. Color Doppler Ultrasound in Diagnosis and Assessment of Carotid Body Tumors: Comparison with Computed Tomography Angiography. Ultrasound Med Biol 2016;42:2106-13.

26. Jung JH. Ultrasound evaluation for assessing non-thyroid neck masses. Journal of surgical ultrasound 2018;5:1-10.

27. Kandil E, Deniwar A, Noureldine SI, et al. Assessment of Vocal Fold Function Using Transcutaneous Laryngeal Ultrasonography and Flexible Laryngoscopy. JAMA Otolaryngol Head Neck Surg; 2016;142(1):74-8.

28. Knox J, Lane G, Wong JS, et al. Diagnosis of tuberculous lymphadenitis using fine needle aspiration biopsy. Intern Med J 2012;42:1029–36.

29. Kumar V, Cotran RS, Robbins SL. Disorders of the immune system. In: Basic pathology. 6th ed. Philadelphia, Pa: Saunders; 1997.

30. Kwon SY, Kim TK, Kim YS, et al. CT findings in Kikuchi disease: analysis of 96 cases AJNR Am J Neuroradiol 2004; 25:1099-102.

31. Leboulleux S, Girard E, Rose M, et al. Ultrasound criteria of malignancy for cervical lymph nodes in patients followed up for differentiated thyroid cancer. J Clin Endocrinol Metab 2007;92:3590–4.

32. Leenhardt L, Erdogan MF, Hegedus L, et al. 2013 European Thyroid Association guidelines for cervical ultrasound scan and ultrasound-guided techniques in the postoperative management of patients with thyroid cancer. Eur Thyroid J 2013;2:147–59.

33. Lo CY, Kwok KF, Yuen PW. A prospective evaluation of recurrent laryngeal nerve paralysis during thyroidectomy. Arch Surg 2000;135:204-7.

34. Lustmann J, Regev E, Melamed Y. Sialolithiasis: a survey on 245 patients and a review of the literature. Int J Oral Maxillofac Surg 1990;19:135–8.

35. M. Kikuchi. Lymphadenitis showing focal reticulum cell hyperplasia with nuclear debris and phagocytosis. Nippon Ketsueki Kakkai Zasshi 1972;35:379-80.

36. Madani G, Beale T. Tumors of the salivary glands. Semin Ultrasound CT MR 2006;27:452-64.

37. McAllister KA, MacGregor FB. Diagnosis of tuberculosis in the head and neck. J Laryngol Otol 2011;125:603–7.

38. Ongkasuwan J, Devore D, Hollas S, et al. Laryngeal ultrasound and pediatric vocal fold nodules. Laryngoscope 2017;127:676-8.

39. Ooi LL. B-mode real-time ultrasound assessment of vocal cord function in recurrent laryngeal nerve palsy. Ann Acad Med Singapore 1992;21:214-6.

40. Reede DL, Som SP. Head and neck imaging. 2nd ed. St Louis: Mosby Year Book; 1991.

41. Renehan A, Gleave EN, Hancock BD, et al. Long-term follow-up of over 1000 patients with salivary gland tumours treated in a single centre. Br J Surg 1996;83:1750–4.

42. Rosenthal LH, Benninger MS, Deeb RH. Vocal fold immobility: a longitudinal analysis of etiology over 20 years. Laryngoscope 2007;117:1864-70.

43. Sikorowa L, Meyza JW, Ackerman LW. Salivary gland tumors. New York, NY: Pergamon; 1982.

44. Silvers AR, Som PM. Salivary glands. Radiol Clin North

Am 1998;36:941-66

45. Snozek CL, Chambers EP, Reading CC, et al. Serum thyroglobulin, high-resolution ultrasound and lymph node thyroglobulin in diagnosis of differentiated thyroid carcinoma nodal metastases. J Clin Endocrinol Metab 2007; 92:4278–81.

46. Som PM, Curtin HD, Mancuso AA. Imaging-based nodal classification for evaluation of neck metastatic adenopathy. AJR Am J Roentgenol 2000;174:837-44.

47. Steinkamp HJ, Cornehl M, Hosten N, et al. Cervical lymphadenopathy: ratio of long- to short axis diameter as a predictor of malignancy. Br J Radiol 1995;68:266–70.

48. T. Tong, O. Chan, K. Lee. Diagnosing Kikuchi disease on fine needle aspiration biopsy: a retrospective study of 44 cases diagnosed by cytology and 8 by histopathology. Acta Cytol 2001;45:953-7.

49. Traxler M, Schurawitzki H, Ulm C, et al. Sonography of nonneoplastic disorders of the salivary glands. Int J Oral Maxillofac Surg 1992;21:360-3.

50. Welkoborsky HJ, Jecker P. Sonography of soft tissue masses of the neck. New York: Springer; 2019.

51. Wong KP, Lang BH, Chang YK, et al. Assessing the Validity of Transcutaneous Laryngeal Ultrasonography (TLUSG) After Thyroidectomy: What Factors Matter? Ann Surg Oncol 2015;22:1774-80.

52. Wong KP, Lang BH, Lam S, et al. Determining the Learning Curve of Transcutaneous Laryngeal Ultrasound in Vocal Cord Assessment by CUSUM Analysis of Eight Surgical Residents: When to Abandon Laryngoscopy. World J Surg 2016;40(3):659-64.

53. Wong KP, Lang BH, Ng SH, et al. A prospective, assessor-blind evaluation of surgeon-performed transcutaneous laryngeal ultrasonography in vocal cord examination before and after thyroidectomy. Surgery 2013;154:1158-64.

54. Wong KP, Woo JW, Li JY, et al. Using Transcutaneous Laryngeal Ultrasonography (TLUSG) to Assess Post thyroidectomy Patie nts' Vocal Cords: Which Maneuver Best Optimizes Visualization and Assessment Accuracy? World J Surg 2016;40:652-8.

55. Wong KP, Woo JW, Youn YK, et al. The importance of sonographic landmarks by transcutaneous laryngeal ultrasonography in post-thyroidectomy vocal cord assessment. Surgery 2014;156:1590-6.

56. Woo JW, Kim SK, Park I, et al. A Novel Gel Pad Laryngeal Ultrasound for Vocal Cord Evaluation. Thyroid 2017;27: 553-7.

57. Woo JW, Park I, Choe JH, et al. Comparison of ultrasound frequency in laryngeal ultrasound for vocal cord evaluation. Surgery 2017;161:1108-12.

58. Woo JW, Suh H, Song RY, et al. A novel lateral-approach laryngeal ultrasonography for vocal cord evaluation. Surgery 2016;159:52-7.

59. Woo JW. Laryngeal Ultrasound for Vocal Cord Evaluation, J Surg Ultrasound 2016;3:13-6.

60. Yeow KM, Hao SP, Liao CT. US-guided percutaneous catheter drainage of parotid abscesses. J Vasc Interv Radiol 2000;11:473-6.

61. Ying M, Ahjua A, Brook F, et al. Nodal shape (S/L) and its combination with size for assessment of cervical lymphadenopathy: which cut-off should be used? Ultrasound Med Biol 1999;25:1169-75.

62. Ying M, Ahuja AT, Evans R, et al. Cervical lymphadenopathy: sonographic differentiation between tuberculous nodes and nodal metastases from non-head and neck carcinomas. J Clin Ultrasound 1998;26:383–9.

63. Ying M, Lee YY, Wong KT, et al. Ultrasonography of neck lymph nodes in children. Hong Kong J Paediatr 2009;14: 29–36.

64. Yoo JL, Suh SI, Lee YH, et al. Gray scale and power Doppler study of biopsy-proven Kikuchi disease J Ultrasound Med 2011;30:957-63.

65. Zengel P, Schrotzlmair F, Reichel C, et al. Sonography: the leading diagnostic tool for diseases of the salivary glands. Semin Ultrasound CT MR 2013;34:196–203.

66. Zenk J, Constantinidis J, Kydles S, et al. Clinical and diagnostic findings of sialolithiasis [in German]. HNO 1999;47:963-9.

유방 초음파
Breast ultrasound

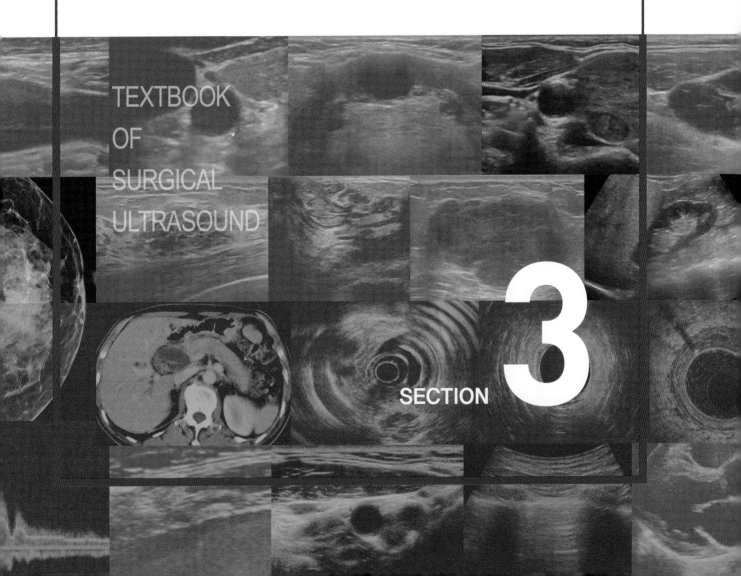

TEXTBOOK
OF
SURGICAL
ULTRASOUND

SECTION **3**

SECTION 3. 집필진

유방 초음파의 개요

1. 정상 해부학

성인의 유방은 흉부의 앞쪽 표면에 위치하고, 흉골연(parasternal)과 중간겨드랑선(middle axillary line) 사이에 있으며, 세로로 두 번째 늑골과 여섯 번째 늑골 사이의 흉벽에 고정되어 있고, 직경은 12~15 cm 정도이다. 유방의 크기와 모양은 다양하며, 대개 나이가 들면서 변한다. 유두는 유방의 중앙, 중간쇄골선(middle clavicular line)에 위치하고 근육 조직과 상피 조직으로 이루어져 있으며, 여러 땀샘을 가진 색소 침착 피부 부위인 유륜(areola)으로 둘러싸여 있다.

유방은 외배엽 조직에서 발생한 변형된 피부 부속 기관으로 발생학적으로 에크린땀샘(외분비땀샘, eccrine sweat gland)에서 기원하는 것으로 볼 수 있지만, 기능적으로는 유즙을 생산한다는 점에서 일종 의 변형된 아포크린샘(부분분비샘, apocrine gland)으로 볼 수 있다. 유방의 발생 과정을 살펴보면 겨드랑이에서 서혜부에 이르는 유선(milk line) 안에 유방능선(mammary ridge)이 나타났다가 네 번째 늑간 공간에 해당하는 부위 한 쌍을 제외한 다른 부위는 퇴화된다. 간혹 이러한 유방능선이 완전히 없어지지 않고 유선 조직이 남게 되어 부유방(accessory breast)이나 부유두(accessory nipple)의 형태를 보이기도 한다. 여성의 경우 출생 후부터 사춘기까지 유선의 발달은 멈춰 있다가 사춘기가 되면 호르몬의 영향으로 본격적으로 발달하게 되지만, 남성은 평생 발달이 멈춰있어야 한다. 그러나, 여러 원인으로 유선이 발달하는 여성형유방(gynecomastia)이 발생하기도 한다.

유방은 지방조직(fat tissue), 유선조직(glandular tissue) 또는 실질(parenchyma), 결합조직(connective tissue)으로 이루어져 있다. 유선조직은 전흉벽의 표재근막(superficial fascia)과 심부근막(deep fascia) 사이의 지방조직 내에 위치하며, 크기는 나이와 체형에 따라 다르다. 간혹 유선조직이 겨드랑이 쪽으로 뻗어 있는데 이 부위를 '스펜스 꼬리(tail of Spence)'라고 부르며, 이 부위는 임신, 수유 시 유방과 함께 발달하기도 하고 부유두를 갖춘 부유방의 형태로 나타나기도 한다. 지방조직은 지방엽(fatty lobe)으로도 관찰될 수 있는데, 지방엽은 유선조직과 함께 결합조직 섬유로 둘러싸여 있다. 유방을 덮고 있는 피부는 결합조직으로 이루어진 쿠퍼인대(Cooper ligament)로 연결되어 있고, 쿠퍼인대는 유방의 모양을 유지하는 골격이 된다. 유방 내에 종괴가 발생하여 쿠퍼인대를 침범하는 경우는 연결된 피부가 잡아 당겨져 피부의 함몰을 유발하기도 한다.

결합조직은 또한 유선과 유관의 벽 사이의 섬유조직에도 분포한다. 퇴화와 함께 나이가 들면서 쿠퍼인대는 더욱 조밀해지고 지방조직을 둘러싸게 되어 지방엽을 형성하게 된다. 유방의 뒤쪽으로 흉부의 앞쪽, 위쪽을 광범위하게 덮고 있는 큰 부채꼴 모양의 근육인 대흉근(pectoralis major muscle)이 있고, 유방과 대흉근 사이에는 림프관과 혈관이 출입하는 느슨한 결합조직으로 이루어진 유방뒤공간 (retromammary space)이 있다(그림 1-1).

유방실질은 꽈리-관 복합체(alveolar-tubular complex)가 소엽(lobule)과 엽(lobe)을 형성하고 유두를 기준으로 방사상으로 분포하는 경향을 보인다. 종말유관소엽단위(terminal duct lobular unit)는 모유

를 생성하는 유방의 기본 기능 단위로, 임신-수유기에 발달하고 수유가 끝나면 위축된다.

유두유륜복합체는 외배엽에서 기원한 것으로 땀샘, 피지샘(sebaceous gland)과 몽고메리결절 (Montgomery tubercle)을 포함하고 있으며, 사춘기에 이르러 멜라닌 색소가 침착되어 완전한 모습을 갖추게 되고, 임신-수유기에는 호르몬의 영향으로 유륜부가 넓어지고 색소 침착이 증가한다. 유두에는 원형민무늬근육(circular nonstriated smooth muscle)과 여러 개의 감각신경 종말이 분포되어 있어 수유를 할 때 기능적으로 중요한 역할을 한다.

유방은 풍부한 혈액 공급을 받는데, 주로 쇄골하동맥에서 분지된 내흉동맥(internal mammary artery)과 외흉동맥(lateral thoracic artery)을 통해 이루어진다. 내흉동맥을 통한 혈액 공급이 약 60% 정도이고, 주로 유방의 내측과 유두를 포함한 중심부에 공급된다. 외흉동맥은 약 30% 정도의 혈액을 주로 유방의 외측에 공급한다. 이외에도 흉견봉

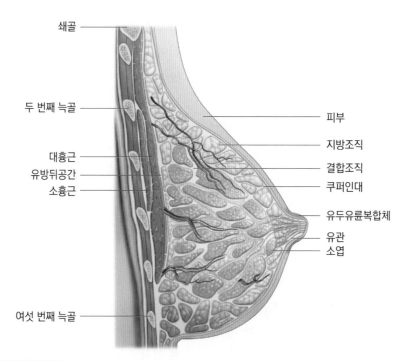

쇄골

두 번째 늑골

대흉근
유방뒤공간
소흉근

여섯 번째 늑골

피부

지방조직

결합조직

쿠퍼인대

유두유륜복합체

유관
소엽

그림 1-1 성인 유방의 해부학적 구조

동맥(thoracoacromial artery)의 흉근 분지(pectoral branch), 제3-5 늑간동맥(intercostal artery), 견갑하동맥(subscapular artery)의 외측 분지, 흉배동맥(thoracodorsal artery) 등도 유방에 일부 혈액을 공급한다. 정맥은 주로 내흉정맥(internal thoracic vein)의 관통분지, 후늑간정맥(posterior intercostal vein)의 관통분지, 액와정맥의 지류 등을 통해 액와정맥(axillary vein)으로 유입된다.

유방의 림프계는 피부, 유두, 유관의 림프가 배액되는 겨드랑림프절과 흉근과 늑간근을 관통하여 배액되는 심부 유방 림프로 구성된다. 겨드랑이의 느슨한 지방조직 내에 정상적으로 많은 수의 림프절이 존재하는데, 해부학적 위치에 따라 쇄골하그룹(subclavicular group), 액와정맥그룹(axillary vein group), 견갑골그룹(scapular group), 중심그룹(central group), 외측유방그룹(external mammary group)으로 나눈다. 다른 분류 방법으로 소흉근을

기준으로 세 그룹으로 나누는 것도 있는데, TNM 병기 분류와 수술 시 림프절의 절제 범위를 나타내는 데 유용하다. 레벨 I 림프절은 소흉근의 바깥쪽, 레벨 II 림프절은 소흉근 바로 아래, 레벨 III 림프절은 소흉근의 안쪽에 있는 림프절 그룹을 지칭한다.

또한 유방 내에 존재하는 림프절을 유방내림프절(intramammary node)이라 지칭한다. 이와 별도로 흉골의 외연을 따라 늑간 공간에 위치하는 내유림프절(internal mammary node)과 로터 림프절(Rotter's node)이라 불리는 대흉근과 소흉근 사이에 위치하는 흉근간림프절(interpectoral node)도 중요한 림프절이다(그림 1-2). 겨드랑이의 꼭짓점은 늑쇄골인대(costoclavicular ligament)로서 할스테드 인대(Halsted's ligament)라고도 부르며, 이 부위가 액와정맥이 흉곽 안으로 진입하면서 쇄골하정맥(subclavian vein)이 되는 지점이다.

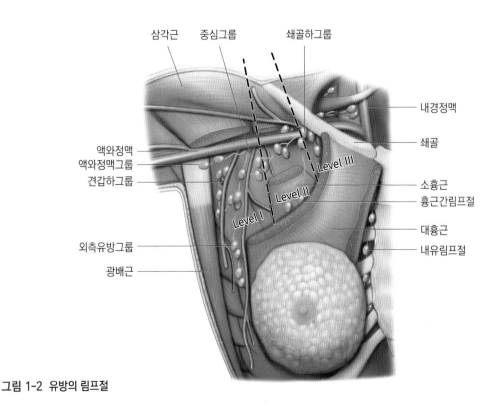

그림 1-2 유방의 림프절

2. 검사 방법 및 정상 초음파 소견

1) 검사 방법

(1) 환자 자세

환자의 자세는 유방의 상외측 조직을 평평하게 하기 위해 앙와위에서 양팔을 머리 위로 올린 상태로 한다. 또한, 검사하고자 하는 부위에 따라 베개나 수건 등을 이용하여 약간 비스듬한 자세를 취하는 것도 도움이 된다. 유방이 크고 처진 환자의 경우 위쪽을 검사할 때 앉은 자세에서 하는 경우도 있지만, 유방이 자유로이 움직이고 부피가 커져 정확한 검사가 이루어지기 어렵다. 유방 검사는 환자에게 매우 예민한 검사이므로 검사자는 최대한의 예의를 갖추고 불필요한 언행이나 행동을 삼가고, 검사를 하지 않는 반대쪽 유방은 수건 등으로 가려주는 것이 좋다. 초음파검사의 원칙은 유방 조직은 모두 포함하여 검사하되, 특히 환자가 불편을 호소하는 곳이나 유방촬영술에서 이상이 있는 부위는 더 집중적으로 검사한다.

(2) 장비

유방 초음파는 고해상도의 실시간 유방 초음파 장비로 시행되어야 하며 시술자에 대한 의존성이 크기 때문에 꼼꼼하게 이루어져야 한다. 선형 탐색자를 이용하며, 주파수가 10 MHz 또는 그 이상인 탐색자를 사용하며 보통 12 MHz 탐색자를 가장 많이 선호한다. 하지만 유방의 크기가 작거나(유방 두께가 3 cm 미만) 또는 유방 병변이 표면에 있는 경우 17 MHz 탐색자를 사용할 수 있다. 결국, 주파수는 병변의 크기와 깊이에 따라 적절하게 선택되어야 하며, 병변에 도달되는 깊이까지 투과할 수 있는 가장 높은 것을 사용해야 한다. 초음파 빔이 유방 조직으로 침투할 때 감쇠를 보상하기 위해 피부와 다른 깊이에서 이미지 밝기를 조정하는 시간게인보정(time gain compensation, TGC)은 수동으로 설정하거나 적절한 장비를 사용하여 실시간 스캔 중에 자동으로 조정할 수 있으며, 초점 영역 설정과 함께 최적화해야 한다. 세기는 가능한 낮게 유지하여 빔이 흉벽을 바로 통과하도록 한다. 세기와 게인을 너무 높게 조절하면 단순 낭종 내에 인공 에코가 발생해 고형 종괴처럼 보일 수 있으므로 주의해야 한다. 일반적으로 초음파에서는 조직의 음속도(speed of sound)가 1,540 m/sec로 설정되어 있다. 보통 유방은 지방 조직으로 이루어져 있고, 지방 조직의 음속도는 약 1,430~1,470 m/sec이므로 설정된 표준보다 느리다. 이런 경우 조직의 음속도 설정을 변경하면 해상도를 향상시킬 수 있고, 이러한 설정은 최신 장비에서 조절 가능하다.

(3) 탐색자 조작

정확한 검사를 위해서는 초음파 장비, 검사자, 환자 등의 위치 선정이 중요하다. 초음파는 보통 환자의 오른쪽에 두고, 오른손잡이 검사자는 오른손으로 스캔을, 왼손으로는 기계를 조작한다. 영상 유도 시술 시에는 초음파를 시술하려는 쪽의 반대편에 둔다. 탐색자의 윗부분을 잡으면 탐색자가 기울어지기 쉽고 초음파 빔이 몸에 수직으로 들어가지 않기 때문에 안정적으로 탐색자 아래부분을 잡는다. 따뜻한 젤을 적당량 유방에 바른 뒤 탐색자 면을 피부와 수직으로 맞춰야 한다. 탐색자와 피부 사이의 접촉을 유지하기 위해 지속적으로 부드러운 압력을 가해야 한다. 유두유륜복합체 주변의 경우 유륜의 주름 때문에 접촉을 유지하기 어려울 수 있는데, 젤을 충분하게 사용하면 이 문제를 해결할 수 있다. 탐색자로 균일한 압력을 가하면 반사와 굴절이 감쇠되어 영상이 조금 더 보완된다. 특히 유륜 하 영역의 경우, 필요할 경우에는 탐색자로 압력을 좀더 가해 조직의 투과를 높일 수 있다.

(4) 스캐닝 방법

유방 초음파검사 시에는 병변이 빠지지 않도록 유방을 스캔하는 것이 중요하다. 여러 문헌에서 수많은 스캐닝 방법들이 보고된 바에 의하면 크게 가로 스캔과 세로 스캔을 포함한 격자 스캔과 방사 스캔으로 나눌 수 있다(그림 1-3). 가로 스캔은 단층상에서 탐색자를 내측에서 외측으로, 또는 그 반대 방향으로 이동하면서 유방 내부를 탐색하며, 세로 스캔은 탐색자를 위에서 아래로, 또는 아래에서 위로 이동하면서 유방 전체를 탐색한다. 방사 스캔은 유선과 선엽의 주행을 고려한 조작법으로 시계방향으로 진행하며 유두를 탐색자의 축으로 사용한다. 각 사분면에 대한 검사는 유두에서 유방 주변부위까지 한다. 방사 스캔 유방 검사 시 일반적으로 요구되는 스캔 이미지의 수는 환자 개개인의 유방 조직의 부피에 달려 있으며, 특히 12, 3, 6, 9시 방향에서 스캐닝 영역을 적절하게 겹치게 하는 것이 중요하다.

최근 연구 결과 격자 스캔과 방사 스캔의 정확성에 대한 차이는 없으며, 방사 스캔이 격자 스캔에 비해 검사 시간이 짧은 것으로 나타났다. 유륜 하 영역은 스캐닝 시에 발생하는 조밀한 그림자로 하방 구조가 흐리게 보이기 때문에 검사하기 어려운 경우가 많다. 유두 후방 조직을 평가할 때는 탐색자를 비스듬한 각도로 기울여야 가장 좋은 결과를 얻을 수 있는데, 이때 반대편 손의 검지로 탐색자와 유두의 반대편으로부터 조직에 압력을 가해 누르면 더 잘 볼 수 있다. 다른 방법으로는 반대편 손을 유방의 측면에 두고 안쪽으로 밀면서 압력을 가해 유두를 관찰하는 것이다. 이렇게 하면 탐색자가 유두 쪽으로 움직이면서 더 좋은 결과를 얻을 수 있다. 정확한 검사를 위해서는 가로 스캔, 방사 스캔, 유륜의 접선 스캔 등을 포함한 표준 스캐닝 프로토콜을 권고한다. 유방 초음파검사 시 겨드랑림프절도 포함해야 하며, 특히 악성종양이 진단되거나 의심되는 경우는 더욱 철저히 검사해야 한다.

2) 정상 초음파 소견

유방은 초음파 영상에서 앞쪽부터 피부, 피하지방층, 유선조직층, 유방뒤지방층, 대흉근의 순서로 보인다(그림 1-4). 유방 초음파에서는 지방의 에코를 기준으로 병변의 에코가 지방보다 낮으면 저에코, 지방과 같으면 동일에코, 지방보다 높으면 고에코라고 한다. 또한 유방의 전반적인 에코는 나이에 따라 달라지는데 20~30대 여성은 좀 더 에코가 높

A

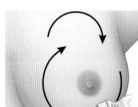

B

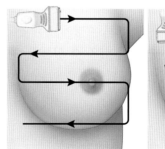
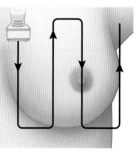

그림 1-3 초음파 스캐닝 방법
A. 방사 스캔, B. 격자 스캔

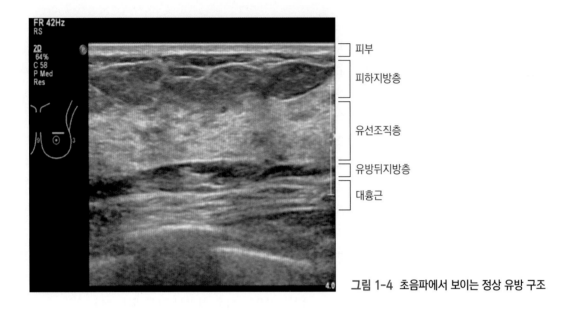

피부

피하지방층

유선조직층

유방뒤지방층

대흉근

그림 1-4 초음파에서 보이는 정상 유방 구조

으며, 40~50대 여성의 경우 지방으로 대체되면서 에코가 낮아진다. 그러나 같은 나이대이더라도 환자의 영양상태나 호르몬 복용 등으로 차이가 있을 수 있다.

(1) 피부(skin)

피부는 0.5~2 mm 두께의 매우 에코가 높은 구조로 두 줄의 고에코 경계면으로 보인다. 첫 번째 고에코 선은 탐색자와 피부 계면에서 두 번째 고에코 선은 진피와 피하지방층 계면에서 발생하며 흉터, 감염, 방사선치료 등으로 피부 두께가 증가할 때 두 고에코 경계면 간의 거리가 증가한다. 유두 아래에는 결합조직이 풍부하므로 후방에 감쇄현상 (posterior acoustic shadowing)이 있을 수 있는데, 적당한 압박과 각도 조절로 감쇄의 정도를 약하게 하거나 피할 수 있다.

(2) 피하지방층(subcutaneous fat layer)

피하지방층은 지방으로 구성되어 있으며 두께는 개인에 따라 다양하지만 동일에코의 지방 소엽들과

고에코의 곡선 구조물인 쿠퍼인대로 구성된 비교적 일정한 초음파 소견을 보인다. 보통 에코가 낮으며 사이사이에 유방의 지지조직인 쿠퍼인대가 고에코로 관찰된다. 초음파검사에서 피하지방층 내에 보이는 병변으로는 표피낭, 지방종, 혈관종 등이 있을 수 있다.

(3) 유선조직층(mammary glandular layer)

유방의 기능적인 구조를 포함하는 영역으로 유방의 소엽과 유관, 결합조직, 지방 등으로 구성된다. 유선조직층은 앞 뒤로 표재근막으로 싸여 있으며, 앞의 피하지방층과는 표재층 표재근막, 뒤의 유방뒤지방층과는 심층 표재근막으로 구별된다. 초음파 영상은 지방과 결합조직의 양에 따라 다르게 보이는데, 치밀한 유방의 경우 고에코이며 적당히 압박을 해야 좋은 영상을 얻을 수 있다. 반면 지방이 많은 경우 유방 조직 사이사이의 지방 조직이 유방 종괴로 오인되는 경우도 있으므로 여러 방향에서 영상을 얻어 모양이 달라지는지를 잘 관찰하여야 한다.

(4) 유방뒤지방층(retromammary fat layer) 및 대흉근

유방뒤지방층은 유방 조직과 대흉근 사이에 위치하며, 초음파검사 시 압박되기 때문에 다른 검사에서보다 얇게 보이며 바로 뒤에는 대흉근이 있다. 대흉근은 고에코와 저에코의 다수의 선상 구조로 이루어져 있다. 때때로 내측에 위치하는 늑골이 종단면에서 종괴로 오인되는 경우가 있으나 이는 대흉근 뒤에 위치한다는 점과 횡단면에서 모양이 달라지는 것으로 쉽게 구별할 수 있다.

·⑴〉 참고문헌

1. 한국유방암학회. 유방학. 제4판. 서울: 바이오메디북; 2017.

2. Berg WA, Blume JD, Cormack JB, et al. Training the ACRIN 6666 Investigators and effects of feedback on breast ultrasound interpretive performance and agreement in BI-RADS ultrasound feature analysis. AJR Am J Roentgenol 2012;199:224–5.

3. Goss SA, Johnston RL, Dunn F. Comprehensive compilation of empirical ultrasonic properties of mammalian tissues. J Acoust Soc Am 1978;64:423–57.

4. Harris JR, Lippman ME, Morrow M, et al. Disease of the Breast. 5th ed. Philadelphia: Wolters Kluwer Health; 2014.

5. Jäggi-Wickes C, Brasier-Lutz P, Schaedelin S, et al. Comparison of radial and meander-like breast ultrasound with respect to diagnostic accuracy and examination time. Arch Gynecol Obstet 2020;301:1533–41.

6. Kremkau FW. Sonography principles and instruments. 8th ed. St Louis, Mo: ElsevierSaunders; 2011.

7. Netter FH. Atlas of human anatomy. 4th ed. Philadelphia: Saunders; 2006.

8. Sencha AN, Evseeva EV, Mogutov MS, et al. Breast Ultrasound. New York: Springer; 2013.

유방 병변의 초음파

1. BI-RADS 분류법

유방영상 보고와 자료체계(Breast Imaging Repor-ting and Data System, BI-RADS)는 판독의 표준화와 의뢰자 및 검사자 간의 원활한 의사소통을 위해 미국 영상의학 전문의학회(American College of Radiology, ACR)에서 개발한 것으로, 유방 영상검사의 판독에 널리 사용되고 있다. BI-RADS는 2013년 제5판까지 출판되었으며, 유방촬영술, 초음파, 자기공명영상 항목으로 구성되어 있다. 제5판 유방 초음파 BI-RADS에서의 중요한 변화는 동반소견 항목에 조직탄성평가(elastography)가 추가되었고, 종괴(mass) 항목 중 경계면(boundary)은 삭제되며 주위조직(surrounding tissue)은 동반 소견(associated features)에 포함되었고, 특이증례에 단순낭종, 혈관이상, 수술 후 액체저류와 지방괴사가 추가된 것 등이다(표 2-1).

1) BI-RADS 용어(lexicon)

(1) 조직구성(tissue composition)

유선조직의 구성은 개인마다 다르게 나타나며,

배경에코에 따라 병변의 발견이나 위양성 병변의 보고에 차이가 생길 수 있다. BI-RADS에서는 유방의 조직구성을 균질 배경에코-지방(homogeneous background echotexture-fat), 균질 배경에코-섬유유선(homogeneous background echotexture-fibroglandular), 비균질 배경에코(heterogeneous background echotexture)로 분류하며, 검진 목적의 초음파검사에서만 기술하도록 되어 있다.

(2) 종괴

종괴의 정의는 초음파에서 두 방향 모두에서 경계가 그려지는 병변으로, 종괴는 모양, 방향, 경계, 에코양상, 후방특성(posterior features)에 대해 BI-RADS 용어를 사용하여 기술한다.

종괴의 모양(shape)은 타원형(oval), 원형(round), 불규칙형(irregular)의 세 가지가 있다. 2~3개의 부드러운 물결모양을 보이는 분엽형도 타원형에 포함된다. 원형은 종괴의 가로와 세로의 크기가 비슷한 경우를 말하며, 불규칙형은 타원형이나 원형에 포함되지 않는 경우이다. 방향(orientation)은 종괴의 긴 지름과 피부층이 평행한가에 따라 평행(parallel), 평행하지 않음(not parallel)으로 나뉘

표 2-1 유방영상 보고와 자료체계(Breast Imaging Reporting and Data System, Bi-RADS)

〈제4판〉	〈제5판〉	변경사항
A. 배경에코	A. 조직구성	제목 변경
B. 종괴 　1. 모양 　2. 방향 　3. 경계 　4. 경계면 　5. 에코양상 　6. 후방특성 　7. 주위조직	B. 종괴 　1. 모양 　2. 방향 　3. 경계 　4. 에코양상 　5. 후방특성	– "경계면" 항목 삭제 – 에코양상 항목: "복합에코"가 "낭성과 고형의 　복합에코"로 변경 – 에코양상 항목: "비균질" 추가 – 주위조직 항목 삭제 　(일부는 동반소견 항목에 포함됨)
C. 석회화 　1. 거대석회화 　2. 미세석회화 　　a. 종괴 외 미세석회화 　　b. 종괴 내 미세석회화	C. 석회화 　1. 종괴 내 미세석회화 　2. 종괴 외 미세석회화 　3. 유관 내 석회화	– 석회화 크기분류 삭제 – 유관 내 석회화 추가
	D. 동반소견 　1. 구조왜곡 　2. 유관변화 　3. 피부변화 　4. 부종 　5. 혈관분포 　6. 탄성도 평가	– 동반소견 항목 추가 – 탄성도 평가 기술 추가
D. 특이증례	E. 특이증례	– 특이증례에 단순낭종, 혈관이상, 수술 후 　액체저류, 지방괴사 추가

며, 악성의 경우 양성에 비해 가로지름보다 세로지름이 더 길어 평행하지 않은 방향을 보인다. 경계(margin)는 종괴가 주변 조직과 이루는 가장자리로, 국한성(circumscribed), 비국한성(not circumscribed)으로 나뉘고, 비국한성은 불분명형(indistinct), 각진형(angular), 미세분엽형(microlobulated), 침상형(spiculated)을 포함한다.

에코양상(echo pattern)은 피하지방의 에코를 기준으로 피하지방과 비슷한 에코는 등에코, 더 낮은 저에코, 더 높은 경우 고에코로 기술한다. 에코가 없

는 경우 무에코, 여러 에코가 섞여있는 경우 비균질에코, 무에코 및 에코성분이 함께 있는 경우 낭성과 고형의 복합에코로 기술한다. 후방특성은 종괴 뒤쪽의 에코를 비슷한 깊이의 주변에코와 비교한 것으로, 후방특성 없음, 후방에코 증강, 그림자, 그리고 증강과 그림자가 혼합된 결합양상으로 나뉜다.

(3) 석회화
석회화의 평가는 유방촬영술이 일차적 검사이며, 초음파로는 석회화의 평가에 제한이 있다. 석회화는

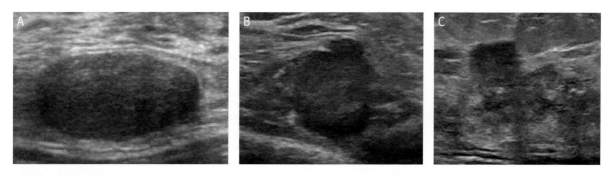

그림 2-1 종괴-모양
A. 타원형, B. 원형, C. 불규칙형

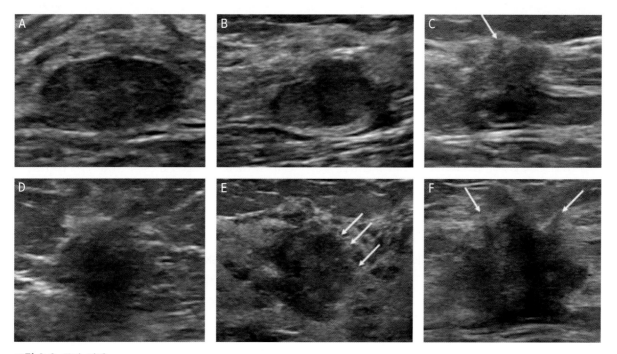

그림 2-2 종괴-경계
A, B. 국한성: 병변과 조직사이의 경계가 뚜렷하다.
C. 각진형: 병변의 전체나 일부가 날카로운 모서리, 예각을 이루는 경우(화살표).
D. 불분명형: 병변의 전체 또는 일부가 주변 조직과의 경계가 제대로 그려지지 않는 경우.
E. 미세분엽형: 짧은 주기, 작은 크기의 분엽이 보이는 경우(화살표).
F. 침상형: 병변으로부터 뻗어나가는 예리한 선들이 보이는 경우(화살표).

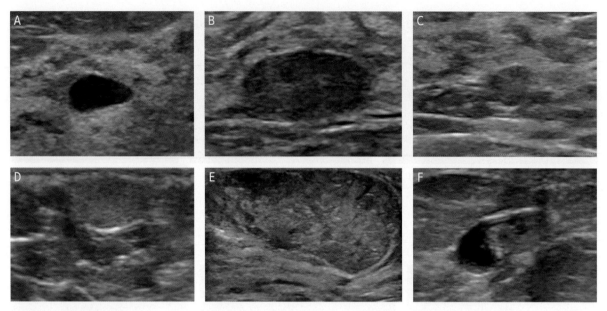

그림 2-3 종괴-에코양상
A. 무에코, B. 저에코, C. 등에코, D. 고에코, E. 비균질 에코, F. 낭성과 고형의 복합에코

초음파에서 고에코의 점으로 보이며, 유방촬영술과 비교해 해당 부위에 대응되는 석회화가 있어야 한다. 초음파상 석회화는 종괴 내부에 있는 종괴 내 석회화, 유관 내 있는 유관 내 석회화, 지방이나 섬유유선조직에 있는 종괴 외 석회화로 구분한다.

(4) 동반소견
① 구조왜곡(architectural distortion)
종괴 주위조직의 변형이 일어나거나, 쿠퍼인대가 두꺼워지거나, 침윤성 병변에 의해 주위조직과의 경계가 불분명해지는 경우를 말한다. 종괴가 보이지 않더라도 구조왜곡이 단독으로 보일 수 있으며, 유방촬영술에서도 같은 소견이 보이는지 확인이 필요하다.

② 유관변화(duct changes)
임신, 수유 등과 관련해 생리적으로 나타날 수도 있으나, 악성을 의심할 수 있는 비정상적인 소견은 불규칙, 낭성의 유관확장으로, 악성이 의심되는 종괴와 동반된 유관확장이나 유관 내 종괴가 발견되는 경우이다.

③ 피부변화(skin changes)
정상 피부두께인 2 mm(유두유륜복합체의 경우 4 mm)를 초과하는 비후나 당김 등이 있는지에 대해 기술한다.

④ 부종(edema)
부종이 있는 경우 늘어난 림프관과 기질에 액체가 저류되어 해당 부위 조직의 에코 증가와 그 사이로 저류된 액체가 저에코로 보이며, 피부 비후를 동반한다.

⑤ 혈관분포(vascularity)
BI-RADS 제5판에서는 동반소견에 포함되었으며, 기술도 없음, 내부혈관, 테두리혈관으로 변경되었다.

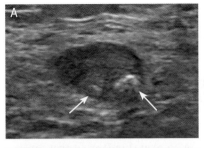
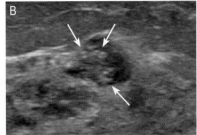
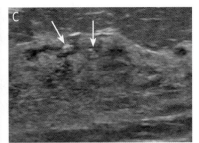
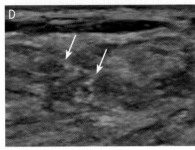

그림 2-4 석회화
A. 종괴 내 석회화(0.5 mm 이상) (화살표)
B. 종괴 내 석회화(0.5 mm 미만) (화살표)
C. 유관 내 석회화. 늘어난 유관 내에 고에코의 점으로 보이는 석회화(화살표)가 있으며, 악성의심 소견이다.
D. 종괴 외 석회화. 지방층이나 섬유유선조직 내의 고에코 점으로 보인다(화살표).

⑥ 탄성도 평가(elasticity assessment)

BI−RADS 제5판에서 새롭게 추가된 항목으로, 병변의 탄성도를 정성적으로 부드러움(soft), 중간(intermediate), 단단함(hard)의 세 단계로 기술한다. 장비마다 색스펙트럼 영상에서 표현되는 탄성도의 범위와 색설정이 다르므로 기술 및 해석을 위해서는 이에 대한 확인이 필요하다. 정량적인 수치의 제공이 가능한 기법의 탄성초음파의 경우 정량값을 기록할 수 있다.

(5) 특이증례
① 단순낭종(simple cyst)

원형 또는 타원형, 국한성 경계, 무에코의 종괴로, 전형적으로 후방음향증강을 동반한다.

② 군집미세낭종(clustered microcysts)

각각이 2~3 mm 보다 작은 무에코의 낭종이 모여 있는 병변을 말하며, 0.5 mm 미만의 얇은 격막으로 나뉘어 있고 뚜렷한 고형성분은 보이지 않아야 하고 경계는 분명해야 한다. 섬유낭성 변화와 아포크린 화생에서 군집미세낭종으로 보일 수 있다.

③ 합병낭종(complicated cyst)

찌꺼기를 포함하는 낭종으로, 주로 균질하고 저에코로 보이며, 고형성분은 포함하지 않는다. 환자의 자세에 따라 내부의 에코들이 움직이는 모습을 확인할 수도 있다.

④ 피부종괴

보통 임상적으로 양성의 피부종괴들에는 피지낭, 표피포함낭, 켈로이드, 모반, 신경섬유종, 부유두 등이 있으며, 초음파에서 피부와 실질의 경계부를 찾고 병변의 일부분이 피부의 두 개의 얇은 고에코선 내에 있는지 확인하는 것이 중요하다. 유방암으로 유방 전절제를 한 경우에도 드물지만 피부에 재발이 보고되고 있어, 임상적 상황에 따른 판단이 요구된다.

⑤ 이물질(foreign body including implants)

표지자, 코일, 철사, 도관, 주입된 또는 새어나간 실리콘, 외상과 연관된 이물질 등이 포함되며, 보형물도 포함된다. 관련 병력조사를 하는 것이 이물질의 여부 및 종류를 판단하는 데 도움이 된다.

⑥ 림프절-유방 내
　(lymph nodes-intramammary)

정상 림프절은 신장모양형(rentiform), 국한성 경계의 저에코 종괴로 보이며, 내부에 고에코의 지방문을 포함한다. 유방 내 림프절은 상외측에 가장 흔하게 보이며 정상 크기는 3~4 mm에서 1 cm까지이다. 전형적 유방 내 림프절은 양성소견으로 판정한다.

⑦ 림프절-액와(lymph nodes-axillary)

정상 겨드랑림프절은 장경 2 cm 미만의 크기의 고에코의 림프절 문이 잘 유지되어 보인다. 부분적 또는 미만성 피질비후, 림프절 내 미세석회화, 원형, 유문부 지방소실 등의 소견이 보인다면 전이성 림프절을 의심할 수 있다.

⑧ 혈관이상(vascular abnormalities)

동정맥 기형(arteriovenous malformation, AVM), 몬도르병(Mondor disease)을 포함한다.

⑨ 수술 후 액체저류
　(postsurgical fluid collection)

수술 부위 장액종과 같은 전형적 양성소견을 포함하며, 이 경우 BI-RADS category 2(양성)로 판정할 수 있다. 과거 병력과 추적검사에서의 변화, 유방촬영술 소견 등을 종합하여 불필요한 조직검사를 피하고 적절한 추적검사를 시행할 수 있다.

⑩ 지방괴사(fat necrosis)

지방괴사는 시간에 따라 다양한 영상소견을 보이며, 초기에는 국소적으로 지방소엽의 에코가 증가하고 시간이 지나며 얇은 고에코의 벽을 갖는 오일낭종(oil cyst)으로 변한다. 오일낭종은 유방촬영술에서 전형적인 테두리 석회화(rim calcification)로 보인다. 과거 병력과 추적검사에서의 변화가 진단에 중요하다.

2) 판정

유방 초음파에서 판정은 유방촬영술이나 유방 자기공명영상과 마찬가지로 범주(category) 0부터 6까지의 7가지로 이루어진다(표 2-2). 유방촬영술이 유방검사의 기본이며 유방 초음파는 이에 대한 보조적 검사이므로, 초음파 단독판정은 불완전하고 가능한 경우 반드시 유방촬영술을 병행해서 유방촬영술에서의 소견과 종합하여 판정이 이루어져야 한다. 여러 범주의 병변이 있는 경우의 최종 판정은 가장 높은 범주와 우선적인 조치가 필요한 범주를 우선으로 하며, 범주 5, 4, 0, 6, 3, 2, 1의 순서로 우선순위를 둔다.

Category 0: 불완전 판정(need additional imaging evaluation and/or prior images for comparison)

유방 초음파가 첫 영상 검사일 경우 추가적으로 유방촬영술이 필요한 경우가 있으며, 예를 들어 촉지되는 종괴로 인해 유방 초음파를 시행 후 의심되는 병변이 있고 환자의 연령이 20대 후반 이상이라면 유방촬영술이 권고된다. 유방 부분절제술 시행 후 반흔과 재발의 구분이 어려울 때에는 추가로 MRI가 필요할 수 있다. 이전 기록과의 비교를 통한 판독이 요구되는 경우도 이에 해당한다.

표 2-2 초음파 BI-RADS 판정과 처치권고

판정	처치	악성 가능성
Category 0: 불완전 판정	추가검사 또는 이전 검사와의 비교 필요	해당 없음
Category 1: 정상	정기검진	0%
Category 2: 양성	정기검진	0%
Category 3: 양성 추정	6개월 뒤 추적검사	≤ 2%
Category 4: 악성의심 　4A: 낮은 악성의심 　4B: 중간 악성의심 　4C: 높은 악성의심	조직검사	 4A: 3~10% 4B: 11~50% 4C: 51~94%
Category 5: 강한 악성 추정	조직검사	≥ 95%
Category 6: 조직검사로 확진된 악성	임상적으로 적절한 경우 수술적 절제	해당 없음

Category 1: 정상(negative)

이상이 없는 정상소견을 말한다.

Category 2: 양성(benign)

악성의 소견이 없는 경우이며, 단순 낭종, 유방내 림프절, 유방 보형물, 수술 후의 장액종, 최소 2~3년간 지속적으로 변화 없이 관찰되는 섬유선종 양상의 병변이 이에 해당된다.

Category 3: 양성추정(probably benign)

암 위험도는 2% 이하로 악성의 가능성이 매우 낮을 것으로 보이는 병변으로 단기 추적관찰이 필요하며, 6개월, 12개월 추적관찰 뒤 변화 없는 경우 24개월 추적관찰을 시행하며, 36개월 추적관찰을 선택적으로 시행할 수 있다. 2~3년간 유방촬영술과 같이 추적관찰을 시행한 경우, 범주 2로 양성판정이 가능할 수 있다. 타원형, 국한성 경계로 피부와 평행한 방향의 고형종괴, 낮고 균일한 내부에코를 가진 단발성 합병낭종, 전체가 군집성 미세낭종으로 구성된 미세분엽 또는 타원형 경계의 종괴, 중심부에 저에코나 무에코의 성분을 포함하는 고에코의 고형종

괴로, 지방괴사로 생각되는 병변, 두 방향에서 모두 보이는 지방소엽 가장자리의 굴절그림자, 수술 후 반흔으로 인한 구조왜곡이 이 범주에 속한다.

Category 4: 악성의심(suspicious)

이 분류에는 3~94%의 유방암 위험도를 가지는 병변이 해당되며, 생검을 시행하여 조직학적 진단이 필요하다. 낮음, 중간, 높음(low, moderate, high)의 4A, 4B, 4C로 판정을 세분화함으로써 환자 및 임상의사에게 구체적인 영상소견 및 권장사항에 대한 정보를 제공할 수 있다.

4A (3~10%), 4B (10~50%), 4C (51~94%)로 세분화해서 나타낼 수 있으나, 이에 대한 객관적 기준은 아직 논란의 여지가 있다. Jales 등은 병변의 모양, 경계, 에코, 혈관분포를 기준으로 범주 4를 4A, 4B, 4C로 나누었고(표 2-3), 각각 17%, 45%, 85%의 양성예측도를 확인하였다. Yoon 등의 연구에서는 BI-RADS 범주 4A, 4B, 4C의 양성예측도에 미치는 임상적 양상을 조사하였는데, 중심부 침생검 혹은 수술적으로 병리 결과가 확인된 2,430개의 범주 4 병변을 대상으로 연령, 다발성 병변 여부, 증상유무, 검

표 2-3 범주 4 세분화 분류 제안(Jales 등, 2013)

범주 4A	촉지되는 범주 3의 소견(타원형, 국한성, 저에코의 피부층과 평행하고 혈관분포는 없거나 불연속형)을 보이는 고형종괴
	대부분 범주 3의 소견을 보이나 피부층과 평행하지 않은 방향, 미세분엽의 경계, 풍부한 혈관분포 또는 불규칙한 모양 중 하나를 동반하는 경우
범주 4B	복합성 병변, 범주 4A나 4C로 분류되기 어려운 경우
범주 4C	침상형 경계이면서 평행한 방향의 종괴, 각진형 또는 불분명한 경계를 보이는 경우

사자의 숙련도, 병변의 크기 등의 인자가 양성예측도에 미치는 영향에 대해 분석하였다. 범주 4C에 해당하는 병변의 분석에는 위의 인자간 양성예측도에 차이를 보이지 않았으나, 4A, 4B의 판독은 40세 이상의 고연령, 유증상인 경우 악성의 빈도가 높았다. Moon 등의 연구에서는 촉지되는 병변이 같은 범주에서도 악성의 빈도가 높게 나타났으며, Yoon 등의 연구에서는 유방 결절의 단기 추적 시 1개월 평균 1.8 mm (0.3~8.6)의 크기 증가가 악성의 빈도와 유의한 연관이 있었다. He 등은 2013년 개정된 BI-RADS 용어를 이용하여 양성예측도를 분석하였는데, 검사자의 숙련도는 전 범주에서 큰 영향이 없었으나, 환자의 연령이 증가하는 경우는 악성도의 빈도에 영향을 끼쳤다.

Category 5: 강한 악성 추정
(highly suggestive of malignancy)

유방암이 강력히 의심되는 경우로서 95% 이상 유방암이 예측되는 경우를 말하며, 조직검사가 반드시 필요하다. 불규칙한 모양의 침상형 또는 비국한성 경계의 종괴나 유방촬영술에서의 악성이 의심되는 미세석회화 소견을 동반하는 경우에 해당한다.

Category 6: 조직검사로 확진된 암
(known biopsy-proven malignancy)

이 범주는 이미 조직검사 결과 유방암이 진단되었으나 치료적 수술적 절제가 시행되기 전 영상검사를 시행하는 경우 사용된다. 수술 전 항암치료를 시행하는 경우에도 해당되는 범주이다. 다만, 조직검사를 시행하여 악성이 확인된 병변 이외에 영상검사에서 추가적으로 범주 4 이상의 조직검사가 필요한 악성의심 병변이 발견되는 경우의 최종판정은 범주 6이 아닌 범주 4가 되어야 하고, 추가 악성의심 병변의 조직검사가 요구된다.

3) 악성과 양성 병변의 감별

종괴에서 악성을 시사하는 초음파 소견은 불규칙한 모양, 침상형 경계, 평행하지 않은 방향이며, 양성을 시사하는 초음파 소견은 타원형 모양, 국한성 경계 및 평행한 방향이다. 악성과 양성 병변을 감별하는데 있어서는 B 모드 초음파 BI-RADS 용어를 사용한 종괴의 특성이 우선이 되어야 하며, B 모드 초음파와 함께 도플러 검사를 통한 혈류평가 및 탄성초음파를 통한 병변의 탄성도 평가의 정보를 활용하면 악성과 양성 병변 감별의 특이도를 증가시켜 판정에 도움이 된다. 종괴 내부의 혈관의 존재 및 혈관의 수가 많을수록, 종괴를 관통하는 혈관 (penetrating vessel)이 있는 경우, 탄성도 평가에서 종괴가 단단하고 비균질한 탄성도를 보일수록 악성의 가능성이 높다. 또한 유방종괴의 감별진단을 위해서는 유방촬영술의 소견과 함께 환자의 과거 병력이나 임상증상을 종합하여 판정하는 것이 중요하다.

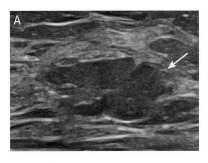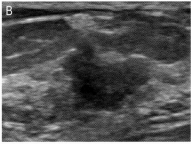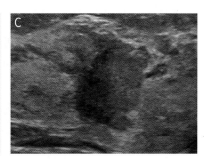

그림 2-5 범주 4 악성의심
A. 범주 4A, 낮은 악성의심 판정. 타원형, 저에코의 병변으로, 일부 경계가 불분명(화살표)하며, 중심부 침생검에서 섬유선종으로 진단되었다.
B. 범주 4B, 중간 악성의심 판정. 불규칙 모양, 각진 경계의 일부 미세분엽형 경계를 보이는 저에코의 병변으로, 중심부 침생검에서 중등급 유방암으로 진단되었다.
C. 범주 4C, 높은 악성의심 판정. 불규칙 모양, 불분명 경계의 평행하지 않은 저에코 병변으로, 중심부 침생검에서 고등급 유방암으로 진단되었다.

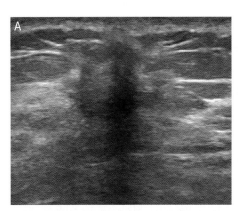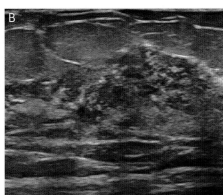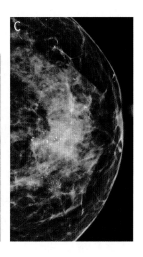

그림 2-6 범주 5 강한 악성추정
A. 불규칙 모양, 침상형 경계의 저에코 종괴로, 구조왜곡을 동반하는 전형적인 범주 5의 증례이다.
B. 불규칙 모양, 불분명 경계의 저에코 종괴로, 내부에 고에코의 점으로 보이는 미세석회화를 동반하며 유방촬영술에서의 악성의심 미세석회화와 일치하였다.

2. 탄성초음파

탄성초음파는 조직의 경직도(stiffness)를 측정해 영상화함으로써, 초음파에서 병변의 경직도에 대한 정보를 추가로 얻을 수 있고, BI-RADS 제5판에서는 탄성초음파의 정성적 기술이 새로 추가되었다. 조직의 구성물질, 즉 유방실질, 지방, 콜라겐 등의 구성요소의 변화에 따라 조직의 탄성도가 달라지게 되며, 특히 유방암은 양성 병변이나 정상 조직에 비해 세포밀도가 높고 섬유화가 진행되어 단단하므로 탄성초음파를 사용한 병변의 경직도에 대한 정보는 유방 병변의 악성 및 양성 감별에 도움이 될 수 있다. 또한, 탄성초음파는 유방 병변의 악성도를 예측하는 것 뿐만 아니라, 하나의 병변으로 보이는 다중 병변을 구별하거나, 지방소엽과 종괴를 구분하는 데 도움을 줄 수 있다.

이 장에서는 유방 초음파에서 주로 사용되는 탄성초음파검사 기법과 각각의 검사방법 및 탄성초음파 영상의 해석에 대해 알아보고, 임상적 응용과 한계점에 대해 다루어 보고자 한다.

1) 탄성초음파검사 기법 및 검사방법

탄성초음파 기법은 크게 수동으로 물리적 압박을 가했을 때 이에 따른 조직의 변형률을 측정하는 변형 탄성초음파(strain elastography)와 초음파 탐색자에서 발생된 음향 방사력(acoustic radiation force)에 의해 발생한 전단파(shear wave)가 조직 내에서 전파되는 속도를 측정함으로써 조직의 탄성도를 측정하는 전단파 탄성초음파(shear wave elastography)로 나눌 수 있다(표 2-4).

(1) 변형 탄성영상기법(strain elastography, SE)

변형 탄성영상기법은 조직에 약한 압박을 가해 압박 전과 후의 조직의 변형률을 측정하는 방법으로, 탐색자로 조직을 수동압박하거나 심박 및 호흡 등 환자의 생리적 움직임을 이용할 수 있다. 탐색자로 초음파 빔 방향으로 약한 압력이 조직에 가해지면, 각 위치(z)에서의 변위 δ(z)는 압박 전후의 초음파 에코신호를 비교해서 계산되고, 변형률(ε)은 다음과 같이 인접한 두 개 지점의 변위변화와 간격의 비로 계산된다.

$$\varepsilon = \frac{d\delta}{dz} \rightarrow \frac{\delta_2 - \delta_1}{L}$$

조직의 탄성계수(E, Young's modulus)는 응력(σ)과 변형률(ε)의 비로 구할 수 있다(E= σ/ ε). 압박이 가해지면 측정 관심영역(region of interest, ROI) 내부의 변형분포나 정규화된 변형값이 표시되며, 큰 탄성계수를 가진 단단한 조직일수록 변형이 적게 일어난다. ROI는 병변과 주변 정상실질을 포함하여

설정하며, ROI 내부에 포함된 조직의 변형률이 색스펙트럼 영상 또는 B 모드 영상으로 나타난다. 변형탄성기법을 사용한 탄성초음파에서는 조직에 가해지는 힘(응력, σ)을 측정할 수 없기 때문에 탄성도의 정량적 측정은 불가능하며, 색스펙트럼 영상의 5점척도(Tsukuba score)나 탄성영상/B 모드 병변 크기비율(E/B ratio), 변형률비(strain ratio)를 측정할 수 있다.

(2) 전단파 탄성영상기법
(shear wave elastography, SWE)

전단파 탄성영상기법은 초음파 탐색자에서 조직으로 집중된 초음파 빔(focused acoustic beam)을 주어 발생한 전단파가 조직 내에서 전파되는 속도를 초고속 초음파 영상을 통해 탐색자로 측정한다. 관심영역 안에서 평균 전단파 속도를 측정할 수 있는 포인트 전단파 속도측정(point shear wave speed measurement)과 초당 수 프레임의 속도로 전단파 속도(또는 Young's modulus)를 2D 영상으로 나타내주는 전단파 속도영상(shear wave speed imaging)이 있다. 큰 탄성계수를 가진 단단한 조직일수록 전단파의 전파속도가 빠르며, 전파속도를 이용해 다음의 식으로 조직의 탄성계수를 킬로파스칼(kPa) 단위로 정량적으로 측정할 수 있다. 조직 탄성도의 정량적 측정이 가능하므로, 보다 객관적이고 재현성 있는 탄성영상을 얻을 수 있다.

$$E = 3pc_s^2 \text{ (p: 조직의 밀도, } c_s: \text{전단판 속도)}$$

전단파 탄성초음파 영상의 획득을 위해서는 수동압박을 시행하지 않고 충분한 초음파 젤을 사용하여 탐색자와 피부가 잘 접촉할 수 있도록 하는 것이 좋으며, 전단파 탄성영상이 얻어질 때까지 수초간 탐색자를 피부에 접촉한 상태로 정지해야 한다. 환자의 호흡에 따른 압박의 영향을 배제하기 위해, 측

표 2-4 탄성초음파 기법의 분류와 측정지표

가해지는 힘 \ 측정 기법	변형 탄성영상	전단파 탄성영상
수동 압박 생리적 움직임 -심장박동, 호흡	변형 탄성초음파 변형률 기하학적 측정: 병변의 크기, 면적 변형률 비 탄성영상/B 모드 크기 비율	
초음파 음향 방사력 임펄스	음향방사력 임펄스 영상(ARFI) VTI/ARFI 변위 기하학적 측정: 병변의 크기, 면적 변위의 비 탄성영상/B 모드 크기 비율	포인트 전단파 속도측정 (Point shear wave speed Measurement) VTQ/ARFI 전단파 속도 영상 (Shear wave speed imaging) VTIQ/ARFI 전단파 속도(m/s) 탄성계수(Young's modulus, kPa)

VTI : Virtual touch imaging, VTQ : Virtual touch quantification

정하는 도중에는 환자의 호흡을 잠시 멈추도록 하는 것이 도움이 된다.

2) 탄성초음파 영상의 해석

(1) 변형 탄성초음파

변형 탄성초음파의 Tsukuba score, 변형률비(strain ratio, fat-lesion ratio: FLR), 탄성영상/B 모드 병변 크기 비율(EI/B 모드 ratio)를 사용해 유방 병변의 악성과 양성 감별에 도움을 받을 수 있다. 흑백영상으로 보여지는 변형 탄성초음파 영상에서는 변형이 작은 단단한 조직은 검은색으로, 변형이 큰 부드러운 조직은 흰색으로 나타난다. 흑백 탄성초음파 영상에서 검은색으로 나타나는 부위의 크기와 B 모드 초음파 영상에서 전체 병변의 크기의 비를 탄성영상/B 모드 병변크기 비율(EI/B 모드 ratio)로 나타내며, 이 비가 1보다 클 때 악성의 가능성이 더 높다(그림 2-7A). 낭종의 경우 검은색 신호로 둘러싸인 중심의 흰색의 신호와 병변의 뒤쪽으로 흰색의 점이 보이는 불스아이 인공물(Bull's eye artifact)을 보이는 경우도 있고, 전형적인 청-녹-적색 층의 소견(Blue-Green-Red sign, BGR sign)을 보이는 경우도 있다(그림 2-7B).

색스펙트럼 영상으로 보여지는 변형 탄성초음파 영상에서는 2006년 Itoh 등에 의해 발표된 Tsukuba score (elasticity score)에 따른 5점척도가 가장 많이 사용된다(그림 2-8). Score 1의 경우 연성 병변(soft),

score 2는 모자이크 패턴의 경성 병변이나 B 모드보다 크기가 작을 때 혼합 병변(soft and hard), score 3은 종괴 중심부는 경성, 테두리는 연성으로 보이는 병변, score 4는 경성 병변이면서 B 모드와 같은 크기를 나타낼 때, score 5는 경성 병변이면서 B 모드보다 큰 경우로 분류한다. Score 1-3은 양성을 시사하는 소견이며 4, 5의 경우 악성으로 추정할 수 있다. 기기에 따라 붉은색이 연성, 푸른색이 경성 병변을 표시하는 경우도 있고, 그 반대의 경우도 있어 주의를 요한다. 양성 낭종에서는 BGR 인공음영(Blue/Green/Red artifact)이 관찰될 수 있으나 BGR 인공음영의 경우 조직검사를 생략하는 데는 충분한 고려가 필요하다.

변형률비, 지방-병변비(fat-lesion ratio, FLR)로 조직의 탄성도를 반정량적으로 측정할 수 있으며,

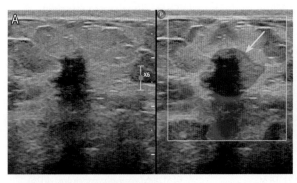
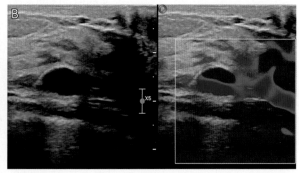

그림 2-7 변형 탄성초음파 흑백영상
A. 좌측의 B 모드 영상에서의 크기보다 우측의 변형 탄성초음파 흑백영상에서의 결절의 크기가 조금 더 넓게(화살표) 나타난다. 본 병변은 B 모드 size = 8.22 mm, Elasto size = 14.78, EI/B-mode ratio = 1.8 정도로 악성을 시사하는 소견이며, 실제로 침윤성 유방암으로 진단된 병변이다.
B. 좌측의 B 모드 영상에서는 무에코의 후방음향증가를 보이는 단순낭종의 소견이 보이며, 우측의 변형 탄성초음파 흑백영상에서는 낭종이나 복합낭종에서 주로 나타나는 전형적인 청-녹-적색 층의 소견(Blue-Green-Red sign, BGR sign)을 보인다.

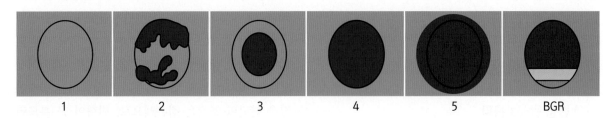

그림 2-8 Tsukuba score (elasticity score)의 모식도

병변과 피하지방의 변형률을 관심영역으로 측정해서 둘 사이의 비(ratio)를 측정한다(그림 2-9). 단단한 조직일수록 높은 변형률비, 지방-병변비를 나타낸다. 사전 압박(precompression)이 되어 있는 상태에서는 지방조직의 경직도가 증가하므로 결과에 영향을 미칠 수 있으며, 병변이 4 mm 이하의 깊이로 표층에 존재하는 경우 진단적 정확도가 감소함을 보였다.

(2) 전단파 탄성초음파

전단파 탄성초음파 영상에서는 색스펙트럼 영상으로 정성적 평가를 할 수 있으며, 탄성계수(kPa)가 클수록 빨간색, 작을수록 파란색으로 표시되며, 보통 유방 초음파에서는 0 kPa에서 180 kPa의 범위를 사용한다. Tozaki와 Fukuma 등은 색스펙트럼 영상으로 표시되는 컬러 탄성도 지도(color-coded elasticity map)를 4가지 패턴으로 나눈 분류를 제시했다. 패턴 1은 병변 및 주변 조직 모두 균일한 파란색으로 차이가 없는 경우, 패턴 2는 병변과 주변조직의 경계 또는 병변의 아래쪽에서 다른 색깔이 관찰되나 병변을 넘어 피부 또는 흉벽쪽으로 수직의 색 변화를 보이는 경우(세로 줄무늬 패턴 인공물, vertical stripe pattern artifact), 패턴 3은 병변의 가장자리를 따라 국소적으로 색변화가 나타나는 경우, 패턴 4는 병변 내부에 비균질하게 나타나는 색변화로 정의하였으며, 패턴 3과 4는 딱딱한 테두리 징후(stiff rim sign)와 병변 내부의 비균질성을 시사하며, 악성을 의심할 수 있는 소견이다. 병변의 탄성계수가 매우 높은 경우 색스펙트럼에서 색깔로 표시될 수 없어 색이 입혀지지 않는 신호소실을 보일 수 있으며, 악성을 의심할 수 있으나, 낭종에서도 신호소실이 나타날 수 있어 주의를 요한다.

전단파 탄성초음파 영상에서는 정량적으로 관심영역 내부의 전단파 속도(탄성계수)를 측정할 수 있다. 전단파 탄성초음파에서 사용되는 정량적 수치들로는 평균 탄성도(mean elasticity, emean), 최대 탄성도(maximum elasticity, emax), 최소 탄성도(minimum elasticity, emin), 주변 정상 유선조직이나 피하지방과 병변 간의 탄성도 비율을 의미하는 탄성도 비(elasticity ratio, eratio), 탄성도 표준편차

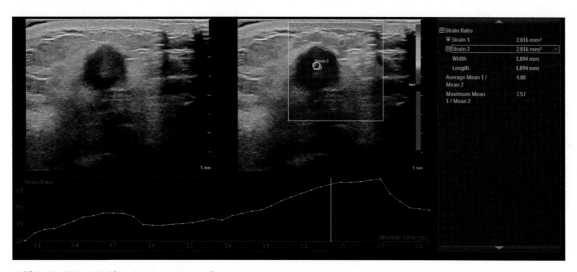

그림 2-9 지방-병변비(fat-lesion ratio, FLR)
좌측의 변형 탄성초음파 영상에서 병변과 피하지방에 각각 관심영역(각각 ROI A, ROI B)을 설정하여 지방-병변비를 구하였고, Strain ratio (cancer/fat) = 4.8으로 악성을 시사하는 소견이었다. 색스펙트럼 탄성초음파 영상에서 5점 척도를 적용하였을 때도 4점으로 악성을 시사하는 소견이었으며, 조직검사 상 침윤성 유방암으로 진단되었다.

(standard deviation of elasticity, ESD) 등이 있다.

인체 내에서 정상 지방조직의 평균 탄성도는 약 5~10 kPa, 유방실질의 평균 탄성도는 약 30~50 kPa로 보고되었다. 악성과 양성 유방 병변의 감별에 사용되는 적절한 정량적 탄성계수 값의 종류 및 각 수치의 적정 임계치에 대해서는 다양한 보고들이 있으며, 정립된 기준은 없다(그림 2-10).

3) 탄성초음파 영상의 임상적 적용과 한계점

(1) 유방종괴의 양성 및 악성 감별

탄성초음파는 B 모드 초음파와 함께 사용하여, 유방 병변의 평가에 쓰이고 있으며, BI-RADS 제5판에서 탄성초음파의 내용이 추가되었다. 악성 병변은 양성 병변에 비해 단단하며 높은 탄성계수를 보이고 이를 이용해 탄성초음파 영상의 정보를 유방종괴의 양성 및 악성 감별에 사용할 수 있다. 변형

탄성초음파 영상의 Tsukuba score (elasticity score)에 따른 5점 척도에서는 score 1~3은 양성을 시사하는 소견이며 4, 5의 경우 악성으로 추정할 수 있으며, 87~93%의 민감도와 86~90%의 특이도가 여러 연구에서 보고된 바 있다. 또한 악성을 시사하는 변형률비의 임계치는 2.46~4.8로 다양하게 보고되고 있으며, 보고에 따라 88~94%의 민감도와 83~87%의 특이도를 나타냈다. 전단파 탄성초음파 영상에서는 다양한 탄성도의 정량적 측정값을 사용하여 양성과 악성 유방 병변을 감별할 수 있으며, 최대 탄성도(E max)와 탄성도 비(E ratio)가 진단능이 가장 좋은 정량 측정치로 보고되었고 최대 탄성도는 60.9~97.0%의 민감도와 77~100%의 특이도, 탄성도 비는 71.4~96.7%의 민감도와 90.6~100%의 특이도를 나타냈다.

탄성초음파가 모든 유방 악성 병변을 예측할 수는 없지만, B 모드 초음파와 함께 사용하여 유방종괴의 양성 및 악성 감별에 있어 보조적 역할을 할

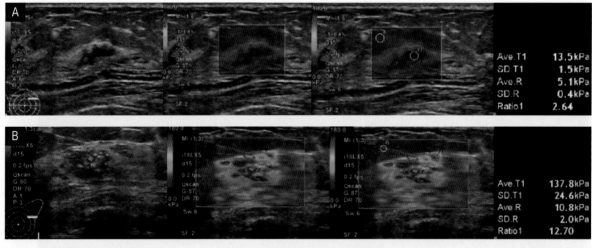

그림 2-10 전단파 탄성초음파 영상

색스펙트럼 영상으로 정성적 평가를 하며, 병변과 인접한 피하지방층에 관심영역을 측정하여 각각의 탄성계수와 비율을 정량적으로 측정할 수 있다.

A. color map에서 균일한 파란색으로 보여 정성적으로도 부드러운 조직임을 알 수 있으며, 정량적 측정에서도 13.5 kPa 낮은 탄성계수를 보이고, 인접한 피하지방과의 탄성도 비도 2.64였으며, 조직검사 상 양성으로 진단되었다.

B. color map에서 비균질한 색패턴을 보이며, 병변의 내부와 주변에 붉은색의 높은 탄성도를 보이고 정량적 측정에서도 가장 높은 탄성도는 137.8 kPa, 탄성도비는 12.70으로 높은 값을 보였고, 조직검사 상 침윤성 유방암으로 진단되었다.

수 있다. B 모드 초음파에서의 형태에 기반한 BI-RADS 분류는 민감도가 높으나 특이도가 낮으며, 위양성률이 높아 불필요한 추적검사나 조직검사로 이어질 수 있다. 탄성초음파는 B 모드 초음파와 함께 사용했을 때 민감도의 유의한 감소 없이 진단 특이도를 높이고 양성예측도를 높여 진단의 정확도를 향상시킬 수 있다. WFUMB 가이드라인에 따르면, 탄성초음파의 추가 정보를 이용하여 악성의 가능성이 낮은 BI-RADS 범주 3과 범주 4A의 병변을 downgrading하는 것은 가능하나, 범주 4B, 4C, 범주 5의 경우는 추천되지 않는다.

범주 3과 4A의 유방 병변에 대해 전단파 탄성초음파 영상의 유용성에 대한 대규모 연구 결과에 따르면(Berg 등, 2012: BE1 연구), 범주 4A 병변 중 색 스펙트럼 영상에서 밝은 파란색을 보이고, 최대 탄성계수 80 kPa (5.2 m/s) 이하를 보이면 양성으로 진단하는 데 특이도가 높으며, 조직검사 대신 추적 관찰을 고려할 수 있다. 범주 3의 병변의 경우도 6개월 단기 추적관찰이 추천되나, 변형 탄성초음파 영상의 색스펙트럼 영상에서 1점을 보이거나, 전단파 탄성초음파 영상에서 최대 탄성계수 20 kPa 이하의 경우 양성판정의 범주 2로 downgrade하여, 1년 정기추적 검사를 시행할 수 있다(그림 2-11).

(2) 종양의 악성도와 치료반응 평가

유방암은 형태, 임상상 및 치료반응이 매우 다양하다고 알려져 있으며, 유방암의 예후를 예측할 수 있는 영상소견에 대한 정보는 중요하다. 많은 연구들에서 크기가 크고, 조직학적 등급이 높고, 림프혈관침범이 있는 경우, 나쁜 예후와 연관된 면역화학염색 결과(호르몬 수용체 음성, p53 양성, 높은 Ki-67 index), 림프절 전이를 동반한 유방암은 탄성초

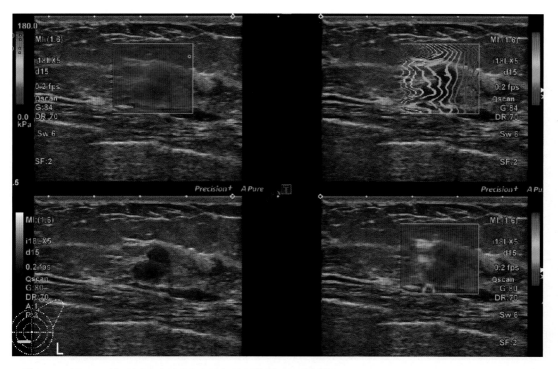

그림 2-11 범주 4A 낮은 악성의심 병변에서 전단파 탄성초음파를 이용한 증례
B 모드 초음파 영상에서 범주 4A의 낮은 악성의심 병변에서 탄성초음파 상 낮은 경도를 보였다. 중심부 침생검에서 섬유선종으로 진단되었다. 이 경우 탄성초음파의 정보를 추가하여 범주 3으로 최종판정을 하였다면 불필요한 조직검사를 피할 수 있었던 증례이다.

음파 영상에서 높은 탄성계수를 가지는 것으로 보고되었다. 또한, 수술 전 항암화학요법을 받는 유방암에서 항암화학요법 전 시행한 탄성초음파 영상에서 높은 탄성계수를 보인 유방암은 부드러운 유방암에 비해 상대적으로 낮은 완전 관해율을 보였다. 최근 연구들에 따르면 기질 유전자 발현은 수술 전 항암화학요법에 대한 반응의 예측인자가 될 수 있으며, 무질서한 기질을 가진 종양의 경우 수술 전 항암화학요법에 대한 반응이 나쁘다고 알려져 있다. 종양의 탄성도는 종양의 기질함량 및 간질구조 이상을 반영하므로, 유방암의 탄성도를 측정함으로써 수술 전 항암화학요법에 대한 반응을 예측하는 정보를 얻을 수 있다.

(3) 한계점

좋은 품질로 얻어진 탄성초음파 영상인지에 따라 결과의 해석이 달라질 수 있기 때문에, 이러한 품질에 영향을 미칠 수 있는 검사자의 숙련도 및 측정 재현성과 병변 및 환자요인을 고려해서 해석해야 한다. 유방의 두께가 두껍고 깊은 곳에 병변이 위치하는 경우, 병변의 크기가 너무 작거나 큰 경우, 병변 자체의 조직학적 특징(즉 기질성분이 많아 단단한 양성 병변 또는 내부에 심한 괴사나 낭성부분을 포함하여 부드러운 악성 병변)에 따라 위양성 또는 위음성 결과가 초래될 수 있다. B 모드 초음파 영상에 더해 탄성초음파를 사용함으로써 악성과 양성 유방 병변의 진단능을 높일 수 있으나, 단단한 양성 병변, 부드러운 악성 병변과 같이 서로 다른 병리결과의 병변 간에도 탄성초음파의 소견은 많은 겹침이 있을 수 있기 때문에 탄성초음파 결과의 해석은 반드시 B 모드 초음파 영상을 기반으로 이루어져야 하며, 최종 판정에 유의해야 한다(그림 2-12, 13).

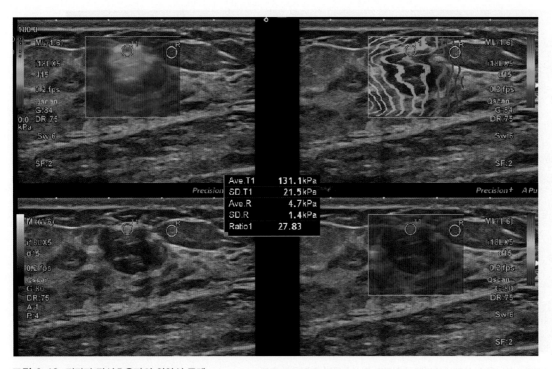

그림 2-12 전단파 탄성초음파의 위양성 증례
병리적으로 기질 양이 증가되고 경화가 진행된 경우에는 양성 병변이더라도 탄성초음파에서 높은 경도를 보일 수 있어, 위양성을 나타낼 수 있다. 탄성도 영상에서는 높은 경도를 보였으나, 중심부 침생검에서 섬유선종으로 진단된 위양성 증례이다.

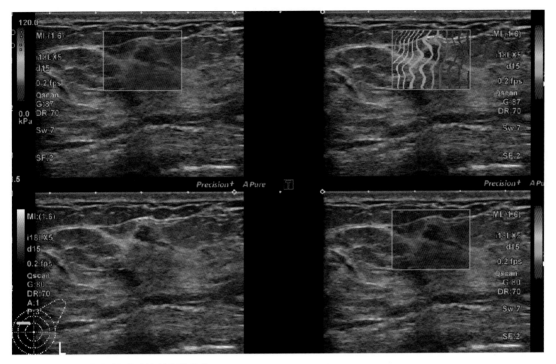

그림 2-13 전단파 탄성초음파의 위음성 증례
유방암 중 크기가 작거나 기질의 양이 적고 또는 경화가 심하지 않은 경우에는 악성임에도 불구하고 탄성초음파 상 낮은 경도를 보일 수 있다. 0.4 cm 크기의 병변으로 횡파탄성초음파 상 낮은 경도를 보였으나, 중심부 침생검에서 제자리관암종으로 진단된 위음성 증례이다.

3. 양성 병변의 초음파 소견

1) 종양성 병변

(1) 섬유선종

기질 성분과 상피 성분으로 구성된 섬유 상피성 종양의 하나인 섬유선종(fibroadenoma)은 전체 유방 양성종양의 95% 정도를 차지하는 흔한 병변이며, 20세에서 50세 사이의 여성에서 흔하며 대개 20대 초반의 젊은 여성에서 많이 발견된다. 크기는 다양하지만, 3 cm을 넘는 경우는 많지 않다. 임신이나 수유, 폐경 등의 호르몬 변화에 따라 크기와 모양에 변화를 보일 수 있다. 임상적으로 환자들은 움직이고 고무같은 느낌으로 촉지되는 종괴를 호소한다. 일부에서는 주기적인 크기 변화와 통증을 호소하기

도 한다. 흔히 경계가 좋은 원형, 거대 분엽성 또는 난원형의 종괴로 보인다.

일반적으로 섬유선종의 초음파 소견은 다음과 같다.
– 저에코 또는 일반적인 에코를 보이는 고형성 병변
– 보통 균질성 에코를 보임
– 명확한 경계를 보임(가려지거나 일부 불분명한 경계를 보일 수 있으나 침상형 경계는 드물다)
– 후방음향증강이 보일수 있음
– 초자화가 일어나는 경우 후방그림자가 보일 수 있음
– 한 개 혹은 두 개의 부드러운 분엽이 있을 수 있음
– 초음파 탐색자를 눌렀을 때 잘 움직임
– 도플러상 무혈류 또는 저혈류 소견을 보이는 경우가 많음

유방촬영술과 초음파에서 섬유선종은 매우 다양하게 보일 수 있다. 미세석회화의 군집에 종괴를 동반하거나 동반하지 않고, 거친 팝콘 모양의 석회화로 보일 수 있다. 낭종 결합체, 석회화, 에코성 섬유조직을 동반하는 비균질 섬유선종도 드물게 있을 수 있다.

복합 섬유선종(complex fibroadenomas)은 Dupont 등에 의해 만들어진 용어로 특히 다음과 같은 섬유낭성 변화를 동반한 섬유선종을 일컫는다.

- 3 mm 이상의 낭종
- 경화 선증
- 상피 석회화
- 유두상 아포크린 변화

위의 병변들은 유방암 발생 위험도를 높이는 인자로 생각될 수 있으며, Dupot의 연구에서 섬유선종의 33% 가량이 복합 섬유선종으로 분류될 수 있었다.

복합 섬유선종의 영상 소견은 섬유선종과 대부분 구별되지 않지만 어떤 환자의 경우 유방촬영술과 초음파에서 진단을 추측할 수 있는 소견들이 보일 수 있다. 상피석회화는 다형태의 석회화로 보이는데 둥글거나 점모양, 드물게 선형으로 보이기도 한다. 무형의 석회화가 종괴와 동반된 경우는 경화선증이 있음을 시사한다. 또한 섬유선종이 3 mm 이상의 낭종을 동반한 경우, 낭성 공간들을 가진 복합성 종괴가 초음파에서 보일 수 있다.

Ricci 등의 보고에 의하면 전체 1,715예의 절제된 섬유선종에서 약 2%에서 암종이 발생했다고 하나, 섬유선종이 유방암의 위험성을 의미있게 증가시키는지는 확실하지 않다. 중년의 여성에서, 복합 섬유선종 및 주변의 증식성 질환과 동반된 경우, 유방암의 가족력이 있는 경우 등이 유방암의 상대 위험도가 증가하는 것으로 보고되고 있다. 청소년형 섬유선종은 섬유선종의 아형으로 대부분 20세 이하의 여성에서 발생하며 성장속도가 빨라 거대 섬유선종을 형성하기도 한다.

임상 진찰만으로는 부정확하므로 섬유선종의 확진을 위해 가장 확실하고 빠른 방법은 조직학적 진단이며, 특히 비촉지성 병변의 경우 침생검이 가장 많이 선택되는 방법이다. 크기가 자라거나 주변 유방 조직이나 피부의 변형을 동반하는 경우, 다발성 양측성 섬유선종인 경우, 초음파상 기질증식이나 낭성 변화가 동반된 경우, 유선 상피세포의 증식, 특히 이형성이나 비정형 상피 증식이 확인된 경우, 유전성 소인이 있는 경우나 조직학적으로 복합 섬유선종이 진단된 경우는 절제생검이 권장된다.

가장 많이 시행되는 절제생검의 방법은 정상 유방 조직은 포함시키지 않는 종괴절제술이다. 다른 방법으로 초음파 유도 진공보조흡인생검(vacuum-assisted breast biopsy)은 크기가 작은 섬유선종에서 미용 목적으로 많이 시행되고 있으나, 보고에 따르면 시술 후 미세하게 남아있던 조직에서 재발이 발생할 수 있다(그림 2-14).

(2) 엽상종양

기질 성분과 상피 성분으로 구성된 섬유 상피성 종양의 하나인 엽상종양(phyllodes tumor)은 전체 유방 종양의 0.5~2%를 차지하는 매우 드문 질환이며 전체 유방 악성종양의 0.3%를 차지한다. 평균 연령은 44~50세이며, 아시아 여성은 보다 젊은 나이에서 발생한다고 보고된다.

임상적으로 대부분 단일성 병변으로 발생하며, 오랫동안 자라지 않다가 갑자기 급격히 자라는 경우가 많다. 소엽성의 경계가 명확한 종괴로 촉지되며 유방 진찰이나 영상 검사로는 섬유선종과 구별하기가 쉽지 않다. 상당히 커진 후에 진단되는 경우가 많으며 유방의 대부분을 차지하는 거대종양으로 진단되는 경우도 있는데, 이 경우 피부가 얇아지고 피하 정맥을 발달시킨다.

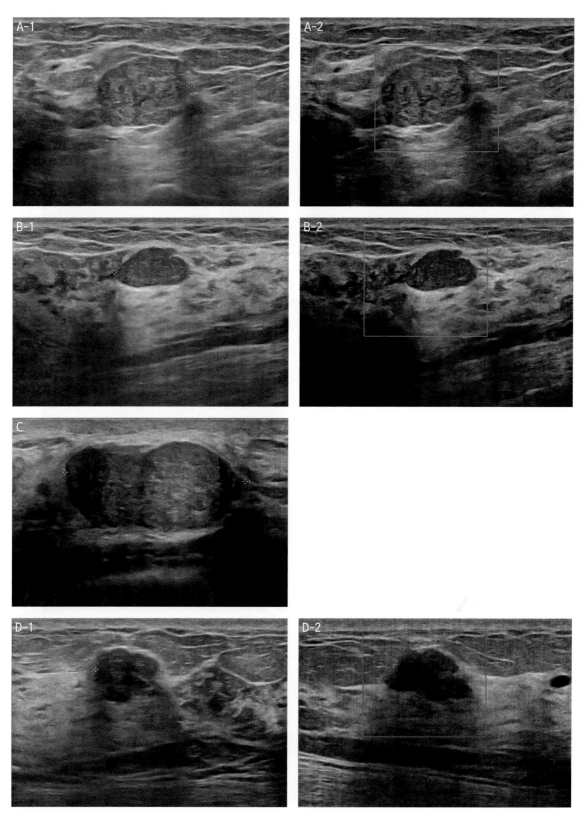

그림 2-14 A. 원형 섬유선종, B. 난원형 섬유선종, C. 거대분엽성 섬유선종, D. 분엽성 섬유선종, E~G. 여러 모양의 섬유선종, H. 석회화를 동반한 섬유선종, I. 복합 섬유선종(계속)

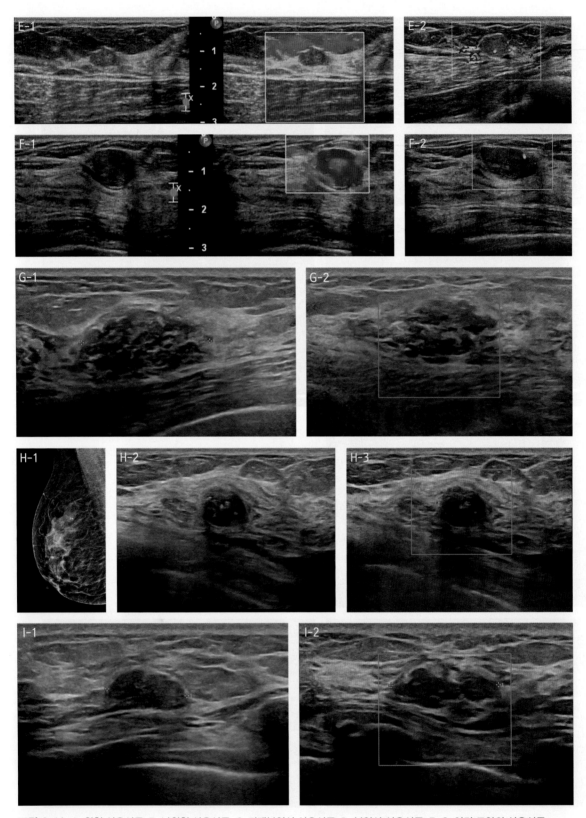

그림 2-14 A. 원형 섬유선종, B. 난원형 섬유선종, C. 거대분엽성 섬유선종, D. 분엽성 섬유선종, E~G. 여러 모양의 섬유선종, H. 석회화를 동반한 섬유선종, I. 복합 섬유선종

엽상종양의 초음파 소견은 다음과 같다.

– 저에코 또는 일반적인 균질성 에코를 보임
– 경계가 명확한 난원형, 원형, 분엽상을 보임
 (일부에서 경계가 불분명할 수 있음)
– 섬유선종과 구별이 어려우며 3 cm 이상의 크기,
 긴 열공 구조를 포함한 낭성 구조를 보이는 경우
 가 있음
– 석회화는 흔하지 않음(8%)
– 종종 대칭적인 측방음영 및 후방음향증강 소견
 을 보임
– 도플러 상 결절 내 과혈관 증식을 보임
– 탄성초음파 상 불규칙적인 모자이크 색조를
 보임

수술 전 임상적으로 엽상종양을 의심하는 것은 매우 중요하지만, 많은 경우 임상적, 영상적, 혹은 수술 전 침생검을 통한 조직학적으로 섬유선종과 유사하여, 수술 전에 엽상종양을 진단하지 못하는 경우가 많다. 비슷한 임상 양상을 가지더라도 환자의 나이가 많고 종양이 크고 빨리 자랐다는 병력이 있을 경우 엽상종양의 가능성이 높아진다.

기질 성분의 증식에 의해 상피 성분이 눌려서 육안적으로나 조직학적으로 나뭇잎 모양(leaf-like appearance)을 나타내며, 조직학적으로 양성(60~70%), 경계성, 악성(25~30%)의 범주로 나누는데, 기질의 세포밀도, 유사분열, 세포의 비정형성, 기질의 과형성, 종양의 경계 등의 기준으로 구분한다.

엽상종양의 표준 치료는 절제연으로부터 충분한 여유를 둔 광범위 외과적 절제이다. 대부분의 엽상종양은 조직학적으로 양성이며 양성 경과를 보이지만, 양성과 악성 모두 국소 재발이 적지 않게 일어난다. 재발은 수술적 완전 절제 및 절제연과의 거리와 상관 관계가 높아서 절제연으로부터 거리가 1 cm 이상인 경우 국소재발률이 5~10%이나 1 cm 미만인 경우 국소 재발이 15~20%로 올라간다. 음

성 절제연의 확보 자체가 무병 생존율 향상 및 국소 재발의 감소를 예측할 수 있게 한다. 종양의 악성 유무가 반드시 유방 전절제술을 시행하는 적응이 되지는 않으며 종양이 양성이든 경계성이든 악성이든 1 cm 이상의 절제연을 확보할 수 있다면 유방 보존술이 합당한 치료라 할 수 있다.

광범위 절제 후 남아 있는 조직 결손에 대해 종양 성형술을 이용하여 봉합할 수 있으며 미용상의 결과를 개선할 수 있다. 아주 큰 엽상종양에서 충분한 경계연의 확보가 어렵거나 특히 악성 엽상종양의 재발인 경우 유방 전절제술을 고려할 수 있다. 연조직의 육종과 마찬가지로 엽상종양은 겨드랑림프절 전이는 거의 하지 않으므로, 임상적으로 강력히 의심되는 경우를 제외하고는 겨드랑림프절 절제술은 필요하지 않다. 술후 방사선 요법 및 전신 요법의 역할은 아직 증명되지 않았기 때문에 이런 치료들은 개별 사례에 따라 적용되어야 하며, 다만 유방 전절제술 후 국소 재발한 경우 재절제술 후 보조적 흉벽 방사선 요법을 고려해볼 수 있다. 전이 병소를 치료할 때는 유방암보다는 육종의 치료에 대한 지침을 따라야 한다(그림 2-15).

(3) 관내유두종

관내유두종(intraductal papilloma)은 유방의 유관 내에서 발생하는 유두상 병변이다. 조직학적으로 중심부 유두종(central papilloma)과 주변부 유두종(peripheral papilloma)으로 구분된다. 중심부 유두종은 유두 바로 아래의 크기가 큰 유관에서 기원하는 단일성 양성 병변이며, 주변부 유두종은 종말단소엽단위에서 기원하는 다발성 병변으로 일종의 증식성 유방 질환이다.

중심부 유두종은 30~50세의 중년 여성에서 발생하며, 자발성 혈성 유두 분비물을 동반하는 경우가 많고, 크기가 큰 경우 유두 아래 만져지는 종괴로 표현되기도 한다. 주변부 유두종은 좀 더 젊은 연

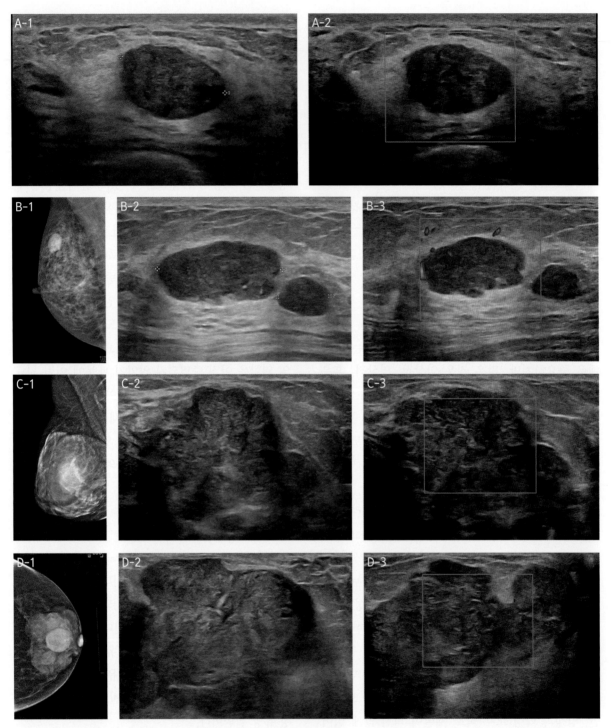

그림 2-15 A. 양성 엽상종양, B. 경계성 엽상종양, C~D. 거대 경계성 엽상종양, E. 악성 엽상종양, F. 악성 재발성 엽상종양(계속)

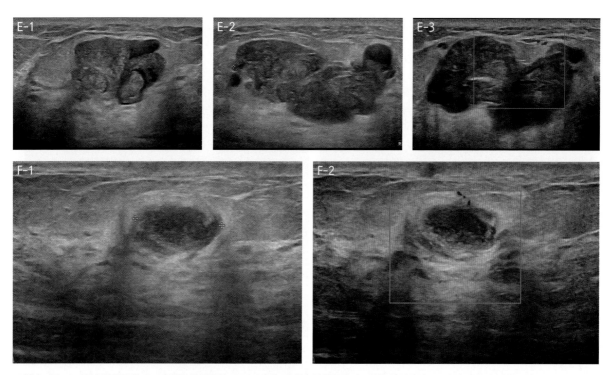

그림 2-15 A. 양성 엽상종양, B. 경계성 엽상종양, C~D. 거대 경계성 엽상종양, E. 악성 엽상종양, F. 악성 재발성 엽상종양

령에서 발생하고 유두 분비물이나 종괴로 발견되는 경우는 드물다. 중심부 유두종은 유두 분비물이 있는 경우 유관조영술 검사를 시행할 수 있으나 침습적인 검사로 점차 시행 빈도가 줄어들고 있다. 반면 고해상도의 초음파를 통해 진단하는 경우가 늘고 있고 필요 시 초음파 유도 침생검으로 조직학적 확진을 할 수 있다.

중심부 유두종의 초음파 소견은 다음과 같다.
 – 확장된 유두하 유관
 – 확장된 유두하 유관을 차지하는 경계가 좋은 원형 혹은 난원형 고형성 종괴
 – 낭종 내에 위치하는 고에코의 균일한 종괴

주변부 유두종의 경우 분엽상의 종괴, 다양한 크기의 다발성 말초 고형성 종괴나 낭종 내 고형 종괴로 보일 수 있다. 중심부 유두종의 유방암 발생 위험도는 약 2배로 비정형이 동반되지 않는 증식성 병변과 동일하나, 주변부 유두종의 유방암의 발생 위험도는 약 3배로 중심부 유두종보다 약간 높은 것으로 보고되고 있다.

관내유두종의 치료는 외과적 절제이며, 육안 검색 시 유관의 장축을 따라 절개하여 종괴를 완전히 노출시키는 것이 좋다. 조직학적으로 나뭇가지 모양의 섬유혈관줄기와 이것을 둘러싸는 안쪽의 근상피세포층과 내강쪽의 상피세포층으로 구성된다. 저배율에서 유두상 병변을 확인하고 고배율이나 면역조직화학염색에서 선구조에 근상피세포층이 있는 것이 확인되면 양성 병변으로 진단될 수 있다. 주변부 유두종은 중심부 유두종과 조직학적 소견이 동일하지만 비정형관상피증식증(atypical ductal hyperplasia)이나 제자리관암종(ductal carcinoma in situ)을 동반하는 경우가 더 흔하다(그림 2-16).

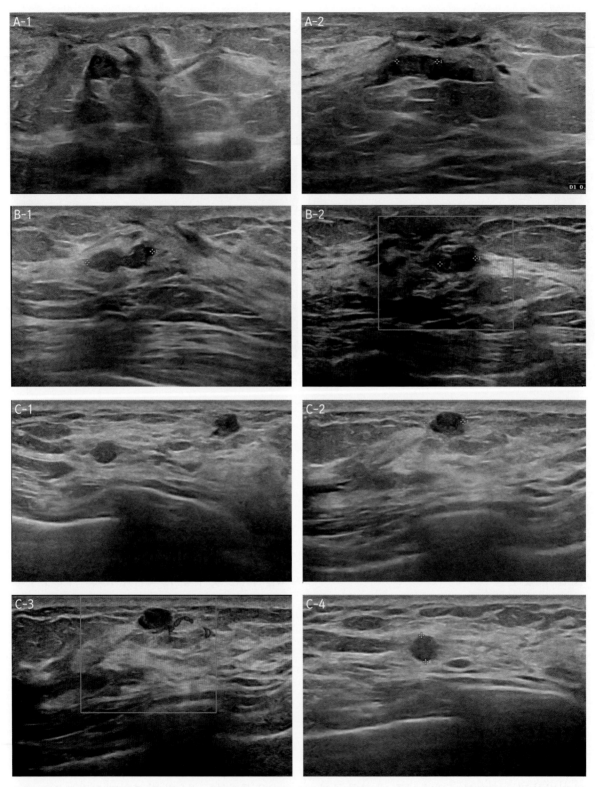

그림 2-16 A, B. 중심부 유두종(central papilloma), C. 주변부 유두종(peripheral papilloma), D. 비정형 주변부 유두종(atypical peripheral papilloma), E~F. 제자리관암종을 동반한 유두종(DCIS with papilloma), G. 제자리소엽암종을 동반한 유두종(LCIS with papilloma)(계속)

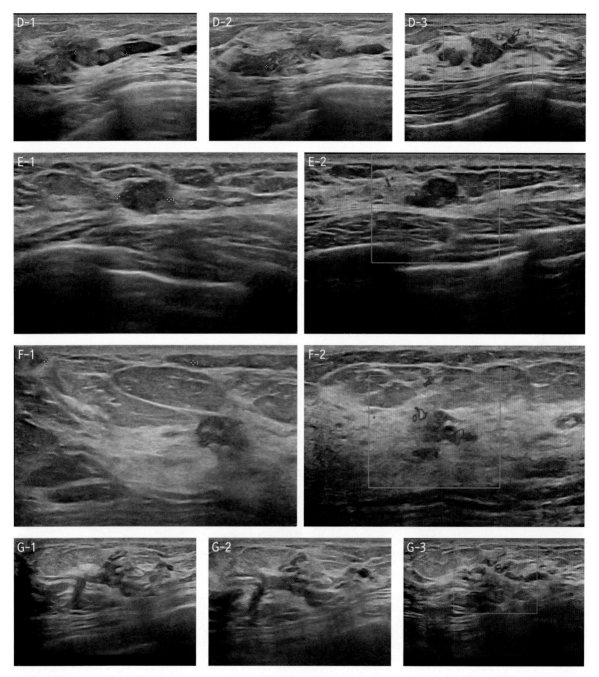

그림 2-16 A, B. 중심부 유두종(central papilloma), C. 주변부 유두종(peripheral papilloma), D. 비정형 주변부 유두종(atypical peripheral papilloma), E~F. 제자리관암종을 동반한 유두종(DCIS with papilloma), G. 제자리소엽암종을 동반한 유두종(LCIS with papilloma)

(4) 지방종

지방종(lipoma)은 지방 조직에서 기원하는 양성종양으로 전체 유방 병변의 약 9%를 차지한다. 지방종은 성숙 지방 조직으로 이루어져 캡슐에 둘러싸인 형태를 보인다. 만지면 둥글거나 타원형의 움직임이 있는 부드러운 종괴로 촉지되며 대부분 주변 조직과 경계가 뚜렷하다.

일반적인 유방 지방종의 초음파 소견은 다음과 같다.
- 정상 유방의 지방조직과 비교할 때, 저에코 또는 비슷한 에코를 보임
- 균질한 에코를 보임
- 캡슐이 둘러싸고 있으므로 대체로 정상 유방 조직과 경계가 구분됨
- 압박으로 쉽게 형태가 변함
- 후방음향증강이나 음향음영이 없음
- 도플러 상 무혈관 소견을 보임
- 탄성초음파 상 규칙적인 모자이크 형태를 보임

지방종은 조직학적으로 성숙한 지방 세포가 얇은 피막에 의해 둘러싸인 것이 특징이고, 증상이 없다면 절제가 필요하지 않다. 지방 육종은 급속도로 자라며 양성 지방종에 비하여 비교적 저에코, 결절성 경계부, 강한 혈관 증식을 보이는 것으로 구분할 수 있다(그림 2-17).

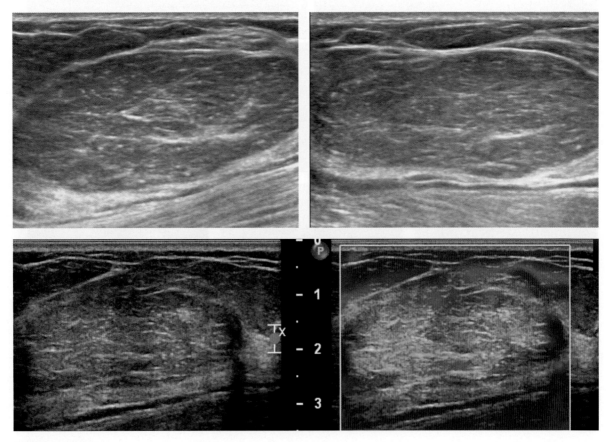

그림 2-17 지방종

2) 비종양성 병변

유방에서 생길 수 있는 비종양성 병변 중 흔하게 임상에서 볼 수 있는 것은 유방염(mastitis), 유관확장증, 섬유낭성변화 등이다.

(1) 유방염

유방의 염증성 질환은 기간에 따라 급성 또는 만성으로 나누어지고 그 외에도 수유기, 비수유기로 나뉠 수 있다. 이 중 흔히 접할 수 있는 것은 수유기에 오는 급성 유방염이다. 유방염의 경우 임상 진찰과 영상검사만으로도 진단이 가능하나 염증성 유방암과의 감별을 위해 생검이 필요한 경우가 있다. 대개 항생제 등의 보존적 치료로 치료가 가능하나 농양이 생기는 경우 외과적 절개배농이 필요할 수 있다. 임상적으로 유방염이 발생할 경우 유방이 단단해지고 통증을 동반하며 피부가 빨갛게 변할 수 있으며 경우에 따라 열을 동반할 수 있다. 유방염이 심해지면서 농양을 형성하는 경우 단단히 만져지는 종괴를 호소할 수 있다.

유방염의 초음파 소견은 염증을 일으킨 부위의 피부가 두꺼워져 보이며 피하지방도 염증반응으로 두꺼워지고 정상 유방의 조직들의 경계가 불명확해진다(그림 2-18). 컬러 도플러 영상에서 혈류가 증가된 것을 보여준다. 유관이 늘어난 소견이 관찰될 수 있고 유관벽이 두꺼워지면서 유관 내 염증성 내용물이 관찰될 수 있다(그림 2-19). 염증이 진행하게 되면서 농양이 발생할 수 있는데 초음파 소견에서는 염증 부위 내로 액체가 저류되면서 불규칙한 경계를 가진 비균질한 종괴 같은 병변이 관찰된다(그림 2-20). 이러한 염증 소견은 진행되면 피부나 유선조직 내 유관으로 누공을 형성할 수 있다(그림 2-21). 그리고 겨드랑림프절이 커져 있는 것을 발견할 수도 있다.

육아종소엽유방염(granulomatous lobular mastitis)은 유방염의 드문 형태로 젊은 여성에게 생길 수 있으며 최근 몇 년 사이에 출산을 경험한 적이 있을 수 있다. 임상 증상, 영상 소견이 유방암과 닮아 감별이 필요하다. 대체로 만져지는 종괴가 있을 수 있고 겨드랑림프절이 커져 있을 수도 있다. 진단은 대개 조직 검사를 통해 이루어지며 비치즈육아종(noncaseating grnuloma) 염증반응이 소엽을 중심으로 분포하며 미세화농과 지방괴사를 동반할 수 있다. 일반적인 염증 치료와 다르게 항생제에 반응을 잘 하지 않으며 오히려 경구용 스테로이드나 병변 내 스테로이드 주입이 좋은 치료 방법이 될 수 있다

(2) 섬유낭성변화

섬유낭성변화는 대체로 유방실질의 낭성 변화 소견으로 섬유화를 동반하기도 하며 유관세포 또는 소엽세포 증식을 같이 동반할 수도 있다.

여성의 유방에 가장 흔하게 나타나는 양성 질환이며 정상적인 여성 유방의 약 50%에서까지 보일 수 있다. 20~40대에서 잘 발견될 수 있으며 대개 폐경기 전의 여성에게 잘 나타날 수 있다. 무증상일 수도 있으나 많은 이들이 생애에 걸쳐 점진적으로 통증, 단단하게 만져지는 혹 등의 증상을 느끼기도 한다. 이전에는 질환이라는 용어를 사용하였으나 임상적 의미가 없어 변화라는 용어를 사용하게 되었다. 대부분의 유방 낭종의 초음파 소견은 무에코 소견이 균질하게 관찰되며 둥근 또는 타원형 모양을 하고있으며 경계가 명확한 편이다(그림 2-22). 유방 단순 낭종의 95%는 고형의 내용물을 포함하고 있지는 않다. 하지만 복합 낭종은 초음파에서 두꺼워진 낭종 벽과 저에코의 내용물이 보이고 고형의 내용물을 포함하고 있을 수 있다(그림 2-23). 이러한 경우에는 반드시 생검을 통해 다른 병변과의 감별이 필요하다.

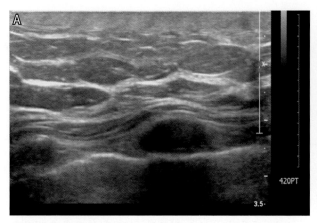
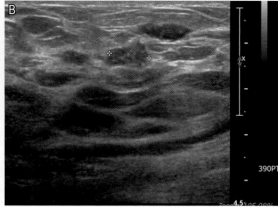

그림 2-18 유방염의 소견
A. 피부가 두꺼워지며 피하지방과의 경계가 명확하지 못하다.
B. 피하지방, 유방실질과의 경계가 명확하지 않고 저에코의 불균질한 액체가 저류되어 있다.

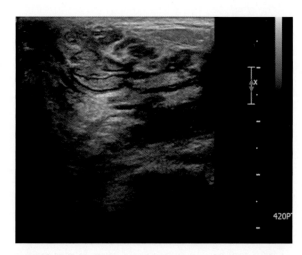

그림 2-19 유방염의 소견
유관이 확장되고 유관 내 염증성 내용물이 보인다.

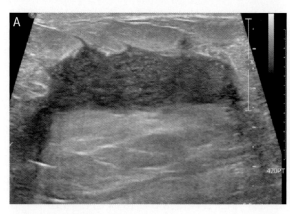
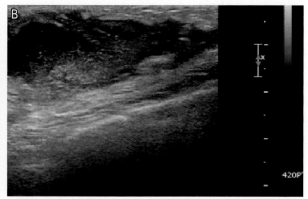

그림 2-20 유방농양의 소견
A. 유방실질 내 액체가 저류되면서 경계가 불규칙하고 비균질한 종괴 같은 병변이 관찰된다.
B. 비균질하고 경계가 불규칙한 무에코의 종괴 병변 내에 저에코의 내용물이 관찰된다.

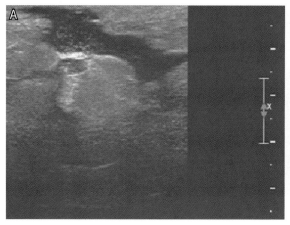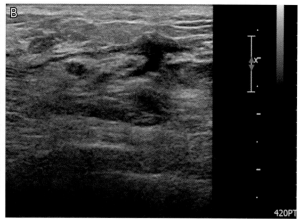

그림 2-21 유방누공의 소견
A. 유방농양이 피부와 연결된 소견(누공)이 관찰된다.
B. 유방농양이 유방실질 내 유관조직과 연결된 소견이 관찰된다.

(3) 유관확장증

유관확장증은 유방 양성 질환으로 유관이 넓어지며 유관벽이 두꺼워지는 것을 말한다. 이로 인해 유관 내 액체가 저류되기도 한다. 갱년기 또는 폐경기 여성에 호발하며 대개 증상이 없다가 검사에서 우연히 발견되는 경우가 많으나 유두 분비물을 호소하기도 한다. 임상적으로 통증을 호소하면서 유두 분비와 함몰을 유발하여 종괴로 나타나는 경우에는 악성 병변과의 감별이 필요하다. 초기에는 유륜 아래에 큰 유관에 국한되지만 점차 전체 유관으로 퍼질 수 있다. 정상 유관은 초음파에서 보이지 않는 경우가 많다. 유관이 넓어지는 경우 초음파에서 보일 수 있는데 유두 아래에서 주변으로 퍼지는 무에코 또는 저에코를 가진 관 모양의 구조를 관찰할 수 있다(그림 2-24). 정상 유관의 직경은 1~2 mm에 달하며 이보다 더 두꺼워지는 경우 유관확장증이라 할 수 있다. 유관확장의 기전은 정확하게 밝혀지지 않았으나 자주 유관 주변의 염증과 연관되어 있다는 보고가 있다. 또한 유관확장은 악성 병변과 연관되어 나타날 수 있는데 이러한 경우 유두 아래보다는 주변에 위치한 경우가 많다. 악성 병변과 함께 유관의 경계가 불규칙적이며 국소적으로 유관벽이 두꺼워지고 저에코의 주변 조직이 동반될 수 있다.

4. 유방암의 초음파 소견

1950년대 초 초음파가 의료용으로 도입된 이후 검사를 시작한 첫 장기 중의 하나가 유방이었으며, 검사의 재현성이 없고 미세석회화를 발견하기 어렵다는 단점에도 불구하고, 초음파 탐색자와 다양한 소프트웨어의 발달로 유방 초음파는 유방질환의 진단을 넘어선 그 영역을 확장해왔다. 세계 여성암의 24.2%, 여성암 사망원인 15%로 발생률과 사망률 1위인 유방암, 2018년 기준 전세계 209만 명의 유방암 환자가 발생하였으며, 2000년 약 6,000명이었던 국내 유방암 환자의 연간 발생은 2016년 연 25,000명을 넘어 4배 이상의 증가율을 보이며, 한국은 이미 아시아 국가중 유방암 발생률 최상위 그룹에 속한다. 유방암 조기진단에서 좋은 예후까지 기대할 수 있는 최적의 영상검사가 그 어느 때보다 주목받는 시기라고 할 수 있다.

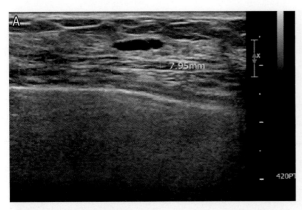
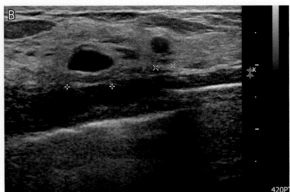

그림 2-22 유방 단순낭종
경계가 명확하고 무에코의 둥근 또는 타원형의 낭종이 관찰된다.

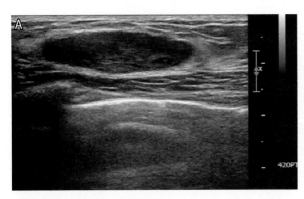
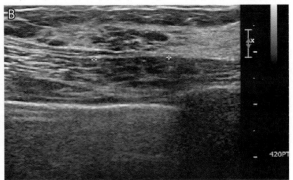

그림 2-23 복합낭종
A. 낭종의 벽이 두꺼워져 있고 비균질한 저에코의 낭종이 관찰된다.
B. 작은 크기의 낭종들이 모여 있다.

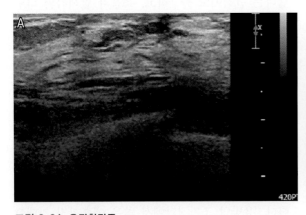
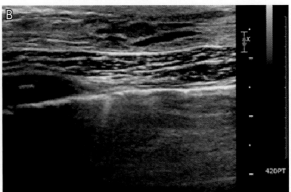

그림 2-24 유관확장증
유두 아래로 무에코 또는 저에코의 관 구조가 주변으로 뻗어나가는 소견을 보인다. 유관이 확장되어 있으나 유관 내 저에코 또는 고에코의
내용물이 보이지는 않는다.

유방종양의 초음파에서 병변의 위치, 크기, 종양을 이루는 경계의 모양, 종양의 성상 및 종양과 유선 및 주변 구조물과의 관계 등이 초음파의 기본 소견이 된다. 유방암에 있어서 초음파는 특히 이러한 진단 초음파를 포함하여 수술을 고려한 병기결정 초음파, 더 나아가 수술 중 초음파 및 보조치료의 효과를 판단할 수 있는 등 그 활용범위가 다양한 매우 유용한 검사방법이다. 유방암의 초음파에서는 암의 크기뿐 아니라 주변 조직으로의 유관 침범 범위, 주변 피부나 근육 침범 여부, 유방보존술을 가능할 수 있는 병변과 유두사이의 거리, 유방촬영술에서 보이는 암의심 미세석회화의 범위와 환자의 증상까지 포함된 포괄적인 표적(targeting with intention)초음파를 목표로 한다면 외과영역에서의 유방암 초음파는 그 한계를 찾기 어려울 것이다. 유방암의 초음파 소견을 다루는 이 장에서는 유방암의 진단 초음파(diagnostic ultrasound), 병기 결정 및 치료 효과의 판정을 위한 수술 전 초음파(preoperative ultrasound) 그리고 수술 중 초음파(intraoperative ultrasound, IOUS)로 나누어 설명하고자 한다.

1) 진단 유방암 초음파

(1) 결절유방암과 미만침윤형유방암
① 종양을 형성하는 유방암 소견

초음파에서 보이는 유방암의 특징을 크게 두 가지로 나누면 종양을 형성하는 결절(nodular)암의 소견과 종양없이 미만침윤형(diffusely infiltrative)을 보이는 경우이다. 유방암의 80%를 차지하는 결절암의 B 모드 초음파(gray scale) 소견은 다음과 같다.

ⓐ 모양: 불규칙한(irregular), 분지형(branching)
ⓑ 방향: 넓이보다 높이가 큰, 키가 큰(taller than wide)
ⓒ 유방표면과 평행하지 않은(nonparallel to the surface of the breast)
ⓓ 경계: 침상형(spiculated), 각진(angular), 모호한(indistinct contours), 거친(rough), 미세소엽형(microlobulated)
ⓔ 비균질성내부(heterogeneous texture)
ⓕ 현저한 저에코(markedly hypoechoic)
ⓖ 미세석회화(microcalcifications)
ⓗ 후방음향음영(posterior acoustic shadow)

위와 같은 초음파 특징이 악성과 연관된 소견으로 유방암 감별 진단에 있어 B 모드 초음파의 민감도는 98.4% 특이도는 59~100%로 보고된다. 전후방길이에 비해 넓이의 비가 1.4 이하일 때 평행하지 않다(nonparallel)라고 정의하며, 키가 큰(taller than wide)이란 전후방길이가 넓이보다 큰, 즉 비율이 1 이하인 경우를 말한다. 키가 큰 종양은 정상조직면을 가로질러 성장한다는 의미이고, 정상조직면이란 환자가 편평하게 누웠을 때 수평인 방향을 말한다. 침상형(spiculated)은 고형 종괴로부터 날카로운 선이 수직으로 뻗어나가는 모양을 나타내며, 각진(angular) 경계란 종양의 가운데 부위와 주변 조직의 연결 부위가 각을 이루는 것을 말하며 둥글거나 부드러운 소엽을 형성하는 경계와 구별된다. 미세소엽(microlobulated)이란 1~2 mm의 작고 많은 소엽모양을 나타내는 것으로, 소엽의 수가 증가할수록 악성위험도는 증가한다고 알려져 있다. 현저한 저에코(markedly hypoechoic)란 지방의 중등도 에코보다 상대적으로 훨씬 저에코 소견을 보일때로 정의한다(그림 2-25A~E).

Stavros 등은 750예의 고형종양에 대해 양성과 악성을 감별하는 B 모드 초음파의 정확도에 대하여, 125예(17%)의 악성종양에 대한 99.5% 음성예측도, 98.4%의 민감도를 보고하였다. 악성을 시사하는 소견은 침상형, 각진, 미세소엽형 경계, 키가 큰, 현저한 저에코, 후방음향음영, 석회화, 유관침범(ductal

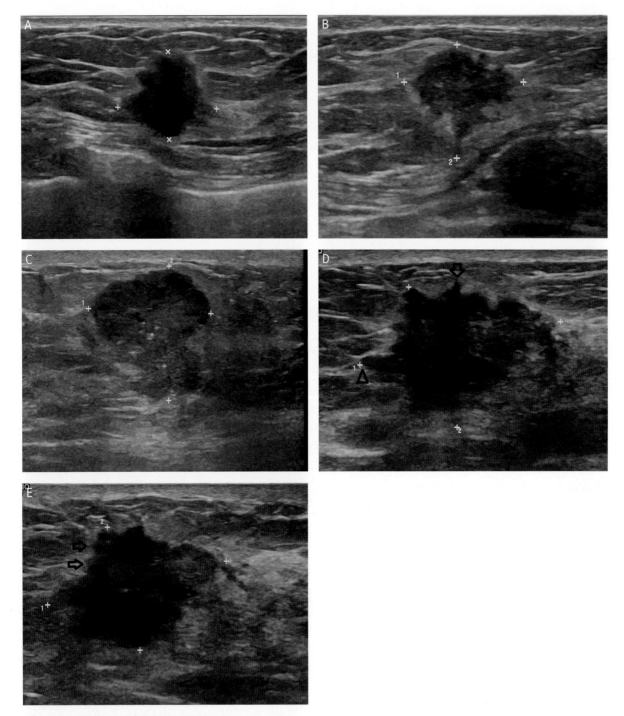

그림 2-25 결절(nodular)유방암의 초음파 소견

불규칙한, 침상형 경계의 평행하지 않은 모양의 비균질성 내부와 현저한 저에코의 BI-RADS 5 종양.

A. 평행하지 않은(1.51/1.29 = 1.17 < 1.4), 불규칙한 경계의 현저한 저에코 종괴

B. 평행하지 않은, 불규칙한 침상형 경계의 비균질성 저에코 종괴

C. 키가 큰(1.99/2.10=0.95 < 1), 비균질성내부 및 석회화를 동반한 저에코 종괴

D. 평행하지 않은 불규칙한 침상형(화살표), 각진(삼각형)경계의 비균질성 내부와 현저한 저에코 종괴

E. 미세소엽(화살표)

extension), 분지형 등으로 정의하였으며 악성 병변들은 이 9가지 영상학적 특징 중 평균 5.3가지의 악성소견을 복합적으로 나타내며, 적어도 한 가지 악성 특징이 보인다면 양성 진단을 제외해도 좋다고 설명한다. 침상형 경계가 유방암 진단에 가장 양성 예측도가 높은 단일소견이라는 걸 명시한 의미있는 연구이다. 초음파로 진단된 1,375예의 고형종괴에 대한 Nagi 등의 전향적 연구 결과에 따르면, 악성 병변은 32.8%로 유방 초음파의 정확도는 침상형 경계 소견이 80%로 악성을 감별하는 가장 높은 양성예측도를 나타냈으며, 키가 큰 모양은 74%의 양성예측도를 보고했다. 만져지지 않는 186예의 BI-RADS 4A 병변을 대상으로 한 Eda 등의 연구에서는 미세소엽형, 불분명한, 각진 경계 등은 유방암 진단에 비특이적인 소견으로 나타났으며 불규칙한 모양, 침상형 경계, 평행이 아닌 모양 등이 유방암에 특징적인 소견으로 보고하였다. 고형종괴의 초음파

특징을 분석한 Costantini 등의 연구에서는 미세소엽형, 각진 또는 침상형 경계와 불규칙한 모양 등이 악성을 예측하는 가장 의미있는 소견으로 보고하였다(표 2-5).

② 미만침윤형유방암의 초음파 소견

유관이 불규칙하게 확장되거나 유선 내 저에코성 병변을 보이는 비정상적인 유관의 변화와 이상소견, 정상적인 유방구조가 변형된 구조왜곡, 병변 내에 석회화가 동반된 경우 등이 미만침윤형유방암, 즉 뚜렷한 종양을 형성하지 않는 비결절 유방암에서 흔히 볼 수 있는 초음파 소견이다(그림 2-26). 비종양성 병변의 초음파 소견은 양성 병변과 비교하여 국소(focal)나 구역성(regional) 분포보다는 선형(linear) 또는 분절성(segmental) 분포를 보인다. Morishma 등은 비종양성 침윤성유방암과 제자리관암종의 초음파 소견을 균질성(homogeneous),

표 2-5 유방암의 특징적인 초음파 소견의 양성예측도

임상연구	악성 병변수 BI-RADS	침상형 Spiculated	각진 Angular	미세소엽형 microloculated	불규칙한 irregular	평행이 아닌 nonparallel	저에코	후방 음향음영
Stavros et al. Radiology 1995	16.9% (125/750)	91.0% (21/23)	55.3% (68/123)	47.8% (22/46)		키가 큰 71.0% (76/107)	현저한 62.06% (54/87)	52.51% (73/139)
Hong et al. AJR 2005	34.9% (141/403)	86.0% (19/22)	59.6% (37/62)	51.4% (19/37)	62.0% (102/164)	68.8% (75/109)		52.27% (69/132)
Costantini et al. J Ultasound Med 2006	58.9% (105/178) C3, 4, 5	87.5% (14/16)	90.6% (29/32)	100.0% (6/6)	89.6% (78/87)	71.3% (67/94)	64.24% (97/151)	78.94% (60/76)
Nagi FK. Diseases of the breast 2009	32.8% (451/1375) C4, 5	87.0%	59.0%	50.0%		키가 큰 74%	현저한 62%	64%
Eda et al. Diagn Interv Radiol 2015	38.7% (72/186) 비촉지성 C4	80.0% (8/10)	42.9% (6/14)	40.5% (32/79)	66.0% (35/53)	58.9% (33/56)	38.70% (48/124)	41.66% (20/48)

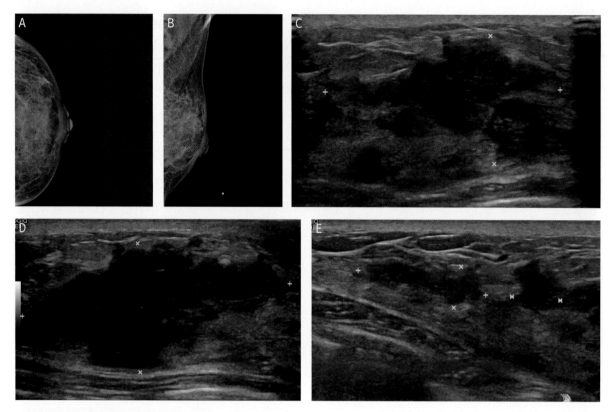

그림 2-26 미만침윤형유방암의 초음파 소견
2주 전부터 만져지는 좌측 종양으로 내원한 65세 여성. HER2 양성 유방암으로 진단됨.
A, B. 유방촬영술 상 좌측 중앙상부 군집성 미세석회화
C, D. 지리적(geographic)분포를 보이는 비종양성 불규칙한 경계의 비균질성 현저한 저에코 병변
E. 불규칙한 유관확장

유관형(ductal), 반점형(mottled), 그리고 지리적(geographic)의 네 가지로 분류하였으며, 지리적 형태의 경우에서 침윤 성분(invasive component)이 흔히 포함되는 유의한 소견이라고 하였다(그림 2-27). Uematsu는 제자리관암종과 침습소엽암종에서 주로 비종양성 병변소견을 보이며, 따라서 초음파검사에서 쉽게 간과할 수 있는 병변이라고 설명했다. 침습소엽암종은 비접착성세포들이 하나하나씩 퍼져있거나 또는 섬유기질 내에 일렬의 선형패턴으로 배열하고 있는 구성이므로 이러한 조직병리학적 특성이 영상에서 비종양성 병변으로 나타나는 것이다. 초음파검사에서 비종양성 병변이 MRI에서도 비종

양성 조영증강(non-mass-like enhancement)을 나타내는 경향이 있으며, 이러한 MRI 소견은 제자리관암종의 가장 흔한 소견이다. 또한 침습소엽암종에서 나타나는 소견이기도 하다. Sotome 등은 비종양성 유방암의 95%가 MRI에서도 비종양성 조영증강을 보였으며, 이 병변은 39% 침습소엽암종, 17% 제자리관암종, 17% 제자리관암종 성분이 우세한 침습관암종, 23%는 침습관암종으로 진단되었음을 보고하였다. 또한 초음파검사에서 비종양성 병변은 종양성 병변보다 조직학적으로 이질적인 특성을 보이며, 제자리관암종을 포함하는 경우가 더 높은 것으로 보고되고 있다. 구조왜곡(그림 2-28)을 보이는

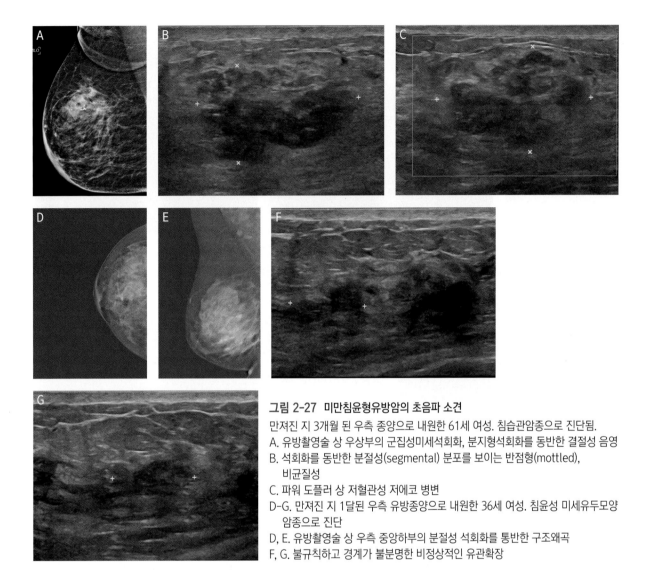

그림 2-27 미만침윤형유방암의 초음파 소견
만져진 지 3개월 된 우측 종양으로 내원한 61세 여성. 침습관암종으로 진단됨.
A. 유방촬영술 상 우상부의 군집성미세석회화, 분지형석회화를 동반한 결절성 음영
B. 석회화를 동반한 분절성(segmental) 분포를 보이는 반점형(mottled),
   비균질성
C. 파워 도플러 상 저혈관성 저에코 병변
D-G. 만져진 지 1달된 우측 유방종양으로 내원한 36세 여성. 침윤성 미세유두모양
   암종으로 진단
D, E. 유방촬영술 상 우측 중앙하부의 분절성 석회화를 통반한 구조왜곡
F, G. 불규칙하고 경계가 불분명한 비정상적인 유관확장

병리학적 진단은 조직검사의 반흔, 선행보조화학요법 후의 섬유화, 경화선증, 그리고 침윤암과 제자리관암종 등이다.

종양을 형성하지 않는 미만침윤형유방암에서도 가장 흔히 나타나는 증상은 만져지는 것이다. Park 등은 비종양성 유방암은 60.6%(20/33)에서 촉지되는데 비해 비종양성 양성 병변은 9.1%(8/88)에서만 촉지되는 유의한 차이를 보인다고 보고하였다. 이외에도 선형분절형(linear-segmental) 분포, 유방촬영술에서 비대칭을 동반한 석회화, 초음파에서 확인되는 석회화, 구조왜곡 등이 악성에서 흔히 발견되는 의미있는 소견임을 보고하였다. Kim 등은 초음파검사에서 석회화가 동반된 경우(40%, p<0.0001), 촉지되는 경우(50%, p<0.0001), 컬러 도플러에서 관찰되는 혈관이 10개 이상 현저하게 증가된 경우(66.7%, p<0.0001)인 경우 비종양성 병변 중 악성인 경우를 시사한다고 보고하였다.

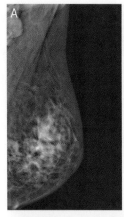
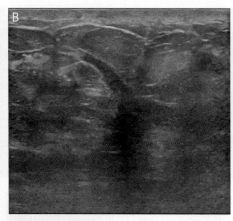
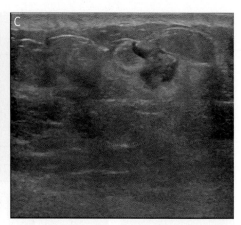
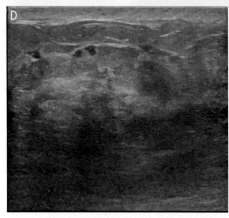

그림 2-28 미만침윤형유방암
1개월 전부터 왼쪽 유방이 부은(swelling) 증상으로 내원한 35세 여성. 촉진에서
좌측 유방하부 전체가 단단하게 만져지며 침습관암종으로 진단됨.
A. 유방촬영술 상 종괴음영이나 석회화 없이 겨드랑림프절의 병적인 종대소견 보임
B, C, D. 비정상적인 유관확장 및 구조왜곡, 미만성 저에코소견

③ 제자리관암종

제자리관암종은 초음파검사에서 주로 비종괴성
병변으로 나타나며 도플러 초음파에서 흔히 저혈
관성 병변으로 나타난다(그림 2-29). 유방촬영술에
서 제자리관암종의 62~98%가 석회화를 나타내며
2~23%에서 종괴나 비대칭소견을 보인다. 제자리관
암종의 미세석회화는 유방촬영술과 비교하여 위치
관계 및 병변의 범위를 파악하는 것이 중요하며, 처
음 초음파에서 보이지 않던 제자리관암종의 미세석
회화 병변은 표적 초음파 또는 2차 초음파에서 확
인되는 경우가 있다. 제자리관암종은 종양을 형성
하지 않는 병변이 흔하므로 영상소견과 실제 병리
학적 병변의 크기에 차이가 있다. Eichler 등은 순수
제자리관암종에서 병변이 2 cm보다 큰 경우 영상에
서 실제 병변의 크기와 다르게 과소평가 혹은 과대
평가되는 측정오류가 유의하게 증가하며, 2 cm 이
하의 병변에서는 초음파 3 mm, 유방촬영 6.2 mm
범위의 평균 측정오류수치를 보여, 특히 2 cm 이하
의 제자리관암종의 범위를 평가하는 데는 유방촬영
술보다 초음파가 유용함을 보고하였다. 석회화를
동반하지 않은 제자리관암종의 경우 저에코성 종괴
로 유관 내로 퍼지는 분포를 보이는 경우가 있다(그
림 2-30).

(2) 암 종류에 따른 초음파 특징

① 침습관암종(invasive ductal carcinoma, NOS)

침윤성유방암의 75%를 차지하는 침습관암종은
2012년 WHO 4판에서 일반형(no special type, NOS)

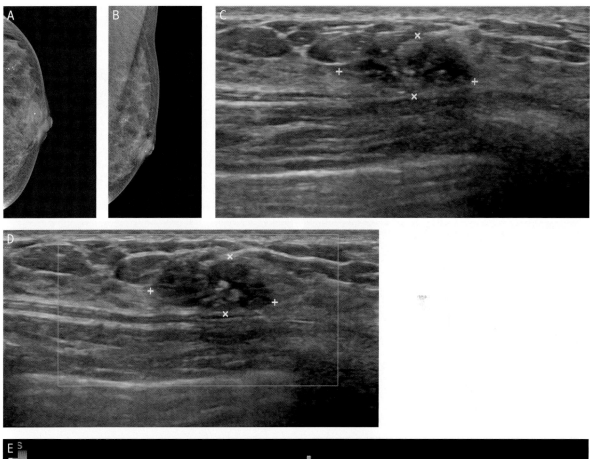

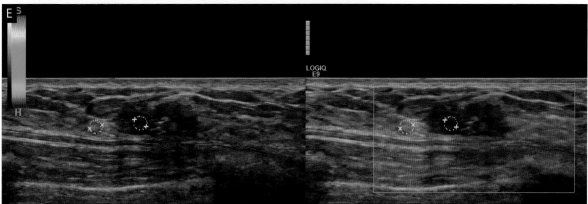

그림 2-29 석회화를 동반한 제자리관암종의 초음파 소견

검진에서 발견된 미세석회화로 내원한 42세 여성. 촉진에서 좌측 2시 방향에 만져지는 종괴로 고형 및 체형(solid & cribriform) 핵등급 2의 제자리관암종으로 진단.

A, B. 유방촬영술 상 좌상외측 군집성 미세석회화

C. 초음파에서 불분명한 불규칙한 경계, 비균질성 내부, 석회화를 동반한

D. 파워 도플러에서 저혈관성 병변

E. 변형 탄성초음파검사에서 단단한(주변 정상조직보다 경도 3.01배) 병변

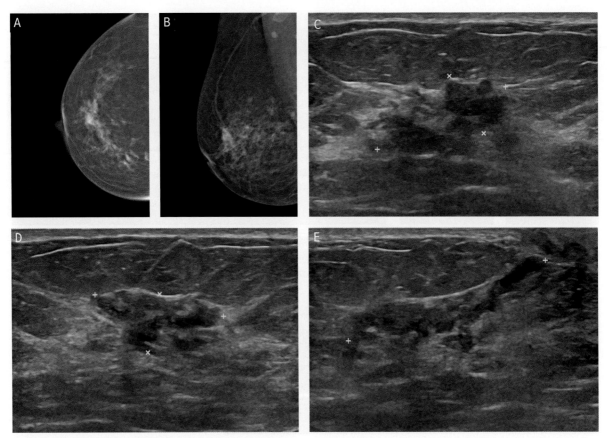

그림 2-30 석회화를 동반하지 않는 제자리관암종의 초음파 소견
수개월 된 우측 유두 분비물을 주소로 내원한 78세 여성. 고형(solid type)의 호르몬수용체 양성 제자리관암종 진단.
A, B. 유방촬영술 상 우측 유두주위에 경계가 불분명한 석회화를 동반하지 않은 종괴음영
C, D. B 모드 초음파 상 불규칙한 경계의 미만성 비균질성 저에코 병변
E. 비정상적인 유관확장소견

으로 명시하게 되었다. 앞서 설명한 결절유방암의 전형적인 초음파 소견(그림 2-31)을 보이는 경우가 흔하다.

② 침습소엽암종

침윤성유방암의 5~15%를 차지하며, 침습관암종보다 다발성 및 양측성 빈도가 높아 초음파의 유용성이 강조되는 부분이기도 하다. 미만성으로 국한되지 않으며 분명한 종괴를 형성하지 않는 특징은 섬유조직형성반응(desmoplastic reaction)이 없이 일렬형태로 기질을 침범하는 비접착성세포들

로 구성되어진 소엽암의 병리학적 특성에 기인한다고 할 수 있다. 종양세포의 밀도가 낮고 섬유조직형성반응이 없어 촉진이나 유방촬영술에서 발견되기 어려우며, 따라서 침습관암종과 비교하여 크기가 크고 진행된 상태에서 발견되는 경우가 흔하다. 석회화가 동반되는 경우는 드물며, 호르몬수용체 양성, HER2 음성이 흔하며 면역조직화학염색상 E-cadherin 소실이 특징적이다. Butler 등은 유방촬영술에서 보이지 않는 소엽암의 75%가 초음파로 확인되었으며, 이처럼 유방촬영술에서 보이지 않는 소엽암에서 특히 초음파가 유용함을 보고하였다.

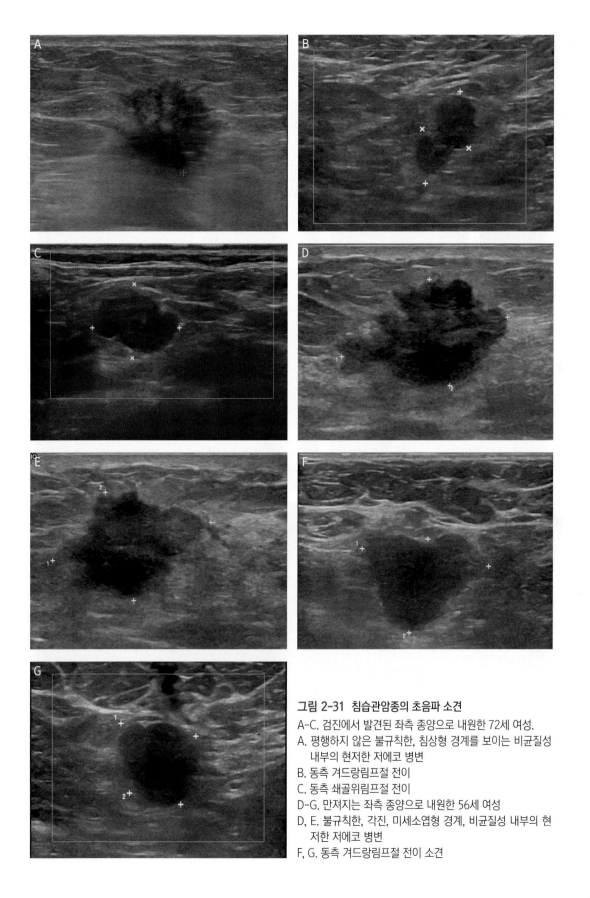

그림 2-31 침습관암종의 초음파 소견

A-C. 검진에서 발견된 좌측 종양으로 내원한 72세 여성.

A. 평행하지 않은 불규칙한, 침상형 경계를 보이는 비균질성 내부의 현저한 저에코 병변

B. 동측 겨드랑림프절 전이

C. 동측 쇄골위림프절 전이

D-G. 만져지는 좌측 종양으로 내원한 56세 여성

D, E. 불규칙한, 각진, 미세소엽형 경계, 비균질성 내부의 현저한 저에코 병변

F, G. 동측 겨드랑림프절 전이 소견

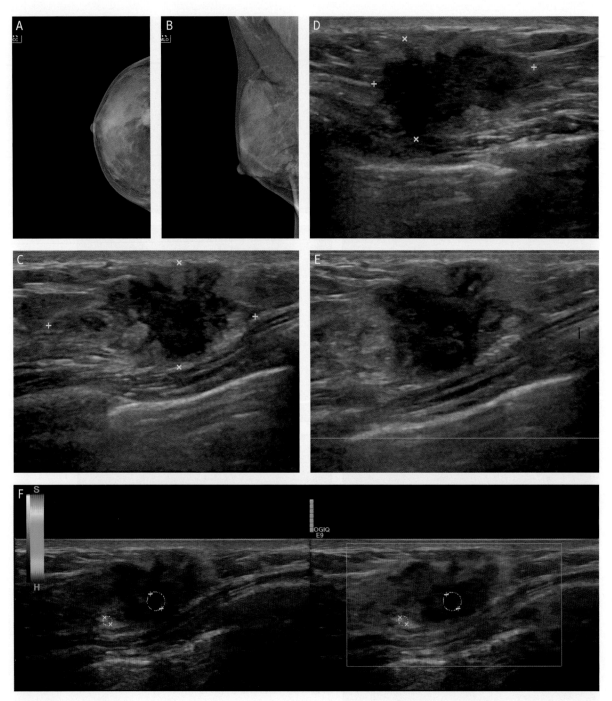

그림 2-32 침습소엽암종
3개월 전부터 우측 유방에 만져지는 종괴로 내원한 47세 여성.
A, B. 유방촬영술 상 우측 중앙하부에 침상형 경계의 종괴음영
C, D. 불규칙한 침상형 각진경계, 비균질성 내부의 현저한 저에코 병변
E. 파워 도플러에서 저혈관성 병변
F. 변형 탄성초음파검사에서 단단한(경도비 2.32) 종괴소견

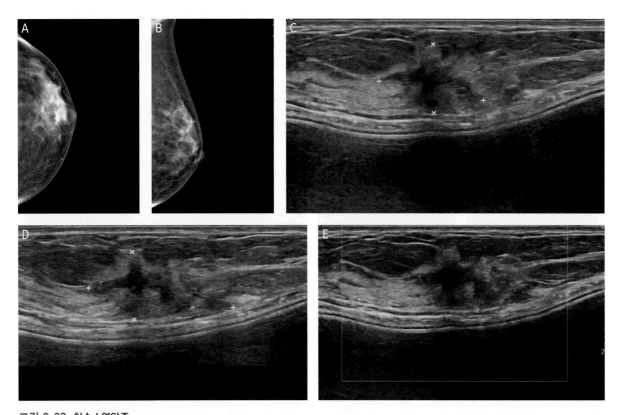

그림 2-33 침습소엽암종
1주일 전에 발견한 만져지는 좌측 종양으로 내원한 42세 여성, 보형물삽입 유방성형 과거력.
A, B. 유방촬영술 상 좌상외측 유두 주위의 뚜렷한 종괴음영 없이 구조왜곡
C, D. B 모드 초음파 상 불규칙한, 침상형 각진 경계의 비균질성 내부의 저에코 병변
E. 파워 도플러에서 종양주위 혈관증가 소견

초음파검사에서 가장 흔한 소견은 후방음향음영을 동반한 저에코 종괴로 침습소엽암종의 약 60%에서 보고된다(그림 2-32, 33). 잘 국한된 종괴(그림 2-34)로 나타나는 경우는 드물며 2~12%로 보고된다. Gopal 등은 소엽암의 크기가 pT1인 경우 초음파에서 보이는 병변의 크기와 병리학적 종양의 크기 일치율은 95.7%로 높게 보고되지만, 종양의 크기나 부피가 커질수록 초음파상 크기의 정확도는 감소하는 것으로 보고하였다. 2 cm 보다 큰 소엽암에서 침습관암종이나 제자리관암종보다 절제연 양성 및 재절제율이 유의하게 높은 결과도 같은 이유로 설명될 수 있다.

③ 유두모양암종(papillary carcinoma)

유방암의 1~2%를 차지하며 대부분 호르몬수용체 양성으로 갈색 유두 분비물이 유두상암 환자의 20~35%에서 나타나는 흔한 증상이다. 관내유두종과 유두상암을 감별 시 종양의 크기변화와 분비물의 급격한 증가가 진단에 도움이 된다. 침윤성 유관암보다 높은 생존율을 보이는 것으로 알려져 있다.

④ 미세유두모양암종(micropapillary carcinoma)

침윤성 미세유두모양암종은 유방암의 0.9~2%를 차지하는 드문 암으로 발병연령은 대개 50세에서 62세, 평균 크기는 1.5~3.9 cm로 다른 암종보다 비교적 큰 상태로 발견된다. 임상적, 영상학적 특징

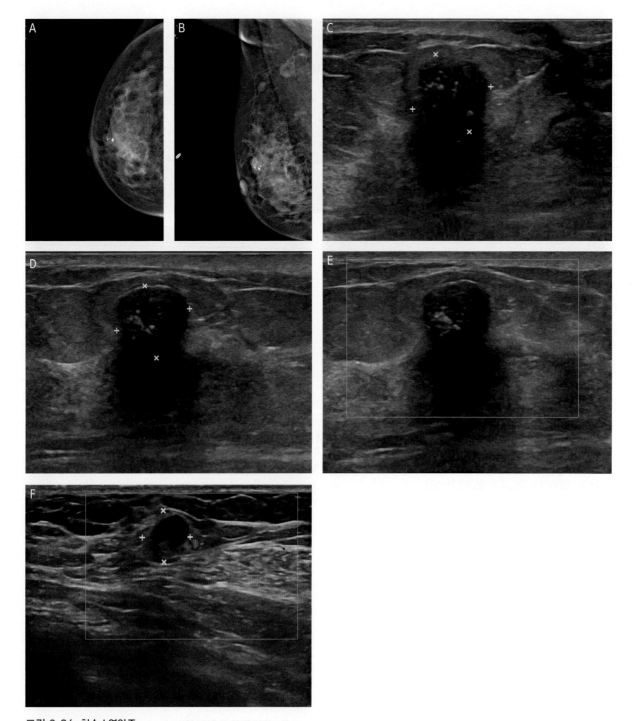

그림 2-34 침습소엽암종

우측 석회화 및 1년 전부터 간헐적인 우측 유방의 통증으로 내원한 50세 여성.

A, B. 유방촬영술 상 우측 상부 유두주위 석회화를 동반한 경계가 잘 지어지는 종괴음영으로 겨드랑림프절 종대 소견

C, D. B 모드 초음파 상 국한된 경계의 현저한 저에코 병변으로 종양 내부의 석회화 동반

E. 파워 도플러에서 저혈관성 병변

F. 동측 겨드랑림프절 전이

은 침윤성유관암과 다르지 않으며 병리학적으로 섬유혈관구조가 없는 중심부의 가성미세유두상구조(pseudopapillary structure)로 진단된다. 진단 시 침습관암종보다 림프절 전이(40.3~84.8%)나 림프혈관침범(61.2~94.8%)이 흔하고, 내강형(luminal type)이 더 많으며 예후는 침습관암종과 유사하다(그림 2-35).

⑤ 관상암(tubular carcinoma)

종양의 90% 이상이 관상구조를 가지는 순수형 관상암은 전체 유방암의 약 2%를 차지하며, 림프절 전이는 약 9%에서 보고되고 있어 비교적 예후가 좋다. 초음파 특징으로는 후방음향음영을 보이는 불규칙한 모양의 종괴를 형성하며 흔히 침상형 경계를 가진다.

⑥ 점액암(mucinous carcinoma)

전체 유방암의 1~7%를 차지하며 평균 발생연령이 60대로 높다. 순수형과 혼합형으로 나뉘며 순수형 점액암에서 더 나은 예후를 보인다. 점액 내에 종양세포가 떠있는 형태로 90% 이상을 차지할 때 순수형으로 정의한다. 초음파에서 경계가 명확하거나 미세소엽형 경계를 보인다. 침상형 경계를 보이는 경우 점액암의 가능성은 낮다. Lam 등의 연구에 의하면 점액암의 97%가 초음파에서 종괴를 형성하지만, 그 중 21.2%는 유방촬영술에서조차 발견되지 않았다. 56.3%는 미세소엽형 경계를 보이고, 국한된 경계를 보이는 경우, 균질성 내부를 보이는 경우 순수형(그림 2-36)과 연관되어 좋은 예후를 보이고, 불분명한 경계의 경우 혼합형과 연관성이 있다고 보고하였다(그림 2-37).

(3) 분자아형에 따른 유방암의 영상학적 특징

유방암의 1/3 (31.5%)은 복합성 종양으로 초음파 영상에 근거하여 유방암의 분자아형을 감별진단하는 것은 쉽지 않지만, 각 분자아형에 따른 종양의 성장 및 예후, 치료방향과 치료에 대한 반응도가 다르므로 영상학적으로 미리 감별하고 예측할 수 있다면 임상적인 효용성을 기대해 볼 수 있다.

① 삼중음성유방암

Cho 등에 따르면 삼중음성유방암의 경우 대개 석회화를 동반하지 않으며 상대적으로 뚜렷한 경계를 보이는 종양을 형성하고, 석회화나 제자리관암종과 동반된 경우가 낮은 삼중음성유방암의 특징은 제자리암의 단계를 우회하는, 빠른 악성변환의 과정을 거친다는 것을 의미한다. 후방음향증강이 흔히 보고되며 종양 내 혈관이 감소된 소견을 보인다(그림 2-38, 39, 40). 초음파에서 경계가 불분명하고 후방음향음영을 보이는 초음파 소견은 호르몬수용체 양성이나 저등급 종양과 연관성을 보이는 반면, 후방음향증강 및 뚜렷한 경계의 종양은 호르몬수용체 음성 또는 고등급 유방암의 특징이다.

② HER2 양성 유방암

HER2 양성 유방암의 영상학적 특징을 분석한 메타분석에 따르면 미세석회화, 분지형(branched) 또는 미세선형(fine-linear)석회화, 불규칙한 모양의 종괴 등의 특징을 나타내며 종양이 뚜렷한 경계를 보인다면 HER2 양성 유방암의 가능성은 떨어진다(그림 2-41, 42). 다중심성 또는 다초점성 종양은 내강 A형이나 기저형보다는 HER2 양성이나 내강 B형에서 흔히 발견된다. 후방음향은 복합적인 양상을 보인다.

③ 내강형(luminal type) 유방암

불규칙하거나 불분명한 경계, 후방음향음영은 호르몬수용체 양성 또는 저등급암과 연관된 초음파 특징이며, 내강 B형은 내강 A형에 비하여 혈관이 증가된 소견을 보인다(그림 2-43).

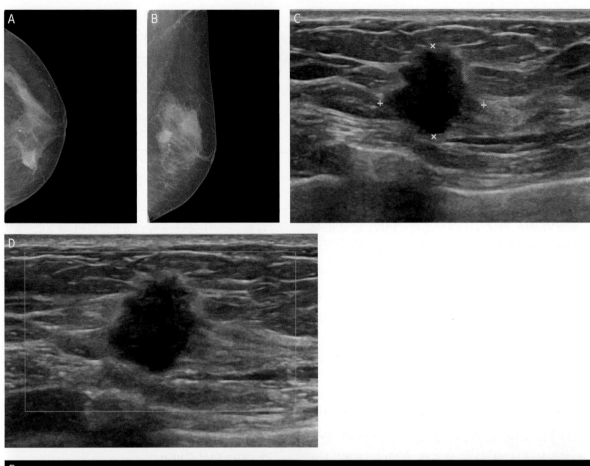

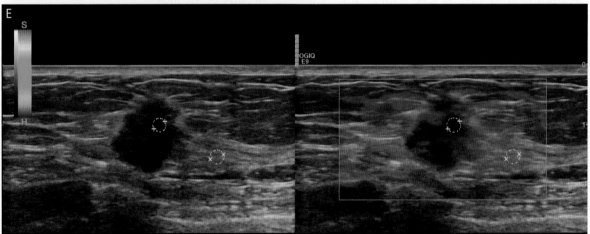

그림 2-35 침습미세유두모양암종

2주 전에 발견한 피부당김(skin retraction)으로 내원한 62세 여성.

A, B. 유방촬영술 상 좌상내측의 침상형 경계의 종괴음영

C. B 모드 초음파 상 평행하지 않은 불분명한 경계의 현저한 저에코성 병변

D. 파워 도플러에서 저혈관성 병변

E. 변형 탄성초음파 상 단단한(경도비 4.89/0.91=5.34) 종괴

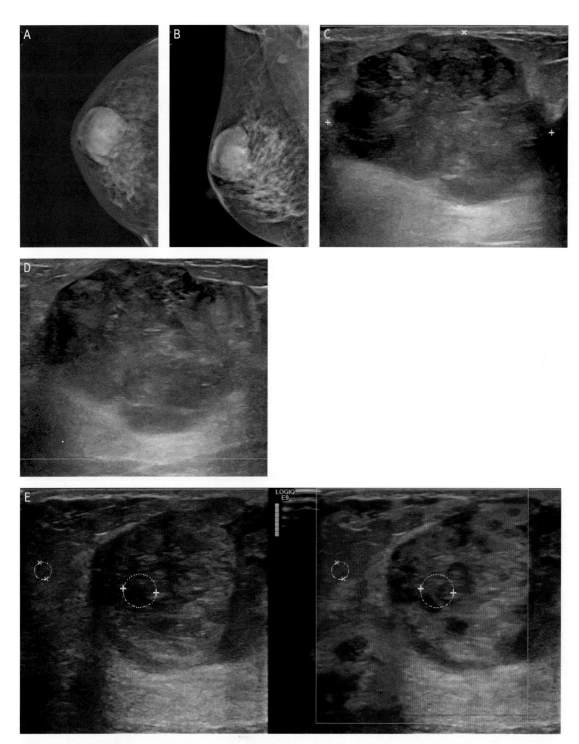

그림 2-36 순수형 점액암

만져진 지 4개월 된 종양의 급격한 크기 변화로 내원한 49세 여성.

A, B. 유방촬영술 상 우측 중앙부의 경계가 뚜렷한 종괴음영

C. 초음파 상 평행하지 않은(4.54/3.42 = 1.33 〈 1.4), 경계가 뚜렷한 비균질성 저에코성 병변

D. 파워 도플러에서 저혈관성 병변

E. 변형 탄성초음파 상 단단한(경도비 3.8) 종괴

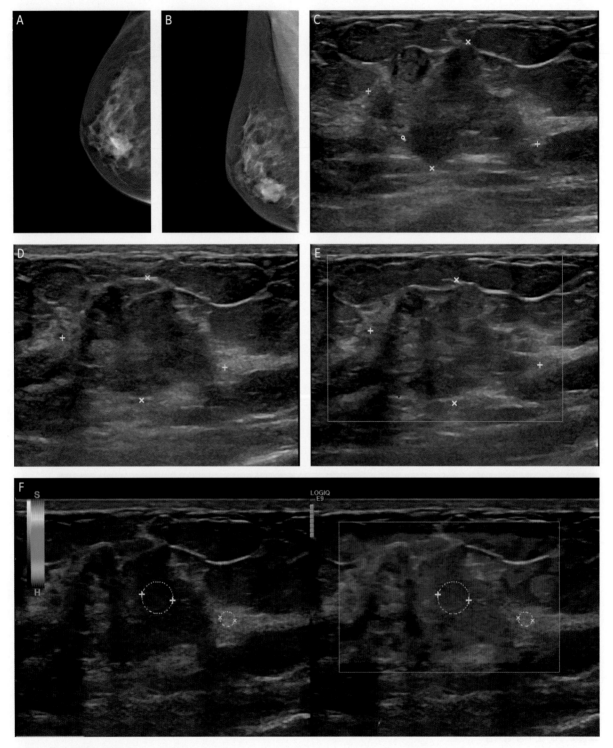

그림 2-37 혼합형 점액암

만져진 지 3개월 된 종양을 주소로 내원한 43세 여성.

A, B. 유방촬영술 상 우측 유두하부 경계가 불분명한 종괴음영

C, D. 초음파 상 불분명한 경계의 비균질성 저에코성 병변

E. 파워 도플러에서 저혈관성 병변

F. 변형 탄성초음파 상 단단한(경도비 0.98/0.52 = 1.9배) 종양

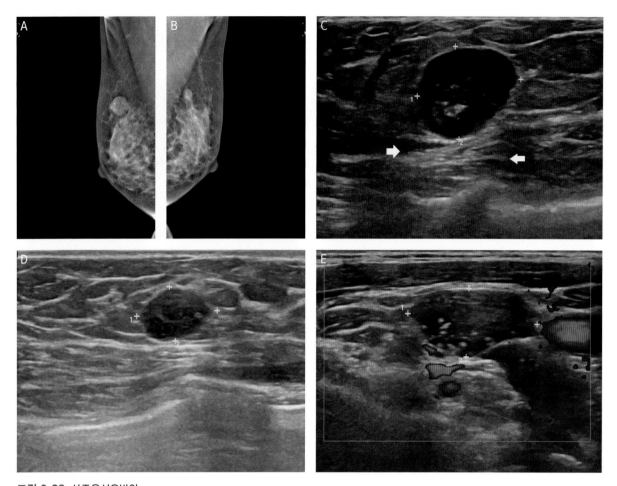

그림 2-38 삼중음성유방암

만져진 지 3개월 된 우측 유방종양을 주소로 내원한 47세 여성. 우측 10시 방향과 좌측 1시 방향의 양측 삼중음성유방암 및 우측 쇄골위 림프절 전이

A, B. 유방촬영술 상 우상부의 경계가 명확한 석회화를 동반한 종괴음영과 좌상부의 경계가 명확한 종괴음영
C. B 모드 초음파 상 경계가 명확한 현저한 저에코의 후방음향증강(화살표)을 동반한 종괴 내부의 석회화소견
D. 후방음향증강을 동반한 경계가 명확한 현저한 저에코성 병변
E. 우측 쇄골위림프절 전이

한 가지 이상의 영상학적 특징이 더해지는 경우 분자아형의 예측 정확도가 높아질 수 있다. 예를 들어, 국한되지 않은 경계와 후방음향음영은 내강 A, B형의 특징이며, 여기에 혈관증가 소견이 보인다면 내강 B형(교차비 5.77, p⟨0.001)을 강력히 시사한다. 복합적인 후방음향 패턴을 보이면서 미세석회화를 동반한 경우는 HER2 양성(교차비 5.48, p⟨0.0001), 경계가 잘 지어지는 종괴가 후방음향증강 소견을

보인다면 삼중음성유방암(교차비 7.06, p⟨0.0001)과 강하게 연관되어 있음을 알 수 있다고 Rashmi 등이 보고하였다.

(4) 초음파 최신 기술의 활용
① 악성종양의 도플러 초음파 소견

유방암은 혈관신생(angiogenesis)에 의한 혈관 수의 증가, 불규칙한 모양, 직경의 심한 변화, 동정맥

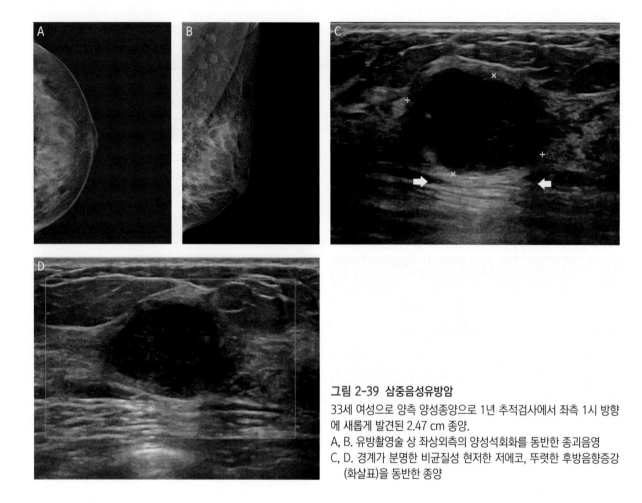

그림 2-39 삼중음성유방암
33세 여성으로 양측 양성종양으로 1년 추적검사에서 좌측 1시 방향
에 새롭게 발견된 2.47 cm 종양.
A, B. 유방촬영술 상 좌상외측의 양성석회화를 동반한 종괴음영
C, D. 경계가 분명한 비균질성 현저한 저에코, 뚜렷한 후방음향증강
　　 (화살표)을 동반한 종양

단락(arteriovenous shunt) 등으로 정상 혈관과 구별
된다. 도플러검사에서 종양의 혈관 분포는 무혈성
(avascular), 중심성(central), 주변성(peripheral), 관
통성(penetrating)으로 나뉘는데, 악성종양에서 가
장 흔한 소견은 관통성 혈관이다. 또한, 혈관은 흉
근을 기준으로 수직에 가까운 가파른 기울기를 보
이는 반면 섬유선종 등 양성종양에서의 혈관은 완
만한 기울기를 보이며 종괴의 경계(surrounding or
marginal)를 따르는 분포를 나타낸다. 컬러 도플러
에서 종괴 내로 유입되는 빠른 속도의 혈류와 종
괴 주위의 혈류가 증가된 소견은 유방암의 특징적
인 소견이다. 컬러 도플러에서 탐색자로 가까이 오

는 혈류는 붉은색, 멀어지는 혈류는 푸른색으로 표
시되며, 파워 도플러에서는 주파수에 관계없이 도
플러변위에 따라 정보를 얻으므로 혈류속도와 방향
은 알 수 없지만 작은 혈관의 분지까지 발견할 수
있고 각도에 따른 영향을 받지 않는다(그림 2-44).
종양의 혈관밀도는 종양의 크기와 병리학적 중증도
에 비례하며, 내강 B형은 다른 분자아형과 비교하
여 혈관이 증가된 소견을 보인다. 촉지되지 않는 종
양에서 컬러 도플러 및 탄성초음파를 함께 추가한
경우 B 모드 초음파만 시행한 경우보다 양성종양과
악성을 구분하는 정확도 뿐 아니라 조직검사의 필
요여부를 결정하는 특이도도 증가하였지만, 각각

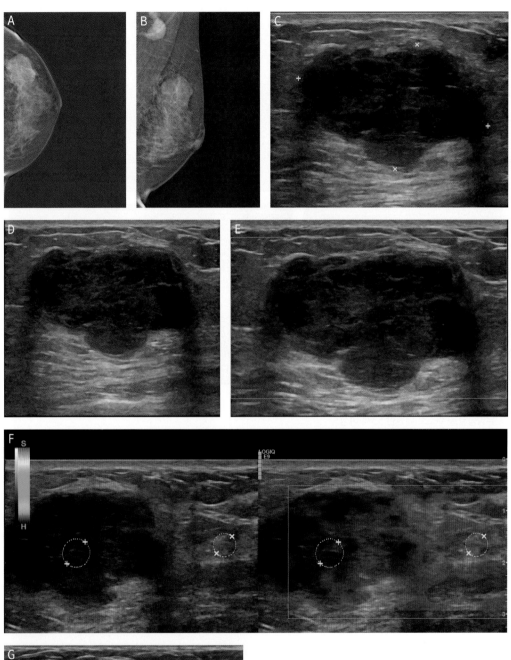

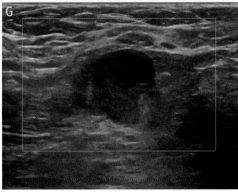

그림 2-40 삼중음성유방암

만져지는 좌측 유방종양으로 내원한 48세 여성.

A, B. 유방촬영술 상 좌상외측의 경계가 잘 지어지는 결절성 음영과 좌측
   겨드랑림프절의 비정상적 종대 소견

C. 초음파 상 경계가 잘 지어지는 비균질성 현저한 저에코 병변

D. 뚜렷한 후방음향증강

E. 파워 도플러에서 저혈관성 병변

F. 변형 탄성초음파에서 단단한(경도비 6.46)종괴 소견

G. 동측 거드랑림프절 전이

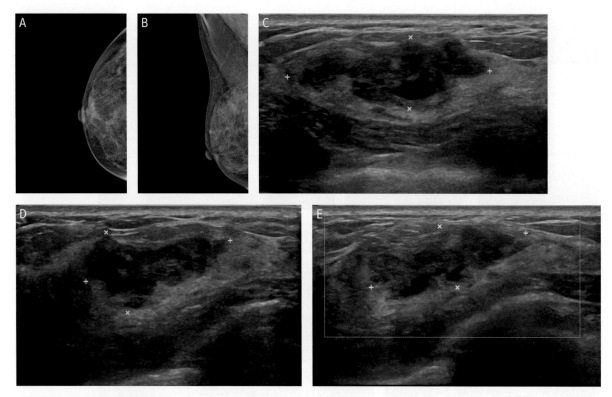

그림 2-41 HER2 양성 유방암
만져진 지 3일된 우측 유방종양을 주소로 내원한 53세 여성.
A, B. 유방촬영술 상 우측 중앙상부에 미세석회화
C, D. 초음파검사에서 경계가 불분명한 비균질성 저에코성 병변
E. 파워 도플러에서 저혈관성 병변

컬러 도플러 또는 탄성초음파만 B 모드에 추가한 경우에서는 유의한 정확도의 증가는 없다는 Cho 등의 연구결과도 있다.

② 탄성초음파

유방암은 변형 탄성초음파 또는 전단파 탄성초음파에서 주변조직보다 단단한 경도(blue color)를 나타내며, 본문에서는 종양의 탄성도와 주변 정상조직의 탄성도를 비교한 경도비(E ratio=병변의 탄성도/정상유방 조직의 탄성도)로 종양의 경도(단단함)을 나타내었다. 유방암의 탄성초음파에 대한 자세한 소견은 2장 2절 탄성초음파를 참고한다.

③ 자동유방 초음파(Automated Breast Ultrasound System, ABUS)

기존의 수동(handheld)초음파는 검사자의 숙련도에 따라 결과의 차이를 보이고 재현성이 없으며, 유방의 부피를 3차원으로 형상화할 수 없는 제한이 있었다. 이후 이러한 점을 개선한 자동유방 초음파가 고안되었다. 15 cm의 넓은 탐색자로 한쪽 유방당 2~3개의 방향으로 스캔하는 데 총 소요시간은 10~15분으로 유방의 피부표면부터 흉벽까지 큰 단면을 동시에 보여주며, 파노라마스캔, 다중절편영상 및 이를 조합한 실시간 3차원 영상까지 포함한다. 종횡축 단면 전체의 모습을 한눈에 볼 수 있으므

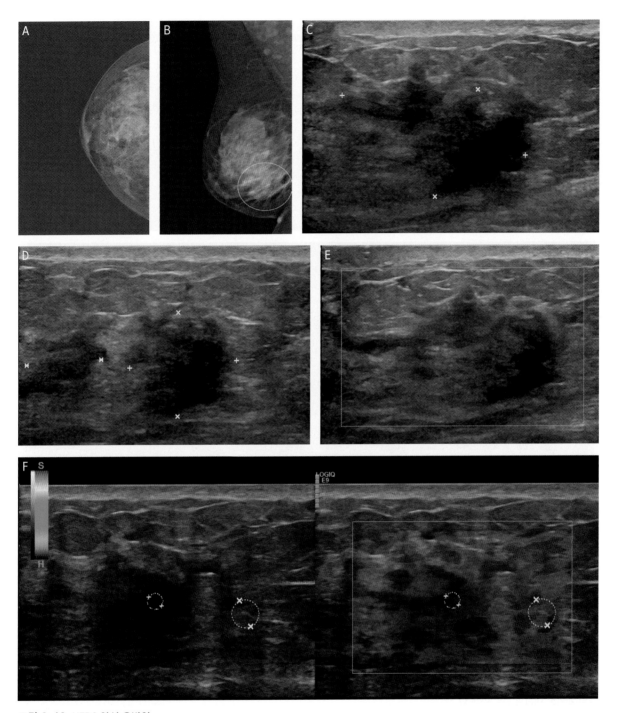

그림 2-42 HER2 양성 유방암

만져지는 우측 유방종양을 주소로 내원한 37세 여성.

A, B. 유방촬영술 상 우측 중앙하부의 구조왜곡을 동반한 미세석회화

C, D. 뚜렷한 종괴를 형성하지 않는 미만유방암의 소견으로 불분명한 경계, 비균질성 내부, 현저한 저에코

E. 비정상적인 유관확장 및 저혈관성 종양

F. 변형 탄성초음파 상 단단한(경도비 2.4) 종괴

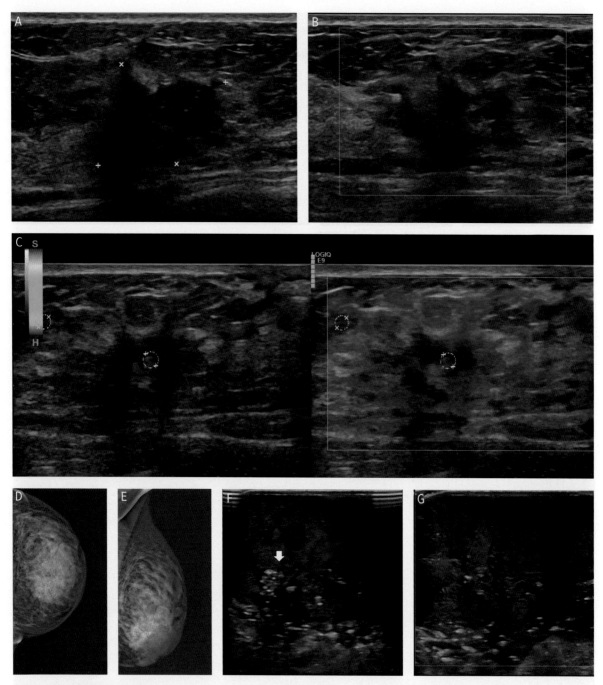

그림 2-43 내강형 유방암(계속)

A-C. 내강 A형 침습관암종 : 검진에서 발견된 좌측 유방종양으로 내원한 46세 여성. ER(+)PR(+)HER2(-) Ki-67, 2%

A. 초음파 상 경계가 불규칙하고 후방음향음영을 보이는 저에코성 병변

B. 파워 도플러에서 저혈관성 병변

C. 변형 탄성초음파 상 경도비 7.74의 단단한 종괴

D-I. 내강 B형 침윤성 유관암 : 6개월 전부터 만져지고 급격한 크기 변화를 보이는 좌측 유방종양을 주소로 내원한 35세 여성. ER(+), PR(+), HER2(+), Ki-67, 60%

D, E. 유방촬영술 상 좌측 유방 중앙부의 대부분을 차지하는 8.0 cm범위의 피부변화 및 미세석회화를 동반한 경계가 불분명한 종괴음영

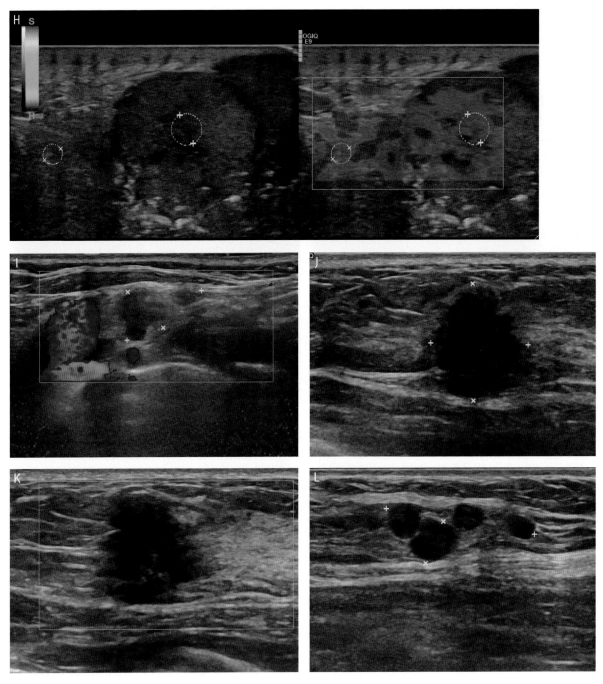

그림 2-43 내강형 유방암

F. 회색조초음파 상 경계가 불분명한 불균질한 저에코성 병변과 내부의 석회화 소견(화살표)

G. 파워 도플러에서 종괴 내부의 중심성(central), 관통성(penetrating), 가파른 기울기의 혈류증가 소견

H. 변형 탄성초음파 상 경도비 1.76의 단단한 종괴

I. 동측 쇄골위림프절 전이 소견

J-L. 내강 B형 침습관암종 : 검진에서 발견한 좌측 유방종양으로 내원한 45세 여성. ER(+), PR(-), HER2(-), Ki-67, 24.65%

J. 유방 초음파 상 경계가 분명하지 않은 키가 큰 현저한 저에코 종괴 소견

K. 파워 도플러에서 저혈관성 병변

L. 동측 겨드랑림프절 전이 소견

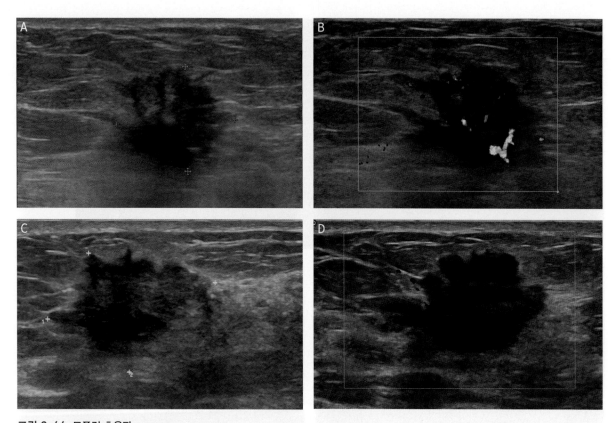

그림 2-44 도플러 초음파
A-B. 만져지는 우측 유방종양을 주소로 내원한 37세 여성으로 침습관암종 진단
A. B 모드 초음파에서 불규칙한, 침상형, 각진경계, 현저한 저에코 병변
B. 컬러 도플러에서 종괴 내로 관통하는 가파른 기울기의 혈관증가 소견을 보인다.
C-D. 만져진 지 3개월 된 좌측 유방종양으로 내원한 55세 여성으로 침습관암종 진단
C. B 모드 초음파에서 침상형, 각진경계, 현저한 저에코의 병변
D. 파워 도플러에서 종괴 주위의 가파른 기울기의 혈류증가

로 암의 3차원적인 위치파악 및 침윤 범위 등을 보다 정확히 알 수 있고 수술 시 절제연 범위를 계획하는데 도움이 된다. 3차원영상은 다른 병변과의 위치관계, 유방실질 내 병변의 숫자와 구조, 암과 유두와의 거리, 피부나 근육의 침범여부 및 위치관계, 환측과 정상부위의 유방 조직의 부피도 평가할 수 있다(그림 2-45).

유방 MRI에서 얻을 수 있는 대부분의 정보를 실시간으로 얻을 수 있다는 큰 장점이 있다. 대부분의 유방암은 단단하고 고정된(fixed) 특성을 갖지만, 유

동성(movable)의 양성종양 모양을 한 유방암에서는 자동유방 초음파 탐색방법의 특성 상 병변의 이동(shifting)으로 위치가 정확하지 않을 수 있다. 사용자간의 차이가 없고 빠르게 영상을 얻을 수 있을 뿐 아니라 영상의 일관성, 검사의 재현성이 높아 항암치료 전후의 병변의 변화를 보다 객관적으로 평가할 수 있으며 진단의 정확성에 있어 수동초음파와 비교한 결과를 메타분석한 연구에서 민감도는 0.93으로 동일하였으며, 특이도는 각각 자동초음파 0.96 수동초음파 0.76으로 보고하였다.

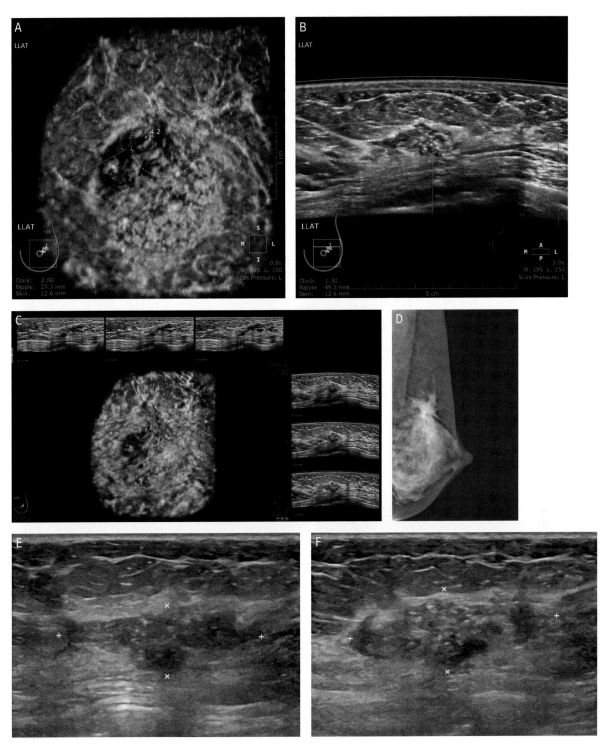

그림 2-45 자동유방 초음파. 좌측 유방의 피부변화를 주소로 내원한 36세 여성으로 침습관암종 진단
A-C 자동유방 초음파에서 좌측 1시 방향의 석회화를 동반한 미만성, 비균질성, 저에코 병변 소견
A. 관상면, B. 시상면, C. 복합영상
D. 유방촬영술에서 군집성 미세석회화를 동반한 침상형 경계와 구조왜곡을 보이는 악성의심 병변
E, F. 수동초음파에서 비정상적 유관확장 및 석회화를 동반한 미만유방암 소견을 보임

(5) 유방암 선별검사로서의 유방 초음파의 유용성

치밀유방에서는 유방촬영으로 유방암을 진단하는 데에 제한이 있다. 따라서 치밀유방의 빈도가 높은 한국 여성에서 선별초음파는 유방암 진단의 정확도를 향상시킬 수 있다. 2003년 12월부터 2011년 12월까지 116,683명의 한국 여성을 대상으로 유방암 선별검사로 유방촬영과 유방 초음파를 동시에 시행한 연구(Bae 등, 2014)에 따르면, 총 362예의 유방암이 선별초음파검사에서 진단되었으며 이 중 335예는 유방촬영에서는 발견되지 않고 유방 초음파에서만 진단된 유방암이었다. 이들의 유방촬영을 재검토한 결과 263 (78%)예는 정상 유방조직과 겹쳐져 발견되지 못했으며, 63 (19%)예는 판독오류, 9 (0.4%)예는 병변이 촬영이 어려운 해부학적 위치에 있거나 잘못된 촬영자세로 인해 병변이 유방촬영에 포함되지 않았던 것으로 확인되었다. 저자들의 다른 연구(Bae 등, 2011)에 의하면 선별초음파로 진단된 유방암은 선별유방촬영에서 진단된 유방암과 비교하여 종양의 크기가 작고, 림프절 전이가 없는, 단일병소의, 조직학적 등급이 낮은, 내강 A형의 침습암이 유의하게 많아, 결과적으로 유방보존술의 비율이 84.4%로 월등히 높았다(표 2-6). 따라서 선별초음파는 치밀유방이 대부분인 한국 여성에서 유방촬영술만으로는 발견하기 어려운 유방암을 추가로 더 조기에 발견할 수 있게 해주며, 이는 유방암의 진단 뿐 아니라 치료방법, 결과 및 예후에 까지 영향을 줄 수 있다. Cho 등이 보고한 유방암 진단 당시 50세 이하로 유방보존술을 시행한 환자를 대상으로 한 전향적 연구에서 추적검사 시 유방암 선별검사로 유방촬영술에 초음파를 추가한 경우 유방암 발견율(cancer detection rate)은 유방촬영술만 시행한 경우보다 1,000명당 2.4명 높은(1,000 검사당 6.8 vs. 4.4, p=0.03) 결과를 보였고, 유방촬영술에 초음파를 추가하는 경우 유방암 진단에 대한 민감도는 52.9% (9/17)에서 82.4% (14/17)로 증가하였으나 통계학적 유의성은 없었다(p=0.07).

표 2-6 선별초음파와 유방촬영술에서 진단된 유방암의 특징

		선별초음파 진단 유방암 (n = 256)	선별유방촬영술 진단 유방암 (n = 807)	p-value
침윤암의 크기(cm)		1.32±0.67	1.7 0±1.05	< 0.0001
N0 (%)		91.8	84.1	< 0.0001
분자아형(%)	내강 A형	66.5	49.6	< 0.0001
	HER2형	4.8	10.2	0.009
조직소견(%)	제자리암종	18.8	26.5	< 0.0001
	침습암종	81.2	73.5	
다초점성(%)	단일병소	96.5	85.0	< 0.0001
	다초점성	3.5	15.0	
조직학적등급(%)	I or II	82.6	70.7	0.0018
	III	17.4	29.3	
수술방법(%)	유방보존술	84.4	68.4	< 0.0001
	유방전절제술	15.6	31.6	

Bae et al. Cancer Sci 2011

2) 유방암의 수술 전 초음파

(1) 유방 병변의 평가

유방암의 진단 시 유방암 병변을 정확히 판단하는 것만큼 중요한 사항이 주변 구조와의 관계 및 양측성, 다발성 병변을 놓치지 않는 것이다. 병변의 근육침범 여부, 피부 및 유두침범 여부, 주병소와 유두와의 거리, 유관을 따라 분포하는 병변의 범위 등을 파악하는데 있어 외과의사의 관점에서 수술 절개선 및 수술범위 등을 감안하여 치밀하게 판단한 수술 전 병기 결정 초음파는 치료의 방향을 결정하는 데 매우 중요하다(그림 2–46). 정확한 진단이 선행되어야 최적의 치료방침을 세울 수 있기 때문이며, 특히 공격성이 강한 유방암이나, 유방암 고위험군에서 또다른 병소나 위험 병변을 간과한다면 치료는 실패할 수 있기 때문이다.

(2) 국소 림프절 평가

유방암의 병기는 암의 크기, 림프절 전이 여부, 다른장기 전이 여부로 결정된다. 겨드랑림프절, 쇄골위림프절, 그리고 내유림프절 전이는 초음파로 쉽게 발견할 수 있으며, 전이가 의심되는 림프절의 조직검사도 또한 초음파 유도하에 이루어진다. 림프절의 종대와 평행하지 않은 모양의 변화, 현저한 저에코 및 중심부 에코 소실(loss of hilar echogenecity) 등이 전형적인 림프절 전이의 초음파 소견이며 자세한 내용은 5장(구역림프절의 초음파)을 참조한다.

(3) 선행보조화학요법 및 표적치료 후 유방 병변과 림프절의 평가

선행보조화학요법의 중간에 항암치료에 대한 반응을 평가하고 치료의 방향을 결정하기 위해 초음파를 시행하며 주병변 및 주변조직으로의 확장범위, 전이된 림프절 등 화학요법 후 유방암의 전반적인 상태의 변화를 알 수 있다. 선행보조화학요법의 완결 가능여부 또는 수술 시기, 수술 방법의 결정에 수술 전 치료효과를 판정하는 초음파의 역할은 매우 중요하다. 선행보조화학요법 후 병소의 위축은 섬유화로 나타나며, 섬유화는 구조왜곡과 함께 저에코성 병변으로 초음파에서 비종양성 병변의 형태로 나타난다.

3) 수술 중 초음파 및 최소침습치료를 위한 유도 초음파

한국의 유방암 호발연령은 40대로 서양보다 10년 이상 젊으며, 40세 이하 젊은 유방암 환자도 전체의 10.5%나 차지한다. 또한 2017년 기준 유방암 0기 또는 1기의 조기 유방암 환자의 비율이 60.5%까지 보고되는 등 점차 증가하는 추세이다. 이에 따라 젊고, 조기진단이 많은 우리나라 유방암의 수술치료에서 유방보존수술의 비율은 2017년 67.4%로 2010년 이후 줄곧 60% 이상을 차지하고 있으며, 유방보존수술에 있어 종양학적 안정성과 미용적인 면을 고려한 종양성형술(oncoplastic surgery) 역시 다양하게 시도되고 있다. 따라서 수술 중 암의 정확한 위치를 파악하여 정상조직의 손상을 최소화함과 동시에 안전한 절제연을 확보하는 것이 중요하다.

유방암 절제 시 수술 중 종양과 주변조직을 실시간으로 보면서 측정할 수 있는 가장 효과적인 방법은 수술 중 초음파(intraoperative ultrasound, IOUS)이다. 수술자는 절개선을 넣기 전 유방의 피부에 종양과 그 절제연의 범위를 표시한 다음, 수술을 진행하고 수술 중에도 절개창 안으로 초음파 탐색자를 넣어 종양과 주변조직과의 위치관계를 여러 방향에서 수차례 확인해야 한다. 검체가 완전히 절제된 이후에는 먼저 검체 내의 종양과 절제연 사이의 거리 및 절제연의 음성 여부를 초음파로 확인하여 만약, 검체와 절제연이 너무 가깝다고 판단되면 추가적인

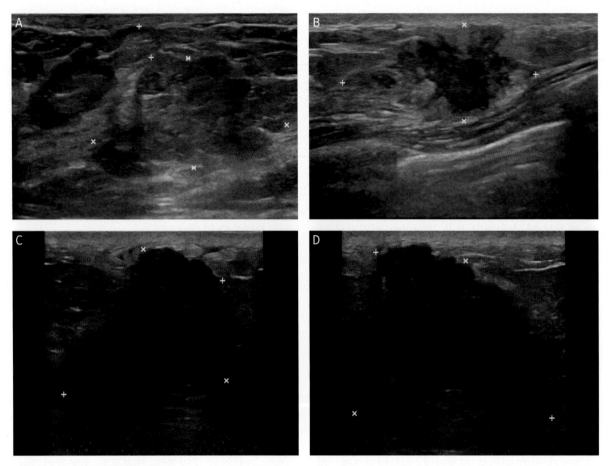

그림 2-46 수술 전 병기결정 초음파
A. 초음파 상 유두와 침습점액암 병변까지 절제연 확보 0.53 cm로 유두보존 및 유방보존술을 시행하였으며 절제연 음성으로 재절제 시행 안함
B. 불규칙한 침상형 경계의 침습소엽암종에서 피부침범의심 소견
C,D 침습관암종의 피부침범 소견
C,D 경계가 불분명한 현저한 저에코의 병변이 피부와 맞닿아 있으며 피부가 두꺼워지고 지방층과의 경계가 흐려진(blurring) 피부침범의심 소견

변연절제를 시행하는 과정이 유방보존술에서 수술 중 초음파의 역할이 된다. 수술 중에는 공기나 액체 등에 의해 초음파 시야가 흐려지고, 초음파 탐색자가 수술부위로 들어가게 되면 종양 주변조직이 압박되거나 위치가 이동하게 되며, 초음파 굴절(특히 2 cm 이상의 종양에서 흔히 나타나는)에 의해 실제 길이와 초음파 상 길이의 차이가 나는 등의 몇 가지 제한점이 따르게 되며, 수술 중 초음파를 방해하는

이러한 문제점들은 여러 연구에서 수술 전 종양의 중심부에 표식자 또는 초음파조영제를 삽입하는 것이 검체에서 종양의 부피나 절제연의 거리를 파악하는 데 도움이 되는 것으로 보고했다. 외과의사는 이 표식자로부터 절제연까지의 거리를 수술 내내 모든 방향에서 연속적으로 측정하여 종양과의 위치 관계를 좀 더 정확하게 파악할 수 있으며 이러한 과정을 통해 유방보존술은 측정가능한 객관적인 방법

으로 거듭나게 되는 것이다.

만져지는 유방암에서조차도 절제과정을 최적화하여 수술부위를 만져서 찾아 제거하는 고식적인 수술의 단점을 극복하고, 수술 시 술자가 원하는 동심원(concentric)형태의 절제연을 얻기 위해서 수술중 초음파는 절제연과 종양 사이의 거리를 객관적으로 측정할 수 있게 해준다. 술자의 주관적인 촉진에 의한 절제보다 작지만 음성절제연을 가지는 충분한 검체를 절제할 수 있도록 하는 것이다. 유방암 수술 중 초음파의 역할은 보다 정확한 수술 중 디자인을 가능하게 하고 종양의 절제연을 객관적으로 측정할 수 있게 함으로써 음성절제연의 확보뿐 아니라 정상조직의 손상을 최소화하여 수술 후 만족할 만한 미적결과와 그에 따른 삶의 질을 향상시킬 수 있다. 수술 중 초음파에서 적절한 절제연은 모든 방향에서 육안으로 10 mm의 거리를 확보한 동심원적인 절제를 의미하며, 이 안전거리는 "no tumor on ink"라는 현미경적 음성절제연의 확보와 동시에 정상조직의 최소절제가 가능하게 한다.

(1) 비촉지성 암 수술 시 위치결정술

수술 전 위치결정술은 바늘 삽입술이나 색소 주입으로 가능하지만, 수술실에서 외과의에 초음파 유도하 병변의 중심과 경계부위 및 절제연을 고려하여 피부에 펜으로 위치를 표시한다. 바늘위치결정술의 경우 최단거리로 바늘을 삽입하는 것이 원칙이지만, 병변으로부터 바늘의 삽입부위가 먼 경우에는 병변의 위치와 바늘 삽입 피부위치를 고려하여 수술 절개 부위를 결정해야 한다는 단점이 있다. 정확한 위치결정의 결과는 암절제연 양성률까지 이어지기 때문에 무엇보다 중요하다. 바늘위치결정술 대신 또는 함께 시행하는 수술 중 초음파는 적절한 부피의 검체와 안전한 절제연을 얻을 수 있는 효과적이고 정확한 방법이다. Colakovic 등은 비촉지성 유방종양의 수술 중 종양인식률

(identification rate)을 초음파시행군과 기존의 바늘위치결정술군을 비교한 여러 연구를 분석하여 종양인식률을 두 군에서 모두 100%에 가깝게 보고하였다. 그러나, 성공률이 같은 경우라도 제거된 검체의 부피는 초음파시행군에서 유의하게 작았으며, 절제연 음성률은 초음파시행군에서 높은 결과를 보였다. 대부분 촉지되지 않는 겨드랑림프절 생검에 있어서도 수술 중 초음파로 최적의 절개창을 통해 수술시간의 단축 및 효과적인 림프절 생검을 기대할 수 있다.

(2) 수술범위 및 안전한 절제연의 평가

유방보존술을 시행하는 유방암 환자의 15~35%가 절제연 양성 또는 병변과 절제연이 가까운 결과로 수술 중 변연절제술 또는 2차 수술을 필요로 한다. 2차 수술은 의료비용의 증가, 환자의 불안감 증대, 수술 후 부작용 및 합병증의 위험도 증가라는 결과를 초래하는데, 이러한 절제연 양성률을 줄이기 위한 비침습적이면서도 효과적인 영상학적 도구가 초음파이다. 검체 절제연 초음파와 체내 암의 정확한 위치결정술이 동시에 시행된다면 유방보존술의 결과는 고무적이다. Harlow 등은 수술 중 초음파를 시행한 유방암 환자 65예 중 두 경우에서만 절제연 양성 소견, 즉 96.9%에서 절제연 음성으로 평균 절제연의 거리 0.8 cm의 안전한 절제연을 확보하였다고 보고하였다. 만져지는 유방암에서 유방보존술 후 수술 중 초음파 여부에 따른 수술의 정확도와 절제연의 상태를 평가한 연구(Moore 등)에서 수술 중 초음파를 시행한 군은 절제연 양성률 3.7% (1/27)으로 대조군 29% (7/24)보다 유의하게 안전한 절제연을 확보하는 것으로 보고하였다. 따라서 저자들은 보존술 중 시행하는 초음파검사는 충분한 절제연을 확보하는 외과의사의 역할을 최대화시켜주며, 미용적인 결과에 대한 환자들의 만족도도 더 우수함을 보고하였다. Haid 등은 초음파시행군에서 수술 중

변연부위의 재절제없이 한 번에 81%의 절제연 음성을 얻었으며 이는 바늘위치결정술군의 62% 결과보다 나은 것으로 보고하였다. Ramos 등의 연구에서도 초음파시행군 재절제율은 단지 4% (9/225)로 대조군의 절제연 양성 55%와 비교하여 유의하게 우수한 결과를 보였다. 절제한 검체에 대해 초음파를 시행함으로써 절제연을 평가하는 방법도 새로운 초음파의 시도이다.

검체초음파(specimen ultrasound)는 조직의 형태학적 구조를 보여준다. 수술방 안에서 빠르고 쉽게 절제연의 상태를 구조적으로 파악하는 검체초음파는 특히 치밀유방에서 검체유방촬영술(specimen mammography)보다 경제적이고 효과적인 정보를 제공한다. 20~80 MHz의 고주파 초음파로 검체 절제연을 평가한 Doyle 등의 연구에서는 절제연 검체표면에 젤리를 바르고 플라스틱백에 넣어 공기를 최대한 제거한 상태에서 백을 닫아 백과 검체 표면이 맞닿게한 후 백표면에 초음파 젤을 바르고 절제연 평가를 진행하였으며, 그 결과 100%의 특이도와 86%의 민감도로 정상 유방조직과 소엽암종을 구별하며, 100%의 특이도와 74%의 민감도로 정상조직과 관암종을 구별하는 정확성을 나타낸다. 이는 동결절편검사의 수술 중 절제연에 대한 특이도 92~100%, 민감도 65~78%, touch preparation cytology의 특이도 83~100%, 민감도 75~96%와 비교하여 수술 중 검체초음파가 절제연을 판단하는데 빠르고 정확한 방법이라는 것을 보여준다.

(3) 초음파 유도 유방보존술

촉지되지 않는 종양은 물론, 촉지되는 종양에서도 외과의사의 촉진에만 의존하여 수술을 진행해야하는 단점을 극복하고 절제과정을 최적화하기 위한하나의 방법으로 수술 중 초음파검사는 진화해왔다. 촉진으로 병변을 찾는 고전적인 수술은 주관적인 방법으로 때때로 필요이상으로 과도하게 유방을 절제하는 경우가 있으며, 절제연 양성률 역시 41%까지도 보고되고 있다. 초음파 유도 유방보존술에 관한 여러 연구들은 모두 명백하게 종양학적 안전성과 뛰어난 미용 결과를 보여준다. 낮은 절제연 양성률에서 이어지는 재수술의 감소는 두 가지를 모두 충족시켜주는 것이다. Fisher 등은 촉지되는 종양은 직접 만지거나 바늘위치결정술에 의해 모두 가능하지만, 절제연 양성률은 초음파시행군에서 10%, 촉진에 의한 수술군에서 16%로 차이가 나는 결과를 보였다. 또한 재수술률은 23%와 25%로 두 군이 유사했지만 재수술의 결과에서 잔존병변 또는 절제연과 가까운 병변 등의 소견은 초음파시행군에서 유의하게 낮았음을 보고하였다.

Krekel 등은 만져지는 유방암을 대상으로 한 연구(COBALT trial)에서 촉지되는 종양의 수술 중 초음파는 절제연 음성률 97%로 촉진으로 수술 시의 83%에 비하여 절제연 양성률을 14%나 감소시켰으며, 예상치 않은 제자리관종이 포함된 경우에도 같은 결과를 보였다. 또한 수술 후 2차수술 방사선치료 boost 등 추가치료에서도 각각 11%와 27%로 추가치료의 요구도 17%나 감소하였다. 오히려 절제되는 검체의 부피는 각각 38 cm^3와 57 cm^3로 초음파 유도에서 유의하게(p=0.002) 감소하였음을 보고하였다. 만족할만한 미적인 결과와 동반되는 삶의 질 향상은 언급하지 않아도 자연스럽게 뒤따르는 과정이 된다. 수술자는 초음파 유도하에 수술 중 병변의 크기, 병변과 피부와의 거리, 병변과 근막과의 거리(mm)를 측정하고 피부에 절제연을 표시한다. 이 표시는 수술 절개선 및 박리의 범위를 확인하는 데 사용되며, 박리시에는 적절한 절제연을 얻기위하여 상처 주위에서 여러 각도로 연속적으로 절제연을 평가하는 과정을 반복한다. 검체가 완전히 절제된 후에는 체외에서(ex vivo) 검체초음파로 절제연의 안전성을 다시 확인하며 절제연 양성이 의심되는 경우 등 필요한 경우에는 바로 재절제를 시행하는 과정이 초음파 유도하 수술의 과정이다.

Rubio 등은 선행보조화학요법 후 유방보존술을 시행하는 214명의 유방암 환자를 대상으로 수술 중 초음파(IOUS)를 시행한 군과 바늘위치결정술을 시행한 군으로 나누어 비교했을 때, 완전관해가 되거나 또는 현미경적 잔존암만 존재하는 환자에서 절제연 양성률 및 재절제율은 차이가 없었지만(p=0.80), 절제된 검체의 부피는 초음파시행군에서 유의하게 작았으며(p=0.03), 중앙추적기간 43개월 이후 국소재발률은 두 군간에 차이가 없음을 보고하였다.

(4) 최소침습치료에서의 초음파의 역할

유방암의 조기진단이 증가함에 따라 최소침습 또는 비침습적이고 더 나은 미적결과를 위한 여러 가지 방법들이 발전하고 있다. 다양한 최소침습기술들은 주로 초음파나 MRI 유도하에 이루어지며, 이들 중 초음파유도는 접근성, 시간 및 비용면에서 매우 효율적이다. 종양의 완전소작을 목표로 하는 다양한 최소침습치료 방법은 잘 계획된 연구로 종양의 괴사범위와 잔존병소 및 재발률 등 종양학적 안정성까지 입증해낼 수 있다면, 적절하게 선택된 조기 국소유방암 환자에서 그 역할을 기대해 볼 수 있을 것이다.

① 유방암의 냉동소작술(cryoablation)

냉동소작술은 이미 간종양이나 전립선, 신장 그리고 국소진행성 유방암의 고식적인 치료로서 성공적으로 사용되어 왔다. 국소마취 하에 냉동천자침을 종양의 중앙부에 위치시킨 다음 아르곤가스를 이용하여 영하 160℃까지 고냉동과 저냉동을 반복하며 암세포를 파괴하는 방법으로, 냉동소작술 시 얼음구(iceball)를 형성하는 범위에 따라 피부 동상을 피하기 위해 병변의 변화 및 피부의 변화를 초음파와 촉진으로 실시간 확인하면서 피부와 얼음

구 사이에 생리식염수를 주입하면서 진행한다(그림 2-47). 국소마취 하에 외래나 소수술실에 가능하며, 통증을 포함한 수술과 관련된 주요 합병증이 거의 없다는 장점을 가진다. T1 조기유방암을 대상으로 냉동절제술을 시행한 Sabel 등의 연구에서 냉동절제 1~4주 후에 병변을 수술로 제거하여 판단한 결과 93%의 성공률을 보고하였다. 1.0 cm 미만의 암병변은 100% 파괴되었으며, 1~1.5 cm 범위의 병소에서는 뚜렷한 제자리관암종을 포함하지 않는 침윤성유방암에서만 성공률을 보였고, 1.5 cm 보다 큰 병변에서는 71% (5/7)의 성공률을 보고하였다. 이에 저자들은 1.5 cm 이하의 침윤성유방암에서 25% 미만의 제자리관암종을 포함한 병변에 선택적으로 적용한다면 비침습적 유방암 치료로서 안전하다고 보고하였다.

② 고주파소작술(radio frequency ablation, RFA)

초음파 유도 경피적으로 침전극을 종양 내부로 삽입한 후 이온교란을 발생시켜 조직을 가열에 의해 세포사멸을 유발하는 방법으로, 파장이 긴 저주파수의 전파로 열을 발생시켜 응고성 괴사를 야

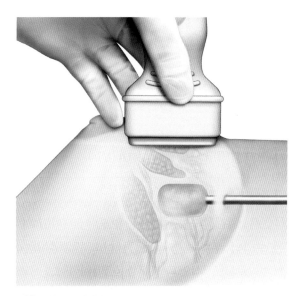

그림 2-47 유방암의 냉동소작술

기시킨다. 다른 방법들과 달리 탐침 자체가 열을 발생시키지 않으므로 한 번에 소작할 수 있는 부피의 제한이 있고, 큰 종양에서는 여러 개의 탐침이 필요하다. 소작 시 탐침의 목표 온도는 95℃정도로 약 15분 유지하며 병변에 따라 목표온도와 소작시간은 유동적이다. 냉동소작술과 같이 국소마취 하 주로 외래나 소수술실에서 시행한다. 유방암의 최소침습방법에 대한 1,608명 63개의 연구결과를 메타분석한 Peek 등의 연구에서 냉동소작술, 극초단파(microwave), HIFU, 레이저소작술과 고주파소작술을 비교하였을 때 고주파소작술의 완전소작률은 87.1±12.8% (491/564)로 가장 높은 결과를 나타냈으며 치료시간 15.6±5.6분으로 가장 짧았다. 30.8±16.9개월의 추적기간 동안 고주파소작술군의 국소재발은 3.1% (9/291)로 보고되었다(표 2-7). RFA로 치료받은 유방암 환자 386명을 50개월 장기간 추적관찰한 Ito 등의 연구에서 동측 유방암 재발(IBTR)은 종양의 크기와 유의한 연관이 있으며, 2 cm 이하에서 IBTR 2.3% (8/355)와 비교하여 2 cm보다 큰 경우 10% (3/30)로 유의하게(p=0.015) 증가하였다. 5년 IBTR 무병생존율은 1.0 cm 이하, 1초과 2.0 cm 이하, 2.0 cm 초과 병변으로 분류 시 각각 97%, 94%, 87%로 보고되어, 2.0 cm 이하의 T1 유방암 환자의 국소치료로서의 가능성을 제시하였다. 유방암에서 시행된 404명 15기관의 RFA결과를 메타분석한 Chen 등의 연구는 종양의 완전소작률 89% (95% CI: 85~93%), 피부 화상 4% (95% CI: 1~6%)로 보고하였다. 여러 연구에서 1.37~14.29%의 다양한 국소 재발률을 보고하며, Palussièere 등의 연구에서는 재발의 75% (3/4)가 침습소엽암종으로 보고되어 저자들은 RFA대상으로 침습소엽암종은 제외해야 한다고 설명한다.

표 2-7 최소침습소작술(Minimally invasive ablative techniques)로 치료한 유방암 환자의 연구결과 메타분석

		냉동소작술 Cryoablation		고주파소작술 RFA		고강도집속초음파 HIFU	
종양의 크기 (cm)		1.6±.7	(8개 연구)	1.5±0.4	(17개 연구)	2.1±0.9	(7개 연구)
완전소작률 (%)		74.1±28.9	(186/251)	87.1±.8	(491/564)	47.6±29.9	(60/126)
안전경계연 (mm)		5~10	(2개 연구)	5 > 5	(3개 연구) (3개 연구)	5 15~20	(3개 연구) (3개 연구)
치료시간 (분)		50.3±58.4	(7개 연구)	15.6±5.6	(20개 연구)	101.5±46.6	(4개 연구)
국소재발률 (%)	추적기간 (개월)	1.4 (1/74)	16.9±2.0	3.1 (9/291)	30.8±16.9	2.9 (3/102)	21.4±19.3
미적결과	뛰어난 좋은 수긍할만한	92.5 5.0 2.5	(37/40) (2/40) (1/40)	85.3 9.6 0.5	(168/197) (19/197) (1/197)	– 59.3 7.4	– (12/27) (2/27)
합병증 (%)		10.9	(20/183)	10.5	(58/555)	6.5	(12/185)
		피부 괴사 2.7	(5/183)	피부 화상 4.1	(23/555)	피부 화상 4.3	(8/185)

Peek et al. Int J Hyperthermia 2017;33(2):191-202.

③ 고강도집속초음파(high intensity focused ultrasound, HIFU)

고강도집속초음파는 치료 초음파로 유방암의 치료를 위한 새로운 시도라고 할 수 있다. 완전히 비침습적인 방법으로 집속초음파빔이 조직을 통과하면서 고주파 압력파동에 의한 고온을 발생시켜 병변의 단백질변성 및 응고성괴사를 야기한다. 주로 MR 유도로 시행하며 각 영상은 시술 중 종양을 표적으로 하고, 치료를 모니터링하며, 치료의 결과를 평가한다. HIFU는 1.45~12 MHz의 주파수로 50~100 Watt의 초음파빔을 종양 내 한 부분 또는 여러 부위에 수차례 반복하여 초음파치료(sonication)를 시행하는데 환자는 정맥 내 마취제와 진통제로 진정된 상태에서 엎드린 자세로 시행하게 된다. 최초로 유방전용플랫폼을 사용한 한 HIFU 연구(Merekel 등)는 1.0 cm 이상의 T1-2 유방암 환자 10명을 대상으로 병변의 일부를 소작하도록 고안된 연구로, HIFU 시행 평균 5일 후 수술로 제거하여 병변의 상태 및 괴사의 범위 등을 확인하였다. 시술시간 평균 145분 중 실제 초음파 처리시간은 1.7분으로 한 회 치료당 25초 미만으로 한 환자당 1~6회 치료적 초음파 처리를 시행하였다. 10명의 유방암 환자에서 피부변화나 화상의 부작용은 없었으며, 사용된 에너지(Watt)와 괴사된 종양의 범위는 양의 상관관계를 보였으며(r=0.76, p=0.002), 종양의 괴사범위는 3~11 mm로 보고되었다.

유방암의 조기 발견과 병변에 대한 정확한 평가는 모든 영상검사의 공통된 목표라고 할 수 있다. 유방 초음파는 병변의 발견과 동시에 병변의 특징을 자세히 묘사할 수 있어, 유방촬영술 소견에 더하여 진단의 특이도를 높인다는 것은 이미 잘 알려진 사실이다. 한국 여성의 유방암은 매년 빠르게 증가하여, 2018년 기준 한국유방암(연령표준화) 발생률은 10만 명당 59.8명으로 세계 유방암발생률 46.3명과 비교하여 높은 수치를 보이지만, 사망률은 10만 명당 6.0명으로 세계사망률 13.0명에 비해 현저히 낮은 수치를 보이며 이는 싱가폴 18.5, 미국 12.7, 일본 9.3, 중국 8.8 등 어느 나라와 비교하여도 가장 낮은 결과를 보인다. 적극적인 건강검진과 한국 여성에 맞는 표준화된 유방암 치료법도 이러한 결과에 중요한 역할을 하였지만, 치밀유방이라는 한국 여성의 특성을 기반으로 누구나 쉽게 검사할 수 있는 유방초음파의 보편화가 조기 진단 및 생존율 향상에 큰 역할을 했다고 할 수 있으며 유방 초음파의 급여화 시점에서 선별검사로서의 역할 및 앞으로 그 영역의 진화가 기대되는 이유이다.

◀)) 참고문헌

1. 문우경. 유방 초음파 진단학. 제2판. 서울: 일조각; 2019.

2. 한국유방암학회, 2019 유방암백서. 2019.

3. 한국유방암학회. 유방학. 제3판. 파주: 군자출판사; 2013.

4. 한국유방암학회. 유방학. 제4판. 서울: 바이오메디북; 2017.

5. Bae MS, Han WS, Koo HR, et al. Characteristics of breast cancers detected by ultrasound screening in women with negative mammograms. Cancer Sci 2011;102:1862-7.

6. Bae MS, Moon WK, Chang JM, et al. Breast Cancer Detected with Screening US: Reasons for Nondetection at Mammography. Radiol 2014;270:369-77.

7. Barr RG, Nakashima K, Amy D, et al. WFUMB guidelines and recommendations for clinical use of ultrasound elastography: Part 2: breast. Ultrasound in Med. & Biol. 2015;41:1148–60.

8. Barr RG, Zhang Z. Effects of precompression on elasticity imaging of the breast: development of a clinically useful semiquantitative method of precompression assessment. J Ultrasound Med 2012;31:895-902.

9. Barr RG. Sonographic breast elastography: a primer. J Ultrasound Med 2012;31:773-83.

10. Barr RG. The Role of Sonoelastography in Breast Lesions. Semin Ultrasound CT MR 2018;39:98-105.

11. Berg WA, Cosgrove DO, Dore CJ, et al. Shear-wave elastography improves the specificity of breast US: the BE1 multinational study of 939 masses. Radiology 2012;262: 435-49.

12. Butler RS, Venta LA, Wiley EL, et al. Sonographic evaluation of infiltrating lobular carcinoma. Am J Roentgenol 1999;172:325-30.

13. Chang JM, Moon WK, Cho N, et al. Breast mass evaluation: factors influencing the quality of US elastography. Radiology 2011;259:59-64.

14. Chang JM, Park IA, Lee SH, et al. Stiffness of tumours measured by shear-wave elastography correlated with subtypes of breast cancer. Eur Radiol 2013;23:2450-8.

15. Chen J, Zhang C, Li F, et al. A meta-analysis of clinical trials assessing the effect of radiofrequency ablation for breast cancer. Onco Targets Ther 2016;9:1759-66.

16. Cho N, Han W, Han B, et al. Breast Cancer Screening With Mammography Plus Ultrasonography or Magnetic Resonance Imaging in Women 50 Years or Younger at Diagnosis and Treated With Breast Conservation Therapy. JAMA Oncol 2017;3:1495-502.

17. Cho N, Jang MJ, Lyou CY, et al. Distinguishing benign from malignant masses at breast US: combined US elastography and color doppler US-influence on radiologist accuracy. Radiology 2012;262:80-90.

18. Cho N. Molecular subtypes and imaging phenotypes of breast cancer. Ultrasonography 2016;35:281-8.

19. Choi WJ, Kim HH, Cha JH, et al. Predicting prognostic factors of breast cancer using shear wave elastography. Ultrasound Med Biol 2014;40:269-74.

20. Colakovic N, Zdravkovic D, Skuric Z, et al. Intraoperative ultrasound in breast cancer surgery-from localization of non-palpable tumors to objectively measurable excision. World J Surg Oncolocy 2018;16:184.

21. Cosgrove D, Piscaglia F, Bamber J, et al. EFSUMB guidelines and recommendations on the clinical use of ultrasound elastography. Part 2: Clinical applications. Ultraschall Med 2013;34:238-53.

22. Costantini M, Belli P, Lombardi R, et al. Characterization of Solid Breast Masses Use of the Sonographic Breast Imaging Reporting and Data System Lexicon. J Ultrasound Med 2006;25:649-59.

23. Czum JM, Sanders LM, Titus JM, et al. Breast imaging case of the day. Benign phyllodes tumor. Radiographics 1997;17:548-51.

24. Diana M. Ferris-James, Elaine luanow, et al. Imaging approaches to diagnosis and management of common ductal abnormalities. Radiographics 2012;32(4):1009-30.

25. Doyle TE, Factor RE, Ellefson CL, et al. High-frequency ultrasound for intraoperative margin assessments in breast conservation surgery: a feasibility study. BMC Cancer 2011;11:444.

26. Dupont WD, Page DL, Parl FF, et al. Long-term risk of breast cancer in women with fibroadenoma. N Engl J Med 1994;331:10-5.

27. Eichler C, Abrar S, Puppe J, et al. Detection of Ductal Carcinoma In Situ by Ultrasound and Mammography: Size-

dependent Inaccuracy. Anticancer Res 2017;37:5065-70.

28. Evans A, Armstrong S, Whelehan P, et al. Can shear-wave elastography predict response to neoadjuvant chemotherapy in women with invasive breast cancer? Br J Cancer 2013; 109:2798-802.

29. Evans A, Whelehan P, Thomson K, et al. Invasive breast cancer: relationship between shear-wave elastographic findings and histologic prognostic factors. Radiology 2012;263:673-7.

30. Feig SA. ARRS categorical course syllabuson breast miaging. Americal Roentgen Ray Society 1988;231-40.

31. Fisher CS, Mushawah FA, Cyr AE, et al. Ultrasoundguided lumpectomy for palpable breast cancers. Ann Surg Oncol 2011;18:3198-203.

32. Goddi A, Bonardi M, Alessi S. Breast elastography: A literature review. J Ultrasound 2012;15:192-8.

33. Haid A, Knauer M, Dunzinger S, et al. Intra-operative sonography: a valuable aid during breastconserving surgery for occult breast cancer. Ann Surg Oncol 2007;14:3090-101.

34. Harlow SP, Krag DN, Ames SE, et al. Intraoperative ultrasound localization to guide surgical excision of nonpalpable breast carcinoma. J Am Coll Surg 1999;189: 241-6.

35. Harris JR, Lippman ME, Morrow M, et al. Diseases of the Breast. 2nd ed. Philadelphia: Lippincott Williams & Wilkins; 2000.

36. He P, Cui LG, Chen W, et al. Subcategorization of Ultrasonographic BI-RADS Category 4: Assessment of Diagnostic Accuracy in Diagnosing Breast Lesions and Influence of Clinical Factors on Positive Predictive Value. Ultrasound Med Biol 2019;45:1253-8.

37. Hong AS, Rosen EL, Soo MS, et al. BI-RADS for sonography: positive and negative predictive values of sonographic features. Am J Roentnol 2005;184:126-5.

38. Hong AS, Rosen ER, Soo MS, et al. BI-RADS for sonography: positive and negative predictive values of sonographic features. Am J Roentgenol 2005;184:1260-5.

39. Ito T, Oura S, Nagamine S, et al. Radiofrequency Ablation of Breast Cancer: A Retrospective Study. Clin Breast Cancer Actions 2018;18:495-500.

40. Itoh A, Ueno E, Tohno E, et al. Breast disease: clinical application of US elastography for diagnosis. Radiology 2006;239:341–50.

41. Jales RM, Sarian LO, Torresan R, et al. Simple rules for ultrasonographic subcategorization of BI-RADS(R)-US 4 breast masses. Eur J Radiol 2013;82:1231-5.

42. John G. Huff. The sonographic findings and differing clinical implications of simple, complicated, and complex breast cysts. J Natl Compr Canc Netw 2009;7:1101-4.

43. Johnson K, Sarma D, Hwang ES. Lobular breast cancer series: imaging. Breast Cancer Research 2015;17:94-101.

44. Kim MY, Cho N, Yi A, et al. Sonoelastography in Distinguishing Benign from Malignant Complex Breast Mass and Making the Decision to Biopsy. Korean J Radiol 2013;14:559-67.

45. Kim SJ, Park YM, Jung HK. Nonmasslike Lesions on Breast Sonography Comparison Between Benign and Malignant Lesions. J Ultrasound Med 2014;33:421-30.

46. Ko KH, Hsu HH, Yu JC, et al. Non-mass-like breast lesions at ultrasonography: Feature analysis and BIRADS assessment. Eur J Radiol 2015;84:77-85.

47. Krekel NM, Haloua MH, Lopes CA, et al. Intraoperative ultrasound guidance for palpable breast cancer excision (COBALT trial): a multicentre randomised controlled trial. Lancet Oncol 2013;14:48-54.

48. Krouskop TA, Wheeler TM, Kallel F, et al. Elastic moduli of breast and prostate tissues under compression. Ultrason Imaging 1998;20:260-74.

49. Leong PW, Chotai NC, Kulkarni S. Imaging features of inflammatory breast disorders: A pictorial essay. Korean J Radiol 2018;19:5-14.

50. Lewis JT, Hartmann LC, Vierkant RA, et al. An analysis of breast cancer risk in women with single, multiple, and atypical papilloma. Am J Surg Pathol 2006;30:665-72.

51. Liberman L, Bonaccio E, Hamele-Bena D, et al. Benign and malignant phyllodes tumors: mammographic and sonographic findings. Radiology 1996;198:121-4.

52. Ma Y, Zhang S, Zang L, et al. Combination of shear wave elastography and Ki-67 index as a novel predictive modality for the pathological response to neoadjuvant chemotherapy in patients with invasive breast cancer. Eur J Cancer 2016;69:86-101.

53. Merckel LG, Knuttel FM, Deckers R, et al. First clinical experience with a dedicated MRI-guided high-intensity focused ultrasound system for breast cancer ablation Eur Radiol 2016;26:4037-46.

54. Moon HJ, Kim EK, Kwak JY, et al. Interval growth of probably benign breast lesions on followup ultrasound: how can these be managed? Eur Radiol 2011;21:908-18.

55. Moore MM, Whitney LA, Cerilli L, et al. Intraoperative ultrasound is associated with clear lumpectomy margins for palpable infiltrating ductal breast cancer. Ann Surg 2001;233:761-8.

56. Morishima I, Ueno E, Tohno E, et al. Ultrasonic diagnosis of non-mass image-forming breast cancer. Research and Development in Breast Ultrasound. Tokyo: Springer; 2005.

57. Morrow M, Harris JR, Lippman ME, et al. Disease of the breast. 4th ed. Philadelphia: Lippincott Williams & Wilkins; 2009.

58. Moskowitz M. Cirumscribed lesions of the breast. In: Moskowitz M, Jones MD, Sullivan MA, editors. Diagnosis categorical course in breast imaging. Oak Brook: Radiological Society of North America; 1986. pp.31-3.

59. Park JW, Ko KH, Kim EK, et al. Non-mass breast lesions on ultrasound: final outcomes and predictors of malignancy. Acta Radiologica 2017;58:1054-60.

60. Peek MCL, Ahmed M, Napoli A, et al. Minimally invasive ablative techniques in the treatment of breast cancer: a systematic review and meta-analysis. Int J Hyperthermia 2017;33:191-202.

61. Rahbar G, Sie AC, Hansen GC, et al. Benign versus Malignant Solid Breast Masses: US Differentiation. Radiology 1999;213:889-94.

62. Ramos M, Díiaz JC, Ramos T, et al. Ultrasound-guided excision combined with intraoperative assessment of gross macroscopic margins decreases the rate of reoperations for nonpalpable invasive breast cancer. Breast 2013;22:520-4.

63. Rao AA, Feneis J, Lalonde C, Ojeda-Fournier H. A Pictorial Review of Changes in the BI-RADS Fifth Edition. RadioGraphics 2016;36:623–39.

64. Rashmi S, Kamala S, Murthy SS, et al. Predicting the molecular subtype of breast cancer based on mammography and ultrasound findings. Indian J Radiol Imaging 2018; 28:354-61.

65. Raza S, Odulate A, Ong EM, et al. Using real-time tissue elastography for breast lesion evaluation: our initial experience. J Ultrasound Med 2010;29:551-63.

66. Ricci A Jr, Kourea HP, Wortyla S. Age-stratified incidence of unsuspected mammary carcinoma in women with fibroadenoma. Conn Med 1996;60:587-90.

67. Rozhkova NI. X-ray diagnosis of breast disease. Moscow, Russian: Medicina; 1993.

68. Sabel MS, Kaufman CS, Whitworth P, et al. Cryoablation of early-stage breast cancer: work-in-progress report of a multi-institutional trial. Ann Surg Oncol 2004;11:542-9.

69. Sencha AB, Evseeva EV, Mogutov MS, et al. Ultrasound diagnosis of Breast cancer. New York: Springer; 2013.

70. Sencha AN, Evseeva EV, Mogutov MS et al. Breast ultrasound. Verlag Berlin Heidelberg: Springer; 2013.

71. Sotome K, Yamamoto Y, Hirano A, et al. The role of contrast enhanced MRI in the diagnosis of non-massimage-forming lesions on breast ultrasonography. Breast Cancer 2007;14:371-80.

72. Stachs A, Hartmann S, Stubert J, et al. Differentiating between malignant and benign breast masses: factors limiting sonoelastographic strain ratio. Ultraschall Med 2013;34:131-6.

73. Stavros AT, Thickman D, Rapp CL, et al. Solid breast nodules: use of sonography to distinguish between benign and malignant lesions. Radiol 1995;196:123-34.

74. Sulhyan KR, Anvikar AR, Mujawar IM, et al. Histo-pathological study of breast lesions. Int J Med Res Rev 2017;5:32-41.

75. Tan EY, Tan PH, Yong WS, et al. Recurrent phyllodes tumours of the breast: pathological features and clinical implications. ANZ J Surg 2006;76:476-80.

76. Tan PH, Thike AA, Tan WJ, et al; Phyllodes Tumour Network Singapore. Predicting clinical behaviour of breast phyllodes tumours: a nomogram based on histological criteria and surgical margins. J Clin Pathol 2012;65:69-76.

77. Tanter M, Bercoff J, Athanasiou A, et al. Quantitative assessment of breast lesion viscoelasticity: initial clinical results using supersonic shearimaging. Ultrasound Med Biol 2008;34:1373-86.

78. Tohno E, Ueno E. Current improvements in breast ultra-

sound, with a special focus on elastography. Breast Cancer 2008;15:200-4.

79. Tozaki M, Fukuma E. Pattern classification of Shear WaveTM Elastography images for differential diagnosis between benign and malignant solid breast masses. Acta Radiologica 2011;52:1069–75.

80. Uematsu T. Non-mass-like lesions on breast ultrasonography: a systematic review. Breast Cancer 2012;19:295-301.

81. Vijayaraghavan GR, Vedantham S, Santos-Nunez G, et al. Unifocal Invasive Lobular Carcinoma: Tumor Size Concordance Between Preoperative Ultrasound Imaging and Postoperative Pathology. Clin Breast Cancer 2018;18: 1367-72.

82. Wanis ML, Wong JA, Rodriguez S, et al. Rate of reexcision after breast-conserving surgery for invasive lobular carcinoma. Am Surg 2013;79:1119-22.

83. Yang Y, Liu B, Zhang X, et al. Invasive Micropapillary Carcinoma of the Breast: An Update. Arch Pathol Lab Med 2016;140:799-805.

84. Yoon JH, Jung HK, Lee JT, et al. Shear-wave elastography in the diagnosis of solid breast masses: what leads to false-negative or false-positive results? Eur Radiol 2013;23: 2432-40.

85. Yoon JH, Kim EK, Kwak JY, et al. Is USguided core needle biopsy (CNB) enough in probably benign nodules with interval growth? Ultraschall Med 2012;33:145-50.

86. Yoon JH, Kim MJ, Moon HJ, et al. Subcategorization of ultrasonographic BI-RADS category 4: positive predictive value and clinical factors affecting it. Ultrasound Med Biol 2011;37:693-9.

87. Youk JH, Gweon HM, Son EJ, et al. Shear-wave elastography of invasive breast cancer: correlation between quantitative mean elasticity valueand immunohistochemical profile. Breast Cancer Res Treat 2013;138:119-26.

88. Youk JH, Gweon HM, Son EJ. Shear-wave elastography in breast ultrasonography: the state of the art. Ultrasonography 2017;36:300-9.

89. Zhi H, Xiao XY, Yang HY, et al. Semi-quantitating stiffness of breast solid lesions in ultrasonic elastography. Acad Radiol 2008;15:1347-53.

90. Zou X, Wang J, Lan X, et al. Assessment of Diagnostic Accuracy and Efficiency of Categories 4 and 5 of the Second Edition of the BIRADS Ultrasound Lexicon in Diagnosing Breast Lesions. Ultrasound Med Biol 2016;42:2065-71.

유방 병변의 초음파 유도 검사와 시술

1. 초음파 유도 세침흡인세포검사

1) 서론

세침흡인세포검사(fine needle aspiration cytology, FNAC)는 가는 바늘을 사용하여 고형 또는 낭성 유방 병변에서 세포들을 추출하여 세포학적 형태를 검사하는 방법으로 20~25게이지의 바늘을 이용한다. 유방 세침흡인세포검사에서 사용되는 유도법은 촉지, 초음파, 유방촬영술이 있다. 이중에서 가장 보편적으로 이용되는 방법은 초음파다. 촉지가 가능하더라도 낭성병변 내의 고형물질이 혼재되어 있는 경우, 심부에 존재하는 병변, 범위를 파악하기 어려운 병변 등은 반드시 초음파를 이용하여 진단에 가장 유효하다고 판단되는 부위에서 흡인술을 시행할 것을 권장한다. 유방촬영술과 초음파검사 모두에서 보이는 병변이라면 초음파 유도하에 시행하는 것이 좋다.

2) 장점과 한계점

유방 병변에 대한 세침흡인세포검사의 장점은 시행방법이 간편하면서 빠르고, 결과를 빨리 알 수 있다는 것이다. 또한 중심부 침생검에 비해 더 가는 바늘을 사용하여 상대적으로 환자의 고통이 적고 안전하며 시술로 인한 합병증이 적은 장점이 있다. 이러한 특성으로 인해 초음파 유도 세침흡인세포검사는 경험이 적은 의사들도 쉽게 시행할 수 있는 검사이다. 또한 초음파 유도로 시행하게 되면 시술과정을 실시간으로 볼 수 있고 병변과 바늘의 관계를 정확히 알 수 있으므로 안전하고 정확한 검사가 가능하다.

그러나 세침흡인세포검사는 시술하는 의사의 경험, 대상 병변, 시술 방법, 그리고 판독하는 병리 의사 등의 다양한 변수에 영향을 받기 때문에 각 병원마다 진단 정확도의 편차가 다른 검사에 비해서 크다는 단점을 가진다. 연구마다 다양성을 보이고 있지만 Pisano 등의 다기관연구에 따르면 불충분한 검체율은 35.4%이었고, 불충분한 검체를 포함하여 분석하였을 때 민감도와 특이도는 각각 85~88%, 55.6~90.5%였고, 정확도는 62.2~89.2% 이었다. 진단의 정확도는 유방결절이 석회화보다 높았고(67.3% vs. 53.8%), 초음파 유도법이 입체정위 유도법보다 정확도가 높았다(77.2% vs. 58.9%). 다른 연구들에서도 세침흡인세포검사는 불충분한 검체율과 높은 위음성률(예민도: 65~99%, 특이도: 64~100%, 정확도: 81~98%)을 보이며, 각 기관마다 진단 정확도의 차이가 크기 때문에 선택적으로 시행하는 것이 필요하며 시행할 때에도 주의가 필요하다. 따라서 세침흡인세포검사는 시행 의사의 숙련된 기술과 경험이 중요하다. 또한 유방 세포진단학에 경험이 많은 병리과 의사가 반드시 있어야 하며 병리과 의사는 표본이 충분한지 결정하고, 악성 유무를 정확히 진단할 수 있어야 한다. 이러한 점들 때문에 유방 병변의 진단에서 점차 중심부 침생검을 시행하는 경향으로 바뀌고 있으나 세침흡입세포검사는 림프절 검사등의 선별적 영역에서 여전히 중요한 검사법으로 남아있다.

3) 시술방법

(1) 시술 전 준비

① 환자의 출혈경향과 항응고제 사용여부를 확인한다. 일반적으로 아스피린은 복용을 중지할 필요는 없으나 와파린(coumadin)을 복용하는 환자는 시술 시행 2~3일 전에 약물을 중단하는 것이 좋다.

② 시술동의서를 작성한다. 검사에 대한 설명과 함께 동반될 수 있는 합병증에 대한 내용이 포함되어야 한다. 합병증은 통증, 출혈, 감염, 드물게 기흉과 대흉근 손상이 있을 수 있다.

③ 21~25게이지 바늘이 부착된 5~10 mL 주사기와 무균 시술을 위한 도구를 준비한다.

(2) 초음파 유도 세침흡인세포검사 과정

① 초음파로 병변을 확인한 후 병변이 평평해지도록 환자의 자세를 잡는다. 필요한 경우 환자의 등뒤로 베개를 받쳐서 편안한 자세를 유지하도록 한다.

② 바늘이 들어갈 부위를 표시하고 검사부위를 소독한 다음 초음파 탐색자와 바늘이 들어갈 부위를 남기고 소독포로 주변을 덮는다. 멸균 비닐로 초음파 선형탐색자 표면을 싼다.

③ 실시간으로 초음파 영상을 통해 바늘의 경로를 확인하면서 바늘을 병변 내에 위치시킨다. 바늘을 초음파 영상과 평행하게 주입하는 방법을 주로 이용하는데 이는 바늘의 주행경로를 초음파 영상을 통해 전부 관찰할 수 있어 정확하고 안전하다(그림 3-1).

시술 시 대부분은 국소마취가 필요하지 않지만 2% 리도카인을 이용해 선택적으로 피하마취를 시행할 수 있다.

④ 바늘 끝을 지속적으로 관찰하면서 주사기의 피스톤을 뒤로 당겨 음압을 유지한 상태에서 바늘을 결절 내부에서 앞뒤, 상하, 좌우로 빠

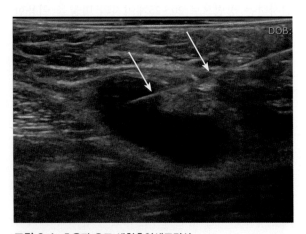

그림 3-1 초음파 유도 세침흡인세포검사
유방암 환자에서 겨드랑림프절에 대한 초음파 유도 세침흡인세포검사를 시행하고 있다. 초음파로 실시간 바늘(화살표)을 관찰하면서 검사할 수 있다.

르게 수회 이상 움직인다. 병변 안에서 최대한 넓게 움직여 여러 부분에서 세포를 얻는다.

⑤ 혈액이나 검체가 바늘의 허브(hub)에서 보이기 시작하면 흡인을 중단하고 바늘을 뽑는다. 검체를 얻은 바늘을 주사기와 분리하고 주사기를 공기를 채운 후 다시 바늘을 연결해 흡인물을 방출시킨다.

세포검사법은 검체를 유리슬라이드에 도말하고 95% 알코올로 고정하는 고식적인 도말법과 특수 보존액이 들어있는 용기에 흡인한 바늘을 담가 검체를 처리하는 액상세포검사법이 있다. 흡인물을 고정하는 방법은 각 병원마다 조금씩 다르므로 각 병원의 병리과 의사와 상의한다.

검체가 충분하다고 생각될 때까지 2회 이상 이 과정을 반복한다.

⑥ 세침흡인세포검사가 끝난 후 초음파 탐색자를 이용해 검사로 인한 출혈이 없음을 확인하고 영상으로 기록한다. 검사 부위를 압박, 지혈한 후 피부천자 부위를 소독하고 작은 반창고를 붙이고 검사를 종료한다.

4) 임상적용

초음파 유도 세침흡인세포검사는 초음파에서 보이는 병변에 대하여 모두 시행할 수 있으나, 낭종과 농양, 수술 후 혈종과 장액종, 림프절, 유방암이 의심되는 병변에서의 수술 전 확진 등을 위해 주로 시행한다.

(1) 진단을 위한 시술
① 림프절의 전이 여부 진단

겨드랑림프절의 전이 여부는 유방암의 중요한 예후 인자이다. 따라서 수술 전 겨드랑림프절의 전이를 발견하기 위해 촉진, 초음파검사, 초음파 유도 세침흡인세포검사, 중심부 침생검 등 다양한 방법이 사용된다. 촉진 등의 임상검사만으로는 민감도가 45.4~68%로 부정확한 것으로 나타났으며, de Freitas 등의 연구에 의하면 임상검사의 정확도는 최종적으로 68%였으며, 다른 연구들에서는 임상적으로 만져지지 않는 림프절이 있는 환자의 15~60%가 추가 검사에서 림프절 전이가 있는 것으로 나타났다.

초음파검사도 림프절 전이 예측에 도움이 되는데 의심스러운(suspicious) 영상소견인 크기 10 mm 이상의 림프절, 지방문(fatty hilum)의 소실, 저에코의 림프절, 원형 및 피질의 비후 등의 특징을 확인하여 악성을 예측할 수 있다. 그러나 단순 초음파검사는 여전히 제한점이 존재한다. 그동안의 연구에 의하면 겨드랑림프절 전이에 대한 초음파검사의 민감도는 35~82%, 특이도는 73~97.9%를 보이며, 최근에 발표된 메타 분석에서도 64%의 민감도와 82%의 특이도를 보였다. 그런데 초음파 유도하에 세침흡인세포검사 또는 중심부 침생검을 시행하면 겨드랑림프절 전이의 수술 전 평가의 정확성을 향상시킬 수 있다.

초음파 유도 세침흡인세포검사는 겨드랑림프절 전이 평가에서 25~87%의 민감도와 100%의 특이도를 보이고 중심부 침생검에 비해 신속하고 환자들의 불편함이 적으며, 혈종이나 통증, 감염, 기흉 등의 합병증 발생위험이 현저히 적고 의료 비용도 적게 소요되는 장점이 있어 여전히 널리 사용되고 있다. 겨드랑림프절 뿐 아니라 내유림프절, 쇄골위림프절 전이 여부를 평가할 때도 초음파 유도 세침흡인세포검사는 유용하게 사용된다(그림 3-2, 3).

② 유방암과 양성 유방 병변의 진단

침윤성유방암의 경우 초음파 유도 세침흡인세포검사로 풍부한 세포를 얻을 수 있으므로 고형 병변을 정확이 진단할 수 있으나, 세포만으로 침윤성과 비침윤성유방암을 감별하기는 어렵다. 또한 경성암

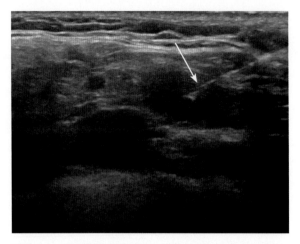

그림 3-2 쇄골위림프절에 시행한 초음파 유도 세침흡인세포검사
23게이지 바늘을 이용해 유방암 환자에서 전이가 의심되는 쇄골위림프절에 초음파 유도 세침흡인세포검사를 시행하고 있고(화살표), 세포검사에서 전이암으로 진단되었다.

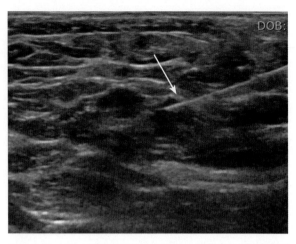

그림 3-3 작은 겨드랑림프절에 시행한 초음파 유도 세침흡인세포검사
25게이지 바늘을 이용해 유방암 환자에서 전이가 의심되는 겨드랑림프절(5 mm 이하 크기)에 초음파 유도 세침흡인세포검사를 시행하였으며 바늘이 림프절 내를 정확히 위치하고 있음을 확인할 수 있다(화살표). 위 환자는 세포검사에서 유방암의 림프절 전이로 진단되었다.

(scirrhous carcinoma)의 경우에는 검체가 충분하지 않을 수 있다. 그 외에 수질암(medullary carcinoma), 점액암(mucinous carcinoma), 림프종(lymphoma), 전이암(metastatic cancer)의 경우에도 세포학적으로 비교적 정확한 진단이 가능하다. 그 외에 양성질환으로 섬유선종, 지방괴사, 급성 염증, 표피포함낭(epidermal inclusion cyst)도 초음파 유도 세침흡인세포검사로 진단할 수 있다. 세침흡인세포검사 후에는 반드시 그 결과를 확인하여 영상소견과 일치하지 않거나 고형 병변에서 검체가 불충분한 경우에는 재생검(중심부 침생검 또는 절제생검 등)을 시행한다.

(2) 치료를 위한 시술

유방에 낭종이 있을 경우 세침흡인술(fine needle aspiration)을 시행할 수 있다. 낭종이 커지면 낭종벽이나 주변조직의 장력이 증가함에 따라 환자는 심각한 불편감과 압통을 호소할 수 있다. 또한 낭종이 커지면 내부 액체가 주변 유방 조직으로 빠져나가 무균성 염증반응을 유발할 수 있다. 이때 흡인을 하면 증상을 해소할 수 있다. 환자의 증상완화와 낭종 상태 확인을 위해 흡인술을 시행할 경우에는 세포검사를 생략하고 흡인만을 시행하기도 한다.

초음파검사에서 낭종이 의심되지만 모양이 비전형적일 때에도 초음파 유도 세침흡인술을 시행할 수 있다. 낭종의 흡인술 후에는 초음파에서 어떠한 잔여영상도 없어야 하며, 지속적으로 이상소견이 보인다면 중심부 침생검이나 단기간 추적 초음파검사(6~8주)를 시행한다. 또한 수술 후 유방과 겨드랑이에 간혹 발생하는 장액종이나 혈종에 의해 환자가 불편감을 느낀다면 초음파 유도 흡인술을 통해 액체의 성상을 파악하고 환자의 증상을 완화시킬 수 있다. 낭종을 비롯한 체액은 가는 바늘로 쉽게 흡인되지만 내용물이 점액성을 띠고 부유물을 포함하는 경우에는 18게이지 바늘을 사용할 수 있다(그림 3-4).

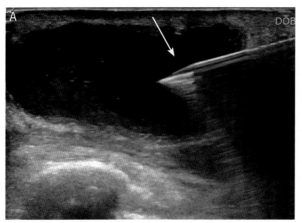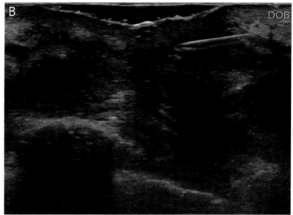

그림 3-4 수술 후 발생한 장액종의 초음파 유도 흡인술
A. 초음파 유도하에 장액종 흡인을 시행하고 있다. 18게이지 바늘을 이용했다(화살표).
B. 흡인을 마친 후 장액종은 더 이상 보이지 않는다.

5) 결론

현재까지 유방 고형병변의 진단에서 세침흡인세포검사는 점점 그 비율이 줄어들고 있으며 더 많은 조직을 얻을 수 있는 중심부 침생검으로 대체되고 있다. 그러나 세침흡인세포검사는 가는 바늘(20~25게이지)을 사용하여 환자에게 덜 침습적이고 통증이 적으며 안전하기 때문에 시행하는 의사도 좀 더 쉽게 접근할 수 있고 경제적인 검사라는 점에서 여전히 임상적 활용도는 높다. 또한 초음파 유도하에 병변을 정확하게 찾고 검사가 제대로 이루어진다면 조직 진단과 마찬가지로 최종 진단에 이를 수 있는 검사법이다. 특히 초음파 유도 세침흡인세포검사는 유방암 환자에서 림프절 전이를 진단하는 매우 유용한 검사법이며 유방낭성병변을 진단하거나 치료하는 데 사용된다. 그리고 세침흡인세포검사 후 결과를 꼭 확인하고 영상소견을 참고하여 추가적인 조직검사가 필요할 수 있음을 숙지하여야 한다.

2. 초음파 유도 중심부 침생검

1) 중심부 침생검의 정의

중심부 침생검은 유방에 있는 병변에 대한 조직검사의 하나로 세침보다는 큰 직경의 바늘을 이용하여 조직을 얻는 방법을 말한다.

2) 중심부 침생검의 적응증

일반적으로 유방암이 의심되는 BI-RADS 범주 4 이상의 병변에 대한 조직학적 확진이 필요한 경우에 사용되는 표준생검법으로 인정받고 있다.

3) 중심부 침생검 장치의 종류

최근에는 기술의 발전으로 여러 가지 중심부 침생검 장치가 개발되어 상용화되어 있는데, 기본적으로는 바늘의 삽입과 조직 채취가 내장된 스프링 장치에 의해 자동 혹은 반자동으로 이루어지는 장비가 주류를 이루고 있다(그림 3-5).

조직을 얻는 홈이 2 cm인 것과 1 cm인 것이 있는데 이를 조절하여 선택할 수 있는 장치도 있으며, 자동으로 발사되는 형태와 직접 바늘을 전진시킨 후 발사시키는 반자동 형태가 있어 술자가 안전하고 익숙한 방법으로 검사를 진행하는게 중요하다.

침생검용 바늘의 직경은 보통 세침흡인세포검사용 바늘보다 굵고 대상 조직에서 원통형으로 검체를 잘라내게 되며 그 크기는 다양한데 14 G와 16 G가 주로 쓰인다. 침생검용 바늘의 길이도 다양하여 원거리에 있는 병변의 경우 긴 바늘을 사용할 수 있으나 바늘이 길어질수록 정확도와 안정성이 떨어지므로 적절한 길이의 바늘을 선택하는게 중요하다.

4) 중심부 침생검의 실제

조직검사가 필요한 병변을 초음파검사나 신체검사를 통하여 확인한 후 일반적으로 초음파 유도하에 중심부 침이 들어갈 피부부위와 병변주위를 동시에 국소마취한 후에 피부병변에 1 mm 정도의 절개창을 만들어 중심부 침을 병변 끝에 위치하게 한다. 이때 발사되며 전진하는 거리를 예상하여 위치시키는 게 중요하다.

국소마취에는 lidocaine이 주로 쓰이며 혈관수축목적으로 epinephrine을 혼합하여 사용하기도 한다. 병변 주변에 혈관이 있는 경우에는 도플러모드로 혈관의 위치를 확인한 후 가능하면 혈관을 피해서 위치시켜야 출혈의 합병증을 줄일 수 있다. 안전하게 위치했다고 판단되면 자동 혹은 반자동장치의 작동법에 따라 발사하여 생검을 진행하게 된다. 중심부 침을 빼내어 검체를 모은 후 다시 이 동작을 반복하여 필요한 개수만큼의 검체를 얻게 되는데, 중심부 침생검 장치에 따라서는 가이드 바늘을 삽입한 후 반복적으로 검체를 얻을 수도 있다.

유방암이 의심되는 경우 중심부 침생검 검체에서 충분히 암의 종류를 진단하고 면역조직화학염색으로 호르몬수용체와 HER2 결과를 얻기 위해서는 14 G 바늘로 4개이상의 검체를 채취하여야 하며, 단순히 암인지 아닌지를 확인할 목적일 경우에는 16 G 바늘로 2개 정도의 검체로도 충분하지만 검체가 잘 얻어지지 않을 경우에는 더 많은 검체를 얻어야 한다.

5) 중심부 침생검의 합병증

가장 흔한 합병증은 출혈이다. 출혈을 줄이기 위해서는 우선 생검과정에서 혈관을 최대한 피하는게 우선이나 병변까지 도달하는 과정이나 병변 자체에서 출혈이 생기는 경우도 있으므로 생검 후 지혈이 중요하다. 지혈은 바늘이 들어간 곳이 아니라 병변이 있는 곳에 거즈를 덧댄 후에 바로 누르는 방법이 좋으며 최소한 5분 정도 누른 후에도 출혈이 있거나 출혈이 예상되는 경우에는 충분한 시간동안 누르는게 좋다. 이미 혈종이 생기면 나중에 흡수되며 회복하는 시간도 많이 들고 불편감이 생기므로 생검 후 바로 누르는 과정으로 들어가고 필요한 경우 압박붕대로 하루정도 감아주는 것도 고려할 수 있다. 또한 항응고제를 복용 중이거나 출혈경향이 있는 피검자의 경우 시술 전 적절한 조치를 취할 것이 권고된다. 초심자들이 경험하는 드물지만 위험한 합병증으로 기흉이 있다. 이는 갈비뼈를 병변으로 오인하거나 표적병변에 발사하여 전진하는 바늘의 길이를 잘못 계산하여 바늘이 흉막을 뚫고 들어가면서 발생하는데 의심되는 경우에는 피검자에게 증상을 물어봄과 동시에 흉부 X선 검사를 통하여 기흉여부를 확인하는 게 필요하다. 드물지만 생검한 부위에 감염이 생기는 경우도 있다. 이를 예방하기 위해 생검을 준비하는 과정에서 피부를 잘 소독하고 중심부 침이 다른 곳에 닿아서 오염되지 않도록 각별히 신경을 써야 한다. 일반적으로는 초음파실에서 진행할 수 있지만, 무균처치에 자신이 없다면

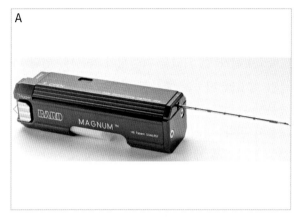

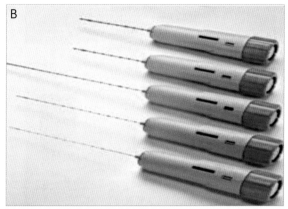

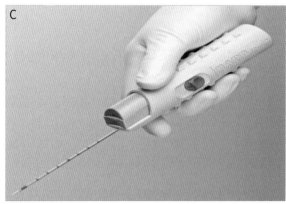

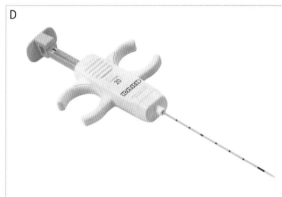

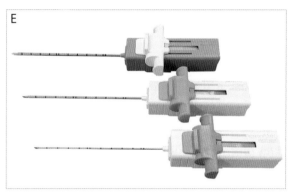

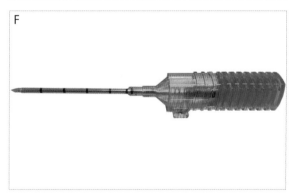

그림 3-5 유방 중심부 침생검에 쓰이는 여러가지 장비들
A. 매그넘 생검장비(Magnum Biopsy System, 18 G, C.R. Bard Inc., Murray Hill, NJ, USA.)
B. 모놉티(Monopty 12 G, 14 G, 16 G, 18 G, 20 G, Bard Biopsy System, Murray Hill, NJ, USA.)
C. 바드 맥스코어 생검장비 (Bard Maxcore Disposable Biopsy Instrument, Bard Biopsy System, Murray Hill, NJ, USA.)
D. 반자동 생검장비(Bard MISSION, semi-auto system, Bard Biopsy System, Murray Hill, NJ, USA.)
E. 벡스코어 생검장비(Bexcore fast Kit, 14 G, 16 G. 18 G, Medical Park Inc, Yong-in, Kyung-ki, Korea.)
F. 코어가이드(Coreguide / outer introducer needle) - 검체 채취부위에 먼저 위치시키고 가이드를 통하여 반복적인 검체채취를
   가능하게 한다.

그림 3-6 유방 중심부 침생검 핸즈온교육과정
(2019년 아시아외과초음파학회)(Asian Surgical Ultrasound Society)

시술부위를 공포를 이용하여 확보하고 검사자도 소독장갑을 끼고 진행한다.

중심부 침이 병변에서 암조직을 피부로 가지고 나오면서 암세포를 퍼뜨린다(seeding)는 보고도 있으나 그렇지 않다는 상반된 보고도 있어 유방암수술을 진행하는 경우에 생검을 진행한 경로(track)를 포함하여 절제하는 경우도 있다. 그러므로 병변이 있는 경우 그 주변의 근거리에서 중심부 침이 삽입되는게 출혈도 줄이고 이런 우려도 줄이는 방법이 되고 있다. 특히나 유방의 다른 사분면으로 유두부위를 지나치며 진행하는 생검은 피해야 한다.

6) 중심부 침생검시 자주 묻는 질문

(1) 피부를 마취하는 도중에 출혈이 발생한 경우

유방의 피부에도 표재정맥이 풍부하기 때문에 주의를 기울일 필요가 있으며, 출혈이 심하지 않으면 빠르게 생검을 진행하고 출혈이 심하다면 압박하여 지혈한 후 다시 진행한다.

(2) 피부와 병변 부위를 마취하고 생검을 진행하는데 통증을 호소할 경우

국소마취가 덜 되었을 가능성이 높은데, 일단 바늘이 삽입될 피부를 충분히 마취하고 병변 주변을 충분히 마취하고 약 1분간 기다린 후 진행하는 게 도움이 된다. 통상적으로는 1% lidocaine 5 cc면 충분한데 피검자 개인의 차이와 병변의 깊이나 크기를 고려하여 가감할 수 있다. 다발성 병변이 있어 여러 부위를 국소마취할 경우에도 전체량이 20 cc를 넘지 않도록 하는게 안전하다.

(3) 첫 번째 발사로 조직을 얻었으나 출혈이 발생할 경우

동맥혈 출혈로 심한 경우가 아니라면 빨리 한두번 반복하여 검체를 얻은 후 지혈과정으로 넘어가도록 한다.

(4) 병변이 너무 딱딱해서 중심부 침이 휘어지는 경우

무리하게 진행하다 보면 중심부 침이 부러질수도 있으므로 더 굵은 바늘로 바꿔 진행한다. 특히 석회가 동반되어 있는 딱딱한 병변일 경우 초음파 유도 하에 덜 딱딱한 부위로 생검을 진행하는 것이 좋다.

(5) 병변이 너무 깊어서 투입될 침의 끝부분이 잘 확인이 안 되는 경우

Coreguide라는 기구를 이용하여 위치시킨 후 진행하는 것이 안전할 수 있다. 삽입되는 침의 각도는 최대한 예각을 유지하여 발생할 수 있는 흉벽에 대한 손상의 위험을 최소화하는 노력이 필요하다.

(6) 유방의 내측과 외측에 병변이 있어서 두 군데를 동시에 생검하는 경우

보조자의 위치를 고려하여 내측을 먼저 진행하고 생검부위 압박을 동시에 하면서 외측에 대한 생검을 진행하는 방법이 일반적이다. 외측의 경우 환자의 등에 수건이나 천을 말아서 받친 후 흉벽의 각도에 최대한 예각을 유지하며 진행하는 것이 안전하다.

3. 초음파 유도 진공보조흡인생검

1) 진공보조흡인생검

유방의 병변에 대한 확진 검사로써 조직생검방법 중 가장 최근에 개발된 방법은 진공보조흡인생검이다. 수술적 절제와 같은 병리학적 진단의 정확성을 여러 연구에서 보여주고 있어 확진 검사로 중심부 침생검과 함께 널리 이용되고 있다. 더 많은 조직을 확보할 수 있어 중심부 침생검 보다 정확하며 더 많은 적응증을 갖고 있다.

최초 진공보조흡인생검은 주로 유방촬영 입체정위 유도 군집성 미세석회화 병변의 조직생검을 위해 사용되었다. 그러나 최근에는 크기가 작은 병변의 정확한 진단 혹은 유두모양 병변의 진단에 초음파 유도 진공보조흡인생검이 주로 사용되고 있

으며, 이는 진단 목적의 수술 생검을 대체하고 있다. 최초의 진공보조흡인생검 장비는 1995년 존슨 앤존슨에서 개발한 The Mammotome® (MMT) VAB system로 매우 크고 불편했지만 최근에는 작아지고 가벼워서 사용이 간편해졌다.

유사한 많은 장비가 개발되어 사용되고 있으며, 각 장비의 특성과 진단의 정확성에 대하여 표 3-1에서 기술하였다. 각 장비별로 생검된 조직의 무게와 크기에 대한 비교는 그림 3-7을 참조하면 된다.

2) 초음파 유도 진공보조흡인생검의 적응증

초음파 유도 진공보조흡인생검에 대한 적응증은 진단 목적과 치료 목적으로 분류할 수 있다.

(1) 진단 목적의 적응증
① 미세석회화
② 복합 병변 혹은 유관 내 병변
③ 영상진단과 병리진단이 불일치하는 양성 병변
④ 빠르게 자라는 병변

표 3-1 도플러 입사각에 따른 혈류 속도의 오차 백분위

Biopsy system	Guage	Weight (g) of sample from turkey phantom	Complete removal rate
Mammotome EX®	11	0.084 ± 0.032	> 20 mm; 68%, ≤ 20 mm; 87%
	8	0.192 ± 0.027	67~97.2%
Mammotome revolve	8	0.334 ± 0.046	No data
VACORA®	10	0.142 ± 0.006	90.2~91.9%
EnCor®	10	0.221 ± 0.039	No data
	7	0.363 ± 0.053 97.8	97.8%
Baxcore®	10	No data	No data
	8	No data	No data

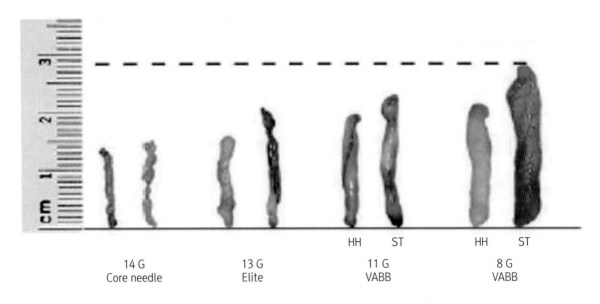

			HH	ST		HH	ST
14 G Core needle		13 G Elite	11 G VABB		8 G VABB		

그림 3-7 조직생검을 위해 최근에 주로 사용되는 조직생검기의 절제 조직의 크기 무게에 대한 체계적인 참조 그림

각 장비별 볼륨과 무게의 차이 14 G 중심 총생검기 CB (12 g), 13 G 진공보조흡인생검 엘리트 VABB Elite (60 g), 11 G 진공보조흡인생검 맘모톰(≈100 g)과 8 G 진공보조흡인생검 맘모톰(≈300 g).

각주: HH 초음파 유도, ST 입체정위하

⑤ 이전에 중심부 침생검을 시행한 고위험 병변
⑥ 저위험 병변
⑦ 만져지지 않는 종양

미세석회화 병변은 초음파에서 확인되는 석회화의 경우에 가능하다. 양성 병변의 불일치는 영상에서 악성 병변으로 보이는 의심 병변에 대한 중심부 침생검 시행 후 병리학적으로 양성 병변으로 진단된 경우 해당된다. 이전 중심부 침생검에서 고위험군에 해당되는 병변은 비정형관상피증식증, 소엽 신생물, 엽상종양을 포함한 섬유상피병변, 유두모양 병변, 점액종 유사 병변, 복합 경화성 병변과 방사형 반흔이 해당된다. 저위험 병변은 미세석회화 병변, 복합성 낭종과 관내 병변을 제외한 저에코성 혹은 경계가 좋지 않는 것으로 악성도가 낮아 보이는 경우이다.

만져지지 않는 병변은 정확한 국소 종괴 없이 미만다형성의 혼합된 에코를 보이거나 유방실질의 왜곡소견이 관찰되는 경우이다.

(2) 치료 목적의 진공보조흡인생검

치료 목적의 진공보조흡인생검은 만져지는 병변이나 만져지지 않더라도 환자가 완전한 제거를 원하는 병변의 경우에 시행할 수 있다. 단, 해당 병변이 진단 목적의 적응증 어느 것도 해당되지 않는 양성 병변일 경우에 가능하다. 초음파 유도 진공보조흡인 종양절제술에 대한 자세한 내용은 3장 5절을 참고한다.

3) 무선 진공보조생검 시스템과 시술방법

최근에 개발된 진공보조흡인생검기인 무선 진공보조생검시스템은 무선으로 매우 가볍고 간편하게 사용할 수 있는 장점이 있다. 초음파 유도 무선 진공보조생검 시스템은 소독된 13.6 cm 길이의 13 G, 2.6 mm 탐색자로 조직생검은 부위는 18.4 mm이다 (그림 3-8). 그림 3-9에서 시술을 잘 요약해서 순서도로 정리하였다.

바늘을 유방을 향해서 정면으로 바로 삽입한다. 날카로운 수평 칼날과 이중관이 핸드피스와 연결되어 있으며 조직을 뚫고 절제하는 능력이 우수하다. 일반적인 침생검기에 비해 가볍고 조절이 용이하며 바늘이 자동으로 360° 회전하면서 조직을 절제한다. 절제된 조직은 수집통(chamber)에 자동으로 담긴다. 그래서 단단한 유선조직이 있는 경우 혹은 매우 단단하고 섬유화된 병변을 절제하더라도 추가적인 절개가 필요 없다.

검체는 자동으로 모아지며, 외부와 접촉 없이 조직을 빼내고 모을 수 있는 방사선 투과성 수집통으로 핸드피스에 고정되어 있다(그림 3-8~10).

수집통 채로 조직검체를 포르말린에 넣어 고정하여 병리과로 보내어 진단한다. 시술의 마지막에 필요에 따라(암이 의심되는 병변) 병변을 다시 확인하

기 위하여 작은 비자성형 클립(non-magnetic clip)을 병변 내에 삽입할 수 있으며, 향후 최대 6개월까지 초음파 혹은 유방촬영을 통하여 클립을 확인할 수 있다. 시간이 지나면 형태가 변형되는 복합 낭종이나 선행보조화학요법으로 이전 병변의 변형이 예상되는 경우 사용된다.

4) 진공보조흡인생검의 합병증

시술 동안의 출혈, 통증을 포함하여 시술 후 통증, 혈종, 지속적인 출혈 등이 대표적인 합병증이다. 수술적 절제생검과 달리 진공보조흡인생검 중에는 지혈을 위해 시술 부위를 직접 압박하는 것 외에는 할 수 있는 방법이 없다. 10분 이상 압박 후 출혈이 지속되는 경우에는 지속적인 출혈을 예측할 수 있다. Simon 등은 진공보조흡인생검 후 표준적인 지혈 방법인 10분 압박지혈 후 조절되지 않는 경우를 7%로 보고하였으며, 한 환자의 경우 손상된 조직을 지혈을 위해 실로 봉합하여야 했다.

Simon 등은 시술동안 1% 환자에서 미주신경성 반응으로 실신하는 것을 보고하였지만, 국내에서의 보고는 없었다. 또한 Ferzli 등은 치밀유방의 경우 바늘 삽입을 실패하여 두 증례에서 수술적 절제로 전환했다고 보고하였으며, 여러 의사들이 심각한 출혈 혹은 지혈 실패를 이유로 수술적 절제술로 전환하였다고 보고하였다. 그러나 국내에서는 이런

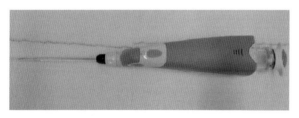

그림 3-8 무선 진공보조생검 시스템은 핸드피스로 조직생검용 총과 비교하면 약간 크다.

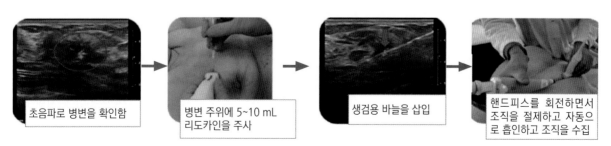

초음파로 병변을 확인함 → 병변 주위에 5~10 mL 리도카인을 주사 → 생검용 바늘을 삽입 → 핸드피스를 회전하면서 조직을 절제하고 자동으로 흡인하고 조직을 수집

그림 3-9 무선 진공보조생검 시스템 시술의 순서도

그림 3-10 무선 진공보조생검 시스템의 작고 쉽게 뺄 수 있는 방사선 투과성 조직검체 자동 수집통

합병증에 대해 보고된 바는 없지만 5~10분간의 시술부위에 대한 직접 압박 이후 지속적인 압박을 위해 접착성 압박 밴드 적용과 침상 내 절대 안정 및 모래주머니를 이용한 압박으로 완벽한 지혈이 될 수 있다. 시술부위의 감염으로 절개 배농이 필요한 경우는 2% 정도로 Johnson 등이 보고하였다.

5) 요약

초음파 유도 유방 조직생검은 중심부 침생검과 진공보조흡인생검방법이 있다. 그동안 진공보조흡인생검은 진단의 정확성은 높지만 비급여 시술로 비용이 매우 비싸고 장비가 크며, 선으로 연결되어 이동 및 시술에 어려움 점이 있었다. 그러나 무선 진공흡인생검 시스템이 보급되고 있으며 Daniele La Forgia의 연구에 따르면 매우 정확하고 안전하게 빠르게 시행할 수 있다고 보고하고 있어 향후 중심부 침생검을 많은 부분에서 대체하고 영상−병리 불일치 병변 등의 2차 생검을 위한 장비로 널리 사용될 것으로 기대된다.

4. 초음파 유도 마커 삽입술

1) 서론

최근 유방암에 대한 관심이 늘고 있고, 검사장비의 성능도 점진적으로 개선되고 있어서 주의를 요하는 비촉지성 병변을 발견되는 경우도 늘고 있으며, 이를 영상검사간에 비교, 추적하거나 필요한 경우 선택적으로 조직 진단을 해내는 경우가 늘고 있다. 또한, 최근에는 선행보조화학요법과 선행호르몬요법도 사용이 증가하는 추세이며, 세분화된 분자아형별로 각 치료의 반응도 조금씩 좋아지고 있어서 병변이 현저히 감소하거나 거의 없어진 상태에서 수술을 진행하는 경우도 늘고 있다. 따라서, 이렇게 검사 방법의 접근이나 반복에 한계가 있거나 구분하기 힘든 비촉지성 병변의 정확한 위치표시를 해야하는 경우가 늘어남에 따라, 마커의 필요성도 더욱 증가하고 있다.

전신 표적치료 개념의 생물학적 마커와 구분하여 영상유도 마커를 지칭하는 tissue marker, biopsy marker, marker clip 등의 용어를 Pubmed 검색해보면, 1997년 Burbank와 Liberman의 정위생검에 대한 첫 보고를 시작으로 2000년 이후로 보고가 급속히 증가하고 있다. 유방촬영 유도 클립이 도입되기 전에는, 생검부위 혈종을 찾거나, 병변 근처의 해부학적 특징을 참조로 구분할 수 밖에 없었다. Kaufman, Rahusen, Cangiarella 등에 의하면 연구조건이 다르기는 했지만 안전절제연 확보율이 31~62%에 불과한 것으로 보고되고 있다. 그렇지만, 마커 도입 후에는 젤이 병합된 마커를 이용한 Nurko 등의 연구에 의하면 초음파 유도만으로도 90%까지 확보하였음을 보고한 바 있다. 이때 사용한 마커는 젤로 인해 가시성에는 도움이 되지만, 위치이동의 가능성을 증가시킬 수 있다는 우려 때문에 요즘 쉽게 공급되는 형태는 아닌 것으로 보인다.

마커이동의 최소화, 가시성과 검출 정확도, 비용 개선에 대한 노력은 계속되고 있는 것으로 알려져 있다.

마커삽입을 위한 영상유도방법은 각 기관에 따라 차이가 많은데, 대부분의 센터에서 미세석회화에 대한 정위생검(Stereotactic VAB) 후와 초음파 유도 진공보조생검 후에 주로 사용되기 시작하여 최근에는 차츰 MRI 유도 진공보조생검에도 사용되기 시작했다. 가장 두드러진 변화는 선행보조화학요법 후 반응이 좋을 경우에 병변이 완전관해를 보일 수도 있으므로 마커를 중간평가 때 사용하는 경우가 많이 늘고 있다. 이런 경우에는 첫 조직진단과 유사하게, 외과의사에 의해 초음파 유도로 진행되는 경우가 많다. 최근에는 사용이 간편한 상업화된 마커의 공급으로 삽입술을 시행하는 빈도도 증가하고 있다.

궁극적인 목표인 최소한의 유방보존술을 진행함에 있어서, 병변을 대표하는 마커를 수술 중에 쉽게 찾아내려면, 마커 삽입 뿐 아니라 이를 근거로 한 추가적인 위치결정술 또한 필요하다. 현실적으로 외과의로서 알아두어야 할 점은 이 과정에서 마커의 초음파 유도 가시성이 삽입 당시보다도 많이 낮아진다는 점이다.

마커가 기본적으로 방사선 비투과성의 특성을 가지므로 유방촬영술 유도하에 가시화는 용이하다. 하지만, 고전적으로 가장 많이 사용되어 온 바늘위치결정술을 결합하게 되면 바늘의 삽입부위가 이상적인 절개부위와 맞지 않아 외형적으로나 회복면에서 지장을 주곤 했다. 그 외에도 바늘을 이용한 위치결정술은 여러 가지 단점들을 동반하고 있어서, 최근에는 수술 전 위치결정술에 대한 연구들도 다양하게 개발되고 진행되어 왔다.

이 단원에서는 현재까지 보고되고 있는 여러 가지 마커의 종류, 그에 따른 초음파를 이용한 검출의 가시 정확도, 그리고, 이 마커를 근거로 한 수술 전 위치결정 방법들에 대해 알아보고자 한다.

2) 초음파 유도 마커 삽입

(1) 필요성과 적응증

Thomassin 등에 의하면 영상유도하 경피적 생검 후 생검 마커를 사용하는 것은 최적의 환자 관리를 위한 핵심 요소 중 하나이다. 방사선 전문의가 여러 개의 병변을 다루고 다른 영상 결과 간의 상관 관계를 확인하고 양성 병변을 추적하는 데 도움을 주고, 종양을 선행보조화학요법 과정에 표시함으로써 약제반응을 관찰할 수 있다. 선행보조화학요법 후, 수술 전 바늘위치결정술을 용이하게 하고 광범위한 병변의 경계를 정확하게 표시하고 수술 중 종양 절제를 유도하고 병리의사가 관심있는 병변이 제거되었는지 확인하고 유방절제술 표본에서 관심 영역을 식별하는 데 도움이 된다고 한다.

우리나라의 경우 서양에 비해 치밀유방의 빈도가 상대적으로 높아 초음파로 병변을 구분해야 하는 경우가 많고, 평균 여성의 유방부피 300 cc 가량이므로, 600 cc 가량인 서양인에 비해 누웠을 때 유방 조직의 두께가 얇아서 초음파 사용이 유리한 점이 많다. 초음파 장비는 유방질환을 전담하는 외과의사에게는 내과의사의 청진기만큼 유용한 도움을 주고 있는 현실에서 초음파 유도 마커 삽입과정은 중심부 침생검과 마찬가지로 어렵지 않게 진행될 수 있다. Thomassin 등에 의하면 초음파 유도 마커 삽입의 최소한의 적응증으로는 병변크기가 5 mm 이내, 복합 낭성병변, 선행보조화학요법의 반응이 좋을 경우, 유방촬영과 초음파의 상관관계가 불확실한 경우, MRI 병변에 대한 2nd look 평가대상으로 조직검사가 시행되었을 경우, 복수의 조직검사 부위를 구분하거나 큰 직경의 진공보조흡인생검 후 병변이 소실되었을 때 등을 들 수 있다. 시술을 시행하는 시기는 대개 초음파 조직검사를 할 때 같이 시술할 것을 권유받고 있다.

(2) 종류

마커의 종류는 크게 세 분류로 나눌 수 있는데, 첫 번째는 수술실에서 혈관결찰을 위해 사용되던 티타늄 수술클립을 들 수 있다. Thomassin 등에 의하면 몬트레알의 Curpen 등이 북아메리카 방사선학회 모임에서 작은 티타늄 수술클립을 18게이지 척수검사용 바늘(spinal needle)을 통해 마커로 사용하여 삽입하는 방법을 보고하였고, 이는 몬트레알 기법(Montreal technique)으로 알려져 있다. 비용이 적고, 영상 가시성이 비교적 높은 장점이 있어서 많은 기관에서 요즘도 현실적으로 사용하고 있다. 두 번째는 다양한 형태의 상업적인 금속 표지자가 시술의 편의성과 시각적인 구분을 용이하게 하기 위해 사용되고 있다. 워낙 종류가 다양한 것에 비해 국내에 실제적으로 사용되는 종류는 국한되어 있는 상황이다. 세 번째로 최근에는 마커가 병변에서 벗어나는 것을 최소화하거나, 초음파를 이용한 식별 정확도를 높이기 위해 다양한 원료의 충진재를 결합한 특별한 금속 마커 상품도 계속 개발되고 있다. Rosen 등은 콜라겐이 꽂혀있는 마커가 전형적인 금속 마커에 비해 84% vs. 56%의 빈도로 병변에서 1 cm 이내에 국한될 가능성이 더 높음을 보고한 바 있다.

(3) 삽입과정

마커 삽입 시술과 관련해서 환자와 상담 시 주의사항으로는 시술의 필요성에 대해 충분히 이해시켜야 하는 것 외에도 마커에 대한 금속 알러지 가능성 유무의 확인, 시간 흐름에 따른 마커의 이동가능성에 대해서 설명하는 것이 필요하다. 병변의 위치를 잘 대변하는 것으로 판단되었을 때에도, 정확한 절제수술을 위해서는 추가적인 위치결정술이 필요함을 설명해야 한다.

초음파 유도 마커 삽입은 중심부 침생검과 동일하게 진행하면 되는데, 이후의 수술을 미리 염두에 둔 접근이나 마커 확인을 보다 용이하게 하기 위한

몇 가지 팁을 제안한다. 우선, 기본적으로 외측에서 내측으로 또는 필요하면 내측에서 외측으로 접근하는 것이 병변에 접근하는데 용이하고 초음파의 특성을 고려하여 깊이만큼의 거리를 바늘 천자부위로 이용하는 최단거리접근법을 이용하면 피부 천공부위를 기준으로 병변의 위치를 추정하는데 도움이 될 수 있다. 다음으로 시술 전에 베개를 이용하거나 환자 자세를 조정하여 병변이 항상 최상위에 위치하도록 하는 것이 환자의 안전에 도움이 된다. 선행보조화학요법 경우, 2~3개월 뒤 1차 반응 평가 후에 마커 삽입의 필요성을 판단하는 것이 좋다. 그 이유로는 관해를 보이지 않을 경우 불필요한 시술이 될 수 있고, 관해가 관찰될 경우에는 마커의 위치와 잔존병변 위치가 시간에 따라 멀어질 수 있기 때문이다. 따라서, 가능하면 최대한 마커를 병변의 중앙부에 위치시키려고 노력해야 한다. 또한 초음파의 특성상 마커를 잘 관찰하려면, 병변의 심부에 위치하도록 하는 것이 좋다. 시술 후에는 유방촬영술을 시행하여 삽입된 마커의 위치를 자료로 남기는 것이 추후 비교를 위해 필요하다. 마커 삽입술은 국소전이가 확인된 겨드랑림프절에 대하여 사용되기도 하는데, 선행보조화학요법 후 감시림프절 절제와 함께 표적림프절 절제(targetted axillary dissection, TAD)를 위한 방법으로 사용될 수 있다.

클립 위치 이동이 일어나는 기전으로는 유방의 압박을 풀 때 바늘 진행자국을 따라 이동할 수 있는 아코디언 효과가 있다. 이는 시술 직후 발생하는 클립 이동의 주요 이유로 추정되는데, 예측하기 어렵기는 하지만 절제되는 조직의 크기가 클수록 상관관계가 있을 수 있다. 혈종 형성도 영향을 줄 수 있고, 시술 후 유방촬영까지의 시간 직후에 일어날 수록 새로운 압박과 감압의 영향으로 이동이 조장될 수 있다는 주장이 있지만, 이 가설에는 상반되는 보고도 있다. 배치부위의 유방조직 구성도 영향을 줄 수 있을 것으로 추정되지만, 실제로 유방의 두께가

3 cm 이하일수록 이동이 잘 일어날 수 있다는 근거만 일부 확인된 바 있다. 마커가 이동될 가능성에 대한 염려보다는 객관적인 시술 후 결과를 남겨놓는 것이 이후의 비교를 위해 중요하다. 시술 직후에는 초음파 가시율이 높다는 보고가 있고, Phillips 등은 클립을 이용한 마커 삽입 시술 당시의 경우 초음파 유도하에서 중심부 침생검 후 진행된 경우가 정위유도의 경우보다 배치정밀도가 높다고 보고하였다. 시술 당시에는 주병변이 잔존하거나, 혈종발생으로 인해 초음파로 마커의 위치를 실시간으로 구분하는 것이 더 용이할 수 있다. 하지만, 병변이나 혈종은 여러 가지 중재나 시간의 흐름에 따라 변화할 수 있으므로 주위 조직의 영향을 배재한 연구가 추가적으로 필요하다.

3) 마커의 초음파 가시성과 검출 정확도

초음파검사가 X선보다는 시술의 접근성이나 정확도 면에서 전반적으로 편리할 수 있다(그림 3-11). 마커를 삽입할 때는 병변이 육안적으로 관찰되는

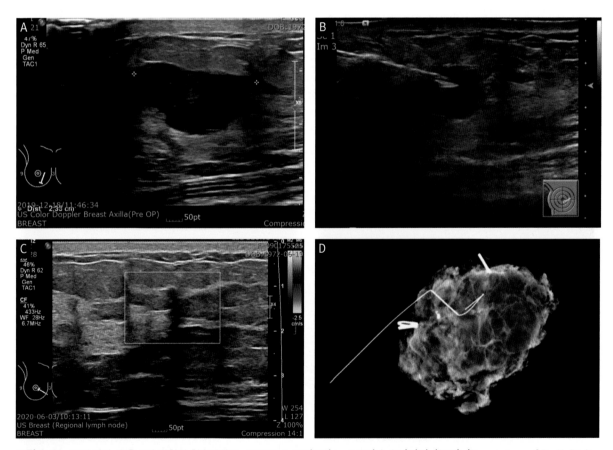

그림 3-11 47세 여성, 우측 3시 방향의 침습관암종, cT2N0or1, ER/PR/c-erbB2/ki-67 (0/0/-/95%). (By courtesy of Dr. H. Park, PNUH)
A. 진단 당시 초음파 소견: 2 x 1.3 x 2.4 cm 불규칙한 이질성(heterogenous)의 저음영 종괴
B. AC + Td 요법을 사용한 선행보조화학요법 시행 과정 중의 초음파 소견: 줄어드는 병변의 중앙에 마커가 삽입됨
C. 선행보조화학요법 후의 초음파 소견: 종괴는 관찰되지 않고 구조왜곡만 확인됨. 마커도 쉽게 관찰되지 않음
D. 유방촬영 유도 바늘위치결정술을 통한 검체 촬영. 마커가 바늘 근처에 위치한 채로 검체 내에 잘 포함되어 있음

상태에서는 초음파 유도하에 하는 것이 용이할 수 있지만, 시간이 흐름에 따라 초음파로 마커의 관찰이 용이하지 않을 수 있다. 그 이유로는 마커의 위치이동, 병변의 감소나 조직검사 당시의 주위조직의 변화를 들 수 있다.

초음파 유도 마커검출이 실패할 경우 그 원인으로 마커 위치이동의 가능성을 우선 고려해야 한다. 따라서, 초음파검사를 시행하기 전에 유방촬영술을 시행해서 이전 시술 직후의 기본 위치에 비해 위치변이가 있는지 먼저 비교하는 것이 도움이 된다. 변이가 없는 경우에도 추적과정에서 주변조직의 상황이 달라짐에 따라 잔존 병변유무에 따라 마커의 초음파 가시성에 차이를 가져오게 되므로 마커의 상대적인 위치를 잘 파악하기 위해서도 수술 전 위치결정을 위한 초음파검사 전에 유방촬영술을 시행하는 것이 도움이 될 수 있다. 참고로 마커는 흉부촬영사진에서도 의외로 잘 보이지 않을 수도 있다. McMahon 등은 젤 기반 마커를 초음파 유도하에 검출을 시도한 경우 진단방법에 있어서는 진공보조흡인생검 후(86%)가 중심부 침생검(68%)의 경우보다 위치결정술이 용이한 것으로 확인했지만, 통계학적 의미는 없었다(p = 0.06).

Sakamoto 등은 초음파 유도 조직검사 후 Ultraclip을 근거로 진행한 위치결정술은 60%에서 가능하고, 나머지는 다른 방법이 필요하다고 보고하였다. Koo 등은 선행보조화학요법을 시행받은 환자를 대상으로 여러 종류의 마커의 초음파 검출정확도에 대해 보고한 바 있다. Surgical clip, Cormark (medsurge), 리본 형태의 Ultraclip의 순으로 볼 때, 잔존 병변이 있는 경우는 91.1%, 86.9%, 63.9%였고, 없는 경우는 88.2%, 80%, 46.7% 순으로 구분가능 정도를 확인하였다. 이를 감안한다면, 마커는 기본적으로 방사선 비투과성을 가지므로 마커삽입술 직후와 수술 전 위치결정술 시행 전에 마커가 병변을 대표할 수 있는지와 대략적인 위치를 미리 파악하기 위해 유

방촬영술을 시행하는 것이 마커를 찾아내는 데 도움이 될 수 있다. 시술 직후에도 마커와 위치결정장비가 잘 제거되었는지 유방 조직 검체촬영으로 확인하는 것이 필요한데, 드물게 수술 중 흡인과정을 통해 빠져나가는 경우도 있으므로 이에 주의해야 할 필요가 있다. 초음파 가시성을 높이기 위해 젤을 사용하기도 하였고, 이 때 증가할 수 있는 마커의 이동을 줄이기 위해 PGA 등의 포장물질을 동반한 상업적 마커가 계속 개발되고 있다.

4) 여러 가지 수술 전 위치결정 방법들

병변뿐만 아니라 마커가 촉지되는 않기 때문에, 최소한의 절제를 위해서는 수술 중에 위치를 파악할 수 있는 추가적인 방법이 필요하다. 상대적인 절제 비율이 중요한 보존수술을 시행함에 있어서 좋은 수술 결과들을 얻으려면 적절한 최소한의 절제가 필요하므로 정확한 병변의 위치결정의 중요성이 더 크다고 할 수 있다. 우리나라 환자의 경우 서양인에 비해 기본 체형이 적어서 성공적인 유방보존수술을 위해서는 정확한 위치 결정이 더욱 중요한 의미를 가진다. 수술 전 위치결정을 위해 다음과 같은 방법들이 현재 알려져 있다. 각 시스템을 마커 근처로 위치시키는 방법은 기본적으로 중심생검 시술과 유사하다.

(1) 바늘위치결정술

바늘위치결정술은 기본적으로 바늘 또는 와이어를 사용한다. 장점으로는 안전하고 효과적이며 아직도 실제로 가장 많이 쓰이는 방법으로 잘 확립된 검사라 할 수 있다. 비용도 저렴하고 유방촬영술, 초음파 또는 MRI 유도하에 모두 배치 가능하다.

초음파 유도하에 시행할 때 주의할 점은 바늘 삽입은 병변의 최단거리에서 시행하여 병변 아래쪽을 충분히 지나도록 위치시킨 후 수술자세와 동일

한 앙와위 자세에서 피부에도 표시를 해두면, 이차
원을 통한 위치 확인이 되므로 정확도를 증가시키
는데 더욱 도움이 된다. 바늘 삽입이 유방촬영술 유
도하에 진행되는 경우, 경우에 따라 바늘의 피부천
공부위가 마커가 위치한 수술부위와 상당히 거리를
두기도 한다. 외과의사의 입장에서는 이상적인 절
개부위에 영향을 주므로 외형적으로 단점이 될 수
있다. 그 외에도 바늘의 일부가 외부에 노출됨으로
인해 생기는 단점들이 있는데, 바늘이 빠지거나 이
동하거나 꼬이거나 부러지거나 수술 전후로 잘리는
경우도 있다. 이는 시술 후 귀가했다가 수술날 다시
오는 경우 더 생기는 경향이 있었다. 수술 당일 시
술하는 것이 가장 이상적이지만, 초기에 시술과 수
술 일정 조절이 쉽지 않기 때문에 발생한 것으로 추
정된다. 이런 이유로 최근에는 대개 수술 전날 입원
후에 시술하는 경향이 일반적이다. 시술 중 혈관미
주신경반사(vasovagal reaction)도 Rissanen 등에 의하
면 0.2~7.4% 가량 보고된다.

(2) 바늘을 사용하지 않는 위치결정술

바늘 삽입의 단점을 개선한 위치결정술로 여러
가지 방법들이 보고되고 있다.

① 방사성 씨드 유도 위치결정술(RSL)

Radio-guided occult lesion localization (ROLL)
을 개선한 방법으로 요오드-125 표지 티타늄
시드 이식을 이용하고, 검출기로는 감마 프로
브/이온 챔버를 사용한다. 장점으로는 스케줄
링의 유연성(반감기 I-125 = 59일)과 변위 또
는 절개 가능성을 제한하는 외부 구성 요소 없
고, 깊이 제한이 없으며 감시 림프절 매핑과
호환이 가능하다는 점으로 더 나은 미용적 결
과를 얻을 수 있다. 단점으로는 방사선 안전
예방 조치가 필요하고, 환자 및 직원에 대한
방사선 노출에 주의해야 한다는 점과 일단 씨

드 배치 후 재배치가 불가능하고, 감마 프로브
가 MRI와 호환되지 않으므로 MRI 유도하에
배치 할 수 없다는 점 등이 있다.

② 비방사성 레이더파 위치결정술(SAVI SCOUT)

이식형 비방사성 반사기로서 감지기로 사용하
는 콘솔이 있다. 장점으로는 FDA 장기 임플란
트 안정성을 인정받았기 때문에 스케줄링 유
연성을 들 수 있고, 변위 또는 절개 가능성을
제한하는 외부 부품이 없어서 외형적으로 흉
터면에서 유리하다는 점, 방사선 노출이 없고,
방사선 안전 예방 조치가 필요없다는 점이다.
단점으로는 비용이 고가이고, 깊이에 제한이
있으며 일단 배치되면 재배치가 불가능하다는
점, MRI 호환 바늘 전달 시스템이 없다는 점,
수술실에서 오래된 할로겐 조명과 간섭을 일
으킬 수 있고, 니켈을 함유하므로 니켈 알레르
기 가능성, 근거자료가 충분하지 않다는 점 등
을 들 수 있다.

③ MagSeed with Sentimag (Endomagnetics)

스테인리스 스틸씨드를 이식하는 방법으로 검
출기 프로브는 종자를 자화하여 일시적으로
자석으로 변환하는 기전을 이용한다. 장점으
로는 최대 30일 전에 배치가능하므로 일정조
절에 유연성이 있고 외부 부품이 없어 변위 또
는 절개 가능성을 제한하지 않으며, 방사선 노
출이 없으므로 방사선 안전 예방 조치가 필요
없다는 점 등이다. 표시되는 수치는 씨드와의
거리를 표시한다. 단점으로는 비용과 깊이 제
한이 있다는 점, 배치 후 재배치가 불가능하
며, MRI 호환 바늘 전달 시스템이 없고 근거
데이터가 없으며 자화 불가능한 수술기구가
필요하고, 사용된 씨퀀스에 따라 다르지만 최
대 4 cm의 MRI 허상이 생길 수 있다는 점이다.

④ Radiofrequency identification (RFID) tag와 a hand-held reader (LOCalizer)

Wazir 등은 10명 환자에 대한 11예의 전향연구 분석을 통해 무선 주파수 식별(RFID) 태그와 휴대용 판독기(LOCalizer™)를 사용하여 방사선없는 무선 위치 파악의 역할을 유럽 최초로 평가하였다. 평균 배치시간은 5.4분, 검색 시간은 10.2분이었고, 표지자 이동은 없었다. 절제연 양성, 재수술, 합병증도 없어서 매우 긍정적인 결과를 보고하여 바늘위치결정술을 효과적으로 대체할 수 있음을 보였다. 그러나, MRI 허상이 2 cm가량 형성될 수 있는 단점이 있다.

⑤ 탄소 표지(Carbon marking)

병변부위에 탄소잉크를 주입하는 방법으로, 여러 가지 면에서 장점이 있지만, Bick 등에 의하면 조직검사 시행과 동시에 시행 후에 검사가 양성으로 나와 제거를 하지 않을 경우 이물질에 대한 대식세포 반응으로 인해 유방촬영이나 초음파에서 악성과 유사한 소견이 100명당 3명의 빈도로 발생할 수 있다고 한다.

각 방법에 따라 수술 후 절제연 양성률에 대한 보고도 있는데, 암 특이적인 성질보다는 사용하는 시스템의 물리적인 특성에 따른 것으로 보아야 할 것 같고 절제범위는 병변과 환자의 체형에 따라 특성에 맞게 고려해서 적용해 나가야 할 것으로 보인다.

5) 결론

마커 삽입은 병변의 정확한 추적, 제거와 환자의 종양학적 성형학적 안정성을 보장하는 최소한의 조직 확보를 위해 필수적이다. 유방의 부피가 상대적으로 적은 동양인의 경우, 정확한 최소한의 절제연 파악또한 보존수술에 있어서 더욱 중요한 부분이다. 삽입은 초음파 유도만으로 가능한 경우도 많지만, 추적할 때 마커를 찾기는 쉽지 않을 수 있다는 것을 염두에 두어야 하고 삽입 후 위치결정술 전과 병변 절제 후에 유방촬영술을 시행하는 것이 도움이 될 수 있다. 수술 시기가 되면 마커를 근거로 한 병변에 접근하는 데 도움이 될 수 있는 위치결정술이 필요한데, 바늘이 없는 국소화를 위한 방법들이 비슷한 성적을 보이면서 편의성 면에서 장점을 보여 계속 보고되고 있다. 하지만, 이런 방법들은 아직까지는 여러 가지 이유로 국내 도입이 용이하지는 않는 현실이고, 바늘위치결정술은 이러한 이유로 여전히 유용하게 사용되고 있다. 이런 상황에서 그나마 정확도를 높이려면, 가능하다면 병변위치의 정확한 피부표식과 수술직전 색소주입을 이용해 보는 것도 현실적으로 도움이 될 것으로 조심스럽게 권장하는 바이다.

5. 초음파 유도 진공보조흡인 양성종양절제술

초음파 유도 진공보조흡인생검(vacuum-assisted breast biopsy, VABB)은 초음파검사에서 의심병변에 대해 재조준하거나 재삽입없이 실시간으로 초음파를 보며 종양을 완전히 절제해냄으로써 기존의 모든 조직검사법의 단점을 극복하고 진단의 정확도를 높이는 완전절제생검법으로 최소한의 불편감과 합병증 및 미용적 우수성을 가진 획기적인 시술이다. 진공보조흡인생검이 1995년 영상의학과 의사 Fred Burbank와 의료기기 엔지니어 Mark Retchard에 의해 개발되었을 때는 정위 맘모톰(stereotactic mammotome)으로 유방촬영술상의 석회화나 의심

병소에 대한 진단 목적의 조직생검에만 이용되었으나, 1998년 Zannis에 의해 초음파 유도 진공보조흡인생검이 소개된 후부터는 초음파에서 발견된 병변에 대해 수술 절제생검 및 중심부 침생검을 대체하는 주요한 생검법으로 시행되어 오고 있다.

이후 2000년대 초반부터 초음파 유도 진공보조흡인생검이 늘어나고 경험이 축적되면서 유방 내 다양한 병변에 대한 경피적 절제술로의 그 역할이 확대되기 시작하였다. 최근 진공보조흡인생검의 기술이 더욱 발달함에 따라 초음파검사에서 양성으로 판단되는 병변 및 기존의 중심부 침생검을 통해 B3 병변(equivocal uncertain malignant potential)으로 밝혀진 병소에 대한 진단 및 치료 목적으로 많이 시행되고 있으며 많은 논문을 통해 좋은 결과를 보여주고 있다.

초음파 유도 진공보조흡인생검의 진단 적응증으로는 초음파검사에서 BI-RADS 범주 3과 범주 4A 병변이 주를 이루는데 그 이유는 4B 이상의 병변은 악성종양의 가능성이 높으므로 진공보조흡인생검을 통한 완전 절제생검보다는 일부 검체만을 채취하는 중심부 침생검을 우선적으로 시행하여 악성 여부를 판단하는 것이 효과적이기 때문이다. 범주 3은 유방 내에서 가장 흔히 발견되는 병변으로 악성일 가능성이 0.5~2%에 불과한 양성의심 병변이다.

BI-RADS 범주 3에 대한 전통적인 대처방식은 3~6개월 간격으로 적극적인 추적관찰을 시행하는 것이며, 불가피한 상황 즉 지리적인 이유, 임신예정, 유방확대나 축소수술의 예정, 심한 불안감 등으로 추적관찰이 용이하지 않거나 병변에 대해 극도로 불안해 하는 환자, 추적기간 중 크기가 증가하는 환자, 통증이나 증상을 호소하는 환자, 동측 유방에 유방암이 있어 유방보존수술의 가능 여부를 알기 위한 경우, 혹은 유방암 발병가능성이 높은 고위험군의 여성 등에 대해서는 중심부 침생검 등의 경피적 생검을 시행하여 왔다. 초창기에는 이러한 경피적 생검의 궁극적인 목적은 진단에 있었으며 치료적인 것은 아니었다. 그러나 굵은 바늘을 이용하여 많은 조직을 획득할 수 있는 방식이 도입되면서 초음파에서 발견된 병변에 대해 완전절제가 가능하게 되었고 이러한 완전절제는 여러 가지 장점을 보여주는데 우선 검체채취의 오류나 실패를 줄일 수 있었으며, 조직학적 저평가(underestimation)의 감소, 영상 및 조직학적 불일치 및 재조직검사의 빈도를 줄일 수 있게 되었다.

1) 초음파 유도 진공보조흡인생검을 이용한 양성종양절제술의 적응증

(1) 진공보조흡인생검을 이용한 섬유선종 및 양성종양절제술

중심부 침생검에서 진단된 섬유선종에 대해 제거하는 것이 좋은가 관찰하는 것이 좋은가에 대한 많은 논란이 있는 것은 사실이다. 대부분의 섬유선종은 양성종양으로 빠르게 변화하지 않으며 크기도 2 cm 정도에서 성장이 멈추는 것으로 보고되고 있다. 그러나 일부 젊은 여성에서는 지속적인 성장을 하여 10 cm 이상 커지는 경우도 있다(giant fibroadenoma, juvenile fibroadenoma). 또한 상대적으로 큰 사이즈의 병변의 경우 중심부 침생검에서 섬유선종으로 나왔다 하더라도 절제생검 후 조직검사에서 양성 엽상종양으로 진단되거나 종괴 내에 제자리암종이나 침윤성유방암이 소량 포함되어 있는 경우도 있을 수 있다. 이러한 사례가 많지는 않으나 간과할 수는 없기에 일정크기 이상의 촉지성 병변의 경우나 추적 관찰 중 크기가 커지는 종양의 경우 절제생검을 권하는 경우가 많다.

초음파 유도 진공보조흡인 양성종양절제술의 장점은 짧은 시간 내에 국소마취 하에 제거할 수 있다는 것과 절개창이 5 mm 이내로 흉터를 최소화할 수 있다는 것이다. 대부분의 논문에서 시술 결과와 미용적인 측면에서 환자들의 만족도가 높은 것으로 보고되고 있다. 젊은 여성에서 전형적인 양성종양의 임상적, 영상학적 특징을 보이는 경우 진공보조흡인생검을 통한 종양절제술을 진단 및 치료 목적의 시술로 선택하는 것이 중심부 침생검이나 수술절제생검을 시행하는 것보다 합리적인 선택일 수 있다.

(2) 단일 유두관 분비, 유관내유두종 절제생검술

유두분비라고 하는 것은 자연발생적으로, 그리고 지속적으로 혈성 또는 투명한 많은 양의 분비물이 한 유관을 통해 분비되는 것을 말한다. 유두분비는 유방클리닉을 찾는 여성의 약 5%에서 호소하는 흔한 증상이다. 모든 환자는 유방촬영술, 초음파검사 및 유두분비물에 대한 세포검사를 먼저 시행받아야 한다. 그러나 기존의 임상 검사나 유방촬영술, 초음파 등의 검사들은 기저의 질병을 정확하게 진단하는 데 한계가 있어 수술적 절개인 유관절제술(microdochectomy)이 효과적인 진단과 치료방법으로 시행되어 왔다. 2000년 Dennis 등이 단일 유두관 분비 및 관내유두종 의심병변에 대한 진단 및 치료에 진공보조흡인생검이 이용될 수 있다고 보고한 이래 최근 초음파 유도 진공보조흡인생검이 수술적 절제술(유관절제술)을 대신할 수 있는 방법으로 대두되었고 선택적으로 시행되고 있다.

그 이유는 병변 부위가 대개 유관의 유두쪽 5 cm 이내에 존재하게 되고 진공보조흡인생검에 의해서도 충분한 양의 조직이 채취될 수 있기 때문에 수술적 치료와 비슷한 효과를 낼수 있다는 데 있다. 유두분비의 원인 질환으로 40~70%는 관내유두종, 1~23%는 악성으로 보고되고 있다. 진공보조흡인생검을 이용한 절제생검은 충분한 검체를 채취함으로써 악성종양과 같은 중요질환을 놓치지 않는 장점

이 있으나, 다발성 유두종의 경우를 대비하여 추적관찰이 필수적으로 시행되어야 한다.

(3) 중심 조직검사상 병리학적 B3 병변(uncertain malignant potential)으로 진단된 병변에 대한 절제 재생검

중심부 침생검에서 비정형 상피증식증, 유두모양 질환, 제자리소엽암종이나 비정형소엽상피증식증 등의 소엽상피종양, 엽상종양, 방사상 반흔 등의 병리학적 소견이 나오는 경우를 B3 병변, 즉 불확실한 악성 병변 가능성으로 분류하는데 그 이유는 이러한 병변이 중심부 침생검을 통해 진단될 경우 적은 양의 조직검체로 인한 저평가의 가능성이 있고 수술적 재생검을 시행할 경우 악성 병변으로 업그레이드되는 빈도가 5~20%에 이르는 것으로 보고되기 때문이다. 이러한 이유로 대부분의 보고에서 수술적 재생검을 시행할 것을 권유하고 있다. 그러나 최근 진공보조흡인생검의 시술이 늘어나면서 많은 경험이 축적되었고 2016년, 2019년에 각각 열린 International consensus conference on lesions of malignant potential in the breast (B3 lesions) 1, 2차 회의에서는 B3 병변이 중심부 침생검에서 진단된 경우 수술적 재절제생검보다는 진공보조흡인생검을 우선적으로 시행할 것을 권고하고 있다.

(4) 영상검사와 조직학적 소견의 불일치 시 재생검

영상검사에서 악성의심 소견을 보이나 중심부 침생검에서 양성으로 진단되는 경우에는 경피적 재생검이나 수술적 재생검을 시행하는 것이 위음성률을 줄이는 것으로 보고되고 있다. 이러한 경우 중심부 침생검을 다시 시행하거나 수술적 재생검을 시행하는 대신 진공보조흡인생검을 시행하게 되면 최소침습적으로 의심병소에 대한 완전 절제생검이 가능하게되어 불충분 검체로 인한 오진율을 줄일 수 있다.

2) 초음파 유도 진공보조흡인 종양절제술의 실제 과정

(1) 준비

환자를 수술실 테이블에 눕힌 다음 심전도 및 혈압기를 부착하고 생리식염수나 하트만 용액이 정맥관을 타고 잘 들어가는지를 확인한다. 혈압이 높거나 맥박이 높은지를 확인하고 환자를 안심시킨 후 수술 드랩을 시행한다. 만약 제거해야 할 병변이 유

두를 중심으로 바깥쪽에 위치하면 동측의 어깨 밑에 스폰지나 소독포를 말아 넣어 거상시킨다(그림 3-12). 초음파기기는 모니터가 잘 보이도록 시술자의 반대편에 위치시키고 진공보조흡인생검 기기는 술자와 같은 쪽에 위치시킨 다음, 초음파 탐색자선과 장비 케이블을 소독된 비닐로 씌운다(그림 3-13, 14). 왼손으로 초음파 탐색자를 잡고 제거하고자 하는 병변을 찾는다(그림 3-15). 무선진공보조흡인생검 장비는 자동 중심부 침생검 장비와 유

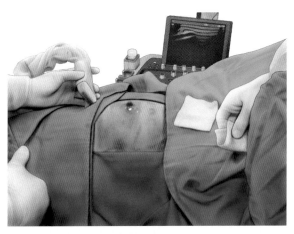

그림 3-12 진공보조흡인생검 시술자 및 보조자의 위치
초음파 모니터는 시술자의 반대편에 위치시키고 시술자의 왼손으로 초음파 탐색자를 잡고 병변부위 주변에 젤을 바른다. 보조자는 시술자의 우측에 선다.

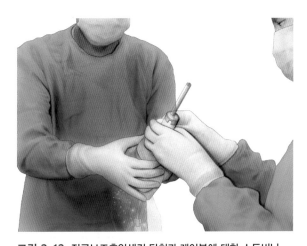

그림 3-13 진공보조흡인생검 탐침과 케이블에 대한 소독비닐 씌우기
의료기구용 멸균소독 비닐로 탐침의 손잡이와 홀스터를 씌운다.

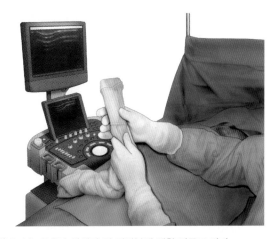

그림 3-14 초음파 탐색자 및 케이블에 대한 멸균포 싸기

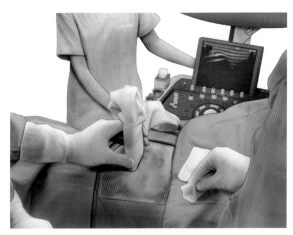

그림 3-15 초음파를 이용한 표적병변의 위치 확인
초음파 탐색자를 탐침이 들어갈 방향과 일직선상으로 일치시킨다.

사하게 이용된다. 한 손에는 탐색자를 잡고 반면에 다른 한 손은 장비의 손잡이를 잡는다.

(2) 준비와 마취제

국소마취제는 1% 리도카인을 약 10 cc 정도 준비한다. 이때 척수바늘을 이용하든 10 cc 주사기를 이용하든 상관없다. 우선 절개를 가할 피부를 마취한 다음 탐침이 통과할 경로를 따라 국소마취제를 주사한다. 이 때 마취제는 초음파 유도하에 주입한다(그림 3-16). 병변을 중심으로 앞쪽, 옆쪽, 뒤쪽에 마취제를 주사하고 마지막으로 병변의 후방에 집중적으로 마취제를 투여하여 병변이 흉근쪽에서 피부 표층 쪽으로 들어올려지도록 해야 한다. 작은 병변에 대해 너무 많은 마취제를 주사하게 되면 병변의 경계가 불분명해져 절제범위를 정하는 데 어려울 수 있으며 추후 불완전 절제에 의한 잔류 조직의 발생 가능성이 있다. 이런 경우는 마취제가 흡수될 때까지 조금 기다리면 병변을 다시 잘 확인할 수 있다.

마취제를 서서히 주입하고 병변을 좀 더 표층으로 끌어올린 이후에 조수로 하여금 오른손 둘째, 셋째 손가락을 이용하여 진공보조흡인생검 탐침 주행방향과 반대방향으로 당기도록 하고 초음파 탐색자와 매우 근접한 피부에 0.5 cm 정도의 절개를 가한다(그림 3-17). 이후 탐색자를 잡은 반대쪽 손으로 진공보조흡인생검 탐침을 잡고 진공보조흡인생검 본체의 단추를 조작하여 바늘의 위치잡기(positioning)가 된 상태에서 원통형 절단기(cutter)가 앞으로 전진되어 개구부(aperture)가 완전히 덮여 있음을 확인한 다음 초음파 탐색자와 평행한 상태로 피부 절개부를 통해 유방 조직 내로 전진시킨다(그림 3-18). 이때 초음파를 통해 탐침의 팁을 실시간으로 확인하여야 하며 탐침이 병변의 직후방에 정확히 위치하도록 하여야 한다. 이렇게 해야만 탐침이 병변이 가리지 않게 되고 병변 제거 과정을 실시간으로 확인할 수 있다. 탐침의 구조상 병변을 절제해

내는 개구부의 원위부와 팁과의 거리가 약 2 cm 정도 되므로 병변이 개구부의 중앙에 위치하도록 하기 위해서는 탐침의 팁이 병변을 지나 약 2 cm 이상 앞으로 더 전진해야 한다.

병변이 탐침의 개구부 위쪽에 잘 올려져 있는 상태가 되면 표본추출(sampling) 모드로 전환한다. 이때 절단기는 자동으로 후방으로 후퇴하게 되고 진공에 의해 병변이 개구부로 빨려 들어오게 된다. 개구부는 탐침의 앞 벽의 불연속성과 개구부의 반대편 쪽 진공 구멍의 "여운(ring-down)" 인공물에 의해서 명백하게 초음파에서 윤곽이 그려진다. 무선 진공 보조흡인생검 기계의 개구부는 탐침을 수동으로 전후 방향으로 움직임에 따라 앞으로 나아가거나 후방으로 위치될 수 있다.

(3) 조직획득

탐침을 병변의 후방에 정확히 위치시키고 나면 탐침의 후방에는 어떠한 병변도 있을 수 없으므로 조직 획득은 9시 방향에서 12시 방향을 지나서 3시 방향 사이에서 이루어진다(그림 3-19). 이로 인해 일반적으로 4시 30분, 6시, 7시 방향의 조직은 얻을 필요가 없어지는 것이다. 시술자나 환자 모두가 초음파를 통하여 실시간으로 병변이 사라져 가는 것을 확인할 수 있다(그림 3-20). 진공보조흡인 종양절제술을 통해 초음파에서 병변이 사라졌다고 해서 현미경적으로 잔류 병변이 없이 다 제거되었다고 보기에는 다소 무리가 있을 수 있으므로 클립을 병변의 제거 부위에 위치시키는 것도 고려되어야 할 사항이다.

3) 초음파 유도 진공보조흡인 종양절제술로 절제가능한 종양의 크기

섬유선종 등 양성종양에 대한 초음파 유도 진공보조흡인 종양절제술은 전통적인 수술적 절제술보

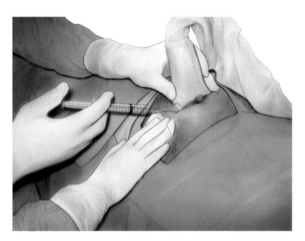

그림 3-16 국소마취 시행

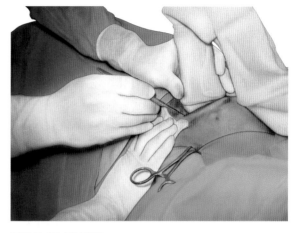

그림 3-17 피부절개

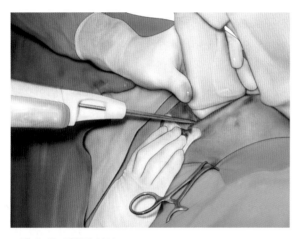

그림 3-18 탐침의 삽입

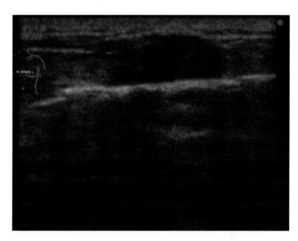

그림 3-19 병변의 후방에 탐침을 삽입하여 개구부가 병변을 향하도록 위치시킴.

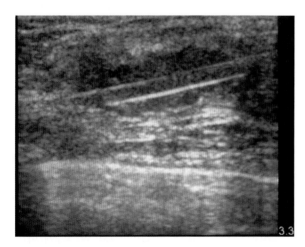

그림 3-20 병변의 절제

다 안전하고 미용적 측면에서도 우월하다. 최근 초음파 유도 진공보조흡인 절제생검술의 사용기술이 발달함에 따라 유방 내 양성으로 판단되는 병변에 대한 진단적 및 치료적 목적의 종양절제술이 많이 시도되고 있다.

초음파 유도 진공보조흡인 종양절제술로 절제가 능한 병변의 최대 크기의 한계를 몇 cm까지로 정할 것인가와 8게이지 혹은 11게이지 구경의 바늘을 사용하는데 기준이 되는 병변의 장직경을 어느 정도로 할 것인가에 대한 지침은 아직 없는 상태이다.

Parker 등, Fine 등은 1.5 cm을 기준으로 그 이하이면 11게이지 바늘을 이용하였고 그 이상인 경우 8게이지를 사용하였다고 보고하였다. Park 등의 경우에는 1 cm을 기준으로 그 이상인 경우 8게이지 바늘을 사용하였는데 이로 인한 출혈 등의 합병증의 증가는 없었다고 하였다. 또한 초음파 유도 진공보조흡인 종양절제술로 절제 가능한 최대크기의 한계를 몇 cm까지로 할 것인가에 대한 기준은 현재까지는 없으며, 다만 Baez 등은 종괴의 장경이 2.3 cm 이하에서 완전절제가 가능하다고 하였으며 Fine 등은 3 cm 이하의 종양에서 완전절제가 가능하였다고 보고하였다. 현재 대부분의 보고에서 진공보조흡인 종양절제술의 시행 가능한 최대크기는 2.5 cm 혹은 3 cm를 기준으로 하고 있다. 그러나 최근 진공보조흡인 종양절제술에 대한 경험이 축적되면서 그 안전성과 효용성이 높아지면서 3 cm 보다 큰 양성이 의심되는 종양에 대해서도 수술실에서 적극적으로 시술을 시행하고 있는 추세이다. Park 등의 경우 수술실에서 외과의사의 적극적인 시술로 그 이상 크기의 종양에 대해서도 진공보조흡인생검술로 절제가 가능할 것으로 판단되어 3 cm 이상의 큰 종괴에 대해서도 절제를 시도하였는데 시행된 25예 중 22예(88.0%)에서 추적 초음파검사에서 잔류 병변이 발견되지 않아 3 cm 이상의 큰 종양에서도 진공보조흡인 종양절제술이 가능함을 확인하였다고 보고하였다. 그러나 3 cm 이상의 큰 종괴의 경우 잔류병변의 발생률이 높고 엽상종양으로 진단될 가능성도 있으며 시술 중 출혈이나 기타 합병증을 초래할 위험성이 있으므로 선택적으로 시행해야하며 충분한 경험을 확보한 후에 시행하는 것이 바람직하다.

4) 불완전절제(incomplete excision) 및 잔류 병변이 발생하는 이유

초음파 유도 진공보조흡인 종양절제술 후 잔류병변에 대한 빈도는 보고자나 보고된 시점에 따라 상당한 차이를 보이는데 2000년대 초에 보고된 초기 논문들에서는 다소 잔존율의 빈도가 높게 나타났으나 2010년대 후반에 보고된 다수의 논문들에서는 낮게 나타나는 경향을 보이고 있다. 초기 보고들을 보면 Fine 등은 시술 후 즉시 시행한 초음파검사에서 92%에서 완전절제가 되었다고 판단하였으나 6개월 후 추적 초음파검사에서는 73%에서만 완전절제가 되었음이 확인되었다고 보고하였으며 Vargas 등도 6개월 추적 초음파검사에서의 완전절제율이 86% 정도였다고 보고하였다. 그러나 최근 발표된 Park 등의 보고에 의하면 전체 11,221예의 초음파 유도 진공보조흡인 종양절제술 시행예 중 94.4%의 완전절제율을 보고하여 완전절제율의 빈도가 점차 높아지고 있음을 알 수 있다.

Chen 등은 이러한 완전절제율 저하의 원인으로 몇 가지 요인을 제시하였는데 2D 초음파로는 병변의 공간정위가 어렵고 국소마취제나 시술 중 출혈 등으로 인해 초음파에서 표적병변의 절제연을 파악하기가 어려우며 이러한 현상은 종괴의 크기가 점점 작아지면서 더욱 확인하기 어려운 경우가 있음을 지적하였고 이러한 문제점을 해결하기 위한 방법으로 3D 초음파기기의 사용을 주장하였다. Fine 등은 6개월 후 시행된 초음파검사에서 27%에 이르는 높은 잔류병변율에 대한 원인을 분석하였는데 주요한 원인으로는 시술 중 국소마취나 혈종 등에 의해 초음파를 통한 병변의 경계면에 대한 확인이 어려운 점, 완전히 제거되지 않고 남아있던 병변이 다시 자랄 가능성, 시술 후 제거된 병소가 섬유화나 반흔 등에 의해 초음파 상 잔류병변으로 보일 수 있는점 등으로 설명하였다.

불완전절제의 빈도는 보고하는 기관이나 보고자에 따라 많은 차이가 있었으며, 이러한 차이는 시술자의 완전절제에 대한 의도나 경험, 적용 대상 종괴의 최대크기의 한계를 몇 cm까지로 하느냐에 따라 달라질 것으로 사료되며 대체적으로 작은 크기의 종괴일수록 완전절제의 가능성이 높아지고 종괴가 클수록 완전절제의 가능성이 낮아질 것으로 보고되고 있다. Sperber 등은 2 cm 이하의 병변에 대해 11게이지 바늘을 이용하여 완전절제가 가능하였다고 하였으며 시술시간은 평균 40분으로 보고하였는데 Park 등의 경우에는 3 cm 이하의 병변에 대해 8게이지 바늘을 이용하여 평균 약 3.4분 정도로 상당히 짧은 시간 내에 시술이 이루어졌음을 보고하였다. 이러한 시술시간의 차이는 8게이지 바늘의 사용과도 관계가 있겠으나 경험의 축적과 장비의 발전도 중요한 요인이 될 것으로 보인다.

5) 초음파 유도 진공보조흡인 종양절제술의 합병증

초음파 유도 진공보조흡인 종양절제술에서 유의할 만한 합병증은 보고되지 않았다. 시술 중 발생하는 출혈은 드물지 않은데 이로 인해 시술이 중단되는 경우는 많지 않다. 그 이유는 혈액이 진공흡입력에 의해 조직을 추출하는 도중에 자동적으로 공간으로부터 흡입되기 때문이다. 필요한 경우에는 표본을 추출하는 사이에 추가적으로 흡인을 할 수 있다. 하지만 드물게 출혈량이 많아 시술을 일시 중단해야 하는 경우도 있는데 이러한 경우에도 압박지혈을 수분간 시행한 후 어느정도 출혈이 줄어들면 시술을 마무리할 수 있다. 초음파 유도 진공보조흡인 종양절제술을 시행한 후에 발생하는 멍(bruising)은 14게이지 중심부 침생검을 시행한 후보다 더 흔하지만, 배출을 필요로 하거나 증상적으로 지속되는 혈종은 전체 예의 2% 이하에서 발생된다. 간혹 혈관미주신경반응이 나타나기도 하며 피부함몰이나 피부 및 유두 결손, 기흉, 유방 보형물 손상 등이

보고되긴 하나 매우 드문 경우이며 시술 후 감염 또한 드물다.

6) 초음파 유도 진공보조흡인 종양절제술 후 관리

- 10분간 손을 이용한 압박을 시행한다.
- 절개 부위를 밴드로 고정한다.
- 합병증을 대비해 압박 드레싱을 시행한다.
- 24시간 동안 심한 운동을 삼가하도록 한다.
- 아스피린을 제외한 진통제를 투여한다.
- 추적관찰용지를 완성한다.
- 응급 연락처를 제공한다.

7) 추적관찰

2~5일 후 외래 방문하여 수술부위 흉터와 점상 출혈을 확인하고, 시술 3~6개월 후 초음파로 추적관찰을 시행한다.

8) 결론

초음파 유도 진공보조흡인생검으로 섬유선종을 포함하는 양성종양에 대해 절제술을 시행하는 것은 수술적 절제생검술을 대체할 수 있는 획기적 시술이다. 이 시술의 장점은 짧은 시간 내에 국소마취 하에 쉽고 간단하게 시행할 수 있다는 것과 절개를 최소화 함으로써 미용적인 만족도가 높아진다는 데 있다. 젊은 여성에게서 양성종양의 전형적인 임상적, 방사선적 특징을 나타내고 종괴 제거를 원하는 경우에, 진단 및 치료 목적의 초음파 유도 진공보조흡인 종양절제술을 시행하는 것이 합리적일 것이다.

·))) 참고문헌

1. 대한유방영상의학회. 유방영상진단학. 제2판. 서울: 일조각; 2012.

2. Ahmadinejad M, Hajimaghsoudi L, Pouryaghobi SM, et al. Diagnostic Value of Fine-Needle Aspiration Biopsies and Pathologic Methods for Benign and Malignant Breast Masses and Axillary Node Assessment. Asian Pac J Cancer Prev 2017;18:541-8.

3. Alkuwari E, Auger M. Accuracy of fine-needle aspiration cytology of axillary lymph nodes in breast cancer patients: a study of 115 cases with cytologic-histologic correlation. Cancer 2008;114:89-93.

4. Baez E, Huber A, Vetter M, et al. Minimal invasive complete excion of benign breast tumors using a three-dimensional US-guided Mammotome Vacuum device. US OBGY 2003; 21:267-72.

5. Berg WA. Image-guided breast biopsy and management of high-risk lesions. Radiol Clin North Am 2004;42:935-46.

6. Burbank F, Forcier N. Tissue marking clip for stereotactic breast biopsy: initial placement accuracy, long-term stability, and usefulness as a guide for wire localization. Radiology 1997;205:407–15.

7. Burbank F. Mammographic findings after 14 gauge automated needle and 14-gauge directional, vacuumassisted stereotactic breast biopsies. Radiology 1997;204:153-6.

8. Cangiarella J, Gross J, Symmans WF, et al. The incidence of positive margins with breast conserving therapy following mammotome biopsy for microcalcification. J Surg Oncol 2000;74:263–6.

9. Chen DR, Chang RF, Chen CJ, et al. Three-dimensional ultrasound in margin evaluation for breast tumor excion using Mammotome. US in Medi & Bio 2004;30:169-79.

10. De Freitas R Jr, Costa MV, Schneider SV, et al. Accuracy of ultrasound and clinical examination in the diagnosis of axillary lymph node metastases in breast cancer. Eur J Surg Oncol 1991;17:240–4.

11. Dennis MA, Parker S, Kaske TI, et al. Am J Roentgenol 2000;174:1263-8.

12. Dillon MF, Hill ADK, Quinn CM, et al. The accuracy of ultrasound, stereotactic, and clinical core biopsies in the diagnosis of breast cancer, with an analysis of false-negative cases. Ann Surg 2005;242:701-7.

13. Dixon JM, Dobie V, Lamb J, et al. Assessment of the acceptability of conservative management of fibroadenoma of the breast. Br J Surg 1996;83:264-5.

14. Ferzli GS, Hurwitz JB. Initial experience with breast biopsy utilizing the advanced breast biopsy instrumentation (ABBI). Surg Endosc 1997;11:393-6.

15. Fine RE, Israel PZ, Walker LC, et al. A prospective study of the removal rate of imaged breast lesions by an 11-gauge vacuum assisted biopsy probe system. Am J Surg 2001; 182:335-400.

16. Fine RE, Whitworth PW, Kim JA, et al. Low-risk palpable breast masses removed using a vacuum-assisted hand-held device Am J Surg 2003;186:362-7.

17. Jackson VP. The status of mammographically guided fine needle aspiration biopsy of nonpalpable breast lesion. Radiol Clin North Am 1992;30;155-66.

18. Johnson AT, Henry-Tillman RS, Smith LF, et al. Percutaneous excisional breast biopsy. Am J Surg 2002;184: 550-4.

19. Kaufman CS, Delbecq R, Jacobson L. Excising the Reexcision: Stereotactic Core-Needle Biopsy Decreases Need for Reexcision of Breast Cancer. World J Surg 1998; 22:1023–7.

20. Kim JY. Liquid-Based Cytology in Fine-Needle Aspirates of the Thyroid and Breast. The Korean Journal of Pathology 2009;43;99-106.

21. Ko E, Han W, Lee JW, et al. Scoring system for predicting malignancy in patients diagnosed with atypical ductal hyperplasia at ultrasoundguided core needle biopsy. Breast Cancer Res Treat 2008;112:189-95.

22. Koo JH, Kim E-K, Moon HJ, et al. Comparison of breast tissue markers for tumor localization in breast cancer patients undergoing neoadjuvant chemotherapy. Ultrasonography 2019;38:336–44.

23. La Forgia D, Fausto A, Gatta G, et al. Elite VABB 13G: A New Ultrasound- Guided Wireless Biopsy System for Breast Lesions. Technical Characteristics and Comparison with Respect to Traditional Core-Biopsy 14–6G Systems. Diagnostics 2020;10:291.

24. Liberman L, Dershaw DD, Morris EA, et al. Clip placement after stereotactic vacuum-assisted breast biopsy. Radiology 1997;205:417–22.

25. Liberman L, Dershaw DD. Rosen PP, et al. Percutaneous removal of malignant mammographic lesions at stereotatic vacuum assisted biopsy. Radiology 1998;206:711-5.

26. Liberman L, Drotman M, Morris EA, et al. Imaging-histologic discordance at percutaneous breast biopsy. Cancer 2000;89:2538-46.

27. McMahon MA, James JJ, Cornford EJ, et al. Does the insertion of a gel-based marker at stereotactic breast biopsy allow subsequent wire localizations to be carried out under ultrasound guidance? Clin Radiol 2011;66:840–4.

28. McMahon P, Reichman M, Dodelzon K. Bleeding risk after percutaneous breast needle biopsy in patients on anticoagulation therapy. Clin Imaging 2020;70:114-7.

29. Nakano S, Imawari Y, Mibu A, et al. Differentiating vacuum-assisted breast biopsy from core needle biopsy: Is it necessary? Br J Radiol 2018;91.

30. Neunier M, Clough K. Fine needle aspiration cytology versus percutaneous biopsy nonpalpabel breast lesions.Eur J Radiol 2002;42;10-6.

31. Nurko J, Mancino AT, Whitacre E, et al. Surgical benefits conveyed by biopsy site marking system using ultrasound localization. Am J Surg 2005;190:618–22.

32. Park H-L, Hong J. Vacuum-assisted breast biopsy for breast cancer. Gland surgery 2014;3:120-7.

33. Park HL, Kim KY, Park JS, et al. Clinicopathologic analysis of ultrasound-guided vacuum-assisted breast biopsy for the diagnosis and treatment of breast disease. Anticancer Res 2018;38:2455-62.

34. Park HL, Kwak JY, Jung HK, et al. Is Mammotome excision feasible for benign breast mass bigger than 3cm in greatest dimension. J Kor Surg Soc 2006;70:25-9.

35. Park HL, Kwak JY, Lee SH, et al. Excision of benign breast disease by ultrasound guided vacuum assisted biopsy device (Mammotome). J Kor Surg Soc 2005;68:96-101.

36. Park HL, Pyo YC, Kim KY, et al. Recurrence Rates and Characteristics of Phyllodes Tumors Diagnosed by Ultrasound-guided Vacuum-assisted Breast Biopsy (VABB). Anticancer Res 2018;38:5481-7.

37. Park SY, Kim KS, Lee TG, et al. The accuracy of preoperative core biopsy in determining histologic grade, hormone receptors, and human epidermal growth factor receptor 2 status in invasive breast cancer. Am J Surg 2009; 197:266-9.

38. Parker SH, Klaus AJ, McWey PJ, et al. Sonographically guided directional vacuum assisted breast biopsy using a hand held device. Am J Roentgenol 2001;177:405-8.

39. Phillips SW, Gabriel H, Comstock CE, et al. Sonographically guided metallic clip placement after core needle biopsy of the breast. AJR Am J Roentgenol 2000;175:1353–5.

40. Pick PW, Lossifide IA. Occurrence of breast carcinomas within a fibroadenoma: a review. Arch Pathol Lab Med 1984;108:590-3.

41. Pisano ED, Fajardo LL, Caudry DJ, et al. Fineneedle aspiration biopsy of nonpalpable breast lesions in a multicenter clinical trial; results from the radiologic diagnostic oncology group V. Radiology 2001;219;785-92.

42. Rageth CJ, O'lynn EA, Pinker K, et al. First international consensus conference on lesions of uncertain malignant potential in the breasr (B3 lesions). Breast Cancer Res Treat 2016;159:203-13.

43. Rageth CJ, O'lynn EA, Pinker K, et al. Second international consensus conference on lesions of uncertain malignant potential in the breasr (B3 lesions). Breast Cancer Res Treat 2019;174:279-96.

44. Rahusen FD, van Amerongen AHMT, van Diest PJ, et al. Ultrasound-guided lumpectomy of nonpalpable breast cancers: A feasibility study looking at the accuracy of obtained margins. J Surg Oncol 1999;72:72–6.

45. Rao R, Lilley L, Andrews V, et al. Axillary staging by percutaneous biopsy: sensitivity of fine-needle aspiration versus core needle biopsy. Ann Surg Oncol 2009;16:1170-5.

46. Rissanen TJ, Mäkäräinen HP, Mattila SI, et al. Wire localized biopsy of breast lesions: a review of 425 cases found in screening or clinical mammography. Clin Radiol 1993;47:14–22.

47. Rosen EL, Baker JA, Soo MS. Accuracy of a collagen-plug biopsy site marking device deployed after stereotactic core needle breast biopsy. AJR Am J Roentgenol 2003;181: 1295–9.

48. Ruiz-Delgado ML, López-Ruiz JA, Sáiz-López A. Abnormal mammography and sonography associated with foreign-body giant-cell reaction after stereotactic vacuumassisted breast biopsy with carbon marking. Acta Radiol 2008;49:1112–8.

49. Sakamoto N, Ogawa Y, Tsunoda Y, et al. Evaluation of the sonographic visibility and sonographic appearance of the breast biopsy marker (UltraClip®) placed in phantoms and patients. Breast Cancer 2017;24:585–92.

50. Santiago L, Adrada BE, Huang ML, et al. Breast cancer neoplastic seeding in the setting of imageguided needle biopsies of the breast. Breast Cancer Res Treat 2017;166:29-39.

51. Schueller G, Jaromi S, Ponhold L, et al. US-guided 14-gauge Core-Needle Breast Biopsy: Results of a Validation Study in 1352 Cases. Radiology 2008;248:406-13.

52. Simon JR, Kalbhen CL, Cooper RA, et al. Accuracy and complication rates of US-guided vacuum-assisted core breast biopsy: initial results. Radiology 2000;215:694-7.

53. Sperber F, Blank A, Metser U, et al. Diagnosis and treatment of breast fibroadenomas by ultrasound guided vacuum assisted biopsy. Arch Surg 2003;138:796-800.

54. Thomassin-Naggara I, Lalonde L, David J, et al. A plea for the biopsy marker: how, why and why not clipping after breast biopsy? Breast Cancer Res Treat 2012;132:881–93.

55. Vargas HI, Agbunag RV, Khalkhali I. State of art of minimally invasive breast biopsy: principles and practice. Breast cancer 2000;7:370-9.

56. Vega Bolívar A, Alonso-Bartolomé P, Ortega García E, et al. Ultrasound-guided core needle biopsy of non-palpable breast lesions: a prospective analysis in 204 cases. Acta Radiologica 2005;46:690-5.

57. Wazir U, Tayeh S, Perry N, et al. Wireless Breast Localization Using Radio-frequency Identification Tags: The First Reported European Experience in Breast Cancer. In Vivo 2020;34:233–8.

58. Youk JH, Kim E-K, Kim MJ, et al. Concordant or discordant? Imaging-pathology correlation in a sonography-guided core needle biopsy of a breast lesion. Korean J Radiol 2011;12:232-40.

59. Youn HJ, Ahn HR, Kang SY, et al. Ultrasonography for Staging Axillary Lymph Node in Breast Cancer Patients. J Surg Ultrasound 2020;7;1-6.

수술 후 유방 초음파 추적검사

양성 또는 악성 유방종양 수술 후 추적검사로는 신체검사나 유방촬영술이 주로 이용되지만, 수술 후 반흔이나 수술부위 유방실질의 구조왜곡으로 인해 검사의 민감도가 감소하게 되므로 추가적인 초음파검사가 유용할 수 있다. 특히 초음파는 수술합병증의 발생이나 결절의 재발 여부를 보다 빠르고 정확하게 파악할 수 있는 장점을 가진다.

이 장에서는 수술 후 유방 초음파 소견의 특징을 파악하여 수술 후 합병증이나 종양의 재발, 새로운 병변의 발견에 도움을 드리고자 한다.

1. 유방 악성질환의 수술 후 초음파 소견

유방암의 치료는 수술뿐만 아니라 화학요법, 방사선, 표적 및 호르몬치료 등 종양의 분자학적 특성에 따라 복합적인 치료가 이루어진다. 유방암의 국소치료로는 수술과 방사선치료가 있고 이러한 국소치료는 유방의 실질 및 피부에 변화를 일으킨다. 따라서 초음파검사 전 환자가 시행받은 치료가 무엇

인지 파악하는 것이 무엇보다 중요하다.

수술 후 추적검사로서의 유방 초음파는 유방암의 재발 감시뿐만 아니라 수술 후 발생한 합병증을 조기에 발견할 수 있는 영상기법으로 임상에서 매우 유용하게 적용될 수 있지만, 간혹 수술 반흔이 유방암의 재발과 비슷한 소견을 보이기도 하므로 수술 병력, 수술을 받은 위치 및 수술 전후 합병증 발생 여부 등이 진단에 중요한 근거가 될 수 있다.

1) 유방수술 후 유방의 초음파 소견

(1) 유방보존술 후 유방의 초음파 소견

유방보존술은 유방암을 중심으로 정상조직을 일부 포함하여 안전절제연을 확보하여 암을 절제하고, 남은 조직을 봉합하는 방식이다. 대개 피부에서부터 수직으로 절제가 이루어지기 때문에 수술 후에도 피부에서 대흉근에 이르는 수직절개선이 수술 후 반흔으로 남게 된다(그림 4-1). 유방보존술 후의 수술 반흔은 유방촬영술이나 유방 초음파에서 구조왜곡과 윤곽변형(contour deformity)의 소견으로 나타나며, 대부분의 경우 수술 반흔 외에는 특별한 병

변이 관찰되지 않는다. 그러나, 수술 반흔 주변에 불규칙한 변연부를 가지는 저에코성 결절이 관찰된다면 유방암의 재발을 의심해 보아야 하며, 조직검사를 통한 정확한 진단이 필요하다(그림 4-2). 만약 의심스러운 결절이 발견되었지만 6개월~1년 이상의 추적검사 기간동안 변화가 없다면 유방암의 재발이 아닐 가능성이 높으며, 조직학적으로 유방암의 재발이 아님이 확인되었더라도 추적검사에서 크

기나 갯수가 증가하였다면 재조직검사가 필요할 수 있다.

(2) 유방전절제술 후 유방의 초음파 소견

유방전절제술은 유두유륜복합체를 포함한 유방의 피부, 유선을 모두 절제하기 때문에 수술 후 초음파검사에서는 피부 바로 아래 얇은 피하지방층만 관찰된다. 수술을 받지 않은 반대편 유방과 비교

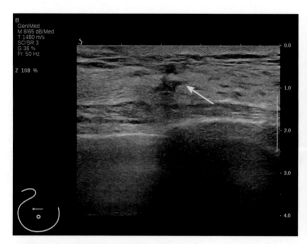
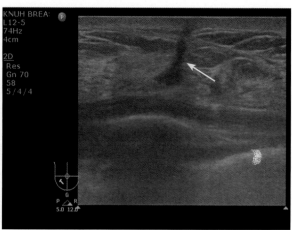

그림 4-1 유방보존술 후 유방 초음파 소견
피부에서부터 대흉근에 이르는 수직절개선이 수술 후 반흔(화살표)으로 남게 되며, 절제 후 봉합을 한 상태이므로 구조왜곡(architectural distortion)이 동반되어 있다.

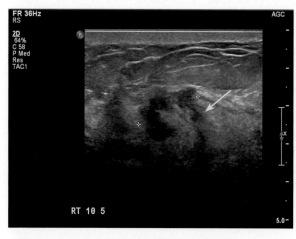
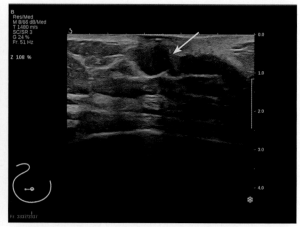

그림 4-2 유방보존술 후 유방암 재발의 초음파 소견
수술 반흔 주변으로 불규칙한 변연부를 가지는 저에코성 결절(화살표)이 관찰되며, 두 예 모두 유방암의 재발로 확인되었음

해보면 확연히 구분이 가능하며, 피하지방층의 바로 아래에는 대흉근 및 늑골이 순서대로 관찰된다(그림 4-3). 늑골은 저에코음영의 결절로 오인될 수 있으나, 구조물의 위치가 대흉근 아래에 존재하며 탐색자를 움직임에 따라 늑골이 순서대로 보이는 것을 확인할 수 있어 결절과의 구분이 가능하다.

유방전절제술 후 유방암의 재발은 유선이 없기 때문에 만져지는 결절의 형태로 쉽게 발견 가능하다. 이전에 없던 결절이 만져지거나 피부 또는 피하 결절이 관찰되는 경우 유방암의 재발을 의심해 볼 수 있는데, 초음파 영상에서 결절의 형태가 비교적 타원형이고 경계가 명확한 경우는 수술 후 발생한 육아종성 결절의 가능성이 높지만 경계가 모호하거나 뾰족한 변연부를 가지는 경우는 종양의 재발을 의심해볼 수 있다(그림 4-4). 특히, 도플러신호를 통하여 혈류를 확인해 보았을 때 영양동맥(feeding artery)이 명확히 관찰되거나 주변의 혈류가 증가하는 경우는 증식성 병변으로서 유방암의 재발의 가능성이 높아 침생검이나 절제생검 등을 통한 조직학적 진단이 필요하다.

2) 유방재건술 후 유방의 초음파 소견

유방재건술의 방법에 따라 다양한 초음파 소견을 보일 수 있지만, 유방재건술의 방법은 크게 자가조직을 이용한 재건수술 방법과 보형물을 이용한 재건수술 방법으로 나누어 볼 수 있다.

(1) 자가조직을 이용한 유방재건술 후 초음파 소견

자가조직을 이용하는 경우 대부분 공여부위의 근육과 지방을 피판의 형태로 구득하여 유방을 재건하므로 수술 후 재건된 유방의 초음파 영상에는 피판의 근육과 지방이 고스란히 관찰된다. 주로 원격피판으로는 광배근(latissimus dorsi muscle, LD) 피판술이나 복직근(transversus rectus abdominis muscle, TRAM) 피판술이 이용되는데, 초음파 영상에서는 근육의 전형적인 초음파 소견인 저에코성 근섬유 내부에 평행한 에코선들(parallel echogenic lines)이 잘 유지되는 것을 확인할 수 있다(그림 4-5). 그러나, 시간이 지남에 따라 대개 근육은 퇴화하고 지방이 축적(fat accumulation)되는 경향을 보이기 때문에 추적검사 기간동안 점차 근육의 비율은 줄어들

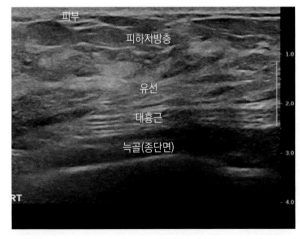
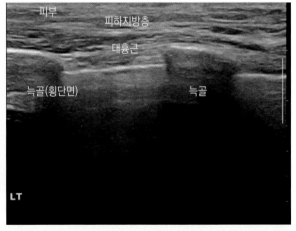

그림 4-3 좌측 유방전절제술을 받은 환자의 양쪽 유방 초음파 소견
우측 유방은 유선과 피하지방층이 뚜렷이 관찰되지만, 유방전절제술을 시행받은 좌측 유방은 피부 바로 아래 얇은 피하지방층만 관찰될 뿐 유선이 보이지 않는다. 대흉근의 바로 아래에는 늑골 2개가 횡단면으로 관찰된다.

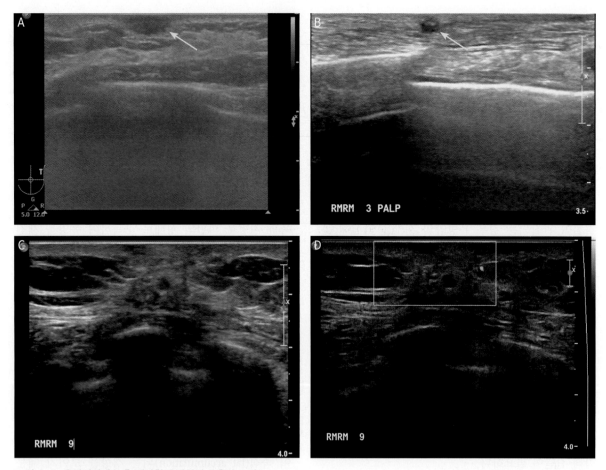

그림 4-4 유방전절제술 후 재발한 유방암의 초음파 소견

A-C. 피부와 피하층에 불규칙한 변연부를 가지는 결절이 관찰되며, 이전에 없던 결절이 갑자기 생긴 경우 유방암의 재발을 의심해 볼 수 있다.

D. 도플러를 통하여 결절의 혈류정도를 확인해 볼 수 있으며, 영양동맥(Feeding artery)이 관찰되거나 주변의 혈류가 증가한 경우는 증식성 병변으로서 유방암의 재발 가능성이 높다.

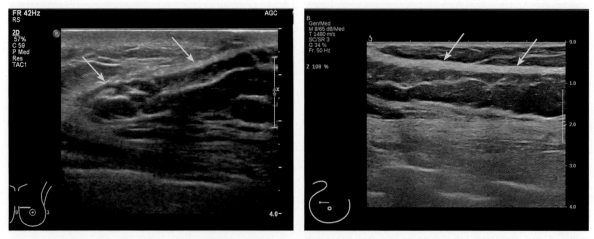

그림 4-5 광배근 피판술을 이용한 유방재건술을 받은 유방의 초음파 소견

유방에 고정된 광배근은 근육의 전형적인 초음파 소견인 저에코성 근섬유(muscle fibers) 내부에 평행한 에코선들(parallel echogenic lines)을 보이고 있으며, 주변 유방실질과의 경계가 비교적 명확히 구분된다(화살표).

고 지방의 비율이 늘어나는 것을 확인할 수 있다.

피판을 고정한 방향이나 위치에 따라 유방암을 포함한 유선 절제 후 남은 유방실질과 경계부가 비교적 명확하여 구별이 가능하며, 이러한 구분은 추적검사 기간동안 발생한 새로운 병변의 유방암 재발여부를 예측하는데 중요한 근거가 될 수 있다. 다시 말해서, 유방암의 재발은 주로 유선에서 발생하므로 결절이 어느 위치에서 발생한 것인지 판단해보면 유방암의 재발과 수술 후 발생한 육아종성 결절이나 지방괴사성 결절의 감별이 어느 정도 가능하다는 것이다.

(2) 보형물을 이용한 유방재건술 후 초음파 소견

보형물의 초음파 소견은 매우 전형적으로 큰 낭성결절과 유사하게 보이며, 보형물을 이루는 피막(capsule)이 명확하게 구분된다. 최근에는 주로 실리콘 보형물을 사용하는데, 보형물의 상부에는 반향허상(reverberation artifact)이 동반되어 보형물의 피막이 명확히 관찰되지 않는 경우도 흔하다(그림 4-6). 이러한 경우는 에코를 조절하거나 하모닉 영상을 적용함으로써 반향허상을 줄일 수 있으며, 보

형물의 피막이 찢어지거나 손상된 경우는 피막의 연결이 끊어진 것이 초음파에서 발견되는 경우 예측해볼 수 있다(그림 4-7). 그러나, 초음파가 보형물의 외피를 통과할 때 강한 반향음이 발생하기 때문에 깊은 위치까지는 확인이 어려운 경우가 많으므로 깊이(depth)와 초점(focus)을 조절하여 관찰하고 싶은 위치를 조절해야 한다.

2. 수술 후 발생한 합병증 또는 후유증의 초음파 소견

1) 장액종

수술 후 수술부위의 림프액이 배액 또는 흡수되지 못한 상태로 저류되면 피부에서 결절의 형태로 만져지게 되는데 이것을 장액종이라고 부른다. 주로 겨드랑이나 보형물 강(cavity) 내에서 흔히 발생하며, 환자가 느끼는 임상증상은 만져지는 결절 또는 체액의 출렁거림 등이 있다. 초음파 영상에서는

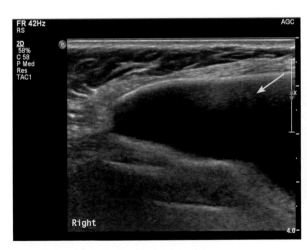
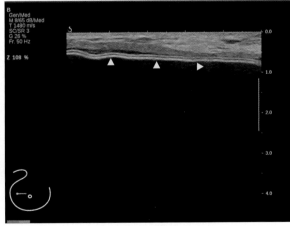

그림 4-6 유방 실리콘 보형물의 초음파 소견
보형물 밖을 구성하는 피막은 이중구조로 이루어져 있어 평행한 에코선들(화살표머리)을 관찰할 수 있으며, 내부의 실리콘은 피막 바로 아래 반향허상(reverberation artifact)(화살표)을 만들기도 하지만 하모닉 영상을 적용하면 이를 줄일 수 있다.

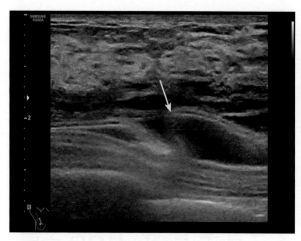
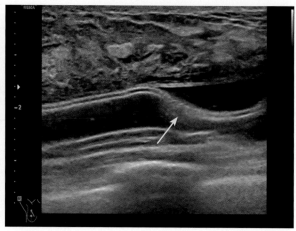

그림 4-7 유방 실리콘 보형물 파열의 초음파 소견

보형물의 피막은 2중으로 되어 있어 파열되는 경우가 드물지만, 외피 또는 내피가 파열되면 피막의 장력이 약해지면서 보형물 내부의 물질이 밖으로 새어나오게 된다. 초음파 영상에서 파열된 부위에는 피막의 연결이 일부 끊어진 것을 확인할 수 있다.

무에코성의 낭종 형태로 관찰되며(그림 4-8), 바늘 흡인술로 체액을 흡인하면 장액종은 사라질 수 있다. 그러나, 주변 조직의 유착이 이루어지지 않으면 다시 장액종은 발생할 수 있다. 보형물 주변 장액종은 양이 많지 않으면 그냥 두어도 상관없지만, 양이 많은 경우는 감염의 위험이 있고 감염이 발생하는 경우에는 보형물을 제거해야 할 수 있다. 따라서 양이 많은 장액종은 흡인을 통하여 제거해 주는 것이 좋고, 이 때 끝이 뾰족하지 않은 척추천자바늘이나 정맥카테터 등을 이용하면 보형물의 손상없이 장액종을 흡인할 수 있다.

2) 염증

수술 부위는 정상적으로도 경미한 염증을 동반하기 때문에 초음파 소견만으로는 치료의 필요성을 판단하기 어렵다. 그러나, 수술부위 발적이나 환자가 발열을 보이거나 통증을 동반하는 경우 수술부위 염증은 항생제 치료가 필요하다. 전신반응이 동반된 경우는 정맥주사용 항생제를 이용하고, 국소

반응만 보이는 경우는 경구용 항생제로 충분하다. 유방수술 후 염증은 초음파 영상에서 피부와 유방 실질의 부종을 보이며, 주변 구조물들이 명확히 구분되지 못하고 흐릿함(hazziness)을 확인할 수 있다. 심한 경우는 수술부위의 체액저류도 확인할 수 있다(그림 4-9).

대부분은 항생제 치료만으로 충분한 경우가 많으나, 체액 저류의 양이 많은 경우 배액하거나 흡인하여 제거해 주어야 하며 이를 통해 치료효과를 높일 수 있다.

3) 농양

유방수술 후 발생하는 농양은 주로 수술부위 장액종이 적절히 흡수되지 못하거나 배액되지 못하고 저류되어 있다가 화학요법, 방사선치료 등으로 인하여 환자의 면역력이 감소하는 경우 감염을 동반하면서 발생하는 경우가 많다.

초음파 영상에서 불규칙한 변연부(irregular rim)를 가지는 고름집이 형성된 것을 확인할 수 있으며,

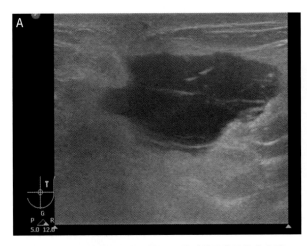

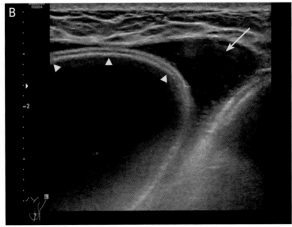

그림 4-8 유방 수술부위 및 보형물 주위 장액종의 초음파 소견
A. 유방보존술 후 발생한 장액종. 흡인 후 사라질 수 있으나 주변 조직의 유착이 이루어지기 전까지는 반복적으로 발생하기도 한다.
B. 보형물 주위 장액종. 보형물의 피막(화살표머리)과 보형물 강 사이에 발생한 장액종(화살표). 보형물 손상을 피하기 위하여 대개 끝이 날카
　롭지 않은 바늘을 이용하여 장액종 흡인을 시행한다.

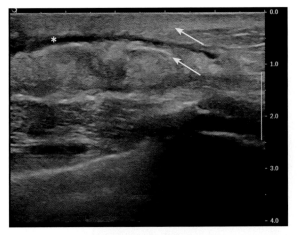

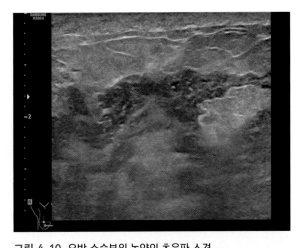

그림 4-9 유방 수술부위 염증의 초음파 소견
피부와 유선이 염증에 의한 부종소견(화살표)을 보이며, 피하층에는 약간의 액체저류(*)도 관찰된다.

그림 4-10 유방 수술부위 농양의 초음파 소견
일반적인 염증소견보다 훨씬 심한 조직부종을 동반하며, 초음파 상 불규칙한 변연부를 가지는 낭성종괴 형태로 보이는 경우가 많다. 농양의 내부에는 부유물들이 흐르는 듯한 영상(floating echogenic matter)을 관찰할 수 있다.

농양 주위에는 급성염증으로 인한 혈관투과성의 증가로 도플러 영상에서 혈류증가 소견을 관찰할 수 있다. 내부는 주로 저에코성 낭성형태로 부유물이 고음영의 점(hyperechoic dots)형태로 관찰되는데, 영상을 지속적으로 관찰해보면 부유물들이 흐르는

듯한 영상(floating echogenic matter)을 관찰할 수 있다(그림 4-10). 또한 탐색자로 파동성이 있는 부위(fluctuant area)를 살짝 압박해보았을 때 대개 고름집이 눌리는 것을 관찰할 수 있다. 치료는 항생제와 함께 농양을 절개 또는 흡인배액하는 것이다.

4) 지방괴사

지방괴사는 외상이나 조직검사, 수술 또는 방사선치료 등을 시행한 후 혈류가 제대로 공급되지 않아 지방이 경화되는 병변으로 초음파 영상에서는 결절의 형태로 나타난다. 지방괴사는 전체 유방 수술의 1~2% 정도에서 보고되고 있으며, 유방에서 발생하기도 하지만 피판재건술 후 피판의 지방에서 더 흔히 발생하는 것으로 보고되고 있다.

원형 또는 타원형의 석회화가 동반되는 결절은 지방괴사를 우선적으로 의심해 볼 수 있지만, 초음파 영상만으로는 석회화의 확인이 어려워 흡사 유방암의 재발과 유사해 보일 수 있다. 따라서 지방괴

사는 초음파검사와 더불어 추가적인 유방촬영술이나 유방 MRI를 시행하여 진단하는 것이 필요하며, 필요시 조직검사를 통하여 유방암의 재발을 배제하여야 한다(그림 4-11). 그러나, 대부분의 경우 시간이 흐름에 따라 지방괴사성 결절은 크기가 작아지거나 소실되는 것으로 보고되고 있다.

5) 보형물의 피막구축

보형물을 이용한 유방재건술 후 발생하는 피막구축(capsular contracture)은 보형물 강의 피막이 염증이나 방사선 등으로 인하여 섬유화되면서 딱딱해지는 경우를 말한다. 유방보형물 삽입술을 받은 환자

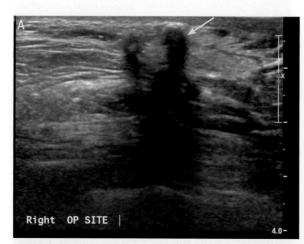
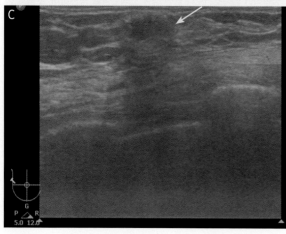
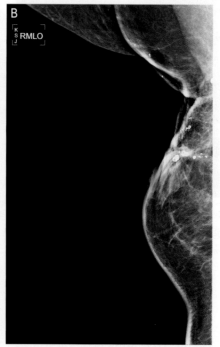

그림 4-11 유방 수술 후 발생한 지방괴사의 영상소견
A, B. 전형적인 지방괴사의 초음파 소견 및 유방촬영술 소견. 피하지 방층에 발생한 저에코성 결절의 형태로 나타나며, 유방촬영술에서 원형의 석회화가 동반되어 있다.
C. 유방암의 재발과 비슷한 형태를 보이는 지방괴사. 이 결절은 조직검사를 통하여 지방괴사가 확인되었다.

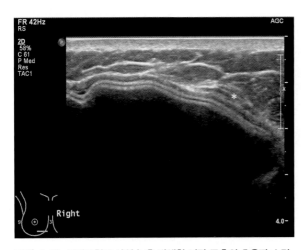

그림 4-12 유방보형물 삽입술 후 발생한 피막 구축의 초음파 소견
보형물 피막 주변으로 두꺼워진 섬유화층(*)을 관찰할 수 있으며,
좁아진 공간으로 인한 피막의 방사형 주름이 다수 관찰된다.

의 약 10%에서 나타나는 것으로 보고되고 있으며,
초음파 영상에서는 섬유화로 인하여 경화되고 좁아
진 보형물 강때문에 보형물 피막에 방사형 주름이
다수 형성된 것을 확인할 수 있다(그림 4-12).

3. 방사선 후 유방의 초음파 소견

방사선치료는 유방의 국소치료의 하나로서 유방
보존술 후 남은 유선조직에서의 유방암 재발을 막
기 위하여 방사선을 남은 유선에 쪼이는 형태로 시
행되는 치료이다. 유방에 방사선을 지속적으로 쬐
게 되면, 피부는 점차 비후되며 유선조직은 염증 및
부종이 발생하게 된다. 초음파 영상에서 정상 피부
의 두께는 대개 2 mm 미만이지만, 방사선을 받은
피부는 5 mm 이상으로 두꺼워져 보이며, 이는 방
사선 후 1~2년까지도 지속될 수 있다(그림 4-13).

그러나, 드물게 유방암이 피부에 재발하면서 비
슷한 초음파 소견을 보일 수 있으므로 방사선치료
가 종결된 후에도 호전이 되지 않거나 점차 심해지
는 피부비후 및 발적소견이 있다면, 조직검사를 통
하여 유방암의 재발여부를 감별하여야 한다(그림
4-14).

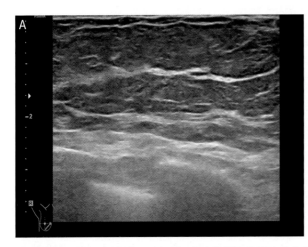
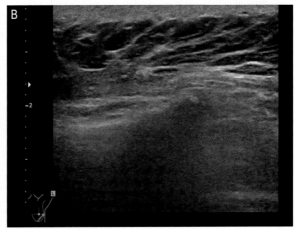

그림 4-13 좌측 유방암으로 유방보존술 및 방사선치료를 받은 환자의 양쪽 유방 초음파 소견
A. 치료를 받지 않은 우측 유방. 피부 두께는 2 mm 미만이며, 유선에도 부종이나 다른 염증소견이 동반되어 있지 않다.
B. 치료를 받은 좌측 유방. 방사선치료 후 피부 두께는 1 cm 가량으로 비후되었으며, 유방실질은 부종이 동반되어 있다.

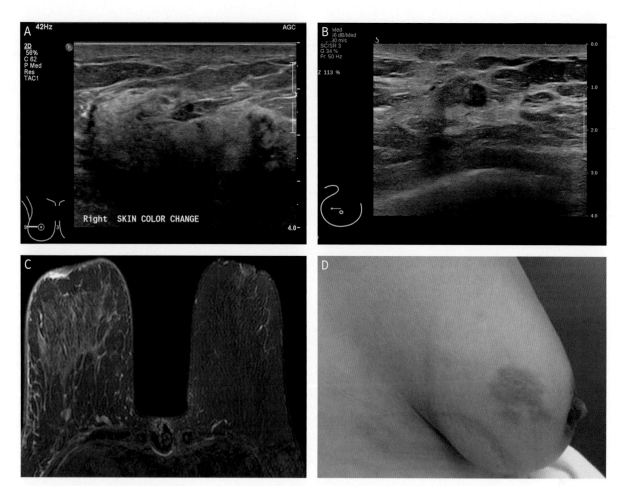

그림 4-14 유방암이 피부에 재발한 환자

방사선치료 후에도 호전되지 않는 피부 발적과 비후 소견을 보였으며, 조직검사를 통하여 유방암의 재발이 확인되었다.

A, B. 초음파 영상에서 피부의 비후가 관찰되며, 유선에 저에코성 결절이 관찰된다.

C. 유방 MRI에서 우측 유방의 가쪽 피부가 비정상적으로 조영이 증강되는 양상을 보인다.

D. 동일한 위치의 유방의 발적 및 비후소견

4. 유방 양성질환의 수술 후 초음파 소견

1) 유방 양성결절 절제술 후 초음파 소견

유방의 양성절제술은 유방암의 유방보존술과 비슷한 영상을 보이는데, 수술 직후에는 수술부위 부종과 함께 장액종, 혈종, 공기가 저류된 것을 확인할 수 있다. 어느 정도 시간이 지나면, 피부 절개선에서 연결된 수술부위 반흔을 관찰할 수 있다(그림 4-15).

2) 진공보조흡인생검 후 초음파 소견

진공보조흡인생검 후의 초음파 소견은 유방의 결절절제술과 비슷한 영상을 보이지만, 3장에서 자세히 설명되어 있듯이 결절이 절제된 위치와 절개선의 위치가 상이하기 때문에 초음파 영상에서는 절

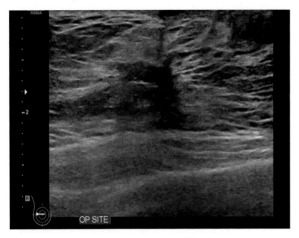

그림 4-15 유방 양성결절 절제술 후 초음파 소견

개선의 흔적이 없이 결절이 절제된 흔적만 남게 된
다(그림 4-16). 불규칙한 변연부를 가지는 결절의
형태로 관찰될 수 있어 환자의 수술병력을 확인하
지 않으면 자칫 악성결절로 오인될 수 있다.

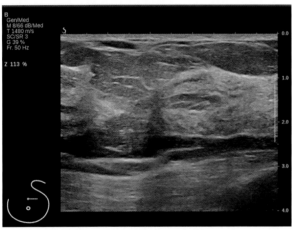 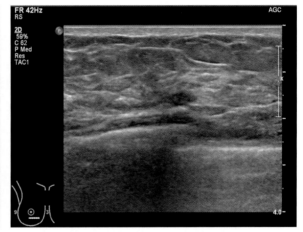

그림 4-16 진공보조흡인 종양절제술 후 초음파 소견

·)》 참고문헌

1. 문우경. 유방 초음파 진단학. 제2판. 서울: 일조각; 2019.

2. 이광희, 고은영, 신정희 외. 수술 후 국소 재발한 유방암의 초음파 소견. 대한영상의학회지 2009;60:197-202.

3. Esen G, Olgun DC. Ultrasonography of the postsurgical breast including implants. Ultrasound Clin 2008;3:295–329.

4. Jeon HJ, Park HY, Jung JH et al. Usefulness of Ultrasound-guided Aspiration Using Intravenous Cannulas for Patients with Peri-prosthetic Seroma. J Surg Ultrasound 2017;4:18-24.

5. Lee J, Park H, Kim W, et al. Natural course of fat necrosis after breast reconstruction: a 10-year follow-up study. BMC Cancer 2021;21:166.

6. Mendelson EB. Evaluation of the Postoperative Breast. Radiol Clin North Am 1992;30:107-38.

7. Sencha AN, Evseeva EV, Mogutov MS, et al. Ultrasound Examination After Breast Surgery. In: Alexander N, Sencha EV, Evseeva MS, et al. editors. Breast Ultrasound. United States: Springer; 2013. pp.231-42.

구역림프절의 초음파

1. 개요

유방의 구역림프절은 유방에서 림프액이 배액되는 림프절로 겨드랑림프절, 내흉림프절, 쇄골하 림프절 등이 있다. 유방 림프순환의 75~97%가 겨드랑림프절로 배액이 되어 이후 쇄골하림프절로 순환되며 내흉림프절은 유방 림프배액의 13~37%를 담당한다. 유방암이 있는 경우 약 30~40%의 환자에서 겨드랑림프절 전이를 나타낸다.

내흉림프절 전이는 주로 겨드랑림프절 전이 후 발생하며, 단독 내흉림프절 전이는 1~5%에서 보인다. 이러한 림프절 전이는 유방암 환자의 중요한 예후인자 중 하나이고, 전이 여부에 따라서 수술 방법, 방사선치료, 선행보조화학요법 여부 및 치료 약제의 종류가 달라질 수가 있어 중요한 의미를 지닌다. 림프절의 전이를 진단하기 위해 표준이 되는 방법은 병리학적 검사이지만, 비침습적이고 쉽게 검사할 수 있는 방법으로 초음파가 있다. 구역림프절의 초음파 소견을 이해하여 양성과 악성 림프절을 구분하고, 또한 초음파를 이용하여 안전하게 세침흡인세포검사 및 중심부 침생검을 시행할 수 있다.

2. 정상 림프절의 해부 및 초음파 소견

정상 림프절은 피질과 수질로 이루어져 있으며, 형태는 타원형이다. 크기는 일반적으로 1 cm 이하이지만 정상 크기에 대한 명확한 기준은 없다. 피질의 두께는 3 mm 미만으로 얇고 균일하며 초음파상 저에코 소견을 보이며 경계가 잘 그려진다. 수질은 대부분 지방으로 구성되어 대개 고에코이지만, 의심스럽지 않은 일부 저에코 소견도 포함할 수 있다. 이러한 고에코의 수질이 림프절의 대부분을 차지한다. 도플러 초음파를 이용하여 문(hilum)을 통해서만 혈류순환이 이루어지는 것을 확인할 수 있다(그림 5-1). 림프액은 림프절 피막 주변의 들림프관(afferent lymphatic vessel)을 통하여 림프절 안으로 유입이 되어 피질을 통과하여 수질의 날림프관(efferent lymphatic vessel)을 통해 림프절을 빠져나가 결국 혈류로 유입되게 된다(그림 5-2).

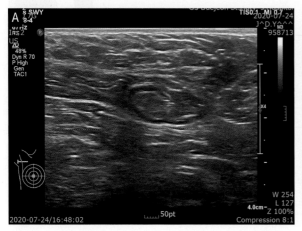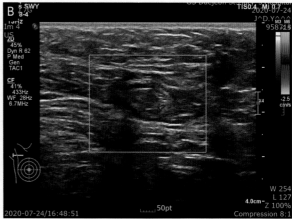

그림 5-1 정상림프절의 초음파

정상 림프절은 타원형이며, 얇은 저에코 피질과 림프절의 대부분을 차지하는 고에코의 수질로 이루어진다. 피질은 얇고 균일한 두께를 보이며 윤곽이 잘 그려진다(A). 도플러 초음파를 통해 혈류순환이 수질을 통하여 이루어지는 것을 알 수 있다(B).

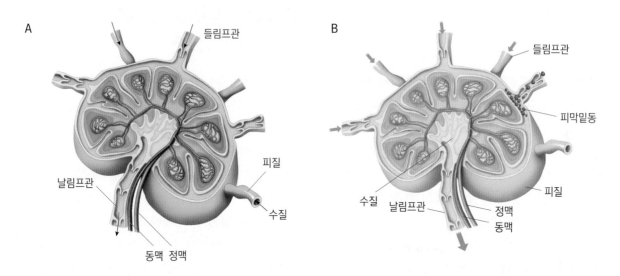

그림 5-2 림프절의 절단면 및 림프 흐름

림프순환은 림프절 주변의 들림프관(afferent lymphatic vessel)을 통하여 림프액이 유입되어 피질과 수질을 거쳐 날림프관(efferent lymphatic vessel)을 통해 빠져나간다. 림프절 전이 시 들림프관을 통해 들어온 암세포가 피막밑동(subcapsular sinus)에서 증식하게 된다.

3. 전이성 겨드랑림프절의 초음파 소견

림프절의 종양 침습은 림프절의 주변부에서 시작되는데 암세포들이 들림프관을 통해 피막 안으로 들어오게 되며, 피막밑동(subcapsular sinus)에서 증식 및 침습이 이루어진다. 따라서, 림프절 전이의 초기 변화로는 피질의 두께가 국소적 또는 전반적으로 두꺼워지며 형태학적 변화를 초래한다. 초음파를 통하여 이러한 미세한 피질변화를 감지하여 초기에 전이를 의심할 수 있다. 그리고, 이때 피질 주변에서 말초혈관신생(peripheral neovascularization)이 되는데, 도플러 초음파를 이용하여 혈액 순환이 피막을 통하여 이루어지는 것을 확인할 수 있다. 암세포 침윤은 피질에서 수질로 진행하여 결국 지방문이 소실되어 저에코 소견을 보이고, 타원형 보다는 원형에 가깝게 변하게 된다. 마지막 단계로 암세포가 림프절 주변 지방으로 침윤하게 되어 림프절의 윤곽이 흐려지게 된다(그림5-3).

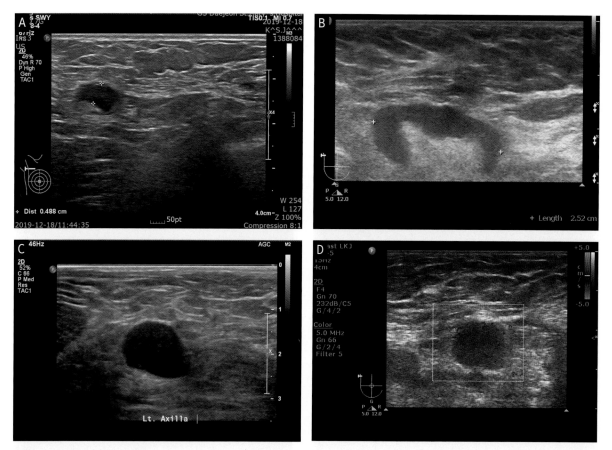

그림 5-3 전이성 림프절의 초음파 소견
림프절 전이 시 보이는 초기 변화는 피질로의 암 침습으로 인해 국소적 피질 비대(A) 또는 전반적 비대(B)를 나타내며, 침습이 진행됨에 따라서 지방문이 소실되어 림프절이 구형(C)으로 형태 변화가 생기며, 도플러 초음파에서 피질로 혈관신생이 되는 것을 확인할 수 있다(D).

4. 구역림프절의 초음파 방법

겨드랑림프절의 초음파는 유방 초음파와 마찬가지로 고주파 영역(10~15 MHz)의 선형 탐색자를 이용하여 시행한다. 환자는 누운 자세로 검사하는 쪽 팔을 머리에 올려 팔이 외전(abduction) 및 외회전(external rotation)되게 한다. 겨드랑림프절의 검사 범위로 액와정맥 하측, 대흉근의 후외측, 광배근의 전내측에 포함된 level I의 지방덩이(fat pad) 전체를 포함시킨다. 비정상 림프절의 소견이 보이는지 검사하며, 의심되는 림프절이 보이는 경우 컬러 도플러나 파워 도플러로 비정상적 피질 혈류 순환을 관찰한다. Level II, III 림프절들은 일반적으로 스캔하지 않지만 level I에 비정상적인 림프절이 관찰되는 경우에는 스캔을 해야 한다. 더 나아가 쇄골위, 쇄골밑림프절이나 내흉림프절을 스캔할 수 있다. 내흉림프절은 전이 등으로 인해 커져 있지 않으면 잘 관찰되지 않으며 초음파로 첫 번째부터 네 번째 늑간 공간을 스캔한다.

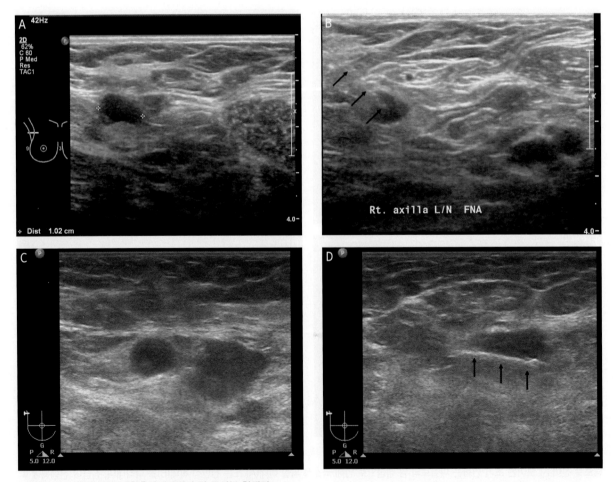

그림 5-4 초음파 유도 세침흡인세포검사 및 중심부 침생검
전이가 의심되는 림프절(A, C)을 초음파를 이용하여 조직검사를 시행할 수 있다. 세침흡인세포검사 시 비대가 된 피질 부분에 바늘(화살표)이 들어가 있는 것을 확인할 수 있으며(B), 중심부 침생검 시 조직검사 기구의 홈(화살표)이 경계가 불분명한 림프절의 피질 내에 위치한 것을 확인할 수 있다(D).

5. 결론

겨드랑림프절을 포함한 구역림프절의 전이여부는 유방암 환자의 주된 예후인자 중의 하나이고 향후 치료를 결정하는 데 중요한 인자로 작용한다. 따라서, 수술이나 화학요법 전 구역림프절의 전이여부를 아는 것이 중요하다. 초기 검사로서 초음파를 이용하여 전이 시 보이는 구역림프절들의 특징적인 소견을 숙지하여, 의심스러운 림프절에 대하여 초음파 유도하에 세포흡인세포검사 및 중심부 침생검을 안전하게 시행할 수 있다(그림 5-4). 감시림프절생검 시에도 초음파를 이용하여 림프절의 위치를 미리 파악하여 수술에 도움이 될 수 있다.

⑴⑴⑴ 참고문헌

1. 대한유방영상의학회. 유방영상진단학. 제2판. 서울: 일조각; 2012.

2. 한국유방암학회. 유방학. 제4판. 서울: 바이오메디북; 2017.

3. Ecanow JS, Abe H, Newstead GM, et al. Axillary Staging of Breast Cancer: What the Radiologist Should Know. Radiographics 2013;33:1589-610.

4. Fajardo LF. Lymph nodes and cancer: a review. Front Radiat Ther Oncol 1994;28:1-10.

5. Maxwell F, de Margerie Mellon C, Bricout M, et al. Diagnostic strategy for the assessment of axillary lymph node status. Diagn Interv Imaging 2015;96:1089-101.

6. Vassalo P, Edel G, Roos N, et al. In-vitro high-resolution ultrasonography: Imaging of a vital lymphatic pathway in breast cancer. Radiographics 1990;10:857-70.

7. Wang, Y, Qi W, Xu H. et al. Infiltration tendency of internal mammary lymph nodes involvement in patients with breast cancer: anatomical characteristics and implications for target delineation. Radiat Oncol 2019;14(1):208.

복부 초음파
Abdominal ultrasound

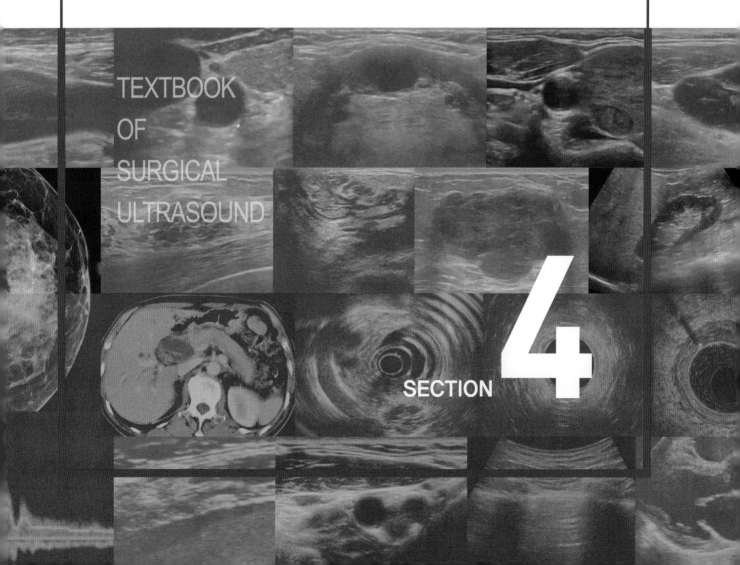

TEXTBOOK
OF
SURGICAL
ULTRASOUND

SECTION 4

SECTION 4. 집필진

간담도 초음파

1. 정상 해부학 및 검사 방법

간담도 초음파를 하기 위해서는 간문부 부위뿐만 아니라 간내의 혈관 및 담관 구조를 정확하게 이해하는 것이 필수이다.

1) 간초음파 기본 소견

초음파에서 보이는 정상적인 간은 수많은 얇고도 균질한 점들(spots)로 채워져 있으며, 중간 정도의 에코발생(echogenecity)을 보인다. 신장에 비해서 간은 저에코를 보인다. 하지만 지방간이 있는 경우에는 신장보다 간의 에코발생이 증가된다(그림 1-1). 또한, 정상적인 간의 표면은 부드럽고 매끄럽지만 간경화가 진행되면 간의 표면이 울퉁불퉁하고 거칠게 보인다.

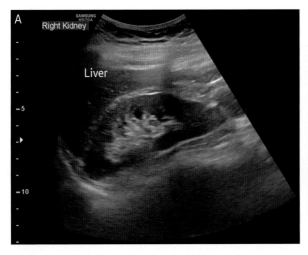
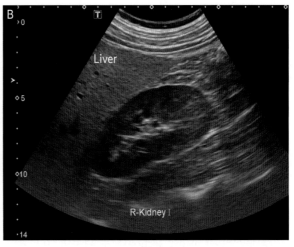

그림 1-1 A. 정상 간과 오른쪽 신장, B. 지방간과 오른쪽 신장

2) 간담관의 해부학적 이해

(1) 기능적인 간 구조

간은 간내 혈관이나 담관의 구조에 따라서 기능적으로 분리되는 8개의 분절로 나눌 수가 있다. 하대정맥을 둘러싸고 있는 미상엽(caudate lobe)은 분절 I로 구분된다. 최근 들어서는 이를 분절 I과 간분절 IX로 세분화하고 있다. 나머지 간분절 번호는 분절 II번부터 분절 VIII까지 시계방향으로 돌아가는 순서대로 붙여졌다.

Healy와 Schroy는 담관을 중심으로 간분절을 나누었고, Couinaud는 간정맥을 기준으로 각각의 간분절을 정의하였다. 하지만 담관 구조물이나 간정맥만을 이용하여 초음파로 간분절을 구분하는 것은 쉽지가 않다. 또한, 간 내부의 세분화된 각 간분절을 명확하게 구분할 수 있는 간 표면이나 간내 표식이 없다. 그러므로 초음파검사에서 쉽게 찾을 수 있는 간문맥의 영역과 간정맥의 주행방향을 경계면으로 활용하여 간분절을 찾는 것이 도움이 된다. 특히 '브리즈번 2,000용어'를 참고하면, 의료진 간의 소통에 효율을 높일 수 있을 것이다.

간은 담낭와(gallbladder fossa)와 하대정맥와(inferior vena cava fossa)를 잇는 간가운데면(간정중면, midplane of the liver)에 의해서 기능적으로 우간과 좌간으로 나누어지게 된다. 우간정맥(right hepatic vein)이 놓여있는 구역사이면(구역간면, intersectional plane)에 따라서, 우간은 우전구역(right anterior section)과 우후구역(right posterior section)으로 나누어진다. 우전구역은 간의 윗쪽인 분절 VIII와 아래쪽인 분절 V로 구성되고, 우후구역은 윗쪽인 분절 VII과 아래쪽인 VI로 구성된다.

좌간은 겸상인대(falciform ligament)와 제대열(umbilical fissure)에 의해서 간분절 II와 간분절 III를 포함하는 좌외구역(left lateral section)과 간분절 IV인 좌내구역(left medial section)으로 나누어진다. 좌

내구역은 위쪽을 분절 IVa, 아래쪽을 분절 IVb로 나누기도 한다. 하지만 이를 구분하는 뚜렷한 해부학적인 구조물이 없는 임의의 정의이다. 일부 학자들은 아래쪽을 IVa, 윗쪽을 IVb라고 하기도 한다(그림 1-2).

하대정맥을 둘러싸고 있는 간 부위인 미상엽은 Spielgel's lobe 등의 여러 가지 이름으로 불리었다. 2000년대 Flipponi 등은 중간간정맥(middle hepatic vein)과 하대정맥을 연결한 선의 왼쪽부분을 간분절 I로 정의하고, 오른쪽 미상엽은 우간정맥과 하대정맥을 연결한 가상의 선을 기준으로 분절 IXL과 분절 IXR로 구분하였다. 간분절 I은 고에코로 보이는 정맥인대(ligamentum venosum)를 기준으로 좌외구역과 구분할 수 있다(그림 1-3).

간문부의 간문맥, 간동맥, 담관은 글리손피막(Glisson's capsule)에 싸여서 간 안으로 들어가서 각 분절로 가는 가지(branch)를 내게 된다. 이러한 글리손피막 때문에 초음파검사에서 문맥벽은 두껍고, 고에코로 보인다. 반면에, 단일 원통형 구조물인 간정맥은 혈관벽이 얇고 가느다란 선으로 보이게 되므로 쉽게 구분할 수 있다. 그리고 혈류가 간문맥과 간동맥으로 들어와서 간정맥으로 흘러나가게 되므로, 보통 도플러 초음파검사에서는 서로 다른 색깔로 보이게 된다.

(2) 혈관 및 담관
① 간정맥

중간간정맥은 간가운데면을 따라서 우간과 좌간의 경계면을 가로지르며, 분절 V, 분절 VIII 및 분절 IV의 일부를 배액한다. 우간절제술과 좌간절제술을 시행할 때 중간간정맥의 여러 분지들을 만나게 되므로, 초음파검사로 각 가지들의 위치와 크기를 아는 것이 수술에 도움이 된다.

우간정맥은 우간 가운데 위치한 구역사이면을 따라서 주행한다. 초음파검사에서 우간정맥의 오른쪽

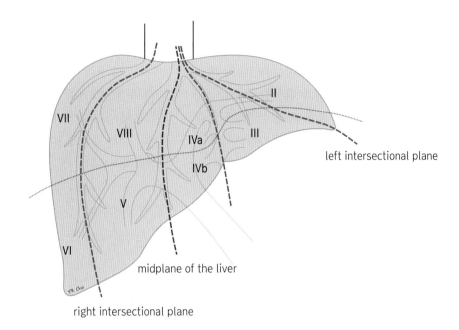

그림 1-2 간 분절 모식도

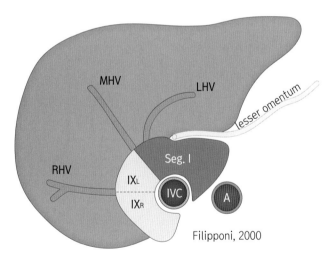

그림 1-3 미상엽(caudate lobe)의 세분화

주변에 위치한 부간정맥(accessory hepatic vein)이나 우하간정맥(right inferior hepatic vein)이 있는지 확인하는 것이 중요하다. 하대정맥인대의 박리 전후에 부간정맥을 우간정맥과 혼동할 수 있기 때문이다. 또한 우간 부분 절제 시에 간 혈액 유출(outflow)을 잘 유지하기 위해서 이 부간정맥이나 우하간정맥을 보존해야 할 경우도 있다(그림 1-3).

좌간정맥은 간분절 II와 분절 III 사이를 가로지르며, 중간간정맥과 만나서 하대정맥으로 들어가게 된다. 중간간정맥과 좌간정맥 사이에 단열정맥(scissural vein, intersectal vein, scissure vein)이 위치하는 경우가 많아서 좌측 간 절제 시 출혈의 원인이 될 수 있다(그림 1-4).

② 간문맥

간문맥(portal vein)은 크고 혈류가 좋아서 초음파나 도플러검사에서 쉽게 찾을 수 있다. 좌측간문맥(left portal vein)은 간문부(liver hilum)에서 왼쪽으로 비스듬히 올라가다가 90' 정도로 방향을 바꾸어서 앞쪽으로 주행한다. 좌측간문맥이 앞쪽으로 주행하는 부위를 문맥의 제대부분(umbilical portion)이라고 하며, 간원인대(round ligament)와 이어지게 된다. 간원인대는 경계가 명확한 고에코로 보인다. 좌

측간문맥이 꺾이는 부위에서 처음으로 나오는 가지는 간분절 II로 들어간다. 이후에 간분절 III과 분절 IV 쪽으로 여러 개의 말초 가지를 낸다.

우측간문맥(right portal vein)은 간문부에서 갈라진 후에 우전구역과 우후구역 가지들로 갈라지게 된다. 우전구역의 문맥은 우간정맥과 중간간정맥사이에 위치하여 간분절 V 및 분절 VIII 부위에 혈류를 공급하게 된다. 우후구역 문맥은 우간정맥의 뒤쪽에 위치하며, 간분절 VI과 분절 VII에 가지를 내어 혈류를 공급한다.

간문맥에서 우전구역간문맥, 우후구역간문맥과 좌간문맥 3갈래로 바로 나누어지는 변이와 우전간문맥이 좌간문맥에서 분지되어 나오는 경우도 있으니, 간담관 수술 시 반드시 참고해야 할 사항이다(그림 1-5).

③ 간동맥

간동맥(hepatic artery)은 이소성간동맥(aberrant hepatic artery)과 대체간동맥(replaced hepatic artery) 등의 변이가 있고, 간문맥의 혈류가 약하거나 대량 간절제 이후 간동맥 혈류가 더 잘 보이기도 한다. 도플러 초음파검사에서 작은 크기의, 저항이 적고 수축기와 이완기 모두 전진하는 혈류를 보여서

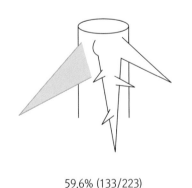 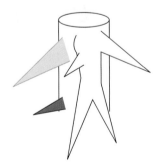 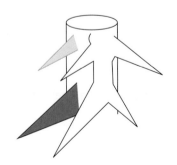

59.6% (133/223)	23.3% (52/223)	17.0% (38/223)
Type 1	Type 2	Type 3

그림 1-4 우간정맥과 우하간정맥의 변이

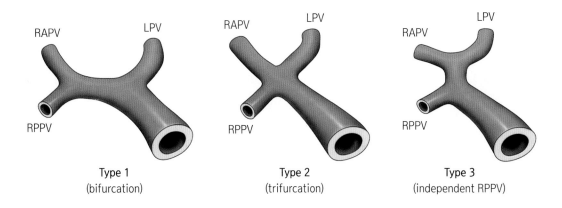

Type 1
(bifurcation)

Type 2
(trifurcation)

Type 3
(independent RPPV)

그림 1-5 대표적인 문맥 변이의 종류

(antegrade disastolic flow) 다른 혈관들과 명확하게 구분이 된다. 글리손피막 내의 문맥주변의 간동맥과 담관은 작은 크기와 문맥의 빠른 혈류에 가려져 관찰이 잘 안될 수도 있다. 초음파검사 중 문맥 주변에서 관상의 구조물이 관찰이 되면, 도플러검사를 통하여 간동맥과 담관을 구분할 수 있다. 간동맥의 변이는 주동맥을 보조하는 이소성간동맥과 주동맥이 없는 대체간동맥이 있다. 간담도 수술 시에 간동맥 변이 유무 및 위치를 고려하여 보존해야 할 동맥을 잘 구분하여야 한다(그림 1-6).

④ 담관

간내 미세담관들이 모여서 구역담관(sectional duct)을 형성하고 우간관(right hepatic duct)과 좌간관(left hepatic duct)으로 모여서 총간관(common hepatic duct)이 된다(그림 1-7). 이는 담낭관(cystic duct)과 합쳐지면서 총담관(common bile duct)이 되어 십이지장으로 연결이 된다. 총간관과 총담관은 좌우간관 및 담낭관 등이 만나는 부위에 따라서 그 위치와 길이가 달라질 수 있다.

담관의 주행 변이는 간수술이나 담관수술 혹은 담낭 수술 시에 반드시 알고 있어야 할 사항이다.

우후구역의 담관을 담낭관으로 혼동하거나, 우측 담관이 좌측 담관으로 연결되는 경우에 이를 좌측 담관의 일부나 미상엽에서 나오는 담관으로 오해하여 수술을 진행하는 경우 수술 합병증을 일으킬 수 있다(그림 1-8).

간외담관은 보통 5~6 mm 크기로 혈류가 없는 관상 구조물로 확인이 가능하다. 간문부 근처에서는 3~5 mm 크기의 좌우담관이 간내 말초부위로 갈수록 가늘어진다. 담관폐쇄 등으로 간내담관이 늘어나지 않으면 초음파검사로 간내담관을 관찰하기가 어렵다.

3) 검사방법

(1) 간스캔 위치 및 방향(그림 1-9)

① 가로스캔(transverse scan)

초음파 탐색자를 검상돌기(xiphoid process) 아래쪽에 가로방향으로 놓고 좌간을 관찰한다. 간문맥의 제대열부위 및 분절 II, 분절 III, 분절 IV를 관찰하고, 복강동맥(celiac artery)을 확인한다(그림 1-10).

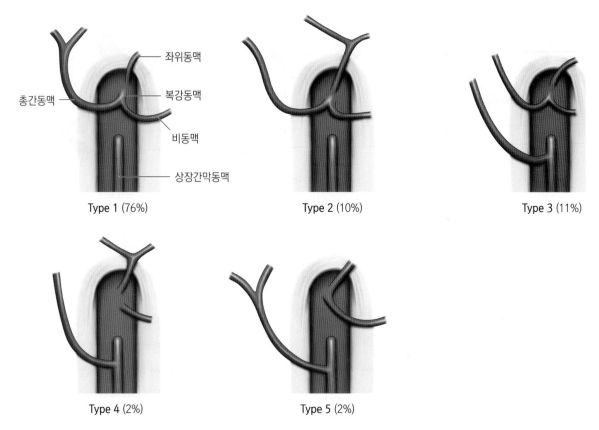

그림 1-6 간동맥의 대표적인 변이들

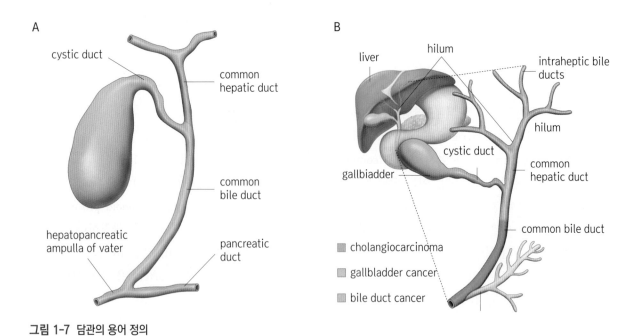

그림 1-7 담관의 용어 정의

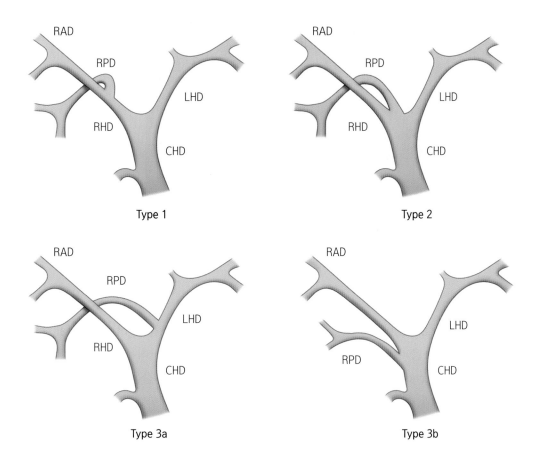

그림 1-8 담관의 대표적인 변이 종류

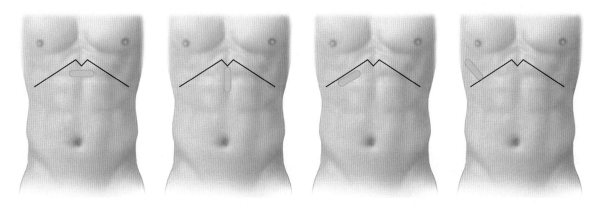

그림 1-9 초음파 탐색자의 위치 및 스캔 방향

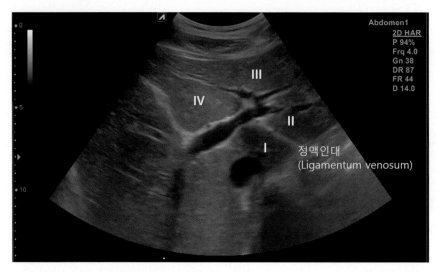

그림 1-10 가로스캔으로 본 좌간의 구조물

② 세로스캔(longitudinal scan)

검상돌기 아래쪽에서 초음파 탐색자를 세로로 놓고 좌외구역(left lateral section)의 좌간정맥과 간분절 I을 관찰한다. 대동맥과 하대정맥을 세로로 길게 놓고, 복강동맥과 상장간막동맥(superior mesenteric artery)의 기시부와 주행 및 좌간정맥과 하대정맥의 합류부를 볼 수 있다(그림 1-11).

③ 우측늑골밑스캔(right subcostal scan)

오른쪽 갈비뼈 아래쪽에서 초음파 탐색자를 가로나 세로로 놓고 우간을 관찰한다. 주로 우간정맥이나 중간간정맥이 하대정맥과 만나는 부위에서부터 각 간정맥을 추적할 수 있다(그림 1-12).

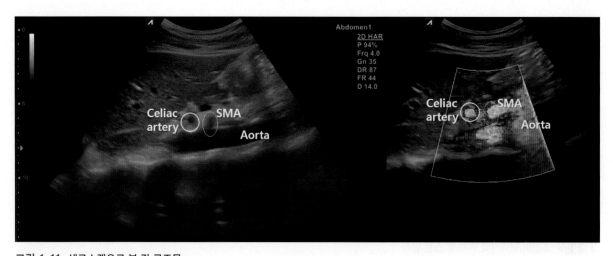

그림 1-11 세로스캔으로 본 간 구조물

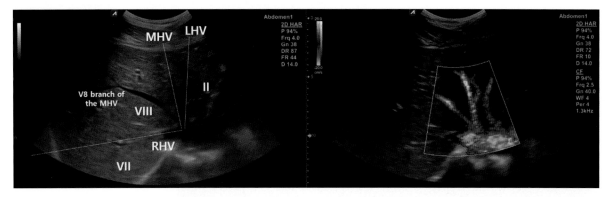

그림 1-12 우측늑골밑스캔으로 본 간 구조물

④ 우측늑간스캔(right intercostal scan)

늑간 공간에 초음파 탐색자를 놓고 우간과 신장을 보게 된다. 간문 부위의 간문맥과 간동맥을 잘 볼 수 있다. 간이 작거나, 간이식 이후, 복강내 가스가 많은 경우에 등쪽 늑간을 통하여 간담도를 관찰 수 있다(그림 1-13, 14)

(2) 초음파 스캔 방법

그림 1-15와 같이 슬라이딩, 로테이팅, 락킹, 틸팅 기법을 잘 활용하여 탐색자를 움직여 간담도 구조물을 확인한다.

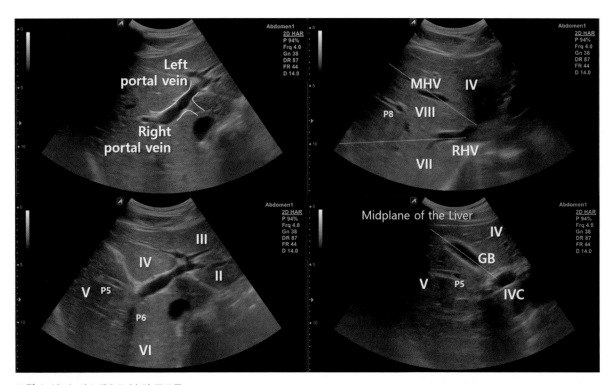

그림 1-13 늑간스캔으로 본 간 구조물

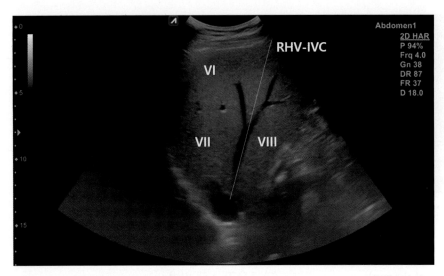

그림 1-14 늑간스캔으로 본 우간정맥

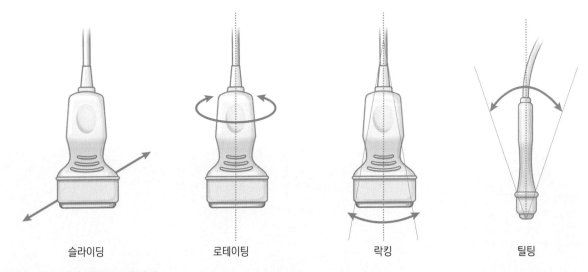

| 슬라이딩 | 로테이팅 | 락킹 | 틸팅 |

그림 1-15 초음파 탐색자 스캔 방법

초음파 사진을 제공해준 이한성선생님과 챕터 교정과 의견을 주신 홍서영선생님에게 감사드립니다.

2. 미만성 간질환

간의 미만성 질환(diffuse liver disease)은 간 전체에 거의 균일한 변화를 유발하게 되며, 급성간염(acute hepatitis), 전격성간염(fulminant hepatitis), 만성간염(chronic hepatitis), 간경화증(liver cirrhosis), 지방간(fatty liver)이 대표적이다. 외과의사로서 알아야 할

미만성 간질환은 지방간과 간경화증이 대표적으로 이 장에서는 이에 관한 내용을 다루고자 한다. 미만성 간질환에서 얻어지는 초음파검사 소견은 간의 전체적인 윤곽, 간실질의 내부에코의 변화인 밝기, 간표면의 평활도 및 균일성 여부 등에 의거한다. 지방간, 간염, 간경화증과 같은 미만성 간질환에서는 일반적으로 간실질의 에코가 증가한다. 서양에서

간경화의 주원인인 심한 지방간으로 표현되는 비알 콜성 지방간염(non-alcoholic steatohepatitis)은 그 빈도가 높아지고 있어 중요하며 추적검사가 필요하다. 정상 간의 내부에코는 균일하며, 신피질과 동등하다.

1) 지방간의 초음파 소견

① 지방간은 간세포 내에 중성지방이 침착되는 현상으로, 간실질의 에코가 전반적으로 증가

하게 된다(bright liver). 특히 신장에 비해 밝게 보인다(그림 1-16).

② 간내 혈관주위를 싸고 있는 글리손피막이 불 명료화되어 검게 보인다. 담낭 옆의 간문맥의 벽이 정상적으로 고에코로 있어야 하는데 소 실되어 검게만 보인다(그림 1-17).

③ 간 깊은 부위로 갈수록 얕은 부위에서 보이는 고에코의 지방침착에 비해 상대적으로 에코 감소를 보여 어둡다(그림 1-18).

④ 미만성으로 지방침착이 간 전체에 있으나, 지

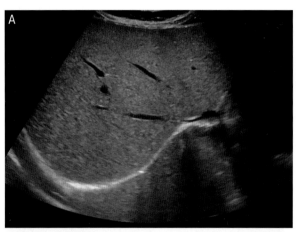 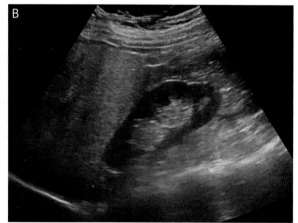

그림 1-16 지방간
A. 간실질의 에코가 전반적으로 증가됨, B. 신장 실질의 어두운 부분과 대비 됨

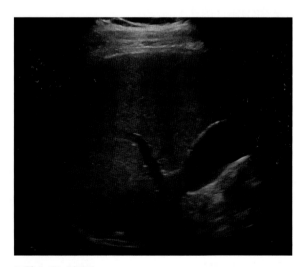 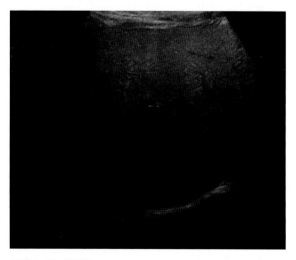

그림 1-17 지방간
담낭 옆의 간문맥 벽이 검게만 보임

그림 1-18 지방간
간의 깊은 부위가 매우 어둡다.

방이 침윤되지 않은 부위가 있어 국한성으로 저에코 부위가 보인다(focal fat sparing). 담낭 옆에 검은 눈사람 모양의 지방 침착이 회피된 부위가 보인다(그림 1-19).

2) 간경화증의 초음파 소견

간경화증은 미만성의 섬유화 과정을 거쳐 표면이 고르지 못한 특징과 재생결절(dysplastic nodule, regenerative nodule)을 특징으로 한다. 또한 간의

경화에 이차적으로 발생하는 비장종대, 측부 혈행로 발생, 복수 등 타장기의 변화를 볼 수 있다.

① 다양한 에코의 무수히 많은 재생결절이 발생한다(그림 1-20).
② 간실질 전체가 고에코로 조잡하게 보인다(그림 1-21).
③ 간의 표면이 수많은 결절에 의해서 굴곡이 만들어진다. 좌엽의 표면이 매우 거칠게 변하였다(그림 1-22).
④ 간우엽의 위축을 보이며, 상대적으로 간좌엽

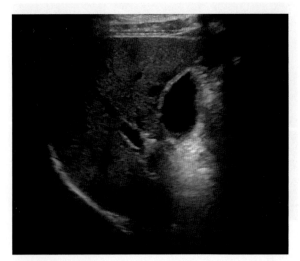

그림 1-19 지방간
담낭 옆에 검은 눈사람 모양의 지방 침착이 회피된 부위

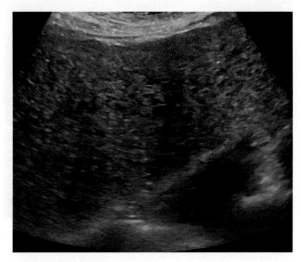

그림 1-20 간경화증
많은 재생결절이 다양한 에코로 보임

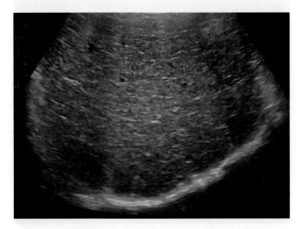

그림 1-21 간경화증
간실질 전체가 고에코로 조잡하다.

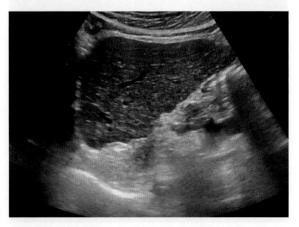

그림 1-22 간경화증
간 표면의 굴곡

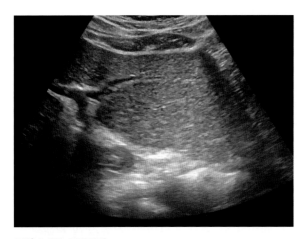

그림 1-23 간경화증
비대해진 좌엽소견

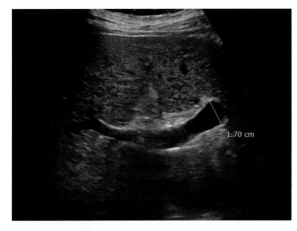

그림 1-24 간경화증
문맥의 확장소견

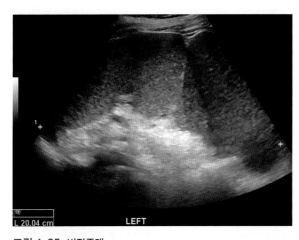

그림 1-25 비장종대
사사: 본 사진은 가톨릭대 여의도성모병원 영상의학과 정동진 교수님의 사진을 제공 받았습니다(그림 1-16~25).

의 비대가 발생한다. 비대해진 좌엽이 전체적으로 보이며, 그 아래에 미상엽이 잘 보이게 된다(그림 1-23).
⑤ 간경화증의 이차적 변화로 문맥의 확장이 일어나게 되며(기준은 대개 13 mm), 17 mm로 직경이 증가된 문맥을 볼 수 있다(그림 1-24).
⑥ 비장종대를 볼 수 있다. 아래 그림에서 비장의 직경이 20 cm에 이른다(그림 1-25).

3. 간의 종양성 병변

외과의사들이 간담도 초음파를 가장 유용하게 사용하는 경우는 수술 중 간의 해부학적 구조를 확인하거나 종양의 범위 혹은 수술 전 영상검사에서 발견하지 못한 병변을 확인하고자 하는 경우가 대부분일 것이다. 수술 중 초음파가 아닌 일반적인 간의 종양성 병변을 기술하는 것을 목적으로 하기 때문에 기본적으로 알아야 할 간의 종물에 대한 초음파 적용의 개괄적인 내용과 대표적인 증례를 예시하여 감별 포인트를 이해하는데 중점을 두고 구성하였다. 초음파는 간내의 종물을 발견하는데 아주 요긴하나 병리학적 분류를 한다거나 경우에 따라서는 양성과 악성을 감별하는데도 단점이 있을 수 있기 때문에 간 CT나 MRI가 진단 및 감별진단에 반드시 필요함을 명심해야 한다.

1) 간낭종

간낭종은 대표적인 간의 양성질환이며 전 인구의 0.1~2.5% 정도에서 발견되고 남성보다 여성에서 5배 정도 많이 관찰된다. 간 우엽에서 주로 발생하며 대부분 선천성으로 발생한다. 단순낭종의 경우, 크기가 1 cm 이상의 경우에 무에코양상에 후방음향증강을 보이는 것이 특징적이며, 비교적 수월하게 진단을 내릴 수 있다(그림 1-26). 하지만 복합낭종의 형태로 보일 수 있는 출혈낭종(hemorrhagic cyst), 혈종(hematoma), 고름집(abscess, 그림 1-27), 담즙종(biloma), 담도낭샘종(biliary cystadenoma), 낭성 악성종양(cystic malignant tumors) 등을 감별해야 한다. 복합낭종의 경우 내부에 격벽이나 부스러기(debris)가 보인다.

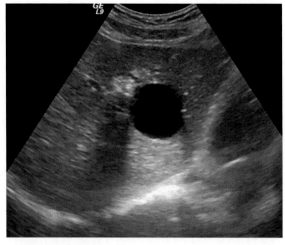

그림 1-26 단순낭종
62세 남자. 3.6 cm 크기의 무에코 낭종, 후방음향증강 소견

2) 혈관종

혈관종(hemagioma)은 고형 간 병변 중 가장 흔한 양성 간종양이며(1~10%) 여성에서 남성보다 5배 많고, 다발성인 경우가 50% 정도이다. 크기가 3 cm 이하인 경우에 특징적으로 해면정맥동(cavernous sinus) 벽과 혈액 사이의 수많은 음향 경계면 때문에 균질한 에코발생 양상을 보이게 된다(그림 1-28). 하지만, 크기가 커지면 비특징적인 형태를 보일 수 있다. 크기가 3 cm 보다 클 경우 혈관종 내 혈액에 의하여 낭종처럼 후방음향증강이 발생할 수 있다. 또한 미만성 지방간이 있는 경우에 오히려 저에코로 보이는 경우가 있을 수 있다(그림 1-29).

3) 국소결절증식증

국소결절증식증(focal nodular hyperplasia)은 혈관종 다음으로 가장 많이 발견되는 양성 고형 병변으로 80~95%가 여성에서 발생하며 주로 20~40대에 많이 발생한다. 원인은 확실치 않지만 선천성 혈관기형으로 인한 국소적인 간세포의 반응이나 과오종으로 추정하고 있다. 경구피임제와 관련성이 있으

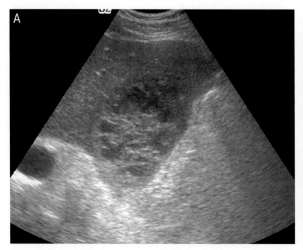
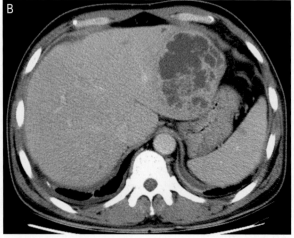

그림 1-27 간농양
61세 여자. A. 초음파 소견. 9.6x7 cm 크기의 다중격 저에코 병변, B. 복부컴퓨터단층촬영 소견

며 5 cm 이하인 경우가 대부분이며, 내부 출혈이나 괴사가 나타나는 경우는 매우 드물다. 초음파검사에서 병변의 일부는 주변 경계가 명확하게 잘 보이나 일부는 주변 간실질과 에코발생이 유사하여 구분이 어려울 수 있다. 도플러검사에서 특징적인 스포크 휠(spoke wheel) 형태의 혈류 패턴을 보인다

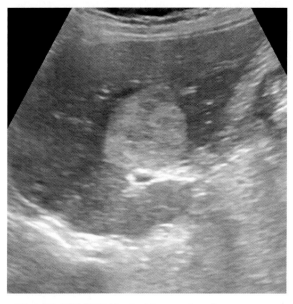

그림 1-28 전형 혈관종(typical hemangioma)
54세 여자. 3.9 cm 크기의 고에코 종괴, 후방음향증강 소견

(그림 1-30). 조영증강 초음파에서 초기 동맥기에 과다혈관 종괴가 관찰되며 이는 지연 소멸(delayed washout)이 일어나지 않는다.

4) 간샘종

간샘종(hepatocellular adenoma)은 중년 여성에서 주로 발생하고 경구피임제와 관련이 깊다. 무증상이 대부분이나 일부에서 동통을 호소하기도 한다. 초음파검사에서는 경계가 명확하고 내부에코는 다양하게 관찰된다. 다양한 형태를 보일 수 있으나, 도플러검사에서 과다혈관양상을 확인하는 것이 도움이 될 수 있다. 괴사 또는 출혈이 발생할 경우 무에코양상으로 관찰될 수 있다. 진단을 위해서 MRI와 조직생검이 필요하다(그림 1-31).

5) 전이암

1 cm 이하의 전이성 간암은 난원형 저에코로 보이며, 커지면서 표적징후(target sign), 달무리징후(halo sign), 중심부 괴사 소견을 보인다. 경우에 따라서 비균질 고에코(그림 1-32), 낭성, 석회화, 또는

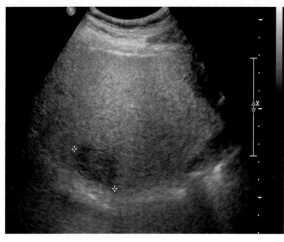
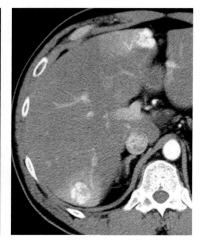

그림 1-29 비전형 혈관종(atypical hemangioma)
42세 남자. 3.5 cm 크기의 저에코 병변

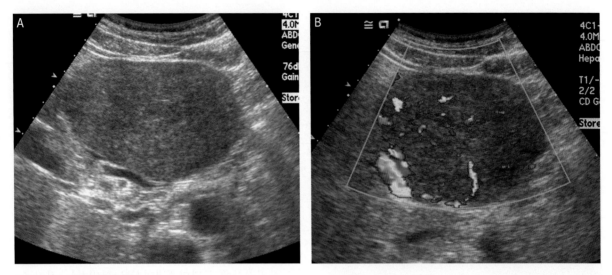

그림 1-30 국소결절증식증
32세 남자. A. 9 cm 크기의 균질한 저에코 종괴, 후방음향증강 소견, B. 도플러검사에서 보이는 스포크 휠 형태의 혈류 패턴

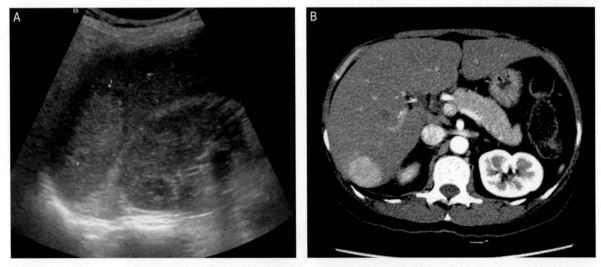

그림 1-31 간샘종
38세 여자. A. 초음파 소견. 3.9 cm 크기의 고에코 병변, B. 복부컴퓨터단층촬영 소견

미만성 침윤성 형태를 가질 수 있다. 3 cm 이상으로 큰 경우에는 분엽형 종괴, 크러스터 징후, 부정형으로 관찰되며, 후방음향증강도 관찰된다. 실제에서는 대장내시경 및 조직검사로 확진이 된 상태에서

수술 전 병기 결정 목적으로 복부컴퓨터단층촬영을 하게 되므로 초음파의 유용성은 CT 및 MRI에서 간전이가 확인된 환자를 수술할 때 수술 중 초음파를 이용하여 병소를 확인하는 목적이 클 것이다.

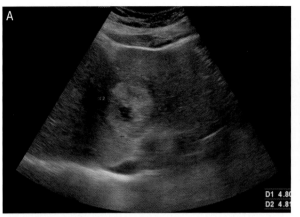
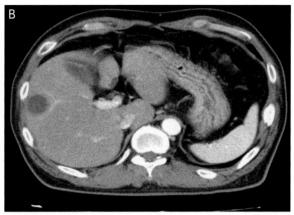

그림 1-32 대장암 간전이
58세 남자. A. 초음파 소견. 4.8 cm 크기의 중심부 괴사가 있는 고에코 병변, B. 복부컴퓨터단층촬영 소견

6) 간내 담관암종

간내 담관암종(intrahepatic cholangiocarcinoma)은 종양의 경계가 불명확한 경우가 많으며 저에코 혹은 고에코 양상을 보인다. 섬유화로 인해 간피막이 수축하는 양상을 보이고 드물게 문맥혈전이나 석회화가 동반된다. 간세포암과의 차이점은 저에코의 테두리(halo)가 보이지 않으며, 종물의 가장자리에 담관 확장을 동반할 수 있으며 종양에 의해 담관의 주행이 끊겨 보이는 점이 특징이다(그림 1-33).

7) 간세포암

크기가 작은 간세포암(hepatocellular carcinoma)은 다양한 에코양상을 보일 수 있다. 균질한 저에코 패턴을 보이기도 하고, 비균질 모자이크 패턴을 보일 수도 있다. 후방음향증강, 가장자리 테두리, 측방음영을 보일수 있다(그림 1-34).

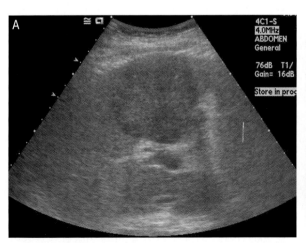
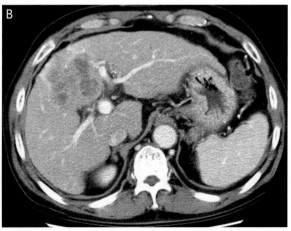

그림 1-33 간세포암
65세 남자. A. 초음파 소견. 7 cm 크기의 경계가 불명확한 저에코 종괴, B. 복부컴퓨터단층촬영 소견

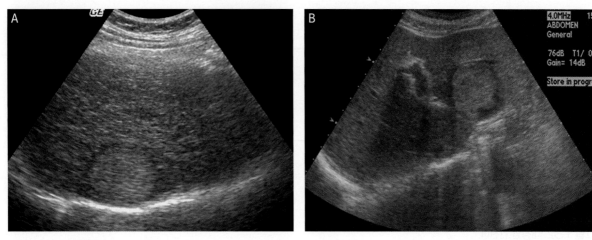

그림 1-34 간세포암
A. 62세 남자. 4.5 cm 크기의 가장자리 저에코 테두리를 가진 에코발생 종괴
B. 71세 남자. 4 cm 크기의 저에코 테두리가 보이는 경계가 명확한 고에코 종괴

4. 간이식 수술 후 초음파검사

간이식은 말기 간질환 및 간세포암의 수술적 치료로서 널리 적용되고 있다. 간이식은 간질환을 근본적으로 치료할 수 있다는 장점이 있어서 점점 더 활발하게 시행되고 있다. 우리나라에서는 1988년 뇌사자 간이식, 1994년 생체 간이식 시행 후, 2019년 한해동안 국내에서 시행된 간이식은 뇌사자 간이식 391건, 생체 간이식 1,188건으로 전체 1,579건 시행되었고, 현재 간이식 대기자는 5,500명에 달하고 있다.

간이식의 적응증으로는 급성 및 만성간부전이 있으며, 최근에는 간세포암 치료로도 많이 시행되고 있다. 급성간부전은 주로 A형 간염이나 약물에 의한 경우가 많으며, 만성간부전의 원인으로는 바이러스성 간염 및 알코올, 대사성 질환 등이 있다. 최근에는 항바이러스제의 발달로 인하여 바이러스성 간염은 줄고 있으나 알코올 및 지방 간염 등 대사성 질환이 늘고 있다. 간이식의 금기증으로는 중증의 심·폐질환 환자, 간외 악성종양 환자, 간에 국한

되지 않는 활동성 패혈증, 계속되는 알코올 및 약물 남용자 등이 있다.

간이식은 이식편에 따라 크게 뇌사자 간이식과 생체 간이식으로 나뉜다. 뇌사자 간이식은 전체 간을 이식하며, 생체 간이식은 기증자와 수여자를 고려하여 간의 일부분을 이식하게 된다. 성인에서는 주로 우간 또는 좌간을 이용한 간이식을 시행하게 되며, 소아에서는 좌외측구역을 주로 이식하게 된다. 간이식은 복잡한 수술 술기 및 수술 중 허혈과 재관류에 의한 손상의 고비, 이식 직후 이식편의 기능 회복 및 면역억제제 사용 등 이식 전후로 집중 관리가 필요할 수밖에 없는 어려운 과정이다. 하지만 여러 수술 술기 및 수술 전후 치료의 발달로 국내에서는 간이식 정도 관리 및 성적이 향상되면서 수술사망률이 5% 내외로 향상되었다. 국내 간이식 1년 이식편 생존율은 1998년 당시 뇌사자 간이식의 경우 62%, 생체 간이식은 80%였다. 술기 및 환자 관리의 향상, 다양한 면역억제제의 적절한 사용 및 관리로 2009년에는 뇌사자 간이식 시의 이식편 생존율이 76%였고, 생체 간이식 시에는 90%로 향상되었다.

간이식 후 심각한 합병증으로는 혈관 및 담도 합병증, 수술 전후 출혈 및 감염 문제 등이 있으며, 여전히 이식 후 합병증에 따른 사망률에 영향을 주고 있다. 이러한 수술 후 합병증의 신속한 식별은 이식 실패를 예방하고 환자 결과를 최적화하는 데 필수적이다. 이중 혈관 합병증은 간이식 후 생길 수 있는 수술 합병증 중에 있어 가장 심각한 합병증이며, 간이식 수술 후 이식 실패의 일반적인 원인이다. 성인에서 간이식 후 혈관 합병증의 발생은 8~15%까지 다양하다. 혈관 합병증의 발생률은 생체 간이식이나 분할 간이식 시에 더 높게 발생하는 경향이 있다.

수술 중 초음파 및 수술 후 초음파는 간이식에서 중요한 역할을 하게 된다. 간이식 환자에서 초음파는 일반적으로 혈관 문합의 상태를 평가하는데 사용된다. 보통 혈관 문합이 완료되면 도플러 초음파를 이용하여 혈관 문합 후 혈류를 평가하여 혈관 문합에 문제가 없는지 평가한다. 간정맥과 간문맥, 간동맥을 모두 확인하여야 한다. 간이식 수술 중 초음파는 이식 성패를 좌우할 수 있는 중요한 정보를 외과의에게 제공한다. 간이식 수술 중 초음파의 사용은 필수적이므로, 외과의사가 잘 교육 받고 수행할 수 있도록 해야 한다. 또한 이식 수술 후 초음파 검사를 통하여 혈관 합병증을 조기에 발견하는 것은 이식편 및 간이식 수여자의 생존에 중요한 역할을 하게 된다. 초음파검사는 혈관 합병증을 발견하는데 있어 일차 검사로 사용될 수 있으며, 효율적이고 즉각적으로 환자 상태에 따라 바로 시행할 수 있다. 혈관 합병증을 조기에 발견하여 조기에 치료하는 것은 이식편과 수여자의 생존 향상에 있어 필수적인 요소이다.

1) 간이식 후 정상 초음파 소견

간이식 후 도플러 초음파검사는 보통 수술 초기에는 매일 수행하며 그 후에도 환자 상태에 따라 정기적 또는 간헐적으로 수행된다. 초음파검사의 장점으로는 비침습적이며, 방사선이 없고, 매우 느린 혈류속도도 관찰할 수 있으며, 환자의 침상 옆에서 즉각적으로 시행 할 수 있다는 장점이 있다. 하지만 검사자 및 환자에 따라 결과에 영향을 받으며, 가양성 또는 가음성 소견이 다른 확진 검사보다 높다는 단점이 있다. 수술 후 초음파검사에서 주로 우측간은 늑간 스캔으로 확인하며, 좌측간은 검상돌기 하방에서 가로스캔으로 확인한다. 이식 수술 후에는 수술 상처 때문에 초음파 탐색자를 대기 좋지 않은 경우가 많은데 그럴 경우 환자 복부에 'Op site'를 붙여주면 도움이 될 수 있다(그림 1-35).

검사 순서는 먼저 회색조 영상을 살펴보고 그 다음 컬러 도플러 및 컬러흐름 도플러 영상을 확인하게 된다. 회색조 스캔에서는 간실질의 에코발생, 간내담관의 확장 여부 및 간 주변의 액체저류 여부를

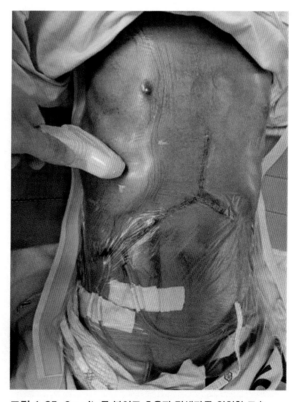

그림 1-35 Op. site를 붙이고 초음파 탐색자를 위치한 모습

확인한다(그림 1-36). 회색조 스캔은 이식간 주위 액체저류 및 실질 이상을 평가하는 데 중요한 역할을 하지만 간이식 거부 평가에는 도움이 되지 않는다. 컬러 도플러 및 컬러흐름 도플러에서는 간동맥(그림 1-37) 및 간문맥(그림 1-38), 그리고 간정맥(그림 1-39)의 흐름(flow) 여부를 확인하게 된다.

정상적인 간동맥의 컬러흐름 도플러의 파형은 수축기 가속 시간이 0.08초 이하이며, 저항계수(resistive index, RI)가 0.5~0.8 사이에 있어야 한다. 또한 급격한 상승 스트로크(upstroke)를 가지며, 지속적인 이완기 흐름을 보이게 된다(그림 1-37). 수술 직후에는 일반적으로 저항계수가 높을 수도 있으며, 이완기 흐름이 안보일 수도 있다. 이런 경우에는 초음파검사를 할 때마다 저항계수의 추세를 보는 것이 중요하다. 연속적인 초음파검사에서 느린 상승 스트로크를 보이거나 저항계수가 정상치에서 벗어나게 되면 추가적으로 혈관 CT나 혈관조영술을 시행하여야 한다.

정상적인 간문맥의 컬러흐름 도플러는 단상성(monophasic) 파형을 보이며, 호흡에 따른 약간의 변화를 보이게 된다(그림 1-38). 기증자와 수여자 간에 문맥의 직경 차이를 보일 수 있으며, 문합부위 협착 시에는 문합 전후로 심한 속도 차이를

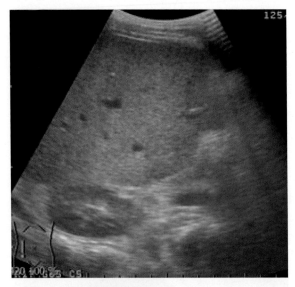

그림 1-36 회색조 스캔 영상

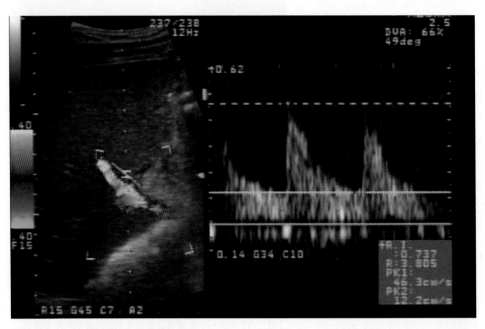

그림 1-37 간동맥의 컬러흐름 도플러 영상

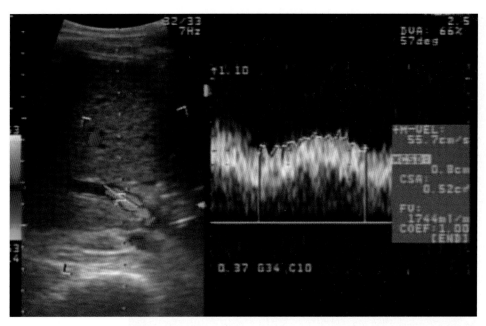

그림 1-38 간문맥의 컬러흐름 도플러 영상

보일 수 있다. 정상적인 간정맥의 컬러흐름 도플러는 3상(triphasic) 또는 2상(biphasic) 파형을 보인다(그림 1-39). 이런 파형은 심장 수축과 연관되어 있다. 간정맥이 단상성 파형을 보이거나 간정맥 흐름 속도가 10 cm/sec 이하라면 간정맥의 협착을 의심해 보아야 하며, 혈관조영술을 통하여 간정맥과 하대정맥 사이의 압력 차이를 측정해서 압력 차이가 5 mmHg 이상일 시 간정맥 협착을 확진할 수 있다.

2) 혈관 합병증

도플러 초음파는 간이식 후 혈관 합병증을 감별하는데 사용되는 1차 영상검사이다. 일반적으로 혈관 합병증에 대한 도플러 초음파검사의 정확도는 간동맥은 민감도 60~92%, 특이도 86~97%이고, 간문맥은 민감도 73~100%, 특이도 95~100%, 그리고 간정맥은 민감도 70~99%, 특이도는 100%에 근접한 것으로 알려져 있다.

(1) 간동맥

간동맥 혈전증 등에 의한 간동맥 폐색 또는 협착의 초음파 진단기준은, 1) 간동맥 신호의 소실, 2) 느린 상승파형 및 저진폭파형(tardus and parvus waveform), 3) 수축기 가속시간의 증가, 4) 저항계수가 〈 0.5 or 〉 0.8, 5) 간문부에서 측부혈관의 발견, 6) 수축기 최대속도 〉 2 m/초 등이다. 저항계수(RI)가 0.5 이하이고 수축기 가속시간이 0.08초 이상일 경우 간동맥 혈전이나 협착의 소견으로 볼 수 있다.

그림 1-40은 생체 간이식 후 간동맥 혈전증이 발생한 환자에서의 연속적인 컬러흐름 도플러 소견이다. 수술 후 1일째에는 정상적인 파형을 보였으나 3일째와 5일째로 가면서 간동맥 파형이 약해지며 소실되는 모습을 볼 수 있다(그림 1-40A). 초음파 소견의 변화로 인하여 혈관 조영 CT를 시행하였으며, 간동맥 폐색을 확인하였다(그림 1-40B). 재수술을 시행하여 간동맥 문합을 다시 시행하였고, 수술 후 2주째까지 정상으로 회복된 간동맥 파형을 확인하

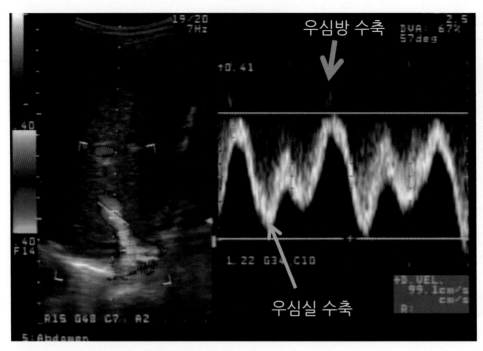

그림 1-39 간정맥의 컬러흐름 도플러 영상

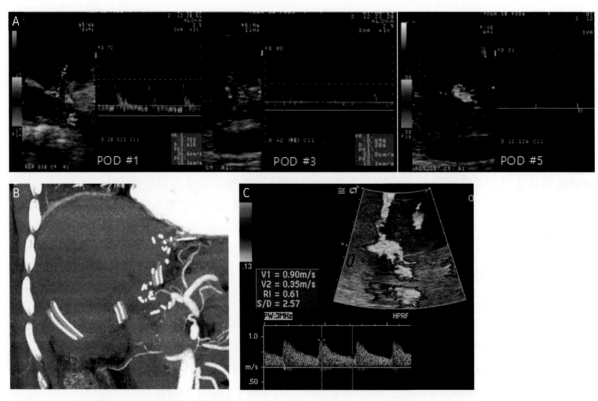

그림 1-40 간동맥 혈전증에 의한 간동맥 폐색 환자
A. 수술 후 컬러흐름 도플러의 연속적인 변화 양상, B. 혈관 CT 소견, C. 재수술 후 간동맥 흐름이 회복된 후 컬러흐름 도플러

였다(그림 1-40C). 이상에서 볼 수 있듯이 간동맥 합병증을 확인하기 위해서는 수술 후 컬러흐름 도플러를 연속적으로 시행하여 변화 양상을 보는 것이 중요하다. 가성동맥류는 간동맥 합병증 중에서 가장 빈도가 적지만, 터지는 경우 심한 출혈로 환자의 생명을 위협하는 심각한 문제를 발생시킬 수 있다. 주로 혈관 문합부위에서 발생하며, 회색조 스캔에서 낭성 병변처럼 보일 수 있다. 그러나 이때 컬러흐름 도플러를 시행하면 낭종안에 양방향의 색조신호를 보인다. 그림 1-41은 간이식 후 가성동맥류가 생긴 환자의 초음파와 CT 소견이다. 회색조 스캔에서는 간문부에 낭성 병변이 보이나 여기에 컬러 도플러를 시행하면 낭종안에 색조신호가 보이는 것을 볼 수 있다(그림 1-41A). 이 환자에서 CT를

시행하였고 CT에서도 초음파에서 보았듯이 가성동맥류를 확인할 수 있다(그림 1-41B). 이처럼 간문부 간동맥 문합부위 근처에 새로 생긴 낭성 병변이 보인다면 컬러 도플러로 반드시 확인해 보아야 한다.

(2) 간문맥

간문맥 합병증은 드물며 간이식환자의 약 1~3%에서 생기는 것으로 알려져 있다. 간동맥 합병증과 마찬가지로 혈전과 협착이 생길 수 있다. 위험 인자에는 이전 문맥 수술(문맥대정맥 지름술, portocaval shunt 포함), 이식 전 간문맥 혈전의 병력 등이 있다. 발생의 직접적 원인은 수술 술기부족, 문맥 혈관이 너무 긴 상태로 문합된 경우, 과응고상태, 기증자/수혜자 간 문맥 직경 불일치 등이 있다. 문맥

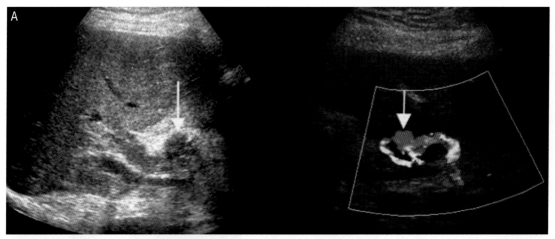

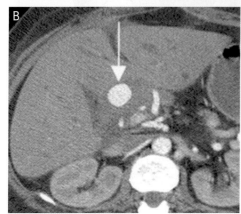

그림 1-41 가성동맥류 환자의 초음파 및 CT 소견
A. 가성동맥류 환자의 회색조 스캔 및 컬러 도플러
B. 가성동맥류 환자의 CT 소견

압 항진에 의한 임상증상을 동반할 수 있으며, 이에 복수의 증가 및 이식간 부전 등이 생길 수 있다. 회색조 스캔에서 문맥 혈전은 아주 급성인 경우에는 무에코 병변으로 보일 수 있으나 시간이 지날 수록 문맥 내강에서 고에코의 덩어리로 보이고, 컬러 도플러에서는 신호가 없는 부위로 나타난다. 그림 1-42는 문맥 변형이 있는 기증자에게 우간을 이식 받고 생긴 문맥 폐색 환자의 컬러 도플러 및 CT 사진이다. 간문맥 우후 분지는 정상적인 파형을 보이나 간문맥 우전 분지는 도플러 초음파에서 문맥 흐름이 보이지 않는 것을 확인하였고(그림 1-42A), 조영증강 CT 에서도 같은 소견을 확인하였다. 치료는 간문맥에 스텐트를 삽입하였고 스텐트 삽입 후에는 문맥 흐름이 회복된 CT 소견을 확인할 수 있

다(그림 1-42B).

간문맥 협착은 도플러 초음파에서 좁아진 부위나 직후부에서 문맥의 흐름 속도를 측정해서 진단할 수 있다. 최대 속도가 125 cm/sec 이상이거나 문합부위 전보다 문합부위 이후에서 속도가 3배이상 증가 시 간문맥 협착을 의심할 수 있다. 확진은 간문맥 혈관조영술로 할 수 있다. 치료는 수술로 혈전을 제거하거나 문맥 길이를 맞추어 다시 문합할 수 있으며, 혈관조영술을 통하여 스텐트를 삽입(그림 1-42B)하여 치료할 수 있다. 그러나 진단이 늦어져 이식간의 간내 문맥에도 혈전이 다 형성되어 이식간 부전으로 진행하는 경우에는 재이식을 고려하여야 한다.

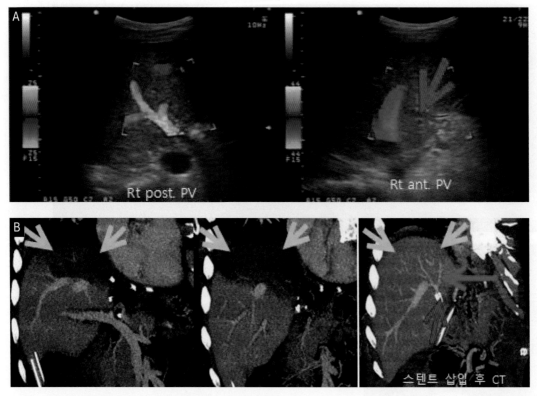

그림 1-42 문맥 폐색 환자의 컬러 도플러초음파 및 CT 소견
A. 컬러 도플러초음파: 간문맥 우후분지는 문맥 흐름이 보이나 우전분지는 문맥 흐름이 없음.
B. 문맥 폐색 환자의 조영증강 CT 소견 및 스텐트 삽입후 CT

(3) 간정맥

생체 간이식 시에는 간정맥, 그리고 뇌사자 간이식 시에는 하대정맥에 혈전이나 협착 등의 합병증이 발생할 수 있다. 일반적으로 간정맥 또는 하대정맥의 합병증은 다른 혈관 합병증에 비하여 가장 드문 빈도를 보인다. 간이식 초기에 발생하는 경우에는 주로 수술 문합이 잘못되어서 생기는 경우가 제일 흔하며, 나중에 생기는 경우에는 혈관내막의 증식이나 섬유화 또는 이식간의 크기 증가로 인하여 문합부위가 눌리거나 꺾여서 생기게 된다. 주된 증상은 간비대, 흉수, 복수, 부종 등이 생길 수 있다. 컬러흐름 도플러에서 단상성의 파형을 보이며, 정

맥의 흐름 속도가 10 cm/sec 이하 시 진단할 수 있다. 확진을 하기 위해서는 정맥조영술을 시행하여 간정맥과 하대정맥의 압력 차이가 5 mmHg 이상인 경우에 확진할 수 있다. 그림 1-43은 간정맥 협착 환자의 컬러흐름 도플러 및 혈관조영술 사진이다. 수술 후 1일째 컬러흐름 도플러는 정상적인 3상 파형을 보였으나 복수가 증가하여 수술 후 2달째에 시행한 컬러흐름 도플러에서는 단상성 파형을 보이고 속도도 10 cm/sec 이하로 줄어든 모습을 확인하였다 (그림 1-9A). 이에 경정맥을 통한 정맥조영술을 시행하였고, 협착 부위에 스텐트를 삽입하여 치료하였다(그림 1-43B).

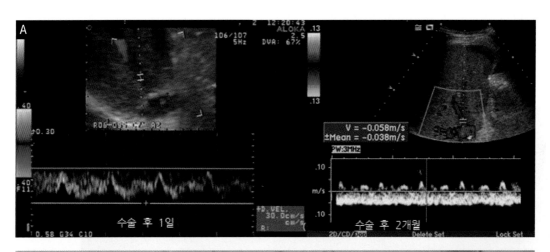

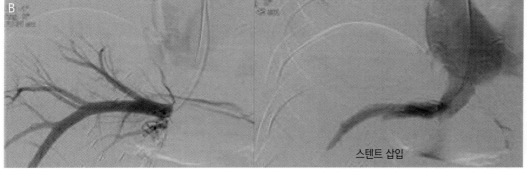

그림 1-43 간정맥 협착 환자의 컬러흐름 도플러 및 정맥조영술 소견
A. 수술 직후 정상적인 간정맥 파형 및 수술 후 2달 뒤 복수가 증가하여 시행한 컬러흐름 도플러
B. 정맥조영술로 확진 후 스텐트 삽입술로 치료

3) 담관 합병증

담관 합병증은 아직까지 간이식 수술에서의 아킬레스 힐이라고 불릴 정도로 간이식 수술 후 가장 흔하게 발생하는 합병증이다. 담관 합병증의 발생 빈도는 15~35% 정도로 보고되고 있다. 뇌사자 간이식 보다 생체 간이식에서 발생 빈도가 높으며, 담즙 누출과 담관 협착으로 나뉘게 된다. 담즙 누출은 초음파에서 간 주위 액체저류나 낭성 병변으로 확인할 수 있으며(그림 1-44A), 이때 가성동맥류와 감별하기 위하여 반드시 컬러 도플러초음파로 낭성 병변 안에 혈류가 없음을 확인하여야 한다. 담관 협착은 간내담관의 확장으로 확인할 수 있다(그림 1-44B). 담관 합병증은 보통 내시경적으로 스텐트를 삽입하거나 경피적 담도 배액관을 삽입하여 치료하게 된다.

4) 결론

> **혈관 합병증의 초음파 소견**
>
> **간동맥:** 느린 상승파형 및 저진폭파형
> (tardus and parvus waveform)
> 저항계수(RI) 〈 0.5, 수축기 가속시간
> 〉 0.08초, 수축기 최대속도 〉 2 m/초
>
> **간문맥:** 문합부위 이후에서 속도가 3배 이상
> 증가. 최대속도 〉 125 cm/초
>
> **간정맥:** 단상성 파형 및 최대 속도 〈 10 cm/초.

간이식 수술에서 도플러 초음파는 혈관 합병증을 초기에 검사하는 데 있어서 가장 중요한 검사방법 중 하나이다. 특히 1차 선별검사로 즉각적으로, 환자 침상 옆에서 시행할 수 있게 활용되어야 한다. 도플러 초음파는 간동맥과 간문맥, 간정맥까지

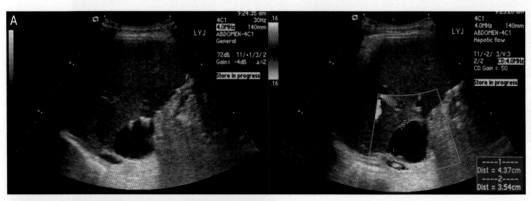

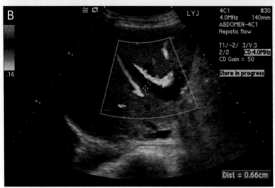

그림 1-44 담즙 누출과 담관 협착시의 초음파 소견
A. 담즙 누출로 인하여 간 주위에 담즙종을 형성한 모습. 컬러 도플러에서 혈류가 없음을 확인할 수 있다.
B. 담관 협착 환자. 간내담관의 확장을 확인 할 수 있다.

모든 혈류를 확인하고 감시해야 한다. 특히 이중 간동맥은 합병증 발생 비율도 비교적 높으며, 간동맥의 협착 및 폐색 시 즉각적으로 여러 담도 합병증 및 높은 확률로 이식편 소실까지도 일으킬 수 있으므로 주의깊게 확인해야 한다. 해부학적 소견과 환자의 수술 소견을 아는 것이 간이식 후 도플러 초음파검사를 시행하는 데 있어 중요하다.

5. 담낭 및 담도

담낭 초음파는 복부를 진찰하는 의사들에게 가장 기본적인 검사로서 담낭질환의 진찰 및 치료에 필수적인 방법이다. 담낭 초음파는 실시간 담낭의 상태를 쉽게 파악할 수 있으며 컴퓨터단층촬영보다 담석을 잘 발견할 수 있다. 또한 담낭 배액술을 시행할 때에도 유용하다. 증상이 있는 담석증의 진단율은 매우 높다. 영상의학과 전공이 아닌 의사가 시행한 담낭 초음파의 진단 적절도는 영상의학과 의사와 차이가 없다. 그러므로 검사자는 자신감 있게 담낭 초음파를 시행해야 한다. 수술 중 초음파, 복강경 초음파등의 술기 시에도 담낭 초음파는 기본이 되므로 숙지해야 한다.

담낭 초음파는 복부 초음파에 사용되는 3.5~5 MHz의 탐색자를 사용하는데 종류로는 선형, 곡선 배열형이 있다. 대부분의 경우 3.5 MHz 곡선 탐색자를 사용한다.

담낭 초음파는 우상복부통증이 있을 때 우선적으로 담석이 있는지 확인하기 위해 시행한다. 담낭벽이 두꺼워지고 담낭주위 수액이 보이거나 머피신호(Murphy sign)가 보이는 급성담낭염에도 유용하며 담관이 확장되는 담관 결석이나 담관 폐쇄를 보이는 질환들에서도 필요한 검사 방법이다.

담낭 초음파검사를 위해서는 6시간은 금식해야 담낭이 팽창되어 잘 관찰할 수 있다. 환자를 눕힌

후 환자의 우측에서 검사한다. 환자에게 심호흡을 시킨 후 숨을 잠시 참게 하면 간과 담낭이 늑골 아래로 내려와서 쉽게 검사를 할 수 있다. 일반적인 복부 초음파검사와 동일한 방법으로 스캔한다. 우측 늑골 하연에서 탐색자의 방향표지자가 환자의 머리쪽과 오른쪽으로 위치하게 하여 검사를 시행한다. 담낭은 우상복부 늑골 밑 간의 아래쪽에 위치하며 간의 4분절과 5분절 사이에 있다. 5×10 cm 크기의 저에코나 무에코를 보이는 장기로 기저부, 체부, 경부로 나뉜다(그림 1-45). 담낭 초음파 세로스캔에서 선형 에코의 간주엽을 찾으면 담낭의 경부를 쉽게 찾을 수 있으며 가로스캔에서는 우측 간문맥의 상부에서 담낭을 찾을 수 있다. 담낭이 우측 흉부에 위치하여 세로 및 가로스캔에서도 잘 안 보이는 경우에는 늑골 사이로 평행하게 탐색자를 움직이면 담낭이 보인다(그림 1-46). 담낭벽의 두께는 3 mm 이내이나 금식하면 담낭의 수축으로 두꺼워 보일 수 있다. 담낭관은 대부분 초음파검사에서 잘 보이지 않는다. 총수담관은 대부분 간문맥의 앞쪽에 위치하며 정상의 경우 6 mm 이하의 굵기이나 50세 이상의 노령 환자나 담낭절제술 받은 환자

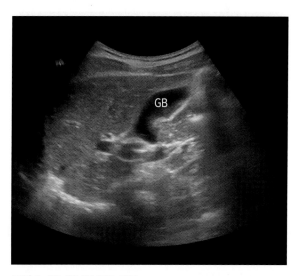

그림 1-45 담낭의 정상 해부
저에코나 무에코의 담낭(GB)은 기저부, 체부, 경부로 나뉜다.

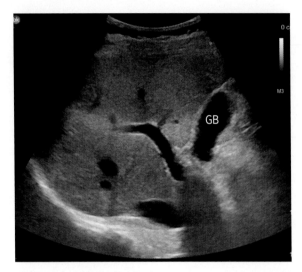

그림 1-46 담낭(GB)의 늑간 스캔

에서는 10 mm까지도 확장된다. 총수담관은 환자를 좌측 옆으로 눕혀 검사하면 간과 십이지장이 좌측으로 이동하여 총수담관이 간문맥에서 앞에서 잘 관찰된다. 총수담관과 간문맥의 감별은 컬러 도플러검사에서 간문맥의 혈류를 관찰하면 담관과 쉽게 구별된다(그림 1-47). 가로스캔으로 관찰 시 드물

게 간동맥은 간문맥의 앞 내측에 위치하고 총수담관은 간문맥 앞 외측에 위치하여 미키마우스 얼굴 모습으로 보이는 경우도 있다(그림 1-48).

담낭이 커지는 경우는 금식하거나 나이가 많은 경우, 담낭수종증, 당뇨가 있는 경우, 농양이 있는 경우 등이 있다. 담낭의 횡단면이 4 cm 이상이면 병적 원인을 의심해야 한다. 담낭절제술을 한 경우, 식사 후 수축된 경우, 담낭에 담석이 가득 찬 경우에는 담낭이 보이지 않을 수도 있으므로 담낭 초음파검사 전에 담낭절제술 여부와 식사 여부를 확인해야 한다.

담낭벽은 평균 3 mm 두께로 담낭염, 간경화증, 복수가 있는 경우에 두꺼워질 수 있다. 우심부전 등의 심장 질환에서도 담낭벽이 두꺼워 보일 수 있으므로 심장 질환등의 다른 질환이 있는지 반드시 확인해야 한다.

담낭 초음파에 쉽게 진단되는 담석은 저에코나 무에코의 담낭 내에 고에코의 움직이는 덩어리로 보인다. 하나나 여러 개로 종괴로 그 아래로 후방음향음영(posterior acoustic shadow)을 보이는 것이 특

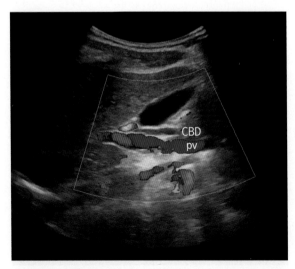

그림 1-47 총수담관
컬러 도플러검사에서 간문맥(pv) 상부에 저에코의 총수담관(CBD)이 보인다.

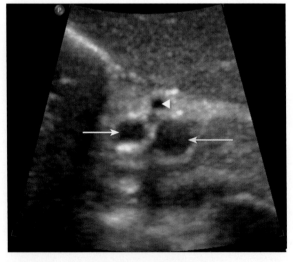

그림 1-48 간십이지장인대 부위의 초음파 소견
간동맥(흰색 화살표 머리), 총수담관(흰색 화살표), 간문맥(노란색 화살표)이 미키마우스 얼굴처럼 보이는 경우도 있다(미키마우스 사인).

징이다(그림 1-49). 그러나 담석이 작으면 후방음향음영은 안보일 수 있다. 담석증 환자의 자세를 바꾸면 담석이 이동하는 것을 볼 수 있다. 담낭 경부에 위치한 담석은 담낭관을 막으며 움직이지 않아 통증을 유발하게 되는데 초음파로는 결석이 잘 안보일 수 있다. 담낭이 담석으로 가득 차면 초음파에서 담낭은 안보이고 후방음향음영만 보일 수 있다(그림 1-50). 끈끈한 담즙인 담즙 슬러지는 담석과는 달리 후방음향음영은 없으나 자세 변화에 따라 천천히 움직이는 것이 관찰된다.

결석은 담낭 이외에 총수담관이나 간내담관에서도 발견된다. 담관결석은 담석이 담관으로 이동한 경우와 담관 내에서 형성되는 경우가 있으며 담관결석으로 담관이 막히면 담관이 확장되고 담관염이 발생할 수 있다. 담관 크기가 6 mm 이상이면 담관이 확장된 것으로 담관결석이나 담관종양을 생각해야 한다. 드물게는 총수담관 하부에 고에코의 덩어리가 보이며 후방음향음영을 보이는 담관결석을 찾을 수도 있다.

담낭용종은 담낭벽에 붙어 있는 작은 결절로서 대부분이 콜레스테롤 용종이며 드물게 종양성 용종이 있다. 담낭용종은 담낭 내에서 움직이지 않고 담석과는 달리 후방음향음영이 없다(그림 1-51). 용종 크기가 1 cm 이상이거나 목없는 용종(sessile polyp), 담석이 동반된 경우, 50세 이상에서는 악성인 경우가 있으므로 담낭 초음파검사 시 유의해야 한다.

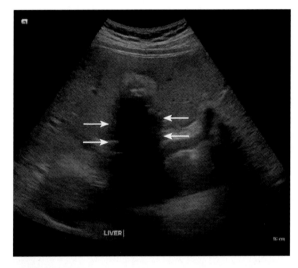

그림 1-50 담석
담낭 내에 담석이 꽉 찬 경우에는 담낭이 보이지 않고 후방음향음영만 보인다(화살표).

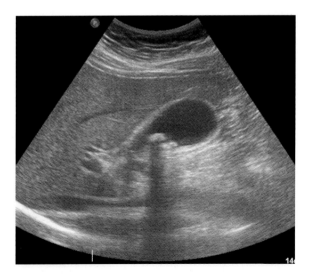

그림 1-49 담석
담낭 내에 고에코 종괴가 보이고 아래로 후방음향음영이 보인다.

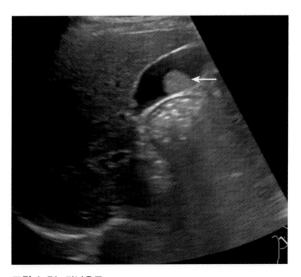

그림 1-51 담낭용종
담낭 내에 움직이지 않는 종괴(화살표)가 보이고 후방음향음영이 없다.

급성담낭염은 무결석의 담낭염도 있으나 대부분 담석을 동반하며 담낭벽이 4 mm 이상 두꺼워지고 담낭의 횡단면이 5 cm 이상 확장되고 담낭 내부의 에코가 증가하거나 담즙 슬러지가 있다. 담낭 주위에 액체가 고여 있고 컬러 도플러 초음파검사에서 혈류가 증가되어 있다(그림 1-52). 급성담낭염 의심되는 경우, 탐색자로 담낭부위를 누르면 통증이 있는 머피신호가 양성이다. 그러나 복수가 있거나

심장 질환 경우에도 담낭벽이 두꺼워져 보일 수 있으므로 감별을 요한다.

담낭선근종증은 담낭상피의 과다형성과 담낭 근육 때문에 담낭벽의 비후와 작은 주머니 모양의 고에코의 용종 모양으로 보인다(그림 1-53). 담낭암은 담낭벽의 비후와 담낭 내 종괴가 보이며(그림 1-54) 담석을 동반하는 경우가 흔하다.

담낭 초음파는 진단 뿐 아니라 초음파 유도 조

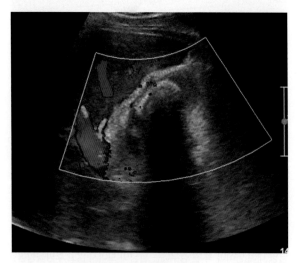

그림 1-52 급성담낭염의 컬러 도플러 소견
큰 담석과 담낭벽이 두꺼워져 있고 혈류가 많이 분포되어 있다.

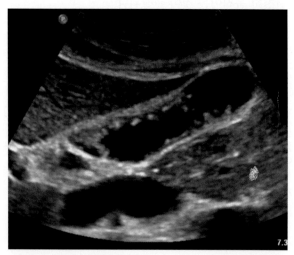

그림 1-53 담낭선근종증
담낭벽의 비후와 담낭벽 내에 작은 주머니가 고에코로 보인다.

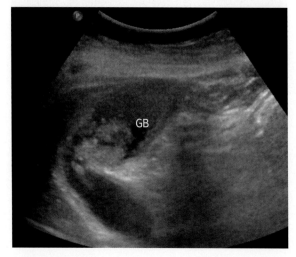

그림 1-54 담낭암
담낭(GB) 내에 불규칙한 모양의 큰 종괴가 보인다.

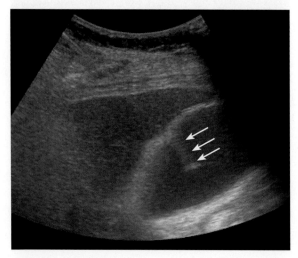

그림 1-55 담낭조루술
초음파 유도 하에 담낭에 바늘(화살표)이 들어간 소견

직 생검이나 담낭조루술을 시행할 수 있다. 담낭조루술은 담낭 초음파로 유도하여 피부를 통해 바늘을 담낭에 꽂은 후(그림 1-55) 가이드와이어를 삽입한다. 바늘을 제거한 후 가이드와이어를 따라 카테터를 삽입하고 가이드와이어를 제거한다. 카테터에 주사기를 연결하여 흡입하여 담즙이 나오는 것을 확인 후 주사기를 제거하고 배액 주머니를 카테터에 연결한다(그림 1-56).

결론적으로 담낭 초음파는 초음파를 시행하는 외과의들이 가장 먼저 시행하는 검사로서 이를 잘 숙지하면 수술 중 초음파, 복강경 초음파를 시행하는데 큰 도움이 된다. 담낭 초음파는 담낭질환을 가장 빠르고 쉽게 진단할 수 있고, 치료에도 도움을 줄수 있으므로 많이 시행해 보는 것이 바람직하다.

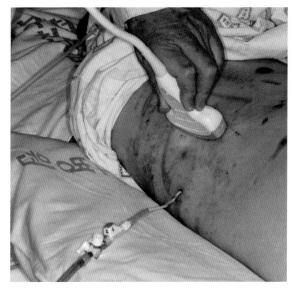

그림 1-56 초음파 유도 담낭 조루술을 시행한 모습

⫸ 참고문헌

1. 김선회, 서경석, 이광웅 외. 간의 외과적 해부학. 간담췌외과학. 제4판. 의학문화사; 2019. p 1.

2. 유희철. 담도계의 외과적 해부학. 간담췌외과학. 제4판. 서울: 의학문화사; 2019. p 15.

3. 이승규, 황신. 간이식의 개요 및 현황. In: 김선회, 서경석, eds. 간담췌외과학. 제3판. 서울: 의학문화사; 2013. 574-581.

4. 조백환, 유희철, 김철오 외. 미상엽의 해부학. Korean J HBP surg 2004;8:1-12.

5. 최병인. 담낭,담도질환의 초음파진단. 복부 초음파진단학. 제3판. 서울: 일조각; 2015. pp. 173-220.

6. Akgul E, Inal M, Binokay F, et al. The prevalence and variations of inferior right hepatic veins on contrastenhanced helical CT scanning. Eur J Radiol 2004;52:73-7.

7. Berzigotti A, Abraldes JG, Tandon P, et al. Ultrasonographic evaluation of liver surface and transient elastography in clini-cally doubtful cirrhosis. J Hepatol 2010;52:846-53.

8. Chen T, Hung CR, Huang AC, et al. The diameter of the common bile duct in an asymptomatic Taiwanese population: measurement by magnetic resonance cholangiopancreatography. J Chin Med Assoc 2012;75:384-8.

9. Deziel DJ, Machi J. Transabdominal Ultrasound. In: Staren ED, Arregui ME, editors. Ultrasound for surgeon. 2nd ed. Philadelphia: Lippincott Williams & Wilkins; 2005. p 193-232.

10. Dodd GD, Memel D, Zajko A, et al. Hepatic artery stenosis and thrombosis in transplant recipients: Doppler diagnosis with resistive index and systolic acceleration time. Radiology 1994;192:657-61.

11. Duffy JP, Hong JC, Farmer DG, et al. Vascular complications of orthotopic liver transplantation: experience in more than 4,200 patients. J Am Coll Surg 2009;208:896-903, discussion 903-905.

12. Filipponi F, Romagnoli P, Mosca F, et al., The dorsal sector of human liver: embryological, anatomical and clinical

relevance. Hepatogastroenterology 2000;47:1726-31.

13. Gelbard RB, Mahendran AO, Hardy MA. Abdominal Ultrasound. 외과초음파학. 서울: 바이오메디북; 2017. pp. 55-72.

14. Hagopian EJ, Machi J. Abdominal ultrasound for surgeons. New York: Springer; 2014.

15. Healey JE, Schroy PC. Anatomy of the biliary ducts within the human liver; analysis of the prevailing pattern of branchings and the major variations of the biliary ducts. AMA Arch Surg 1953;66:599-616.

16. Hejazi Kenari SK, Zimmerman A, Eslami M, Saidi RF. Current state of art management for vascular complications after liver transplantation. Middle East J Dig Dis 2014;6:121-30.

17. Hellinger A, Roll C, Stracke A, et al. Impact of colour Doppler sonography on detection of thrombosis of the hepatic artery and the portal vein after liver transplantation. Langenbecks Arch Chir 1996;381:182-5.

18. JD Berry, PS Sidhu. Microbubble contrast-enhanced ultrasound in liver transplantation. European Radiology 2004;14:96-103.

19. Kumon M. Anatomical Study of the Caudate Lobe with Special Reference to Portal Venous and Biliary Branches Using Corrosion Liver Casts and Clinical Application. Liver cancer 2017;6:161-70.

20. Langnas AN, Marujo W, Stratta RJ, et al. Vascular complications after orthotopic liver transplantation. Am J Surg 1991;161:71-83.

21. LN Uzochukwu, EI Bluth, DH Smetherman, et al. Early postoperative hepatic sonography as a predictor of vascular and biliary compli-cations in adult orthotopic liver transplant patients. American Journal of Roentgenology 2005;185(6):1558-70.

22. Moon KM, Kim G, Baik SK, et al. Ultrasonographic scoring sys-tem versus liver stiffness measurement in prediction of cirrho-sis. Clin Mol Hepatol 2013;19:389-98.

23. Nishiura T, Watanabe H, Ito M, et al. Ultrasound evaluation of the fibrosis stage in chronic liver disease by the simulta-neous use of low and high frequency probes. Br J Radiol 2005;78:189-97.

24. Nolten A, Sproat IA. Hepatic artery thrombosis after liver transplantation: temporal accuracy of diagnosis with duplex US and the syndrome of impending thrombosis. Radiology 1996;198:553-9.

25. Park SM, Kim WS, Bae IH, et al. Common bile duct dilatation after cholecystectomy: a one-year prospective study. J Korean Surg Soc 2012;83:97-101.

26. Peterson DR. Gallbladder. In: Soni NJ, Arntfield RT, Kory P, editors. Point-of-care Ultrasound. 2nd ed. Philadelphia: Elsevier; 2020. pp. 246-54.

27. Piardi T, Lhuaire M, Bruno O, et al. Vascular complications following liver transplantation: a literature review of advances in 2015. World J Hepatol 2016;8:36-57.

28. Pittau G, Tedeschi M, Castaing D. Intraopeartive and laparoscopic Ultrasound during liver surgery. In: Hagopian EJ, Machi J, editors. Abdominal Ultrasound for surgeons. New York: Springer; 2014.

29. Pozniak H, Dodd GD, Kelcz F. Ultrasonographic evaluation of renal transplantation. Radiol Clin North Am 1992;30:1053-66.

30. Rossi A, Pozniak M, Zarvan N. Upper inferior vena caval anastomotic stenosis in liver transplant recipients: Doppler US diagnosis. Radiology 1993;187:387-9.

31. S Tamsel, G Demirpolat, R Killi, et al. Vascular complica-tions after liver transplan-tation: evaluation with Doppler US. Abdominal Imaging 2006;32(3):339-47.

32. Sanyal R, Zarzour JG, Ganeshan DM, et al. Postoperative doppler evaluation of liver transplants. Indian J Radiol Imaging 2014;24:360-6.

33. Sasada A, Ataka K, Tsuchiya K, et al. Complete Caudate Lobectomy: Its Definition, Indications, and Surgical Approaches. HPB Surg 1998;11:87-95.

34. Skolnick ML, Dodd GD. Doppler sonography in liver transplantation: pre- and post- transplant evaluation. In Thrall JH. Current practice in radiology. Philadelphia: Decker; 1993. pp. 161-72.

35. Strasberg SM, Belghiti J, Clavien P-A, et al. The Brisbane 2000 Terminology of Liver Anatomy and Resections. HPB 2000;2:333-9.

36. Strasberg SM. Nomenclature of hepatic anatomy and resections: a review of the Brisbane 2000 system. J Hepatobiliary Pancreat Surg 2005;12:351-5.

37. Tzakis AG, Gordon RD, Shaw BW Jr, et al. Clinical presentation of hepatic artery thrombosis after liver transplantation in the cyclosporine ERA. Transplantation 1985;40:667-71.

38. Worku MG, Enyew EF, Desita ZT, et al. Sonographic measurement of normal common bile duct diameter and associated factors at the University of Gondar comprehensive specialized hospital and selected private imaging center in Gondar town, North West Ethiopia. PLoS One 2020;15:e0227135.

39. Chung YK, Choi HJ, Na GH, et al. Postoperative Doppler Ultrasonography in Liver Transplan-tation. Transplantation Proceedings 2018;50:1100-3

췌장 및 비장 초음파

1. 정상 해부학 및 검사 방법

1) 발생

췌장은 후복막강에 위치하며 태생기의 배측 췌장 (dorsal pancreas)과 복측 췌장(ventral pancreas)이 융합되어 형성된다. 양 췌장은 상장간막정맥과 문맥을 사이에 둔 형태로 융합한다. 복측 췌장은 췌장 두부의 후부와 구상돌기(uncinate process)를 형성하고 배측 췌장은 췌장의 체부, 미부 및 두부의 일부를 형성한다. 췌관은 태생기 6주에 배측 췌관과 복측 췌관이 췌장 경부에서 융합한다. 배측 췌관은 체부와 미부의 주췌관(main pancreatic duct)과 부췌관 (santorini duct)을 형성하고 복측 췌관은 두부의 주췌관(wirsung duct)을 형성하게 된다(그림 2-1, 2).

2) 췌장 주위의 혈관 해부학

췌장 초음파검사에서는 췌장 주위 혈관이 중요한 지표가 된다. 비문부의 3~4개의 비장정맥이 하나의 비정맥으로 융합하여 췌장 체미부의 배측에 위치한다. 비장정맥은 하장간막정맥과 합쳐지고 췌장 경부에서 상장간막정맥과 합쳐져 문맥이 형성된다. 문맥은 관상정맥, 상췌십이지장정맥, 유문정맥, 담낭정맥과 합쳐지고 간문부를 통해 간실질내로 들어가 우측 간내문맥, 좌측 간내문맥으로 분지한다. 복부대동맥에서 복강동맥이 분지되고 다시 비장동맥과 총간동맥으로 분지된다. 비장동맥은 췌장의 체미부에서 후방에 위치하며 비장으로 주행한다. 총간동맥은 고유간동맥(proper hepatic artery)과 위십이지장동맥으로 분지된다. 고유 간동맥은 간으로 들어가서 우측 간동맥, 좌측 간동맥으로 분지한다. 위십이지장동맥은 췌장 두부 후방을 주행한다(그림 2-3, 4).

3) 췌장 해부학

췌장은 두부, 경부, 체부, 미부로 나뉜다. 두부는 상장간막정맥 우측에 위치한다. 췌장 두부의 앞쪽에 위십이지장동맥, 뒤쪽에 총담관이 위치한다.

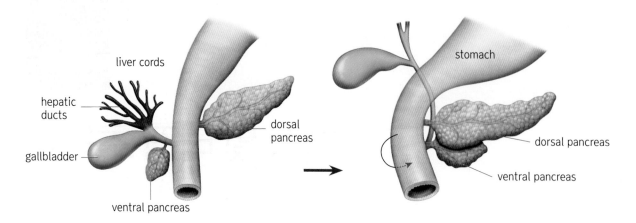

그림 2-1 췌장의 발생

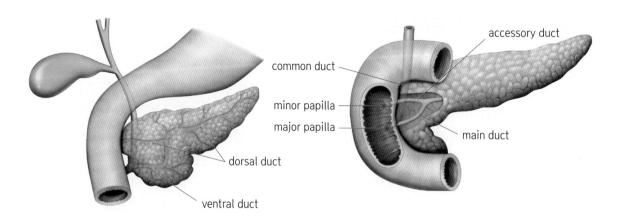

그림 2-2 췌관의 발생

췌장 경부는 상장간막정맥의 복측에 있고 췌장 구상돌기는 배측에 위치한다. 췌장 체부는 상장간막정맥보다 좌측에 위치하며 미부와의 경계를 나누는 뚜렷한 해부학적 구조물은 없다. 일반적으로 척추의 좌측면 또는 복부대동맥의 좌측면을 기준으로 나누지만 개인 체형에 따라 다를 수 있어 기준을 정하기 어렵다. 따라서 상장간막동맥이 비장정맥과 수직으로 만나는 가상의 선을 연장하여 우측을 체부, 좌측을 미부로 정하는 방법이 합리적이다.

미부는 비장을 향해서 대부분이 다소 상행 방향으로 주행한다. 췌장의 대부분은 후복막강에 위치하나 미부의 끝부분은 복강 내로 돌출하여 복강 내 구조물이 된다(그림 2-5).

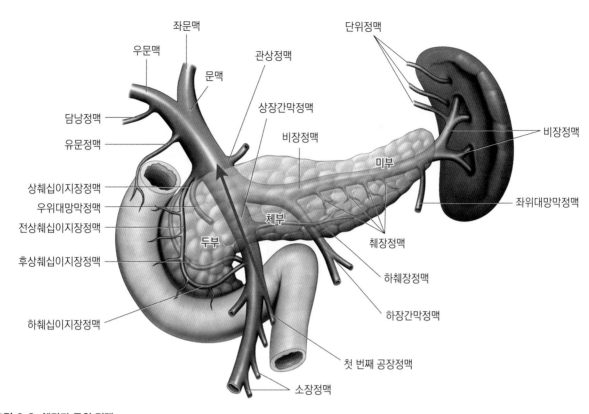

그림 2-3 췌장과 주위 정맥

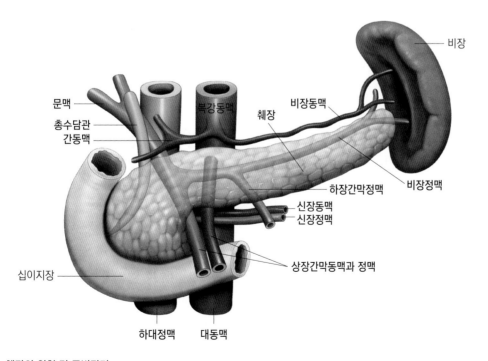

그림 2-4 췌장의 위치 및 주변장기

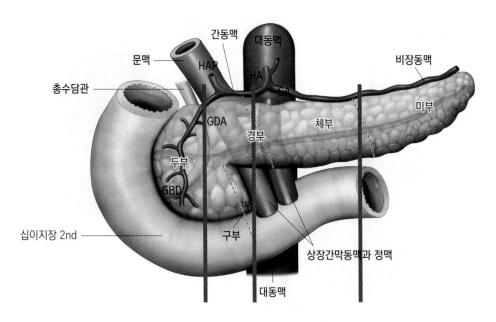

그림 2-5 췌장의 모식도와 초음파 영상의 대비

4) 초음파검사법 개요

췌장은 후복막강에 위치하고 췌장 전방에 위치하는 위, 십이지장, 횡행결장에 의해 방해를 받기 쉬워 관찰이 어려운 장기이다. 췌장 초음파검사 전에 6~8시간의 금식과 금연이 필요하다. 그 이유는 ① 췌장과 담도계는 밀접한 연관이 있으므로 금식을 하여야 담낭, 담도 관찰이 가능하고 ② 금식, 금연으로 위십이지장 내 음식과 공기의 양을 줄일 수 있기 때문이다.

일반적으로 앙와위에서 검사하나 비만체형, 위나 횡행결장이 췌장 관찰을 방해할 때에는 반좌위(semi sitting)에서 스캔한다. 췌장 체미부 관찰 시 우하측와위, 췌장 두부 관찰 시 좌하측와위로 체위를 변환하여 스캔하면 도움이 된다(그림 2-6~8).

위내강의 가스로 관찰이 어려운 경우에는 300~

500 cc 물을 섭취하여 위를 충만시키는 음수법을 시행하면 췌장 관찰이 용이해지기도 한다(그림 2-9). 췌장 미부 관찰 시 체위를 우하측와위로 하여 비장을 음향창으로 스캔한다. 비장 문부에서 비정맥을 둘러싸는 저에코 구조물이 췌장 미부이다.

5) 추천하는 초음파검사법

보험에서 규정하는 췌장 초음파 필수 영상은 ① 췌장 장축상에서 췌장 두부, 췌장 체부 ② 췌장 장축상에서 췌장 체미부 영상이다. 그러나 췌장병변을 빠지지 않고 스캔하기 위해 췌장 장축상 3장, 단축상 4장, 비장을 음향창으로 췌장 미부상 1장 총 8장을 스캔하기를 추천한다.

췌장 스캔 시작은 심와부 가로스캔으로 좌측 간엽 횡단상을 관찰한다. 이후 탐색자를 서서히 하방

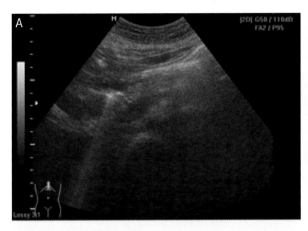 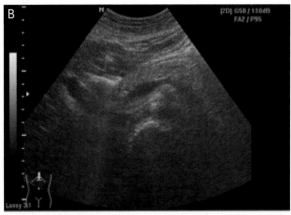

그림 2-6 탐색자 압박에 의한 소화관 가스의 제거
A. 위내강의 가스로 췌장 체부 및 미부의 관찰이 어렵다(압박 전).
B. 탐색자로 압박하여 위내강의 가스를 밀어내면 췌장의 체부 및 미부가 잘 보인다(압박 후).

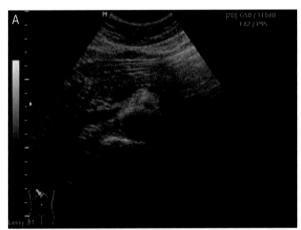 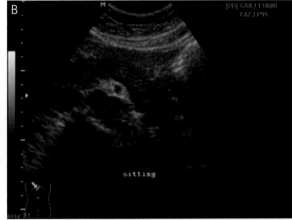

그림 2-7 자세 변경(좌위, 반좌위)
A. 누운 자세 심와부 사주사로 위내강의 가스로 인해 췌장의 미부가 잘 보이지 않는다.
B. 체위를 반좌위로 변경하여 검사하면 췌장 미부가 잘 보인다.

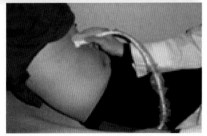

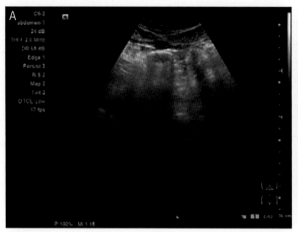
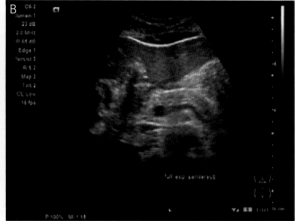

그림 2-8 간좌엽을 음향창으로 사용

A. 누운 자세 심와부 사주사로 위내강의 가스로 인해 췌장의 미부가 잘 보이지 않는다.

B. 체위를 좌위로 변경하거나 숨을 들어 마시면 간좌엽이 하방으로 내려오면서 음향창이 되어 췌장 미부가 잘 관찰된다.

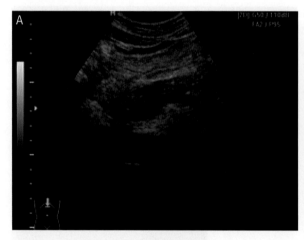
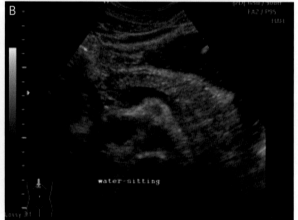

그림 2-9 물로 위내강을 채운 뒤 검사

A. 누운 자세에서 췌장의 미부가 잘 보이지 않는다.

B. 물로 위내강을 채운 뒤 검사하면 위내 가스가 제거되고 물이 초음파 투과를 증가하여 췌장의 미부가 잘 보인다.

Dr. 이재준 증례

으로 이동하여 복부대동맥에서 분지하는 복강동맥, 비장동맥, 총간동맥을 확인한다. 탐색자를 조금 하방으로 이동하여 췌장 체부 장축상을 확인하고 가능하면 주췌관을 관찰한다.

탐색자를 우측으로 이동하여 췌장 두부를 찾고 두부의 전방에서 위십이지장동맥, 후방에서 췌장내 총담관을 확인한다. 탐색자를 좌측으로 이동하여 상장간막정맥의 복측에 위치한 췌장 경부, 배측에 위치한 췌장 구상돌기를 확인한다. 탐색자를 좌측으로 이동하여 췌장 체부를 다시 관찰하고 반시계 방향으로 돌리면 비장정맥의 복측에 비장정맥이 보이고 비스듬하게 진행하면 췌장 미부를 확인할 수 있다.

췌장 단축스캔은 심와부 세로스캔으로 복부대동맥과 여기에서 분지되는 상장간막동맥을 찾고 그 복측 비장정맥 앞에 위치한 구조물이 췌장 체부이다. 탐색자를 우측으로 조금 이동하여 상장간막정맥의 복측에 췌장 경부, 배측에 췌장 구부를 확인한다. 탐색자를 오른쪽으로 기울이면 하대정맥의 복측에서 확인되는 문맥과 연속되는 타원형의 구조물이 췌장 두부이다. 췌장 두부를 관찰한 후 탐색자를 좌측으로 이동하여 췌장 경부, 구부, 체부를 확인한 후 좌측으로 조금 더 이동하면 비장정맥과 비장동맥이 관찰되며 이 부위가 췌장 미부의 근위부이다.

비문부 췌장 미부 관찰은 우하측와위로 피검자의 체위를 바꾼 후 늑간스캔에서 비장문부를 찾는다. 비문부의 비장정맥을 둘러싸고 있는 구조물이 원위부 췌장 미부이다.

6) 췌장 초음파검사 시 관찰 사항

정상 췌장의 크기는 전후 직경이 두부 2.0 cm, 경부 1.0 cm, 체부 1.1 cm, 미부 0.7~2.8 cm, 최대 직경이 2.8 cm 으로 보고되고 있다. 췌장의 크기는 개

인차가 심하므로 절대값을 기준으로 정상과 비정상을 구분하는 것보다 대칭성의 소실과 외곽선의 급격한 변화, 에코 레벨 변화에 주의해서 판정한다.

췌장의 모양은 다양하나 일반적으로 두부가 가장 크고 체부와 미부로 갈수록 가늘어지는 쉼표형 (comma shape)이 많다. 췌장의 에코발생은 지방침윤과 췌장 소엽간 섬유조직에 따라서 결정된다. 정상인에서 췌장은 간과 비슷하거나 조금 더 고에코로 보인다. 췌장실질에코는 나이가 많아지거나 지방침윤 시 고에코로 관찰된다.

췌관은 체부에서 고에코 선 또는 고에코 벽을 가지는 무에코 관상 구조물로 관찰된다. 췌관 내강 직경이 2 mm을 넘는 경우에는 확장으로 판정한다 (그림 2-10, 11).

보험 규정에 의한 초음파 영상은 췌장 두부 횡단상(영상 2), 췌장 체미부 횡단상(영상 3)이다. 그러나 췌장 병변을 놓치지 않기 위해서 추가 영상이 필요하다. 추천하는 췌장 초음파 8개 영상을 소개한다.

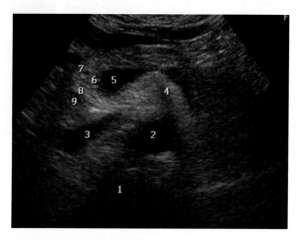

그림 2-10 췌장 장축 스캔상
1: 척추, 2: 복부대동맥, 3: 하대정맥, 4: 상장간막동맥, 5: 상장간막정맥, 6: 췌장 두부, 7: 위십이지장동맥, 8: 췌장 두부내 총담관, 9: 십이지장 하행부. 췌장 체부와 두부의 일부만 관찰된다.

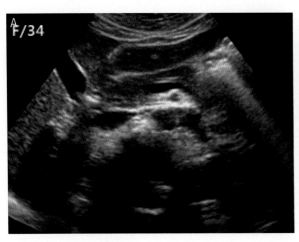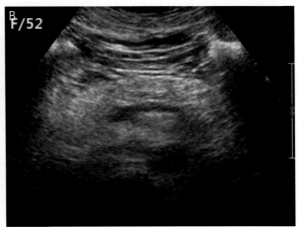

그림 2-11 췌장의 에코양상
A. 젊은 나이에는 췌장의 선구조가 풍부하여 간과 비슷한 에코를 보인다.
B. 중년 이후에는 췌장 선구조 위축, 지방 침윤에 의해 간보다 높은 에코로 보인다.

추천하는 초음파검사법

〈영상 1〉 추가 초음파 영상: 췌장 장축상(심와부 가로스캔)

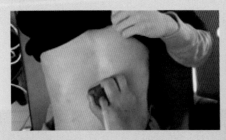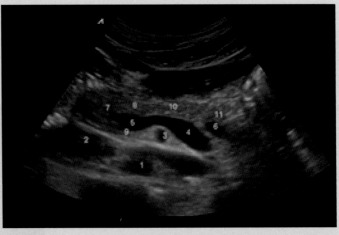

1: 복부대동맥	2: 하대정맥
3: 상장간막동맥	4: 비장정맥
5: 상장간막정맥	6: 비장동맥
7: 췌장 두부	8: 췌장 경부
9: 췌장 구부	10: 췌장 체부
11: 췌장 미부	

(1) 관찰 point
- 췌장의 종대 또는 위축, 췌관 확장, 비정맥 폐쇄 또는 종양 색전, 췌장 내 종괴성 병변을 확인함
- 췌장의 크기나 실질 에코는 연령 또는 신체적 조건에 따라 개인 차이가 있으므로 전체적 조건을 고려해서 판정함

(2) 스캔 point
- 피검자가 비만 체형이거나 췌장의 복측에 위, 횡행 결장에 의해 검사가 방해되는 경우에는 반 좌위로 체위 변환하여 검사를 시행함
- 심와부 가로스캔으로 좌측 간엽 외측구역부터 하방으로 이동하여 복강동맥 분기상을 확인하고 조금 더 내려오면 비정맥의 복측에 위치한 췌장 체부를 동정할 수 있음
- 탐색자의 스캔 방향을 위로 향하면 췌장 체부가 잘 보인다. 탐색자의 압박을 과도하게 하면 비정맥이 보이지 않을 수 있으므로 적당한 압력을 가하여 스캔해야 함

〈영상 2〉 일반 초음파 영상: 췌장 두부 가로스캔상(심와부 가로스캔)

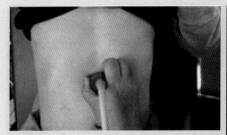

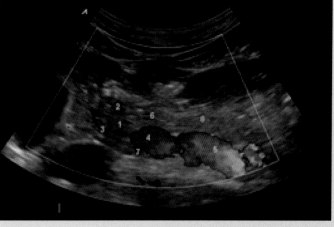

1: 췌장 두부   2: 위십이지장동맥
3: 췌장내 총담관   4: 상장간막정맥
5: 비정맥   6: 췌장 경부
7: 췌장 구부   8: 췌장 체부

(1) 관찰 point
- 췌장 두부, 췌장 경부, 췌장 구부를 관찰함
- 췌장 두부 내 2개의 원형 무에코 구조물이 보이고 복측 구조물은 위십이지장 동맥, 배측 구조물은 췌장 두부 내 총담관임
- 상장간막정맥의 복측은 췌장 경부, 배측은 췌장

구부임
(2) 스캔 point
- 심와부 가로스캔에서 췌장 체부를 관찰한 뒤에 피검자의 우측으로 탐색자를 이동하여 췌장의 두부, 경부, 구부를 확인함

〈영상 3〉 일반 초음파 영상: 췌장 체미부 가로스캔상(심와부 사행 스캔)

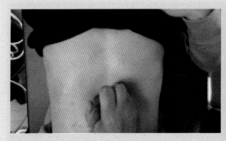

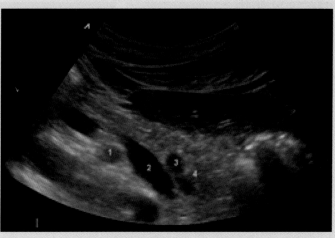

1: 상장간막동맥
2: 비정맥
3: 비장동맥
4: 췌장 체미부

(1) 관찰 point
- 췌장 체부와 미부, 비정맥, 비장동맥을 관찰함
(2) 스캔 point
- 췌장 체부 장축상을 관찰하는 심와부 가로스캔 위치에서 탐색자를 반시계 방향으로 돌리고 비정맥의 주행을 따라서 진행하면서 췌장의 미부

를 스캔함
- 이때 탐색자를 눕히면 비정맥의 복측에 비장동맥이 관찰됨
- 컬러 도플러검사에서 비정맥은 적색 혈류신호, 비장동맥은 청색 혈류신호로 관찰됨

〈영상 4〉 추가 초음파 영상: 췌장 체부 단축상(심와부 세로스캔)

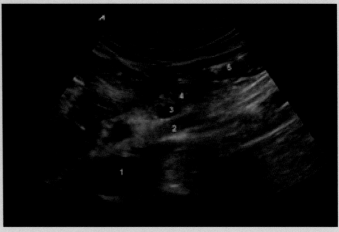

1: 복부대동맥
2: 상장간막동맥
3: 비정맥
4: 췌장 체부
5: 위전정부

(1) 관찰 point

- 상장간막동맥, 비정맥, 췌장 체부를 관찰함
- 췌장 체부는 비정맥과 인접하고 비정맥의 복측에 위치함

(2) 스캔 point

- 심와부 세로스캔 시 탐색자를 아래에서 위로 향하는 각도에서 스캔하면 복부대동맥에서 기시하는 상장간막동맥, 비정맥, 췌장 체부가 관찰됨

〈영상 5〉 추가 초음파 영상: 췌장 경부, 구부 단축상(심와부 세로스캔)

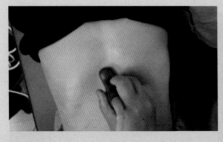

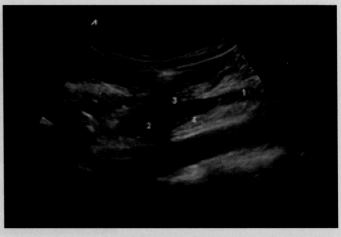

1: 상장간막정맥
2: 문맥
3: 췌장 경부
4: 췌장 구부

(1) 관찰 point

- 췌장의 경부, 구부를 관찰함
- 췌장 구부암은 췌관 확장을 동반하지 않는 경우가 많고 후복막강으로 침윤을 잘 일으키므로 췌장 구부를 의식적으로 관찰해야 함

(2) 스캔 point

- 심와부 세로스캔으로 췌장 체부를 관찰한 후에 탐색자를 피검자의 우측으로 약간 이동하여 상장간막정맥과 비정맥 합류부의 복측에 췌장 경부, 배측에 췌장 구부를 확인함

〈영상 6〉 추가 초음파 영상: 췌장 두부 단축상(심와부 세로스캔)

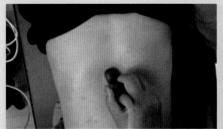

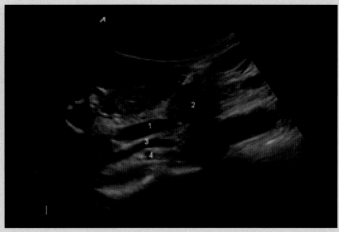

1: 문맥
2: 췌장 두부
3: 하대정맥
4: 우신동맥

(1) 관찰 point
- 문맥과 연속되는 췌장 두부를 확인함
(2) 스캔 point
- 심와부 세로스캔에서 췌장 경부, 구부를 스캔하

는 위치에서 탐색자를 피검자의 우측으로 기울이면 문맥과 연속되는 타원형 형태로 보이는 췌장 두부를 관찰할 수 있음

〈영상 7〉 추가 초음파 영상: 췌장 체부, 미부 단축상(심와부 세로스캔)

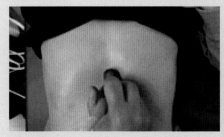

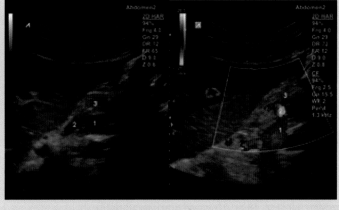

1: 비정맥
2: 비동맥
3: 췌장 체미부

(1) 관찰 point
- 췌장의 체미부 종단상을 관찰함
(2) 스캔 point
- 심와부 세로스캔에서 췌장 체부를 관찰하는 위치에서 탐색자를 피검자의 좌측으로 이동하면

비정맥과 비동맥이 보임
- 컬러 도플러에서 비정맥은 적색 혈류신호, 비동맥은 청색 혈류신호로 나타남
- 췌장 체미부는 비정맥의 상부에서 비동맥을 감싸고 있는 구조물로 관찰됨

〈영상 8〉 일반 초음파 영상: 원위부 췌장 미부(좌측 늑간 스캔)

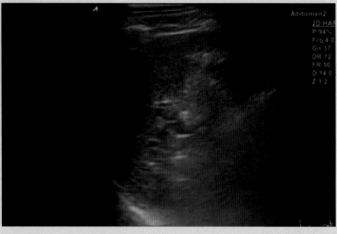

(1) 관찰 point
- 비장을 음향창으로 하여 췌장 미부 관찰함
- 비장의 장경이 11 cm 이상이면 비장 종대로 판정함
- 비장내 종괴성 병변 유무를 확인함

(2) 스캔 point
- 좌측 늑간 스캔으로 비장의 장축상을 동정함
- 비문부 비정맥을 둘러싸는 저에코 부위가 췌장의 원위부 미부임

2. 췌장 초음파

1) 급성췌장염

(1) 개요

급성췌장염(acute pancreatitis)은 췌장 소화 효소의 부적절한 세포 내 활성화로 인해서 췌질 실질의 자가 소화(auto-digestion), 간질 지방 괴사(interstitial fat necrosis), 괴사성 혈관염(necrotizing vasculitis)을 특징으로 하는 병변이다.

(2) 초음파

초음파검사는 급성췌장염 진단의 첫 번째 진단법이다. 초음파 진단의 장점은
- ① 침상에서 바로 사용할 수 있음
- ② 비교적 저비용
- ③ 방사선 조사가 없음
- ④ 비침습적 검사
- ⑤ 반복적 사용
- ⑥ 실시간 검사라는 장점이 있다.

급성췌장염의 진단 유용성은 담관 결석의 진단 우수성이 있고 췌장염외의 급성 복증의 내과적, 외과적 원인 배제 진단이 가능하다.

(3) 급성췌장염의 초음파 소견으로는

- ① 30%에서 정상 소견으로 보임
- ② 전반적 또는 국소적으로는 불균질한 췌장실질 에코
- ③ 췌장실질의 부종에 의한 저에코화
- ④ 췌장 주위의 액체저류에 의한 무에코 소견

⑤ 전반적 또는 국소적인 췌장 종대를 보일 수 있다.

(4) 급성췌장염의 진단 protocol
① 췌장부위 검사
- 췌장의 크기, 췌장실질의 형태, 췌장주위 조직과 비교한 췌장실질의 에코 휘도
② 후복막, 장간막의 검사
- 혈류신호 증가, 액체저류, 부종
③ 장막으로 둘러싸인 관강 구조 검사
- 복막강, 흉막, 심낭막의 이상 소견
④ 췌장주위 혈관 검사
- 문맥, 위십이지장동맥
⑤ 복강 내 고형 장기 검사
- 간, 담낭, 담관, 비장, 신장, 소화관

복부 CT, MRI 검사는 췌장실질 괴사, 농양 진단에 초음파검사보다 우수하다.

(5) 합병증
① 췌장괴사
② 급성췌장염에 의한 액체저류
- 췌장 주위 액체저류
  • 췌장과 췌장 주위 염증, 말초 췌관 분지의 파열에 의한 효소가 풍부한 췌장액의 저류
- 췌장 가성낭종(pancreatic pseudocyst)
  • 간질성 부종성 췌장염 발생 4주 이후에도 지속되는 비상피성인 섬유성, 육아종성 조직으로 둘러싸인 췌장액의 저류에 의한 낭성 병변

(6) 증례 토의
① 증례 1(그림 2-12)
췌장 종대, 췌장실질 불균질한 저에코 소견, 췌장주위 액체저류를 보이는 급성 알콜성 췌

염(M/57)
- 내원일 오전부터 심와부, 복부 중간 부위에 지속적인 통증 발생
- 내원 1일 전 alcohol(+)
- 2년 전 급성 알콜성 췌장염으로 입원 치료
- 내원 시 활력징후는 정상, 복부 정중부 압통(+), 장관 운동음 감소
- 검사실 소견 serum amylase(〈 110) 119 IU/L, γ-GTP(11-50) 282 IU/L
② 증례 2(그림 2-13)
가성낭종을 동반한 급성췌장염(F/62)
- 평소 술을 많이 마셨음
- 급격한 심와부 통증을 주소로 내원
- Serum amylase(0-90) 288 IU/L

2) 만성췌장염

(1) 원인
만성췌장염(chronic pancreatitis)의 원인의 80%는 지속적인 과다한 알코올 섭취이고 담관결석은 흔한 원인이 아니다. 그 외 원인으로는 ① 담관폐쇄(췌장암, 팽대부암, Oddi 괄약근의 기능장애, 팽대부 협착), ② 선천성 이상(췌관 담관 합류부 이상, 췌장 이분증:pancreatic divisum), ③ 유전적 췌장염(trysinogen 유전자 변이), ④ 자가면역성 췌장염, ⑤ 고지혈증, 고칼슘혈증, ⑥ 만성 궤양성 대장염, 원발성 경화성 담낭염 등을 들 수 있다.

(2) 초음파 소견
초기에는 정상 췌장 소견 또는 미만성 췌장 종대를 보인다. 병변이 진행되면 췌장의 국소적 위축 또는 종대가 관찰된다. 췌장 표면은 불규칙하거나 분엽상(lobular)으로 보이고 췌장실질은 국소적 결손을 나타낸다. 췌장실질은 국소적 또는 미만성 고에

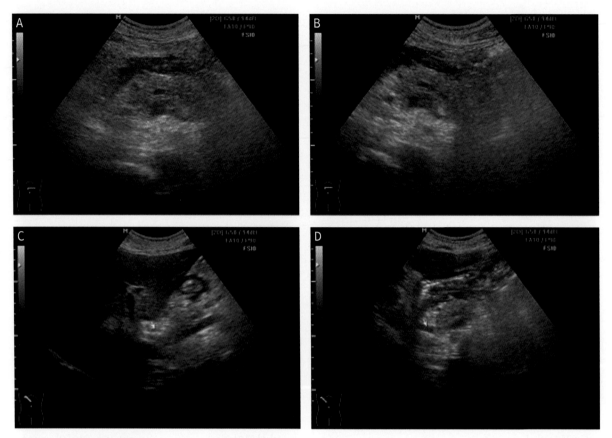

그림 2-12 급성 알콜성 췌장염
A. 췌장은 종대되어 있고 췌장실질이 저에코가 혼재된 혼합에코상을 보이고 있다.
B. 췌장주위에 액체저류상이 관찰되고 있다.
C. 간외담관은 경도 확장상을 보이고 있다. 췌장 두부는 종대되고 다소 저에코상을 나타낸다.
D. 간외담관은 정상 소견이다. 췌장 두부는 종대되어 있고 췌장주위에 무에코성 액체저류상이 관찰되고 있다.

코로 나타난다. 췌장실질과 췌관 내 석회화, 주췌관 확장과 췌관 내 결석이 가장 특징적 소견이다. 가성 낭종이 동반되기도 한다.

병변이 췌장 두부에 있는 경우에는 확장된 총담관이 상부에서 하부로 갈수록 점진적으로 가늘어지는 소견을 보인다. 혈관침범으로 비정맥, 문맥의 혈전을 일으키고 비동맥, 위십이지장동맥, 상장간막동맥의 가성동맥류(pseudoaneurysm)를 유발할 수 있다. 췌장 두부에 국한적 저에코성 종괴형 만성췌장염은 전체 만성췌장염의 7%에서 관찰되고 췌장

암과 감별이 어려운 경우가 많다.

(3) 초음파 진단의 한계 및 보완책

만성췌장염이 상당히 진행된 병기에서도 초음파 검사로 진단이 어려운 증례가 보고되고 있다. 이에 대한 보완책으로 탄성초음파, 내시경 초음파검사가 이용된다.

전단파 탄성초음파는 만성췌장염의 범위와 섬유화의 정도를 평가할 수 있고 수술 치료 예정인 환자에서 예후 판정에 도움이 될 수 있다.

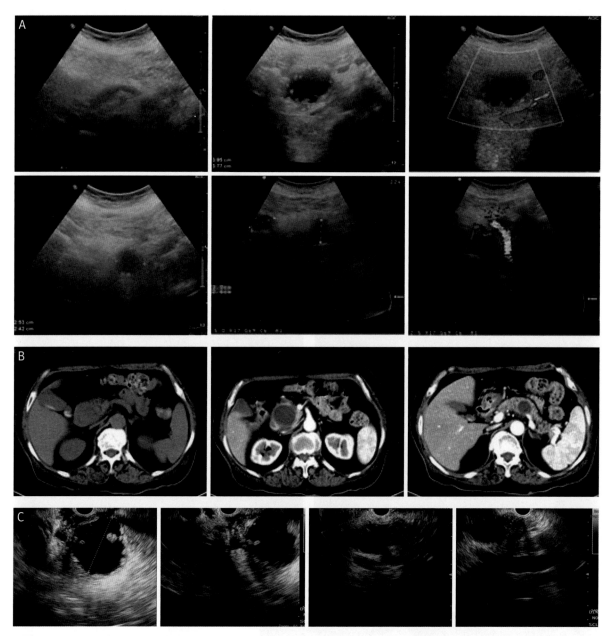

그림 2-13 가성낭종을 동반한 급성췌장염

A. 초음파검사에서 췌장 두부와 체부에 경계가 비교적 명료한 무에코 낭종이 보이고 가성낭종으로 추정된다.

B. 복부 CT에서 췌장 두부와 체부에 조영 증강이 되지 않는 저밀도의 가성낭종이 관찰된다.

C. 내시경 초음파에서 췌장 두부와 체부에 경계 명료하고 내부에 벽재결절을 동반한 무에코 가성낭종이 보인다. 2개월 후 추적 검사에서 가성낭종이 소실되었다.

Dr. 김대진 증례

(4) 초음파 소견 요약(그림 2-14)

① 췌장의 미만성 또는 국한성 위축

② 췌장실질 에코의 증가

③ 췌장 윤곽의 불규칙 또는 분엽상

④ 췌장실질 내 석회화(strong echo) − 90%

⑤ 췌관 내 결석

⑥ 췌관의 불규칙한 확장

⑦ 가성낭종 동반

⑧ 국소성 종괴양 병변이 보이면 췌장암과 감별 요함

⑨ 총담관 확장

(5) 증례 토의

① 증례 1(그림 2−15)

췌장실질 불균질, 섬유화에 의한 고에코 소견을 보이는 만성 알콜성 췌장염(F/68)

− 장기간 음주력 있음

− 체중감소, 심와부 둔통을 주소로 내원

② 증례 2(그림 2−16)

췌장실질 위축상을 보이는 만성췌장염(M/60)

− 만성 음주력 있음

− 소화불량, 상복부 둔통을 주소로 내원

③ 증례 3(그림 2−17)

췌장 가성낭종을 동반한 만성췌장염(M/84)

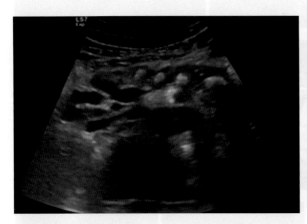
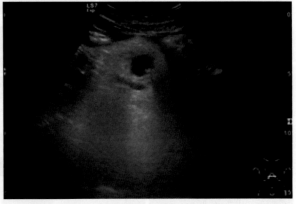

그림 2-14 만성췌장염
췌장실질은 위축되고 염주상으로 확장된 췌관 내에 다발성의 고에코 췌석이 관찰되고 있다. 췌장 두부에 무에코 가성낭종이 보이고 있다.

Dr. 손준혁 증례

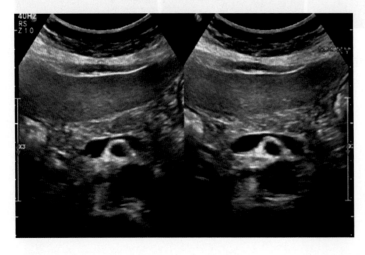

그림 2-15 만성 알콜성 췌장염
췌장실질은 섬유화에 의한 선상, 점상 고에코와 췌장실질 파괴에 의한 저에코 부위가 혼재되어 불균질하게 보인다. 췌장 위축은 뚜렷하지 않다.

Dr. 이승현 증례

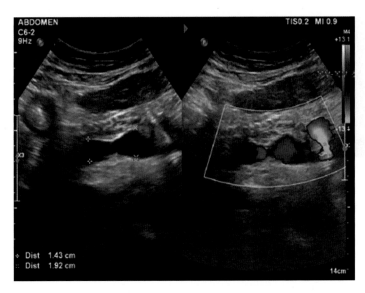

그림 2-16 만성췌장염
췌장실질의 불균질 에코와 췌장 위축이 관찰된다.

Dr. 김일봉 증례

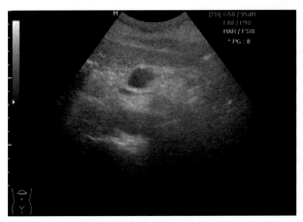 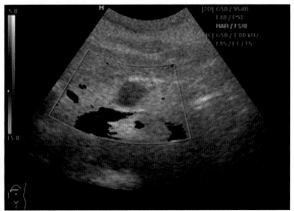

그림 2-17 가성낭종을 동반한 만성췌장염
췌장실질의 지방침윤에 의한 고에코 소견과 무에코의 가성낭종이 관찰된다.

Dr. 김일봉 증례

– 5년 전 알콜성 만성췌장염으로 진단

– 추적 초음파검사를 위해 내원

④ 증례 4(그림 2–18)

췌장 두부의 종괴 형성형 만성췌장염(M/44)

– 3주 전부터 발생한 우상복부통증으로 내원함

– 만성 음주자로 4년 전 알콜성 급성췌장염으로 입원 치료함

3) 자가면역성 췌장염

(1) 개요

자가면역기전에 의한 췌장염(autoimmune pancreatitis)으로 이전에는 경화성 췌장염(sclerosing pancreatitis), 섬유성 췌장염(fibrosing pancreatitis)로 불렸다. 중·고령 남성에서 많고 췌장 내 담관 협착에 의한 폐쇄성 황달, 간기능 장애, 상복부 불쾌감,

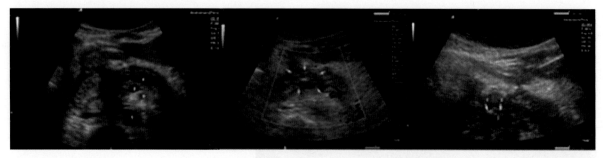

그림 2-18 만성췌장염

주췌관의 확장, 췌장 위축과 췌장 두부에 경계가 불분명한 종괴 형태의 저에코 병변이 보이고 있다. 저에코 종괴양 병변 내에 췌관의 관통상이 보이므로(penetrating duct sign) 췌관암보다는 종괴 형성 만성췌장염으로 추정된다.

Dr. 김일봉 증례

당뇨병 등의 소견을 보인다. 1961년 Sarles가 고감마글로블린증을 동반한 췌장염을 보고하였고 1995년 Yoshida가 자가면역성 췌장염 용어를 최초로 사용하였고 2002년에 최초로 국내에 보고되었다.

자가면역기전에 의한 췌장의 만성 염증질환으로 스테로이드 치료에 의해 췌장의 형태학적, 기능적 회복이 가능한 특징이 있다. 췌장암으로 오인될 수 있는 영상학적 소견을 보인다.

(2) 영상 소견

영상검사에서 췌장 종대, 췌장 종괴가 85%에서 관찰된다. 관찰되는 췌장 종괴는 췌장암, 림프종으로 오인될 수 있다. 경도의 복통이 발생하고 급성췌장염 또는 만성췌장염 증상과 유사하게 발생한다. 미만성 자가면역성 췌장염보다 국한성 자가면역성 췌장염에서 반복성 췌장염이 자주 발생한다고 보고되고 있다. 췌관 협착이 관찰되고 췌장 주위 혈관 합병증은 드물다.

(3) 담관 소견

자가면역성 췌장염에서는 폐쇄성 황달이 자주 동반되고 IgG4 연관 담관염(IgG4-associated cholangitis: IAC)으로 명명되고 있다. 혈액 검사 상 ALP의 현저한 상승에 비해서 AST, ALT 상승은 경도로 관찰된다.

(4) 췌장외 소견

자가면역성 췌장염은 췌장 외 여러 장기에서 병변을 동반한다.

① 염증성 장질환(주로 궤양성 대장염)
② IgG4 관련 담관염
③ 폐결절, 폐실질 침윤
④ 쇼그렌 증후군
⑤ 후복막 섬유증
⑥ 담관 협착
⑦ 요관염, 간질성 신염
⑧ 자가면역성 갑상선염

(5) 자가면역성 췌장염의 2가지 type

Type 1. 자가면역성 췌장염은 전신적 IgG 양성질환의 한 부위 병변이고 HISORt criteria에 잘 부합된다. Type 2. 자가면역성 췌장염은 특발성 췌관 중심성 췌장염(idiopathic duct-centric pancreatitis)라고 불린다. Type 2 자가면역성 췌장염은 과립구성 병변이고 IgG 양성 세포 침윤이 없고 전신적 침범은 보이지 않는다.

HISORt criteria (Mayo)

(H) 자가면역성 췌장염을 시사하는 조직 소견 (Histology)

(I) 자가면역성 췌장염을 시사하는 영상 소견 (Imaging)

(S) 정상 상한치 2배 이상의 IgG4(Serology)

(O) 기타 장기 침범(Other)−담관협착, 침샘 · 눈물샘 침범, 종격동 림프절 병변, 후복막 섬유증

(Rt) 스테로이드 치료에 대한 반응(Response to steroid treatment)

(6) 초음파검사(그림 2-19)

췌장실질의 에코발생 저하, 췌장의 전반적 또는 국소적 종대가 보인다. 췌장 주위의 액체저류나 췌장실질의 석회화는 관찰되지 않는다. 전체 췌장이 침범 시에는 미만성 병변으로 나타난다. 염증성 췌장 병변에 의해 주췌관(Wirsung's duct)가 압박상을 보인다.

초음파 진단의 예민도는 60~70%으로 보고되고 있다. 조영증강 초음파검사에서 조기 동맥기에 불균질한 중등도의 미만성 조영 증강을 보인다. 조영

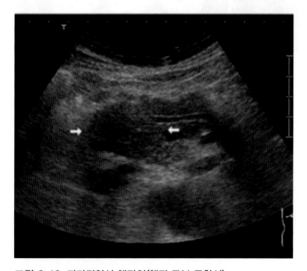

그림 2-19 자가면역성 췌장염(췌장 두부 국한성)
초음파에서 췌장 두부에 경계가 불명료한 경도 저에코성의 종대된 병변이 보이고 있다.

제는 완만하고 지속적으로 중등도 배출(washout)을 보인다. 이 소견은 자가면역성 췌장염 국소형과 췌관암의 감별진단에 유용하다.

(7) 자가면역성 췌장염의 초음파 소견으로는

① 췌장의 미만성 또는 국한성 종대

② 췌장실질 에코의 감소

③ 주췌관의 미만성 또는 국한성 협세화(narrowing)

④ 담관 협착으로 총담관 확장 소견

⑤ 췌장주위 액체저류나 주변장기 침윤은 보이지 않음

⑥ 췌장 두부의 국한성 침범 시에는 췌관암과 감별이 어려움

(8) 췌장외 장기 침범

제1형 자가면역성 췌장염은 근위 담관 협착, 후복막강 섬유화, 타액선 종대, 신장 침범 소견을 보일 수 있다. 제2형 자가면역성 췌장염은 궤양성 대장염을 동반할 수 있다.

(9) 병리소견

제1형 자가면역성 췌장염(Lymphoplasmacytic sclerosing pancreatitis)의 병리소견은 ① 췌관 주위 림프구, 형질세포 침윤, ② 폐쇄성 정맥염(obiltera-tive phlebitis), ③ 나선형 섬유화(storiform fibrosis), ④ 풍부한 IgG4 양성 세포 침윤이다.

제2형 자가면역성 췌장염(Idiopathic duct-centric autoimmune pancreatitis)의 병리소견은 췌관벽에 과립구 침윤이 관찰된다. 선방세포에 과립구성 염증이 동반되기도 하고 동반하지 않을 수도 있다.

(10) 감별진단

미만성 자가면역성 췌장염의 감별 질환으로는 ① 췌장 림프종, ② 형질 세포종, ③ 췌장 전이성 병변, ④ 미만성 췌관 세포 선암이다.

국소성 자가면역성 췌장염은 췌관 세포암과의 감별을 요한다. 췌관암은 조영 CT 검사상 췌장기(후기 동맥기, ~40초)와 간실질기에서 경도 조영 증강을 보인다. 자가면역성 췌장염은 간실질기(문맥기, ~70초)에서 정상 췌장과 거의 동등한 조영 증강을 보인다.

(11) 증례 토의
① 증례 1(그림 2-20)
  자가면역성 췌장염(M/46)
  - 우상복부 통증과 황달을 주소로 내원
② 증례 2(그림 2-21)
  자가면역성 췌장염(M/63)
  - 심와부 둔통으로 내원

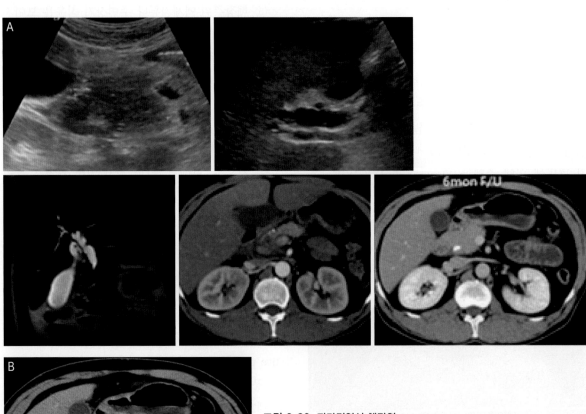

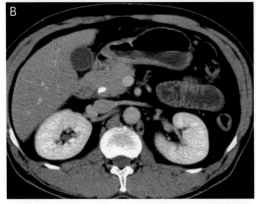

그림 2-20 자가면역성 췌장염
A. 초음파에서 췌장 두부에서 발생한 저에코 종괴가 팽창성 발육하는 소견으로 추정된다. 간외 담관도 확장되어 있다. CT에서는 췌장 두부에 명확한 종괴는 보이지 않고 있다. 췌장 두부의 주위에 염증성 저밀도 병변이 보이고 있다. MRCP에서 간외 담관이 췌장 두부 염증에 의한 폐쇄로 확장상을 보이고 있다.
B. 6개월 후 추적 CT에서 자가면역성 췌장염은 스테로이드 치료로 호전되어 정상 췌장상을 보인다.

김민주 교수 증례

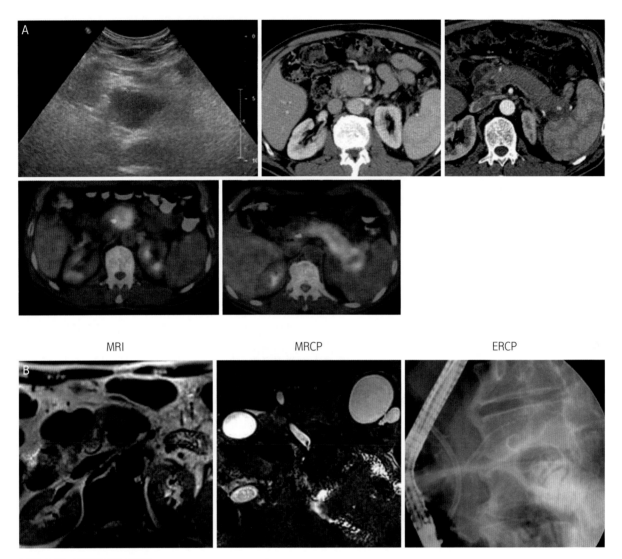

그림 2-21 자가면역성 췌장염

A. CT 검사에서 췌장 두부에 종괴성 병변은 보이지 않고 췌장 미부에는 염증성 침윤, 종대와 가성낭종이 관찰된다. PET CT에서도 췌장 전체에 미만성 섭취 증가가 관찰되어 종괴성 병변보다 염증성 병변을 시사한다.

B. MRI에서도 췌장 종괴는 보이지 않고 췌실질은 저신호로 보인다. MRCP에서는 췌관이 매우 가늘어져 있으며 ERCP에서도 췌관의 협세화가 관찰되고 있다.

김민주 교수 증례

4) 췌장암

(1) 췌장 종양 분류

췌장에서 발생하는 종양은 WHO 분류에 의해서 양성, 경계성, 악성으로 분류된다. 췌관에서 발생하는 췌관선암(ductal adenocarcinoma)가 췌장 종양의 대부분을 차지한다. 통상 췌장암(pancreatic cancer)은 췌관선암을 지칭한다.

① 양성종양
- 장액성 낭성종양
- 점액성 낭성종양
- 췌관 내 유두상 점액종양
- 성숙 기형종

② 경계성 종양
- 중등도 이형성의 점액성 낭성종양
- 중등도 이형성의 췌관 내 유두상 점액종양
- 고형 유두상 종양

③ 악성종양
- 고도 담관 이형성, carcinoma in situ
- 췌관선암
- 장액성 낭선암
- 점액성 낭선암
- 췌관 내 유두상 점액성암
- 선방세포암
- 고형 가유두상 암
- 췌장 모세포종
- 거대세포와 유사한 파골세포종양
- 혼합성암

(2) 개요

췌관선암은 2020년 미국에서 두 번째로 많은 암에 의한 사망 원인으로 보고되고 있다. 췌장암은 조기 진단이 어려운 점이 큰 문제이다. 조기 진단이 가능한 증례에서는 절제 수술로 생존율을 향상시킬 수 있다.

(3) 진단 개요

병변의 파악에는 초음파, CT, MRI, PET 검사가 이용된다. 조직학 진단에는 피부경유 침생검법, 내시경역행췌담관조영술, 내시경 초음파, 복강경 검사가 유용하다.

(4) 초음파검사

췌장암의 초음파 소견은 주위 췌장실질 에코에 따라서 저에코, 등에코, 고에코로 보일 수 있다. 대부분 증례에서는 주위 췌장실질로 침윤하는 경계가 불명확한 저에코 종괴로 보인다. 췌장 두부 종괴는 췌관과 담관을 폐쇄하여 췌관, 담관의 확장 소견을 보일 수 있다(double duct sign). 복벽 경유 초음파검사는 종괴의 경계, 림프절 종대, 종괴와 췌장 주위 혈관과의 관계를 정확히 파악할 수 없다는 한계가 있다. 직경 2 cm 이하의 종괴 검출률은 CT 와 비교하면 초음파검사가 낮은 예민도를 보인다.

(5) 증례 토의

① 증례 1(그림 2-22)

상장간막동맥, 비정맥 침범과 간외 담관 확장을 보이는 췌장 두부암(F/60)

② 증례 2(그림 2-23)

비정맥, 비문부로 침범한 췌장 미부암(M/77)
- 2주일 전부터 좌상복부통증을 주소로 내원함
- 10년 전부터 당뇨병

③ 증례 3(그림 2-24)

간전이를 동반한 췌장 미부암(M/67)
- 1개월 전부터 발생한 요통을 주소로 내원함
- 과거력상 간, 담도, 췌장 질환 병력은 없음

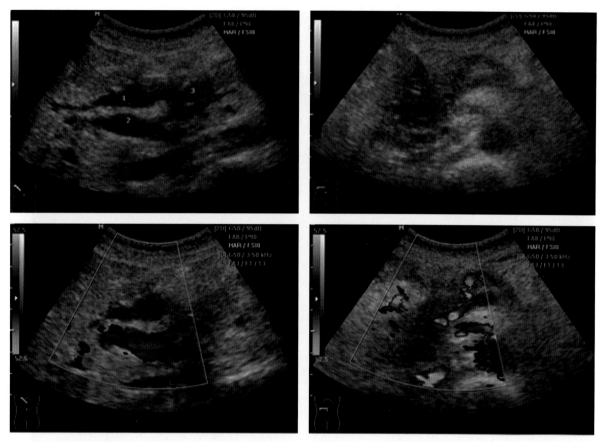

그림 2-22 췌장 두부암

췌장 두부에 경계가 불명확한 저에코 종괴가 보이고 췌장암으로 추정된다. 췌장암은 후복막강으로 침윤 소견을 보인다. 컬러 도플러에서 종괴 내부에 증가된 혈류 신호는 관찰되지 않는다. 간외 담관의 확장 소견이 보인다.

Dr. 김일봉 증례

- 내원 시 활력징후는 정상
- 빈혈, 황달 없음
- 초음파검사 상 췌장 미부에 종괴성 병변 관찰
- 검사실 소견
    - CBC : 14.8 gm%, WBC 6,800 /cmm
    - HBs Ag(−), total protein 7.0 gm%, albumin 4.3 gm%, total bilirubin 0.4 mg%, AST 18 IU/L, ALT 11 IU/L, ALP 236 IU/L, total cholesterol 166 mg%

④ 증례 4(그림 2−25)

저에코 종괴상, 췌관 경도 확장을 보이는 췌장 두부암(M/65)

- 심와부 둔통, 체중 감소로 내원함.

⑤ 증례 5(그림 2−26)

복강 동맥, 비정맥을 침윤한 췌장 체미부암(M/71)

- 심와부 통증으로 내원함

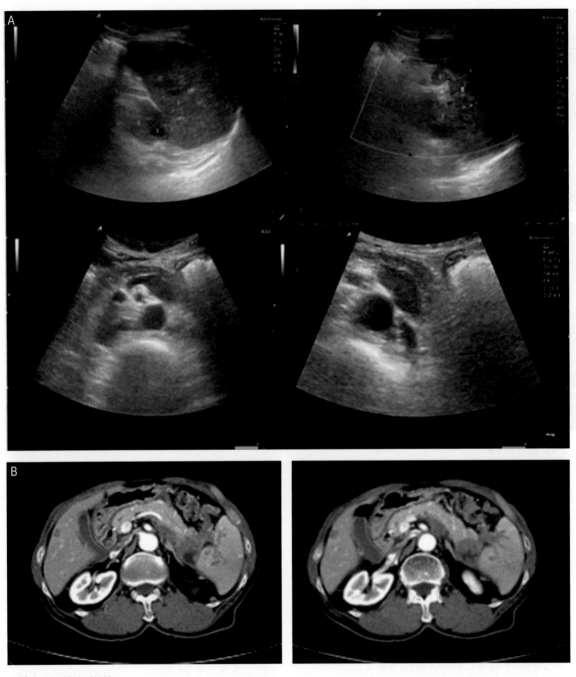

그림 2-23 췌장 미부암

A. 췌장 미부와 비문부에 경계가 불명확한 저에코 병변이 보이고 비정맥의 확장이 관찰된다. 췌장 미부암의 비문부, 비정맥 침윤으로 추정된다.

B. 췌장 미부에 저밀도 종괴가 보이고 비장 문부, 비장으로 침윤과 비정맥, 후복막강 침범이 관찰된다.

Dr. 김일봉 증례

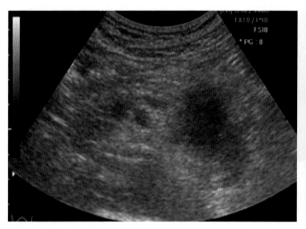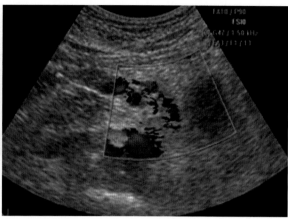

그림 2-24 췌장 미부암

상복부 가로스캔에서 췌장 미부에 경계가 불명확한 저에코 병변이 보이고 췌장암으로 추정된다. 좌상복부 가로스캔 컬러 도플러검사에서
종괴 내부에 증가된 혈류신호는 관찰되지 않는다. 췌장암의 비정맥 침범이 의심된다.

Dr. 김일봉 증례

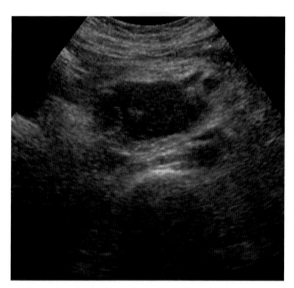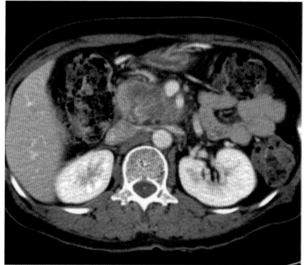

그림 2-25 췌장 두부암

초음파에서 췌장 두부에 불규칙한 경계를 보이는 저에코 종괴성 병변이 보인다. 췌관의 경도 확장이 관찰된다. 복부 CT에서도 췌장 두부에
저밀도 종괴가 관찰되며 췌장 두부암의 영상 소견이다.

김민주 교수 증례

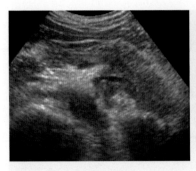 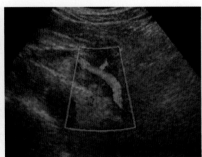 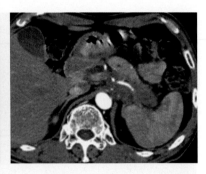

그림 2-26 췌장 체미부암

초음파에서 췌장의 체부와 미부에 불규칙한 경계를 보이는 저에코 종괴가 관찰되며 췌관 확장을 동반하고 있다. 컬러 도플러에서 종괴는 복강동맥과 비정맥을 둘러싸고 있다. 이러한 소견은 췌장염보다는 췌장암을 시사하는 소견이다. 복부 CT 검사에서도 복강동맥, 비정맥을 침범한 췌장 체미부암 소견이 보인다.

김민주 교수 증례

5) 췌장 장액성 낭성종양

(1) 개요

영상검사에 발견되는 췌장 낭성 병변의 유병률은 2~16%로 보고되고 있다. 최근에 영상검사 정도 향상과 검진의 빈도 증가로 발견 증례가 많아지고 있다. 과거에는 낭성 병변은 대부분 가성낭종으로 생각하였으나 최근에는 가성낭종은 소수이고 대부분이 낭성종양으로 추정되고 있다.

(2) 형태적 분류

① 단방성 낭종(unilocular cyst)

가성낭종은 대부분 단방성 낭종 형태를 보인다. 그 외 질환으로 췌장 고형 가유두상 종양(SPT), 단방성 장액성 낭선종, 림프 상피낭종이 단방성 낭종으로 관찰된다. von Hippel Lindau병, 가성낭종이 다발성 낭종으로 보일수도 있다.

Pancreatic Cystic neoplasms (PCNs) – Unilocular cyst

단방성 낭종

② 소낭성 병변(microcystic lesion)

다발성의 작은 낭종들로 구성되고 중심부 반흔(central scar)을 동반하는 형태이다. 장액성 낭성종양이 이 형태를 나타낸다.

Pancreatic Cystic neoplasms (PCNs) – Microcystic lesion

다발성 작은 낭종   중심부 반흔

③ 대낭성 병변(macrocystic lesion)

크기가 큰 낭종들로 구성되고 낭종 사이에 격벽(septum)이 관찰된다. 점액성 낭성종양, 췌관 내 유두상 점액종양에서 보이는 형태이다.

Pancreatic Cystic neoplasms(PCNs) – Macrocystic lesion

격벽

큰 낭종

④ 벽재 결절을 동반한 단방성 또는 다방성 낭종 (unilocular or multilocular with mural nodule)

이 형태를 보이는 병변은 진성 낭성종양이거나 낭성 변성을 동반한 췌장 종양으로 ① 고형 가유두상 종양(SPT), ② 점액성 낭성종양, ③ 췌관 내 유두상 점액종양, ④ 선방 세포암, ⑤ 선암, ⑥ 전이암 등이다(그림 2-27).

(3) 장액성 낭성종양의 개요

다발성 작은 낭성 병변(직경 1~2 cm)들로 구성되고 두꺼운 섬유성 격벽으로 분리되어 있다. 췌장내 어느 부위에서도 보일 수 있다. 중심부에 석회화 또는 섬유화 부위가 보이는 경우 진단에 도움이 된다(10%). 드물게는 낭성 병변이 2 cm 이상인 경우도 있다. 영상검사상 고형 종괴로 보이는 증례도 있는데 이 경우는 1~2 mm 크기의 작은 낭종들로 구성되어 있고 초음파 beam의 반사로 고형 병변처럼 관찰된다.

(4) 장액성 낭성종양의 형태

장액성 낭성종양은 형태학적으로 다낭형(소낭성), 벌집모양형, 대소낭종 혼합형, 소수낭성형, 고형성(solid)으로 분류한다.

① 다낭형(소낭성) polycystic (microcystic)

장액성 낭성종양의 70%을 차지한다. 크기가 수 mm부터 2 cm 이하의 낭종들이 6개 이상으로 구성되고 있다. 낭종의 표면은 미세한 분엽상(fine lobulation)을 보이고 중심부에 섬유상 반흔 또는 별 모양 석회화(stellate calcification)를 동반한다.

② 벌집모양형(heneycomb)

장액성 낭성종양의 20%을 차지한다. 무수한 작은 낭종들이 모여있어 밀집 또는 스펀지 형태를 보인다. 영상학적으로 낭종의 크기, 섬유성 조직의 양에 따라서 연부 조직 또는 혼합에코 밀도의 종괴로 관찰된다.

③ 대소낭종 혼합형(macro & microcystic)

크기가 큰 장액성 낭성종양에서는 종괴의 변연에는 큰 낭종, 중심부에는 작은 낭종들로 구성된 종괴이다.

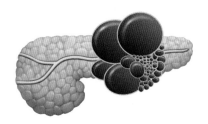

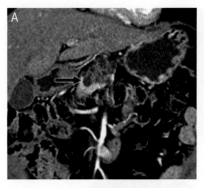 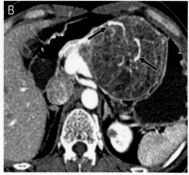 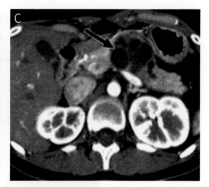

그림 2-27 췌장 장액성 낭성종양
A. 장액성 낭선종, 다낭형
B. 장액성 낭선종, 벌집모양형
C. 장액성 낭선종, 소수낭성형
Choi JY et al. Typical and Atypical Manifestations of Serous Cystadenoma of the Pancreas: Imaging Findings With Pathologic
Correlation. Am J Roentgenol. 2009 Jul;193(1):136-42.

④ 소수낭성형(대낭성) oligocystic (macrocystic)

장액성 낭성종양의 10% 이하에서 보인다. 크기
가 2 cm 이상의 낭종이 6개 이상으로 구성되어 있
고 중심부 반흔은 보이지 않는다. 췌장 두부에서 흔
히 관찰되고 다른 낭성종양과 감별이 어려운 경우
가 있다.

장과 감별을 요한다. 때로는 저명한 간질유리질화
(stromal hyalinization)에 소수의 낭종들이 동반된 경
우에는 CT에서 고형성 종괴상으로 관찰된다. 장액
성 낭성종양에서 내부 출혈이 생기면 CT 상 고밀도
로 나타나서 고형성 종괴 형태를 보인다.

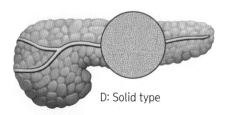
D: Solid type

⑤ 고형성(solid)

매우 드문 형태이다. 조직학적으로 종괴 내에 낭
성 부위를 동반하지 않고 세포들이 둥지(nest), 판상
(sheet), 기둥(trabecula)상으로 배열되고 두꺼운 섬
유성 띠(fibrous band)로 나누어져 있다. 조영 CT,
조영증강 초음파에서 고혈관성 병변으로 보인다.
신경내분비종양, 신세포암 췌장전이, 췌장 내 부비

(5) 공격성 형태를 보이는 장액성 낭선종

전형적인 장액성 낭선종이고 세포학적 구조적 이
형성은 없지만 공격적인 임상 경과를 보이는 경우
가 있다. 크기가 큰 종괴이거나 췌장 두부에 위치하
는 증례이다. 종괴가 큰 혈관, 신경, 림프절, 인접한
장기로 직접 침윤하거나 파열, 침윤 등의 합병을 유
발할 수 있다.

(6) 감별 질환

① 가성낭종

평활한 표면, 췌장 주위 털실 가닥상(stranding), 췌장염 병력이 진단에 도움이 된다.

② 점액성 낭성종양

평활한 표면, 비교적 두껍고 조영되는 낭종벽, 변연부 석회화, 내부에 두꺼운 격벽과 결절은 악성을 시사한다.

③ 췌관 내 유두상 점액종양

낭성 병변의 형태가 다양하고 췌관과의 교통이 관찰된다. 두꺼운 내부 격벽과 결절상은 악성을 시사한다.

④ 낭성 변성을 동반한 신경내분비종양

고혈관성 종괴이고 테두리에 간전이를 동반하고 내분비 증상을 보이기도 한다. MEN 증후군과 관계가 있다.

⑤ 림프상피 세포 낭종(lymphoepithelial cyst)

췌장 주위 연부 조직으로 췌장 외부로 돌출상을 보인다.

(7) 증례 토의

① 증례 1(그림 2-28)

췌장 두부 장액성 낭성종양(M/69)
- 1개월 전부터 발생한 심와부 둔통으로 내원

② 증례 2(그림 2-29, 30)

췌장 두부 소낭종성 장액성 낭성종양(M/87)
- 심와부 둔통으로 내원

③ 증례 3(그림 2-31)

췌장 미부 벌집형 장액성 낭성종양(M/72)

④ 증례 4(그림 2-32, 33, 34)

췌장 구부 장액성 낭성종양
- 고혈압, 당뇨병으로 약 복용중임
- 소화불량을 주소로 내원
- CA 19-9은 정상치임

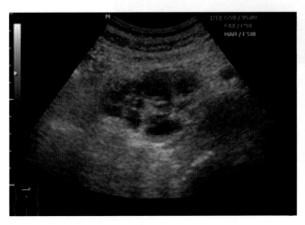
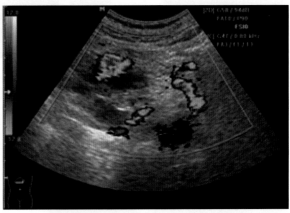

그림 2-28 췌장 장액성 낭성종양
췌장 두부에 중심부 반흔을 동반하고 분엽상 경계가 보이는 낭성종양이 보인다. 종괴의 중심부는 작은 낭종, 변연부에는 비교적 큰 낭종이 관찰된다.

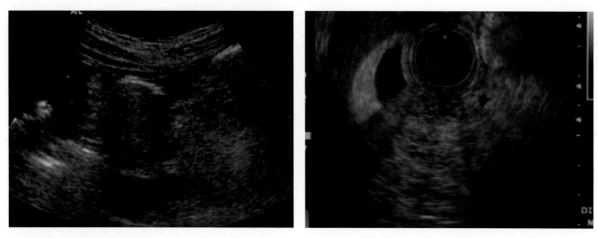

그림 2-29 췌장 장액성 낭성종양
초음파상 췌장 두부에 낭성 종괴성 병변이 보이고 있다. 내시경 초음파에서는 종괴의 성상이 보다 뚜렷하게 보인다.

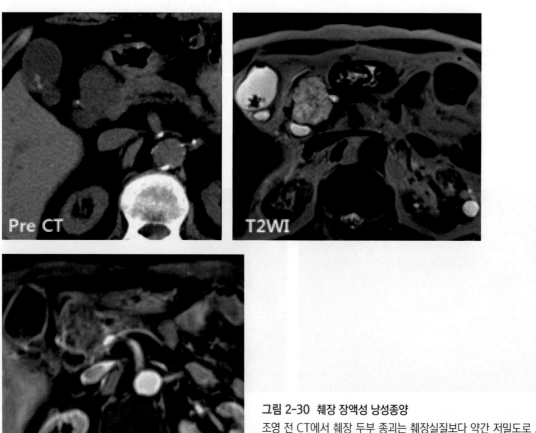

그림 2-30 췌장 장액성 낭성종양
조영 전 CT에서 췌장 두부 종괴는 췌장실질보다 약간 저밀도로 보인다. MRI T2에서 종괴는 고신호로 관찰된다. 조영증강 MRI T2에서 종괴 내부 격벽 모양 조영 소견을 보여 소낭성 장액성 낭선종으로 진단된다.

김민주 교수 증례

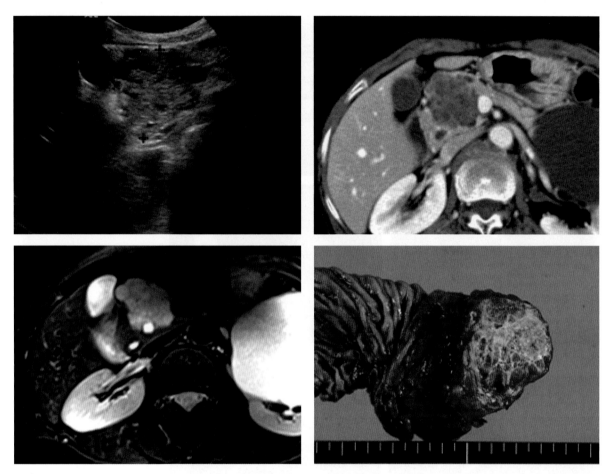

그림 2-31 췌장 장액성 낭성종양

초음파에서 췌장 두부에 분엽상 경계의 고에코 종괴가 보이고 내부에는 다양한 크기의 무에코 낭성 병변이 보인다. 조영 MRI T1에서 종괴의 내부는 레이스처럼 조영되는 고형부분이 보인다. MRI T2에는 포도송이처럼 고신호가 관찰되어 종괴는 낭성 병변임을 알 수 있다. 수술조직 단면에서 무수한 작은 낭종으로 구성된 장액성 낭선종이 확인된다.

김민주 교수 증례

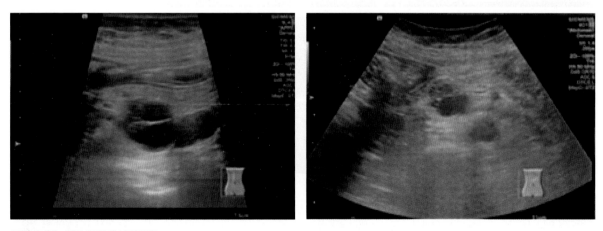

그림 2-32 췌장 장액성 낭성종양

췌장 구부에 2×2.7 cm 크기의 낭성 병변이 관찰된다. 내부에는 다발성 낭종들로 구성되어 있어 장액성 낭성종양이 의심된다.

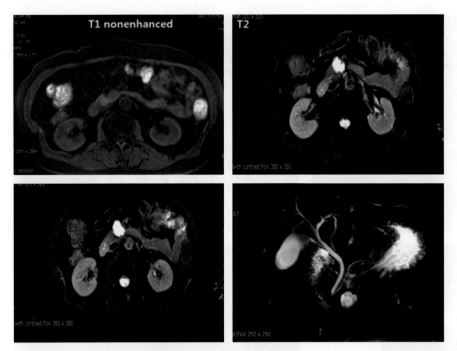

그림 2-33 췌장 장액성 낭성종양

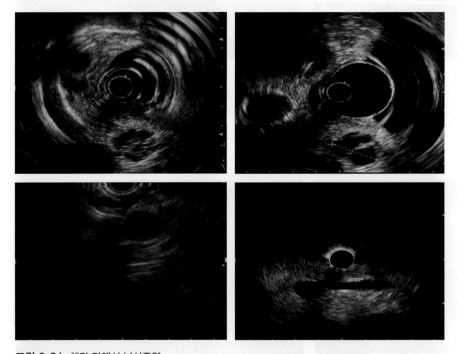

그림 2-34 췌장 장액성 낭성종양

췌장 구부에 약 2.6×1.7 cm 크기의 낭성종양이 보인다. 고형 부분은 보이지 않으며 매우 얇은 격벽과 소엽 형태를 보이며 일부에서 출혈이 동반되어 있다. MRI에서도 췌관과의 연관성은 관찰이 어려우며 췌관 내 유두상 점액종양보다 낭선종의 가능성을 먼저 고려해야 될 것으로 판단된다. 장액성 낭선종이 우선 의심되나 점액성 낭선종의 가능성도 배제하기 어려운 소견이다.

Dr. 김대진 증례

6) 췌장 점액성 낭성종양

(1) 개요

췌장의 낭성종양 중에 비교적 빈도가 높다. 주로 50~60대 여성에서 췌장의 체부와 미부에서 많이 발생한다. 원형 또는 난원형의 평활한 표면을 가지는 단방성 혹은 다방성 종괴이다. 종양 내부에는 작은 낭종이나 결절을 동반하기도 한다. 낭종의 벽은 두껍고 점액을 분비하는 세포로 덮여있다. 종양의 10~25%에서 종양 주변부에 석회화를 동반하고 점액성 낭성종양을 진단하는 중요 소견이다. 종양의 주변부 석회화, 두꺼운 벽, 유두상 증식, 혈관 침범, 조영증강 소견이 보이면 악성 가능성이 높다.

(2) 병리 소견

위, 장, 췌장 상피세포로 분화 경향을 가지는 점액 생산성 상피와 특징적은 난소형 간질(ovarian stroma)이 보이는 낭성종양이다. 난소형 간질은 난소 간질과 유사한 원형 또는 가늘고 긴 핵과 세포질 성분이 적은 방추형 세포가 밀집된 조직이다.

형태학적으로 두꺼운 피막을 가지는 유원형~타원형 종괴로 내부는 다방성 낭종이고 내용물은 점액성이며 때로는 출혈과 부스러기(debris)가 관찰된다. 조직학적으로 선종, 비침윤암, 침윤암 등 다양한 조직형이 존재한다(그림 2-35, 36).

(3) 영상 소견

전형적인 점액성 낭성종양은 격막을 동반한 다방성 낭성 종괴로 보인다. 낭종은 다양한 세포 이형성을 보이는 점액성 상피세포로 피복되고 변연부에 석회화를 동반하는 경우도 있다. 낭종과 낭종 사이는 연결되지 않아서 MRI에서 개개의 낭종은 다양한 신호 소견으로 관찰된다(그림 2-37).

(4) 악성화를 시사하는 소견
① 직경 5 cm 이상의 큰 낭종
② 비후되고 불균질한 낭종벽
③ 낭종 내부 고형 부위나 종괴
④ 낭종벽의 석회화

(5) 증례 토의
① 증례 1(그림 2-38)
췌장 미부 점액성 낭성종양(F/80)
－ 1년 6개월 전 복부 초음파검사에서 췌장 미부

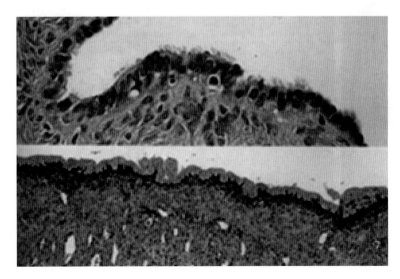

그림 2-35 장액성 낭선종(A)과 점액성 낭선종(B)의 병리 소견
A. 상부 그림은 키가 높은 입방형 선모세포로 구성된 한 층의 상피가 낭포벽을 덮고 있다. 상피의 배열은 평탄하고 간질 내의 침윤은 보이지 않는다.
B. 하부 그림은 종양의 낭포 내강면을 덮고 있는 상피는 세포질 내에 점액을 가지고 자궁 내경부에서 보이는 점액 상피와 비슷하므로 점액성 낭선종으로 불린다.

에 낭성 병변이 발견되었고 복부 CT 검사결과 췌장 미부 점액성 낭성종양으로 진단됨

② 증례 2(그림 2-39, 40)

췌장 두부 점액성 낭성종양(M/80)

– 수주 전부터 발생한 심와부 둔통과 소화불량

③ 증례 3(그림 2-41)

췌장 미부 점액성 낭성종양(F/81)

– 2개월 전부터 발생한 심와부 둔통과 소화불량을 주소로 내원

– 신체검사에서 특이소견은 발견되지 않았음

– 복부 초음파검사에서 췌장 병변이 발견되어 복부 CT 의뢰함

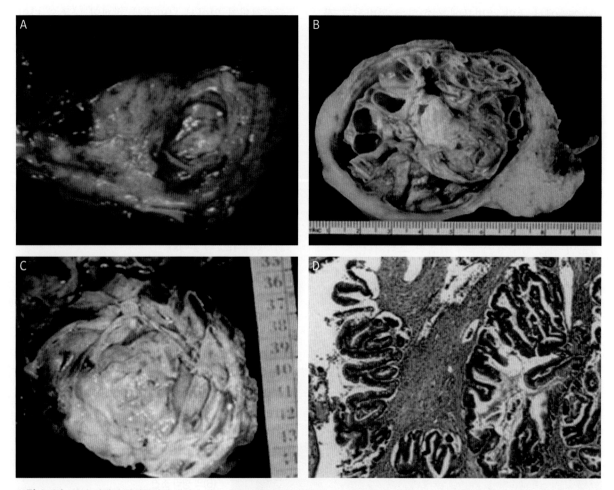

그림 2-36 췌장 점액성 낭성종양의 병리 소견
A, B. 췌장에 주변과 경계가 비교적 좋은 원형의 다발성 낭성 종괴가 보이고 있다. 낭포 내에 일부 고형 성분도 보이고 점액 물질로 채워져 있다.
C. 췌장 내 두꺼운 섬유벽으로 둘러싸이고 내부에는 격벽을 동반한 다방성 낭성 병변을 보인다.
D. 낭선암을 구성하는 선상피는 분화가 좋은 원주상피이고 낭포 내로 유두상 증식을 보이고 있다. 종양세포는 기질로 침윤하고 있어 악성종양임을 알 수 있다.

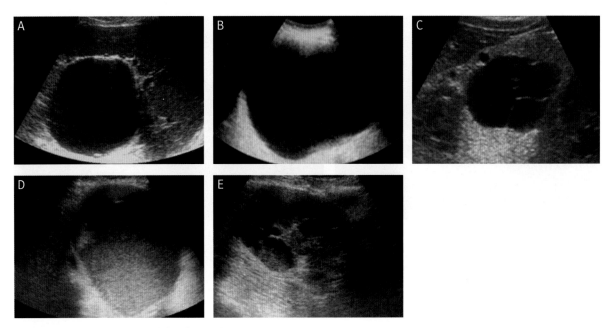

그림 2-37 췌장 점액성 낭성종양의 초음파 소견
A. 췌장의 체부, 미부에 큰 유원형이고 단방성의 낭포성 병변이 보인다.
B. 췌장 미부에 유원형, 다방성의 낭포성 병변이 보이고 내부에는 격벽 구조도 관찰된다.
C. 췌장 미부에 낭포성 병변이 보인다. 유원형, 다방성이고 내부에 분명한 결절은 관찰되지 않고 있다.
D. 췌장 체미부에 유원형, 거대한 낭포성 병변이 보인다. 내부에는 부스러기와 결절이 관찰된다.
E. 췌장 미측의 낭성종양에 비후된 격벽이 보인다.

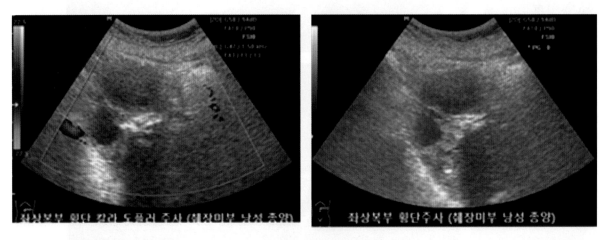

그림 2-38 췌장 미부 점액성 낭성종양
췌장 미부에 경계가 평활하고 내부의 두꺼운 격벽으로 나누어진 여러 개의 무에코 낭성 종괴가 보인다. 컬러 도플러에서 격벽에 혈류신호는 관찰되지 않는다.

Dr. 김일봉 증례

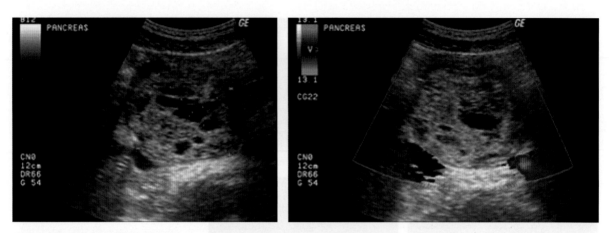

그림 2-39 췌장 두부 점액성 낭성종양
췌장 두부에 불분명한 경계를 보이는 낭성 종괴가 보인다. 종괴 내부는 고형부위와 낭성부위가 혼재된 양상으로 관찰되며 초음파검사에서는 췌장 장액성 낭성종양, 비기능성 내분비 종양을 의심하였다.

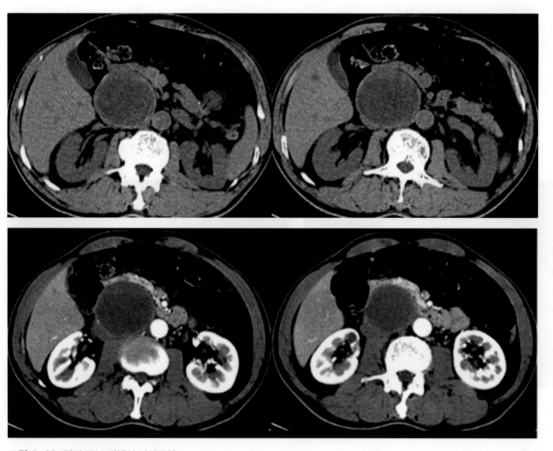

그림 2-40 췌장 두부 점액성 낭성종양
복부 CT 검사에서 경계가 평활하고 두꺼운 피막으로 둘러싸인 낭성종양이 보이고 내부에는 격막으로 나누어진 낭종으로 점액성 낭성종양으로 추정된다.

Dr. 이기만 증례

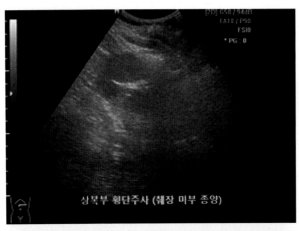
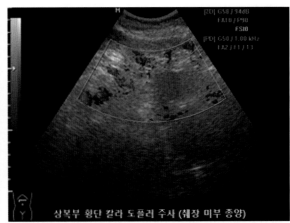
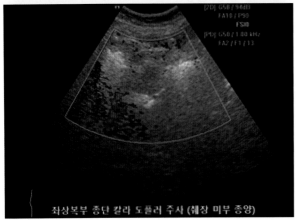

그림 2-41 췌장 미부 점액성 낭성종양
초음파검사에서 췌장 미부에 두꺼운 격막으로 나누어진 다발성 낭성 병변이 보인다. 컬러 도플러에서 낭성 종괴 내부에 증가된 혈류 신호는 관찰되지 않는다.

Dr. 김일봉 증례

7) 췌장 신경내분비종양

(1) 개요

내분비와 신경계 세포(신경내분비 세포)에서 발생하는 종양은 신경내분비종양(neuroendocrine tumor)으로 불린다. 발생 위치의 2/3는 소화관이고 1/3은 췌장과 폐에서 생긴다. 장크롬친화성 세포에서 유암종(carcinoid)이 발생하고 serotonin을 분비한다. AP-UDoma (Amine Precursor Uptake & Decarboxylation)은 carecholamine, serotonin을 분비

한다. 증상이 없는 경우는 유암종이라고 하고 10%에서는 안면홍조, 설사, 천식, 심부종, 부종이 일어나고 이 경우는 카시노이드 증후군으로 불린다.

신경내분비종양의 분포
① 뇌하수체 종양, 갑상선 수질암, 종격동 종양
② 폐 신경내분비종양
③ 위장관 췌장 신경내분비종양
④ 크롬친화세포종(pheochromocytoma)
⑤ 말초신경 종양으로 신경초종(schwannoma),

부신경절종(paraganglioma), 신경모세포종
(neuroblastoma)

⑥ 유전성

MEN1, MEN2, von-Hippel Lindau병, 결절경
화증(tuberous sclerosis), 신경세포종증 1형

(2) 췌장 신경내분비종양

과거에는 췌장 섬세포(islet cell)에서 발생한다고
하여 섬세포종양으로 불렸으나 현재는 신경내분비
종양으로 명칭이 변경되었다. 랑한스선에서 발생하
지 않고 췌관 다능줄기세포(ductal pluripotent stem
cell)에서 발생하기 때문이다.

① 기능성 종양

Insulin, gastrin, glucagon, VIP, somatostatin을
분비하여 증상을 나타낸다.

② 비기능성 종양

증상을 일으키기에 불충분한 호르몬을 분비하
거나 생화학적으로 비기능성인 polypeptide을
분비한다.

(3) 역학

전체 발생 빈도는 0.001%로 전체 췌장종양의
1~2%이며 30~60대에 호발하고 남녀차이는 없
다. 대부분은 단독성으로 보인다. 가족성으로 발
생하는 경우는 1~2%이고 젊은 연령에서 발견되
고 MEN1(부갑상선, 뇌하수체, 췌장), von-Hippel
Lindau 증후군, 결절경화증이 있다.

비기능성 종양이 60%를 차지하고 무증상이며 우
연히 발견되고 진단 시 큰 결절인 경우가 많다. 기
능성 종양은 40%이고 복통, 설사, 소화불량, 황색
피부 등 증상을 나타낸다. 췌장 신경내분비종양의
85%는 혈액에서 호르몬 증가치를 보인다.

(4) 병리

기능성 종양은 인슐린종이 가장 많고 다음으로
가스트린종이며 글루카곤종, VIP종, 소마토스타틴
종은 드물다. 비기능성 종양은 인슐린종과 가스트
린종 다음으로 세 번째 빈도이고 호르몬 수치는 상
승되어 있으나 무증상이다.

췌장 신경내분비종양은 크기가 대부분이 1~5 cm
이다. 작은 종양은 균질하나 큰 종양은 낭성 변성,
괴사, 출혈, 석회화로 인해 불균질하게 보인다. 광
범위한 낭성 변성을 일으키면 중심부 단방성 낭성
변성 부위, 얇은 변연부 고형 부위 소견을 나타낸
다.

고분화형 췌장 신경내분비종양은 경계가 명확하
고 분명한 피막이 없으며 주위 장기를 침범하지 않
으나 주위 조직의 편위 소견을 보인다. 주췌관에 인
접한 큰 종양의 경우에는 췌관 폐쇄와 만성췌장염
을 유발할 수 있다. 저분화형 췌장 신경내분비종양
은 불분명한 경계와 광범위한 괴사 소견을 보인다.

(5) 초음파 소견

평활한 표면과 경계가 명료한 원형 또는 난원형
의 저에코 결절로 보인다. 조영증강 초음파에서 고
혈관성 종괴로 보인다. 간전이 소견은 대부분 고에
코 또는 표적(target)양 결절로 보인다. 간전이나 췌
장 주위 림프절 종대 시 악성을 의심한다. 초음파
진단 민감도는 20~80%으로 다양하지만 내시경 초
음파의 민감도는 94%로 매우 높다.

(6) 인슐린종(insulinoma)

가장 많은 기능성 췌장 신경내분비종양으로 발생
평균 연령은 47세이고 여성이 다소 많다. 예후는 양
호하고 악성은 10% 정도이다. 증상이 나타나는 경
우는 진단시 종괴의 크기가 2 cm 이하로 적다. 인
슐린종의 휘플 세증후(Whipplw triad)은 증상을 나
타내는 저혈당 소견, 저혈당치, 당 주입으로 증상이

호전되는 소견이다. 일반적으로 단일성으로 보이나 MEN1에서는 다발성으로 관찰된다.

(7) 가스트린종(gastrinoma)

발병 연령은 50대이고 남성이 여성보다 약간 많다(1.3:1). 대부분이 다발성이고 MEN1과 연관되어 생기는 경우도 있다. 췌장 두부에 호발하고 진단 시 평균 크기는 3~4 cm이고 악성 형태를 보인다. 혈청 가스트린(정상치 < 100 pg/mL) 200 pg/mL 이상이면 가스트린종을 의심한다. CT, MRI 영상에서 균질한 고형 종괴로 보이고 고리 모양의 조영증강 소견을 보인다. 소화성 궤양, 위산분비 과다, 설사를 주소로 하는 Zollinger Ellison 증후군을 일으킨다.

(8) 글루카곤종(glucogonoma)

드문 질환으로 40~60세에 호발하고 췌장 체미부에서 관찰되고 악성도가 높은 병변이다. 증상은 4D 증후군으로 ① Dermatitis(피부염), ② Diabetes(당뇨병), ③ Deep vein thrombosis, ④ Depression을 나타낸다. 혈청 글루카곤이 정상치의 10~20배 증가를 보인다.

(9) VIP종(VIPoma)

혈관작용장폴리펩타이드(VIP)는 정상 섬세포에서 분비되고 장관 흡수를 방해하여 물, 전해질의 배설을 일으킨다. 50~60세에 많고 췌장 미부에서 발생한다. 악성도가 높고 진단시 크기는 5 cm 이상이고 60~80%에서 전이를 동반한다. 혈청 VIP 레벨이 100 pg/mL 이상이면 진단에 특이적이다.

증상은 수양성 설사(water diarrhea), 저칼륨혈증(hypokalemia), 무위산증(achlorhydria)을 나타내어 WDHA 증후군으로 불린다. 병변의 74%는 췌장 내 발생하고 26%는 췌장 외 후복막 신경절에서 생긴다. 작은 종양은 균질하나 큰 종양은 낭성 변성, 석회화를 동반한다.

(10) 소마토스타틴종(somatostatinoma)

드문 종양으로 분화형 췌장 신경내분비종양의 2%을 차지한다. 평균 발생연령은 50세이고 남녀 발생율은 동일하다. 소마토스타틴은 장내 흡수, 인슐린, 글루카곤, 가스트린, 췌장 펩타이드를 분비하여 당뇨병, 설사, 담도결석을 일으킨다. 20%에서는 증상을 동반하고 무증상 증례는 종괴에 의해 복통을 발생한다. 신경섬유종증 1형과 관련이 있다. 진단 시 종괴의 평균 크기는 5~6 cm이고 50~70%에서 전이를 동반하고 있다.

(11) 비기능성 췌장 신경내분비종양

이 병변은 임상 증상을 일으키지 않는 췌장 폴리펩타이드, 호르몬을 분비한다. 평균연령은 55세이고 여성에서 호발한다. 산발적으로 발생하고 MEN1과 관련 시에는 다발성으로 나타난다. 혈액 중 chromogranin A 증가가 보인다. 종괴에 의해 복통, 체중감소가 생긴다. 진단 시 종괴의 크기는 5~6 cm 정도이고 단발성이며 낭성, 변성, 괴사, 석회화를 동반하면 불균질하게 보이고 60~80%에서 전이를 동반하고 있다.

(12) 저분화형 췌장 신경내분비종양

드문 종양으로 전체 췌장 신경내분비종양의 2~3%을 차지한다. 비특이적 증상을 보이고 복통, 배부통, 종말증(cachexia), 황달을 일으킨다. 쿠싱증후군, 저칼슘혈증, 카시노이드증후군 같은 신생물딸림증후군(paraneoplastic syndrome)이 나타날 수 있다.

췌장 두부에서 주로 발생하고 급속히 진행하여 사망한다. 영상적으로 경계가 불명확하고 불균질한 종괴로 주위 장기 침윤, 전이를 일으킨다. 핵의학 영상진단으로 FDG-PET가 유용하다.

(13) 1형다발내분비신생물

(multiple endocrine neoplasia type 1; MEN1)

상염색체 우성 유전으로 MEN1 gene (chromosome 11q3)과 관련이 있다. 평균 진단연령은 35세이다. 임상증상으로 부갑상선기능항진증(90%), 췌장 또는 십이지장 신경내분비종양(30~80%), 전방 뇌하수체 선종(20~65%)을 보인다. 췌장에 다발성 소선종, 비기능성 췌장 신경내분비종양으로 보이고 대부분 환자에서 기능성 종양으로 가스트린종(60%), 인슐린종(30%)을 동반한다.

(14) 요약

① 대부분 췌장 신경내분비종양은 고분화형이고 경계가 명료한 종괴로 조영 검사상 고혈관성으로 보인다.

② MRI T1 강조영상에서 저신호, T2 강조영상에서 고신호로 보인다.

③ 작은 종양은 비교적 균질하다.

④ 큰 종양은 낭성, 변성, 석회화, 괴사로 인해 불균질하다.

⑤ 111In−Octreotide, 68 Ga PET로 이용한 핵의학 영상검사가 유용하다.

(15) 증례 토의

① 증례 1(그림 2-42)

췌장 체부 인슐린종

– 수주 전부터 발생한 심와부 둔통과 소화불량으로 내원함.

② 증례 2(그림 2-43)

췌장 체부 비기능성 신경내분비종양(F/70)

– 전신쇠약을 주소로 내원함.

③ 증례 3

간전이를 동반한 췌장 신경내분비종양(F/31)

– 배부통증을 주소로 내원함.

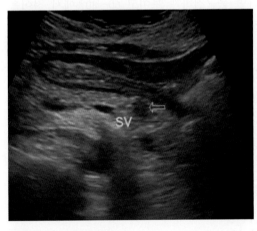 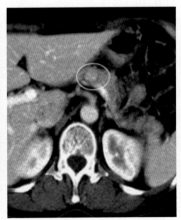 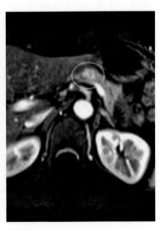

그림 2-42 췌장 인슐린종
초음파에서 췌장 체부에 경계가 분명하고 균일한 저에코 종괴가 보인다. 조영증강 CT에서 고혈관 종괴로 관찰된다.

김민주 교수 증례

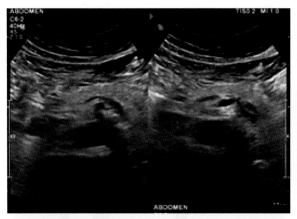
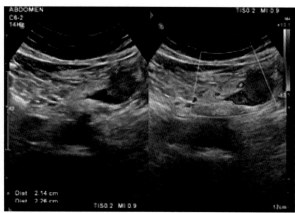

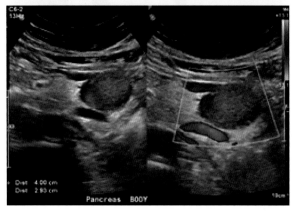

그림 2-43 췌장 신경내분비종양
초음파에서 췌장 체미부에 4.0×2.9 cm 크기의 경계가 명확하고 내부가 균질한 저에코 종괴가 관찰된다. 컬러 도플러에서 종괴 내부에 혈류신호는 관찰되지 않는다. 조직검사로 신경내분비종양으로 진단되었다.

Dr. 이승현 증례

8) 췌관 내 유두상 점액종양

(1) 개요

췌관 내 유두상 점액종양(intraducatal papillary mucinous tumor; IPMN)은 점액을 분비하는 원주세포로 구성되는 잠재 악성도를 가지는 병변이다. 이 병변은 유두상 증식, 낭성 병변, 다양한 세포이형성을 보이고 주췌관, 분지관 또는 양자를 모두 침범할 수 있다. 전체 외분비 췌장종양의 1~3%를 차지하고 췌장 낭성종양의 20~50%를 점한다. 호발 연령은 50~70세이고 남자가 여자보다 조금 더 많이 발생한다. 흡연자, 당뇨병, 췌관암 가족력, Peutz-Jeghers 증후군, 가족성샘종용종증, 가족성 췌장암과 관련이 있다고 보고되고 있다.

(2) 분류(그림 2-44)

주췌관형은 주췌관이 전체적 또는 국소적으로 침범하고 췌장 두부에서 미부로 진행하고 분지 침범을 동반할 수 있다. 주췌관형은 분지췌관형보다 공격적이고 악성 부위를 동반할 수 있다. 분지췌관형은 주췌관형 보다 젊은 연령에서 생긴다. 췌장 구부에 호발하지만 미부에도 발생할 수 있다. 주췌관형보다 악성 전환의 위험도가 낮다.

조직학적으로 위형(gastric type), 장형(interstinal type), 췌담관형(pancreatobiliary type), 팽대형(oncocytic type)으로 분류된다.

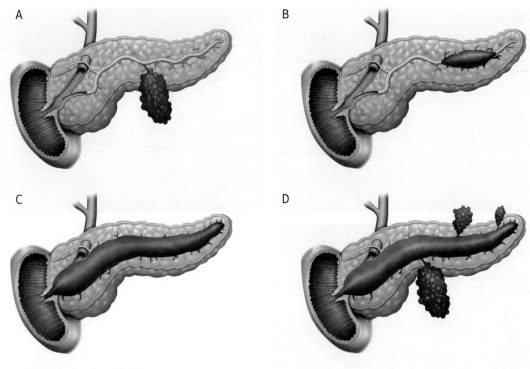

그림 2-44 췌관 내 유두상 점액종양의 분류
A. 분지췌관형, B. 미만 주췌관형, C. 국소 주췌관형, D. 혼합형

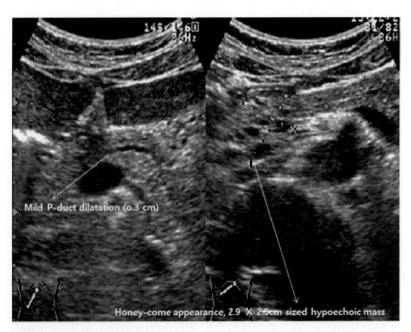

그림 2-45 분지췌관형 IPMN
주췌관의 경도 확장과 췌장 구부에 벌집형태의 낭성 병변을 보이는 분지췌관형 IPMN의 초음파 소견이다.

심찬섭 교수 증례

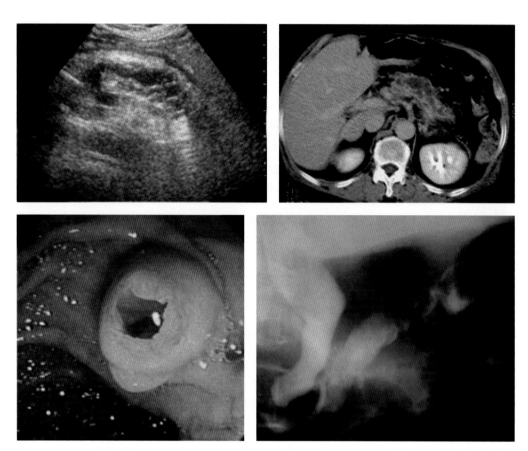

그림 2-46 주췌관형 IPMN
초음파, CT, ERCP 검사에서 주췌관의 현저한 확장이 보이고 내시경 검사에서 십이지장 파터팽대에서 점액의 유출이 관찰된다.

심찬섭 교수 증례

(3) 발생기전

발병에는 K-ras 변이와 관계있고 종양억제유전자 CDKN2a가 변이를 일으키고 RNF43 gene에 비활동성 변이와 연관성이 있다. IPMN에서는 MUC2 mucin, MUC5 mucin mRNA가 고도로 발현된다고 알려져 있다.

IPMN은 ① 저등급 이형성, ② 중등도 이형성(경계부), ③ 고등급 이형성(제자리암종, carcinoma in situ), ④ 침윤성 선암으로 진행할 수 있다.

(4) 임상 소견

대부분 특별한 증상이 없고 검사에서 우연히 발견되는 경우가 많다. 증상으로는 오심, 구토, 복통, 배부통, 체중감소, 식욕부진 등이고 췌장염 유사 증상을 일으키기도 한다. 췌장 내분비·외분비 기능 저하로 소화불량을 유발할 수 있다. 일반적 혈액 검사에서 이상 소견은 보이지 않는다. 비침윤성 IPMN에서 CA 19-9, CEA 상승치를 보이는 경우는 20% 이하이다.

(5) 췌장암으로 발전

주췌관형 IPMN에서 췌장암으로 발전 위험도는 70% 정도이고 분지췌관형 IPMN은 보다 장기간 시간을 요한다. 췌장암 발병은 10년에 20% 정도로 보고되고 있다. 종양의 크기가 암으로 발전에 중요한 예측 변수이다. 3 cm 이상 종양은 악성위험도가 높다. 2~3 cm 크기는 10~25% 악성위험도를 보이고 2 cm 이하에서는 악성위험도는 드물다.

종양 크기 3 cm 이하에서 악성 관련 인자로는 ① 고령, ② 남성, ③ 유증상, ④ 영상 소견으로 고형성분, 10 mm 이상의 췌관 확장, 림프절 종대, ⑤ 낭성 병변 내 벽재 결절, ⑥ 동시발생 병변(synchronous lesion), 낭종 크기 증가이다.

(6) 진단

만성췌장염, 점액성 낭성종양, 췌장암의 감별진단이 중요하다. 영상검사에서 낭성 병변 내 벽재 결절 유무, 췌관 확장을 평가한다. IPMN 의심 시에는 CT 또는 MRCP 검사가 최초 영상검사법이 된다. 내시경 초음파검사는 진단이 불확실할 때 사용된다. ERCP 검사는 CT, MRCP, EUS 검사가 불가능하거나 불충분할 때 사용된다. ERCP, 췌장경(pancreatoscopy)은 양성과 악성 병변의 감별에 사용된다.

(7) 치료

고등급 또는 침윤성 IPMN에서는 수술이 유일한 치료법이다. IPMN 침윤암에서 TNM system에 의해 병기를 분류한다. 수술은 췌장절제술, 췌장십이지장절제술, 말단췌장절제술, 췌장부분절제술을 시행한다. 대부분 병변이 췌장 두부에 존재하므로 췌장십이지장절제술이 가장 많이 시행된다.

(8) 증례 토의

① 증례 1(그림 2-47)

췌관 내 유두상 점액종양, 주췌관형(F/69)

- 6개월 전부터 발생한 심와부 둔통, 체중감소를 주소로 내원함.

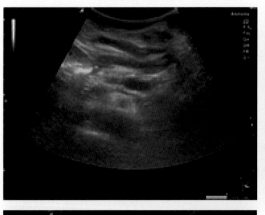
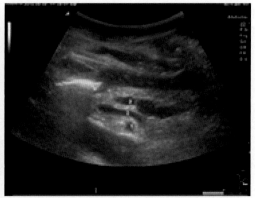
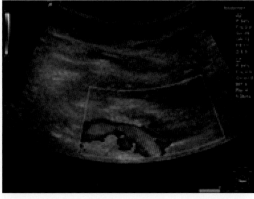

그림 2-47 췌관 내 유두상 점액종양
췌장의 주췌관 직경이 1.0 cm로 현저하게 확장되어 있다. 췌장실질 내에 종괴 병변은 보이지 않는다. 수술 후 조직검사로 IPMN 주췌관형, 경계부위 악성도로 진단되었다.

Dr. 김일봉 증례

② 증례 2(그림 2-48)
췌관 내 유두상 점액종양, 주췌관형(F/64)
– 상복부 둔통을 주소로 내원함.
③ 증례 3(그림 2-49, 50, 51)

췌관 내 유두상 점액종양, 분지췌관형(M/60)
– 2개월 전부터 발생한 복부 팽만감으로 내원함.
④ 증례 4
췌관 내 유두상 점액종양, 분지췌관형(F/78)

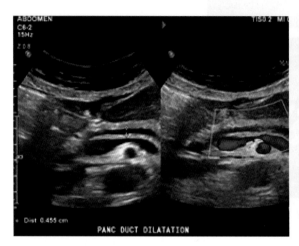
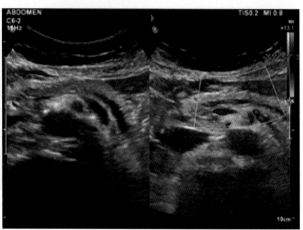

그림 2-48 췌관 내 유두상 점액종양
주췌관의 확장되어 있고 췌장 두부에 종괴 병변은 관찰되지 않는다. IPMN 주췌관형으로 진단되었다.

Dr. 이승현 증례

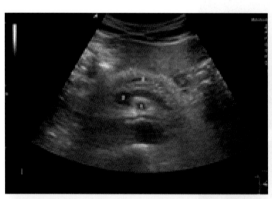
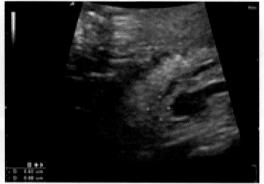
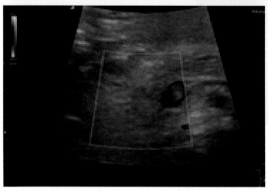

그림 2-49 췌관 내 유두상 점액종양
주췌관이 경도로 확장되어 보인다(0.3 cm). 췌장 두부에 0.8 ×0.8 cm 크기의 포도송이 형태의 낭성 병변이 관찰된다. IPMN 분지췌관형으로 추정된다.

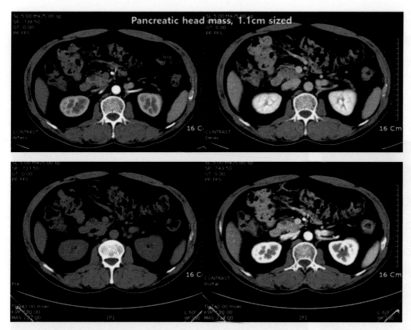

그림 2-50 췌관 내 유두상 점액종양
복부 CT 검사에서 췌장 두부에 1.1 cm 크기의 낭성종양이 관찰된다.

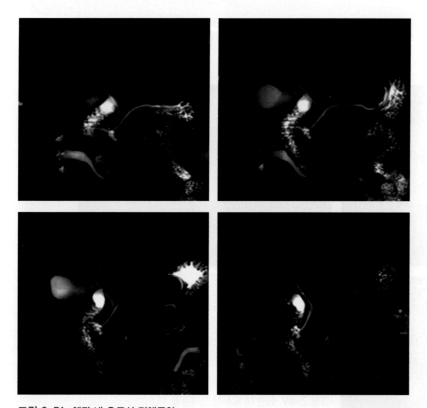

그림 2-51 췌관 내 유두상 점액종양
MRCP에서 췌장 두부에 포도송이 형태의 다발성 고신호 낭성 병변이 보이고 주췌관과의 연결
이 관찰된다.   Dr. 김일봉 증례

9) 췌장 고형 가유두상 종양

(1) 개요

췌장 고형 가유두상 종양(pseudopapillary tumor)은 드문 종양으로 저악성도 병변이다. WHO 분류에서 경계부 악성도의 상피성 종양으로 분류한다. 발병 연령은 20~30세의 젊은 여성에서 호발한다. 병변은 단독으로 경계가 명료하고 피막으로 둘러싸인 종괴로 보인다. 발생 부위는 미부, 두부가 체부보다 많다고 보고되고 있다. 종괴의 평균 크기는 6~8 cm이고 내부 형상은 불균질(60%), 고형(24%), 낭성(15%)이다.

(2) 병리소견(그림 2-52)

종괴는 경계가 명확한 섬유성 피막으로 둘러싸여 있고 내부는 국소적 또는 미만성 출혈, 낭성 병변이 관찰되고 있다. 현미경적으로 고형, 낭성 또는 가유두상으로 혼재되어 있다. 종괴 내부에는 출혈, 괴사 부위가 관찰된다.

① 작은 종괴
- 낭성 변성 부위가 적고
- 뚜렷한 경계가 보이지 않고
- 피막이 없고
- 부드럽고 다양한 섬유화를 동반한 갈색~적색 종양으로 보인다.

② 큰 종괴
- 종양을 둘러싼 섬유성 가성 피막
- 주위 췌장실질과 경계

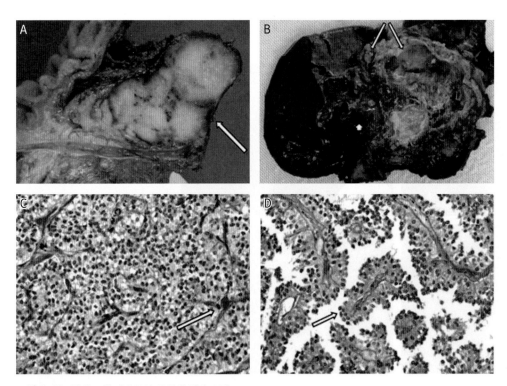

그림 2-52 췌장 고형 가유두상 종양의 병리 소견
A. 고형부위가 주가 되는 고형 가유두상 종양으로 단면에서 균질한 연부 조직(화살표)이 보인다.
B. 비장으로 침윤하는 종양으로 출혈, 괴사부위가 보인다.
C. 고형부위가 주가 되는종양으로 섬유혈관 기둥을 둘러싸는 상피세포의 집합이 보인다.
D. 작은 중심혈관을 둘러싸는 종양세포들이 가유두상 구조를 보인다.

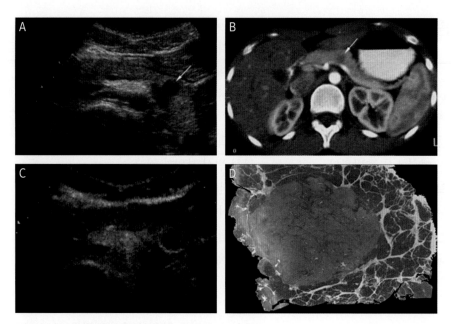

그림 2-53 췌장 고형 가유두상 종양
A. 17세 여성으로 초음파상 경계가 명확한 작은 고형 저에코 종괴가 보인다.
B. 조영증상 CT 췌장기에 종괴는 조영증강 소견을 보이지 않는다.
C. 조영증강 초음파에서 종괴의 변연에 경도의 조영증강 소견이 보인다.
D. 조직학적으로 분명한 종괴 모양을 보인다.

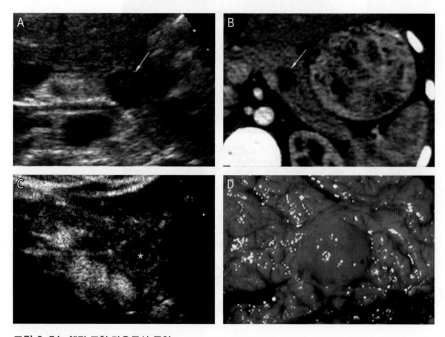

그림 2-54 췌장 고형 가유두상 종양
A. 30세 여성으로 췌장 체부에 경계가 명료한 작은 고형의 저에코 종괴가 보인다.
B. 조영증강 CT 췌장기에 병변 내 조영증강은 보이지 않는다.
C. 조영증강 초음파에서 종괴의 변연부위에 경도의 조영증강 소견이 보인다.
D. 조직에서 종괴는 경계가 명확하고 가성 피막 소견을 보인다.

– 고형 출혈 부위와 낭성 괴사 부위가 혼합된
형태를 보인다.

(3) 발병 기전 및 증상

원시다잠재성(primitive multipotential) 췌장세포에서 기인한다. 성호르몬 수용체가 있어 젊은 여성에서 호발된다고 추정된다. 무증상인 경우가 많으나 종괴의 증대에 따라서 복부 둔통, 종괴 촉진이 있을 수 있다.

(4) 진단

영상 소견과 나이, 성별을 고려하여 추정 진단을 내린다. 영상 소견이 불명료 시 FNAC을 고려한다. 초음파 상 다양한 에코휘도를 나타내는 경계가 좋은 단일 결절로 보인다. 고형 성분이 주가 되는 종괴, 낭성 성분이 주가 되는 종괴로 보일 수 있지만 고형 낭성 성분이 혼재된 종괴로 가장 많이 관찰된

다. 종괴의 변연을 부분적으로 둘러싸는 석회화 소견이 관찰되기도 한다(30%).

(5) 치료

근치절제술을 시행하나 작은 종양에서는 부분절제 또는 적출술을 시행한다. 화학요법이나 방사선 치료법은 확립되어 있지 않다.

(6) 증례 토의
① 증례 1(그림 2-55)
췌장 미부 가유두상 종양(F/35)
– 소화불량과 좌상복부 둔통으로 내원함.
② 증례 2(그림 2-56)
췌장 체미부의 중심성 낭성 병변을 동반한 고형 가유두상 종양(F/35)
– 소화불량과 심와부 통증으로 내원함.

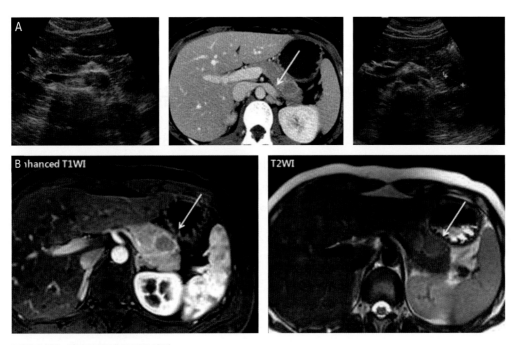

그림 2-55 췌장 고형 가유두상 종양
A. 초음파에서 췌장 미부에 변연 고에코, 내부 저에코로 보이는 원형의 종괴가 보인다. 조영증강 CT 동맥기에 종괴 변연은 조영증강되나 내부는 조영이 되지 않는다.
B. MRI T1에서 췌장 종괴의 변연은 고신호, 내부는 저신호로 보인다. T2에서 종괴 내부는 고신호로 보인다.

김민주 교수 증례

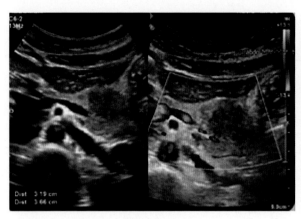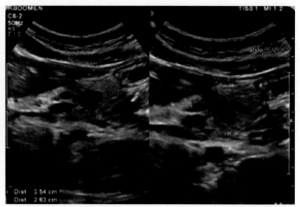

그림 2-56 췌장 고형 가유두상 종양
췌장 체미부에 3.1×3.6 cm 크기의 경계가 명료하고 중심부 낭성 변성, 변연부 고형부위의 종괴가 보이고 주위 침윤은 관찰되지 않는다. 고형 가유두상 종양이나 비기능성 신경내분비종양이 가장 의심되며 26세 여성이므로 고형 가유두상 종양의 가능성이 높다고 추정된다.

10) 췌장 림프종

(1) 개요

췌장 원발성 림프종은 매우 드물다. 대부분이 십이지장 또는 췌장주위 림프절에서 발생한 림프종의 췌장 침범이다. 조직학적으로 비호치킨성 림프종 B 세포형이다. 초음파에서 췌장의 미만성 종대를 보이거나 경계 명료한 저에코 종괴로 관찰되고 드물게 췌관 폐쇄를 유발한다.

(2) 증례(그림 2-57, 58)

11) 전이성 췌장종양

(1) 개요

원발병소는 신세포암, 폐암, 유방암, 육종, 결장암, 흑색종, 유암종, 갑상선암 등이다. 전이 경로는 혈행성, 림프성, 직접 침윤이다.

초음파에서 단발성 또는 다발성 종괴이고 원발병소에 따라서 다양한 에코양상을 보이나 저에코 결절로 관찰되는 경우가 많다. 췌관, 담관 폐쇄를 동반하지 않는 종괴 모양을 보인다.

(2) 증례(그림 2-59)

3. 내시경 초음파

내시경 초음파는 선단에 초음파를 부착한 내시경을 이용하여 위장관 벽을 통해 내부 장기에 근접시킨 후 고주파의 초음파를 이용하여 영상을 얻는 검사법이다. 내시경 초음파는 일반적인 복부 초음파보다 고주파(7.5~12 MHz)를 이용할 수 있어 해상도가 높고, 복부 초음파의 한계인 장관 내 공기, 복벽의 지방, 그리고 뼈 등에 의한 검사의 제한을 극복할 수 있는 장점이 있다. 실시간 B 모드 영상을 얻을 수 있는 내시경 초음파는 1980년에 최초로 도입된 이후로 검사 장비와 술기의 발달과 더불어 많은 발전을 거듭하고 있다. 최근에는 식도, 위, 십이지장, 간, 담도, 췌장, 대장 및 직장에 이르는 소화

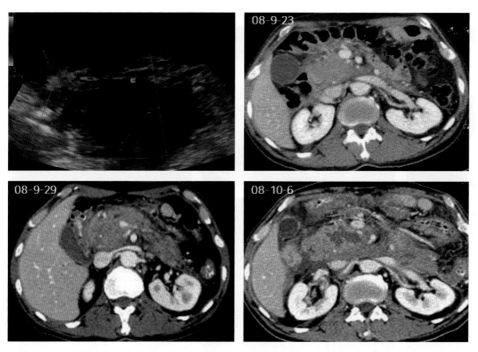

그림 2-57 미만형 대형 B세포 림프종
췌장 두부와 체부에 미만성의 종괴양 종대가 보이며, 컬러 도플러에서 종괴양 종대 부위에 증가된 혈류 신호는 관찰되지 않는다. 조영증강 CT에서 균질한 조영증강을 보이며 추적 CT에서 변성 부위가 관찰된다.

최병인 교수 증례 인용

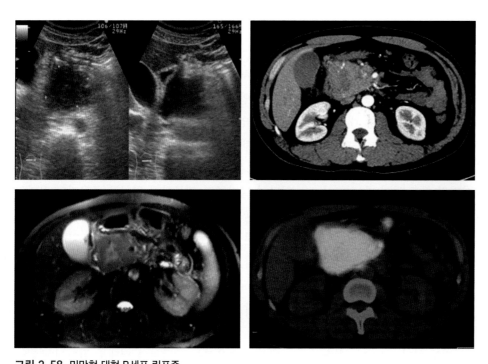

그림 2-58 미만형 대형 B세포 림프종
췌장 두부에 경계가 불규칙한 저에코 종괴가 보인다. CT에서 종괴 내부에 저밀도 부위가 동반되어 있다. MRI 영상에서 낭성 병성 부위가 관찰되며, FDG-PET스캔에서 강한 섭취율을 보인다.

최병인 교수 증례 인용

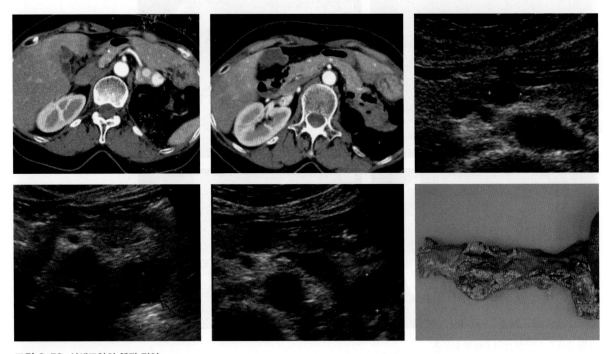

그림 2-59 신세포암의 췌장 전이
초음파에서 췌장 체부, 미부에 경계가 명료한 저에코 종괴가 보인다. CT에서 종괴 내부에 낭성 변성을 동반하고 있다. 병리조직에서 경계 명료한 종괴 내부에 낭성 변성 부위가 관찰된다.

최병인 교수 증례 인용

기계 질환 전반에서 활발하게 사용되고 있다. 이중 특히 췌담도 분야에서 사용되는 내시경 초음파는 크게 진단 목적으로 주로 사용되는 방사형 내시경 초음파(radial EUS, 그림 2-60)와 내시경 초음파 유도 세침흡인검사 및 이를 응용한 내시경 초음파 배액술, 췌담도 종양의 내시경적 치료 등이 가능한 선형 내시경 초음파(linear EUS, 그림 2-61)가 있다.

방사형 내시경 초음파는 내시경 축에 수직으로 360°의 환상의 영상을 얻게 되므로 컴퓨터단층촬영 영상과 비슷하여 초심자도 배우기 쉬운 장점이 있다. 내시경 시야는 55° 기울어진 렌즈를 통해 관찰할 수 있으며, 최근 일부 제품은 보통의 내시경과 같은 직시하 관찰이 가능하기도 하다. 그러나, 침습적인 시술을 할 수 없다는 단점이 있다. 반면, 선형 내시경 초음파는 겸자공을 통하여 삽입된 생검 바늘과 일치된 시야를 얻을 수 있어서 정확한 생검 바늘의 삽입이 가능하다. 내시경 시야는 약 60°에 위치하고 있으며 원위부 끝의 운동 범위는 선형 주사 시스템과 유사하고 내시경의 축에 종적인 105°의 2차원 초음파 영상을 얻을 수 있다. 그러나, 내시경 선단이 날카롭고 해부학적 위치를 초음파로 올바로 얻기 어려워 대개의 경우 방사형 내시경 초음파에 익숙해진 후에 선형 내시경 초음파를 익히는 것을 권장한다.

1) 담낭 및 담도 질환

내시경 초음파는 총담관과 팽대부 질환의 관찰에 매우 유용하며, 내시경역행췌담관조영술에 비해 덜 침습적인 검사로 진단 목적의 내시경역행췌담관조

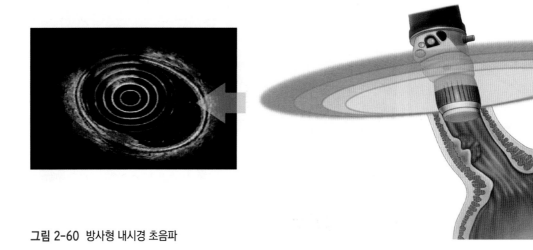

그림 2-60 방사형 내시경 초음파

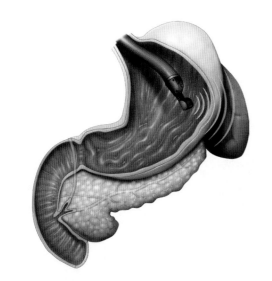

그림 2-61 선형 내시경 초음파

영술을 대체하여 급속히 사용되고 있다. 또 복부 초음파에 비해 두꺼운 복벽과 장관 내 가스의 방해없이 고주파의 초음파를 위나 십이지장 벽을 통하여 담도 및 담낭에 직접 주사할 수 있어서 진단이 어려운 담낭담석, 담낭용종에서 악성 여부 감별, 담낭암의 진단 및 병기 판정, 담낭벽 비후의 감별진단과 간외 담도의 확장과 폐쇄를 유발할 수 있는 다양한 질환, 즉 담도결석의 확인, 담도암의 술전 병기 결정, 유두부 종양 등의 질환에서 유용하게 사용할 수 있다. 담관암 및 모호한 담관 협착에서 내시경 초음파 유도 세침흡인검사는 아직까지 제한이 많지만 합병증이 1% 정도로 안전하다고 보고되고 있다. 그러나, 간문부암을 조직검사하는 경우 검사로 인한 암의 파종 위험성이 보고되고 있어 주의가 필요하다.

최근 새로운 세침이 지속적으로 개발되고 있고, 과거 세침흡인 바늘에서 절단 팁 혹은 측면 구멍이 있는 세침생검 바늘이 각광받으면서 종괴와 림프절의 생검에 많이 사용되고 있다(그림 2-62). 25게이지 혹은 22게이지 바늘을 모두 추천하며, 세침흡인 바늘과 절단 팁 혹은 측면 구멍이 있는 세침생검 바늘을 똑같이 추천한다. 세침흡인 바늘로도 간혹 충분한 조직을 얻을 수 있지만, 코어 조직을 얻기 위해서는 19게이지 세침흡인 바늘 혹은 절단 팁 혹은 측면 구멍이 있는 세침생검 바늘이나 22게이지 절단 팁 혹은 측면 구멍이 있는 세침생검 바늘을 추천하며 특히 특수염색이 필요한 경우에는 더욱 세침생검 바늘을 권장한다(그림 2-63).

(1) 담낭용종

담낭의 용종성 병변은 담낭벽의 점막층이 융기되

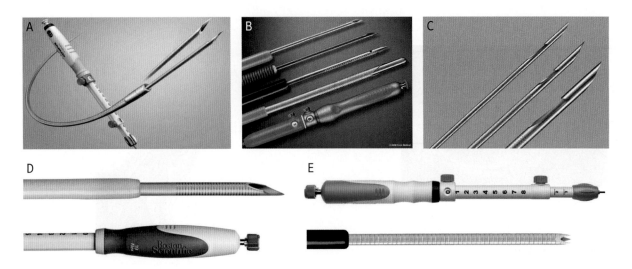

그림 2-62 내시경 초음파 세침의 종류
A. 올림푸스의 이지샷3, B. 쿡의 에코팁, C. 쿡의 프로코어, D. 보스톤의 익스펙트, E. 보스톤의 어콰이어

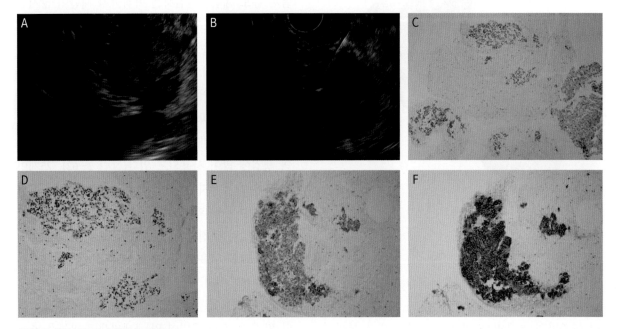

그림 2-63 내시경 초음파 세침생검
A. 췌장 두부에서 원형의 균질한 고에코성 병변이 관찰되고 있다.
B. 내시경 초음파 유도 세침흡인검사를 시행하였다.
C. 세침흡인검사에서 의심되는 신경내분비종양(H&E 100배)
D. 세침흡인검사에서 의심되는 신경내분비종양(H&E 200배)
E. Chromogranin 특수염색 양성(chromogranin 200배)
F. Synaptophysin 특수염색 양성(synaptophysin 200배)

어 내강으로 돌출된 병변을 말한다. 건강한 사람에서 복부 초음파검사 도중 진단되는 담낭의 용종성 병변의 빈도는 미국에서 약 3~7%, 덴마크에서는 남자 4.6%, 여자 4.3%, 일본에서는 남자 6.3%, 여자 3.5%, 중국에서는 6.9%였다. 우리나라에서는 담낭절제술을 시행한 경우에 유병률이 약 7.1%였다. 담낭용종은 크게 선종성 용종과 콜레스테롤 용종으로 나눈다. 그 외에도 과형성 용종, 염증성 용종, 용종형 암이 있다.

내시경 초음파는 고해상도로 병변을 관찰할 수 있으므로 복부 초음파보다 더 정확히 담낭병변을 평가할 수 있다. 정상 담낭벽은 조직학적으로 점막층, 고유근층, 장막하층, 장막으로 나뉘며 점막하층이 없다는 특징이 있다. 복부 초음파에서는 담낭벽이 고에코의 한 층으로 관찰되나, 내시경 초음파에서 정상 담낭벽은 두 층으로 관찰되는데, 내부 저에코층은 조직학적으로 점막과 근육층이고 외부 고에코층은 장막하층의 지방과 장막을 나타낸다. 내시경 초음파상 담낭의 용종성 병변은 담낭벽의 점막층이 융기되어 내강으로 돌출되어 고정된 후방음향

음영이 없는 에코 구조물을 말한다. 그리고 담낭에서 흔히 관찰되는 담석과의 구별이 필요하다(그림 2-64). 담낭용종의 관찰에 있어서 복부 초음파에 비해 내시경 초음파의 장점은 고해상도로 관찰할 수 있어서, 담낭의 크기뿐 아니라 내부에코의 관찰에 있어서도 매우 유리하다(그림 2-65). 내시경 초음파를 시행할 때 관찰해야 하는 항목은 용종의 크기, 모양, 용종의 표면, 개수(단발성 또는 다발성), 담석의 존재유무 외에도 내부에코의 양상 즉, 작은 고에코반의 유무, 용종의 에코수준, 내부에코의 균일도, 저에코점의 유무 등이다. 특히, 6~9 mm 사이의 용종으로 복부 초음파상 고에코 반점이 관찰되지 않는 경우에는 내시경 초음파를 시행하여 종양성 용종의 가능성을 배제하려는 노력이 필요하다.

(2) 담낭암

담낭암의 예후는 종양의 침범의 깊이 즉, T 병기와 상당히 관련이 있어서 수술 전 병기 판단은 수술을 고려해야 할 환자를 선별하는 데 있어 중요한 사항이다. 복부 초음파나 컴퓨터단층촬영은 진행된

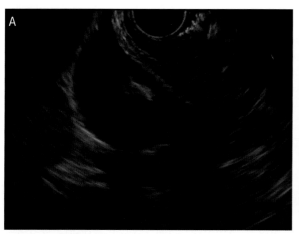
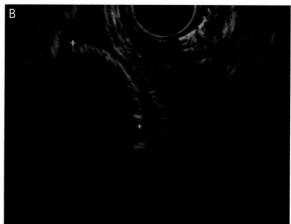

그림 2-64 담낭담석
A. 담낭 내에 고음영병소가 관찰되고 후방음향음영을 동반하고 있다.
B. 담낭 내에 고음영병소가 관찰되고 후방음향음영을 동반하고 있으며, 담낭이 더 이상 충분히 확장이 되지 않아 만성담낭염을 동반한 것이 의심된다.

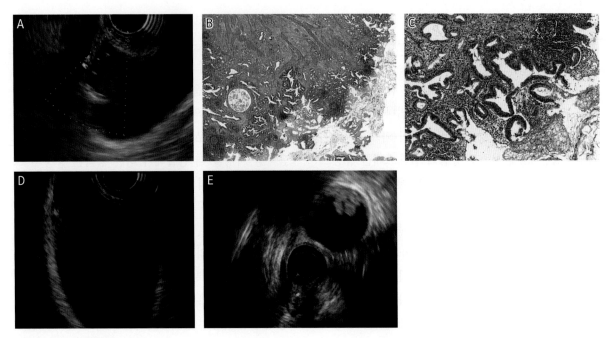

그림 2-65 담낭용종

A. 종괴형 용종으로 담낭벽의 변형은 동반하지 않고 있으며 크기는 12 mm 정도이다.

B. 담낭절제술 후 고분화이형성증을 보이는 담낭용종(H&E 20배)

C. 담낭절제술 후 고분화이형성증을 보이는 담낭용종(H&E 100배)

D. 무경성으로 담낭벽의 모양의 변형을 동반하지 않으면서 후방음향음영이 없다.

E. 방사형 초음파에서 다발성 유경성 용종이 관찰되며 담낭벽의 변형은 없고 후방음향음영도 보이지 않는다.

상태에서의 담낭암을 진단하는 데는 비교적 정확한 결과를 보이나 점막(T1), 근육층(T2)에 국한된 경우에서는 정확도가 50% 이하로써 초기 병변을 진단하는 데는 제한점이 있다. 그러나 내시경 초음파는 담낭벽에서 기원한 병변을 판별할 수 있을 뿐만 아니라 담낭벽 구조에 대해서도 판별을 가능하게 해준다(그림 2-66). 즉 선종이나 조기 담낭암(Tis)의 경우에는 복강경 담낭절제술이 가능하며, 진행성 담낭암의 경우에는 개복 담낭절제술이 적절한데, 내시경 초음파는 일차적으로 수술방법의 결정에 도움이 된다. 담낭암의 형태에 따라 표 2-1과 같이 병리소견과 비교하여 병기를 예측하였다. 내시경 초음파 유도 세침흡인검사는 담낭암의 진단 및 병기 결정에 큰 도움이 되지는 않으나 수술이 불가능한 경우 원격 전이성 림프절의 확진에는 유용하다.

(3) 담낭벽 비후

담낭벽이 미만성 또는 국소적으로 비후된 경우, 담낭암과 다른 양성질환들의 감별은 어려울 수 있다. 담낭벽 비후를 일으키는 원인들로는 담낭암, 만성담낭염, 담낭선근종증, 황색육아종성담낭염 등의 담낭 자체의 질환과 급성간염, 간경화증, 심부전, 신부전, 영양실조 등의 담낭외 질환으로 인한 경우 등으로 나뉠 수 있다. 담낭 자체에 의한 질환으로 벽비후가 의심될 때, 가장 중요한 것은 악성과 양성 병변의 감별인데, 이때 담낭의 경우에는 초음파가 컴퓨터단층촬영보다 진단능이 우수하므로 일단 복부 초음파를 시행하고 필요한 경우에 한하여 내시

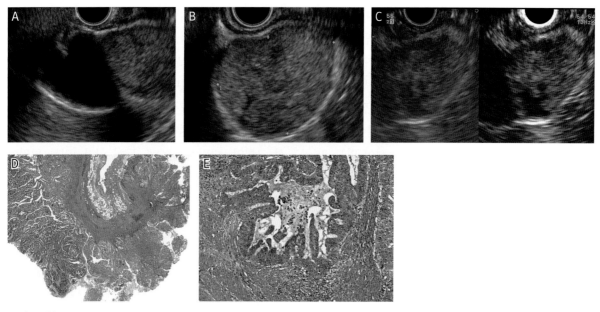

그림 2-66 담낭암
A, B. 담낭벽 내에 국한된 종괴가 관찰되고 있으며 담낭벽모양의 변형은 동반되고 있지 않다.
C. 미세기포 조영제를 주입하여 관찰하였을 때 종괴 내 균일하게 조영이 증강되고 있다.
D. 담낭절제술 후 근육층을 침범한 담낭선암(H&E 10배)
E. 담낭절제술 후 근육층을 침범한 담낭선암(H&E 100배)

표 2-1 내시경 초음파 분류에 따른 담낭암의 종양 병기 예측

형태	모양	점막층	담낭 외벽	병기
A	유경성	결정형	유지	Tis
B	무경성	불규칙	유지	T1
C	무경성	불규칙	좁아짐	T2
D	무경성	불규칙	파괴됨	T3 혹은 T4

경 초음파를 고려해야 한다. 만성담낭염은 담석이 흔하게 동반되며, 담낭은 위축되어 있고 담낭벽이 두꺼워진다. 담낭벽은 섬유화에 의해 비후되어 있으며, 내시경 초음파에서 고에코 소견을 보이고, 담낭벽의 각층은 대개 잘 보존되어 있다. 대부분 미만성 담낭벽 비후를 보이나 국소적 비후를 보이는 경우도 있다.

(4) 담낭선근종증

담낭선근종증은 후천적으로 발생하는 과증식성 병변으로 표층 상피의 과증식과 비후된 근육층이나 그 이상으로 함입되는 것이 특징이다. 두꺼워진 담낭벽내부에 로키탄스키-아쇼브 부비동이 확장되어 나타나는 작은 낭들이 존재한다. 초음파에서 혜성꼬리 허상이 관찰되기도 한다. 비후의 정도와 위치에 따라 저부형, 분절형, 그리고 미만형의 3가지 형태로 구분된다. 대개 초음파검사로 진단이 어렵지 않으나, 일부에서는 담낭암과 감별이 어려운 경우도 있다. 특히 국소형인 저부형의 경우 복부 초음파검사로 진단이 어려운 경우가 있고, 분절형인 경우 고령의 환자에서 담낭암이 발생한다는 보고가 있다. 담낭선근종은 악성 변성의 가능성이 없는 양성질환으로 생각되어 왔으나 일부 보고에서는 선근종이 담낭 저부에 위치하면서 비후된 벽두께가 1~2 cm이거나 작은 중심 궤양이 존재할 때는 악성의 가능성이 있을 수 있다고 한다. 내시경 초음파는 허상이 적고 담낭을 근접하여 고주파로 주사할 수 있으므로, 특히 저부형의 선근종증의 진단에 가장 정확한 검사법이다(그림 2-67).

(5) 황색육아종성담낭염

황색육아종성담낭염(xanthogranulomatous chole-cystitis)은 지질을 함유하는 대식세포들이 담낭벽에 축적되어 생기는 미만성 염증성 병변으로 매우 드문 질환이다. 85%에서 담석이 동반되어 있고, 임상 양상도 담낭염과 유사하다. 내시경 초음파에서 담낭벽에 고에코의 결절이 관찰될 수 있지만 담낭암과 감별진단은 매우 어렵다. 담낭벽 비후의 진단에 있어

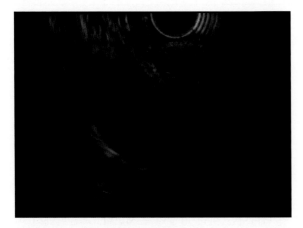

그림 2-67 담낭저부에 벽이 두꺼워져있지만 변형은 없고 외벽이 잘 유지되어 담낭선근종증을 시사한다.

내시경 초음파의 역할에 대해서는 아직까지 정확히 확립되어 있지 않다. 황색육아종성담낭염은 양성질환임에도 불구하고 담낭암과 비슷한 소견을 보일 수 있어 감별이 어려웠다. 그 외에 미만성 담낭벽 비후를 보이는 경우로 간염, 복수, 알코올성 간질환, 저단백혈증, 저알부민혈증, 우심부전증, 전신성 정맥성 고혈압, 다발성 골수종 등이 있다. 이들 원인에 의해 담낭벽 비후소견을 보이는 경우 일반적으로 내시경 초음파에서 주로 저에코층이 비후되어 있다.

(6) 조영증강 내시경 초음파의 이용

조영증강 내시경 초음파는 미세기포 조영제 주입 후 하모닉상을 얻음으로써 조직의 관류 및 미세 순환의 탐색이 가능하다. 미세기포 조영제는 혈관 내에서만 존재하며, 초음파의 후방 산란을 증가시켜 혈류의 평가를 더욱 용이하게 하는 역할을 하며, 조영제로는 용해성 기체를 포함하는 2세대 조영제가 현재 흔히 사용되는데, 이들을 통하여 더 낮은 기계지수를 사용할 수 있어 실시간 상을 구현할 수 있게 되었다. 미세기포 조영제를 16~18게이지의 카테터를 통하여 천천히 정맥주입하여 미세기포의 파괴를 최소화한 후, 정맥에 남아있을 미세기포들을 없애기 위하여 생리식염수를 카테터로 흘려준다. 실시간 조영증강 내시경 초음파는 기존의 통상적인 회색톤의 내시경 초음파의 단점을 극복할 수 있고 병변 내 혈관계를 시각화하여 담낭질환의 양성과 악성을 감별하는 데 어느 정도 도움을 줄 수 있다. 조영증강 내시경 초음파의 개념을 이해하기 위해서 몇 가지 용어에 대한 이해가 필요하다.

① 동맥기

조영제를 정맥 내 주입하고 약 10~20초 후에 장기에 도달하고 이후 주입 후 30~45초 기간이 동맥기에 해당하게 된다. 이 시기 동안에는 점차적으로 조영증강이 증가하게 된다.

② 정맥기

조영제 주입 후 30~45초 이후로써 조영증강 정도는 평행을 이루고 점차 그 정도가 약해지면서 일정 시간 후에는 조영증강 소견이 소실되게 된다. 간과 비장은 다른 장기에 비하여 미세기포가 잔류하게 되는 경향이 있어 대부분의 장기에서 조영제가 빠져나간 시기에도 조영증강 시간이 길어지게 된다.

일반적으로 주위 장기에서의 조영증강 정도와 병변의 조영증강 정도를 비교하여 판단하게 되는데, 여기에는 고증강, 등증강, 저증강 그리고 무증강으로 나누어 기술하게 된다. 이 증강 정도는 반드시 동맥기와 정맥기를 분리하여 각각 판단해야 한다. 고증강 또는 등증강에서 저증강으로 이행되는 것을 "wash-out"이라고 표현한다. 조영증강 소견이 관찰되었을 때에는 조영 분포에 대한 기술도 되어야 하는데, 균질성과 불균질성이라는 표현을 사용한다.

각 질환에서의 조영증강 내시경 초음파 소견은 다음과 같다.

① 담낭암

회색톤의 통상적인 내시경 초음파에서 담낭 내강을 차지하는 종괴, 편평형 용종성 종괴 혹은 미만성의 담당벽 비후 소견으로 관찰되고 조영증강 내시경 초음파에서는 동맥기에 종괴 내부에서 가지상의 혈관계와 고증강 소견으로 관찰된다.

② 콜레스테롤 용종

내시경 초음파에서 유경성 용종이면서 내부에 미세한 고에코성 반점 또는 집약된 에코성 반점들이 관찰되며, 조영증강 내시경 초음파에서는 용종 내부에 혈관계가 관찰되지 않고 동맥기에 고증강 소견으로 관찰된다.

③ 선종성 용종

일반적으로 내시경 초음파에서 무경성 용종이면서 등 또는 저에코성으로 관찰되며, 조영증강 내시경 초음파에서는 약하게 내부에 혈관계가 관찰될 수 있으며 동맥기에 고증강 소견으로 관찰된다.

④ 담낭선근종증

내시경 초음파에서 국소적 또는 미만성으로 담낭벽이 두꺼워져 관찰되면서 내부에 작은 낭종성 병변이나 석회화가 동반되어 관찰되기도 한다. 조영증강 내시경 초음파에서는 특별한 소견이 관찰되지 않고 담낭벽 층구조가 유지되어 관찰되기만 한다.

⑤ 담낭슬러지

내시경 초음파에서 에코성의 병변으로 관찰되고 조영증강 내시경 초음파에서는 전혀 조영증강 소견이 없다.

⑥ 만성담낭염

조영증강 내시경 초음파에서 특별히 관찰되는 소견은 없고 내시경 초음파, 조영증강 내시경 초음파 소견 모두에서 담낭벽이 두꺼워져 있으며 주변 장기로의 침윤 소견이 없고 조영 증강에 전혀 변화되는 소견이 없다.

비록 담낭질환에서 조영증강 초음파나 조영증강 내시경 초음파 소견을 위와 같이 일반적으로 정리하고 있지만, 실제로는 콜레스테롤 용종과 용종형 암 병변 모두에서 비슷한 양상의 조영증강 소견이 관찰되어 조영증강 초음파나 내시경 초음파로 두 질환 감별이 어렵다.

2) 췌장 낭종성 질환

췌장의 낭종성 질환은 최근 임상적 중요성이 높아지는 질환으로 연령이 증가할수록 낭성 병변의 빈도가 뚜렷하게 증가하고 있다. 췌장 낭성종양은 조직학적으로 낭종벽을 구성하는 세포의 형태에 따라서 여러 가지로 나누어지는데, 그 중 점액성 낭성종양, 췌관 내 유두상 점액종양, 장액성 낭성종양 그리고 고형 가유두상 종양이 비교적 흔하게 관찰되며 각각의 특징은 표 2-2와 같다. 조직학적 분류별로는 전체 낭성종양 중에서 점액성 낭성종양이 약 10~45%, 췌관 내 유두상 점액종양이 약 20~33%, 장액성 낭성종양이 약 30~40% 그리고 가유두상 종양이 약 10% 보다 적은 빈도를 보이고 있다.

췌장 낭성종양을 진단할 때 가장 먼저 가성낭종의 가능성을 배제해야 한다. 췌장 가성낭종과 낭성종양의 구별은 대개 임상 양상에서 급성 또는 만성 췌장염의 병력이 있고 췌장주위에 염증성 변화가 동반되면 쉽게 구별되기도 하지만 경우에 따라서는 감별진단이 매우 어려워서 내시경역행담췌관조영술, 내시경 초음파 및 낭종액 천자 등의 추가 검사가 필요한 경우도 있다.

췌장 낭성종양의 형태학적 분류를 위해서는 형태를 기술하는 몇 가지 용어에 대한 이해가 필요하다. 우선 병변을 구성하는 각각 낭종의 크기에 따라 낭의 크기가 2 cm 이상인 대낭성과 2 cm 미만인 소낭성으로 구분한다. 점액성 낭성종양은 흔히 대낭성인 경우가 많고 낭종의 수는 장액성처럼 많지 않아서 수개에서 10개 내외 정도가 보통이다. 낭성 병변 내부의 격벽에 의해 나뉜 방(구획)에 따라 방이 한 개인 단방성과 여러 개인 다방성으로 나눌 수도 있다. 또한 전체 병변을 구성하는 낭의 수에 따라 구분하기도 하는데 6개를 초과한 경우와 6개 이하인 경우로 구분하기도 한다. 이런 형태학적 특징들을 고려하여 췌장 낭성종양을 형태학적으로 크게 분류하면 ① 단방성 ② 소낭성 ③ 대낭성 ④ 고형성분을 동반한 낭성 병변의 네 가지 형태로 나눌 수 있다. 낭성종양과 췌관과의 연결 여부도 감별진단에 도움을 줄 수 있다. 장액성 낭성종양과 점액성 낭성종양은 주췌관과 연결되어 있지 않지만, 반면에 췌관 내 유두상 점액종양과 가성낭종은 병변이 주췌관과 연결되어 있다.

내시경 초음파는 췌장에 근접하여 고해상도의 영

표 2-2 췌장 낭성종양의 임상적 특징

	장액성 낭종	점액성 낭종	췌관 내 유두상 점액종양	고형 가유두상 종양
성비	여 > 남	주로 여성	남 > 여	주로 여성
호발 연령	중년	중년	고령	청년
췌장염 병력	없음	없음	간혹	없음
호발 부위	골고루 분포	체부나 미부	두부	골고루 분포
형태학적 특징	주로 다낭형이나 벌집모양형 드물게 소수낭성형	단방형 격벽이나 벽의 석회화고형 부위가 있으면 악성을 시사	주체관 혹은 분지체관의 확장고형 부위가 있으면 악성을 시사	고형부위를 포함한 낭성
췌관과 연결여부	없음	없음	있음	없음
악성화	거의 없음	가능성이 있음	간혹	낮음

상을 얻을 수 있어서 현재 췌장 낭성종양의 감별진단 검사 중에서 가장 섬세하고 확대된 영상을 얻을 수 있으므로 감별진단이 명확하지 않은 경우나 악성 가능성이 있어 이에 대한 추가적인 평가가 필요한 경우에 시행한다. 또한 최근에 도입된 내시경 초음파 유도 조직검사를 통해 낭종액을 천자하면 낭종액의 생화학적 검사, 종양표지자 검사 및 세포진 검사 등을 시행할 수 있어서 부가적 정보를 얻는데 매우 유용하다. 낭성 병변 내 낭액을 채취하고 세포검사와 낭액을 분석하면 표 2-3과 같이 감별진단에 이용할 수 있다. 그러나, 이러한 세포검사나 낭액 분석이 절대적이지는 않아서 어느 종류에도 속하지 않는 미분류 낭성종양도 상당수 있음을 주지해야겠다. 그리고, 고형 종괴나 림프절의 초음파 내시경 유도 생검 시에는 예방적 항생제 사용을 추천하지 않지만 췌장 낭종을 생검할 때에는 플루오로퀴놀론계 항생제나 베타락탐 항생제 사용을 추천한다.

(1) 점액성 낭성종양

점액성 낭성종양은 여성에서 남성보다 9배 정도 높은 빈도로 발생하며, 호발 연령은 대개 50~60대 정도이다. 점액성 낭성종양은 췌장의 두부보다는 미부에 호발하기 때문에 폐쇄성 황달을 동반하는 경우는 매우 드물고, 단방성 또는 다방성 구조를 보이고 있으며 내부에는 물과 밀도가 비슷한 점액을 함유하고 있다. 따라서 컴퓨터단층촬영에 낭종 내에 액체 성분이 저음영으로 보이고, 자기공명영상에서는 특히 T2 영상에서 매우 밝은 음영을 보여서 액체의 존재를 알 수 있다.

점액성 낭성종양은 대개 한 개의 큰 낭을 형성하는데 모양은 둥글거나 달걀 모양이고 크기가 대부분 커서 4~5 cm 정도이고 어떤 경우는 10 cm 이상인 경우도 있다. 피막이 두꺼워서 대개 1~2 mm 정도이고 부분적으로 두꺼운 곳도 있고 얇은 곳도 있으며 석회화도 군데군데 점상 또는 선상으로 보일 수 있다. 특히 낭포 중간을 가로지르는 여러 개의 두껍거나 얇은 격벽이 보이는 게 특징이며, 이 격벽이 얇고 매끈하면 양성종양일 가능성이 많고 두껍고 불규칙하거나 중간 중간에 고형 성분이 붙어 있으면 악성일 가능성이 많다. 또 큰 낭포 속에 여러 개의 작은 낭포가 보이는 경우도 흔하다. 종양의 압박으로 인한 주췌관의 확장이 관찰될 수 있으나 일반적으로는 췌관과는 연결되어 있지 않다. 약 25%에서는 가장자리에 달걀 껍질과 같이 석회화된 테

표 2-3 췌장 낭성종양에서 내시경미세침흡인검사결과

	장액성 낭종	점액성 낭종	췌관 내 유두상 점액종양	고형 가유두상 종양
색깔	무색	무색	무색	무색
점도	매우 낮음	대개 높음	대개 높음	매우 낮음
세포검사	대개 세포가 관찰되지 않음	점액만 있고 세포가 관찰되지 않거나 점액상피세포	유두상 혹은 이형성을 동반한 점액상피세포	분지를 가진 유두상 점액질 기질
암태아항원	매우 낮음	높음	높음	-
아밀라아제	낮음	다양함	높음	-

두리를 동반할 수 있는데 이는 악성 병변의 가능성을 강력히 시사한다.

내시경 초음파를 통해 각각 낭종의 모양과 내부 구조를 자세하게 알 수 있다. 점액성 낭성종양은 이미 암이거나 또는 암으로 변할 수 있는 전암성 병변이며 악성화한 경우에는 낭종 내 결절 또는 유두상 증식을 하는 신생물이 보일 수 있다(그림 2-68). 대부분의 점액성 낭성종양은 주췌관과의 연결이 없이 췌장실질에 존재한다(그림 2-69). 악성 병변을 의심할 수 있는 소견으로는 병변의 크기가 클 때, 낭벽이 두꺼워져 있거나 불규칙할 때, 낭성 병변 내부에 고형 종괴가 의심될 때, 병변 주변에 종괴가 있

을 때, 주췌관이 막혔거나 위치가 심하게 변화되었을 때 등이다.

(2) 췌관 내 유두상 점액종양

췌관 내 유두상 점액종양은 췌장의 두부 특히 구상돌기에 호발하기 때문에 종양이 커지는 경우에 췌관 확장, 담관 확장 및 폐쇄성 황달을 동반하는 경우가 점액성 낭성종양에 비하여 상대적으로 많다. 점액종양의 호발 연령은 60~70대이며 성비는 남자와 여자가 비슷하거나 오히려 남자에 더 호발하는 경향을 보이고 있다. 임상양상은 다른 낭성종양과 비슷하지만 종양이 췌관 내에서 자라고 점액

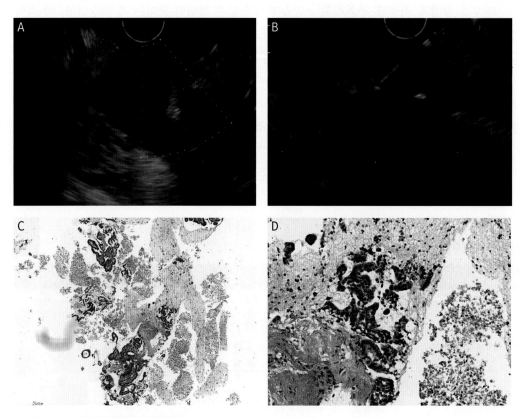

그림 2-68 악성화한 점액성 낭성종양
A. 벽의 일부가 두꺼워진 대낭종이 췌장 미부에서 관찰된다.
B. 두꺼워진 벽부분에 대하여 세침흡인검사를 시행하였다.
C. 세침흡인을 통해 획득한 췌장조직검체에서 확인된 고분화이형성소견(H&E 40배)
D. 세침흡인을 통해 획득한 췌장조직검체에서 확인된 고분화이형성소견(H&E 200배)

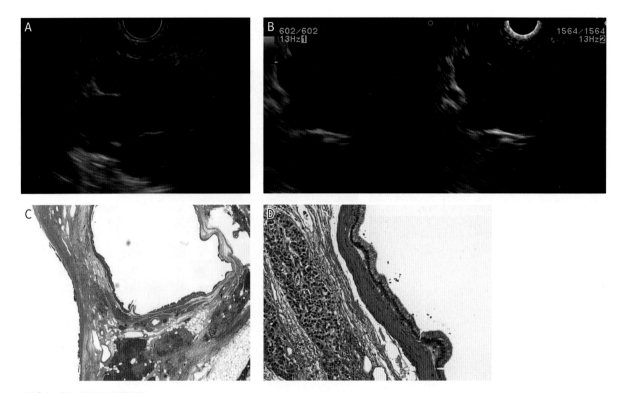

그림 2-69 점액성 낭성종양
A. 췌장 미부에 격벽이 다소 두꺼운 대낭종이 관찰되고 있다.
B. 조영증강 내시경 초음파에서 격벽이 두꺼워져 있었지만 결절이 의심되는 소견이 관찰되지는 않았다.
C. 췌장 미부절제술 후 점액성 낭성선종(H&E 20배)
D. 췌장 미부절제술 후 점액성 낭성선종(H&E 200배)

성 물질이 주췌관을 막아서 췌장 기능부전이 발생하며 지방변, 체중 감소, 당뇨가 동반되는 경우가 다른 낭성종양에 비하여 상대적으로 흔하다.

췌관 내 유두상 점액종양은 주로 병변이 존재하는 부위에 따라서 주췌관형과 분지췌관형으로 나눌 수 있으며 두 가지 형태가 공존하는 형태도 있다. 종양이 발생한 위치와 병변의 범위에 따라 주췌관형, 분지췌관형 그리고 혼합형으로 분류한다(그림 2-70). 주췌관형은 미만성 혹은 분절성으로 주췌관이 길게 늘어나고 늘어난 췌관 내에 점액이 충만된 소견을 보인다. 분지췌관형은 주췌관의 가지인 분지췌관이 동그랗게, 계란형으로 또는 길쭉하게 늘어나 낭성 병변을 이루는 특징적인 모양을 보

인다. 늘어난 낭종들은 한 군데 포도송이처럼 모여 있는 경우도 있고 여러 군데 흩어져 있는 경우도 있다. 췌관 내 유두상 점액종양의 경우 점액성 낭성종양과 가장 큰 차이점은 종양이 주췌관이나 분지췌관과 같은 췌장관 내에서 자란다는 점이다. 두 종양 모두 종양세포에서 점액을 분비하는 것은 동일하고, 진단 당시 이미 암이거나 악성화할 수 있는 전암성 병변인 것도 동일하다. 벽결절은 저도 혹은 중등도 이형성 췌관 내 유두상 점액성 종양의 병리소견에서는 3%에서 관찰되었으나 고도 이형성과 악성 병변은 60%에서 관찰되었다. 그러나, 낭성종양 내 벽결절은 점액방울과 혼동될 수 있어 감별이 필요하다.

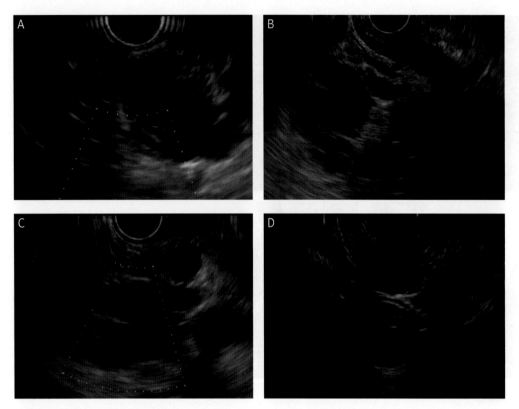

그림 2-70 췌관 내 유두상 점액종양

A. 췌장꼬리부위에 췌장실질이 대부분 위축되어 관찰되지 않으면서 낭종벽이 두꺼워진 하나의 대낭종이 관찰되고
있고 췌관과 연결을 보여주어 혼합형 췌관 내 유두상 점액종양에 합당하다.

B, C. 췌장 두부에 외부 경계가 분명하지 않고 낭종벽이 다소 두꺼워진 대낭종이 관찰되고 있다. 췌장 대낭종이 주췌
관과 연결되어 있고 주췌관의 확장이 관찰되어 혼합형 췌관 내 유두상 점액종양에 합당하다.

D. 췌관 내 결절이 관찰된다.

내시경 초음파는 늘어난 췌관을 관찰할 수 있고 낭성종양 부위와 주췌관의 연결을 확인할 수도 있다. 또, 종양성 결절은 불규칙적인 경계와 고에코 중심이 관찰되며, 점액방울일 경우 주변 실질과 비교하여 매끈하고 잘 경계가 지어지는 고에코 테두리와 저에코 중심이 관찰되어 감별할 수 있다.

(3) 장액성 낭성종양

장액성 낭성종양은 여성이 남성보다 약 2배 정도 호발한다고 알려져 있고, 연령은 10대 후반에서 90대까지 다양하게 분포하지만 호발 연령은 60~70대

이다. 대부분 우연히 발견되지만, 드물게 장액성 낭성종양이 크기가 커져서 주위 조직을 압박하면 비정맥 폐쇄, 간문맥압 상승, 폐쇄성 황달, 십이지장 궤양 등을 동반할 수 있다. 장액성 낭성종양은 악성화의 가능성이 거의 없다.

종괴는 얇은 섬유성 피막으로 덮인 경계가 뚜렷한 단발성 병변으로 전형적으로는 비교적 경계가 좋으며 격벽을 가지는 작은 낭종들이 모여 있는 형태를 보인다. 병변의 전체 크기는 1 cm 미만에서부터 10 cm 이상까지 다양하다. 주췌관 또는 분지췌관과의 연결이 없고 췌관은 정상 소견을 보이는데

크기가 큰 장액성 낭성종양인 경우에는 주췌관을 밀치는 듯한 양상을 보일 수 있다. 췌장 내 위치는 두부, 체부 및 미부에 고루 발생할 수 있다.

형태학적으로는 세 가지 형태로 분류된다.

① 다낭형

70%을 차지하는 가장 흔한 형태로 일반적으로 여러 개(6개 이상)의 작은(2 cm 이하) 낭포들이 울퉁불퉁한 모양으로 모여 있는 특징을 나타낸다.

② 벌집모양형

약 20%에서 관찰되며 무수히 많은 약 1~5 mm 크기의 아주 작은 물집들이 포도송이처럼 다닥다닥 붙어 있어서 이것이 벌집이나 스펀지 형태의 큰 덩어리를 이루는 것이 특징이다. 점액성 낭성종양이 대낭성이라면 장액성 낭성종양은 대개 소낭성 병변으로 나타난다. 낭종이 2 mm 이하로 매우 작을 때에는 마치 고형 종괴처럼 보일 수 있어서 주의를 요한다. 내시경 초음파나 자기공명영상을 시행하면 아주 작은 낭종의 모습도 후방음향증강이나 T2 영상에서 고음영을 보여서 고형 종괴가 아니라는 것을 쉽게 알 수 있다.

③ 소수낭성형

소수낭성형은 약 10%정도에서 관찰되고, 하나 혹은 6개 이하의 보다 큰 낭포(1~2 cm)가 모여 보이기도 하는데, 이런 경우에는 컴퓨터단층촬영이나 자기공명영상 소견으로는 점액성 낭성종양과 비슷하게 보이기 때문에 감별이 매우 어렵다. 병변 중심부의 섬유 반흔은 때로는 특징적인 방사형의 석회화 소견을 동반하는데 장액성 낭성종양을 진단할 수 있는 매우 특징적인 소견으로 약 30%에서 관찰된다.

다른 낭성종양들과 감별이 어려운 형태에 해당하는 소수낭성형 또는 대낭형인 경우에는 낭종의 수가 많지 않으며 각각의 낭종의 크기가 커서 점액성 낭성종양과의 감별이 특히 어렵다. 이러한 경우에는 낭종의 수가 적어서 셀 수 있을 정도이고 각각 낭종의 크기도 커서 2 cm 이상되는 경우도 흔하며 심지어는 단방성인 경우도 보고되는데, 이 때는 내시경 초음파 유도 낭종액 천자를 시행하여 감별진단을 할 수 있다(그림 2-71).

(4) 고형 가유두상 종양

고형 가유두상 종양은 전체 췌장 종양의 약 1% 정도를 차지하고 있으며 낭성종양 중에서는 약 10% 내외를 차지하고 있다. 다른 낭성종양과 달리 뚜렷하게 호발 연령과 성별에서 차이가 있어서 20~30대의 젊은 여성에서 많이 발견되고 있다.

원래는 고형 종괴이지만 증상이 없이 크기가 커지는 경우 출혈, 괴사 등으로 인하여 이차적으로 낭성변화가 초래되어 낭성 병변처럼 보이게 된다. 종괴의 평균 크기는 약 10 cm 정도이며 췌장 미부에 가장 많고 두부에서 발생하기도 한다. 고형 종괴의 낭성변화이므로 거의 모두 피막이 있고 두꺼우며, 부위에 따라 부분적으로는 낭성이고 다른 부분은 고형인 복합적이고 불규칙한 종괴의 형태를 보인다. 낭성 부분은 액체로 차있고 낭벽에 부분적으로 석회화가 동반되기도 한다. 내시경 초음파검사상 고형 종양 내부에 낭성 병변이 여기저기 산재한 모양으로 췌관과 연결되어 있지 않고 대부분 정상 췌관을 보인다.

(5) 조영증강 내시경 초음파의 이용

조영증강 내시경 초음파는 종양성 병변과 비종양성 병변의 구분에 유용하다. 종양성 병변에서는 낭벽, 격벽, 결절 등이 모두 조영증강되었으나 비종양성 병변에서는 오직 6%에서 조영증강 소견을 보

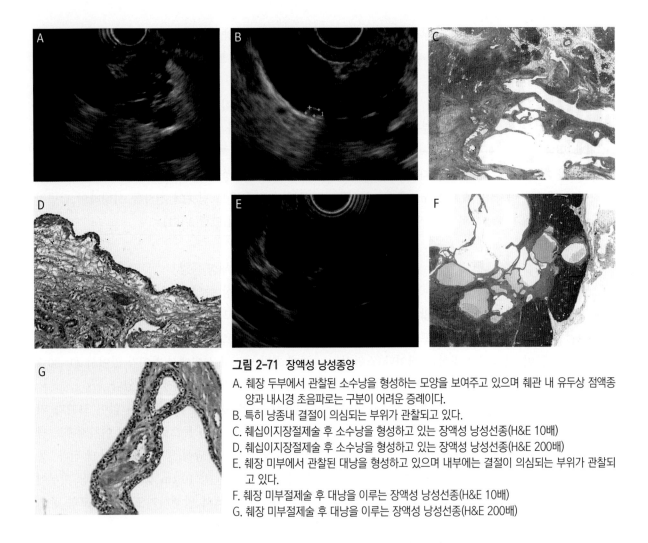

그림 2-71 장액성 낭성종양
A. 췌장 두부에서 관찰된 소수낭을 형성하는 모양을 보여주고 있으며 췌관 내 유두상 점액종
   양과 내시경 초음파로는 구분이 어려운 증례이다.
B. 특히 낭종내 결절이 의심되는 부위가 관찰되고 있다.
C. 췌십이지장절제술 후 소수낭을 형성하고 있는 장액성 낭성선종(H&E 10배)
D. 췌십이지장절제술 후 소수낭을 형성하고 있는 장액성 낭성선종(H&E 200배)
E. 췌장 미부에서 관찰된 대낭을 형성하고 있으며 내부에는 결절이 의심되는 부위가 관찰되
   고 있다.
F. 췌장 미부절제술 후 대낭을 이루는 장액성 낭성선종(H&E 10배)
G. 췌장 미부절제술 후 대낭을 이루는 장액성 낭성선종(H&E 200배)

인다. 장액성 낭성종양과 점액성 낭성종양은 조영
증강 내시경 초음파에서 대부분 과조영되는 양상을
보인 반면, 가성낭종의 경우 대부분 저조영되는 양
상을 보인다. 그러나 조영증강 내시경 초음파에 대
해서는 명확한 적응증이나 우월성이 확실하게 보장
되지 않은 상태로 향후 대규모 후속 연구들을 통하
여 추가 근거들이 필요하다.

3) 췌장암

췌장 종양을 진단하는 영상학적 기법을 종합적으
로 비교하였을 때, 췌장 종양의 진단에 있어서 컴퓨
터단층촬영의 민감도는 74%지만 내시경 초음파의
민감도는 98%에 달하다. 특히 종양의 크기가 3 cm
미만인 췌장 종양을 비교하면 컴퓨터단층촬영의 민
감도는 53%지만 내시경 초음파의 민감도는 93%에
달하였으며, 67%의 민감도를 보인 자기공명영상보
다 더 우월하다. 여러 가지 이유로 현재 췌장암이
의심될 때 임상에서 가장 먼저 시행하는 검사는 컴
퓨터단층촬영이다. 췌관 확장이 확인되거나 황달,
종양표지자 상승 등 임상적으로 췌장암이 의심되지
만 컴퓨터단층촬영에서 이를 설명할 수 있는 췌장

종양이 뚜렷하게 보이지 않는 경우에 내시경 초음파를 반드시 생각해야겠다(그림 2-72). 특히 내시경 초음파는 췌장암 진단에 음성 예측도가 높아서 거의 확실하게 췌장암의 가능성을 제외하고자 할 경우 이용할 수 있겠다.

내시경 초음파는 췌장암의 병기 설정에 아주 유용한 진단 방법 중 하나이다. 종양 자체뿐만 아니라 림프절, 혈관 등 주위 인접 장기들까지 평가가 가능하기 때문이다. 특히 간문맥 침범에 대한 민감도는 80% 이상으로 컴퓨터단층촬영과 혈관조영술보다 우월한 것으로 알려져 있다(그림 2-73). 하지만 상장간막동맥 및 정맥, 복강동맥의 침범을 평가하는 데 있어서는 컴퓨터단층촬영이 내시경 초음파보다 민감도가 우월하다. 그것은 혈관이 큰 종양에 의하

여 가려지거나, 내시경 초음파로는 전체 경로를 파악하기 어렵기 때문이다. 그리고 종양의 크기에 의해서도 영향을 받는다. 따라서 병기를 결정하는 데 있어서 3cm 이상이거나 원격전이는 컴퓨터단층촬영이, 작은 종양은 내시경 초음파가 우수하므로 상호 보완적이라고 할 수 있다.

내시경 초음파 유도 세침흡인검사(그림 2-74)는 1991년 췌장암의 진단에 처음 시행되었으며, 그 이후 복강 내 혹은 종격동 내 위치한 병변 조직을 채취하는 데 있어서 덜 침습적이고 안전한 검사로 많이 시행되고 있다. 특히 췌장암 진단에 있어서 내시경 초음파 유도 세침흡인검사는 85~93%와 96~100%의 높은 민감도와 특이도를 보여주었으며, 3 cm 미만의 췌장암 진단에 있어 역동적 조영증강

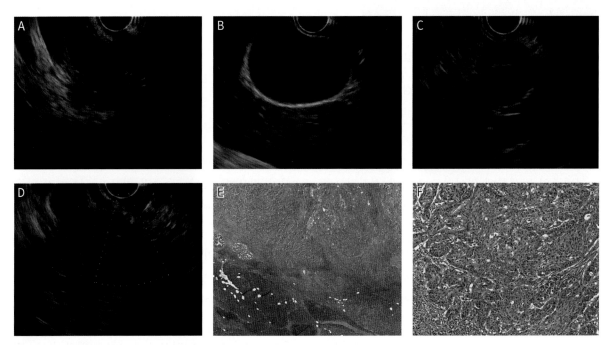

그림 2-72 췌장암
A. 췌장 두부에서 형성된 종괴가 담관 내부로 침범하고 있다.
B. 담낭이 늘어나 있고 내부에 슬러지로 의심되는 고에코 병소가 담낭 내에서 떠다니고 있다.
C. 췌관이 늘어나 있고 내부에 용종상으로 자라난 병소가 관찰되고 있다.
D. 췌장 두부에서 도플러를 이용하여 혈관을 피해 세침흡인검사를 시행하고 있다.
E. 췌십이지장절제술로 제거한 28 mm의 점액표피양의 췌장선암(H&E 20배)
F. 췌십이지장절제술로 제거한 점액표피양상을 띄는 췌장선암(H&E 100배)

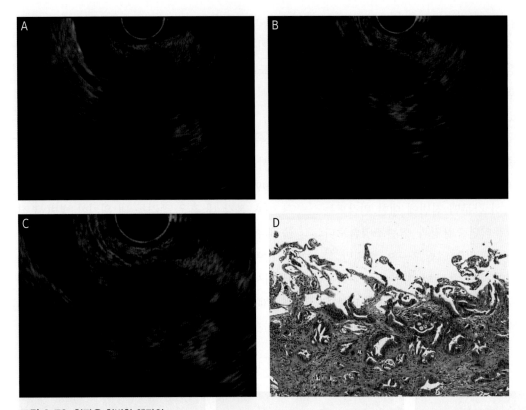

그림 2-73 혈관을 침범한 췌장암
A. 간외담관의 확장을 동반한 비균질한 저에코성 병소가 췌장 두부에서 관찰되고 있다.
B, C. 경계가 매우 불확실한 병변이 간문맥을 누르고 있다.
D. 췌십이지장절제술로 제거된 25 mm의 췌장선암(H&E 100배)

컴퓨터단층촬영보다 우수한 것으로 알려져 있다.

합병증의 발생률에 있어서도 시술과 직접적으로 관련 있는 합병증은 차이가 없었으나 복막파종 같은 장기 합병증 발생률은 내시경 초음파는 2%, 경피적 방법은 16%로 전이 병변이 아닌 근치적 수술을 앞둔 경우 내시경 초음파 유도 조직검사를 추천하고 있다. 그러나, 만성췌장염 환자에서 악성종양을 진단하기 위한 내시경 초음파 유도 조직검사는 염증성 종괴와 췌장암 사이에 구분이 어려운 것으로 알려졌다. 결국 검사 결과가 음성이 나오거나 불확실하게 나왔으나 강력하게 악성 질환이 의심된다면, 다시 조직 슬라이드를 판독하거나 내시경 초음파 유도 조직검사를 시행하거나 수술을 고려할 수 있다. 췌장암에서 내시경 초음파 유도 세침흡인검사가 필요한 경우는 수술적 치료가 적합하지 않은 질환에서 수술이 아닌 다른 방법으로 조직검사가 필요한 경우에 유용하다. 또 자가면역성 췌장염이나, 림프종 같이 내과적 치료를 요하는 질병이지만 악성종양으로 오인될 가능성이 있는 경우 감별진단에 도움이 될 수 있다. 경계절제성 췌장암에서 선행 보조화학요법 전에 조직검사의 방법으로 내시경 초음파 유도 세침흡인검사를 권고하고 있다. 이는 컴퓨터단층촬영 유도 세침흡인검사에 비하여 내시경 초음파 유도 세침흡인검사가 진단율 및 안정성에서 우월하며, 복막전이의 위험이 낮기 때문이다. 현재 췌장 머리 쪽에서 조직검사를 할 경우에는 십이

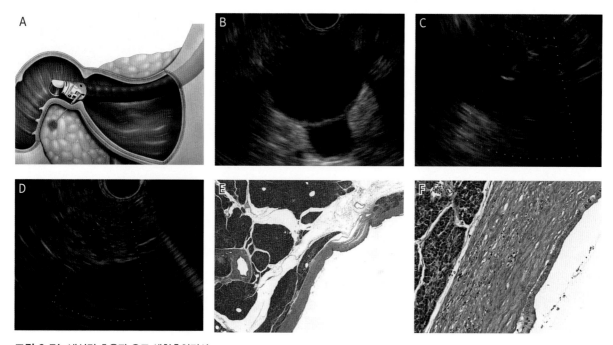

그림 2-74 내시경 초음파 유도 세침흡인검사
A. 췌장종괴에 대한 내시경 초음파 유도 세침흡인검사
B. 췌장 체부에 하나의 대낭종이 관찰된다.
C, D. 세침흡인을 시행하여 완전히 낭종이 사라질때까지 흡인한다.
E. 췌장낭종절제술에 의해 확진된 췌관 내 유두상 점액종양(H&E 20배)
F. 췌장낭종절제술에 의해 확진된 췌관 내 유두상 점액종양(H&E 100배)

지장을 통하여 조직검사를 하게 되므로 설령 파종이 된다고 하더라도 수술로 인한 절제 구역에 포함되기 때문에 임상적으로 큰 문제가 되지 않는다. 또 근래에는 간 조직생검에도 이용되고 있다.

췌장암이나 신경내분비종양(그림 2-75), 그리고 종괴 형성 만성췌장염은 대부분 저에코성 음영으로 관찰되기 때문에 내시경 초음파 소견만으로 이런 종양들을 감별하는 것이 쉽지 않을 수 있다. 이때 조영증강 내시경 초음파를 사용하면 종양의 특성을 파악하고 감별하는 데 도움이 된다. 조영증강 동안 관류가 잘 되지 않는 경우를 저조영증강 병소라고 하는데, 이것은 악성종양을 시사하는 소견이다. 반면 인슐린종 같은 신경내분비종양은 미세혈관이 풍부하게 발달되어 있기 때문에 고조영증강 병소로 보인다.

4) 췌장 가성낭종

급성췌장염 후 발생하는 가성낭종은 췌장실질의 괴사없이 주췌관이나 췌장 내 췌관가지에서 췌즙이 지속적으로 유출되어 형성된다. 급성 간질성 췌장염 4주 후에 발생하는 염증성 벽으로 잘 둘러싸인 수액고임으로 정의하고 있다(그림 2-76).

과거에는 가성낭종 배액술의 적응증을 증상에 상관없이 6주 이상 지속되거나 6 cm 이상인 가성낭종으로 인식하였다. 최근에는 가성낭종의 증상이 없

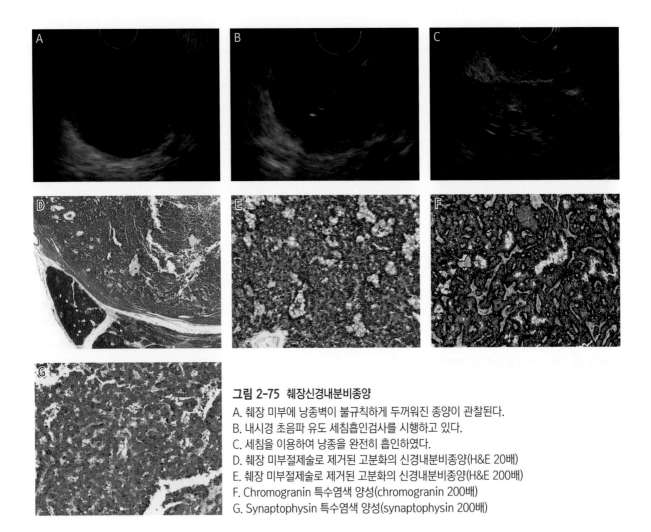

그림 2-75 췌장신경내분비종양
A. 췌장 미부에 낭종벽이 불규칙하게 두꺼워진 종양이 관찰된다.
B. 내시경 초음파 유도 세침흡인검사를 시행하고 있다.
C. 세침을 이용하여 낭종을 완전히 흡인하였다.
D. 췌장 미부절제술로 제거된 고분화의 신경내분비종양(H&E 20배)
E. 췌장 미부절제술로 제거된 고분화의 신경내분비종양(H&E 200배)
F. Chromogranin 특수염색 양성(chromogranin 200배)
G. Synaptophysin 특수염색 양성(synaptophysin 200배)

는 경우 내과적 경과관찰이 가장 우선적인 치료방침이다. 그러나, 가성낭종으로 인해 복통이 발생하는 경우, 가성낭종의 크기가 점점 커질 때, 감염성 가성낭종, 가성낭종 내 출혈, 가성낭종에 의한 장이나 총담관의 폐쇄가 있는 경우에는 내시경적 배액술이 필요하다.

내시경적 배액술은 경유두와 경벽 경로를 이용할 수 있다. 가성낭종의 크기, 위 또는 십이지장과의 접근 정도, 그리고 췌관과 가성낭종의 연결 유무에 따라 배액 방법은 결정된다. 내시경적 경벽 배액술을 시행하기 전 다음과 같은 점을 평가하여야 한다.

첫째, 췌장염의 기왕력이 명확하지 않으면 췌장 낭종성 종양, 선천적 낭종 등과 감별이 쉽지 않다. 둘째, 가성낭종이 위 또는 십이지장을 외부에서 압박하는지 또는 주위에 혈관이 존재하는지를 평가해야 한다. 셋째, 가성낭종 내에 고형의 조직파편이 모여 있는 지도 평가해야 한다. 넷째, 가성낭종이 췌장암, 자가면역성 췌장염, 그리고 췌장의 점액담관종 등에 의한 췌장염으로 발생하였는지도 고려해야 한다. 경유두 배액술은 플라스틱 배액관을 췌관에 삽입하여 배액하는 방법으로 가성낭종이 주췌관과 연결이 되어 있을 때 사용될 수 있다. 또한 가성낭

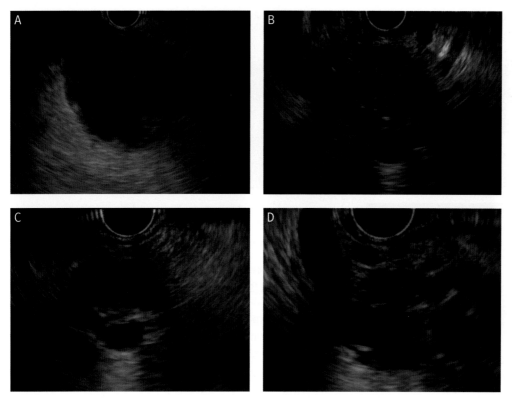

그림 2-76 가성낭종
A. 췌장 미부에 내부에 조직 파편을 동반한 낭종과 분명하지 않는 벽의 형성을 보여주고 있다.
B. 췌장 두부에 고에코성 결절, 고에코를 보이는 선상 변형을 보이는 췌장실질의 변화가 보인다.
C. 췌장 체부에서 미부에 이르기까지 췌장실질의 위축과 췌관의 확장이 관찰된다.
D. 췌장 두부에서 작은 크기의 낭종들이 함께 관찰된다.

종이 위장관으로부터 1 cm 이상 떨어져 있거나 경벽 방법이 비적응증이 되는 경우에도 이용될 수 있다. 이 방법은 급성보다는 췌관에 병변이 초래 되는 만성췌장염과 연관된 가성낭종에서 많이 시행한다 (그림 2-77). 경벽 배액술은 과거에는 내시경 초음파 유도 없이 십이지장경으로 가성낭종에 의한 외부 압박으로 위나 십이지장에서 가장 융기되어 있는 부위를 확인한 후 맹목적으로 천자하는 방법이 이용되었으나, 최근에는 내시경 초음파 유도 경벽 배액술을 이용하고 있다(그림 2-78).

선형 배열 내시경 초음파를 이용하여 가성낭종이나 농양 부위를 찾은 다음 낭종과 위장벽이 최단거리이면서 혈관이 없는 부위를 선정하여 19 게이지 세침흡인용 주사침을 이용하여 낭을 천자한 후, 주사침 내로 가이드와이어를 삽입하고 이 철사를 따라서 낭종침(cystotome)이나 6 Fr 부지를 이용하여 천자부위를 확장한다. 이후 8~10 mm 풍선을 통과시켜 확장한 후 2~3개의 이중관카테터나 비낭배액관을 삽입한다. 낭종 내에 괴사된 물질이나 고름이 많이 있을 때는 비낭배액관을 통하여 생리식염수로 세척과 배액이 필요로 할 수 있다. 최근에는 플라스틱관보다 직경이 큰 완전피복 금속관 혹은

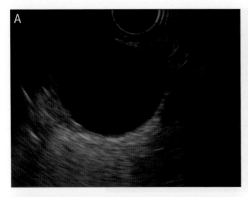
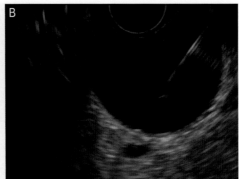
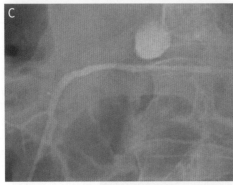

그림 2-77 경유두 배액술
A. 췌장 체부에서 하나의 대낭종이 관찰되고 있으며 췌관과의 연결이 확실하지
   않는 상태로
B. 세침흡인검사를 시행하였고 amylase가 20,000 IU/L 이상으로 높게 측정되
   고 CEA는 8.7 ng/mL로 측정되어 가성낭종이 의심되어
C. 내시경역행췌담관조영술에서 췌관과 연결된 가성낭종으로 경유두 배액술을
   시행하였다.

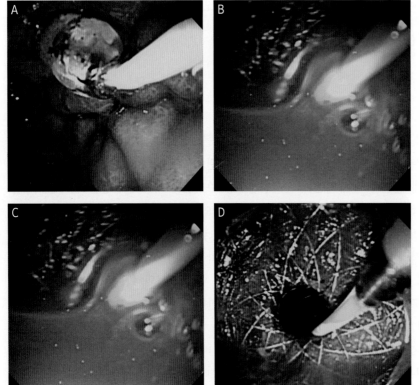

그림 2-78 내시경 초음파 유도 배액술
A. 위후벽에서 췌장괴사조직을 관찰하고
   19게이지 세침을 삽입함.
B. 가이드와이어를 따라 풍선확장술을 시
   행하여 위벽과 췌장괴사조직 사잇길을
   확장함.
C. 가이드와이어를 따라 금속관 삽입 직후
   고름이 배액됨.
D. 가이드와이어를 따라 위벽과 췌장괴사
   조직 사이에 금속관을 삽입함.

배액관 이탈을 막는 아령 형태의 금속관을 가성낭종에 사용하여 효과적으로 배액을 시도하고 있다 (그림 2-79). 시술 전에 복막염 발생 등 합병증을 최소화시키기 위해서는 병변의 낭벽이 잘 성숙되어 있어야 하고 가성낭종과 장벽 사이가 10 mm 미만에서 시술이 시행되어야 한다.

5) 감염성 췌장괴사

췌장괴사는 췌장실질이 회생 불가능하게 전반적 또는 국소적으로 파괴되고 대개 췌장주위 지방조직의 괴사와 동반된다. 괴사성 췌장염의 2/3는 대부분 무균성으로 대개 보존적 치료가 가능하다. 괴사성 췌장염에서 2차적 감염은 어느 시기에도 발생할 수 있지만 보통 증상 발현 약 2~4주 사이에 주로 발생한다. 복부 영상에서 췌장 괴사 부위에 공기음영이 관찰되면 강력하게 감염을 의심할 수 있다. 과거에는 감염성 췌장괴사의 치료로 즉각적인 수술적 괴사제거술이 필요하여 컴퓨터단층촬영 또는 초음파 유도 세침흡인을 통한 균동정이 필수적이었다. 그러나 최근에는 패혈증이 없으면 항생제와 보존적

치료만으로도 감염성 췌장염의 치료가 가능하고 최소침습 중재시술, 즉 내시경 또는 경피 배액술 등이 수술보다 우선적으로 시행되고 있다.

가성낭종의 내시경적 배액술과 비슷하게 내시경 초음파 유도하에 위나 십이지장 벽을 통하여 감염된 괴사 병변을 천자한 후 경벽 통로를 확장하여 플라스틱 배액관과 비강배액관을 삽관하여 배액한다. 필요에 따라서는 확장된 경벽 통로를 통하여 내시경을 삽입한 다음 괴사제거술을 시행하기도 한다 (그림 2-80).

괴사성 췌장염 환자에서 최대한 보존적 치료를 하면서 중재적 시술 또는 수술적 치료는 췌장염 발생 4~6주 후로 최대한 연기해야 사망률과 합병증을 줄일 수 있다. 췌장염 발생 4주가 지나면 괴사조직이 살아있는 조직으로부터 경계 구분이 잘 되고 액화되므로, 내시경 시술이나 수술 중 출혈 등과 같은 합병증을 줄일 수 있다. 또한 살아있는 조직의 절제를 최소화하여 시술 후 내분비 기능과 외분비 기능의 장애를 예방할 수 있을 뿐만 아니라 시술 후 염증을 감소시킬 수 있고 새로운 다장기 부전과 같은 합병증을 막을 수 있다. 최근에는 금속관을 위장벽

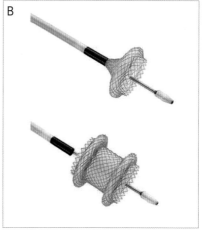

그림 2-79 배액용 금속관
A. 내시경 초음파 유도 배액에서 최근 사용되는 아령형 금속관으로 태웅메디칼의 스페이셔스이다.
B. 보스톤사의 액시오스 스탠트로 아령형 금속관이다.

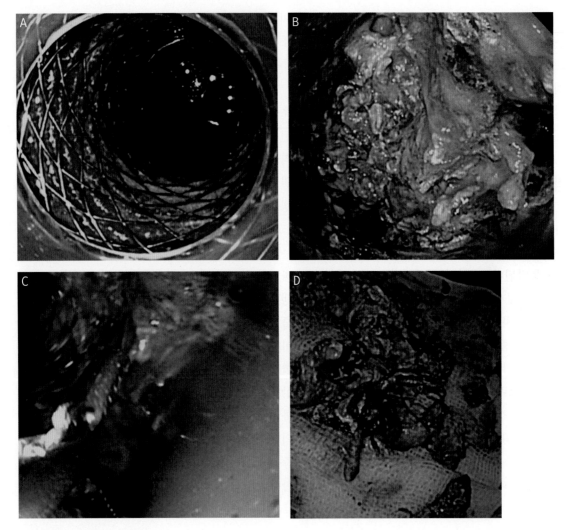

그림 2-80 내시경 괴사제거술
A. 위벽과 췌장괴사조직사이 금속관 내부를 관찰.
B. 위벽과 췌장괴사조직사이의 금속관을 통해 내시경을 삽입하여 관찰한 괴사조직
C. 괴사조직을 내시경 이물제거겸자로 제거함.
D. 제거한 괴사조직

과 감염된 괴사 병변 사이에 삽입하여 배액을 원활하게 하고 내시경이 금속관을 통하여 괴사된 부위로 접근을 쉽게 하여 괴사제거술을 시행한다. 또한 복강경을 이용한 괴사제거술은 작은 상처를 통하여 광범위하게 괴사부위를 제거할 수 있는 장점이 있다. 감염성 췌장괴사 환자에서 내시경 배액술로 감염된 괴사부위를 배액하고도 임상적인 증상과 증후

의 호전이 없으면, 다음 단계로 복강경이나 내시경을 이용한 최소침습 괴사제거술을 추가적으로 시행하는 단계적 접근방식이 이용될 수 있다. 내시경을 이용한 경벽 배액술에서 가장 경계해야 할 합병증은 출혈, 천공, 공기색전증이다. 단순한 가성낭종의 경우에는 주요 합병증들의 발생이 드물지만 내시경 괴사조직제거술에서는 3~4%에서 천공이 발생하였

다고 보고하고 있다. 최대한 내시경 경벽 통로를 형성하기 위해서 풍선 확장술을 시행할 때는 풍선의 직경을 작은 것부터 큰 것으로 서서히 바꾸어야 하고, 송기는 이산화탄소를 이용하여 공기색전증을 예방하도록 하고 괴사된 조직을 제거할 때는 혈관이 손상되지 않도록 주의해야 한다.

4. 비장 초음파

1) 소개

비장은 좌상복부에 위치한 장기로, 복강동맥에서 기시하는 비장동맥의 혈액 공급을 받는다. 발생 과정에는 조혈 기능을 하나, 정상적으로는 발생 과정이 끝난 후에는 조혈에 기여하지 않는다. 주요 기능은 혈액을 여과함으로써 외부 감염에 저항하는 것이다. 비장절제술 후 발생할 수 있는 비장절제술 후 패혈증(Overwhelming Post Splenectomy Infection, OPSI)은 전체 환자의 3% 정도에서 주로 폐렴구균, 뇌수막구균, 인플루엔자균에 의해 발생한다. 따라서 계획된 비장절제술 전에는 접종이 꼭 필요하며, 접종이 누락된 경우나 응급수술을 한 경우에는 수술 후에 접종을 해야 한다.

2) 영상검사

비장의 영상학적 검사는 CT나 MRI를 주로 시행하게 된다. 하지만 확인된 병변에 대한 추적관찰 등의 목적으로는 초음파가 용이할 수 있다. 또한 다발성 외상으로 응급실에 내원한 경우, 복부(특히 좌상복부) 둔상이 있었다면 외상초음파(FAST)를 시행하면서 필히 비장 내의 혈종이나 비장주위 혈액저류 등의 비장손상 소견이 있는지 확인해야 한다.

3) 초음파 기법

환자를 좌측으로 눕히고, 숨을 내쉬게 한 상태에서, 중간겨드랑선보다 약간 뒤쪽에 탐색자를 대고 비장을 탐색한다. 비장은 늑골, 위, 대장의 비장만곡에 가려져 있으니 이 구조들을 피하여 탐색해야 한다. 비장은 왼쪽 신장 바로 위에 위치해 있으므로 찾기 어렵다면 신장을 길잡이로 삼는 것도 좋은 방법이다(그림 2-81). 늑골하선에서 비장 전체를 탐색할 수도 있으나, 늑골사이에 탐색자를 늑골과 평행하게 댄 후 탐색하는 것이 도움이 될 수 있다.

4) 초음파 소견

비장 뒤쪽, 위쪽, 외측으로는 횡격막이 있고, 좌간이 비장 위쪽, 외측까지 넘어오는 경우가 있다. 통상 간은 비장에 비해 에코발생도가 약하여 검게 보인다. 위 저부는 비장 문부보다 앞쪽, 내측에 위치한다. 위 저부에는 기체나 액체가 있는데, 이를 액체저류로 오인하기 쉬우므로 주의를 요한다.

비장의 실질은 비교적 균질한 특성을 보인다. 비장 내에 병변 유무를 확인하는 것과 함께 비장비대

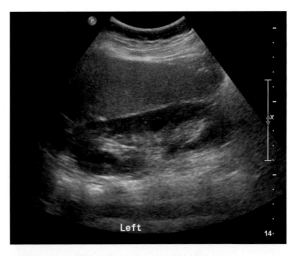

그림 2-81 비장과 좌측 신장의 상대적인 위치

가 있는지 확인하는 것이 중요한데, 아주 저명한 경우를 제외하고는 초음파로 정상 비장 크기와 비장비대를 구분하는 것은 상당히 어렵다. CT나 MRI로 평가를 할 수 없는 예외적인 경우에는, 간문부를 포함하는 관상영상(coronal view)에서 전체길이가 12 cm을 초과하는 경우 비장비대의 가능성을 생각해야 한다(그림 2-82).

5) 외과의사에게 중요한 비장질환

(1) 혈액질환

특발혈소판감소자반병(idiopathic thrombocy-topenic purpura, ITP)나 유선구형적혈구승(heredi-tary sphrerocytosis) 등으로 내과적 치료를 하다가 반응이 없는 경우 비장절제술을 시행하게 된다. ITP는 통상 정상 크기의 비장인 반면, 구형적혈구증 등의 용혈성 빈혈의 경우 비장비대 소견이 있는 경우가 많다. 이러한 혈액질환으로 비장절제술을 하는 경우에는, 부비장(accessory spleen)의 유무를 꼭 확인해야 한다. CT나 MRI가 있는 경우 부비장을 확인하기 위해 영상을 면밀히 검토해야 하고, 시행하지 못하는 상황이라면 초음파로 확인하는 것이 도움이 될 수 있다. 영상검사에서 확인되지 않았더라

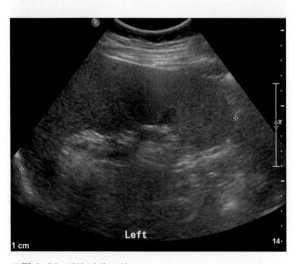

그림 2-82 비장 비대 소견

도 수술 시 비장 근처, 대망, 소장간막 및 대장간막을 육안적으로 확인하여 부비장이 있다면 같이 절제한다.

(2) 비장 낭종

비장낭종은 인체에서 발견되는 다른 낭종과 마찬가지로 에코강도가 없는 병변에 후방음향증강이 동반되는 소견이다. 단순낭종도 있으나 석회화나 격막, 고형 성분을 나타내는 복잡낭종도 있을 수 있다. 크기가 큰 경우에는 비장 기원을 확인하기 어려운 경우도 있다. 초기 검사로 초음파를 하던 중 낭종 의심 소견이 있는 경우에는 CT나 MRI를 확인하는 것이 권장된다.

(3) 비장 종괴

비장에 종괴가 있는 경우 의심할 수 있는 질환으로는 림프종, 결핵, 사코이드증(sarcoidosis), 다른 원발암의 전이 등이다. 림프종 등의 전신적인 질환이 입증된 경우에는 비장 병변이 전신질환의 일환이라고 판단할 수 있으나, 다른 질환 없이 단독으로 비장에 병변이 확인된 경우에는 CT나 MRI 등의 추가적인 평가가 필요하다. 추가적인 평가에도 확인이 되지 않는 경우에 암을 배제하기 힘들다면, 조직검사를 하거나 비장절제술을 하여 병리결과를 확인하기도 한다.

(4) 외상

비장은 복부 둔상 후에 흔하게 외상을 입는 장기이다. CT를 시행하여 정확한 손상의 범위를 파악하는 것이 이상적이나, 활력징후가 불안정하여 CT를 시행하지 못하는 경우에는 초음파가 매우 유용하다. 비장 손상이 의심되는 경우에는 비장 내 혈종이 있지는 않은지, 혹은 비장 주변에 혈액저류가 있지 않은지 확인해야 한다.

6) 결론

비장질환을 치료해야 하는 외과의사가 초음파를 시행하게 되는 경우가 많지는 않다. 하지만 추적관찰이 필요한 병변이 있는 환자에게 CT나 MRI를 시행할 수 없는 경우나 활력징후가 불안정한 외상환자의 초기평가에 있어서는 필수적인 검사이다. 또한 과거에는 비장은 조직검사도 잘 하지 않고 병리결과 확인이 필요한 경우에 무조건 전절제를 시행했다면, 최근에는 상대적으로 자유롭게 경피적 조직검사나 부분절제를 시행하는 경향이 있다. 크기가 작은 비장병변으로 최소침습 부분절제를 시행한다면, 수술 중 초음파로 병변의 위치를 확인하는 것도 필요할 것이다. 비장의 외과적 치료에 있어서 초음파의 역할이 향후 더 중요해질 것으로 기대된다.

⋙ 참고문헌

1. 김대현. 췌장 고형 가유두상 종양. 영남 임상 초음파 연구회 정기 강좌. 2018.

2. 김일봉, 이민영. 착하게 설명해주는 초음파 I, 제1판. 서울: 범문에듀케이션; 2018.

3. 김일봉. 췌관 내 유두상 점액성 종양. 영남 임상 초음파 연구회 정기 강좌. 2018.

4. 김창수. 췌장염과 췌장 종양. 영남 임상 초음파 연구회 증례토의. 2019.

5. 마루야마 겐이치. 복부 초음파 정석. 제1판. 서울: 메디인북; 2017.

6. 박선우. 김아람. 췌장 질환 증례. 영남 임상 초음파 연구회 증례토의. 2019.

7. 배규환. 췌장 장액성 낭성종양. 영남 임상 초음파 연구회 정기 강좌. 2018.

8. 손준혁. 급성췌장염. 영남 임상 초음파 연구회 정기 강좌. 2018.

9. 신이철. 만성췌장염. 영남 임상 초음파 연구회 정기 강좌. 2018.

10. 신이철. 자가면역성 췌장염. 영남 임상 초음파 연구회 정기 강좌. 2018.

11. 심찬섭. 복부 초음파진단학. 제3판. 서울: 여문각; 2007.

12. 이승현. 췌장의 낭성 종괴. 영남 임상 초음파 연구회 정기 강좌. 2019.

13. 이재준. 췌장과 비장 질환의 초음파. 대경개원내과의사회 학술대회 연수강좌. 2020.

14. 이호명. 췌관암. 영남 임상 초음파 연구회 정기 강좌. 2018.

15. 최병인. Radiology illustrated hepatobiliary and pancreatic radiology. London: Springer Heidelberg New York Dordrecht London; 2013.

16. 최병인. 복부 초음파진단학. 제1판. 서울: 일조각; 2011.

17. 황세진. 췌장 점액성 낭성종양. 영남 임상 초음파 연구회 정기 강좌. 2018.

18. Aldridge MC, Bismuth H. Gallbladder cancer: the polypcancer sequence. Br J Surg 1990;77:363-4.

19. Aldridge MC, Gruffaz F, Castaing D, et al. Adenomyomatosis of the gallbladder. A premalignant lesion? Surgery 1991;109:107-10.

20. Bakker OJ, van Santvoort HC, van Brunschot S, et al. Endoscopic transgastric vs surgical necrosectomy for infected necrotizing pancreatitis: a randomized trial. JAMA 2012;307:1053-61.

21. Banks PA, Bollen TL, Dervenis C, et al. Classification of acute pancreatitis--2012: revision of the Atlanta classification and definitions by international consensus. Gut 2013;62:102-11.

22. Baron TH, Thaggard WG, Morgan DE, et al. Endoscopic therapy for organized pancreatic necrosis. Gastroenterology 1996;111:755-64.

23. Block B. Abdominal Ultrasound: Step by step. New York: Thieme; 2015.

24. Brugge WR, Lauwers GY, Sahani D, et al. Cystic neoplasms of the pancreas. N Engl J Med 2004;351:1218-26.

25. Brugge WR, Lee MJ, Kelsey PB, et al. The use of EUS

to diagnose malignant portal venous system invasion by pancreatic cancer. Gastrointest Endosc 1996;43:561-7.

26. Canto MI, Harinck F, Hruban RH, et al. International Cancer of the Pancreas Screening (CAPS) Consortium summit on the management of patients with increased risk for familial pancreatic cancer. Gut 2013;62:339-47.

27. Chen G, Liu S, Zhao Y, et al. Diagnostic accuracy of endoscopic ultrasound-guided fine-needle aspiration for pancreatic cancer: a meta-analysis. Pancreatology 2013;13:298-304.

28. Choi WB, Lee SK, Kim MH, et al. A new strategy to predict the neoplastic polyps of the gallbladder based on a scoring system using EUS. Gastrointest Endosc 2000;52:372-9.

29. Dumonceau JM, Deprez PH, Jenssen C, et al. Indications, results, and clinical impact of endoscopic ultrasound (EUS)-guided sampling in gastroenterology: European Society of Gastrointestinal Endoscopy (ESGE) Clinical Guideline - Updated January 2017. Endoscopy 2017;49:695-714.

30. Fujita N, Noda Y, Kobayashi G, et al. Diagnosis of the depth of invasion of gallbladder carcinoma by EUS. Gastrointest Endosc 1999;50:659-63.

31. Gong TT, Hu DM, Zhu Q. Contrast-enhanced EUS for differential diagnosis of pancreatic mass lesions: a metaanalysis. Gastrointest Endosc 2012;76:301-9.

32. Haghshenasskashani A, Laurence JM, Kwan V, et al. Endoscopic necrosectomy of pancreatic necrosis: a systematic review. Surg Endosc 2011;25:3724-30.

33. Hewitt MJ, McPhail MJ, Possamai L, et al. EUS-guided FNA for diagnosis of solid pancreatic neoplasms: a metaanalysis. Gastrointest Endosc 2012;75:319-31.

34. Hunt GC, Faigel DO. Assessment of EUS for diagnosing, staging, and determining resectability of pancreatic cancer: a review. Gastrointest Endosc 2002;55:232-7.

35. Kim KW, Park SH, Pyo J, et al. Imaging features to distinguish malignant and benign branch-duct type intraductal papillary mucinous neoplasms of the pancreas: a meta-analysis. Ann Surg 2014;259:72-81.

36. Mizuguchi M, Kudo S, Fukahori T, et al. Endoscopic ultrasonography for demonstrating loss of multiple-layer pattern of the thickened gallbladder wall in the preoperative diagnosis of gallbladder cancer. Eur Radiol 1997;7:1323-7.

37. Muller MF, Meyenberger C, Bertschinger P, et al. Pancreatic tumors: evaluation with endoscopic US, CT, and MR imaging. Radiology 1994;190:745-51.

38. Navaneethan U, Njei B, Venkatesh PG, et al. Endoscopic ultrasound in the diagnosis of cholangiocarcinoma as the etiology of biliary strictures: a systematic review and metaanalysis. Gastroenterol Rep (Oxf) 2015;3:209-15.

39. Oh HC, Kang H, Lee JY, et al. Diagnostic accuracy of 22/25-gauge core needle in endoscopic ultrasound-guided sampling: systematic review and meta-analysis. Korean J Intern Med 2016;31:1073-83.

40. Oh HC, Kim MH, Hwang CY, et al. Cystic lesions of the pancreas: challenging issues in clinical practice. Am J Gastroenterol 2008;103:229-39.

41. Pezzilli R, Zerbi A, Di Carlo V, et al. Practical guidelines for acute pancreatitis. Pancreatology 2010;10:523-35.

42. Piscaglia F, Nolsoe C, Dietrich CF, et al. The EFSUMB Guidelines and Recommendations on the Clinical Practice of Contrast Enhanced Ultrasound (CEUS): update 2011 on non-hepatic applications. Ultraschall Med 2012;33:33-59.

43. Polkowski M, Jenssen C, Kaye P, et al. Technical aspects of endoscopic ultrasound (EUS)-guided sampling in gastroenterology: European Society of Gastrointestinal Endoscopy (ESGE) Technical Guideline - March 2017. Endoscopy 2017;49:989-1006.

44. Rosch T. Staging of pancreatic cancer. Analysis of literature results. Gastrointest Endosc Clin N Am 1995;5:735-9.

45. Rumack CM, Levine D. Diagnostic ultrasound. 5th Ed. Amsterdam: Elsevier; 2018.

46. Sadamoto Y, Kubo H, Harada N, et al. Preoperative diagnosis and staging of gallbladder carcinoma by EUS. Gastrointest Endosc 2003;58:536-41.

47. Sadeghi A, Mohamadnejad M, Islami F, et al. Diagnostic yield of EUS-guided FNA for malignant biliary stricture: a systematic review and meta-analysis. Gastrointest Endosc 2016;83:290-8.

48. Seifert H, Biermer M, Schmitt W, et al. Transluminal endoscopic necrosectomy after acute pancreatitis: a multicentre study with long-term follow-up (the GEPARD Study). Gut 2009;58:1260-6.

49. Shen J, Brugge WR, Dimaio CJ, et al. Molecular analysis

of pancreatic cyst fluid: a comparative analysis with current practice of diagnosis. Cancer 2009;117:217-27.

50. Sugiyama M, Atomi Y, Yamato T. Endoscopic ultrasonography for differential diagnosis of polypoid gall bladder lesions: analysis in surgical and follow up series. Gut 2000;46:250-4.

51. Tanaka M, Fernandez-Del Castillo C, Kamisawa T, et al. Revisions of international consensus Fukuoka guidelines for the management of IPMN of the pancreas. Pancreatology 2017;17:738-53.

52. Thosani N, Thosani S, Qiao W, et al. Role of EUS-FNA-based cytology in the diagnosis of mucinous pancreatic cystic lesions: a systematic review and meta-analysis. Dig Dis Sci 2010;55:2756-66.

53. Tokiwa K, Iwai N. Early mucosal changes of the gallbladder in patients with anomalous arrangement of the pancreaticobiliary duct. Gastroenterology 1996;110:1614-8.

54. Van der Waaij LA, van Dullemen HM, Porte RJ. Cyst fluid analysis in the differential diagnosis of pancreatic cystic lesions: a pooled analysis. Gastrointest Endosc 2005;62: 383-9.

55. Van Santvoort HC, Besselink MG, Bakker OJ, et al. A step-up approach or open necrosectomy for necrotizing pancreatitis. N Engl J Med 2010;362:1491-502.

56. Varadarajulu S, Lopes TL, Wilcox CM, et al. EUS versus surgical cyst-gastrostomy for management of pancreatic pseudocysts. Gastrointest Endosc 2008;68:649-55.

57. Weckman L, Kylanpaa ML, Puolakkainen P, et al. Endoscopic treatment of pancreatic pseudocysts. Surg Endosc 2006;20:603-7.

58. Yamaguchi K, Okusaka T, Shimizu K, et al. Clinical Practice Guidelines for Pancreatic Cancer 2016 From the Japan Pancreas Society: A Synopsis. Pancreas 2017;46:595-604.

59. Yang R, Lu M, Qian X, et al. Diagnostic accuracy of EUS and CT of vascular invasion in pancreatic cancer: a systematic review. J Cancer Res Clin Oncol 2014;140:2077-86.

수술 중 초음파

1. 수술 중 초음파의 적응증

1) 서론

수술 중 초음파는 주로 고형장기에 발생한 암 수술 시 실시간으로 수술에 필요한 영상정보를 제공하며, 간, 담도, 췌장, 부신 등의 수술에 많이 사용된다. 향상된 질병의 병기설정이 가능해지고 진단과 동시에 절제 또는 색전(ablation) 시술을 할 수 있게 된다. 수술 중 초음파는 관심 장기의 표면에 바로 초음파 탐색자를 갖다 대기 때문에 피하조직으로 인한 간섭 및 인공음영이 줄어들어 보다 고화질의 영상을 보여줄 수 있게 된다.

수술 중 초음파는 일차성 또는 이차성 간종양의 수술 시 종양을 평가하는 데 표준검사로 알려져 있다. 그 이유는 작은 국소 종양의 발견율이 수술 전 시행한 CT, MRI에 비해 월등히 높고, 또한 수술 중 수술자에게 실시간으로 필요한 해부학적 구조에 대한 정보도 제공할 수 있기 때문이다. 최근 들어 수술 전 영상검사들, 특히 조영증강 MRI 검사의 급속한 발전으로 수술 중 초음파의 역할, 특히 간의 국소 종양의 발견율은 당연히 상당히 감소하였다. 하지만, 여전히 작은 종양의 악성여부, 수술 전 발견되지 않은 새로운 종양의 발견, 이전 검사에서 보였던 종양의 위치파악에 도움이 되고 또, 간 수술 시 수술 중 간내 혈관들을 참고로 한 적절한 절제면을 만드는데 도움을 주는 역할이 있기 때문에 수술 중 초음파는 여전히 필요하고 수술자에게 많은 도움이 된다. 최근에는 복강경수술의 증가로 담낭절제술 시 담도를 보기 위한 검사로서 복강경 초음파가 사용되기 시작하였다. 이후, 최소침습 간수술 시 적절한 간 절연의 선택, 종양의 위치 파악, 수술 전 인지하지 못한 작은 다른 종양의 발견, 수술 중 절제부위 경계의 확인, 수술 후 확인, 종양 자체의 범위 파악 등의 목적으로 많이 사용되고 있고 좋은 결과를 보여 주고 있다. 더욱이 최근 들어 수술 중 초음파에도 조영제를 사용하는 기술이 개발되어 대장암의 간전이 병소를 발견하는 데 더욱 향상된 결과를 보이고 있고 간경화 환자에서도 간암으로 의심되는 작은 종양의 진단에 좋은 성적을 보여주고 있다.

이와 같이 수술 중 초음파는 수술 시 병기 진단에 도움이 되고, 수술 시 해부학적 구조를 제공하고,

절제 도중 혹은 직후 절단면의 평가를 가능하게 하여 출혈량의 감소 및 수술시간 감소에도 도움이 될 수 있다.

2) 수술장에서의 준비 및 소독

개복수술 시 초음파는 수술자의 반대편, 주로 앙와위 시 환자의 왼쪽에 준비해야 수술자가 보기도 편하고 고주파색전술 등의 시술을 하기에도 편리하다. 개복수술 시 초음파 탐색자는 소독된 비닐로 감싼 후 주로 사용하는데, 비닐과 변환기 사이에 공기가 들어가거나 쭈글쭈글해지면 인공음영이 생겨 보기가 어렵게 된다. 따라서, 변환기와 비닐 사이에 젤리를 넣은 후 최대한 공기가 들어가지 않게 잘 싸야 양질의 영상을 얻을 수 있게 된다.

복강경수술 시에는 모니터가 화면속 화면(picture in-picture, PIP) 영상을 제공한다면 문제가 안되겠지만 그렇지 않다면 역시 수술자의 반대편에 초음파를 준비해야 보기가 편하고 복강수술용 모니터와 나란히 두게 되면 복강내 영상과 초음파 영상을 동시에 볼 수 있게 되어 편리하다. 복강경용 초음파 탐색자는 주로 EO 가스로 소독하므로 항상 소독 상

태가 잘 유지되어 있어야 하고 소독에 상당한 시간이 필요하므로 한 탐색자로 연속된 두 수술에는 사용할 수 없다. 이론적으로는 굴곡형(flexible) 초음파 탐색자가 11 mm 트로카에 들어가기는 하지만 꽉 끼어 탐색자의 관절 부분 피복이 벗겨지면 상당한 수리경비가 발생하므로 꼭 12 mm 트로카를 통해 보는 것이 좋겠다.

3) 수술 중 초음파 술기

수술 중 초음파는 수술 중 언제나 검사가 가능하고 필요하다면 반복적으로 시행할 수 있다. 주로 수술에 필요한 새로운 정보를 확보하기 위해 수술 시작하자마자 사용되며 수술이 끝난 후 마무리 단계에서도 자주 사용된다. 수술 중 초음파를 보는 방법은 contact scanning, probe-standoff scanning, 그리고 compression scanning의 3가지 방법이 있다(그림 3-1).

Contact scanning은 통상적인 복부 초음파처럼 조직이나 장기에 바로 탐색자를 대고 보는 방법이며, probe-standoff scanning은 구조물에서 1~2 cm 떨어져서 보는 것이며, 마지막으로 compression scanning

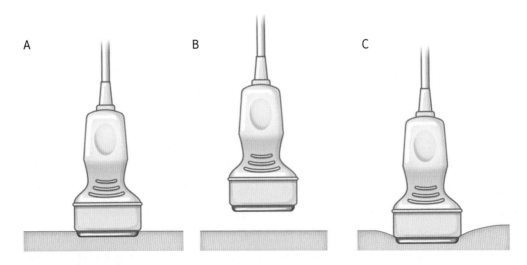

그림 3-1 기본적인 초음파 스캔방법
A. contact scanning, B. probe-standoff scanning, C. compression scanning

은 고의로 압박하면서 보는 방법이다. 예를 들어, contact scanning은 간이나 췌장의 내부를 검사하거나, 조직에서 멀리 떨어져 있는 병소를 관찰할 때 사용된다. Probe-standoff scanning은 수술 중 초음파에만 가능한 방법으로 담도처럼 표면에 위치한 구조물을 보는데 사용되며, compression scanning은 압박을 가함으로써 조직 사이나 장관 내에 있는 공기를 흐트러뜨려 초음파 시야를 좋게 하는 방법이다.

스캔방법은 장기마다 다르지만 중요한 것은 다양한 각도에서 다양한 시야로 실시간 이차원 정보를 얻고 이를 종합하여 삼차원 영상정보를 얻는 것이다. 악성종양의 경우에는 주변 장기 또한 철저히 검사해야 되고 특히 주변의 큰 혈관들은 각별히 잘 관찰하여 종양과의 연관성을 파악하여야 한다.

4) 임상적용

(1) 담도

담석증에서 담낭절제술은 대부분 복강경으로 이루어지는데, 이때 총담관의 담석 유무를 관찰하는데 수술 중 초음파가 매우 정확한 것으로 알려져 있고 1 mm 이하의 담석도 찾을 수 있다. 물론, 이런 목적으로는 수술 중 담관조영이 표준검사이지만, 수술 중 초음파의 민감도는 90~95%, 특이도는 98~99%로 상당히 높고 반복적으로 비침습적으로 사용될 수 있기 때문에 담낭절제술 도중 총담관 내의 담석 유무를 확인하기 위한 선별검사로 적당하다. 담도나 담낭의 악성종양에서는 종양의 간내침범 유무 및 간동맥이나 문맥으로의 침윤 여부를 확인하는 데 도움이 된다. 또, 심한 경우 간이나 타 장기로의 전이 여부를 알 수 있어 적절한 병기 설정, 수술 여부나 절제 범위를 정하는 데 도움이 된다.

(2) 췌장

췌장 질환은 최근 들어 수술 중 초음파의 역할이 많이 줄어들었으나, 때로는 수술 전 다양한 검사를 하여도 진단 및 병소의 위치를 알지 못하는 경우가 있는데 이런 경우 수술 중 초음파가 큰 도움이 될 수 있고 췌장염의 합병증 및 췌장종양의 검사 시에도 유용하다. 가성종양과 늘어난 췌관은 췌장주변의 심한 염증으로 수술 중 육안관찰 및 촉지가 어려우나 수술 중 초음파로 쉽게 정확한 위치를 파악할 수 있어 수술에 도움이 된다. 또한 수술 중 초음파는 인슐린종을 진단하고 위치를 찾는데 가장 정확한 검사로 알려져 있는데, 3~4 mm 정도의 작은 것도 찾을 수 있으며 수술 중 초음파의 인슐린종 발견률은 83~100%로 알려져 있다. 또, 이런 경우 복강경 원위부췌장절제 수술을 많이 하게 되는데 췌장을 절제하고 나서 수술을 마치기 전에 수술표본을 다시 한번 초음파로 확인하여 종양이 완전히 잘 절제되었는지 확인하는 것도 좋다.

(3) 간

최근 들어 CT, MRI등이 급속도로 발전함에 따라 간전이를 진단하기 위한 목적으로의 수술 중 초음파의 역할은 상당히 감소하였다. 그러나, 아직도 몇몇 연구는 다른 영상학적 기술보다 수술 중 초음파가 간전이를 진단하는데 더 좋다는 보고들도 있으며 여전히 상당수의 작은 병변들은 수술전 초음파, CT, MRI로도 발견이 되지 않아, 대장암 수술 시 5~10%의 환자에서 수술 중 초음파로 추가적인 종양 발견이 가능했다는 연구도 있다.

정확한 종양의 위치 파악은 간절제의 방법을 선택하는데 매우 중요하다. 수술 중 초음파는 종양과 문맥 및 간정맥과의 관계를 잘 볼 수 있어 종양이 존재하는 분절을 정확히 결정하는데 도움이 된다. 또, 초음파 유도 간절제술로 최대한 정상 간조직을 보존할 수 있고 간의 큰 혈관들을 보존하면서 수술을 할 수 있어 향후 이차 간수술을 가능하게 할 수도 있다. 간암 종양 자체뿐 아니라 간암의 간내전이

(daughter nodules)의 유무 및 문맥, 간정맥, 또는 담도 내 혈전 유무를 파악하는데도 정확한 정보를 제공한다. 간경화가 심한 환자에서 수술 전 진단이 명확치 않은 경우 수술 중 조영증강 초음파를 통해 민감도와 특이도를 증가시킬 수 있다. 따라서, 수술 중 초음파 소견에 의해 수술 전 수술계획이 때로는 변경될 수도 있다. 간종양의 수술 전에 결정한 치료 방침이 수술 중 초음파검사의 결과에 의해 30~50%까지 변경되었다는 연구도 있다.

(4) 간이식

간이식 수술 도중 각종 문합된 혈관의 혈류를 확인하기 위해서 수술 중 도플러는 반드시 필요한 검사이다. 또, 문맥압이 지나치게 증가되어 있는 것이 수술 중 도플러에서 발견되면 바로 문맥혈류를 줄이는 추가적인 수술이나 시술을 하여 성공적인 간이식에 도움이 되기도 한다. 많은 간이식 수혜자에게서 이식 전 문맥혈전이 발견되고 이식 수술 시 혈전을 제거하고 문맥혈관 문합을 하게 되는데, 이때 수술 중 초음파를 시행하여 문맥혈전이 충분히 제거되었는지 확인하는데 도움이 된다.

2. 간담도

수술 전 영상검사에 추가적으로 시행하는 수술 중 초음파의 장점은 실시간 정보를 제공하는 것과 추가 정보를 제공하는 데에 있다. 복강경 간절제술은 복강경적 수술 술기의 발달과 복강경 장비의 발전에 힘입어 적응증이 확대되어 가고 있는 추세이다. 복강경 간절제술을 시행할 때에 복강경 초음파의 사용은 필수요건이 되었다. 복강경 간절제술을 시행하기 위해서는 수술자의 몇 가지 필요한 요건이 있는데, 개복 간절제술과 복강경 술기에 모두 능해야 하며, 복강경 초음파의 술기도 중요한 요건 중

하나이다.

복강경 간절제술의 제한점 중에 하나가 손으로 촉지가 가능하지 않다는 점이다. 이러한 점에서 복강경 간절제술에서 초음파의 역할은 더욱 크다고 할 수 있다. 복강경 간절제술 시에 초음파를 잘 활용한다면 병변을 정확히 절제할 수 있고, 간종양의 위치뿐만 아니라 간내 중요한 혈관의 구조 또한 파악할 수 있다. 또한 초음파 유도하에 여러 술기가 가능하다. 수술 중 고주파열치료기를 통한 종양의 국소치료와 초음파 유도 문맥지 천자를 통하여 해부학적 간 부분절제술에도 도움이 될 수 있다. 특히 경피적 고주파열치료는 접근이 어려운 경우에는 복강경 수술을 통한 고주파열치료가 집근에 용이할 수 있다. 또한 개복을 통한 고주파열치료 보다 덜 침습적이기 때문에 간절제술이 불가한 간세포암 환자나 대장암 다발성 간전이가 있는 경우에 간절제술과 고주파열치료의 병합치료가 좋은 대안이 될 수 있다.

복강경 간초음파검사를 잘 하기 위해서는 다음 기본 사항을 염두에 두어야 한다. 복강경 간초음파는 트로카를 통해서 검사를 해야 하기 때문에 일반 경피적 간초음파나 개복 간절제술에서의 수술 중 초음파보다 술기가 더욱 어려운 점이 있다. 일반적으로 복강경 초음파의 탐색자의 크기가 10 mm이기 때문에 10 mm 이상의 트로카를 통해서 검사를 해야만 복강경 초음파의 탐색자가 손상되지 않는다. 트로카를 통해서 관찰하기 때문에 움직임의 제한이 있으므로 하나의 트로카를 통해서 관찰하기보다는 최소 2개의 트로카를 통하여 검사하는 것이 간의 여러 구역을 관찰할 수 있다. 일반적으로 본 술자는 주로 우상복부 트로카나 배꼽주위의 카메라 삽입 트로카를 통해 관찰한다. 우선 간의 유동화를 하기 전에 전체적인 검사를 시행하고, 초음파 접근이 어려운 부위는 간의 유동화를 시행한 후에 관찰하면 더욱 잘 관찰되는 경우도 있다. 특히 간의 우상후구

역은 복강경 간절제술에 있어 접근이 어려운 부위로 간의 유동화를 통하여 접근이 용이해지면 복강경 초음파로 더욱 잘 관찰할 수 있게 된다. 간의 표면에 있는 병변의 경우에는 물을 채워 넣어서 관찰하면 잘 보이는 경우도 있다.

복강경 간초음파의 일반적 단계는 우선 간을 전체적으로 관찰한 후에 종양의 절제를 목표로 하는 수술에서는 종양의 위치와 간내 중요 구조물인 글리슨지(간문맥)과 간정맥과의 관계를 파악하고 절제면을 고려해서 초음파를 시행한다. 수술 중 초음파를 이용하여 간내 중요 구조물을 확인하고 미리 파악하여 절제연을 얻는 것이 중요하다. 그리고 절제 후에는 도플러검사를 이용하여 잔존간의 혈류상태를 파악하는 것도 중요하다.

1) 간의 전체적인 파악

초음파를 검사하기 전에 먼저 복강경 카메라를 통하여 간과 주위에 이상 소견이 없는지 관찰을 해야 한다. 먼저 간과 간 주위 구조물을 육안적으로 파악한 후에 복강경 초음파를 통하여 전반적인 관찰을 시작한다. 간의 유동화 전에 관찰할 수 있는 부위를 먼저 관찰한 후에, 관찰이 어려운 부위는 간의 유동화 후에 다시 관찰을 시도해 본다. 수술 전에 발견되지 않은 종양이 수술 중 초음파로 발견되는 경우가 있으니, 가능하면 전구역의 간을 검사하는 것이 원칙이다. 전구역을 관찰하려면 점차적으로 순서를 정하여 빠짐없이 검사해야 한다.

2) 수술 중 종양의 위치 확인

수술 전 영상검사를 통하여 간종양의 위치를 미리 확인하고, 수술 중 복강경 초음파를 통하여 정확한 종양의 위치를 확인할 수 있다. 간종양의 수술에서는 절제연이 중요한데 복강경 간절제술은 손으로 촉지가 되지 않기 때문에 초음파의 역할이 클 수 있다. 특히 간 부분 절제술에 있어서는 종양의 위치 확인과 절제연 결정에 초음파의 사용이 중요할 수 있다. 절제 중에도 초음파를 이용하여 절제연과 종양의 위치를 실시간으로 확인하여 올바른 절제면을 결정할 수 있다. 또한 특히 종양의 주위 혈관과의 관계를 잘 파악하여야 수술 중 절제와 보존해야 할 혈관을 절제면에 따라 잘 계획해야 한다.

3) 수술 중 간내 구조물의 확인

수술 중 간초음파검사를 통하여 글리슨지 및 간정맥 해부학을 정확하게 볼 수 있고 종양과 글리슨지, 간정맥의 위치 관계를 통하여 간절제면을 설정할 수 있다. 간종양을 포함하는 간글리슨지를 파악하는 것은 해부학적 절제를 하는 데에 중요하며, 간정맥의 주요 위치 파악은 해부학적 절제면의 지표가 된다. 간정맥의 손상은 수술 중 출혈의 주요 원인이기 때문에 위치를 파악하고 주의하여 수술하는 것이 중요하다. 좌간정맥, 중간정맥은 직접 관찰이 비교적 쉬운 부분이나 우간정맥의 뿌리부분은 간의 우상후구역에 위치하여 직접접으로 관찰이 어려울 수도 있다. 이러한 경우 환자의 체위변경이나 간의 유동화, 늑간 내 트로카 삽입 등을 통하여 직접 관찰하기도 한다.

4) 잔존간의 혈류 파악

수술 중 초음파는 간절제수술 중 절제면과 절제 종양의 절제연을 확인하기 위해 사용할 뿐 아니라, 보존 혈관의 확인을 위해 초음파를 이용하여 절제면이 올바른지 확인할 수 있다. 간절제수술 후에 잔존간의 유입 혈류(간문맥 간동맥)와 출구 혈류(간정맥)의 보존은 간절제술 후 회복에 중요하므로 잔존간의 혈류 확인을 위해 도플러 초음파를 이용하여 확인하는 것이 필요하다. 복강경 간초음파는 복강경 간절제술을 시행함에 있어서 술자가 반드시 익혀야 하는 술기로써 기본 초음파에 대한 지식과 술기를 익혀야 하며, 복강경 수술의 특징을 이해하여야 복강경 간절제술에서도 적용이 가능하다.

3. 췌장

수술 중 초음파의 장점은 수술 전 영상검사에 비해 보다 정확한 정보를 제공하거나 추가 정보를 제공하는 데에 있다. 췌장질환에 대한 수술 중 초음파는 아직까지는 많은 임상의가 적극적으로 사용하지는 않지만 최근 최소침습 췌장수술이 증가함에 따라 이용이 늘어날 전망으로 보인다. 췌장은 후복막 장기로 복부를 통한 초음파검사로 관찰이 가능하기는 하지만, 깊어서 관찰이 쉽지 않고 검사 중 체위를 바꾸어야 하는 단점이 있으며, 췌장 꼬리부분은 관찰에 한계가 있다. 수술 중 초음파는 췌장에 탐색자를 접촉하여 췌장을 보다 자세하게 관찰할 수 있는 장점이 있다. 수술 중 초음파를 이용하는 경우에는 복부를 절개한 후 대망을 절제하기 전에는 위를 창으로 삼아 췌장을 관찰할 수 있으며, 대망 절제술을 시행한 이후에는 구상돌기부터 췌장 꼬리까지 탐색자를 직접 접촉하면서 췌장 전체를 자세히 살펴볼 수 있다.

췌장 수술 중 초음파의 역할은 병변의 위치를 확인하고, 수술 전 검사에서 발견하지 못했던 새로운 병변을 발견하거나 혈관침범을 발견하여 절제가능성을 재평가 및 혈관 절제 및 문합을 사전에 디자인할 수 있다. 또한 췌관의 위치를 확인하면서 수술 중 가이드로 쓸 수 있다. 췌장 초음파에 쓰는 탐색자는 간처럼 깊은 병변보다는 비교적 얕은 췌장 및 주위 혈관 등을 살피기 때문에 5~9 MHz의 높은 주파수를 이용하는 I자 혹은 T자 탐색자를 사용하게

된다.

췌장을 살펴볼 때에는 구상돌기부터 췌장의 꼬리 부분까지 가로와 세로 방향으로 자세히 살피는 것이 필요하며, 췌장주위의 상장간막 혈관, 복강동맥, 비장 혈관 등과의 관계 및 암 침범 여부를 함께 살피는 것이 필요하다. 초음파 조영제를 사용하는 경우 종양의 특성에 따라 종양의 범위를 구분할 수 있다. 최근 초음파를 통해 섬유화나 지방변화를 측정하는 방법이 이미 소개되었으며, 변형률(strain ratio)이나 전단파(shear wave)를 이용한 방법이 있다. 변형률은 기준이 되는 조직과 목표가 되는 조직간의 비율을 통해 구할 수가 있으나 대동맥 박동 등에 의해 발생되는 변형이 필요하여 미부나 두부에는 적용이 어렵다. 또한 기준이 되는 조직에 따라 상대적인 값이기에 달라질 수가 있다. 전단파는 음향방사 강제충격파(acoustic radiation force impulse)를 발생시켜서 목표 조직에서 발생하는 횡파의 전파속도를 측정함으로서 딱딱함을 객관적으로 표현한다. 이전 연구에서는 지방 침윤이 많은 췌장 지방증(steatosis)은 수술 후 췌장루의 높은 발생과 연관이 있음을 밝혔다.

1) 췌장암

췌장암은 5년 생존율이 5% 미만인 좋지 않은 예후를 가진다. 진단 당시 수술을 시행할 수 있는 환자가 20% 미만이며, 수술을 위한 검사 후 입원 대기 기간에도 병이 진행함에 따라 절제가 어려울 가능성도 있다. 그래서 수술 직전이나 수술 중 절제가능성을 다시 평가하는 것이 중요하다. 췌장암에서 수술 중 초음파는 병변을 발견하고 병변 주위의 혈관을 도플러를 이용하여 혈관침범을 알아볼 수 있다.

수술 전 CT나 MRI를 통해 수술 전 혈관침범에 대한 충분한 정보를 얻을 수 있으나, 10~15%에서는 수술 중 초음파로 수술 전 검사에서 발견하지 못한

혈관침범을 추가로 확인하여 수술 계획을 변경하는 경우도 있다. 췌장암은 초음파에서 고형의 저에코 병변으로 보이며 변연 부위가 명확하지 않은 특성을 보인다. 병변이 췌관을 막게 되어 췌미부에서는 늘어난 췌관과 경우에 따라서 위축된 췌실질을 관찰할 수 있다. 초음파 조영제를 사용하게 되면, 조영증강된 췌실질과 비교하여 조영이 되지 않은 저에코 병변으로 관찰되고, 조영제를 주입한 시간차에 따라 주위 혈관을 관찰할 수 있고, 간전이도 관찰 가능하다.

최근에는 경계 절제를 시행하거나 국소진행성 췌장암의 경우에는 선행보조화학요법을 먼저 시행하는 치료가 자리를 잡아가고 있다. 이런 경우에는 선행보조화학요법 후에 영상검사 등을 이용하여 절제 가능성에 대해 재평가하게 되며, 혈관 절제 등을 포함하여 절제가능성이 있는 경우 수술을 시행하는 경우가 30%정도 있다. 이 경우 수술 중 초음파은 수술 중 동결조직검사 결과와 더불어 혈관 절제를 병행할지 결정하는데 중요한 역할을 할 수 있다. 31명의 췌장암 환자를 대상으로 수술 중 초음파를 사용한 전향적인 연구에서는 수술 전 검사에 비해 29%에서 혈관침범의 범위에 따른 수술범위의 변경이 있었으며, 6%의 환자는 수술이 중단되기도 하였다.

수술 전 CT 혹은 MRI의 경우에는 화학요법 후의 섬유화 혹은 종양 주위의 섬유조직형성변화(desmo-plastic change)로 인하여 혈관주위의 종양 침범을 정확하게 반영하지 못한다. 최근 연구에서도 수술 전 영상검사와 병리검사 간에 20% 정도의 불일치가 발견되어 수술 중 초음파의 역할이 기대가 되며, 앞으로 많은 연구가 필요한 분야로 기대된다.

2) 신경내분비종양

인슐린종은 신경내분비종양의 하나로 췌장의 기능성 췌도세포 종양 중에서 가장 흔하며, 초음파 소견은 등에코, 저에코의 특징을 보인다. 인슐린종의 발견은 CT나 MRI와 비교할 때에 수술 중 초음파의 경우 95% 이상의 높은 민감도 보이며, 2~5 mm의 작은 종양도 찾아내는 것이 가능하다. 최근에는 복강경이나 로봇을 이용한 최소침습 췌장수술이 발달하고 있는데, 크기가 작고 표면에서 보이지 않는 종양의 경우에는 종양을 찾지 못해 30%의 환자에서 복강경에서 개복수술로 전환했다는 보고가 있다. 다시 말해서, 수술 중 초음파가 종양을 발견하는데 큰 역할을 할 수 있다는 뜻이다. 또한 다발성의 작은 병변을 동반하는 경우도 있기 때문에, 수술 전 검사에 발견하지 못한 추가 병변을 발견하여 절제범위를 재조정할 수 있다. 더불어 췌장실질을 보존하는 수술하는 경우 췌관의 위치를 초음파로 모니터링하면서 췌관의 손상을 예방 혹은 발견할 수 있다.

3) 기타 췌장 질환

만성췌장염의 경우에는 늘어난 췌관, 췌실질의 감소, 췌석으로 인한 후방음향음영을 발견할 수 있으며, 만성염증으로 인한 췌관 협착, 상장간막정맥 혹은 비장정맥의 혈전 발견에도 도움이 된다. 췌관내 유두상 점액종양(intraductal papillary mucinous neoplasm, IPMN)의 경우에도 수술 중 초음파가 도움이 된다. 분지췌관형(branch duct type)은 결절 병변과 주췌관 병변과의 감별에 쓰일 수 있으며, 주췌관형(main duct type)의 경우에는 절제범위를 결정하는데 쓰일 수 있다.

4) 최소침습 수술에서의 수술 중 초음파

최근 최소침습수술이 발전함에 따라 췌장 수술에서도 복강경이나 로봇을 이용한 췌미부 절제술, 췌십이지장 절제술, 췌중앙절제술 등을 시행하는 빈도가 늘어나고 있다. 복강경 수술의 경우에는 복강경 초음파 탐색자의 직경이 10 mm이기 때문에 탐색자의 삽입을 위해 12 mm의 트로카를 사용하는 것이 좋다. 주로 5~10 MHz의 주파수의 선형 탐색자를 사용하며, 4~10 cm 정도의 깊이를 관찰할 수 있다. 탐색자는 위와 아래, 양 옆으로 각각 180°에 가까운 가동범위를 가지고 있어서 원하는 부위에 접촉하여 관찰할 수 있다. 촉진할 수 없는 복강경 수술의 특성상 표면에서 확인할 수 없는 병변의 경우에는 병변의 위치 확인에 도움이 되며, 다발성의 작은 크기를 가지는 신경내분비종양의 경우에도 추가병변 확인에 큰 도움을 받을 수 있다.

4. 복강경 초음파

복강경 수술의 적용 범위는 점차 증가하고 있고, 이에 따라 복강경 초음파의 사용빈도도 증가하고 있다. 복강경 초음파는 1958년 Yamakawa 등에 의해 처음 보고되었다. 복강경 수술의 경우 복강내 종양 파종이나 간 표면의 간전이를 개복술에 비해 좀 더 쉽게 확인할 수 있다는 장점이 있다. 그러나 촉각을 이용하는 데에 제한이 있어 장막(serosa)으로 가려진 병변이나, 복강경 시야에 보이지 않는 곳의 구조를 파악하기 힘들다는 단점이 있다. 복강경 초음파는 이러한 문제를 해결하기 위해 사용된다. 개복술에 사용되는 초음파 탐색자는 복강경 수술에 적합하지 않기 때문에, 복강경 트로카를 통해 복강내로 들어갈 수 있도록 지름 9~12 mm의 샤프트(Shaft)에 탐색자가 부착되어 제작된다.

1) 장비

탐색자는 보통 길이가 35~45 cm로 제작된 샤프트의 측면 끝에 위치한다. 샤프트의 휘어짐 여부에

따라 경직형(rigid type)과 굴곡형(flexible type)으로 나뉘고 탐색자의 굴곡 여부에 따라 선형과 곡선형으로 나뉜다(그림 3-2) 경직형은 간과 같이 크기가 큰 장기를 관찰하는 데 제한이 있으므로 간담췌 분야에서는 보통 굴곡형을 많이 사용한다.

곡선 탐색자의 경우 넓고 깊게 관찰할 수 있다는 장점이 있으나, 복강경 초음파는 트로카를 통해 들어가야 하기 때문에 탐색자의 두께에 제한이 있고 깊게 관찰해야 하는 경우가 적기 때문에 선형 탐색자와 비교하여 사용하는 데 큰 차이가 없다. 현재 복강경 초음파를 생산하는 회사는 BK Medical (Herlev, Denmark, www.bkmed.com), Esaote (Genova, Italy, www.esaote.com), HitachiAloka (Tokyo, Japan, www.hitachi-aloka.com), Canon (Tochigi, Japan, www.global.medical.canon) 등이 있다(표 3-1). 각 회사마다 약간의 차이는 있지만 사용법은 대부분 동일하다. 수술 중 치료적 초음파를 사용할 경우 탐침 유도 가이드(puncture and biopsy guide)가 있는 초음파를 사용하면 좀 더 수월하게 탐침을 삽입할 수 있다.

2) 복강경 초음파 사용의 실제

복강경 초음파의 사용은 일반적인 초음파의 사용 방법과 크게 다르지 않다. 그러나 복강경을 통한 화면과 초음파 화면을 동시에 확인해야 하므로 두 개의 화면을 동시에 볼 수 있도록 위치시키는 것이 중요하다(그림 3-3). 탐색자를 장기에 접촉시킬 때 장막 본연의 습기로 인하여 초음파 펄스가 장기 내부까지 잘 전달되기 때문에 초음파 젤을 사용할 필요가 없다. 그러나 간혹 투과가 잘 되지 않는 경우나 병변이 장막에 근접해 있어 자세히 관찰하기 어려운 경우에는 생리식염수를 장기의 표면에 바르거나 생리식염수를 좀 더 채워 병변과 거리를 만들어 주면 관찰하는데 도움이 된다.

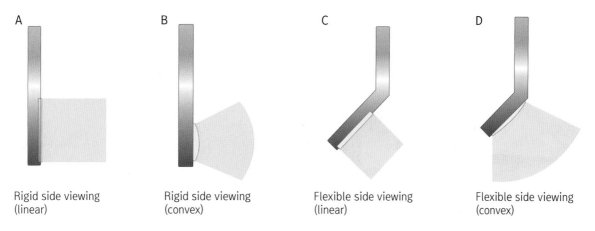

A
Rigid side viewing
(linear)

B
Rigid side viewing
(convex)

C
Flexible side viewing
(linear)

D
Flexible side viewing
(convex)

그림 3-2 복강경 초음파의 형태에 따른 분류

표 3-1 제조업체별 복강경 초음파 모델

Vendor	Probe	Frequency	Probe type	Specifications
BK medical	I12C4f	4~12 MHz	D	Transducer length 33 mm Focal Range 10~80 mm Puncture and biopsy guide available Articulation: ± up/down 90°; right/left 90°
	8836	5~12 MHz	B	Penetration depth 124 mm
	8666-RF	4.3~10 MHz	D	Transducer length 30 mm Puncture and biopsy guide available Articulation: ± up/down 90°; right/left 90°
Esaote	LP 323	4~13 MHz	C	Articulation: ± up/down 90°; right/left 90°
	LP 4-13		C	
Hitachi-Aloka	L44LA1	2~13 MHz	A	Transducer length 33 mm
	L44LA	2~13 MHz	C	Transducer length 36 mm Articulation: up/down/right/left
	UST-5418	3.75~13 MHz	C	Transducer length 36 mm Insertion diameter 12 mm
	UST-5526	5~10 MHz	A	Transducer length 33 mm
	UST-5550	4~13 MHz	C	Transducer length 38 mm Articulation: up/down
	UST-9150	5~13 MHz	D	Scan Width 40 mm Radius Scan Angle 90° Insertion diameter 12 mm Articulation: up/down/right/left
	EUP-OL334	5~10 MHz	D	Puncture and biopsy guide available Articulation: up/down/right/left
Canon	PET-805LA	3.8~11.2 MHz	C	Articulation: up/down/right/left

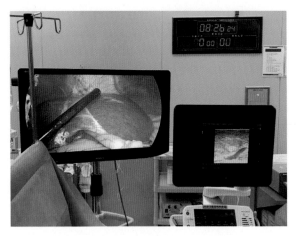

그림 3-3 복강경 간절제술 중 복강경 초음파의 적용

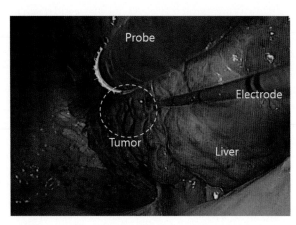

그림 3-4 복강경 초음파를 이용한 수술 중 초음파 유도 간 고주파열치료

복강경 초음파를 이용할 경우 샤프트에 의한 장기 손상의 우려가 있기 때문에, 탐색자 및 샤프트가 수술 시야에서 이탈하지 않도록 주의하여야 한다. 또한 초음파를 이용한 조직검사나 소작술(ablation)을 시행할 경우 일반적인 초음파와는 다르게 샤프트와 평행하게 탐침을 삽입해야 정확한 접근이 가능하다(그림 3-4) 물론 탐침 유도 가이드가 있는 복강경 초음파의 경우 초음파 시야에서 벗어나지 않으면서 좀 더 쉽게 병변으로의 접근이 가능하다. 복강경 초음파에서 보이는 구조물과 수술 전 CT 또는 MRI의 구조물과의 대조는 매우 숙련된 술자라도 정확하기 어렵기 때문에, 최근에는 항법기술(navigation technology)을 적용하여 실시간으로 좀 더 정확하게 해부학적 구조를 파악할 수 있도록 연구가 진행되고 있다.

·⫸ 참고문헌

1. Aoki T, Mansour DA, Koizumi T, et al. Laparoscopic Liver Surgery Guided by Virtual Real-time CT-Guided Volume Navigation. J Gastrointest Surg 2020.

2. Araki K, Conrad C, Ogiso S, et al. Intra-operative ultrasonography of laparoscopic hepatectomy: key technique for safe liver transection. J Am Coll Surg 2014;218:37–4.

3. Bao P, Sinha TK, Chen CC, et al. A prototype ultrasound-guided laparoscopic radiofrequency ablation system. Surg Endosc 2007;21:74-9.

4. Bao P, Warmath J, Galloway R Jr, et al. Ultrasound-to- computer-tomography registration for image-guided laparoscopic liver surgery. Surg Endosc 2005;19:424-9.

5. Baumhauer M, Feuerstein M, Meinzer HP, et al. Navigation in endoscopic soft tissue surgery: perspectives and limitations. J Endourol 2008;22:751-66.

6. Birth M, Kleemann M, Hildebrand P, et al. Intraoperative online navigation of dissection of the hepatical tissue-new dimension in liver surgery? Int Congr Ser 2004;1268:770-4.

7. Borazan E, Aytekin A, Yilmaz L, et al. Multifocal Insulinoma in Pancreas and Effect of Intraoperative Ultrasonography. Case Rep Surg 2015;2015.

8. Cho JY, Han HS, Yoon YS, et al. Laparoscopic approach for suspected early-stage gallbladder carcinoma. Arch Surg 2010;145:128-33.

9. D'Onofrio M, Tremolada G, De Robertis R, et al. Prevent Pancreatic Fistula after Pancreatoduodenectomy: Possible Role of Ultrasound Elastography. Dig Surg 2018;35:164-70.

10. Ellsmere J, Stoll J, Wells W 3rd, et al. A new visualization technique for laparoscopic ultrasonography. Surgery 2004;136:84-92.

11. Estépar RS, Stylopoulos N, Ellis R, et al. Towards scarless surgery: an endoscopic ultrasound navigation system for transgastric access procedures. Comput Aided Surg 2007;12:311-24.

12. Facy O, Angot C, Guiu B, et al. Interest of intraoperative ultrasonography during pancreatectomy for metastatic renal cell carcinoma. Clin Res Hepatol Gastroenterol 2013;37:530-4.

13. Ferrero A, Lo Tesoriere R, Russolillo N, et al. Ultrasound-guided laparoscopic liver resections. Surg Endosc 2015;29:1002–5.

14. Feuerstein M, Reichl T, Vogel J, et al. Magneto-optic tracking of a flexible laparoscopic ultrasound transducer for laparoscope augmentation. Med Image Comput Comput Assist Interv 2007;10:458-66.

15. Fristrup CW, Pless T, Durup J, et al. A new method for three-dimensional laparoscopic ultrasound model reconstruction. Surg Endosc 2004;18:1601-4.

16. Gharios J, Hain E, Dohan A, et al. Pre- and intraoperative diagnostic requirements, benefits and risks of minimally invasive and robotic surgery for neuroendocrine tumors of the pancreas. Best Pract Res Clin Endocrinol Metab 2019;33(5):101294.

17. Harms J, Feussner H, Baumgartner M, et al. Three-dimensional navigated laparoscopic ultrasonography: first experiences with a new minimally invasive diagnostic device. Surg Endosc 2001;15:1459-62.

18. Hildebrand P, Besirevic A, Kleemann M, et al. Design and development of adapters for electromagnetic trackers to perform navigated laparoscopic radiofrequency ablation. Ann Surg Innov Res 2007;1:7.

19. Hildebrand P, Kleemann M, Roblick UJ, et al. Technical aspects and feasibility of laparoscopic ultrasound navigation in radiofrequency ablation of unresectable hepatic malignancies. J Laparoendosc Adv Surg Tech A 2007;17:53-7.

20. Hildebrand P, Martens V, Schweikard A, et al. Evaluation of an online navigation system for laparoscopic interventions in a perfused ex vivo artificial tumor model of the liver. HPB (Oxford) 2007;9:190-4.

21. Hildebrand P, Schlichting S, Martens V, et al. Prototype of an intraoperative navigation and documentation system for laparoscopic radiofrequency ablation: First experiences. European Journal of Surgical Oncology (EJSO) 2008;34:418-21.

22. Jakimowicz JJ. Intraoperative ultrasonography in open and laparoscopic abdominal surgery: an overview. Surg Endosc 2006;20:425–35.

23. John TG, Greig JD, Crosbie JL, et al. Superior staging of liver tumors with laparoscopy and laparoscopic ultrasound.

Ann Surg 1994;220:711–19.

24. Leven J, Burschka D, Kumar R, et al. DaVinci canvas: a telerobotic surgical system with integrated, robot-assisted, laparoscopic ultrasound capability. Med Image Comput Comput Assist Interv 2005;8:811-8.

25. Makuuchi M, Hasegawa H, Yamazaki S. Ultrasonically guided subsegmentectomy. Surg Gynecol Obstetric 1985; 161:346–50.

26. Newton AD, Predina JD, Shin MH, et al. Intraoperative Near-infrared Imaging Can Identify Neoplasms and Aid in Real-time Margin Assessment During Pancreatic Resection. Ann Surg 2019;270:12-20.

27. Paolucci I, Schwalbe M, Prevost GA, et al. Design and implementation of an electromagnetic ultrasound-based navigation technique for laparoscopic ablation of liver tumors. Surg Endosc 2018;32:3410-9.

28. Sibinga Mulder BG, Feshtali S, Fariña Sarasqueta A, et al. A Prospective Clinical Trial to Determine the Effect of Intraoperative Ultrasound on Surgical Strategy and Resection Outcome in Patients with Pancreatic Cancer. Ultrasound Med Biol 2019;45:2019-26.

29. Solberg OV, Langø T, Tangen GA, et al. Navigated ultrasound in laparoscopic surgery. Minim Invasive Ther Allied Technol 2009;18:36-53.

30. Solomon MJ, Stephen MS, Gallinger S, et al. Does intraoperative hepatic ultrasonography change surgical decision making during liver resection? Am J Surg 1994;168:307-10.

31. Subasinghe D, Gunatilake SSC, Dassanyake VE, et al. Seeking the unseen: Localization and surgery for an occult sporadic insulinoma. Ann Hepatobiliary Pancreat Surg 2020; 24:234-8.

32. Templin R, Tabriz N, Hoffmann M, et al. Case Report: Virtual and Interactive 3D Vascular Reconstruction Before Planned Pancreatic Head Resection and Complex Vascular Anatomy: A Bench-To-Bedside Transfer of New Visualization Techniques in Pancreatic Surgery. Front Surg 2020;7:38.

33. Torzilli G, Procopio F, Botea F, et al. One-stage ultrasonographically guided hepatectomy for multiple bilobar colorectal metastases: a feasible and effective alternative to the 2-stage approach. Surgery 2009;146:60-71.

34. Torzilli G. Contrast-enhanced intraoperative ultrasonography in surgery for liver tumors. Eur J Radiol 2004;51:25–9.

35. Vuijk FA, de Muynck L, Franken LC, et al. Molecular targets for diagnostic and intraoperative imaging of pancreatic ductal adenocarcinoma after neoadjuvant FOLFIRINOX treatment. Sci Rep 2020;10.

36. Weinstein S, Morgan T, Poder L, et al. Value of Intraoperative Sonography in Pancreatic Surgery. J Ultrasound Med 2015;34:1307-18.

37. Wilheim D, Feussner H, Schneider A, et al. Electromagnetically navigated laparoscopic ultrasound. Surg Technol Int 2003;11:50-4.

38. Wu M, Wang H, Zhang X, et al. Efficacy of laparoscopic ultrasonography in laparoscopic resection of insulinoma. Endosc Ultrasound 2017;6:149-55.

39. Yamakawa K, Naito S, Azuma K, et al. Laparoscopic diagnosis of the intraabdominal organs. Jpn J Gastroenterol 1958;55:741.

40. Zamboni GA, Ambrosetti MC, D'Onofrio M. Ultrasonography of the pancreas. Radiol Clin North Am 2012;50:395-406.

충수돌기 초음파

1. 해부학

충수는 맹장에서 기시하는 끝이 막혀 있는 관강 구조물로서 길이는 개인차이가 있지만 평균 5~9 cm, 직경은 6 mm 이내이다. 충수벽의 구조는 다른 소화관과 마찬가지로 점막층과 내강의 경계면, 점막층, 점막하층, 고유근층 및 장막층의 5층으로 구성되어 있다. 점막고유층은 림프소절이 발달해 있고 점막하층은 혈관, 신경 및 지방조직이 존재한다. 충수의 시작부위는 맹장의 후내측으로 고정되어 있으나 말단부의 위치는 다양하다. 말단부의 위치에 따라서 2시 방향으로 향하는 전회장형(preileal), 3시 방향으로 향하는 후회장형(postileal), 4~5시 방향으로 향하는 골반형(pelvic), 6~7시 방향으로 향하는 하맹장형(subcecal), 그리고 10~12시 방향으로 향하는 후맹장형(retrocecal) 등으로 구분한다. Wakeley의 연구에 의하면 후맹장형이 가장 흔한 것으로 보고하고 있으나 국내에서는 골반형과 후회장형이 가장 흔한 위치로 알려져 있다. 저자가 203명의 정상인을 대상으로 시행한 연구에 의하면 충수의 위치는 골반형이 55%, 하맹장형이 20%, 후회장형이 16%, 후맹장형이 9%였다(그림 4-1).

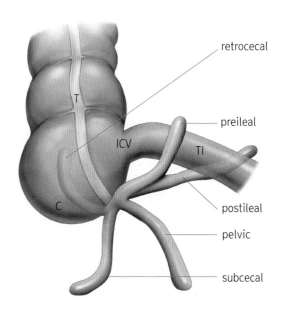

그림 4-1 정상 충수의 해부학적 위치
C: cecum, T: taenia coli, ICV: ileocecal valve, TI: terminal ileum.

2. 충수의 초음파검사법

충수는 그 내강에 가스와 분변이 차 있고 주위에 맹장과 말단회장이 위치하고 있어서 내부에 존재하는 가스로 인해서 초음파검사 시에 방해인자가 되므로 아래와 같은 다양한 방법을 이용하여 충수를 찾을 때 도움을 받을 수 있다.

1) 점진적 압박법

점진적 압박법(graded compression technique)은 Puylaert 등이 주창한 방법으로 고주파 탐색자로 통증이 있는 부위의 점진적인 압박을 통해서 탐색자와 충수 사이에 있는 말단회장 내의 가스를 밀어냄으로써 말단회장과 우측 요근 사이에 있는 충수를 잘 관찰할 수 있는 방법이다. 약간의 압박으로 충수가 관찰되지 않을 경우 조금씩 압박의 강도를 높이면서 관찰하며 복통이 있는 환자의 경우 탐색자의 급격한 조작은 피하고 부드러운 조작이 필요하다. 특히 후맹장 충수나 비만이 동반된 경우 이 방법을 사용하면 도움이 된다. 급성 충수염 환자에서 충수벽의 비후가 있는 경우에는 탐색자로 점진적인 압박을 하여도 충수 직경의 크기변화가 없는 것이 특징이다(그림 4-2).

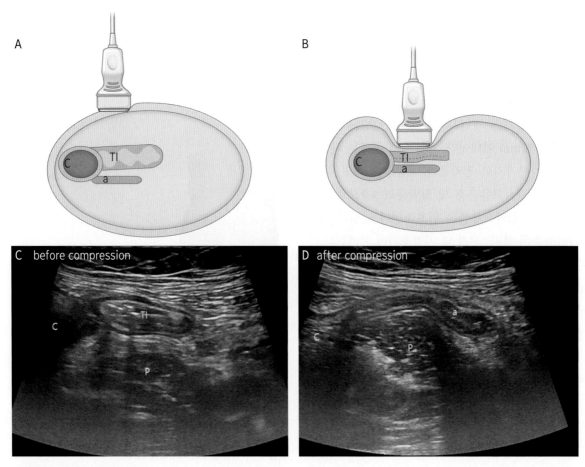

그림 4-2 단계적 압박의 모식도
A, C. 단계적 압박 전에는 탐색자와 충수(a)사이에 말단회장(TI)내부의 가스로 인해서 선명한 영상을 얻기가 어렵다.
B, D. 단계적 압박으로 말단회장 내의 가스를 옆으로 밀어내면 충수와 탐색자 사이의 거리가 단축되고 우측 요근 전방의 충수를 쉽게 관찰할 수 있다.
C: cecum, TI: terminal ileum, P: psoas muscle, a: appendix

2) 좌측와위로의 자세변경

앙와위에서 점진적인 압박을 통해서 충수를 관찰할 수 없는 경우 환자를 좌측와위로 변경하면 말단 회장이 내측으로 이동하면서 이전에 보이지 않았던 환자의 일부에서 관찰될 수 있다. 이 방법은 특히 후맹장 충수염, 비만환자 또는 음창이 좋지 않은 경우에 활용하면 도움이 된다(그림 4-3).

3) 좌측와위로 체위 변환 이후 다시 앙와 위로의 체위 변경

앙와위에서 충수가 관찰되지 않아서 좌측와위로 체위 변환하여 검사하였으나 충수가 관찰되지 않은 경우에 다시 앙와위로 체위 변환 후 검사를 하면 이전에 보이지 않던 충수의 일부에서 관찰되는 경우가 있다. 이는 체위 변환 과정에서 충수 주위의 맹장과 말단회장의 위치가 변경되어 새로운 음창이 생김으로서 가능하다고 알려져 있다(그림 4-4).

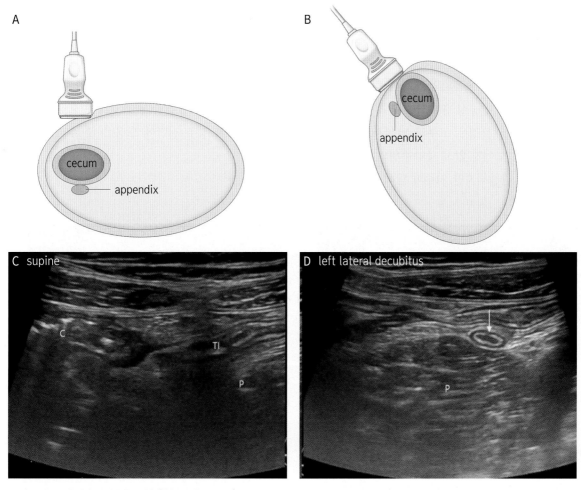

그림 4-3 좌측와위로의 체위 변경(후맹장 충수의 예)
A, C. 앙와위에서는 맹장후방에 위치한 충수가 관찰이 어렵다.
B, D. 좌측와위로 체위 변경후 우측 옆구리에서 검사하면 우측 요근 전방으로 주행하는 후맹장 충수(화살표)를 잘 관찰할 수 있다.
C: cecum, TI: terminal ileum, P: psoas muscle.

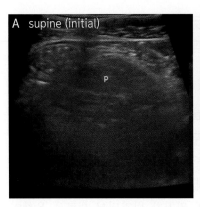
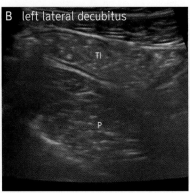
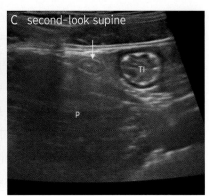

그림 4-4 이차확인(Second look) 앙와위 스캔
P: psoas muscle, TI: terminal ileum, arrow: short axis view of appendix

4) 저주파 탐색자의 사용

일반적으로 고주파 탐색자의 경우 근접 영상을 선명하게 보여주지만 초음파의 투과가 깊숙히 되지 않는 단점이 있다. 천공성 충수염에서 특히 골반 깊숙이 농양이 발생한 경우 고주파 탐색자로 검사하면 충수 내강은 보이지 않고 충수주위의 고에코 지방침착 소견만 관찰되지만 저주파 탐색자로 검사를 하면 골반 내에 농양이나 액체저류가 잘 관찰되어 도움이 된다. 그 외에도 저주파 탐색자를 사용하여 우측 하부 요로결석으로 인한 우하복부통증 환자에서 우측 신장의 수신증 여부를 관찰함으로써 진단에 도움을 줄 수 있고, 우측 난소의 병변으로 인한 우하복부통증의 경우 진단에 도움을 줄 수 있다(그림 4-5).

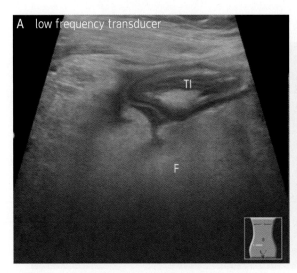
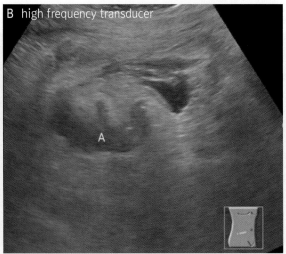

그림 4-5 저주파 탐색자로 진단되었던 천공성 충수염의 예
A. 고주파 탐색자. 말단회장의 주변에 비정상으로 증가된 고에코의 지방침착과 장벽비후만 관찰된다.
B. 저주파 탐색자. 골반강에 저에코의 액체저류가 관찰되어 천공성 충수염에 의한 충수주위 농양이 의심된다.
TI: terminal ileum, F: periappendiceal fat infiltration, A: abscess

3. 정상 충수

1) 충수 초음파의 스캔 방법

충수 초음파검사를 할때 먼저 저주파 탐색자(3~
5 MHz)로 우상복부에서 세로스캔을 하여 우측 신
장의 장축상을 얻은 후 수신증 유무를 확인하고 탐
색자를 내측으로 이동시켜서 상행결장의 장축상을
확인하고 우하복부까지 이동시키면 우측 요근과 만
나게 되는데 이 부위가 맹장의 하면에 해당한다. 탐
색자를 반시계방향으로 90° 회전시켜 맹장과, 회
맹판, 말단회장을 관찰한 후 고주파 탐색자(7~12
MHz)로 변경하여 점진적 압박으로 회맹부의 구조

를 자세히 관찰한다. 말단회장과 맹장을 연결하는
회맹판을 찾은 후 1인치 정도 하방에서 맹장의 후내
측에서 기시하는 충수의 근위부를 관찰하는데 반드
시 말단부위까지 확인하여야 한다. 만약 충수가 관
찰되지 않으면 환자의 자세를 좌측와위로 변경한
이후 우측 옆구리에서 관상면스캔을 하여 후맹장
충수를 확인할 수 있다. 간혹 장 회전이상이나 내
장역위 환자에서는 충수위치가 좌하복부, 우상복부
또는 배꼽주변 등 다양한 부위에 위치할 수 있으므
로 정확한 진단을 위해서는 맹장을 먼저 찾은 후 그
후내측에서 기시하는 충수를 찾거나 증상이 있는
환자의 경우 최대 압통부위에서 검사하는 것이 중
요하겠다(그림 4-6).

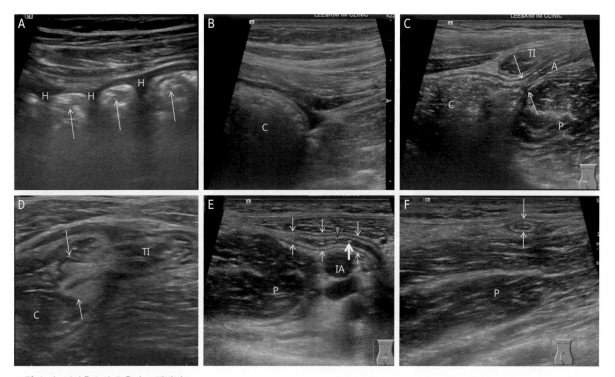

그림 4-6 정상충수의 초음파 스캔방법
A. 우상복부에서 우측 신장의 종단을 관찰한 후 탐색자를 내측으로 이동하면 상행결장의 종단상이 보인다. 상행결장 내의 공기(화살표)음
영 사이로 결장팽대(H)를 관찰한다. 탐색자를 우하복부로 이동시켜서 맹장(C)의 하방부위가 우측 요근과 만나는 지점을 확인한다.
C, D. 탐색자를 반시계 방향으로 회전하여 말단회장(TI)이 맹장(C)와 연결되는 부위인 회맹판(화살표)를 관찰하고 회맹판의 1인치 하방에
서 맹장에서 기시하고 말단회장과 우측 요근(P) 사이로 주행하는 충수(A)를 확인한다.
E. 우측 요근(P)과 우측 장골동맥(IA)의 전방으로 주행하는 충수(화살표) 종단면을 확인하고 특히 고에코의 점막하층(화살표머리)이 말단부
까지 잘 유지되는지 관찰한다.
F. 충수의 종단면을 확인한 후 탐색자를 90° 시계방향으로 회전하여 난원형의 충수 횡단면(화살표)을 관찰하고 탐색자의 각도를 적절하게
유지하면서 충수의 말단부까지 확인한다.

2) 정상 충수의 초음파 소견

정상 충수의 장축상은 우측 요근과 장골동맥의 전방과 말단회장 후방으로 주행하는 끝이 막혀있는 관강 구조로 관찰된다. 충수의 단축상은 일반적으로 난원형 또는 납작한 형태로 관찰되지만 그 내강에 분변이 가득 차 있는 경우에는 원형으로 보일 수도 있다. 정상 충수의 최대 전후직경은 횡단면에서 전벽의 장막층에서 후벽의 장막층까지의 거리이며 정상은 6 mm 이내이다. 정상 충수는 내강에 가스가 관찰되는 경우가 많고 염증이 없는 정상 충수는 탐색자로 압박 시에 전후 직경이 감소된다. 하지만 충수 내강에 공기와 분변이 꽉 차 있는 경우에는 압박되지 않고 직경도 6 mm 이상으로 증가될 수 있어서 충수염 진단 시 위양성의 가능성이 있으므로 주의를 요한다(그림 4-7).

4. 다양한 충수질환

1) 급성 충수염

(1) 충수염의 병태생리
① 초기 충수염(early appendicitis)
여러 가지 원인에 의한 충수 입구의 폐쇄로 충수 내강에 점액의 저류가 오고 내강의 압력이 증가되어 림프흐름의 장애가 초래되고 점막면의 미란으로 세균감염이 유발되면서 충수벽 점막층의 충혈과 부종, 백혈구 침윤 등이 발생하지만 점막하층과 근육층은 백혈구의 침윤이 없는 상태를 말한다.

② 화농성 충수염(suppurative appendicitis)
충수 내강의 폐쇄가 지속되면 점막층의 부종과 충혈이 더욱 심해지면서 정맥순환의 장애가 초래되

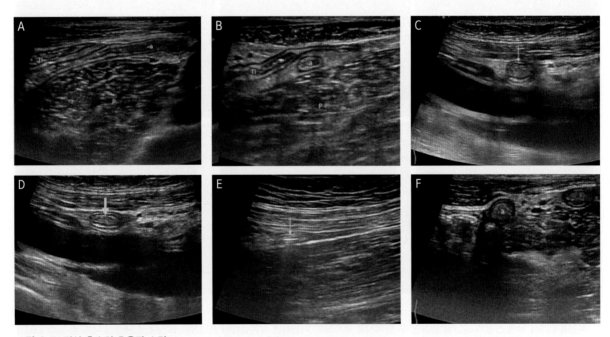

그림 4-7 정상 충수의 초음파 소견
A. 말단회장(TI)과 우측 요근(P) 사이로 주행하는 맹관 형태의 정상 충수의 장축상(a)이 관찰된다.
B. 말단회장(TI)과 우측 요근(P) 사이에 보이는 난원형의 정상 충수의 단축상(a)이다.
C, D. 탐색자로 압박 전의 충수(얇은 화살표, 6 mm, caliper not shown)에 비해서 압박 후 직경이 감소되는 충수(두꺼운 화살표, 4 mm, caliper not shown)를 관찰할 수 있어서 정상 충수임을 알 수 있다.
E. 정상 충수는 압박 시 난원형 또는 납작한 모양으로 관찰되고 내강에 고에코의 공기음영이 있다(화살표).
F. 정상 충수 내부에 분변이 가득 차 있는 경우에는 단축상이 원형(a)으로 보일 수도 있다.

고 세균감염이 진행되어 호중구가 점막층과 근육층에 현저하게 침윤이 되고 충수벽의 전층이 화농성 삼출물로 차게 되어 장막층 밖으로 삼출물이 두껍게 덮이게 되는데 이 시기를 급성 화농성 충수염이라고 한다.

③ 괴저성 충수염(gangrenous appendicitis)

화농성 충수염에서 허혈성 변화가 심해져 동맥혈류의 폐쇄가 초래되면 상대적으로 취약한 충수간막의 반대편 충수벽 전층의 괴저성 궤사가 오게 되는데 이 경우를 말한다.

(2) 충수염의 초음파 소견
① 최대 전후직경(maximal outer diameter)

횡단면 영상에서 중증도 압박 시 전벽의 고유근층과 후벽의 고유근층까지 거리로 측정하며 충수염의 진단 기준은 6 mm 이상이다. 6 mm를 기준으로 하였을 때 급성 충수염 진단의 민감도는 100%, 특이도는 68%이고 정상인에서도 20~30%에서는 충수의 직경이 6 mm 이상으로 측정될 수 있어서 6 mm 기준은 급성 충수염을 배제하는데 더 유용하게

사용된다. 특히 소아에서 충수벽의 림프과다형성 (lymphoid hyperplasia)이나 충수 내강에 분변이 가득 차 있는 경우(fecal impacted appendix)에 직경이 6 mm 이상으로 증가될 수 있어서 충수염과 감별이 필요하다(그림 4-8).

② 최대 벽두께(maximal mural thickness)

충수의 벽두께는 전벽 또는 후벽의 점막층에서 고유근층까지의 거리로 측정하며 충수의 전층으로 염증이 파급되면 충수의 점막하층과 고유근층의 비후가 오고 이로 인하여 벽두께가 3 mm 이상으로 증가된다(그림 4-9).

③ 충수결석(appendicolith)

후방음향음영을 동반한 충수 내강의 고에코 구조물로 관찰되며 천공과 연관이 있고 간혹 충수 내 정상 가스와 충수 내 분변과의 감별이 필요하다. 충수 내 가스 음영은 충수결석에 비해서 더 밝은 고에코로 보이나 후방음향음영이 없고 반향허상을 동반하고 충수 내 분변은 충수결석과 가스에 비해서 에코가 높지 않고 불균질한 음영으로 보이고 후방음향

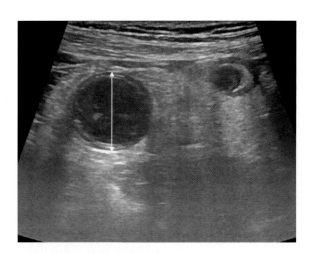

그림 4-8 충수염의 초음파 소견
충수의 단축상에서 압박되지 않는 직경이 6 mm 이상인 원형의 구조물(양방향 화살표)로 관찰된다.

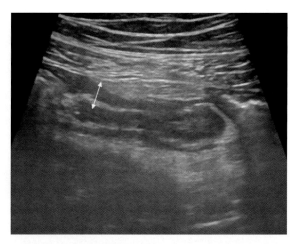

그림 4-9 충수염의 초음파 소견
3 mm 이상의 충수벽 비후(양방향 화살표)가 관찰된다.

음영 또는 반향허상을 동반하지 않는 차이점이 있다. 충수대변결석은 비천공성 충수염의 경우에 충수의 내강에 고에코로 보이고 천공성 충수염으로 인한 충수주위 농양의 내부에 고에코 음영으로 보이는 경우도 있다(그림 4-10).

④ 과녁상(target sign)

충수의 염증으로 인하여 벽 비후가 발생하면 충수의 단축상에서 점막층은 저에코, 점막하층은 고

에코 그리고 고유근층의 비후는 저에코로 보여서 원형의 과녁모양으로 관찰된다(그림 4-11).

⑤ 압박되지 않는 충수
　(noncompressible appendix)

충수의 염증이 전층으로 파급되고 충수주위 지방조직의 염증으로 인하여 탐색자로 압박 시 충수의 직경이 변하지 않는 것이 특징이다(그림 4-12).

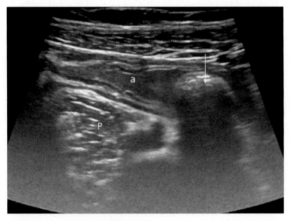

그림 4-10 충수염의 초음파 소견
확장된 충수내강(a)에 후방 음영을 동반하는 고에코의 충수대변결석(화살표)이 관찰된다. P: psoas muscle

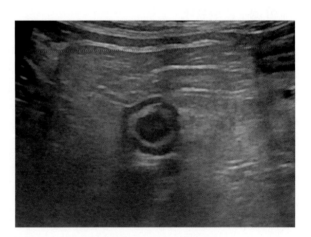

그림 4-11 충수염의 초음파 소견(과녁 모양)

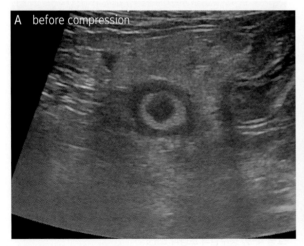
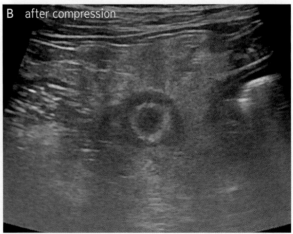

그림 4-12 충수염의 초음파 소견
압박 전(A)과 압박 후(B)의 충수의 전후 직경이 변화가 없다.

ⓖ 컬러 도플러검사에서 혈류신호의 증가
(hyperemia on color Doppler)

컬러 도플러나 파워 도플러검사에서 충수벽과 충수주위의 염증성 지방조직으로의 혈류신호 증가가 관찰된다. 하지만 괴저성 충수염 상태가 되면 충수주위 지방조직으로의 혈류신호는 증가되지만 충수벽의 혈류신호는 감소되거나 소실되는 것이 특징이다(그림 4-13).

ⓗ 충수주위의 지방침착
(periappendiceal fat infiltration)

충수염에 동반되는 충수주위 지방조직의 염증은 충수 주변의 고에코 종괴로 관찰된다. 초음파검사 시 압통부위에 과도한 고에코 지방침착이 관찰된다면 그 주변에 충수의 천공이 있는지 저주파 탐색자로 확인이 필요하다(그림 4-14).

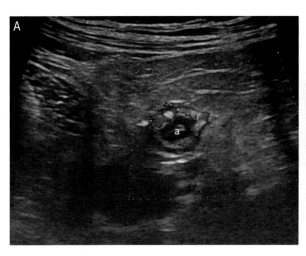
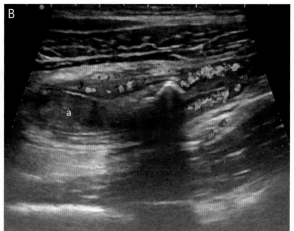

그림 4-13 충수염의 초음파 소견
컬러 도플러검사에서 충수의 단축상(A)과 장축상(B)에서 비후된 충수벽 내부로 혈류신호의 증가가 관찰된다.
a: appendix

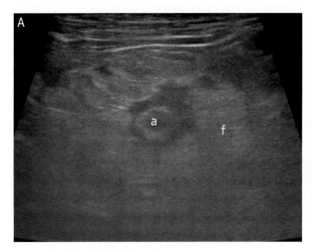
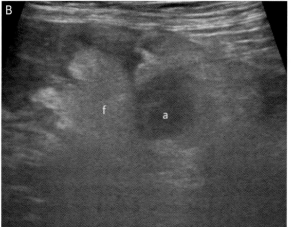

그림 4-14 충수염의 초음파 소견
종대된 충수(a)의 외부로 고에코의 염증성 지방조직의 침착이 관찰된다.

⑧ 충수주위 농양(periappendiceal abscess)

충수주위 농양은 경계가 좋은 액체저류의 형태로 관찰된다. 간혹 농양의 주변에 천공으로 인한 감압된 충수가 관찰되는 경우도 있다(그림 4-15).

⑨ 이차성 소견(secondary change)

충수염이 발생하면 이차성으로 충수주위 장간막 림프절의 비후와 맹장벽의 비후가 관찰될 수 있다. 임상적으로 우하복부통증과 발열 증상으로 내원하는 감염성 회맹장염과 장간막림프절염 환자에서 맹장벽 비후와 장간막림프절 비후가 이들 질환의 일

차적 소견인지 급성 충수염의 이차적 소견인지 감별이 반드시 필요한데 이차성 충수염의 경우 충수부위에 압통이 없고 충수주위 고에코 지방침착이 없으며 충수벽 내부로 혈류신호의 증가가 관찰되지 않는 것이 특징적인 소견이다(그림 4-16).

(3) 충수염의 단계별 초음파 소견
① 초기 충수염(early appendicitis)

초기 충수염에서 충수의 직경은 5~6 mm 정도로 경하게 확장되고 충수벽의 층 구조는 유지되며 점막층의 부종이 있으나 점막하층의 비후는 동반되지

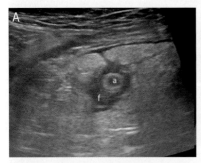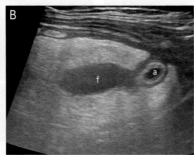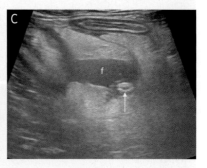

그림 4-15 충수염의 초음파 소견
A, B, C. 충수(a)주위의 저에코 또는 무에코의 액체저류나 농양(f)과 천공부위 근처에 감압되어 직경이 줄어든 충수(화살표)를 관찰할 수 있다.

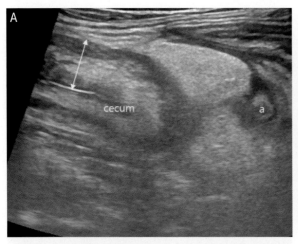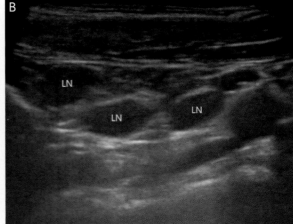

그림 4-16 충수염의 초음파 소견
A. 충수염 주위의 맹장벽 비후(양방향 화살표)가 관찰된다.
B. 다발성 림프절 종대(LN)가 관찰된다.
a: appendix

않는다. 컬러 도플러검사에서 충수벽의 혈류신호증가가 있을 수 있고 충수벽이나 충수주위에 고에코의 지방조직이 증가되어 있다(그림 4-17).

② 화농성 충수염(suppurative appendicitis)

염증이 충수벽의 전층으로 진행되어서 층 구조가 잘 유지되는 충수벽 비후가 관찰되는 상태로서 특히 고에코의 점막하층 두께의 증가가 저명하다. 그

외 중증도로 늘어난 충수 직경, 충수주위 고에코 지방침착 및 컬러 도플러검사에서 충수벽과 충수주위조직으로 혈류신호의 증가 등이 관찰된다(그림 4-18).

③ 괴저성 충수염(gangrenous appendicitis)

충수의 염증이 지속되어 충수벽의 허혈성 변화가 오면 점막하층의 소실로 인해 충수벽의 층 구조가

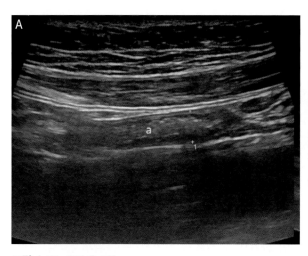
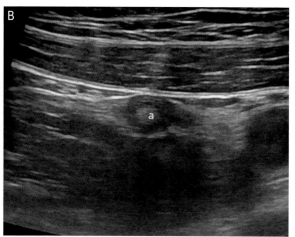

그림 4-17 초기 충수염
A. 충수의 장축상(a)으로 충수전후직경은 5.5 mm로 내강확장은 없다.
B. 충수의 장축상(a)으로 충수내강의 확장은 없으나 충수주위 고에코 지방침착이 관찰된다.

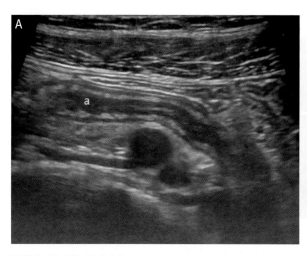
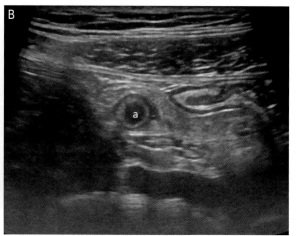

그림 4-18 화농성 충수염
A. 충수의 장축상(a)으로 전후직경의 증가가 있고 충수벽 비후가 관찰된다.
B. 충수의 단축상(a)으로 전후직경의 증가와 충수주위 지방침착이 동반되어 있다.

소실될 수 있다. 컬러 도플러검사에서 충수벽 내부의 혈류신호는 소실되어 있으나 충수주위조직의 혈류신호는 증가되어 있는 것이 특징이다. 경증의 괴저성 충수염은 점막하층의 부분적인 단락소견이 있는 반면 심한 괴저성 충수염 상태가 오면 점막하층의 전체적인 소실이 오는 것이 특징적인 소견이다 (그림 4-19).

2) 천공성 충수염

천공성 충수염(perforated appendicitis)은 전체 충수염 환자의 19~36%에서 발생하는 것으로 보고하고 있다. 천공성 충수염과 비천공성 충수염의 감별은 수술방법과 시기가 달라질 수 있으므로 중요하다. 초음파검사에서 충수주위 액체저류나 농양이 관찰되고 점막하층과 장막층의 소실과 충수주위 농양내부에 후방음향음영을 동반하는 고에코의 충수 대변결석을 관찰할 수 있다. 천공부위 근처의 충수는 감압되어 직경이 정상으로 관찰되므로 진단에 주의를 요한다. 초음파검사 시에 저주파 탐색자를 이용하여 깊숙이 위치하는 충수주위 농양이나 액체저류를 놓치지 않는 것이 중요하다(그림 4-20).

3) 후맹장 충수염

일반적으로 단계적 압박으로 우측 장요근과 말단 회장 사이에서 충수가 관찰되지 않을 때는 맹장 후방에 위치한 충수의 가능성을 염두에 두고 검사하여야 한다. 후맹장 충수염(retrocecal appendicitis)의 경우 우측 옆구리나 우상복부통증을 호소하는 경우가 많고 앙와위에서는 적절한 압박을 하더라도 관찰할 수 없는 경우가 있어서 환자의 자세를 좌측와위로 변경 후 우측 옆구리에서 검사하면 맹장 내의 가스를 우회해서 맹장 후방의 충수를 관찰할 수 있다. 이때 관상면으로 충수의 장축을 관찰하면 충수 말단부가 화면의 좌측에서 보이게 된다(그림 4-21).

4) 말단 충수염

충수의 원위부 1/3 부위에 국한된 염증을 말단 충수염(distal appendicitis)이라고 정의하며 급성 충수염 환자의 5~20%를 차지한다. 근위부 충수는 정상으로 보이므로 위음성 가능성이 있어 우하복부통증 환자에서는 반드시 충수의 말단부위까지 확인하

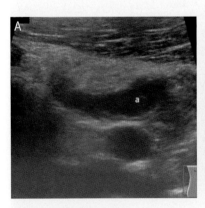
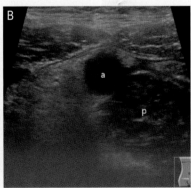
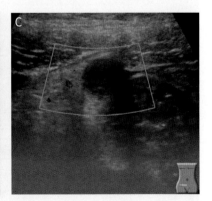

그림 4-19 괴저성 충수염
A. 충수의 장축상(a)으로 충수내강의 확장이 있으나 충수 전벽의 고에코 점막하층이 소실되어 있다.
B. 충수의 단축상(a)에서 층구조가 소실된 원형의 무에코 구조물로 보인다.
C. 컬러 도플러검사에서 충수벽 내의 혈류신호가 소실되어 있다.
P: psoas muscle

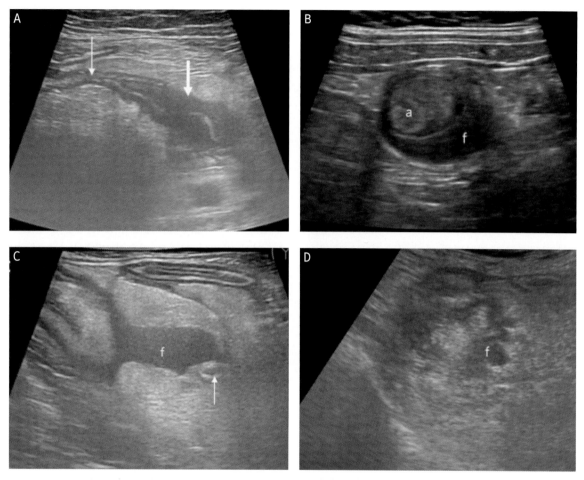

그림 4-20 천공성 충수염의 초음파 소견
A. 충수의 근위부는 정상(얇은 화살표)이고 원위부 충수의 점막하층과 장막층의 광범위한 소실(두꺼운 화살표)이 관찰된다.
B. 종대된 충수(a)의 외부에 무에코의 액체저류(f)가 관찰된다.
C. 무에코의 액체저류(f)와 천공이 발생한 부위에 감압되어 직경이 감소되어 있는 충수(화살표)가 관찰된다.
D. 저주파 탐색자로 관찰 시 골반강 깊숙이 위치한 액체저류 내지 농양이 관찰된다(f).

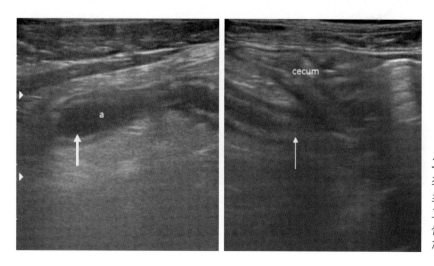

그림 4-21 후맹장 충수염
좌측와위에서 우측 측와부에서 시행한 초음파검사에서 종대된 충수(a)가 보이고 화면의 우측에 충수의 근위부(얇은 화살표)가 화면의 좌측에 충수의 말단부(두꺼운 화살표)가 관찰된다.

여야 한다. 초음파검사에서 근위부 충수는 정상이나 원위부 충수의 확장 및 벽비후가 관찰되고 충수 원위부의 충수결석이 관찰되는 경우가 있다(그림 4-22).

5) 잔존 충수염

잔존 충수염(stump appendicitis)은 충수절제술을 시행받았던 환자에서 남아있던 맹장 기저 부위의 충수 절단면에서 재발한 염증으로서 최근에 복강경 충수절제술이 보편화됨에 따라 충수절제술의 과거력이 있는 환자에서도 우하복부통증의 원인으로 잔존 충수염의 가능성을 염두에 두어야 한다. 충수 절제술의 과거력 때문에 진단의 지연으로 약 70%의 환자에서는 천공 후 발견되는 경우가 많다. 복강경 충수절제술 당시에 염증이 심하여 불완전 절제를 한 경우나 충수 맹장 접합부를 충분히 확인하지 못하고 수술한 경우, 5 cm 이상의 잔존 충수를 남기는 경우에서 그 빈도가 증가되므로 복강경 충수절제술 시에 충수 기저부를 확인하지 못하는 경우 개복수술로 전환하고 남아있는 충수 기저부가

3 mm를 넘지 않도록 권고하고 있다. 초음파검사에서 맹장에서 기시하는 잔존 충수의 내강확장과 충수의 벽비후가 관찰된다. 그 외 맹장과 충수주위의 액체저류나 농양이 관찰될 수 있다(그림 4-23).

6) 충수 게실염

충수 게실염(appendiceal diverticulitis)은 충수벽의 게실에서 발생한 염증으로 수술환자에서 0.2-1.5%의 빈도로 보이는 드문 질환이다. 임상양상이 급성 충수염과 감별이 어려운 경우가 많아서 수술 후 진단되는 경우가 많으나 최근 고해상도 초음파검사의 활용으로 우하복부통증 환자에서 충수 게실염의 수술 전 진단이 보고되고 있으며 충수염에 비해 발병 연령이 높고 복통의 지속기간이 긴 편이다. 충수의 게실은 장관 내 압의 증가로 인해서 충수벽 내로 관통동맥이 들어가는 부위에서 점막과 점막하층이 외벽으로 돌출되는 가성 게실로서 60%에서는 충수의 원위부에서 발생하고 급성 충수염에 비해서 천공이 잘 동반되는 것이 특징이므로 진단되면 수술이 필요한 질환이다. 충수의 게실성 질환은 네 가지 형태

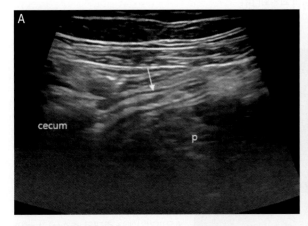
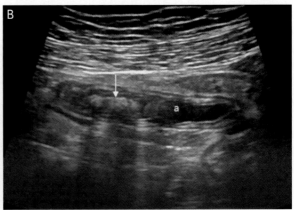

그림 4-22 말단 충수염
A. 맹장에서 기시하는 우측 요근(P) 전방에 위치하는 충수의 근위부(화살표)가 정상으로 관찰된다.
B. 내강의 확장을 동반한 충수의 원위부(a)와 내강의 충수결석(화살표)이 관찰된다.

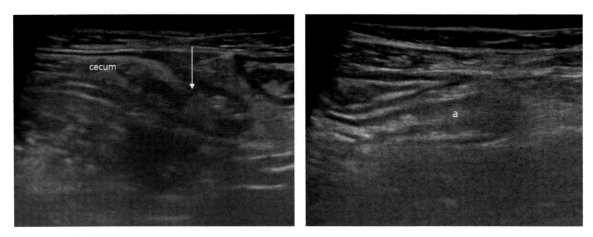

그림 4-23 잔존 충수염

이전에 충수절제술을 시행했던 환자에서 맹장에서 기시하는 잔존 충수의 기시부(화살표)와 종대된 잔존 충수(a)가 관찰된다.

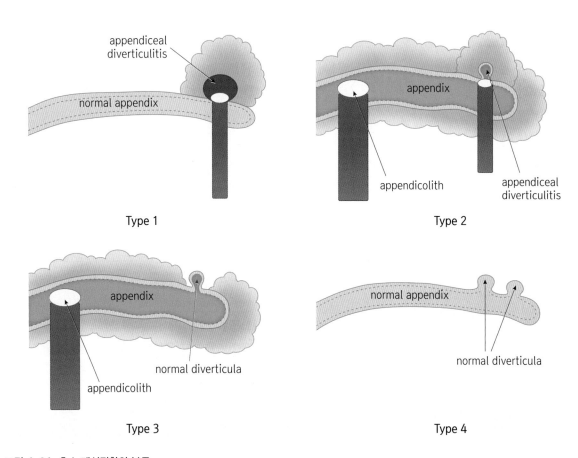

그림 4-24 충수 게실질환의 분류

Type 1: normal appendix with appendiceal diverticulitis

Type 2: appendicitis with appendiceal diverticulitis

Type 3: appendicitis with normal appendiceal diverticulum

Type 4: normal appendix with normal appendiceal diverticulum

로 구분하여 기술한 바 있는데 이 중에서 type 1이 가장 흔한 형태이고 진정한 충수 게실염에 해당된다. 초음파 소견은 충수벽 외부로 돌출하는 저에코성 게실, 게실 입구의 고에코의 결석, 충수 게실 주변의 고에코성 염증성 지방조직 및 컬러 도플러검사에서 충수 게실벽과 게실 주위 혈류신호의 증가이다(그림 4-24, 25).

7) 충수 점액낭종

충수 점액낭종(mucocele of appendix)은 충수 내에 비정상적인 점액성 물질로 인하여 충수내강이 확장된 것을 일컫는 형태학적 용어이고 절제된 충수의 0.2~0.3%에서 발생하는 아주 드문 질환이며 약 25%에서는 무증상으로 다른 원인으로 개복술을 시행할 때 또는 대장경 등과 같은 검사 시 우연히 발견된다. 지연 진단으로 인한 복강 내 파열로 복막

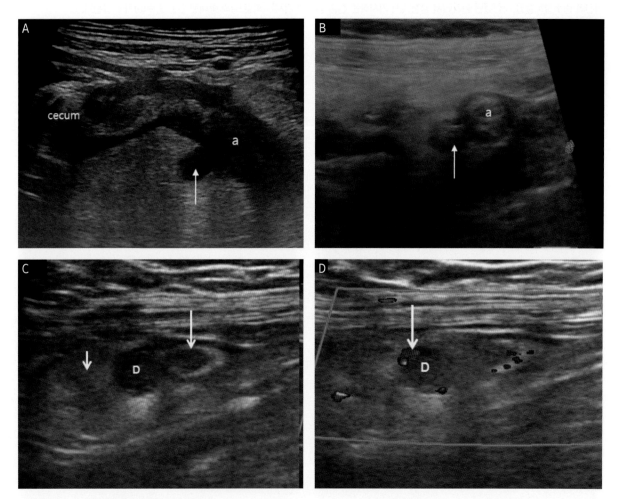

그림 4-25 충수 게실염의 다양한 초음파 소견
A. 종대된 충수의 장축상(a)으로 외벽에서 돌출하는 무에코성 게실(화살표)과 고에코 지방침착 소견이 관찰된다.
B. 종대된 충수의 단축상(a)의 외벽에서 돌출하는 충수 게실(화살표)이 관찰된다.
C. 정상 충수의 말단부위(긴 화살표)에서 외벽으로 돌출하는 무에코 게실(D)과 게실주위 고에코 지방침착(짧은 화살표)이 관찰된다.
D. 컬러 도플러검사에서 충수게실(D)과 게실벽 내부에 증가된 혈류신호(화살표)가 관찰된다.

가성 점액종을 일으킬 수 있다. Higa 등의 분류에 의하면 병리학적으로 점막과형성, 점액성 낭선종, 점액성 낭종암 등 3가지로 구분되며 이 중에서 점액성 낭선종이 50%로 가장 흔하다. 대장경검사에 맹장의 충수 개구부에 구형의 점막하 병변으로 보이는 화산징후(volcano sign)가 관찰되는 경우가 있다. 초음파검사에서 균일한 무에코의 낭종이나 미세한 내부에코를 가진 낭성 종괴 또는 고에코와 저에코가 혼합된 고형 종괴 등으로 다양하게 보이고 종괴의 벽에 석회화가 관찰되는 경우도 있다. 특히 분비되는 점액의 비중의 차이로 인하여 특징적인 양파껍질모양의 층구조로 보인다(onion skin sign)(그림 4-26).

8) 충수암

일차성 충수종양은 충수절제 환자의 0.5~1%의 빈도로 아주 낮게 보고되고 있다. 충수종양의 30~50%에서 비종양성 충수염의 형태로 발현되어 수술 전 진단이 어렵다. 충수선암의 초음파 소견은 비후된 점막하층과 고유근층이 융합되어 층구조가 소실된 저에코 병변으로 관찰되고 종괴에 의한 충수 내강의 폐쇄로 종괴의 원위부에 충수염이 병발될 수 있다(그림 4-27).

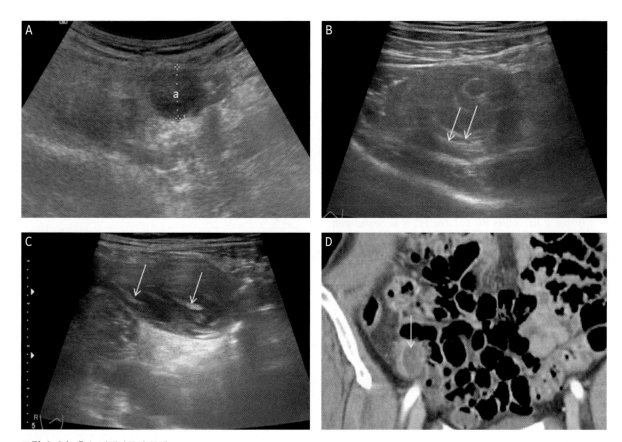

그림 4-26 충수 점액낭종의 증례
A. 우하복부에 1.8 cm 크기의 무에코 낭성 병변이 관찰된다.
B, C. 충수 점액낭종의 단축상(B)과 장축상(C)에서 양파껍질모양의 다층구조(화살표)가 관찰된다.
D. 복부컴퓨터단층촬영에서 우하복부에 난원형의 저음영의 종괴(화살표)가 관찰된다.

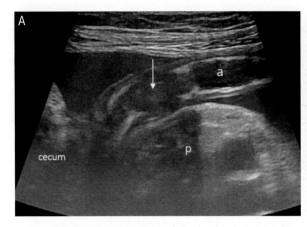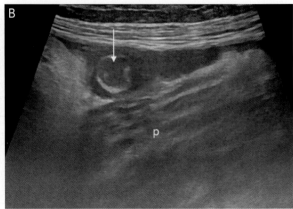

그림 4-27 충수암의 초음파 증례
A, B. 충수의 근위부에 충실성의 저에코 종괴(화살표)가 있고 종양의 충수벽 내로의 침윤으로 인하여 충수벽의 층구조가 소실되어 있다.
a: appendix, P: psoas muscle

·❙)) 참고문헌

1. 김대현. 증례로 보는 소화관 초음파 진단학. 제1판. 대구: 범문에듀케이션; 2018.

2. 최병인. 복부 초음파진단학. 제3판. 서울: 일조각; 2015.

3. Birnbaum BA, Wilson SR. Appendicitis at the millennium. Radiology 2000;215:337-48.

4. Borushok KF, Jeffrey RB Jr, Laing FC, et al. Sonographic diagnosis of perforation in patients with acute appendicitis. AJR Am J Roentgenol 1990;154:275–78.

5. Borushok KF, Jeffrey RB Jr, Laing FC, et al. Sonographic diagnosis of perforation in patients with acute appendicitis. AJR Am J Roentgenol 1990;154:275-8.

6. Carr NJ. The pathology of acute appendicitis. Ann Diagn Pathol 2000;4:46–8.

7. Chan L, Shin LK, Pai RK, et al. Pathologic continuum of acute appendicitis: sonographic findings and clinical management implications. Ultrasound Q 2011;27:71-9.

8. Chang A R. An analysis of the pathology of 3003 appendices. Aust N Z J Surg 1981;51:169–78.

9. Dymock RB. Pathological changes in the appendix: a review of 1000 cases. Pathology 1977;9:331–9.

10. Friedlich M, Malik N, Lecompte M, et al. Diverticulitis of the appendix. Can J Surg 2004;47:146–7.

11. Horrow MM, White DS, Horrow JC. Differentiation of perforated from nonperforated appendicitis at CT. Radiology 2003;227:46-51.

12. Jeffrey RB Jr, Laing FC, Townsend RR. Acute appendicitis: sonographic criteria based on 250 cases. Radiology 1988;167:327–29.

13. Jeffrey RB, Jain KA, Nghiem HV. Sonographic diagnosis of acute appendicitis: interpretive pitfalls. AJR Am J Roentgenol 1994;162:55-9.

14. Jones BA, Demetriades D, Segal I, et al. The prevalence of appendiceal fecaliths in patients with and without appendicitis. A comparative study from Canada and South Africa. Ann Surg 1985;202:80-2.

15. Kim DH, Shin DW. Preoperative Diagnosis of Diverticulitis of the Vermiform Appendix by Ultrasonography. Clinical Ultrasound 2017;2:33-7.

16. Kim DH. Ultrasonography of appendicitis. Clinical Ultrasound 2016;1:19-38.

17. Lee JH, Jeong YK, Park KB, et al. Operator- dependent techniques for graded compression sonography to detect the appendix and diagnose acute appendicitis. AJR Am J Roentgenol 2005;184:91–7.

18. Liang MK, Lo HG, Marks JL. Stump appendicitis: a

comprehensive review of literature. Am Surg 2006;72: 162–6.

19. Lim HK, Lee WJ, Lee SJ, et al. Focal appendicitis confined to the tip: diagnosis at US. Radiology 1996;200:799-801.

20. Lim JH, Lee SJ. Ultrasonography of the Acute Abdomen. J Korean Med Assoc 2007;50:73-9.

21. Lipton S, Estrin J, Glasser I. Diverticular disease of the appendix. Surg Gynecol Obstet 1989;168:13–6.

22. Lowe LH, Penney MW, Scheker LE, et al. Appendicolith revealed on CT in children with suspected appendicitis: how specific is it in the diagnosis of appendicitis? AJR Am J Roentgenol 2000;175:981–4.

23. Macheiner P, Hollerweger A, Gritzmann N. Sonographic features of diverticulitis and diverticulosis of the vermiform appendix. J Clin Ultrasound 2002;30:456–7.

24. Mangi AA, Berger DL. Stump appendicitis. Am Surg 2000; 66:739–41.

25. Nghiem HV, Jeffrey RB Jr. Acute appendicitis confined to the appendiceal tip: evaluation with graded compression sonography. J Ultrasound Med 1992;11:205-7.

26. Noguchi T, Yoshimitsu K, Yoshida M. Periappendiceal hyperechoic structure on sonography: a sign of severe appendicitis. J Ultrasound Med 2005;24:323-30.

27. Phillips GS, Parisi MT, Chew FS. Imaging diagnosis of right lower quadrant pain in children. AJR Am J Roentgenol 2011;196:527–34.

28. Pickhardt PJ, Levy AD, Rohrmann CA Jr, et al. Primary neoplasms of the appendix manifesting as acute appendicitis: CT findings with pathologic comparison. Radiology 2002; 224:775-81.

29. Place RJ, Simmang CL, Huber PJ Jr. Appendiceal diverti- culitis. South Med J 2000;93:76–9.

30. Puylaert JB. Acute appendicitis: US evaluation using graded compression. Radiology 1986;158:355–60.

31. Quillin SP, Siegel MJ. Appendicitis: efficacy of color Doppler sonography. Radiology 1994;191:557–60.

32. Rettenbacher T, Hollerweger A, Macheiner P, et al. Outer diameter of the vermiform appendix as a sign of acute appendicitis: evaluation at US. Radiology 2001;218:757-62.

33. Rettenbacher T, Hollerweger A, Macheiner P, et al. Ovoid shape of the vermiform appendix: a criterion to exclude acute appendicitis Y evaluation with US. Radiology 2003; 226:95-100.

34. Rioux M. Sonographic detection of the normal and abnormal appendix. AJR Am J Roentgenol 1992;158:773-8.

35. Schumpelick V, Dreuw B, Ophoff K, et al. Appendix and cecum. Embryology, anatomy, and surgical applications. Surg Clin North Am 2000;80:295-318.

36. Singh A, Danrad R, Hahn PF, et al. MR Imaging of the Acute Abdomen and Pelvis: Acute Appendicitis and Beyond. Radiographics 2007;27:1419-31.

37. Wakeley CPG. Position of the vermiform appendix as ascertained by analysis of 10,000 cases. J Anat 1933;67:277-83.

직장항문 초음파
Anorectal ultrasound

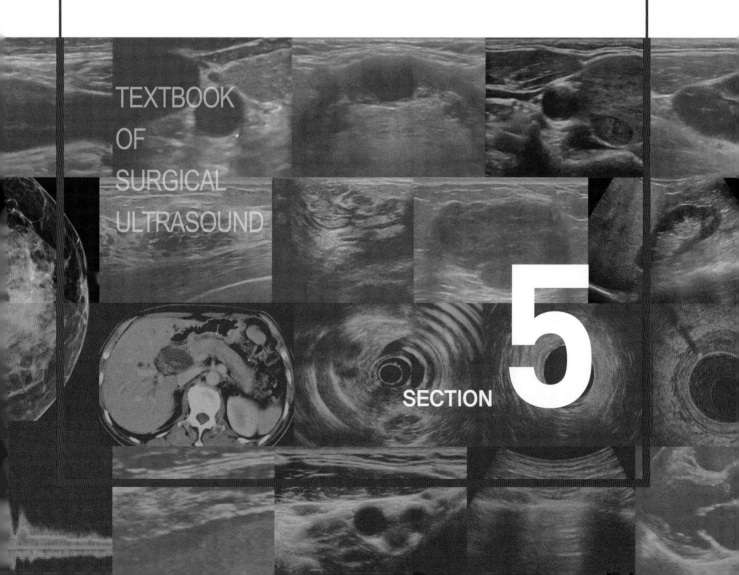

TEXTBOOK
OF
SURGICAL
ULTRASOUND

SECTION 5

SECTION 5. 집필진

CHAPTER

1

직장항문 초음파의 개요 및 정상 해부학

1. 서론

직장 초음파가 처음 소개된 1965년 이후, 검사 장비의 발전으로 현재 우리가 알고 있는 항문관의 모습은 1989년 Law와 Bartram에 의해 보고되었다. 최근에는 다양한 초음파의 보급으로 직장항문 초음파의 임상적 이용분야가 넓어졌다.

항문 초음파검사는 항문주위 농양, 치루, 치핵, 그리고 치열과 같이 흔한 항문질환의 진단에서부터 치료계획을 수립하는데까지 많은 도움을 준다. 특히 치루의 경우, 과산화수소를 이용하는 방법을 사용하여, 항문 초음파로 치루의 1차 및 2차공까지도 쉽고 명확하게 알 수 있게 되었다. 또한 직장항문 초음파는 변실금(fecal incontinence)이나 폐쇄성 배변장애(obstructed defecation disorder), 직장탈출(rectal prolapse), 골반저조율장애(dyssynergic defecation)와 같은 해부학적, 기능적 이상 병변의 진단과 원인 분석 뿐만 아니라 치료와 수술의 방향을 결정하는데도 필수적이다. 양성 직장항문질환 이외에도 직장암의 거리 및 위치 그리고 임상적

TN stage의 평가에 있어 직장 초음파의 우수성은 이미 많은 연구를 통해 증명되었다. 진단적 목적 이외에도 직장암과 항문괄약근 및 항문거근(levator ani muscle)의 침윤, 거리 등을 직접적으로 알 수 있어 환자마다 다양한 괄약근 보존수술(sphincter saving surgery)을 계획할 수 있다. 진행성 직장암에서 수술 전 화학방사선요법 후 반응 평가 및 병기 예측에 있어서도 직장 초음파는 좋은 진단 도구로 평가된다. 하지만 기존의 2D 직장항문 초음파는 해부학적 구조를 이해하기엔 많은 학습곡선이 필요하였다. 최근엔 기술의 발달로 3D 직장항문 초음파가 보급되었고 2D 초음파 이미지에 비해 직장항문의 해부학적 구조를 좀 더 직관적으로 쉽게 이해할 수 있게 되었다. 이번 장에서는 3D 직장항문 초음파를 시행하고자 하는 대장항문 의사들이 참고로 따라하면서 사용할 수 있도록 임상 술기 가이드를 제공하는 데 의의를 두고 직장항문 초음파검사 전 준비, 기본적인 조작법 그리고 영상 구현 후 기본적인 해부학적 구조의 이해에 초점을 맞추어 설명하고자 한다.

2. 3D 직장항문 초음파 사용법

직장항문 초음파검사방법은 Flexfocus 500, BK Medical®와 3D 2052 탐색자를 사용하여 설명하고자 한다. 항문관내 변환기(endoluminal transducer)는 6~16 MHz의 주파수와 최대 5 cm 반지름의 초점거리를 제공한다. 항문관 기본 검사의 경우에는 고해상도와 짧은 초점거리를 제공하는 13 MHz를 주로 사용하며, 이 경우 3 cm 반지름의 초점거리를 제공한다. 직장내를 검사하는 경우에는 저해상도와 고해상도 탐색자를 모두 사용하여 주변 구조물과 직장간막(mesorectum)의 림프절을 검사하고, 종양의 위치와 직장벽의 침윤정도를 파악한다. 저해상도 검사는 7~9 MHz를 기본적으로 사용하며 이를 통해 반지름 4.5 cm의 초점거리를 확인할 수 있다. 직장암 검사 시에 직장간막의 림프절 전이여부와 골반강내 주요 구조물들의 해부학적 관계를 파악하는 데는 저해상도(7~9 MHz)를 사용하는 것이 유용하

다. 고해상도는 13 MHz를 기본으로 사용하며 직장 종양의 침윤정도를 파악하여 종양 병기(T stage)를 예측하는 데 유용하다. 또한 진행성 직장암의 경우 질 벽, 치골직장근(puborectalis) 또는 항문괄약근의 침윤정도를 확인하여 수술 방법을 결정하는 데 사용될 수 있다.

Flexfocus 500, BK Medical®의 변환기(transducer)는 탐색자의 끝 검은색 부분이 6 cm이며, 이 구간에서 탐색자 내의 탐촉자가 장비 끝에서부터 천천히 내려오면서 영상을 스캐닝하여 3D로 구현된다. 마치 CT 스캔과 같은 방식으로 항문관 및 직장을 검사할 수 있어 검사자가 탐색자 위치를 고정시킨 상태에서 안정된 영상을 얻을 수 있다.

1) 3D 초음파 기기 설명

(1) 장비의 기본구성

장비는 크게 두 가지 구성품으로 되어 있다. 주된 본체는 모니터와 키보드(OP panel or Keyboard)의 일체형으로 키보드와 같은 형태의 각종 기능 버튼이 포함되어 있는 부분과 모니터로 구성되어 있고, 초음파 탐색자는 긴 막대형태로 손잡이에 간단한 버튼이 있고 항문직장 내로 삽입되는 부분으로 되어 있다(그림 1-1, 2).

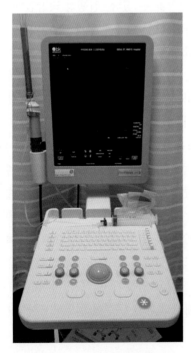

그림 1-1　Flexfocus 500, BK Medical®

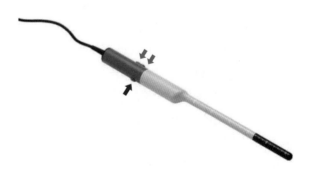

그림 1-2　Anorectal 3D 2052 probe

(2) 본체의 기본 설명

① 키보드

키보드는 컴퓨터 자판과 비슷한 형태를 갖고 있다(그림 1-3). 타이핑이 가능한 영문 자판과 마우스를 대체할 수 있는 트랙볼(trackball)로 구성되어 있다. 먼저, 박스 A에는 [Patient] [Exam type] [Probe] [Document] [End exam] 의 5가지 버튼이 있다.

[Patient] 버튼은 기존에 실시한 검사대상자를 찾거나 현재 검사 예정인 환자를 검색할 수 있는 버튼이다. 일반적으로 검사 예정인 환자는 worklist에 표시되며, 이미 검사를 시행한 환자는 archive에 있으므로 이 버튼으로 찾기 기능을 제공한다. [Exam type]은 검사의 종류를 선택할 수 있는 버튼이다. [Probe] 버튼은 본 검사 기기에 장착된 모든 탐색자들 중 선택을 할 수 있는 기능으로 직장항문관을 검사할 경우에는 막대 형태의 탐색자를 선택하고, 회음부를 검사할 경우는 곡선 형태의 탐색자로 변경하여 골반저(pelvic floor) 검사를 진행할 수 있다.

[Document] 버튼은 기존에 검사한 3D 영상, 사진을 삭제하거나 측정할 수 있는 화면을 제공하고, [End exam] 버튼은 검사를 마치고 주요 검사된 썸네일(thumbnail) 사진들까지 자동 저장 및 전송하는 기능을 갖는다. 만약 병원과의 랜선이 연결되어 있다면 병원 전산망으로 전송을 마쳐주는 기능을 한다. 박스 B에도 다양한 버튼이 있는데 그 중 직장항문 검사 시 자주 사용하는 버튼은 우측 열의 ⊙, ⊕ 버튼이다(붉은색 원). ⊙ 버튼은 직장 초음파검사 시에 3D 영상을 얻을 때 사용하는 버튼이다. 탐색자 안에는 360° 회전하면서 초음파 영상을 얻는 변환기가 있으며, 3D 버튼을 누르면 변환기가 탐색자의 끝에서부터 자동으로 6 cm 내려오며 3D 영상을 만든다. 이 버튼을 누르면 모니터 화면에서 정사각형의 초음파 영상이 정육면체로 점점 변하면서 3D 영상을 만드는 것을 실시간으로 관찰할 수 있으며(그림 1-4), 필요시 탐색자의 위치를 중간에 변경하여 실시간으로 3D 영상을 검사자의 의도에 맞도록 변형시킬 수도 있다.

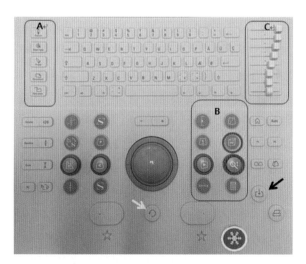

그림 1-3 키보드(OP penel, Keyboard)

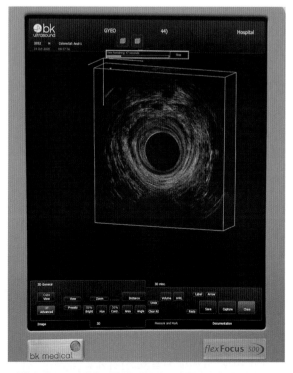

그림 1-4 3D 버튼을 이용한 탐색자와 변환기의 움직임 없이 안정된 3D 이미지 만들기

버튼은 화면의 확대 및 축소를 가능하게 한다. 초음파 영상은 주파수에 따라 가시거리에 영향을 받는다. 하지만 병변의 크기, 주위 조직과의 관계에 따라 3D 영상의 지름의 크기를 조절하여 내가 원하는 범위를 나타내는 영상을 구현할 수 있다.

박스 C에는 일반적으로 모든 초음파 장비에 있는 초음파 음영을 탐색자의 깊이에 따라 조절할 수 있는 기능이 있다. 그 외 노란 화살표로 가리킨 버튼은 뒤로 돌아가기 기능을 갖고, 녹색 "★"로 표시한 버튼의 경우, 컴퓨터의 "Enter"와 같은 기능으로 선택하거나 입력 시 사용하면 된다. 마지막으로 "눈꽃" 모양의 버튼(노란색 원)은 일시 정지 화면을 만드는 기능을 하며, 탐색자에 있는 1개의 원형 버튼도 같은 기능을 갖는다. 영상을 관찰하던 중 저장이 필요한 경우 버튼으로 일시 정지 후 바로 우측 하단의 버튼(검은 화살표)을 누르면 화면을 저장할 수 있다. 또한 저장하거나 일시 정지한 화면에서 길이 혹은 각도 등을 측정한 뒤에 저장할 때도 버튼을 사용하여 저장한다.

② 모니터

모니터 화면의 상단은 환자의 정보 및 환자에게 영상이 표시된다(그림 1-4). 3D 영상과 2D 영상은 각각 직육면체(3D), 썸네일 사진으로 표시된다(노란색 화살표). 모든 검사가 종료된 후 3D 형태의 직육면체 영상을 더블클릭하게 되면 3D 영상이 재현되며, 이 영상을 3차원, 다양한 각도와 단면으로 입체적 재구성을 시행할 수 있고, 그 영상에 구체적인 화살표시, 표지를 붙이거나, 길이를 재는 등의 측정 및 재구성도 가능하다.

(3) 초음파 탐색자 Anorectal 3D 2052 Probe (BK ultrasound®)

가장 앞쪽 검은색 부분은 길이가 6 cm이며, 내부에는 360° 회전하는 변환기가 위치한다. 초음파 탐

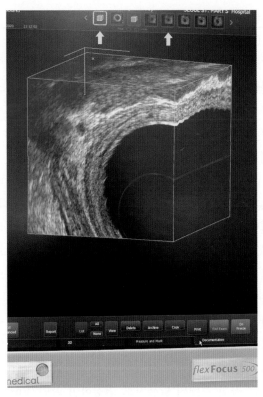

그림 1-5 3D 영상과 썸네일 그림을 선택하여 3D 이미지 조작 및 측정

색자(그림 1-2)에는 눈금 표시가 있어 초음파를 사용할 시 항문연으로부터 병변까지의 거리를 측정하는 데 사용할 수 있다. 손잡이에는 3개의 버튼이 존재하며 각각 2개 버튼(푸른색 화살표)과 반대쪽에 1개 버튼(붉은색 화살표)이 있다. 2개 버튼은 탐색자 내의 변환기를 위 아래로 움직이는 역할을 하여, 탐색자를 환자의 직장에 삽입한 뒤 탐색자의 움직임 없이 이 버튼 만으로 병변 주위를 반복적으로 상하로 움직이면서 관찰할 수 있다. 1개 버튼은 "Freeze" 역할을 한다. 모니터에서 나타나는 화면과 내가 잡은 변환기의 움직임을 동기화하기 위해서는 탐색자의 위치에 대한 이해가 필요하다. 탐색자의 2개 버튼이 있는 쪽이 화면의 위쪽, 1개 버튼이 있는 쪽이 화면의 아래쪽을 가리킨다. 직장항문 초음파는 대부분 환자가 좌측으로 누운 자세로 검사를 진행하

게 되기 때문에 CT, MRI 등의 영상 검사와 같은 방향을 만들기 위해서는 초음파 탐색자에서 1개의 버튼이 있는 쪽을 환자의 등쪽으로 향하게 하고 2개 버튼이 있는 쪽을 환자의 배쪽으로 향하게 하여 검사를 진행한다(그림 1-6).

2) 검사 준비

항문 초음파검사는 탐색자 끝에 윤활제와 작은 골무 모양의 고무 커버를 씌우고 검사를 진행한다. 반면, 직장 초음파검사는 직장의 지름이 탐색자 보다 크기 때문에 직장과 탐색자 사이의 공간을 없애는 과정이 없다면 정확한 병변의 확인이 어려울 수 있다. 따라서, 탐색자를 넓은 고무 덮개로 씌운 뒤

덮개에 증류수를 넣어 팽창시켜서 사이 공간을 없애고 나서 검사를 진행해야 한다.

직장 초음파검사를 시행할 때 직장 내 공기가 많거나 증류수를 넣어 덮개를 팽창시키는 과정에서 공기가 남아 있을 경우 공기 방울로 인한 인공음영 (artifact)이 발생하게 되며 이는 초음파 영상의 질을 떨어뜨릴 수 있으므로 반드시 주의하여야 한다. 직장 초음파 탐색자에 씌우는 덮개는 일회용 제품을 사용할 수도 있고 고무 덮개만을 교체하고 나머지 기구는 재사용이 가능한 금속 덮개로 끼워 사용하는 전통적 방법이 있다.

전통적 방법을 사용할 경우 우선 다음과 같은 준비가 필요하다(그림 1-7A). 먼저 탐색자에 초음파용 콘돔을 씌운 뒤 붉은 고무 줄로 고정한다. 금속

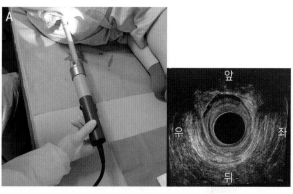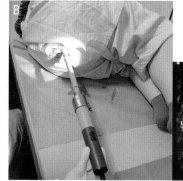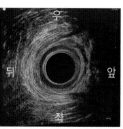

그림 1-6 초음파 탐색자 삽입에 따른 모니터 영상의 구현이 다르게 나타난다. CT와 같은 영상을 얻기 위해 A와 같은 형태로 검사를 진행한다.

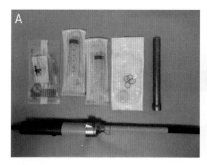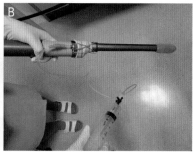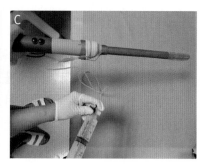

그림 1-7 전통적 검사 준비 과정

덮개 안쪽으로 윤활제를 도포한 뒤 초음파 탐색자와 초음파용 콘돔 위에 금속 덮개를 끼운다. 이 때 고무줄 혹은 고정 장치로 금속 덮개가 쉽사리 움직이지 않도록 한다(그림 1-7B). 이렇게 준비한 후 초음파용 콘돔 덮개 안쪽 공기를 제거하는 제일 중요한 절차가 필요하다. 금속 덮개에는 공기를 제거할 수 있는 5 mm 크기의 구멍이 있으므로 이 통로에 수액 세트에서 사용되는 수액 라인을 삽입한 뒤 3way로 출입을 통제할 수 있도록 한다. 다음으로 그림 1-7C와 같이 탐색자의 끝을 바닥으로 향하게 한 뒤, 증류수를 넣고 빼는 동작을 반복하면서 풍선 안의 공기를 제거하여 최종적으로 증류수를 넣었을 때 공기가 없이 초음파용 콘돔이 확장되는 상태를 확인한다. 이러한 과정이 번거롭다면 일회용 덮개 제품을 사용할 수도 있다(그림 1-8). 하지만 일회용 덮개를 사용할 때에도 증류수 내에 공기를 없애는 과정은 비슷하게 시행하여야 한다.

3) 환자의 자세 및 탐색자 삽입술

환자를 좌측으로 침대에 눕힌 뒤, 항문을 최대한 침대의 끝으로 하고, 무릎은 가슴에 가까이 모으고 두 다리는 침대의 반대편으로 멀리 위치시킨다(그림 1-9A). 항문관 초음파를 시행할 경우에는 이 자세가 크게 중요하지 않지만, 직장 초음파를 시행할 경우에는 환자의 직장이 항문관의 축과 이루는 각도가 예각일수록 탐색자를 삽입할 때 탐색자의 손잡이 부분이 환자의 다리에 닿아 초음파검사자의 검사 반경을 제한할 수 있으므로 가능한 첫 자세를 정확하게 잡아주는 것이 좋다. 검사자는 탐색자를 삽입한 뒤 오른손으로 탐색자를 움직이거나 혹은 탐색자에 있는 버튼을 이용하여 병변의 위치를 확인하고 왼손으로는 초음파 기계를 조작한다(그림 1-9B).

검사 전 환자의 확인 및 검사 이유에 대한 확인은 기본적인 사항이다. 간단한 과거력 등의 파악을 통해 각 환자에서 중점적으로 봐야 할 사항을 기억하고, 경우에 따라서는 문진 과정에서의 정보가 초음파보다 중요한 임상적 요소가 될 수 있으므로 기록

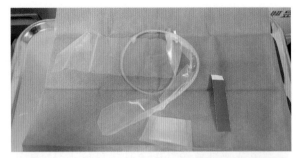

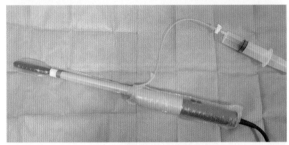

그림 1-8 일회용 제품을 이용한 기구준비 과정

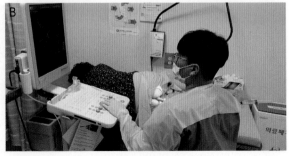

그림 1-9 환자 자세 및 검사 Technique

해 둔다. 특히, 변실금, 배변장애 환자의 초음파검사 전 환자의 출산력, 항문 수술력, 배변 양상, 배변 패턴 등에 대한 과거력 청취는 매우 중요한 임상적 자료이며, 이에 해당하는 부분에서 괄약근의 손상이나, 직장류, 직장중첩증 등의 이상 유무에 대한 체크가 필요할 수 있겠다. 다음으로 초음파 삽입 전 직장수지 검사를 반드시 시행해야 한다. 직장수지 검사를 통해 병변의 위치를 파악할 수 있다. 뿐만 아니라 심한 직장암의 경우에는 오히려 무리한 직장 초음파로 합병증을 유발할 수 있으므로 탐색자를 삽입하기 전에 직장수지검사를 통해 미리 확인하여 합병증을 예방할 수 있다. 그 외에도 변실금이나 배변장애 환자에서는 괄약근의 활동성과 근력, 그리고 배변과 연동되지 않는 지속적인 항문압 증가상태 등을 파악하여 추가로 필요한 검사를 예측할 수 있는 정보를 제공하기도 한다.

탐색자를 삽입할 때 탐색자와 항문에 윤활액을 충분히 도포한 후 탐색자를 삽입하여 검사를 진행한다. 항문 초음파검사 시 초음파 탐색자를 6 cm 이상 삽입하는 것은 불필요하다. 일반적으로 수술적 항문관(surgical anal canal)의 길이는 성인남성은 평균 4.4 cm (3.2~5.3 cm), 여성은 평균 4.0 cm (3.0~5.0 cm) 정도로 보고되고 있기 때문이다. 직장 초음파를 삽입하는 과정은 항문 초음파검사와 달리 어느 정도 숙련도가 필요하다. 직장은 3개의 휴스톤 밸브(Houston's valve)가 존재하고 모양이 반드시 직선의 형태를 이루지는 않기 때문에 환자의 불편한 상태를 반복적으로 확인하며 조심스러운 삽입이 필요하다. 또한 무리한 삽입으로 인한 직장 천공의 발생위험 역시 존재할 수 있으므로 검사자는 삽입 중 환자의 통증 및 증상에 민감하게 반응하며 삽입하는 것이 중요하다.

일반적으로 직장의 길이는 11~15 cm 정도이기 때문에 초음파 탐색자를 15 cm 이상 삽입하는 것

은 굳이 필요치 않으며 기술적으로도 매우 어렵다. 탐색자의 끝이 복막반사(peritoneal reflection) 상방에 위치할 경우, 환자의 앞쪽으로는 연동운동을 일으키는 소장이 관찰되고, 뒤쪽으로는 천골곶(sacral promontory)의 뼈 구조물 일부가 고에코로 보이게 되는데 이 위치에서 더 과도한 삽입은 불필요하다 (그림 1-10).

직장 내로 탐색자를 삽입할 때는 환자의 불편감을 확인하면서 삽입하는 것이 중요하고 상부 직장까지 삽입하면 복강 내 소장, 복수 등을 관찰할 수 있다. 뒤쪽으로 천골이 관찰되면 환자에게 변이가 느껴질 수 있음을 말하고, 직장 초음파 풍선에 증류수를 넣어 확장시킨다. 일반적으로 직장 내 풍선에 증류수(30~40 cc)를 넣어 직장 벽이 펴지도록 한다. 과도한 확장은 환자에게 변이감을 더 주어 복부에 힘을 주게하는 현상을 유발할 수 있고, 조기 직장암의 T병기 측정에 있어 종괴 효과를 주어 병기를 오버스테이징(over-staging) 할 수 있다.

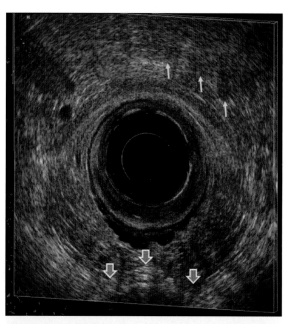

그림 1-10 천골곶(sacral promontory)(두꺼운 화살표)과 복막반사(peritoneal reflection; Douglas pouch)(얇은 화살표)

4) 직장 준비 및 인공음영 교정

일반적으로 항문관 초음파 검사를 위해서는 직장을 비우기 위한 장 준비가 불필요하지만 직장 초음파검사는 먼저 직장을 비우는 준비가 필요하다. 검사 당일에 관장을 하거나, 검사 전일에 배변약을 먹고 당일 오전에 변을 본 뒤 검사를 진행하는 방법을 주로 이용한다. 본원에서는 Duolax Tab. 5 mg 4T를 검사 전날 저녁 10시경에 복용하도록 교육한다. 직장 내 단단한 변이나 직장 내 가스 또는 증류수 내 공기는 검사에서 인공음영을 만들 수 있고 그로 인해 영상의 질이 떨어질 수 있다. 특히 가스 또는 공기가 있는 방향으로는 초음파가 투과되지 않아 아무것도 보이지 않는 영상이 만들어지게 되므로(그림 1-11) 검사 전 환자에게 배변 여부를 확인하는 작업이 있어야 하겠다. 검사 중 발생되는 가스로 인한 인공음영 발생 시, 다음과 같은 방법으로 직장 내 가스 및 배변을 제거할 수 있다. 직장배액관과 50 cc enema

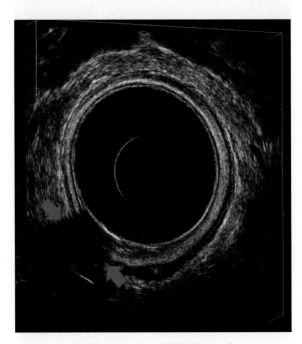

그림 1-11 직장 내 공기에 의한 인공음영(artifact)

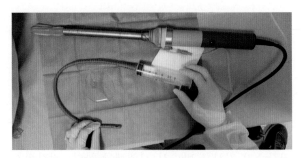

그림 1-12 인공음영을 제거하고 적절한 영상을 얻기 위한 직장 배액관과 50 cc 관장 주사기를 통해 침대 상태에서 간단하게 공기 및 액상의 부유물을 제거할 수 있다.

주사기를 통해(그림 1-12) 잠시 직장 내 가스 및 배변을 제거하면 좀 더 명확한 영상을 얻을 수 있다.

3. 정상 해부학

1) 항문관

항문관의 길이는 크게 해부학적, 기능적, 수술적 측면에서 다르게 정의할 수 있다(그림 1-13). 해부학적 항문관은 항문피부선(anal verge)에서 치상선(dentate line)까지 거리를 말하며 대략 2 cm 정도로 보고된다. 수술적 항문관은 항문피부선의 괄약근간 고랑(intersphincteric groove)부터 항문직장경계 즉, 치골직장근 걸이(puborectalis sling)까지의 거리로 약 4 cm (3.0~5.3 cm)정도이다. 항문관 초음파에서는 항문관을 전통적으로 Bartram과 Frudinger가 완성시킨 3부분으로 구분한다.

(1) 상부 항문관(upper anal canal)

상부 항문관은 치골직장근의 하부와 외괄약근의 깊은 부위가 항문직장경계를 이루는 부분을 말한다. 그림 1-14에서 관찰되는 것과 같이 "U" 모양의 치골직장근이 혼합에코양상을 보이며 관찰된다.

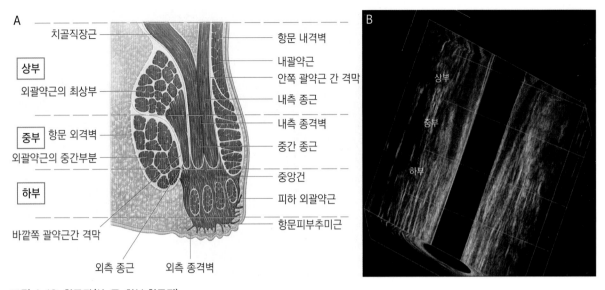

A
치골직장근
외괄약근의 최상부
상부
중부 항문 외격벽
외괄약근의 중간부분
하부
바깥쪽 괄약근간 격막
외측 종근   외측 종격벽

항문 내격벽
내괄약근
안쪽 괄약근 간 격막
내측 종근
내측 종격벽
중간 종근
중앙건
피하 외괄약근
항문피부추미근

B
상부
중부
하부

그림 1-13 항문관(상, 중, 하부 항문관)

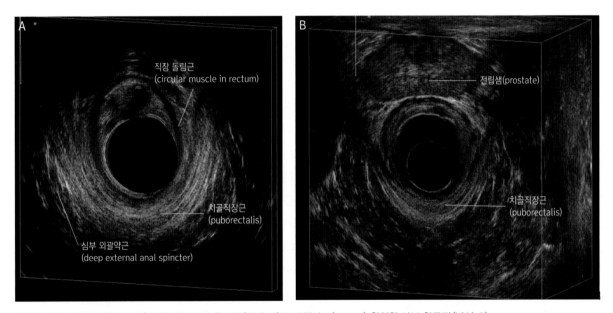

A
직장 돌림근
(circular muscle in rectum)
치골직장근
(puborectalis)
심부 외괄약근
(deep external anal spincter)

B
전립샘(prostate)
치골직장근
(puborectalis)

그림 1-14 고해상도(13 MHz)로 촬영한 상부 항문관(여성, A)와 저해상도(9 MHz) 촬영한 상부 항문관(남성, B)

치골직장근 걸이가 잘 관찰되는 안쪽으로 저에코의 직장 돌림근육층(circular muscle layer)이 관찰되며, 이는 하부로 내괄약근과 연결된다. 남성에서는 이 부위에서 앞쪽으로 전립선 하부가 일부 관찰되기도 하며, 여성의 경우 질이 관찰되기도 한다.

(2) 중부 항문관(mid anal canal)

중부 항문관은 외괄약근과 내괄약근이 360° 전 방향에 걸쳐 동심원을 이루는 부위를 일컬으며, 최대의 내괄약근의 두께가 관찰되는 곳이다(그림 1-15). 이곳에서 내괄약근은 짙은 저에코음영을

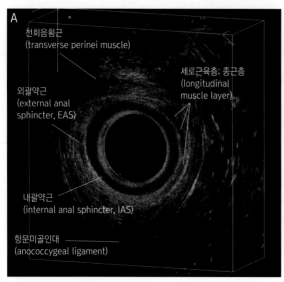
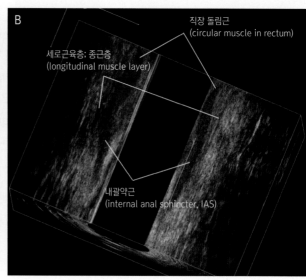

A
천회음횡근
(transverse perinei muscle)

세로근육층; 종근층
(longitudinal
muscle layer)

외괄약근
(external anal
sphincter, EAS)

내괄약근
(internal anal sphincter, IAS)

항문미골인대
(anococcygeal ligament)

B
직장 돌림근
(circular muscle in rectum)

세로근육층; 종근층
(longitudinal muscle layer)

내괄약근
(internal anal sphincter, IAS)

그림 1-15 중부 항문관

보이며 원을 형성하고 있다. 이 내괄약근이 중부 항문관을 찾는 해부학적 기준이 된다. 내괄약근의 두께 측정은 중부 항문관의 3시와 6시 방향에서 경계가 명확한 저에코로 보이는 근육의 두께를 측정한다.

Nielsen 등이 건강한 성인 14명을 대상으로 시행한 항문 초음파검사에서 내괄약근은 중간값 2 mm (1~3 mm), 외괄약근은 중간값 6 mm (5~8 mm) 두께이고, 내괄약근은 연령이 증가함에 따라 유의하게 두께가 증가하고, 4 mm 이상으로 두꺼워진 내괄약근을 갖는 경우 폐쇄성 배변이상으로 보고하였다.

내괄약근 바깥으로 저에코로 보이는 세로근육층(longitudinal muscle)이 관찰되며, 일부 세로근육층은 경우에 따라 고에코 소견으로 보일 수 있어 관찰이 어려울 때도 있다. Kumar 등에 의하면, 세로근육층의 두께는 2.5±0.6 mm와 2.9±0.6 mm, 내괄약근의 두께는 1.8±0.5 mm와 1.9±1=0.6 mm가 남녀 순으로 각각 보고되었다.

중부 항문관 위치에서는 회음체(perineal body)를 관찰할 수 있다. 여성의 경우, 보조자가 질에 손가락을 넣어 후방 질벽을 부드럽게 누를 경우 발생되는 고에코 인공음영과 내괄약근의 안쪽 라인을 이음으로써 회음체의 길이를 측정할 수 있다(그림 1-16). 회음체는 골반하부를 지지해 주는 역할을 하는 구조물로서, 표면적인 외괄약근과 더 깊은 층을 형성하는 천회음횡근(transverse perinei)의 근육과 섬유막으로 이루어진 복합체로 골반저 질환 환자 진료에 있어 반드시 확인해야 한다. 변실금을 호소하는 환자들을 대상으로 시행된 초음파를 이용한 회음체 길이 측정을 한 연구에서는 10 mm 이하의 환자들에게 통계적으로 유의한 증상이 발생한다고 보고하고 있다.

(3) 하부 항문관(lower anal canal)

하부 항문관은 내괄약근의 하부 경계부터 피하층 외괄약근만 존재하는 부위까지를 말한다(그림 1-17). 혼합에코양상을 보이는 원형 부위로 평균적인 외괄약근의 두께는 남성이 8.6±1 mm, 여성

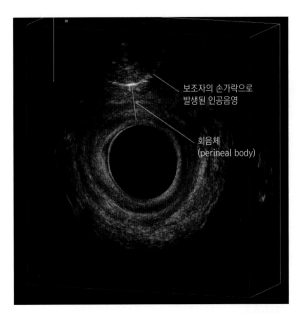

그림 1-16 회음체(perineal body) 초음파 영상

이 7.7±1.1 mm이다. 남성과 여성의 차이를 비교한 Gold 등에 따르면 남성이 여성보다 외괄약근이 길며(32.6±5.3 mm vs. 15.3±2.8 mm; p⟨0.001), 앞쪽 방향에서 더 두꺼운 경향을 보였다.

2) 직장

직장은 성별에 따라 다르지만 대략 13~15 cm 정도의 길이로, 직장 상부 1/3은 전방과 측방이 복막으로 덮여 있고 직장 중간 1/3은 전면만 복막으로 덮여 있으며 이후 하부 1/3은 복막이 없는 후복막 공간에 속해 있다(그림 1-18). 직장 초음파검사를 위해서는 검사 전 직장의 배변을 통해 가스를 없애는 것이 좋은 영상을 얻는 데 매우 중요하다. 또한 검사를 시행하기 전 직장수지검사를 통해 환자의 초음파검사를 하는 목적과 이에 맞는 적절한 준비가 선행되어야 한다.

(1) 직장(rectum)

직장벽의 구조는 조직학적으로 점막 상피층(epithelium), 고유판(lamina propria), 점막하층(submucosa), 고유근육층(muscularis propria), 직장 주위 지방층(perirectal fat)으로 구성되어 있다. 직장 초음파에서는 조직학적 층이 저에코의 점막층,

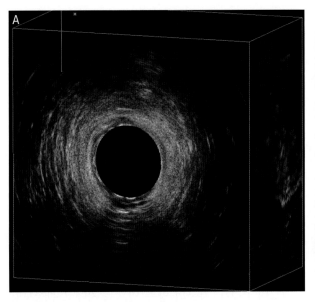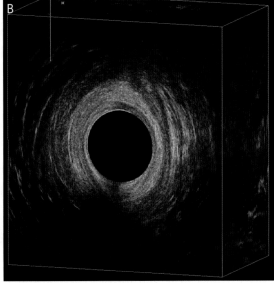

그림 1-17 하부 항문관 여성(A), 남성(B), 남성의 경우 외괄약근의 저에코 근육층이 더 명확히 보이며 길이도 길다.

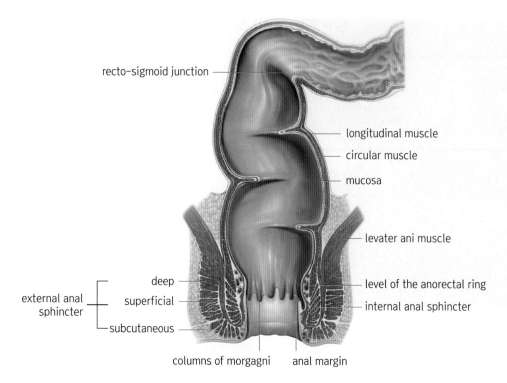

recto-sigmoid junction

longitudinal muscle

circular muscle

mucosa

levater ani muscle

deep

superficial

external anal
sphincter

subcutaneous

level of the anorectal ring

internal anal sphincter

columns of morgagni   anal margin

그림 1-18 직장항문의 해부학

고에코의 점막하층, 저에코의 고유근육층과 혼합 고에코의 직장주위층으로 에코양상이 반복되면서 흑백 과녁의 모양으로 관찰된다. 가장 안쪽의 탐색자 접촉면은 고에코로 보여 총 5개의 층이 관찰되며, 이러한 층별 에코양상을 이해하는 것이 중요하다(그림 1-19).

(2) 직장 주위 골반 구조물

직장 초음파검사를 하면서 관찰 가능한 골반 구조물은 다음과 같다(그림 1-20). 초음파 탐색자를 상부 직장으로 삽입하게 되면 공통적으로 복강 내 소장들의 움직임을 관찰할 수 있으며, 뒤쪽 방향으로는 천골의 뼈 구조가 관찰된다. 또한 저해상도에서는 직장 주위를 둘러싸고 있는 직장간막이 관찰되고 사람에 따라 직장간막의 부피에 차이가 있

으나 직장주위 지방층을 감싸는 근막(mesorectal fascia)도 관찰할 수 있다.

남성에서는 복막반사에서부터 아래쪽 방향으로 스캔을 시작하면 앞쪽에서 정낭(seminal vesicle)이 양측 방향으로 관찰되며, 관 모양의 연결성이 사라지는 부위부터 저에코음영을 보이는 전립샘(prostate)이 관찰된다. 전립샘 안쪽으로 관모양의 요도(prostatic urethra)도 확인할 수 있다. 전립샘이 사라지는 지점부터 치골직장근이 관찰되면서 상부 항문관으로 진입함을 알 수 있다(그림 1-14B, 1-21).

여성의 경우에도 동일한 방법으로 복막반사를 관찰할 때 저해상도에서 혼합에코음영을 가진 저에코로 보이는 자궁의 일부와 난소를 관찰할 수 있다(그림 1-22). 자궁의 양측 옆으로 저에코 관상모양

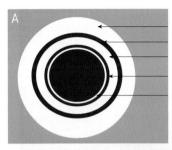

직장주위 지방층(perirectal fat)
고유근육층(muscular propria)
점막하층(submucosa)
점막(mucosa; mucosal muscularis)
접촉표면(interface)

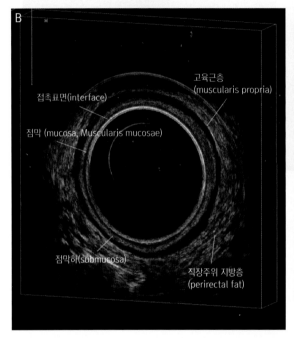

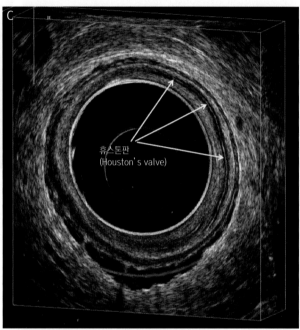

그림 1-19 고해상도(13MHz) 로 촬영한 직장 초음파 사진(B)과 직장 초음파로 촬영한 휴스톤판(C)

의 자궁동맥이 관찰되며 질원개(vaginal fornix)로 오면서 작은 U자 형태의 자궁경부가 가로방향으로 길고 납작한 질원개 위로 얹혀 놓은 모습으로 관찰된다. 그 아래로 앞쪽 방향으로 저에코의 안쪽으로 고에코를 보이는 질이 관찰된다. 고에코음영을 보이는 부분은 질 점막으로 질의 특징적인 소견이라고 할 수 있다. 필요에 따라 질내 초음파로 사용하여 직장과 질 병변과의 연관성을 검사할 수 있다(그림 1-23).

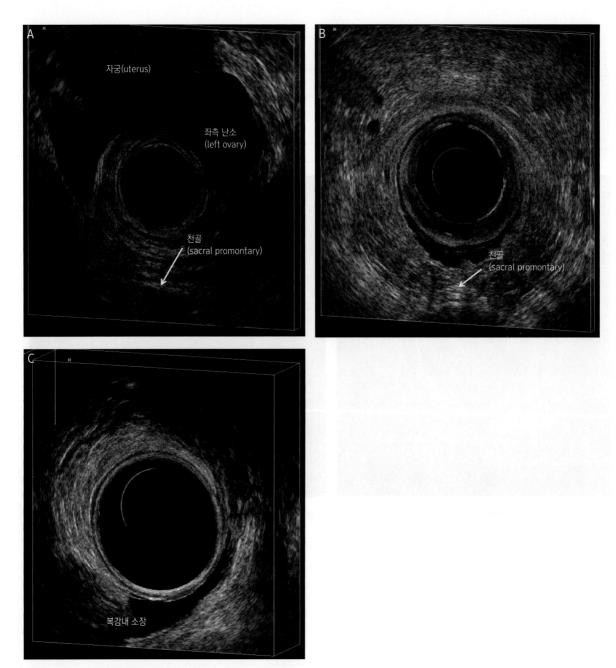

그림 1-20 상부 직장에서 관찰되는 직장주위 구조물

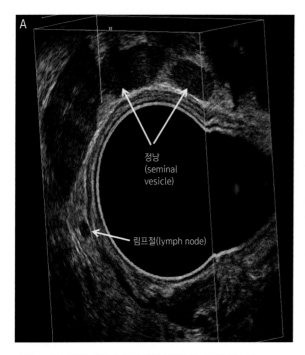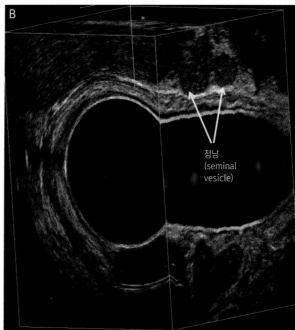

그림 1-21 남성 직장 초음파에서 관찰되는 주위 구조물

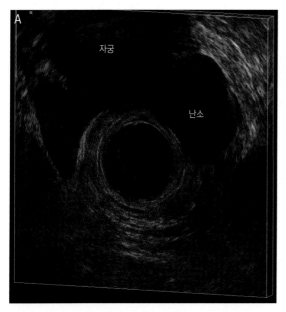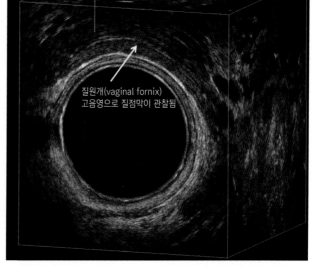

그림 1-22 여성 직장 초음파에서 관찰되는 주위 구조물

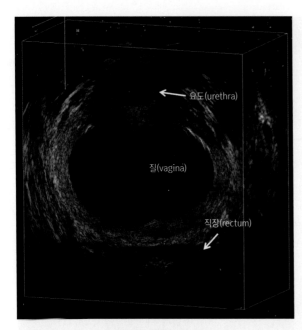

그림 1-23 직장 초음파를 이용한 질내 초음파 사진

·»》 참고문헌

1. 김남규. 직장암의 수술적 치료: 기능보존의 측면을 통한 고찰. 대한대장항문학회지 2008;24:394-405.

2. 박재갑. 대장항문학. 제4판. 서울: 일조각; 2012.

3. Abdool Z, Sultan AH, Thakar R. Ultrasound imaging of the anal sphincter complex: a review. Br J Radiol 2012;85:865-75.

4. Bartram CI, A. F. Handbook of anal endosonography. UK: Wrightson Biomedical Publising Ltd; 1997.

5. Damon H, Henry L, Barth X, et al. Fecal incontinence in females with a past history of vaginal delivery: significance of anal sphincter defects detected by ultrasound. Dis Colon Rectum 2002;45:1445-50.

6. Dietz HP. Pelvic Floor Ultrasound: A Review. Clin Obstet Gynecol 2017;60:58-81.

7. Gold DM, Bartram CI, Halligan S, et al. Three-dimensional endoanal sonography in assessing anal canal injury. Br J Surg 1999;86:365-70.

8. Kołodziejczak M, Santoro GA, Obcowska A, et al. Three-dimensional endoanal ultrasound is accurate and reproducible in determining type and height of anal fistulas. Colorectal Dis 2017;19:378-84.

9. Kumar A, Scholefield JH. Endosonography of the Anal Canal and Rectum. World J Surg 2014;24:208-15.

10. Law PJ, Bartram CI. Anal endosonography: technique and normal anatomy. Gastrointest Radiol 1989;14:349-53.

11. Murad-Regadas SM, Regadas FS, Rodrigues LV, et al. Criteria for three-dimensional anorectal ultrasound assessment of response to chemoradiotherapy in rectal cancer patients. Colorectal Dis 2011;13:1344-50.

12. Murad-Regadas SM, Regadas FS, Rodrigues LV, et al. Role of three-dimensional anorectal ultrasonography in the assessment of rectal cancer after neoadjuvant radiochemotherapy: preliminary results. Surg Endosc 2009;23:1286-91.

13. Nagendranath C, Saravanan MN, Sridhar C, et al. Peroxide-enhanced endoanal ultrasound in preoperative assessment of complex fistula-in-ano. Tech Coloproctol 2014;18:433-8.

14. Nielsen MB, Pedersen JF, Hauge C, et al. Endosonography of the anal sphincter: findings in healthy volunteers. AJR Am J Roentgenol 1991;157:1199-202.

15. Nivatvongs S, Stern HS, Fryd DS. The length of the anal canal. Dis Colon Rectum 1981;24:600-1.

16. Oberwalder M, Thaler K, Baig MK, et al. Anal ultrasound and endosonographic measurement of perineal body thickness: a new evaluation for fecal incontinence in females. Surg Endosc 2004;18:650-4.

17. Pinto RA, Corrêa Neto IJF, Nahas SC, et al. Is the physician expertise in digital rectal examination of value in detecting anal tone in comparison to anorectal manometry? Arq Gastroenterol 2019;56:79-83.

18. Santoro GA. Atlas of endoanal and endorectal ultrasonography: staging and treatment options for anorectal cancer. New York: Springer; 2004.

19. Zetterström JP, Mellgren A, Madoff RD, et al. Perineal body measurement improves evaluation of anterior sphincter lesions during endoanal ultrasonography. Dis Colon Rectum 1998;41:705-13.

직장암의 초음파 소견

직장암이 진단된 환자에서 정확한 임상병기 설정은 직장암의 치료 결정에 매우 중요하다. 임상병기 설정을 위해서 사용할 수 있는 영상검사로는 컴퓨터단층촬영(CT), 자기공명영상(MRI), 직장경유 초음파검사(transrectal ultrasonography, TRUS) 등이 있다. 최근 직장암의 수술 전 혹은 화학방사선요법 전 병기 설정, 그리고 수술 전 화학방사선요법 후 병기의 재설정에 MRI가 높은 정확도와 신뢰도를 바탕으로 많이 활용되고 있다. 직장 초음파도 임상병기 설정을 위해 사용할 수 있는 검사방법으로, 검사자가 직접 검사를 시행하여 빠르게 결과를 확인할 수 있고 비용이 저렴하고 안전하며 숙련된 검사자라면 비교적 정확한 결과를 얻을 수 있는 장점이 있어 많이 시행하는 검사이다.

직장 초음파로 직장암의 T 병기를 평가할 때 그 정확도는 85%, 림프절 전이 유무에 대한 평가의 정확도는 75% 이상으로 알려져 있다. 하지만 직장 초음파의 영상에 대한 해석은 검사자에 따라 다를 수 있고 검사자의 경험이 정확도에 크게 영향을 미친다. 최근 3차원(3D) 초음파 탐색자의 사용으로 영상에 대한 객관성을 높여 검사 영상에 대한 해석이 좀 더 수월해 졌다.

초음파를 이용한 병기결정은 American Joint Committee on Cancer (AJCC) TNM staging classification for rectal cancer을 따른다. 다만, 초음파를 통한 병기결정은 "u"라는 표시를 명명법 앞에 접두어로 사용하는데, 이는 최종적인 병리 명칭과 구별하기 위해서다(예: uT3N1).

1. T 병기의 초음파 소견

T 병기에서 가장 중요하게 평가하는 부분은 침습의 깊이이다. 초음파 영상은 직장벽을 이루고 있는 각 층을 자세하게 관찰할 수 있고 점막에서 발생한 악성 병변의 침습 정도를 쉽게 평가할 수 있다.

그림 2-1은 직장 초음파에서 직장벽의 각 층이 어떻게 보이는지 간단하게 모식도로 그려놓은 것이다. 총 5개의 층이 보이는데 맨 가운데 탐색자가 있고, 이 탐색자를 감싸고 있는 풍선에 물을 채워넣은 모습이 첫 번째 하얗게 보이는 선이다. 하얀 풍선이 맞닿아있는 층은 점막층이고, 이는 검은색으로 보

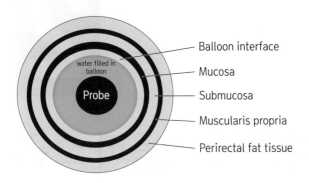

그림 2-1
탐색자를 풍선이 싸고 있고 이 사이에 물이 차있는 모습 및 직장벽의 각 층이 초음파 화면에서 보이는 양상을 모식도로 표현하였다.

인다. 점막층 다음으로 하얗게 보이는 층이 점막하층이다. 점막하층 다음으로 보이는 검은선은 고유근육층이고 고유근육층 밖에 위치한 흰색선은 직장 주변을 감싸고 있는 지방조직이다. 초음파에서 정상적으로 보이는 직장벽의 각 층에 대해 숙지하고 해부학적 구조를 감별하여 T병기를 평가하게 된다.

uT0 병변은 점막에 국한된 병변으로 초음파를 통해 정확하게 평가할 수 있다(그림 2-2). 물론 제자리암종(carcinoma in situ)과 용종(polyp)의 차이는 초음파를 통해 감별하기 어렵지만 점막하층의 침범여부에 대한 평가를 통해 점막 내의 병변인지를 확인할 수 있다. uT1은 점막하층까지 침범했지만 고유근육층은 침범하지 않는 병변이다(그림 2-3). uT0나 uT1을 진단하는데 초음파는 89%에서 96%의 정확도를 나타낸다고 알려져 있다. uT0나 uT1의 경우에는 항문경유 국소절제(transanal local excision, TLE) 혹은 항문경유 내시경미세수술(transanal endoscopic microsurgery, TAMIS)을 할 수 있다. 치료 계획을 수립할 때 고려한 요소로는, 국소 림프절의 전이가 의심되지 않고, 종괴 크기가 4 cm 미만이며, 직장내강에서 차지하는 범위가 1/3 미만인지 여부 등을 주의 깊게 평가해야 한다.

uT2는 점막하층에서 고유근육층까지 침범한 소견이 있지만 고유근육층 자체의 검은선이 깨끗하게

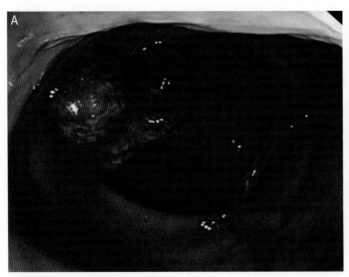
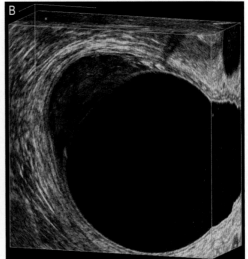

그림 2-2 uT0 내시경 및 초음파 사진
최종조직검사에서 tubular adenoma with high grade dysplasia로 확인되었다.
A. 양성 직장용종의 내시경 소견
B. 양성 직장용종의 초음파 소견

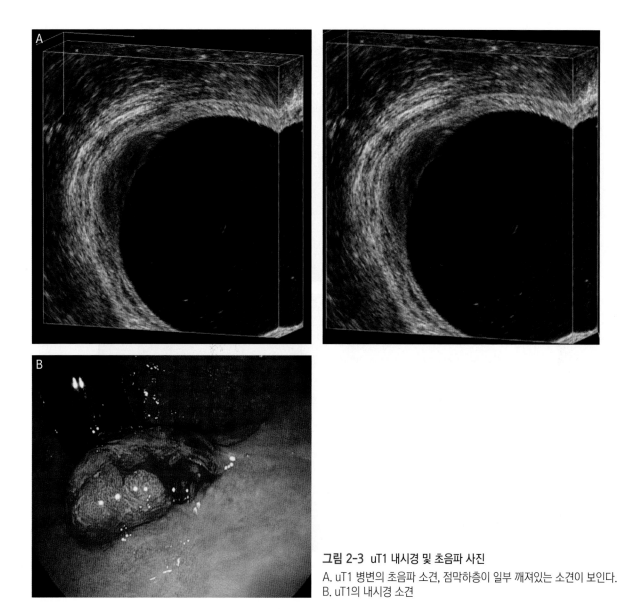

그림 2-3 uT1 내시경 및 초음파 사진
A. uT1 병변의 초음파 소견, 점막하층이 일부 깨져있는 소견이 보인다.
B. uT1의 내시경 소견

남아있는 경우 진단할 수 있다. 초음파 상으로 고유근육층에 발생한 침습은 중간의 하얀선과 인접한 검은선이 파열된 것처럼 나타나며, 직장주위 지방을 나타내는 하얀선은 깨진 흔적이 없어야 한다(그림 2-4). 진단의 정확도는 50%에서 96%까지 큰 차이를 보이며, 검사자의 경험이 진단의 정확도에 영향을 크게 주는 것으로 알려져 있다. .

uT3는 고유근육층을 침범하고 직장주위 지방층까지 침범한 경우 진단할 수 있다. 모든 사이막들은 파열되어 있고, 일반적으로 종괴의 테두리는 매우 불규칙하거나 불명료하다(그림 2-5). uT4의 경우는 주변 장기 침범을 보이는 경우 진단할 수 있는데 남자의 경우 정낭이나 전립샘에 침범한 경우, 여자의 경우 질쪽으로 침범한 경우 등에서 진단할 수 있다. 하부 직장암의 경우 성별에 관계없이 골반근육, 특히 치골직장근 쪽으로 침범한 경우 초음파로 진단

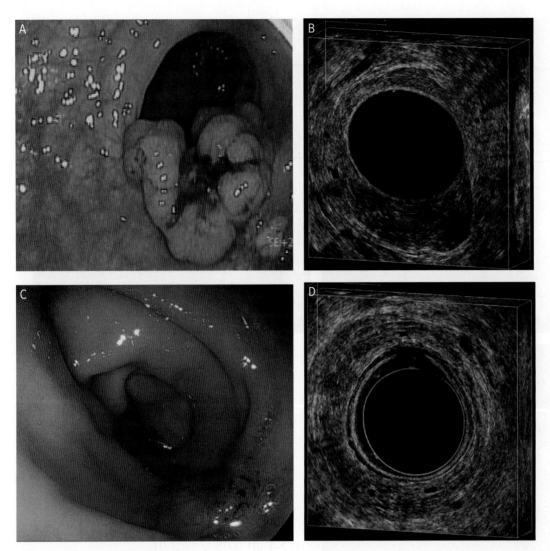

그림 2-4 uT2 내시경 및 초음파 사진
A. uT2 병변의 내시경 소견, B. uT2 병변의 초음파 소견
C. uT2 병변의 내시경 소견, D. uT2 병변의 초음파 소견

할 수 있다. 또, 내괄약근을 침범한 경우도 직장항문 초음파를 통해 쉽게 진단할 수 있다(그림 2-6).

종양에 대한 평가를 할 때 T 병기 외에도 종양의 위치 및 방향을 평가하고 주변 장기와의 관계를 평가해야 한다. 종양의 위치는 직장 내강 안에서의 방향을 환자의 자세에 맞춰 표시해야 하고 항문관으로부터 종양의 원위부까지의 거리를 측정하여 항문과의 관계를 표시해야한다(그림 2-7).

2. N 병기의 초음파 소견

림프절 전이 여부에 대해서도 직장 초음파로 평가가 가능하다. 초음파는 림프절 전이 여부를 파악하는데 있어서는 침습의 깊이를 측정할 때 보다 정확도가 떨어진다고 알려져 있고 정확도가 낮게는 50%에서 높게는 88% 로 보고하고 있다. 직장 간막 속의 일반 림프절은 보통 직장 내 초음파검사

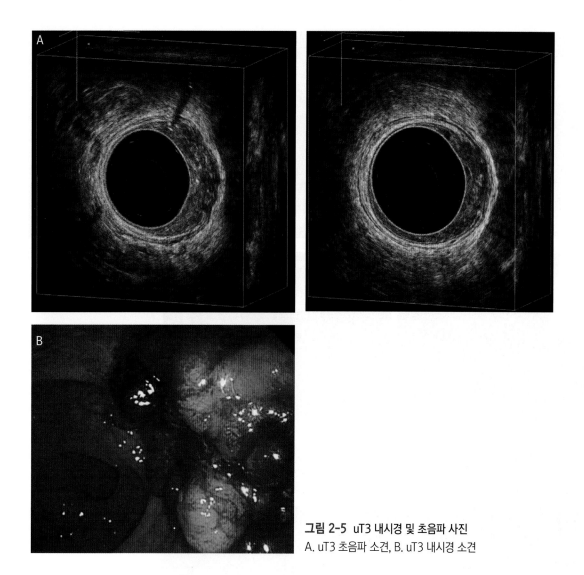

그림 2-5 uT3 내시경 및 초음파 사진
A. uT3 초음파 소견, B. uT3 내시경 소견

에서는 뚜렷하게 나타나지 않는다. 악성 림프절은 크고, 저에코에 둥근 경향을 띄고 크기가 5 mm 이상일 때 진단하게 된다(그림 2-8). 반면, 염증성 림프절은 고에코이며 불규칙 형태로 보인다. 림프절의 크기가 클수록 전이의 가능성이 높아지긴 하지만, 크기는 믿을 만한 전이 지표가 아니기 때문에 어떤 림프절이 실제로 악성인지를 결정하는 일은 어렵다. 또, 한 영역에서 여러 에코가 발생하는 현상은 악성종양이 있음을 암시하며 이는 림프혈관 침습이 발생했음을 암시하는 것일 수 있다.

3. 화학방사선요법 이후의 초음파 소견

현재 진행성 직장암의 표준 치료는 수술 전에 화학방사선요법을 권유하고 있다. 수술 전 화학방사선요법은 종양의 크기를 줄이고 주변 림프절 전이 및 신생혈관의 경화를 유발하여 Downstaging을 유도하고, 이는 결국 항문괄약근을 보존할 확률을 올릴 수 있고 국소 재발을 줄이는 것으로 알려져 있다. 드물게 수술 전 화학방사선요법 후 반응이 좋

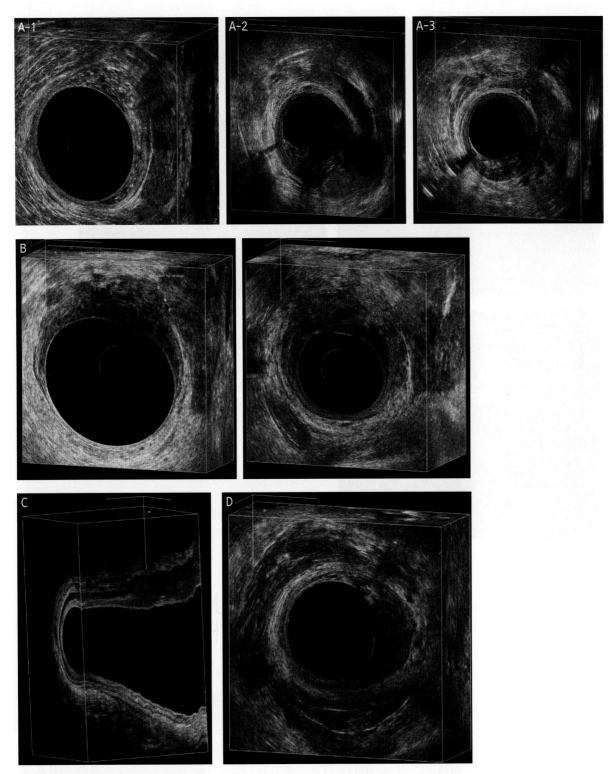

그림 2-6　uT4 초음파 사진

A-1. 전립샘 침범 소견: 전립샘 가까이 붙어있는 T4 병변, A-2, 3. 정낭과 전립샘 침범 소견

B. 질과 자궁을 침범한 소견

C. 치골직장근 침범 소견: 치골직장근의 부분적 침범

D. 내괄약근 침범 소견

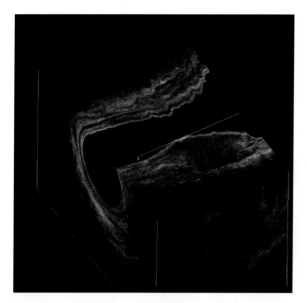

그림 2-7 Sagittal view with length

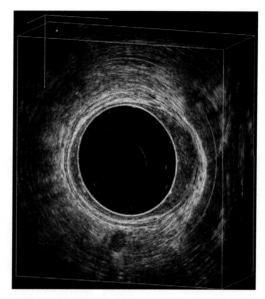

그림 2-8 전이 림프절

아 병변이 사라지는 경우도 있고. 아직 연구단계이지만 일부 수술을 거부하는 환자이거나 전신상태가 불량하여 수술 자체가 너무 큰 위험이 있는 경우 수술을 하지 않고 지켜보는(watch and wait) 방법도 있다. 이때 직장암에 대한 재평가를 하게 되는데 다양한 영상기법을 통해 재평가할 수 있고 직장 초음파도 사용할 수 있다.

직장 초음파를 통해 직장암을 평가하는 방법은 앞에서 언급한 TNM 병기에 따라 같은 방법으로 T와 N 병기를 결정할 수 있다. 이때 화학방사선요법을 시행한 경우는 "y"로 표시하여 "yuT" 혹은 "yuN"으로 표기해야 한다. 화학방사선요법의 효과는 개개인에서 매우 다르게 나타난다. 보통 많이 진행한 상태에서는 종양이 남아있는 경우가 대부분이지만, 일부 환자에서는 치료 후 반응이 매우 좋아 종양이 거의 보이지 않는 경우도 있기 때문에 치료 후 반응에 대한 평가를 하기 전에 반드시 치료 전 상태에 대해 숙지한 후 치료 효과에 대해 평가를 해야 더 정확하게 진단할 수 있다.

직장 초음파는 화학방사선요법 후에는 진단의 정확도가 낮아지는데, 이는 검사자에 따라 downstaging이나 overstaging을 하는 경우가 더 많기 때문으로 알려져 있다. 이는 화학방사선요법은 염증반응을 일으켜 직장벽에 부종을 유발하고 이는 직장벽을 이루고 있는 각 층의 구분을 어렵게 하며, 종양 자체의 염증성 변화로 인해 후방음영을 유발하게 되어 정확한 T 병기의 평가가 어렵기 때문이다(그림 2-9). 또한 림프절에 염증성 변화를 주게 되어 염증성 림프절 비대를 유발하여 overstaging을 초래할 수 있다.

결국 화학방사선요법 후 직장 초음파 소견은 환자 상태에 대해 일정 부분은 반영할 수 있지만 정확한 진단기법으로 받아들이기에는 아직 부족하다. 최근에는 탄성 초음파나 조영증강 초음파를 포함하여 화학방사선요법 후 반응 평가 방법에 대한 연구가 활발히 진행중에 있다.

결론적으로, 현재 직장암의 병기를 평가하는데 많은 영상기법이 활용되고 있고 직장 초음파도 실제 임상에서 활발히 사용되고 있다. 검사자가 외래에서 빠르고 쉽게, 그리고 안전하게 시행할 수 있으며, 숙련된 검사자라면 상당히 정확한 진단을 내릴 수 있기 때문에 매우 유용한 검사방법이다. 향후 화학방사선요법 후 직장 초음파의 정확도를 올리는 방법에 대한 연구가 이루어져, 더 정확한 병기 결정 방법이 개발된다면 더 유용하게 사용될 수 있을 것이다.

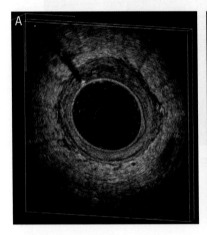
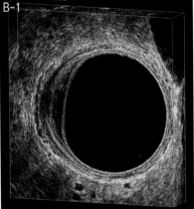
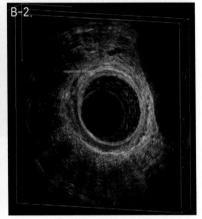

nCRTx 전 직장항문 초음파   nCRTx 후 직장항문 초음파

그림 2-9 선행화학방사선요법 후 시행한 초음파
A. 선행화학방사선요법 후 시행한 직장 초음파: 수술 전 화학방사선요법 후 직장점막 및 점막하층의 부종, 혈관의 경화가 확연히 관찰된다.
B-1, 2. 선행화학방사선요법 전과 후에 시행한 직장 초음파: 수술 전 화학방사선요법 후 종양이 작아지고 점막 병변만 남아있는 것으로 의심되고 주변 직장점막 및 점막하층의 부종, 혈관의 경화가 확연히 관찰된다.

·ⁱ)》 참고문헌

1. Beer-Gabel M, Assouline Y, Zmora O, et al. A new rectal ultrasonographic method for the staging of rectal cancer. Dis Colon Rectum 2009;52:1475-80.

2. Corman ML, Nicholls RJ, Fazio VW, et al. Corman's Colon and Rectal Surgery. 6th ed. Philadelphia: Lippincott Williams and Wilkins; 2012.

3. Hünerbein M. Endorectal ultrasound in rectal cancer. Colorectal disease 2003;5:402-5.

4. Xiao Y, Xu D, Ju H, et al. Application value of biplane transrectal ultrasonography plus ultrasonic elastosonography and contrast-enhanced ultrasonography in preoperative T staging after neoadjuvant chemoradiotherapy for rectal cancer. Eur J Radiol 2018;104:20-5.

항문질환의 초음파 소견

양성 항문질환 중 치핵을 제외하고 임상에서 가장 흔히 볼 수 있는 질환이 직장항문 농양과 치루이다. 직장항문 농양과 치루는 내항문괄약근(internal anal sphincter, IAS)과 외항문괄약근(external anal sphincter, EAS) 사이의 공간에 존재하는 항문샘(anal glands)의 감염에 의해 발생하는 것으로 알려져 있으며, 두 질병들은 유사한 병태생리를 보인다. 항문샘에서 시작된 염증이 다양한 방향으로 전파되며 급성기인 농양의 상태로 항문통, 발적, 부종 등의 증상으로 방문하는 경우도 있고 이 농양이 항문주위 피부를 뚫고 저절로 터져서 자발적인 누공을 형성하여 급성기를 지난 치루의 임상 양상, 즉 항문불편감, 지속적 배농으로 병원을 방문하게 되는 경우도 있다. 일반적인 진단은 이학적 검사로 대부분 이루어지게 되지만 농양의 범위, 정확한 위치, 치루 내공의 위치, 치루관의 주행 등은 상세하게 파악하기 어렵고

이러한 이유로 수술 후 재발의 빈도가 높아지게 된다. 이러한 문제점은 항문 초음파를 적절히 시행하여 극복할 수 있다. 항문 초음파는 항문 농양과 치루의 진단에 중요한 검사 방법으로 많이 시행되고 있으며 수술 전 항문 초음파검사는 수술 방법의 결정 및 재발의 예방에 중요한 역할을 한다.

초음파검사의 판독을 위해 도식을 이용할 수 있다(그림 3-1, 2).

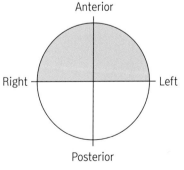
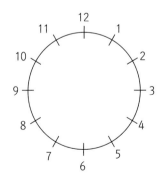

그림 3-1 항문 방향의 모식도

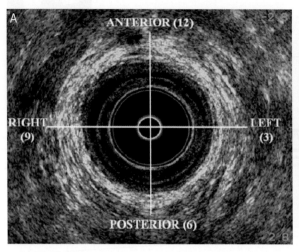
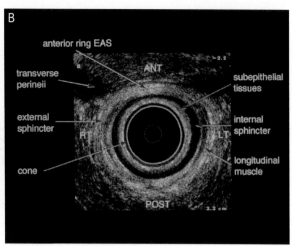

그림 3-2 A. 항문의 해부학적 방향, B. 항문근육층의 정상소견

1. 직장항문 농양

직장항문 농양은 90% 이상이 항문샘(crypto-glandular origin)에서 발생하며, 그 외에도 염증성 장질환, 방사선 조사, 외상 및 악성 신생물 등에 의해서 발생할 수 있다. 직장항문 농양은 항문주위 농양(perianal type), 좌골직장 농양(ischiorectal type), 괄약근간 농양(intersphincteric type)과 거근상부 농양(supralevator type)으로 구분하며 이중 항문주위 농양이 임상에서 가장 흔하다(그림 3-3).

가장 흔한 항문주위형은 항문수지검사로 쉽게 진단되지만 깊은 곳에 있는 농양은 그 위치와 범위가 수지검사만으로는 수술 전에 파악하기가 쉽지 않다. 항문 초음파검사를 이용하면 농양의 위치와 범위를 정확하게 파악할 수 있어 배농을 위한 절개의 위치와 범위를 결정하는 데 큰 도움이 된다. 뿐만 아니라 농양이 괄약근 사이에만 한정되어 있는지 혹은 외괄약근까지 파급되었는지도 감별할 수 있다. 특히, 염증이 미세한 잠복 농양인지를 확인하거나 수술 후에 완전한 배농이 되었는지

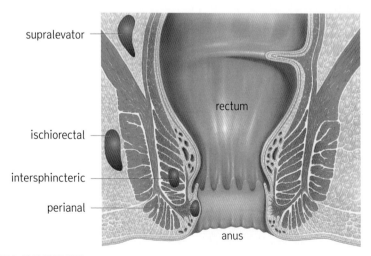

그림 3-3 직장항문 농양의 발생 위치

여부를 추적 확인하는 데에도 도움을 준다. 말굽 (horseshoe shape) 농양의 경우에는 외견상 피부 발적과 종창이 보이는 곳만 배농하였다가 배농이 안 된 부위 때문에 재수술하는 시행착오를 할 수 있다. 이때 항문 초음파검사를 이용하면 양측 말굽 농양의 위치와 범위를 미리 파악할 수 있어서 괄약근 손상, 항문의 변형 및 치루의 재발을 최소화할 수 있다

(그림 3-4, 5).

농양의 초음파 소견은 대부분의 경우 저에코 혹은 혼합성 에코의 병변으로 나타나지만, 농양 내의 이물질, 육아조직, 기포들로 인하여 고에코의 점들이 혼재되어 보일 때도 있다. 농양 외곽의 경계는 대부분 분명하게 보이지만 치루보다는 더 불규칙하게 보인다(그림 3-6).

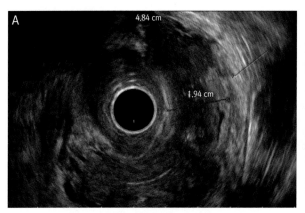
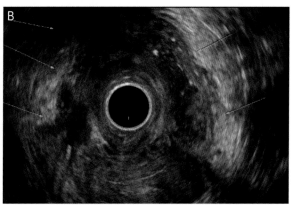

그림 3-4 6시 방향의 괄약근간의 원발병소로부터 3시, 9시 방향으로 농양이 파급된 말굽 농양

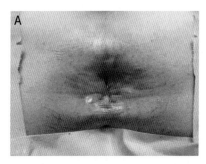

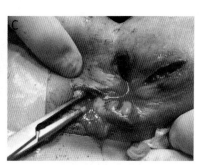

그림 3-5 잭나이프 수술 체위

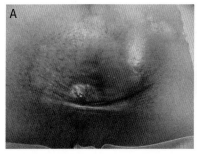
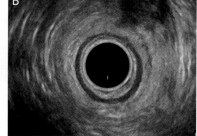
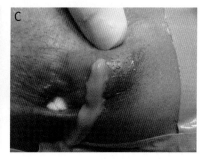

그림 3-6 7시 방향에 발생한 항문주위 농양

2. 치루

치루는 Parks의 분류에 의해 괄약근사이형(inters-phincteric type), 괄약근관통형(transsphincteric type), 괄약근상부형(suprasphincteric type)과 괄약근외부형(extrasphincteric type)의 4가지로 구분한다(그림 3-7).

이학적 검사에서 치루의 외공은 쉽게 발견되지만, 내공의 유무와 위치, 주행 방향 및 이차 누공 등을 알아내는 것은 용이하지 않다.

직장항문 농양과 동일하게 수술 전 항문 초음파 검사를 통해 이환범위를 정확하게 파악하여 수술 중에 놓칠 수 있는 부위를 미리 알아내면 재발을 예방하는 데 도움이 된다. 항문 초음파검사는 치루 환자에서 내구(internal opening)와 누관을 찾아내고 괄약근과의 해부학적 관계에 대한 정보를 제공한다. 내구 위치의 정확한 확인과 제거는 재발에 영향을 미치는 결정적인 요인 중 하나이다. 대부분의 치루 내구는 level 2와 level 3의 경계 부분에 존재하므로 이곳을 정밀하게 관찰해야 한다(그림 3-8). 초음파 영상에서 치루 내구를 의미하는 판독의 기준은 초기에는 항문 점막의 작은 결손을 보이는 "갈라진 틈(breach)" 소견만이 유일한 기준이었으나 최근에 새롭게 제시된 소견들은 점막하 조직의 저에코의 결손

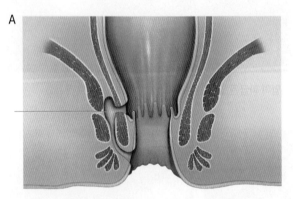

괄약근사이형(intersphincteric type)

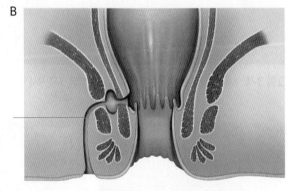

괄약근관통형(transsphincteric type)

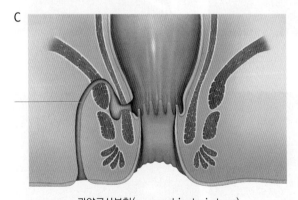

괄약근상부형(suprasphincteric type)

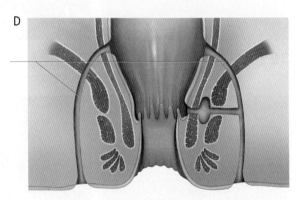

괄약근외부형(extrasphincteric type)

그림 3-7 치루의 분류

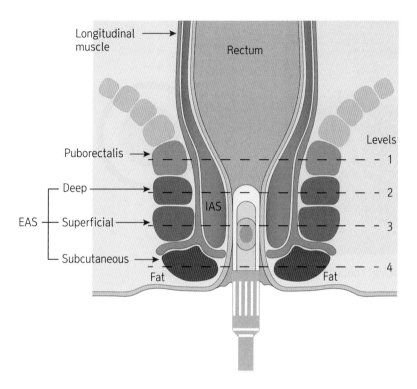

그림 3-8 괄약근의 위치

소견, 내괄약근의 결손, 괄약근사이 공간에서 보여주는 저에코 등이 있다(그림 3-9, 10, 11).

초음파검사에서 내구를 진단하기 위해서는 점막층의 초음파 변화를 규명해야 하지만 점막층은 탐색자와의 거리가 너무 가까워서 초점 범위를 벗어나므로 관찰이 어렵고, 상피하 조직, 내괄약근, 세로근육 등 주위 조직의 변화를 보면서 상대적으로 추정이 가능하다. 병변 중 하나 또는 혼합된 형태를 치루의 내구에 대한 진단 기준으로 하였다.

치루관은 대체적으로 저에코의 결손으로 보인다. 치루 내구의 위치, 치루관의 형태 분석, 치루관의 이차 분지 형성여부를 확인해야 한다. 부분 치루관은 괄약근사이에서 저에코의 띠로 보인다. 저에코의 얇은 결손이 외괄약근에서 보일 때는 치루가 괄약근관통형임을 시사한다. 육아조직이 형성된 치루관

은 균질한 저에코로 보이고 외곽이 매끈하다. 초음파 영상에서 치루의 누관과 치료된 흉터는 모두 저에코성으로 관찰되므로 이들을 감별하기는 쉽지 않다(그림 3-12, 13, 14). 흉터가 누관에 비해 상대적으로 저에코성이며, 균일하고, 경계가 더 뚜렷하지만, 가장 확실하게 구별할 수 있는 요령은 누관 속의 이물질, 육아조직 또는 가스 등에 의한 고에코 소견을 관찰하는 것이다.

자기공명영상(MRI)이 치루의 2차 누공 또는 복잡한 형태의 구조를 객관적으로 증명하는 데 가장 좋은 것으로 알려져 있으나, 고가의 검사비와 검사시간, 조영제 사용 등의 단점이 있다. 항문 초음파검사는 진단율에 있어서는 자기공명영상에 비해 큰 차이가 없는 결과를 보이면서도 상대적으로 낮은 검사 비용과 짧은 검사 시간 등의 장점이 있다.

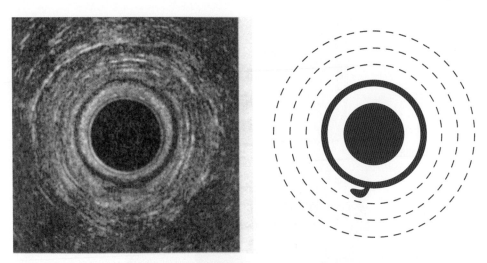

그림 3-9 "Root-like budding" contacts internal sphincter, without lesion

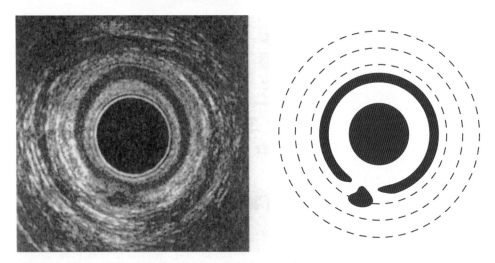

그림 3-10 "Root-like budding" with internal sphincter lesion

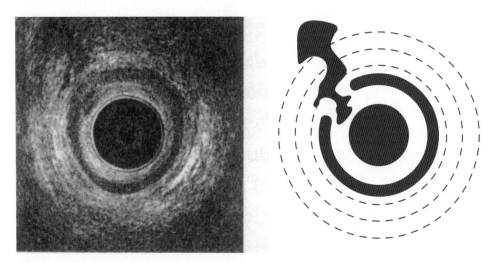

그림 3-11 Break of subepithelial tissues connected with intersphincteric tract and internal sphincter lesion

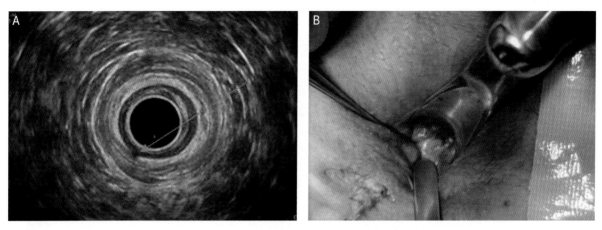

그림 3-12 수술체위와 같은 초음파 사진

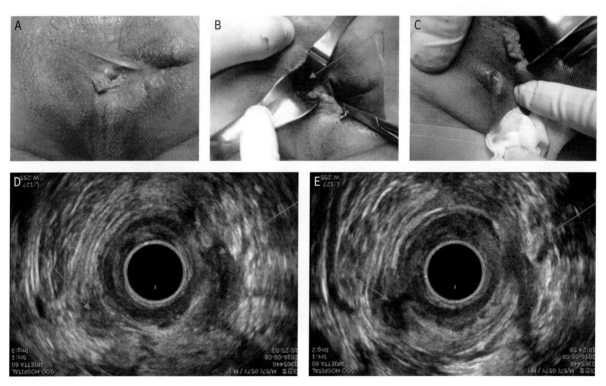

그림 3-13 괄약근관통형 누공을 동반한 농양

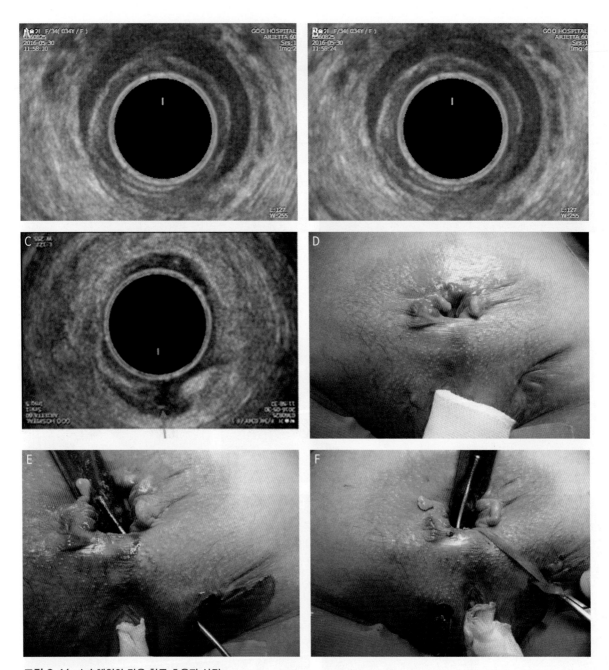

그림 3-14 수술체위와 같은 항문 초음파 사진
12시 방향의 내구를 가진 괄약근관통형 치루

·»》 참고문헌

1. Cheong DMO, Nogueras JJ, Wexner SD, et al. Anal endosonography for recurrent anal fistulas: image emhancement with hydrogen peroxide. Dis Colon Rectum 1993;36:1158-60.

2. Cho DY. Endosonographic criteria for an internal opening of fistula-in-ano. Dis Colon Rectum 1999;42:515-8.

3. Choen S, Burnett S, Bartram CI, et al. Comparison between anal endosonography and digital examination in the evaluation of anal fistulae. Br J Surg 1991;78:445-7.

4. Law PJ, Bartram CI. Anal endosonography. Gastrointest Radiol 1987;14:349-53.

5. Law PJ, Talbot RW, Bartram CI, et al. Anal endosonography in the evaluation of perianal sepsis and fistula-in-ano. Br J Surg 1989;76:752-5.

6. Nogueras JJ. Endorectal Ultrasonography: technique, image interpretation, and expanding indication in 1995. Semin Colon Rectal Surg 1995;6:70-7.

7. St. Ville EW, Jafri SZH, Madrazo BL, et al. Endorectal sonography in the evaluation of rectal and perirectal disease. AJR Am J Roentgenol 1991;157:503-8.

8. Tjandra JJ, Milsom JW, Stolfi VM, et al. Endoluminal ultrasound defines anatomy of the anal canal and pelvic floor. Dis Colon Rectum 1992;35:465-70.

9. Vasilevsky CA. Anorectal Abscess and Fistula in Ano. In: Beck DE. Wexner SD, editors. Fundamentals of anorectal surgery. NY: McGraw-Hill; 1992. pp.131-44.

10. Wild JJ, Reid JM. Diagnostic use of ultrasound. Br J Phys Med 1956;19:248-57.

기타 직장항문질환의 초음파 소견

1. 변실금

변실금은 자신감과 개인의 이미지에 영향을 미치고 이는 사회적 고립으로 이어질 수 있기 때문에 가장 치명적인 신체 장애 중 하나로 생각할 수 있다. 이전에는 변실금의 평가가 항문 압력계, 근전도(EMG), 음부 신경 잠복기 검사로 제한적이었지만, 이러한 검사법은 기능적인 면을 고려하는 것에는 도움이 되지만 괄약근 손상의 직접적인 구조적 증거를 제공하지 못한다는 단점이 지적되어 왔다. 항문괄약근의 영상은 괄약근의 구조와 완전성을 평가하기 위해 변실금이 있는 모든 환자에게 도움이 될 수 있으며, 변실금의 원인을 찾는 데에 많은 도움이 된다. 따라서 직장항문 초음파 및 MRI와 같은 새로운 영상 기법이 변실금 평가를 위해 임상의에게 꼭 필요한 진단 도구라고 할 수 있다. 항문괄약근의 초음파 영상은 압력 측정으로 얻을 수 있는 기능 정보에 보완적인 구조 정보를 제공하며 이러한 검사들을 함께 수행함으로써 구조적 및 기능적 상태를 확인하여 변실금 환자들에게 더 나은 치료를 제공할 수 있다. 이 장에서는 변실금 평가에서 직장항문 초음파의 사용에 초점을 맞추어 설명하려고 한다.

1) 정상 초음파 소견

변실금을 이해하는 데에는 다음과 같은 항문괄약근 및 항문 주변 구조에 대한 정상 평균치를 숙지하고 있는 것이 중요할 수 있다.

항문을 검사할 때 두 개의 분리된 원형의 조직 고리를 볼 수 있다(그림 4-1). 조직의 내부 저에코성 고리는 직장의 원형 평활근의 두꺼워진 연속에 의해 형성되는 내항문괄약근(internal anal sphincter; IAS)이다. 외부 고에코성 고리는 세로근육과 외항문괄약근(external anal sphincter; EAS)을 나타내며, 이는 치골 직장의 골격근이 아래쪽으로 확장되어 형성된다. 정상 IAS의 두께는 2~3 mm, 정상 EAS의 두께는 7~9 mm로 알려져 있다. IAS는 나이가 들어감에 따라 두꺼운 고에코성 고리가 되며 이는 IAS의 근육이 콜라겐으로 대체되는 것을 반영하는 것으로 알려져 있다. 반대로 EAS는 나이가 들면서 더 얇아지는 경향이 있다. 회음체는 초음파로 정확히 정의하기 어렵고, 항문관 길이는 여성의 경우 25 mm에

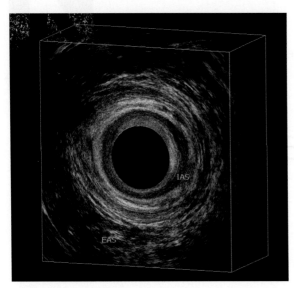

그림 4-1 항문 초음파의 정상 구조
두 개의 원형 고리가 관찰되며, 내부 저에코성 고리는 내항문괄약근을 나타낸다.

서 남성의 경우 33 mm까지 다양하게 나타난다.

EAS의 앞쪽 부분은 성별에 따라 차이가 있다. 여성의 경우 앞쪽 부분이 짧고 아래로 기울어지는 양상으로 관찰되며, 이는 하나의 평면에서 EAS의 완전한 360° 링을 관찰하기 어려운 이유로 생각할 수 있다. 이러한 소견은 앞쪽의 괄약근 결손으로 오진될 수 있는 소지가 있기 때문에 꼭 알아 두어야 하는 정상 구조이다.

2) 변실금의 초음파 소견

(1) 괄약근 손상

변실금은 많은 경우에 질식 분만 과정의 손상으로 발생하는 것으로 알려져 있다. 이러한 분만 손상으로 인한 변실금은 분만 직후에 나타날 수도 있고, 몇 년이 지난 후에 증상이 발생하는 경우도 있다. 대부분 괄약근 손상이 원인인 경우가 많으며, 회음부 신경의 손상으로도 나타날 수 있다. IAS의 손상과 EAS의 손상으로 구분지어 관찰할 수 있다. IAS

손상은 일반적으로 고에코성 고리가 정상 저에코성 고리영역에서 관찰되는 것으로 판단하며, EAS 손상은 상대적으로 저에코성 영역이 정상 고에코성 영역에서 관찰되는 것으로 판단한다. 이는 육아조직 및 섬유화가 정상 근육조직을 대체하기 때문이다 (그림 4-2).

(2) 회음체

회음체는 항문 초음파 시행 중 항문관의 중간 부위에서 관찰한다. 여성의 경우 탐색자를 중간 항문관 부위에 위치시키고 우측 검지를 질내에 위치시킨 후 고에코성으로 보이는 우측 손가락 부위와 IAS의 안쪽 면까지를 측정하여 회음체의 두께를 측정하게 된다. Oberwalder 등의 연구에서는 초음파로 관찰되는 회음체의 두께와 변실금 간의 연관성을 보고하였고, 회음체의 두께가 10 mm 미만인 경우 비정상 소견으로 간주할 수 있다고 하였다. 회음체의 두께가 10 mm 미만인 경우 전방부 괄약근 손상에 의한 변실금에 대한 진단의 척도로 사용할 수 있다(그림 4-3).

2. 직장 장중첩증

아전결장절제술이 필요한 것으로 알려진 비활성 결장(colonic inertia)을 제외하고 변비를 호소하는 환자에서 수술의 적응증이 되는 경우는 주로 폐쇄성 변비(obstructed defecation) 증상을 유발할 수 있는 직장류, 직장 장중첩증, 직장탈출을 포함한 골반 장기 탈출증 등을 들 수 있다.

직장 장중첩증은 내부 장중첩증(internal intussus-ception), 잠복 직장탈출(occult rectal prolapse), 직장내 탈출(rectal procidentia) 등으로 알려져 있다. 직장의 윗부분이 아래를 통해 내려가지만 항문 외부에는 나타나지 않는 상태를 일컫는다. 이는 배변 완

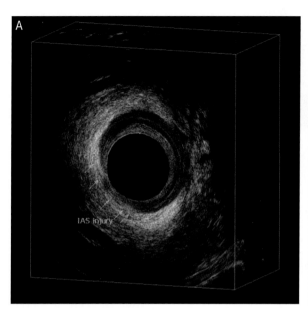

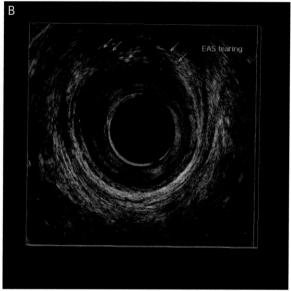

그림 4-2 변실금 환자의 초음파 소견
A. 7시 방향의 내괄약근 손상을 나타내며, B. 항문 앞쪽의 외괄약근 손상을 나타낸다.

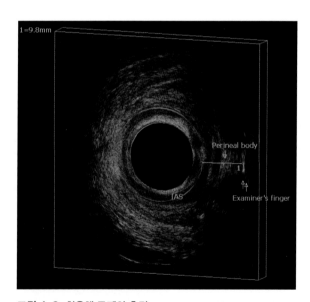

그림 4-3 회음체 두께의 측정
검사자의 검지를 질쪽으로 넣으며, 손가락이 고에코성 음영으로 관찰되며 이 부위와 내괄약근의 안쪽면 까지의 길이를 회음체의 두께로 간주하게 된다.

화제로 경감되지 않는 변비 증상을 일으키며, 뒤무직(tenesmus)을 동반한 직장이 가득찬 느낌과 긴장도 및 배변 곤란을 일으키고 때로는 혈흔이나 점액질이 흘러 나오는 증상을 유발하게 된다. 직장 장중첩증은 크게 3가지의 형태로 구분할 수 있는데, 직장 내 장중첩, 항문관 내 장중첩, 그리고 직장탈출로 구분할 수 있다(그림 4-4).

직장항문 초음파의 역사는 약 30년을 거슬러 왔으며, 현재까지 여러 항문질환과 직장암 진단 및 치료 방법의 선택에 많은 도움을 주어 왔다. 최근 들어 3D 직장항문 초음파가 도입되면서 초음파의 질이 향상되어 2D로 시행하던 직장항문 초음파보다 향상된 화질의 영상을 보여주며, 이전 2D에서 종축을 따른 화면만을 보던 것에서 3D에서는 횡축(또는 장축)이나 사선으로 자른 면을 관찰할 수 있고, 또한 이러한 장축면을 원하는 부위를 설정하여 관찰할 수 있어 이전 2D에서 적용하던 것 보다 더 많은 직장항문질환 영역에 직장항문 초음파를 적용하고

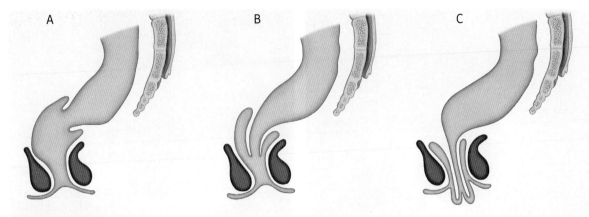

그림 4-4 직장탈출 모식도
A. 직장내장중첩, B. 항문관 내 장중첩, C. 직장탈출을 의미한다.

있다. 특히 골반저 부위의 직장탈출이나 직장 장중첩증을 동반한 배변장애에 대한 현상을 파악하는데 3D 초음파가 이전 배변조영술이나 MRI 배변조영술과 함께 진단적 정확성 및 효용 가치가 상승하면서 이에 대한 적용사례가 증가하고 있는 상태이다.

최근에는 3D 항문 초음파를 이용하여 배변 시 역동성 골반저 근육 활동에 대한 평가가 가능하며, 이는 반복적으로 측정가능하며 방사선조사가 필요없고, 10분 가량의 짧은 시간 동안 측정 및 관찰이 가능하다는 장점으로 각광을 받고 있다. 각 연구마다의 결과에 차이가 있지만, 한 다기관 전향적 연구에서는 86명의 여성을 대상으로 하여 3D 초음파가 직장 장중첩증을 진단하는 데에 88%의 민감도와 90%의 특이도를 보인다고 보고하기도 하였다.

1) 직장 장중첩증의 초음파 소견

직장 장중첩증은 힘주기(밀어내는 힘)를 시행할 때 하나 또는 여러 겹의 직장벽의 접힘 현상이 직장강 내에서 관찰되는 것이 특징이다. 직장항문 접합부가 명확하게 보일 때까지 탐색자를 최대 7 cm까지 삽입하고, 15초 동안 정지한 후, 환자에게 20초

동안 내변을 보듯 힘을 주도록 하면서 관찰하게 된다. 3D 초음파를 시행할 때 장축을 따른 단면(시상면, sagittal plane)에서 잘 관찰되지만 종축을 따른 면(축면, axial plane)에서도 관찰되기도 한다(그림 4-5, 6).

직장탈출의 경우에도 3D 초음파를 시행하는 경우 같은 소견을 얻을 수 있다. 이는 단면의 정지 영상을 관찰하는 것으로도 진단이 가능하지만, 3D 초음파의 경우 실시간 영상을 얻을 수 있어 보다 정확한 진단에 실시간 영상을 이용할 수 있는 장점이 있다.

3. 직장류

직장류는 직장 벽의 전방 또는 후방으로의 비정상적인 돌출로 정의할 수 있다(그림 4-7). 전방부 직장류의 형성은 종종 배변 중에 명확하게 질직장 중격의 상대적으로 약한 지점을 통해 돌출부가 형성되는 것을 확인할 수 있고, 배변이 끝나면 잔여 직장 내용물이 직장에 남을 수 있다. 남성보다 여성에서 훨씬 더 많은 전방부 직장류가 발견되며 직장항문 부위에 대한 별다른 증상이 없는 사람에게서

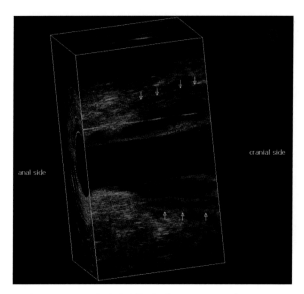

그림 4-5 직장 초음파의 장축 단면(Sagittal plane)
화살표 부위에 직장이 중첩되어 있는 것이 관찰되고 있다.

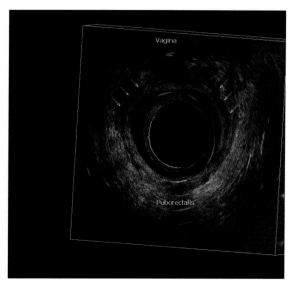

그림 4-6 직장 초음파의 종축 단면(Axial plane)
화살표 부위에 직장이 중첩되어 있는 것이 관찰되고 있다.

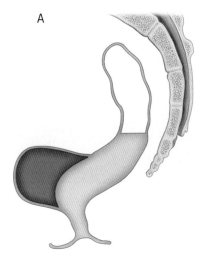
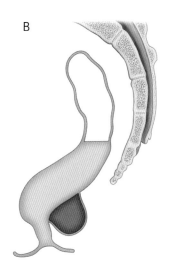

그림 4-7 직장류의 모식도

관찰될 수 있어 여성에서는 정상 소견으로 간주되기도 한다. 직장류와 관련된 주요 증상은 일반적으로 배변 후 통증과 함께 배변을 촉진하기 위해 질이나 회음에 수지 압박이 필요한 불완전한 배변의 느낌이다. 또한 직장류 단독으로 배변 곤란을 일으키

는지 직장 장중첩증과 같은 골반저 질환이 동반되어 있는지는 치료 방침을 결정하는데 있어 중요한 결정 요소가 되므로 직장수지검사를 시행할 때 동반질환 가능성을 염두해 두는 것이 무엇보다 중요할 수 있다. 배변조영술을 통한 직장류의 진단이 무

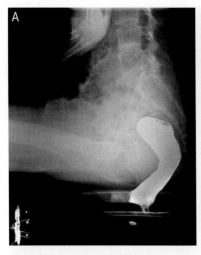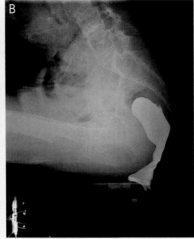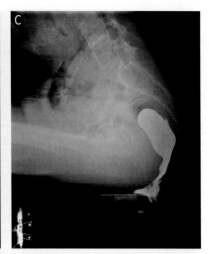

그림 4-8 직장류의 배변조영술 검사 소견

엇보다 중요할 수 있으며, 이는 주변 골반 구조와 직장류와의 연관 관계를 파악하는데 중요한 검사이다(그림 4-8). 최근에는 3D 초음파의 시행으로 이러한 배변조영술에서 관찰되던 골반구조에 대한 정보를 3D 초음파를 통해 얻을 수 있어 짧은 시간안에 환자의 불편을 줄여서 검사를 시행할 수 있게 되었다.

1) 직장류의 초음파 소견

정상적인 조건에서 항문힘주기를 시행하는 동안 질벽은 후방으로 움직여 직장 앞쪽을 누르면서 움직이게 된다. 항문관의 상부에 결함이 있는 경우 배변 힘주기는 직장 내강 내 압력을 증가시켜 질벽을 앞으로 밀어내는 탈장 현상을 일으키게 되는데 이를 직장류라고 일컫는다. 직장항문 접합부가 명확하게 보일 때까지 탐색자를 최대 7 cm까지 삽입하고 15초 동안 정지한 후, 환자에게 20초 동안 대변을 보듯 힘을 주도록 하면서 관찰하게 된다. 먼저 휴지기의 직장을 스캔한 후 대변을 보듯이 힘을 주

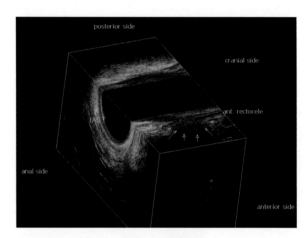

그림 4-9 직장류의 직장항문 초음파 소견
대변을 보듯이 힘을 주게 되면 직장류 부위가 돌출되어 sac-like 구조를 형성하는 것이 관찰된다.

게 하면 직장의 앞쪽으로 직장내용물이 이동하는 것이 관찰되고, 직장류에 의한 탈장 현상을 쉽게 확인할 수 있다(그림 4-9). 직장을 초음파용 젤로 채운 후 내용물을 배출하게 하면 직장류를 초음파로 관찰하는 것이 용이하게 된다. 휴지기의 질 후벽 위치와 직장류가 최대로 팽창하였을 때의 질 후벽의 위

치 사이의 거리를 측정하여 등급(Grade)을 측정할 수 있다. Grade I은 7 mm까지, Grade III는 7~13 mm, Grade III는 13 mm 이상이거나 탐색자로부터 벗어날 정도로 팽창되는 경우로 정의할 수 있다.

4. 맺음말

최근 들어 3D 직장항문 초음파의 도입으로 다양한 직장항문 및 골반 질환의 보다 정확한 진단이 가능해지고 이에 따른 병태생리를 이해하는 데에 도움이 되고 있는 것이 사실이다. 직장항문 초음파는 이전의 배변조영술과 같은 장시간 방사선조사가 필요하였던 검사에 비해 좀더 편하고 빠른 시간에 검사를 시행할 수 있다는 장점과 더불어 다양한 질환에 적용이 가능할 것으로 생각된다. 특히 변비나 변실금과 같은 기능성 증상을 유발하는 질환의 원인 감별 및 치료법의 선택에 많은 도움을 줄 것으로 기대된다. 이를 위해 보다 정확한 직장항문 및 골반에 대한 해부학적 지식을 습득하고 간단하지만 침습적일 수 있는 직장항문 초음파의 술기를 정확하게 익히는 것이 중요할 것이다. 가까운 미래에 항문직장의 기능성 질환에 대한 초음파검사가 많은 환자를 대상으로 안정적이고 발전적인 방향으로 사용되기를 기대한다.

⋙ 참고문헌

1. Burnett SJ, Bartram CI. Endosonographic variations in the normal internal anal sphincter. Int J Colorectal Dis 1991;6:2.

2. Gantke B, Schafer A, Enck P, et al. Sonographic, manometric, and myographicevaluation of the anal sphincters morphology and function. Dis Colon Rectum 1993;36:1037.

3. Gold DM, Bartram CI, Halligan S, et al. Three-dimensional endoanal sonography in assessing anal canal injury. Br J Surg 1999;86:365.

4. Murad-Regadas SM, Fernandes GOS, Regadas FSP, et al. Assessment of pubovisceral muscle defects and levator hiatal dimensions in women with faecal incontinence after vaginal delivery: Is there a correlation with severity of symptoms? Colorectal Dis 2014;3:1010-8.

5. Murad-Regadas SM, Regadas FSP, Rodrigues LV, et al. Effect of vaginal elivery and ageing on the anatomy of the female anal canal assessed by three-dimensional anorectal ultrasound. Colorectal Dis 2012;14:1521-7.

6. Nielsen MB, Hauge C, Rasmussen OO, et al. Anal sphincter size measured by endosonography in healthy volunteers. Effect of age, sex, and parity. Acta Radiol 1992;33:453.

7. Nielsen MB. Endosonography of the anal sphincter muscles in healthy volunteers and in patients with defecation disorders. Acta Radiol Suppl 1998; 416:1.

8. Oh C, Kark AE. Anatomy of the external anal sphincter. Br J Surg 1972; 59:717.

9. Regadas FS, Haas EM, Abbas MA, et al. Prospective multicenter trial comparing echodefecography with defecography in the assessment of anorectal dysfunction in patients with obstructed defecation. Dis Colon Rectum 2011;54: 686–92.

10. Sultan AH, Kamm MA, Hudson CN, et al. Endosonography of the anal sphincters:normal anatomy and comparison with manometry. Clin Radiol 1994; 49:368.

혈관 초음파
Vascular ultrasound

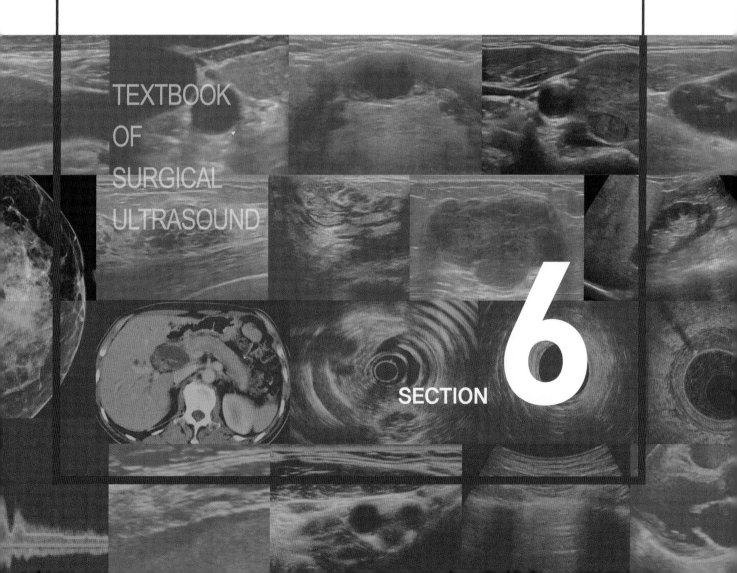

TEXTBOOK
OF
SURGICAL
ULTRASOUND

SECTION **6**

SECTION 6. 집필진

CHAPTER 1 혈관질환의 혈류역학
1. 동맥 혈류역학 (**오행진:** 인제의대 외과)
2. 정맥 혈류역학 (**박상준:** 울산의대 외과)
3. 도플러파형 분석 (**윤우성:** 경북의대 외과)

CHAPTER 2 경동맥 및 척추동맥
1. 경동맥 초음파 (**이경복:** 동국의대 외과)
2. 드문 경동맥 질환 (**모혜진, 안상현:** 서울의대 외과)
3. 경동맥 내막절제술 및 스텐트삽입술 후 초음파 감시 (**박근명:** 인하의대 외과)
4. 척추동맥 초음파 (**이재훈:** 대구가톨릭의대 외과)

CHAPTER 3 사지동맥
1. 하지동맥 초음파 (**조진현:** 경희의대 외과)
2. 비죽상경화성 동맥질환 초음파 (**허선희:** 연세의대 외과)
3. 술 후 초음파 감시 (**김형기:** 경북의대 외과)
4. 상지동맥 초음파 (**이호균:** 전남의대 외과)

CHAPTER 4 사지정맥
1. 하지심부정맥혈전증 초음파 (**박의준:** 계명의대 외과)
2. 정맥기능부전 초음파 (**전홍만:** 인제의대 외과)
3. 상지정맥 및 경정맥 초음파 (**황홍필:** 전북의대 외과)

CHAPTER 5 복부 혈관
1. 복부 동정맥 해부학 (**윤상섭:** 가톨릭의대 외과)
2. 복부 대동맥류 초음파 (**박형섭:** 서울의대 외과)
3. 복부 대동맥류 혈관내 치료 후 초음파 감시 (**박순철:** 가톨릭의대 외과)
4. 내장동맥 초음파 (**노영남:** 계명의대 외과)
5. 하대정맥 및 신정맥 초음파 (**정혁재:** 부산의대 외과)

CHAPTER 6 혈액투석 접근로
1. 수술 전 검사 (**김상동:** 가톨릭의대 외과)
2. 동정맥루 평가 (**양신석:** 성균관의대 외과)

CHAPTER 7 혈관내 시술 시 초음파의 역할
1. 초음파 유도 혈관 천자 (**김영균:** 세이브외과)
2. 초음파 유도 혈관내 치료 (**박기혁:** 대구가톨릭의대 외과)
3. 혈관내 초음파 (**김장용:** 가톨릭의대 외과)

혈관질환의 혈류역학

1. 동맥 혈류역학

1) 액체에너지

혈관 내의 혈액이 이동하기 위해서는 에너지가 필요하고, 이 에너지는 다음과 같이 해석할 수 있다.

총에너지 = 위치에너지+운동에너지
= (혈관 내 압력+중력에너지)+운동에너지
= (동적압력+정수압+정적충만압)
+중력에너지+운동에너지
= 동적압력+정적충만압+운동에너지
≒ 동적압력+운동에너지

총에너지는 위치에너지와 운동에너지로 구성된다. 이 중 위치에너지는 혈관 내 압력과 중력에너지의 합으로 나타낼 수 있으며, 혈관 내 압력은 심장의 수축으로 인해 발생되는 동적압력, 혈액의 무게로 발생되는 정수압(hydrostatic pressure)과 정지 상태에서 측정될 수 있는 혈액의 부피와 혈관의 탄력성으로 인해 형성되는 정적충만압(static filling pressure) 의 세 가지 합으로 나타낼 수 있다. 정수압과 중력에너지는 서로 상쇄되고, 정적충만압은 미미하므로 총에너지는 동적압력과 운동에너지의 합으로 표현할 수 있다. 정리하면 혈액의 이동을 위한 총에너지는 심장박동으로 얻어지는 동적압력(P_d)과 운동에너지($E_k=1/2 \cdot \rho \cdot V^2$, ρ: 밀도, V: 속도)로 구성된다(그림 1-1).

2) 정상 압력과 흐름

일반적으로 주요한 하지동맥의 속도 또는 흐름 맥박(flow pulse)은 아래 그림에 나타낸 삼상파형 (triphasic)으로 표현할 수 있다. 수축기에 발생하는 전진 혈류가 선행하고, 이후 초기 확장기에 순간적인 역류가 발생하였다가, 다시 후기 확장기에 낮은 속도의 전진 혈류가 뒤따른다. 심장이 수축하며 순식간에 쇄도한 혈류가 세동맥(arterioles)의 높은 저항을 만날 때 생성된 반사파형(reflected wave)이 순간적인 역류를 형성하고, 이 역류된 혈액은 전진하는 혈류에 의해 다시 감쇄되는 것이다(그림 1-2A).

모든 종단면에서 측정한 벽의 속도는 0이다. b 지점

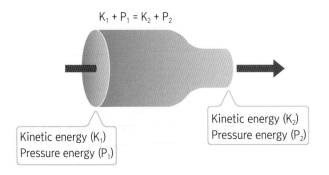

$$K_1 + P_1 = K_2 + P_2$$

Kinetic energy (K_1)
Pressure energy (P_1)

Kinetic energy (K_2)
Pressure energy (P_2)

그림 1-1 베르누이(Bernoulli) 원리
두 지점을 통과하는 점도가 없는 유체의 동적압력과 운동에너지의 합은 동일하고, 두 지점을 통과하는 유체의 총에너지는 보존된다.

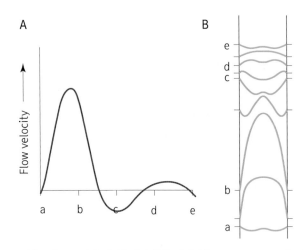

A

Flow velocity

a   b   c   d   e

B

e
d
c

b

a

그림 1-2 A. 정상 대퇴동맥의 혈류 맥박기(flow pulse phase), B. 상응하는 종단 속도

에서 전진하는 흐름이 거의 최대에 이르고, 종단면은 거의 포물선형을 이룬다. 다음 지점에서 벽에 가까운 흐름은 역전되나, 중심부의 흐름은 계속 전진하게 된다. 이후의 여러 종단면에서는 전진과 후진의 흐름이 뭉툭한 형태로 바뀌게 된다(그림 1-2B).

삼상파형은 근위동맥질환 및 말초저항의 변화를 포함한 다양한 요인에 의해 변형될 수 있다. 예를 들어, 최고 수축기속도는 혈류가 말초동맥의 원위부로 이동하거나 근위부의 폐색성 병변이 있을 때 감소하며, 혈관확장제를 투여하게 되면 증가한다. 초기 확장기 역류는 말초동맥과 세동맥의 저항에 영향을 받는다. 그러므로 저항을 감소시킬 수 있는 운동 후, 혈관확장제 투여 후, 근위부의 폐색성 병변이 있을 때 확장기 혈류가 소실되고 단상파형(monophasic)으로 변형된다(그림 1-3).

맥압(pulse pressure)은 수축기와 이완기 압력의 차이를 일컫는다. 심장에서 말초로 이동할수록, 수축기 압력이 상승(augmentation)하고, 이완기 압력은 미미하게 하강하므로 동맥의 맥압은 말초로 이동할수록 증가(amplification)하게 된다.

심장과 발목 사이의 평균동맥압의 감소치는 일반적으로 10 mmHg 미만이므로, 발목상완지수(ankle brachial index; ABI)의 비율은 휴식 시를 기준으로 평균 1.11 ± 0.10 값이 된다. 동맥 병변이 없는 일반적인 경우에 중등도의 운동은 발목 수축기 압력을 거의 또는 전혀 감소시키지 못한다. 매우 격렬한 운동을 하더라도 발목 수축기 압력은 상대적으로 아주 경미하게 감소할 뿐이다. 하지만 운동을 중단하게 되면 발목 수축기 압력은 휴식 수준으로 매우 신속하게 회복된다.

3) 액체에너지의 소실

혈관 내의 혈액이 정상 혹은 비정상적인 해부학적인 변화 부위들을 이동하게 될 때 혈관 내 압력, 위치에너지 및 운동에너지 간의 에너지 형태 변환이 일어나게 된다. 이 때 서로 간의 형태 변환이 발생할 때마다 전환에 의한 에너지의 소실을 유발하게 된다. 에너지의 소실을 유발하게 되는 주요 원인들은 다음과 같다.

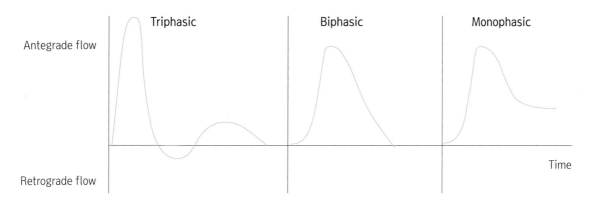

그림 1-3 동맥혈류 파형의 유형들

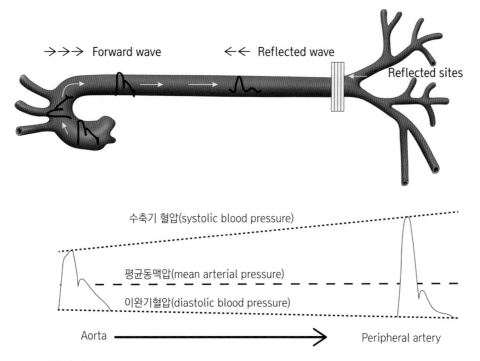

그림 1-4 혈압과 파형의 변화
대동맥에서 대퇴동맥까지의 혈압과 파형의 변화이다. 말초로 이동할수록 수축기 압력과 맥압은 증가한다.

(1) 점도(viscosity)

혈액이 견고한 직선의 원형통을 포물선 층류(parabolic lamina flow)를 이루며 움직인다면, 두 점 간의 에너지 차이는 액체의 점도에 의해 발생한다. 이는 관을 흐르는 점성 유체의 유량에 관한 법칙인 푸아죄유법칙(Poiseuille law)에 의해 설명된다.

$$\Delta P = \frac{8\mu LQ}{\pi r^4}$$

(ΔP 압력변화, μ 유체의 점도, Q 부피흐름율, r 반지름, π 상수)

대다수 큰 동맥의 혈류는 무딘(blunt) 포물선 층류를 이루게 되며, 이 층류들 간의 속도는 같게 되므로 큰 동맥의 점도에 의한 에너지 소실은 미미하여 점도에 의한 액체에너지의 소실은 비교적 작은 동맥에서 상기 조건들을 충족하게 된다. 하지만 점도에 의해 발생되는 에너지 손실은 전체 손실의 1~2% 정도이므로 무시할 수 있다(그림 1-5).

(2) 관성(inert)

이상적인 액체운동은 저항이 없는 도관을 흐르는 액체가 일정한 방향과 속도를 가졌을 때 액체가 이동하는 두 지점 사이의 에너지가 온전히 보전되는 상태를 말한다. 하지만 인체의 혈류체계는 이와 무관하며, 움직이는 액체는 속도를 갖게 되고, 속도는 다시 벡터량으로 환산되어, 속도와 방향이 바뀔 때마다 관성에 의한 에너지 손실이 발생하게 된다.

$$\Delta P = K \cdot \frac{1}{2} \cdot \rho \cdot V^2$$

(ΔP 압력변화, K 속도변화의 형태를 반영하는 상수, ρ 밀도, V 속도)

속도는 혈관 내강 제곱에 반비례하므로 혈관 내강의 크기가 감소할수록 혈류속도는 빨라지게 된다. 그러므로 혈관 내강이 좁아지면 운동에너지의 손실이 발생하고, 이를 수치화하였을 때 혈관 내강 반지름의 네 제곱에 반비례하여 에너지 소실이 발생하게 된다.

(3) 저항(resistance)

평균 혈류량에 대하여 두 지점 간의 압력 차의 비율로 계산한다.

$$R = \Delta P / Q$$

직렬형태로 협착이 존재할 때 저항의 합은 단순 합산이 가능하다.

$$R_{Total} = R_1 + R_2 + \cdots + R_n$$

병렬형태로 협착이 존재할 때 저항의 합은 역수의 합산으로 표현한다.

$$1/R_{Total} = 1/R_1 + R_2 + \cdots + 1/R_n$$

(4) 와류(turbulence)

포물선 층류는 도관의 직경 또는 유체속도가 변하거나, 밀도가 바뀌면 교란운동으로 변하게 된다. 교란운동으로의 변환에 관여되는 레이노드상수가 2,100 이상이면 층류의 형태가 손상될 수 있다. 하지만 일반적인 대다수의 혈관에서는 2,100 이하의 값을 갖기 때문에 층류가 유지될 수 있다.

협착부위에서 혈류속도가 비정상적으로 증가되어

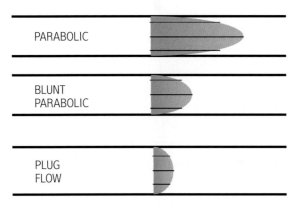

그림 1-5 층류의 유형

포물선 층류가 사라지고, 이로 인해 여러 방향의 속도 벡터를 갖는 불규칙한 와류 운동이 형성되면 에너지가 심하게 손실된다.

층류   속도증가   와류

(5) 박동 혈류(pulsatile flow)

일정한 속도와 방향성을 갖는 유체운동을 전제로 한 계산들은 최소한의 에너지 소실을 반영하지만 실제로는 심장 박동 주기에 따라 혈관 내 압력, 혈류량, 속도가 계속적으로 변화하는 박동성의 혈류이므로 훨씬 복잡한 설명이 필요하고, 이때 발생되는 에너지 소실량은 시간 변화에 따라 혈류량과 속도에 대한 정확한 적분이 필요하다.

(6) 갈림, 가지(bifurcation, branch)

보편적으로 혈관이 양갈래로 나뉠 때 전후 압력의 변화는 크게 발생하지 않으며, 분지되는 각도와 분지 전후의 면적비에 의해 혈류 형태가 변하게 된다.

분지부위 혈류의 변화는 혈압 변화 및 속도와 박동성에너지의 보존 정도를 가지고 평가하는 데 각각을 충족시키는 면적비는 서로 상이하다. 푸아죄유법칙에 의하여 압력 변화가 없기 위해서는 면적비가 1.41이 되어야 하지만, 속도의 변화가 없기 위한 면적비는 1.0이 되어야 한다. 분지부위에 효과적인 박동성에너지가 전달되기 위해서는 큰 동맥은 1.15, 작은 동맥은 1.35의 면적비가 되어야 한다.

면적비가 감소되면 혈류속도는 빨라지고 박동성에너지가 효과적으로 전달되지 못하고 되튀기(energy reflection) 현상이 발생하게 된다.

동맥의 곡선부위와 분지부위에서 형성되는 분지

각도도 혈류 형태를 변화시킨다. 곡선부위에서는 빠른 흐름을 가졌던 혈액들은 동맥 가운데에서 곡선의 바깥쪽으로 치우쳐 돌게 되고, 동맥벽 가까이의 느렸던 흐름은 가운데로의 자리 바꿈이 일어나게 된다. 분지부위 또는 혈관 내강의 크기 변화가 심한 곳에서는 혈관벽에 붙어서 진행되던 혈류의 일부가 혈관벽에서 분리되고, 이 곳에 낮은 전단력이 형성되어 동맥경화가 잘 발생하게 된다.

4) 동맥협착의 혈류역학

협착(stenosis)부위에서 발생하는 에너지 손실은 혈관 내 압력과 위치에너지가 운동에너지로 변환되며 발생하는 열에너지 손실이 대다수를 차지하며, 혈액 점도에 의한 에너지 손실을 부수적으로 고려해 볼 수 있으나 이는 미미한 수준이다. 관성 즉 운동에 의한 손실은 혈류속도의 제곱에 비례하고, 협착부위의 입구효과 및 출구효과에 의한 영향을 받는다. 입구 형태에 따라 점진적 테이퍼링(tapering)한 것이 불규칙적인 또는 갑작스러운 변화가 있는 경우, 축대칭(axisymmetric)보다는 비대칭(asymmetric)인 경우, 출구보다는 입구 쪽에서 에너지 손실이 작게 발생한다. 한 개의 긴 협착보다는 길이의 합이 같은 두개의 분리된 협착이 입구현상 및 출구현상 때문에 더 큰 에너지 손실이 일어나게 된다.

폐색이 진행되는 혈관 주위에서는 잡음이 청진된다. 잡음은 혈관 내강의 불규칙한 요철로 인해 형성된 와류가 혈관벽을 진동시킬 때 발생하며, 협착 정도에 따라 다른 종류의 잡음을 들을 수 있다. 비교적 경도의 협착 시에는 수축기 중간에 부드러운 잡음을 들을 수 있고, 중도 이상으로 진행된 협착 시에는 이완기까지 잡음이 지속되다, 완전 폐색 시에는 잡음이 사라지게 된다.

2. 정맥 혈류역학

우리가 혈관 초음파, 특히 도플러초음파를 배우고 행하는데 있어 정맥계에 대한 이해는 매우 중요하다. 혈관 영역 중에서 환자 수가 가장 많고, 이 섹션을 읽는 독자들이 검사를 가장 많이 하게 될 분야가 바로 다리의 정맥이기 때문이다. 따라서 정맥계가 만들어진 배경과 이유를 이해하는 것이 환자의 진료에 많은 도움이 될 것이라고 생각한다. 정맥계는 인간에게는 진화적으로 매우 중요한 부분이다. 인간이 지구상의 모든 동물들 중 가장 높은 먹이사슬의 위치를 차지하게 된 것은 뇌의 발달과 두발보행 덕분이라고 할 수 있다. 다리의 정맥계는 인간이 먹이사슬의 최정점을 차지할 수 있도록 진화하는 과정에서 희생된 대가(代價)일 수도 있다.

1) 정맥의 생리

인간 몸의 혈액 중 60~75%는 정맥에 있다. 이 정맥혈 중 80%정도는 직경 200 μm 미만의 미세정맥 안에 머무르고 있다. 즉, 인간 몸의 혈액 중 절반 이상은 적극적으로 순환하지 않은 채 저장되어 있고 정맥계가 이 저장소 역할을 하고 있다는 말이다. 인간을 포함한 포유동물들은 2개의 독립된 순환계를 갖고 있다. 이 중 폐순환계는 이 책의 관심분야가 아니기 때문에 여기서는 다루지 않을 것이다. 동맥의 혈류역학에 대해서는 앞장에서 이미 언급했지만, 각 장기들의 역할에 따라 조금씩 다르긴 해도 기본적으로 심장이 혈액을 운반하는 기본 동력이다. 동맥에서의 혈액은 중력이나 기타 외부 조건에 큰 영향을 받지 않고 운반될 수 있도록 설계 되었다. 기본적으로 산소와 양분을 공급하는 체순환계의 동맥계와 달리 정맥계는 산소와 양분의 운반을 마친 혈액을 저장하는 것으로부터 출발한다. 정맥의 혈류역학은 심장과 같은 기본 동력원이 없다

는 것을 가장 큰 특징으로 갖는다. 그래서, 동맥과 달리 정맥압을 결정하는 가장 중요한 힘은 바로 중력(gravity)이다. 이런 이유로 정맥혈류는 각 장기들의 역할 뿐 아니라 장기의 위치, 환자의 자세, 호흡 등 순환계 외부 요건에 상당히 많은 영향을 받는다.

2) 정맥의 판막

정맥의 판막(valve)은 서 있는 상태에서 다리의 정맥혈을 심장으로 운반하는데 가장 중요한 역할을 한다. 정맥의 판막들은 혈액이 말초에서 심장 쪽으로 이동하도록 배치되어 있다. 겉정맥에서는 속정맥쪽으로 이동하도록 되어 있다. 다리 정맥의 판막들은 주로 중력에 의해 닫히게 되고 관통정맥(perforating vein)의 판막은 다리 근육의 힘에 의한 압력으로 닫히게 된다. 겉정맥과 속정맥의 압력차는 인간이 가만히 서 있을 때 1 mmHg 정도이다. 인간이 다리 운동을 할 때 다리의 근육이 수축하면서 약 100~130 mmHg의 압력이 발생한다. 이 압력은 심장으로 혈액을 보내는 힘으로 작용하기도 하지만, 겉정맥에도 압력이 전해질 수 있기 때문에 관통정맥은 인간이 운동하는 동안 피부와 피하조직을 보호하는 기능을 한다고 볼 수 있다. 판막이 폐쇄되기 위해서 약 30 cm/sec 이상의 혈류속도가 필요하다. 인간이 서 있는 경우에는 중력에 의해 근위부 혈액이 아래 쪽으로 이동하면서 충분히 이 속도 이상의 혈류를 발생시킬 수 있다. 그러나 누워 있거나 앉아 있는 경우에는 충분한 혈류속도가 만들이 지지 않을 수 있고 혈액은 역류가 가능하다.

3) 다리의 정맥압

사람이 걸을 때는 근육들이 수축하면서 근육사이의 분지정맥으로부터 유입된 혈액으로 인해 속정맥의 압력이 10~25 mmHg 증가하게 된다. 이로 인해

정맥혈은 중력을 극복하고 심장으로 향할 수 있게 된다. 이런 수축기 직후에는 다시 속정맥의 판막이 닫히면서 순간적인 속정맥의 빈자리에 겉정맥의 혈액이 들어오게 된다. 이러한 혈류의 흐름과 압력의 변화는 정맥의 혈류역학을 이해하는데 매우 중요하다. 보행을 할 때 무릎 이하의 겉정맥 압력은 30 mmHg 정도까지 감소할 수 있다. 다리의 정맥압이 비정상적으로 증가하는 경우는 다리 근육의 기능부전, 속정맥 또는 관통정맥의 판막이상, 또는 근위부 정맥의 폐쇄나 협착이 발생했을 때이다. 정맥압의 비정상적인 증가는 정맥의 병태생리에서 가장 중요하다.

4) 정맥혈류에 영향을 미치는 인자

앞서 설명한대로 정맥순환계는 동맥과 달리 심장과 같은 동력원이 없다. 정맥순환계에서는 혈액이 주로 저장되어 있다가 우연한 압력차에 의해 심장으로 운반된다. 이 혈류의 방향은 동력원이 아닌 판막의 방향으로 정해지기 때문에 정맥혈류는 순환계 외부로부터 많은 영향을 받는다.

(1) 자세와 체형에 따른 영향

정맥혈류에 영향을 미치는 가장 큰 힘은 바로 중력이다. 그래서 환자의 몸무게, 키, 그리고 자세에 따라 정맥혈류, 특히 다리의 정맥혈류는 많은 영향을 받을 수밖에 없다. 키가 170 cm 이고 BMI 가 20 kg/m² 인 성인의 경우 발목 부위의 정맥압은 약 90 mmHg 이며 네발보행을 했다면 40 mmHg 미만이었을 것이다. 키가 크고 몸무게가 많이 나갈수록 서 있는 자세에서 대정맥에 있는 혈액으로 인한 정수압은 커지게 된다. 이 때는 심장으로 향하는 혈류가 일시 중단 되기도 한다. 기립저혈압(orthostatic hypotension)이 발생하는 원리이다. 환자가 눕게 되면 정맥계의 혈액들은 중력을 골고루 받을 수 있어

심장으로 향하는 혈류가 증가한다. 정맥순환계는 혈액의 저장소 역할을 하고 있다고 했다. 평균 체격의 성인 남자인 경우 한쪽 다리에 약 500 mL 정도의 혈액이 저류되어 있다. 이렇게 저장된 혈액으로 저혈량성 쇼크 환자 처치 때 환자를 눕히고 다리를 올리게 되면 다량의 혈액을 체순환계에 공급할 수 있다.

(2) 운동에 따른 영향

근육 수축에 의해 속정맥에는 100~130 mmHg의 압력이 전달될 수 있어서 인간이 걷고 있는 동안 발목의 정맥압은 0~30 mmHg까지 감소하게 된다. 즉, 인간이 다리 근육을 사용하는 동안 정맥혈류는 증가하게 되고 많은 혈액이 심장으로 향할 수 있게 된다. 걷는 속도가 빠를수록 정맥압의 감소는 더 커지고 혈류는 빨라진다.

(3) 호흡에 의한 영향

인간의 몸에서 심장은 가슴(흉강, 胸腔)에 있고 하대정맥은 배(복상, 腹腔)에 있으며, 다리와 머리의 정맥들은 몸통(가슴과 배) 바깥에 있다. 호흡은 가슴과 배의 압력차를 변화시키는 중요한 인자이기 때문에 정맥혈류는 호흡에 의한 영향을 많이 받는다. 머리의 정맥혈은 가슴(심장)으로 들어가게 되는데, 흡기 시에 폐에 공기를 넣기 위해 가슴의 압력은 감소하게 되어 혈류가 증가하고 호기 시에는 반대의 현상이 일어나게 된다. 우리의 주 관심분야인 다리의 정맥혈은 배를 통과하여 가슴으로 들어가야 하므로 좀 더 복잡한 이해가 필요하다. 먼저 흡기 시에는 가슴의 압력이 감소하고 배의 압력은 증가하기 때문에 대정맥의 혈류가 심장으로 많이 이동하게 되지만, 배의 압력이 증가하여 다리의 정맥혈류는 감소하게 된다. 호기 시에는 반대의 기전으로 인해 심장으로의 혈류는 감소하지만, 다리의 혈류는 증가한다.

3. 도플러파형 분석

1) 서론

이미 총론에서 도플러 원리에 대해서 기술하였다. 이 장에서는 그 중 펄스파 도플러파형의 원리를 좀 더 깊게 이해하고 분석할 수 있도록 설명하였다. 이는 정상적인 혈류패턴을 이해하고 비정상적 소견을 인지하여, 혈관의 협착이나 폐색을 직간접적으로 진단하는 데 필수적이다.

2) 펄스파 도플러 영상

그림 1-6은 펄스파 도플러검사 시 일반적으로 보이는 화면이다. 펄스파 도플러검사 시 검사하고자 하는 부위는 샘플용적(sample volume)이 위치한 부위이며, 그곳을 지나가는 적혈구에 반사되어 나온 초음파의 주파수 변이값이나 그에 따라 계산된 혈류속도가 아래 그래프에서 밝은 점으로 찍혀서 실시간의 이미지로 나타나게 된다. 일반적으로 가로축은 시간을 나타내며, 세로축은 도플러 변위 또는 혈류속도이다. 밝기는 강도를 나타내며, 이는 게인을 이용하여 조절할 수 있다. 그래프의 기저선(baseline)의 아래와 위는 혈류의 방향을 의미한다. 샘플용적에서 측정되는 혈류속도가 균일하다면 도플러 스펙트럼은 얇은 실선의 형태를 띠게 되는데 도플러파형 외곽선 아래 기저선쪽으로 검게 보이는 공간을 스펙트럼창(spectral window)이라고 일컫는

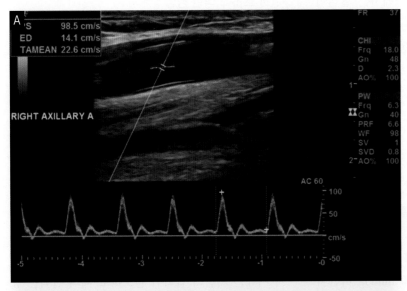

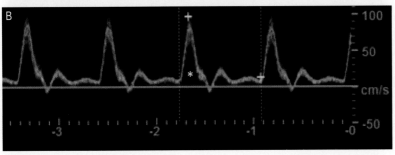

그림 1-6 우측 액와동맥에서의 펄스파 도플러검사 화면
A. 전체화면으로 상부에 B 모드 영상과 함께 샘플용적의 위치가 표시되어 있으며, 아래에 샘플용적에서의 도플러 변위값이 파형으로 표시된다.
B. 도플러파형을 확대한 모습으로 화살표머리 표시된 부분은 최고 수축기속도(peak systolic velocity, PSV), 화살표 표시된 부분은 확장기말속도(end diastolic velocity, EDV)를 각각 나타내며 * 표시된 도플러파형 아래 검은 부위는 스펙트럼창(spectral window)이다.

다. 도플러파형에서 최고 수축기속도(peak systolic velocity, PSV)와 확장기말속도(end diastolic velocity, EDV)를 측정할 수 있다. 추가적으로 샘플용적을 전체 내강크기로 넓혀 평균혈류속도(average flow velocity)를 구한 후 혈관직경과 심박수를 이용해 혈류량(volume flow)을 계산할 수도 있는데, 특히 이는 혈액투석을 위한 동정맥루의 평가에 자주 이용된다.

3) 박동성

동맥혈류는 심박동에 따라 주기적으로 일정한 패턴이 지속적으로 반복된다. 하나의 패턴은 수축기에서 시작해서 확장기로 끝나게 되는데, 혈류의 양상은 심실에서 발생되는 압력과 대동맥의 순응도(compliance)에 따라, 그리고 마지막으로 말초저항값에 따라 결정된다. 초음파검사 시 보이는 이러한 도플러 스펙트럼의 패턴을 박동성(pulsatility)이라고 하는데 여기에는 저박동성(low-pulsatility), 중간박동성(moderate-pulsatility), 그리고 고박동성(high-pulsatility)이 있다(그림 1-7).

저박동성 도플러파형은 넓은 스펙트럼을 가지며, 수축기에도 항상 순방향혈류(forward flow)의 모습을 나타낸다. 이는 저항이 낮은 장기로 혈류를 공급하는 혈관에서 보이는 양상으로 경동맥, 척추동맥 또는 신동맥에서 정상적인 경우에도 볼 수 있다. 저박동성은 다른 말로 단상파형(monophasic)이라고도 일컬어지는데, 이는 항상 순방향혈류만 존재한다는 의미이다. 도플러 스펙트럼이 기저선 위쪽으로만 존재함을 볼 수 있으며, 저박동성이 역방향혈류(reversal flow)를 의미하는 것은 아니다.

중간박동성은 저항값이 중간 정도일 경우 나타나는 패턴으로 급격히 높아지는 수축기 후 때때로 확장기 초반에 역방향혈류가 발생하기도 하나 확장기 동안 전반적으로 순방향혈류가 유지된다. 주로 외경동맥이나 금식 시의 상장간막동맥에서 이와 같은 패턴을 볼 수 있다. 고박동성은 일반적으로 저항이 높은 사지동맥에서 전형적으로 보이는 패턴으로, 급격한 수축기 후 짧은 역방향혈류를 거쳐 짧고 약한 순방향혈류로 마무리되는 양상을 보인다. 박동성은 도플러파형을 보고도 알 수 있지만, 도플러 소리를 듣고도 알 수 있으며, 좀더 정량적으로 정확히 표현하기 위해 박동지수(pulsatility index; PI), 저항지수(resistance index; RI)나 수축기/확장기 비율(systolic/diastolic ratio) 등의 값으로 나타내기도 한다(그림 1-8). 박동성은 신체부위에 따라 다양하게 나타나며, 같은 부위라도 생리적 또는 병적 상태에

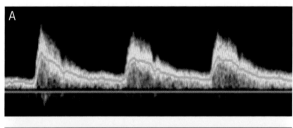

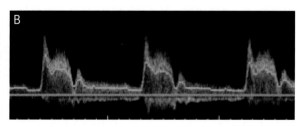

그림 1-7 박동성(pulsatility)
A. low-pulsatility
B. moderate-pulsatility
C. high-pulsatility

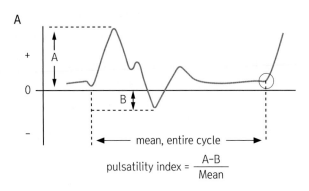

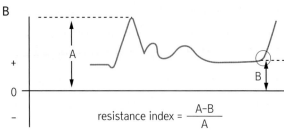

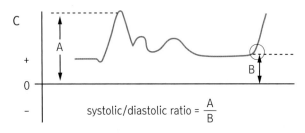

그림 1-8 박동성(pulsatility) 측정
A. pulsatility index (PI)
B. resistance index (RI)
C. systolic/diastolic ratio

따라 다양하게 나타날 수 있다. 예를 들면, 사지동
맥이라도 휴식 시에는 고박동성을 보이지만 과격한
운동 후에는 저박동성으로 나타날 수 있다.

4) 가속성

가속성(acceleration)은 동맥 도플러파형에 있어
또 하나의 중요한 특징이다. 정상적인 경우에서 동
맥내 적혈구는 수축기에 매우 빨리 가속되는데 심
실수축 후 거의 바로 최고속도에 이른다. 이러한
급격한 가속은 수축기 시작과 함께 기저선에 대해
거의 직각으로 상승하는 도플러파형으로 보이며
(그림 1-9A), 이는 일반적으로 급속수축기상승
(rapid systolic upstroke)이라고 기술한다. 하지만, 근
위부 동맥에 협착이 있는 경우 이러한 가속은 느려
지는데, 그림 1-9B에서와 같이 수축기 파형의 기
울기가 완만해져 있고, 최고속도에 이르기까지 시
간이 더 소요되는 것을 볼 수 있다. 가속성을 정량
적으로 표현하기 위해서는 가속시간이나 가속지표

(acceleration index)를 이용한다(그림 1-10)

5) 층류

일반적으로 혈액은 동맥을 통해 순차적으로 흐르
는데, 혈류 중심에서의 속도는 혈관벽 근처의 속도
보다 빠르다(그림 1-11A). 층류(laminar flow)에서
는 대부분의 혈구세포가 특정부위에서 비슷한 속도
로 이동하므로 도플러 스펙트럼은 좁게 나타나며,
도플러파형에서 얇은 실선의 형태로 보이게 된다.
따라서 스펙트럼창은 검고 깨끗하게 관찰된다(그림
1-11B).

6) 동맥의 협착 또는 폐색

동맥의 협착이 있는 경우 혈구세포는 협착에 방해
를 받아 그 방향과 속도가 다양해진다(그림 1-12).
협착부위에서는 내강직경이 감소하므로 푸아죄유법
칙에 따라 혈류속도가 증가하게 되며, 협착부위 후

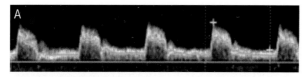
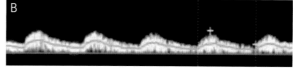

그림 1-9 가속성(acceleration)

A. 총경동맥에서의 도플러파형으로 수축기 시에 가파르게 최고 수축기속도까지 올라가는 급속수축기상승 소견을 볼 수 있다.

B. 근위부 표재대퇴동맥의 폐색이 동반된 슬와동맥 원위부에서의 도플러파형으로, 수축기 시 완만하게 최고 수축기속도까지 천천히 속도가 증가하는 가속성이 현저히 지연된 모습을 보이며, 정상적으로 저항이 높은 말초동맥에서 확장기 시에도 많은 혈류가 지속되는 것으로 보아 원위부에 심한 허혈이 있음을 짐작할 수 있다. 이를 tardus-parvus 파형이라 한다.

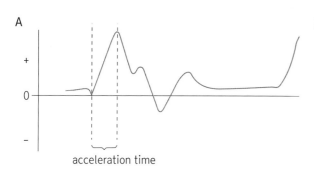
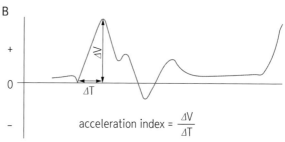

그림 1-10 가속성 측정

A. acceleration time, B. acceleration index

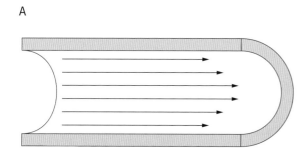
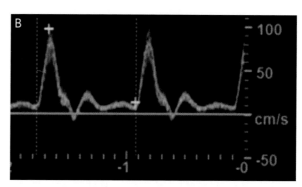

그림 1-11 층류(laminar flow)

A. 평행선들은 혈구세포들의 이동을 나타낸다.

B. 층류에서 혈구세포들의 속도는 대부분 비슷하므로 도플러 스펙트럼은 얇게 나타나며, 스펙트럼창은 검고 깨끗하게 보인다.

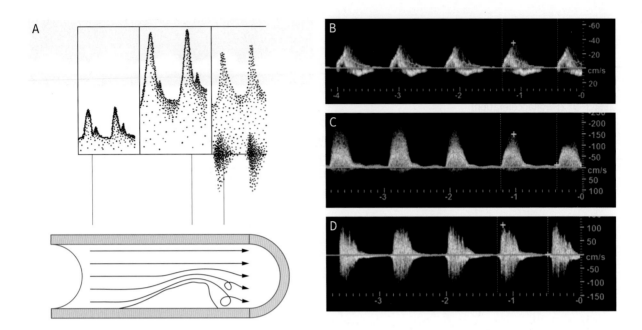

그림 1-12 협착부위에서의 혈류
A. 협착부위와 그 전후 부위에서의 혈류에 따른 도플러파형 변화 모식도.
B. 대퇴동맥 협착이 있는 환자에서 협착부위 전, C. 최대 협착부위, D. 협착부위 직후에서의 도플러파형

방에서는 와류(turbulent flow)가 발생한다. 펄스파 도플러 영상에서 협착부위의 PSV가 증가된 것을 관찰할 수 있으며 혈구세포 속도 및 방향이 균일하지 않아 도플러 스펙트럼이 넓어지고, 검고 깨끗하게 보이던 스펙트럼창이 채워지는 양상으로 나타난다. 협착부위를 지나면 순방향혈류와 역방향혈류가 동시에 나타나는 모습도 관찰할 수 있는데 이는 와류를 의미한다.

물론 협착과 같은 병변으로 인해 혈류가 방해받아 도플러 스펙트럼의 변화가 나타날 수도 있지만, 이러한 혈류의 변화는 정상적인 상황에서도 일어날 수 있음을 유의해야 한다. 예를 들면, 혈관의 분지부나 혈관의 주행방향이 일직선이 아니라 굽어 있는 경우 협착이 없더라도 상기 소견들이 관찰될 수 있다. 추가적으로 샘플용적이 너무 크게 설정되어 있다면 층류라 하더라도 중심부와 외곽부의 혈류속도 차이가 존재하므로 도플러 스펙트럼이 넓어질 수 있다. 이를 종합해보면 도플러파형 분석을 통해 동맥의 협착이나 폐색을 진단할 수 있는데, 주의 깊은 관찰이 필요한 사항은 다음과 같다. 1) 협착부위의 혈류속도 증가, 2) 협착부위 직후방의 와류, 3) 병변 근위부에서 박동성의 변화, 4) 병변 원위부에서 박동성의 변화, 5) 폐색으로 인한 측부순환(collateralization)의 발달 및 변화.

(1) 협착부위의 혈류속도 증가

동일한 양의 혈액이 내강이 좁은 부위를 통과하기 위해서는 더 빠른 속도로 지나갈 수 밖에 없다. 펄스파 도플러검사 시 협착의 평가에 이용되는 속도는 PSV와 EDV이다. 각 해부학 위치별로 협착을

시사하는 절대값의 기준이 있으며, 이외에도 협착 부위 이전의 정상부위와 협착부위에서의 PSV ratio 도 진단에 이용된다. 협착의 정확한 기준은 이후 각 론에서 다루어질 것이다.

정확한 협착정도를 판단하기 위해서는 혈류속도 가 가장 빠른 곳에서 측정해야 하는데, 다양한 부위 에 샘플용적을 위치시켜 속도를 측정하여 그중 가 장 높은 속도값으로 이용한다. 컬러 도플러 영상을 이용해 앨리어싱(aliasing)이 발생하는 부위를 참고 한다면, 혈류속도가 빠른 곳을 찾는 데 도움이 된다.

(2) 협착부위 직후방의 와류

앞서 설명한 바와 같이 협착부위를 지나자마 자 와류가 발생하므로 순방향혈류와 역방향혈류 가 혼재된 양상의 도플러 스펙트럼이 나타난다. 스 펙트럼창도 보통 채워져 있으며, 도플러파형 테두 리도 불분명하다. 이러한 현상은 협착부위 직후방 1 cm 이내에서 가장 잘 관측된다.

(3) 병변 근위부에서 박동성의 변화

동맥폐색이 있는 경우 그 근위부에서는 저항값이 올라가므로 박동성이 증가된 소견을 관찰할 수 있 다. 임상에서 흔히 내경동맥 폐색이 있는 경우 동측 의 총경동맥에서 이러한 소견을 특징적으로 관찰할 수 있다. 이때, 반대측 총경동맥의 도플러파형과 비 교하여 보면 그 차이를 더 확실히 알 수 있다.

(4) 병변 원위부에서 박동성의 변화

근위부에 고도 협착이나 폐색이 있는 경우 그보 다 원위부에서의 동맥혈류는 감소되어 가속성이 느 려지고 혈류속도도 감소된 소견을 보인다. 수축기 파형이 낮은 PSV로 둥글게 완만해지며, 오히려 확

장기 혈류는 정상보다 증가하는 소견을 보이는데, 이를 tardus-parvus 파형이라 한다(그림 1-4B). 이 러한 tardus-parvus 파형이 관찰되면 그보다 근위부 에 협착 또는 폐색성 병변이 있음을 시사한다. 하지 만 tardus-parvus 파형이 없다고 해서 근위부 병변 이 없다는 것은 아니니 주의해야 한다.

(5) 폐색으로 인한 이차효과(측부순환의 발달 및 변화)

동맥폐색은 이차적으로 측부순환의 변화를 초래 한다. 측부혈관에서 혈류속도, 혈류량의 증가, 혈류 방향의 변화 또는 박동성의 변화를 관찰할 수 있다. 예를 들면, 내경동맥이 폐색된 경우, 외경동맥이 주 요한 측부순환로로 발달하여, 혈류량과 박동성의 변화를 보인다. 또다른 예로, 좌측 쇄골하동맥의 폐 색이 있는 경우, 동측의 척추동맥이 측부순환로로 이용되면서 혈류방향이 역방향으로 바뀌는 것을 관 찰할 수 있다. 이러한 측부혈관의 혈류 변화소견만 으로 정확한 진단을 내리기는 어렵지만, 원발부위 를 직접적으로 관찰하기 힘든 경우나 찾을 수 없는 경우, 병변의 유무를 예측하는 데 도움이 된다.

7) 결론

혈관 초음파검사 시 동맥의 협착 및 폐색을 진단 하기 위해서는 해부학적인 지식과 정확한 검사가 중요하며, 도플러파형 분석은 협착 및 폐색의 진단 에 핵심적인 요소이다. 도플러파형의 변화는 병변 부위뿐만 아니라 그 근위부 및 원위부 혈관에서도 발생하며, 이는 표 1-1에 요약하였다. 이를 인지하 고 병변부위를 찾아내고 정확한 협착정도를 파악할 수 있어야 한다.

표 1-1 동맥 협착 시 나타나는 도플러파형의 변화

협착부위 근위부

- Increased pulsatility with decreased diastolic flow
- Decreased pulsatility (flow resistance) in collateral vessels
- Decreased flow velocity

협착부위

- Elevated peak-systolic velocity in the stenotic lumen
- Elevated end-diastolic velocity
- Elevated systolic velocity ratio

협착부위 원위부

- Poststenotic flow disturbance
- Disturbed or disorganized Doppler flow pattern
- Bidirectional flow
- Decreased velocity overall due to decreased flow
- Decreased pulsatility with increased diastolic flow
- Slowed systolic acceleration
- Broad systolic peak
- Secondary (collateral) effects
- Increased size, velocity, and volume flow in collateral vessels
- Reversed flow in collateral vessels

ᵕᵕᴵᴵ 참고문헌

1. 조진현. 혈관초음파 제1판. 서울: 가본의학 pp. 53 2007.

2. Baker DW. Applications of pulsed Doppler techniques. Radiol Clin North Am 1980;18:79-103.

3. Campbell JD, Hutchison KJ, Karpinski E. Variation of Doppler ultrasound spectral width in the post-stenotic velocity field. Ultrasound Med Biol 1989;15:611-9.

4. Etain A Tansey, Laura EA Montgomery, Joe G Quinn, et al. Understanding basic vein physiology and venous blood pressure through simple physical assessments. Adv Physiol Educ 2019;43(3):423-429.

5. Randolph M. Nesse, George C. Williams. Why we get sick. 최재천(역) 서울: 사이언스북스. pp. 35, 1994.

6. Rita ME, Ann MD, William CA. Evolutionary origins of the blood vascular system and endothelium. J Thrombo Haemost 2013;11:46-66.

7. Sidawy AN, Perler BA. Rutherford's Vascular Surgery and Endovascular Therapy. 9th ed. Philadelphia: Elsevier Saunders; 2019.

8. So B, Byun S. Hemodynamic Characteristics of Vascular Occlusive Disease. Vasc Specialist Int 2006;22(2):149-154.

9. Taylor KJ, Holland S. Doppler US. Part I. Basic principles, instrumentation, and pitfalls. Radiology 1990;174:297-307.

10. Wells PN, Skidmore R. Doppler developments in the last quinquennium. Ultrasound Med Biol 1985;11:613-23.

11. Wilhelm Schaberle, Menncke-Buehler. Heidelberg: Springer. pp. 165, 2011.

12. Zwiebel WJ, Knighton R. Duplex examination of the carotid arteries. Semin Ultrasound CT MR 1990;11:97-135.

경동맥 및 척추동맥

1. 경동맥 초음파

1) 서론

뇌혈관 질환은 장애와 사망의 주요한 원인이다. 미국에서 뇌졸중(stroke)의 발생률과 사망률 자체는 지난 수십년 동안 감소했음에도 불구하고 매 40초마다 새롭게 발생하고 있다. 이러한 뇌졸중의 주요 위험인자로는 고령, 고혈압, 당뇨, 고콜레스테롤혈증, 흡연, 무활동(inacitivity), 만성 신장질환, 유전적 소인 등이 알려져 있다. 대부분의 뇌졸중은 허혈성(ischemic)으로, 이러한 허혈성 뇌졸중은 색전증으로 인해 이차적으로 발생하게 된다. 이중 약 15%는 경동맥분기(carotid bifurcation)의 취약 플라크(vulnerable plaque)에서 기원한다. 뇌졸중의 약 10%만이 출혈성으로, 대부분이 고혈압으로 인해 발생한다.

내경동맥 협착증은 가장 흔하게 경동맥분기에서 발생하며, 잘 알려진 뇌졸중 위험에 대한 대리표지자(surrogate marker)이다. 도플러 경동맥 초음파는 내경동맥 협착증을 발견하고, 협착정도를 평가하며, 모니터링하는데 가장 기본적인 비침습적 영상검사법이다. 경동맥 초음파는 방사선 피폭이 없으며 아이오딘표지(iodinated)와 가돌리늄(gadolinium) 조영제에 대한 노출이 없다는 장점을 지닌다. 이러한 경동맥 초음파검사의 주된 3요소에는 내경동맥 협착정도의 평가, 도플러 속도 기준, 파형 분석이 있다. 또한 최근에는 조영증강 초음파검사가 경동맥 초음파와 상호 보완적인 술식으로 이용되고 있다. 조영증강 초음파검사는 허상을 줄이고, 죽상경화판 표면의 자세한 묘사를 가능하게 하여 협착의 정도를 좀 더 정확히 평가할 수 있다. 또한 폐색 전(preocclusive) 병변과 협착 병변의 감별진단을 가능하게 하고 취약 플라크의 주된 특징 중 하나인 경동맥 죽상경화판의 궤양(ulceration) 유무를 확인할 수 있는 장점을 지닌다. 조영증강 초음파검사에 사용되는 미세기포조영제는 죽상판 내의 신생혈관증식(neovascularization) 정도를 측정할 수 있을 뿐 아니라 동맥염(arteritis)에서의 경동맥 벽의 염증의 중증도까지도 평가할 수 있다.

2) 해부학

좌측 경동맥의 경우 좌측 총경동맥과 쇄골하동맥이 대동맥궁(aortic arch)에서 직접 분지되어 나오고, 우측 경동맥은 상완두동맥(brachiocephalic artery) 또는 무명동맥(innominate artery)에서 나온 후 쇄골하동맥과 총경동맥으로 나누어진다.

총경동맥은 흉쇄유돌근과 내경정맥의 외측에, 갑상선의 내측에 존재하는데, 이는 외경동맥과 내경동맥으로 나누어진다. 경동맥은 분지부위에서 약간 넓어지는 데 이 부위를 경동맥팽대(carotid bulb)라 부르며, 보통 4번 또는 5번 경추부위 또는 갑상연골 부위에 있으나 사람에 따라 약간씩 다르게 위치한다(그림 2-1).

경동맥 초음파검사는 총경동맥, 외경동맥, 내경동맥 모두를 검사해야 하며 반드시 양측을 모두 검사

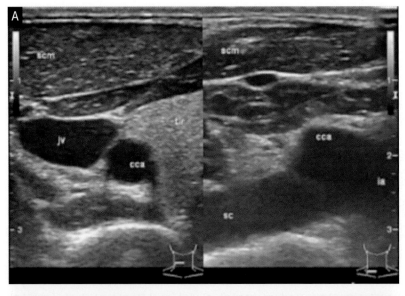

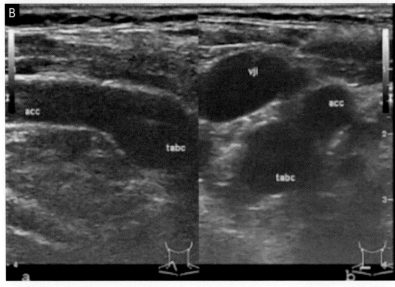

그림 2-1 우측 총경동맥의 가로 및 세로스캔
cca: 총경동맥, sc: 쇄골하동맥, jv: 내경정맥,
tabc: 상완두동맥, vji: 내경정맥, acc: 총경동맥.

해야 한다. 경동맥의 내측벽은 순환하는 혈액과 내막(tunica intima)의 경계면(interface)으로 보이며, 중간층은 내막(intima)과 중막(media) 그리고 외막(adventitia)으로 인해 외측 반사(outer reflection)의 형태로 보이게 된다. 이러한 세 개의 층은 내중막 복합체(intima-media complex)를 형성한다. 내중막 두께(intima-media thickness, IMT)는 고에코층의 거리로 표시된다(그림 2-2). 내중막 두께는 나이 및 성별에 의해 영향을 받는데, 보통 0.9 mm 미만을 정상으로 간주한다. 높은 내중막 두께는 무증상 동맥경화증의 지표이며, 고혈압 환자에서 예후에 영향을 미치는 인자로 알려져 있다.

총경동맥의 내강은 보통 6~7 mm이며, 내경동맥은 외경동맥의 후측방에 위치하며, 경동맥팽대 부위에서는 6.5~7.5 mm, 그 원위부에서는 평균 4.3~5.3 mm의 직경을 보인다. 내경동맥 중반부터는 직경이 작아지며, 분지부위 3 cm부터는 곡선코스를 보인다. 기본적으로 내경동맥의 곁가지(collateral branch)는 없다. 내경동맥의 내중막 두께는 근위부 내경동맥으로부터 내경동맥 중간부위에서 측정할 수 있다.

외경동맥은 근위부 내경동맥보다는 더 작은 내강을 가지며, 중간부위는 원위부 내경동맥과 비슷하다. 외경동맥과 내경동맥을 구분하는 방법은 세가지가 있는데, 첫 번째, 내경동맥은 외경동맥에 비해 낮은 저항 패턴을 갖는다(그림 2-3). 두 번째, 내경동맥은 분지혈관이 없는데 비해 외경동맥은 상갑상선동맥이나 설동맥(lingual artery)과 같은 분지동맥이 있어 비교적 쉽게 감별할 수 있다. 세 번째는 "측두 타진(temporal tapping)"으로 외경동맥 검사 동안 동측 측두동맥(temporal artery)을 타진할 때 도플러 스펙트럼에서 "톱니모양의 허상(serration-like artifact)"이 나오는 것을 확인함으로써 내경동맥으로부터 외경동맥을 감별할 수 있다(그림 2-4). 측두동맥 타진 유발 허상(temporal artery tapping-induced artifact)은 내경동맥에서는 보이지 않는다.

3) 검사 프로토콜 및 방법

(1) 검사준비 및 자세
우선 검사 전 준비로 12시간 이상 술, 카페인, 격렬한 운동을 피하고, 6시간 이상 금식하는 것이 추천된

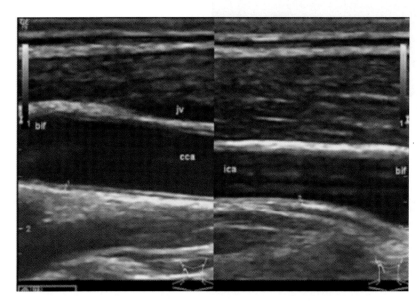

그림 2-2 정상 내중막(intima-media) 두께
우측 총경동맥 및 내경동맥의 세로스캔
ica: 내경동맥, jv: 내경정맥, bif:경동맥분기.

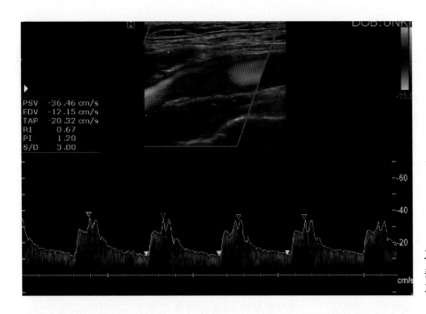

그림 2-3 우측 내경동맥
충분한 이완기 순방향혈류와 동반된 낮은
저항 패턴

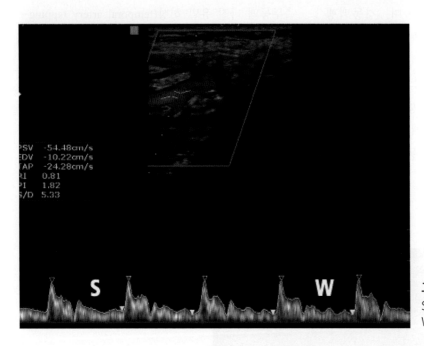

그림 2-4 외경동맥의 감별
S: 측두 타진 유발 허상 없음
W: 측두 타진 유발 허상 있음

다. 폐경 전 여성에서는 생리주기 1~7일 사이에 검사를 시행하는 것이 좋다. 가능하다면 두개 외 혈류 측정 전에는 약물의 최소 4회 반감기 동안 모든 약물 복용을 중단해야 한다. 또한 비스테로이드 소염제는 뇌혈류에 막대한 영향을 끼치기 때문에 가능

한 검사 2~3일 전에는 반드시 중단하여야 한다. 검사 시 환자는 온도조절이 가능한 환경에서 충분히 편안한 자세로 누워야 하며, 양측 혈압을 측정하고, 혈압이 안정된 상태에서 시행하여야 한다.

경동맥 초음파검사 방법으로는 두 가지가 있는

데, 첫 번째는 검사자가 환자의 머리 위에서 양손을 사용하여 검사하는 방법이다. 검사자는 우측 경동맥은 오른손으로 좌측 경동맥은 왼손을 사용하여 검사를 시행한다. 이 자세는 검사자가 양손을 모두 사용할 수 있어 다양한 위치에서 탐색자로 검사할 수 있는 장점이 있다. 두 번째는 환자의 외측에서 검사하는 방법으로, 대부분의 경동맥 초음파검사에서 이용된다. 검사자는 양측 경동맥 검사를 위해 오른손을 사용한다. 이 자세는 초음파 기계를 쉽게 조절할 수 있는 장점이 있으나 후방투영(posterior projection)이 어렵다는 단점을 지닌다. 두 가지 방법 중에서는 머리 위 검사법이 추천된다.

기본적으로 베개는 필요 없으며, 목은 이완된 상태에서 검사하는 반대쪽으로 45° 고개를 돌려 검사한다. 흉쇄유돌근의 수축은 음파 침투력(sonic penetration)을 저하시키고 탐색자의 위치선정을 어렵게 한다.

(2) 검사방법

경동맥 초음파검사는 누운 자세에서 목을 과신전시킨 후 검사부위 반대쪽으로 고개를 돌린 상태에서 시행하여야 한다. 탐색자는 기본적으로 5 MHz 이상의 고해상도 선형 탐색자를 사용하나 보다 깊은 혈관을 검사하기 위해서는 3~5 MHx 곡선 탐색자가 필요하기도 하다. 작은 풋프린트(footprint) 탐색자는 하악골 아래의 높은 부위의 경동맥분기를 더 잘 시각화하기 위해 하악 아래 각도에 유용하다. 흉쇄유돌근이 일반적으로 좋은 음향창을 제공하고 전방 또는 후방 접근법 모두 사용할 수 있다. 또한 수직으로 정렬된 향상된 영상을 얻기 위해서 검사자는 탐색자를 "뒤꿈치에서 끝까지(heel-toe, 끝에서 끝으로 기울임)" 또는 다른 음향창에서 혈관을 평가할 수 있다.

경부 경동맥은 회색조와 컬러 도플러를 이용하여 종축과 횡축으로 평가해야 하며 우선 근위부와 원위부 총경동맥과 경동맥분기를 검사한다. 또한 내경동맥 기시부, 중간, 원위부 내경동맥을 평가하고 외경동맥의 기시부와 중간 척추동맥을 검사한다. 종축 및 횡축면에서 경동맥분기의 회색조와 컬러 도플러 영화 클립(cine clips)은 종종 플라크의 정도를 대략적으로 정량화하는데 유용하다.

회색조 이미지에서 초점 영역(focal zone)은 혈관의 뒤쪽 가장자리에 배치해야 하며, 게인은 총경동맥 벽의 정상적인 3개의 층이 명확하게 표시되도록 설정해야 한다. 동적범위(dynamic range) 감소는 이미지의 대조를 증가시키고 이렇게 되면 회색의 범위가 줄어들더 더 많은 흑백이미지가 생성된다. 또한 잡음제거 필터를 증가시켜 약한 에코로 인한 잡동사니 소음이나 음향잡음(acoustic noise)을 제거할 수 있다. 이는 혈관 내강 내에서 약한 에코를 제거하는데 유용하다.

컬러 도플러 영상에서는 컬러 반점(color speckle)이 주변의 연부조직에서 보일 때까지 컬러 게인을 증가시킨후 컬러신호가 혈관 내강 내에만 남아있을 때까지 컬러 게인을 감소시킨다. 컬러 도플러 상자는 혈관 내강과 겹칠만큼 충분히 길어야 하며, 프레임 속도를 유지하기 위해 상자의 너비를 3~4 cm로 줄여야 한다. 컬러 도플러 스케일은 색상이 혈관 내강을 채우지만 혈관벽을 덮어쓰지 않도록 설정한다. 가장 밝은 색조의 혈관부위는 가장 빠른 혈류흐름을 나타낸다. 작은 직선의 색상자와 파워 도플러 이미지를 사용한 도플러 게인, 색상 스케일 감소, 벽 필터 감소는 혈류 흐름의 감지를 위한 민감도를 증가시키는 데 도움이 된다.

스펙트럼 도플러파형은 근위 및 원위부 총경동맥, 근위, 중간, 원위 내경동맥, 근위 외경동맥과 중간 척추동맥에서 얻을 수 있다. 여기에서 도플러 각도는 반드시 45~60° 사이를 유지해야 한다. 최고 수축기속도비율(peak systolic velocity ratio, PSV ratio)은 내경동맥의 최고 협착부위에서의 최고 수축기속도를 원위부 총경동맥 최고 수축기속도로 나눔으로써 계산된다. 각 혈관 부위에서의 측정값은 최고 수축기속도, 최고 수축기속도비율 및 확장기말속도로 얻어야 한다. 원위부 총경동맥의 최고 수축기속도는 일반적으로 경동맥팽대 3 cm까지 측정하여 최고 수축기속도 비율의 위양성 상승을 초래할 수 있기 때문에 팽대부위가 넓어지는 곳에서 인위적으로 낮은 최고 수축기속도를 얻지 않도록 해야 한다. 또한 샘플용적(sample volume)은 너비 1.5 mm와 2.5 mm를 유지해야 하며 혈관 내강의 중심에 위치해야 한다. 스펙트럼 도플러 스케일 또는 펄스반복주파수는 파형이 앨리어싱 없이 사용가능한 공간을 채우도록 충분히 낮게 설정해야 한다.

(3) 검사 프로토콜

내경동맥에서의 직경과 속도의 측정은 경동맥분기 근처에 와류가 존재하기 때문에 혈류 패턴에 대한 경동맥분기의 영향을 피하기 위해서 경동맥분기 원위부 2 cm에서 측정하는 것이 추천된다. 건강한 수명의 사람들에서의 총경동맥, 외경동맥, 내경동맥 및 척추동맥의 속도에 대한 기준값은 표 2-1에 기술하였다.

4) 판독

(1) 정상소견

경동맥은 뇌의 전방순환을 담당한다. 우측 경동맥은 상완두동맥에서 기시하고 좌측 경동맥은 대동맥궁에서 직접 나온다. 총경동맥은 경동맥분기 직하방에서 확장되어 경동맥팽대를 형성한다. 내경동맥은 전형적으로 외경동맥의 후외측에 존재한다. 외경동맥으로부터 내경동맥을 감별하는 가장 확실한 방법은 동맥의 크기, 위치, 파형보다는 외경동맥에서 기시하는 분지혈관을 확인하는 것이다. 총경동맥, 내경동맥, 그리고 외경동맥은 원위 혈관부위의 말초혈관저항과 산소 소비를 반영하는 특징적인 파형을 갖는다. 총경동맥은 높고 넓은 수축기 정점과 낮은 이완기 정점을 보인다(그림 2-5). 정상적인 내경동맥 파형은 낮은 주변 혈관 저항과 높은 산소 소비량 때문에 넓은 스펙트럼과 지속적인 이완

표 2-1 건강한 수명의 사람에서 두개 외 동맥의 속도에 대한 기준값

		Distal CCA		Proximal ECA		Proximal CIA		VA	
	n	PSV, cm/s	EDV, cm/s	PSV, cm/s	EDV, cm/s	PSV, cm/s	EDV, cm/s	PSV, cm/s	EDV, cm/s
< 30 y	29	103~121	27~32	81~102	15~19	65~96	23~30	47~66	15~20
30~50 y	118	74~98	21~30	67~95	14~21	52~71	21~28	39~56	13~18
50~70 y	573	65~84	18~26	62~89	11~18	49~66	17~25	37~49	11~16
70~90 y	480	54~76	13~20	55~81	8~14	43~61	13~20	35~49	10~14

Data are shon as 25th percentile to 75th percentile range; n = 1,200 total. CCA, common carotid artery; ECA, external carotid artery; ICA, internal carotid artery; VA, vertebral artery; PSV, peak systolic velocity; EDV, end-diastolic velocity. PSV tended to be higher in males than females by approximately 10% in the CCA and ECA, with no consistent sex difference in the ICA or VA. In contrast, Seidel et al. reported a significantly higher flow volume in the VA in males compared with females; however, their sample size wwas small (n = 50), and the authors also report an angle of insonation of 62 ± 6° (suboptimal angle for accurate velocity measurement). Velocity in the left CCA and VA were, on average, higher than the right (CCA PSV by ~3% and VA PSV by ~5%); this is consistent with previous reports. Data ere kindly provided, with permission, from Otago Vascular Diagnositics, Department of Surgical Sciences, University of Otago, New Zealand.

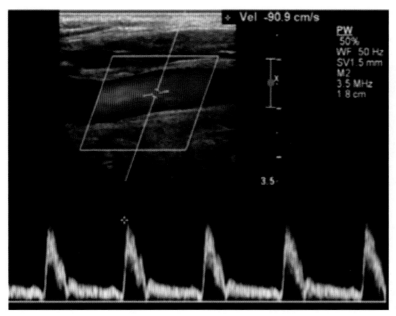

그림 2-5 우측 총경동맥의 스펙트럼 도플러

기 혈류를 특징으로 한다. 대부분의 내경동맥의 최고 수축기속도는 125/cm 이하이다. 정상적인 외경동맥의 파형의 특징은 적은 이완기 흐름과 좁은 스펙트럼이다(그림 2-6).

척추동맥은 쇄골하동맥에서 나오고 직경은 약 4 mm 정도이다. 척추동맥의 혈류는 낮은 저항 패턴, 급속수축기상승, 지속적 이완기 흐름을 갖는 내경동맥과 비슷한 혈류흐름 패턴을 갖는다. 정상적인 척추동맥의 최고 수축기속도는 20~40 cm/sec 정도이고 기준선보다 높은 이완기 혈류를 갖는다. 그러나 80~90 cm/sec 이상의 속도가 명백한 임상적 중요성 없이 보이는데 이는 우성(dominant) 척추동맥 또는 작지만 정상 척추동맥을 통한 측부혈류에 기인한다. 원위부 흐트러진 혈류(disturbed flow)를 평가하면 어떤 상승된 속도가 척추동맥 협착과 관련이 있는 지 없는지를 결정하는 데 도움이 된다. 혈류는 쇄골하동맥 또는 무명동맥 도류증후군(steal syndrome)의 경우에 있어서, 컬러 도플러 영상은 동행하는 정맥과 동일한 방향의 비정상적인 척추동맥

의 역방향혈류와 동반되어 혈류 흐름에 대한 정보를 제공한다. 이처럼 도플러 스펙트럼 파형은 이완기 때 발생하는 척추동맥의 역방향혈류와 같은 척추동맥 혈류 패턴을 확인하는 데 사용한다.

(2) 플라크 형태의 평가

플라크의 형태의 특징을 평가하는 것은 대부분의 색전증이 플라크의 구성과 형태가 직접적으로 연관되어 있을 뿐 아니라 협착의 정도와도 간접적으로 연관되기 때문에 대단히 중요하다. 플라크 내 신생혈관/출혈, 염증, 괴사, 높은 지질 함량 및 섬유캡(fibrous cap)의 얇아짐은 플라크 파열(plaque rupture)을 유발하는 것으로 생각되고 있다. 순환하는 혈액에 괴사핵심(necrotic core)을 노출시켜 표면에 불안정 플라크(unstable palque)를 형성하고, 이 불안정 플라크 또는 플라크 파편(plaque debris)은 좁아진 내경을 통과하는 혈액의 고속분사에 의해 제거되어 원위 색전증과 뇌졸중을 유발할 수 있다. 또한 불규칙한 표면 또는 궤양이 동반된 플라

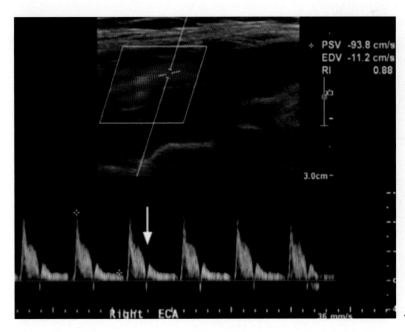

그림 2-6 우측 외경동맥의 스펙트럼 도플러

크는 정체된 흐름 또는 중심핵심(central core)의 노출로 인해 플라크 표면에 불안정 혈전이 형성되는 경향이 있다. 반대로 매끄러운 표면의 유리질화(hyalinization), 섬유화 또는 석회화 플라크에는 혈전이 잘 생성되지 않아 원위 색전증 및 파열의 위험이 감소된다.

경동맥 초음파검사는 기본적으로 플라크의 에코발생(echogenicity), 표면, 궤양의 유무를 기술해야 한다. 플라크의 회색조와 컬러 도플러 평가는 플라크 부하(plaque burden), 에코발생과 표면특성을 평가하는데 중점을 둔다. 에코발생은 저에코(hypoechoic) 대 에코발생과 이종(heterogenous) 대 동종(homogenous)으로 설명된다(그림 2-7). 출혈성 및 지질 함유 플라크(lipid-laden plaque)는 저에코로 보이는 경향이 있으며 플라크의 50% 이상이 저에코일 경우 고려해야 한다. 많은 연구들은 저에코 플라크가 신경학적 증상을 나타낼 가능성이 더 높다고 보고하고 있다. 에코발생 플라크는 취약 플라크(vulnerable plaque)일 가능성이 낮다. 불규칙한 표면

이 쪼개지고 갈라진 손상된 플라크는 매끄러운 표면의 플라크와 반드시 구분되어야 한다. 일반적으로 2개의 직각 영상 평면에서 2 mm보다 깊은 표면의 결합을 궤양으로 정의한다(그림 2-7).

Spatial compounding 및 하모니영상(harmonic imaging)은 해상도를 향상시킬 수 있다. 그러나 만약 회색조 게인이 너무 낮으면 플라크가 취약 플라크와 유사한 거짓저에코로 보일 수 있어 주의가 필요로 한다. 이와는 반대로 게인을 증가시키면 저에코 플라크에서 생성하여 위음성 검사로 결과가 나올 수 있다. 사실, 극도의 저에코 플라크 또는 혈전은 회색조 영상에서는 보이지 않는다. 특히나 컬러 게인이 높게 설정된 경우 플라크를 평가하기 위해 컬러 도플러에만 의존해서는 안된다. 플라크의 표면 특징은 종종 컬러/파워 도플러 영상 또는 조영증강 초음파에서 가장 잘 보일 수 있다. 플라크 표면은 부드러운, 불규칙한, 궤양이 동반된 표면으로 묘사된다. 궤양이 동반된 표면은 뇌졸중의 위험을 증가시키는 것으로 알려져 있다. 그러나 플라크 궤양

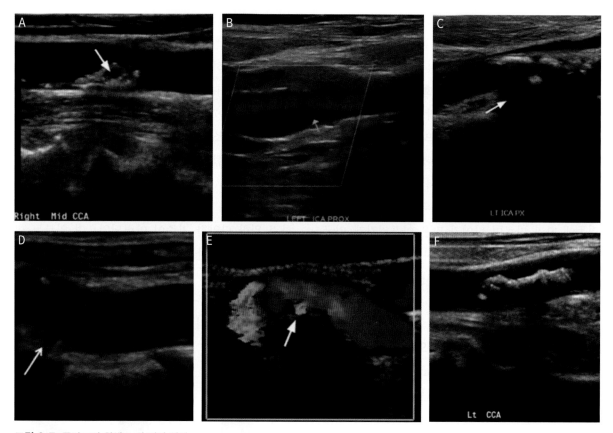

그림 2-7 플라크의 회색조 및 컬러 영상
A. 저에코 플라크(화살표), B. 저에코 플라크의 부드러운 표면(화살표), C. 에코발생(echogenic) 플라크. 후방음향음영(화살표), D. 궤양을 식별하는 회색조 영상(화살표), E. 불규칙한 표면의 플라크, F. 플라크 표면의 혈전형성

을 발견하기는 매우 힘들며 검사자의 숙련도에 의존한다. 플라크 궤양에 대한 초음파검사의 민감도는 30~80% 정도이다. 이렇게 플라크 표면의 궤양은 대단히 세심한 회색조 검사를 시행치 않고는 발견하기도 힘들고, 사실 신경학적 증상과 분명하게 연관되어 있지도 않다.

내중막 두께도 경동맥 초음파검사에서 빼놓지 말아야 할 검사항목이다. 또한 내중막 두께는 현재까지도 동맥경화증의 변수로 널리 사용되고 있다. 내중막 두께는 2차원의 회색조 영상에서 측정하며 경동맥의 중심을 통과하도록 세로로 스캔한다. 최적의 회색조 영상은 동맥벽을 따라 두 개의 밝은 경계

면을 보여준다. 총경동맥과 내경동맥의 내중막 두께의 증가는 심혈관질환의 독립적인 위험인자이자 심근경색, 돌연사 및 뇌졸중의 예측인자로 오랫동안 제안되어 왔다. Lorenz 등이 시행한 메타분석에서는 내중막 두께가 0.1 mm 증가마다 뇌졸중 위험이 13~18% 증가되고 심근경색은 10~15% 증가된다고 하였다. 하지만 최근의 대규모 역학연구에서는 경동맥 내중막 두께 측정은 향후 심혈관 합병증에 대한 위험의 계층화를 개선시키지 못하며, 임상적으로 중요하지 않을 수 있는 작은 개선만을 제공한다고 한다. 실제로 총경동맥 내중막 두께가 내경동맥의 내중막 두께 측정보다 뇌졸중의 위험과 더

밀접한 관련이 있다. 하지만 경동맥 내중막 두께 측정을 위한 기술 및 변수에 대한 논란이 있으며 이는 각 연구마다 크게 다르다.

2008년 미국 심장 초음파 학회(American Society of Echocardiology)에서는 내중막 두께는 플라크 영역(혈관벽 두께 〉 1.5 mm로 정의)에서 분리된 팽대(bulb) 부위 1 cm 아래 중간 총경동맥의 후벽을 따라 확대된 이미지에서 양측에서 내중막 두께를 측정할 것을 권장하였다. 내중막 두께는 연령, 성별, 인종에 따라 다르며 나이가 많은 아프리카계 미국 남성에서 가장 두껍고 젊은 아시아 여성에 가장 얇다. 보통 0.7~0.8 mm 이하의 내중막 두께가 정상으로 간주된다.

(3) 협착정도(stenosis degree)의 평가

1991년 North American Symptomatic Carotid Endarterectomy Trial (NASCET)은 경동맥 내막절제술(carotid endareterectomy, CEA)을 받은 70% 이상의 경동맥 협착증을 가진 신경학적 증상을 동반한 환자가 당시의 내과적 치료와 비교할 때 17%의 동측 뇌졸중 위험 감소를 보였다. 그 후 여러차례 후속 연구에서도 무증상 환자의 중등도(50~60%) 협착 환자에서 임상적으로 의미는 있으나 상대적으로 낮은 예방 효과를 보고하였다. 최근의 연구에서는 경동맥 스텐트삽입술도 동측 뇌졸중 발생률이 동등하게 감소하였음을 보고하였다. NASCET 연구에서는 관찰자 간 관찰자 내 변동성을 최소화하기 위해 혈관조영술로도 정확하게 측정할 수 있는 가장 작은 내경동맥 내강 직경을 원위부 정상 내경동맥 내경 직경으로 나누어 내경동맥 협착 정도의 백분율을 계산하였다(그림 2-8). 따라서 NASCET 방법으로 계산된 70%의 내경동맥 협착은 협착부위의 외벽에서 외벽까지의 잔류 내강의 직경을 내경동맥의 추정치와 비교한 이전 방법으로 계산된 70%의 내경동맥 협착보다 더 심하다. 현재 플라크 부하는

NASCET 방법에 의해서 상당히 과소평가될 수 있지만 NASCET 측정법은 내경동맥 협착 등급을 평가하는 가장 선호하는 방법으로 널리 인정받고 있다.

초음파를 이용하여 경동맥 협착의 정도를 평가하는 방법은 1970년대 후반부터 시작되어 1980년대 초에는 혈관조영술과 비교하는 단계에 이르렀다. 결과적으로 협착의 범주는 비교적 광범위했으며, 직경 50~90% 협착을 진단하기 위한 민감도와 특이도는 90~95% 범위였다. 현재 경동맥 질환을 분류하기 위한 다양한 기준이 마련되었으며 일부는 협착의 범주에 초점을 맞추고 다른 일부는 협착의 임계수준에 초점을 맞추고 있다. 현재까지는 내경동맥의 협착의 범주를 평가하는데 가장 널리 사용되는 분류체계 중의 하나는 Dr. D Eugene strandness

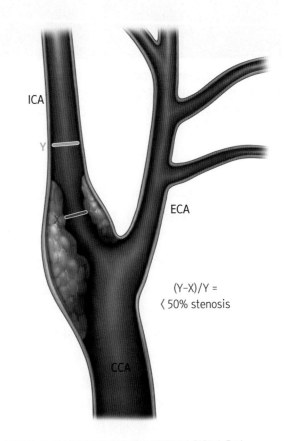

그림 2-8 NASCET 연구에 따른 내경동맥 협착의 측정

에 의해 University of Washington (UW)에서 개발된 기준이 있다. 이러한 기준은 경동맥 동맥경화증의 자연사 연구와 실제 임상환경 모두에 유용하다. 이 UW 기준에서는 스펙트럼 파형 분석과 속도 측정을 사용하여 내경동맥의 병변을 다음 범주의 협착으로 분류한다: 정상 1~15%, 16~49%, 50~79%, 80~99%, 폐색(표 2-2). 이러한 기준에 대한 전형적 연구는 조영제를 사용한 혈관조영술과 82%의 전체적인 동의를 보여준다. 경동맥 질환을 진단하는 초음파의 민감도는 99%, 정상 동맥을 감지하는 초음파의 특이도는 85%에 달한다. 현재까지 경동맥 협착증을 진단하고 분류하기 위한 이러한 초음파 기준은 여러 번의 재평가를 거쳤다. 실제 이러한 연구들은 경동맥팽대부위 동맥경화증 환자에서 경동맥 내막절제술에 대한 적응증을 검증하는데 많은 영향을 미쳤다. 이 연구들로 인해서 특정 수준의 내경동맥 협착증을 동반한 환자에서 내경동맥 절제술이 뇌졸중 발생의 감소에 있어서 상당한 이득이 있음을 확인하였다. 특히나 70~99%의 협착의 증상을

동반한 환자에서는 뇌졸중 예방에 있어 경동맥 내막절제술이 극적으로 이득이 있었다. 증상을 동반한 50~69%의 내경동맥 협착증 환자와 60~99%의 협착을 동반한 무증상 경동맥 협착증 환자에서 경동맥 내막절제술은 그 정도는 낮지만 이득이 있는 것으로 평가되었다.

NASCET과 Asymptomatic Carotid Atherosclerosis Study (ACAS)에서는 협착부의 최소 잔류내강의 직경과 정상 경부 내경동맥의 직경을 비교하여 동맥조영술에서 협착의 정도를 계산하였으며, 현재까지도 이 계산법을 가장 널리 사용하고 있다. UW 기준에서 경동맥 협착의 범주는 가장 좁은 지점의 잔류 내경동맥 내강의 직경을 정상 내경동맥팽대부의 추정하여 비교하는 방법을 경동맥 내막절제술 연구 이전부터 개발하여 사용하였다. 팽대부위가 원위부 내경동맥보다 직경이 크기 때문에 협착정도를 측정하는 두 가지 방법은 원위부 내경동맥을 기준혈관으로 사용하여 계산된 혈관조영술 상 협착비율이 동일하지 않게 되어 팽대부위를 참조범위로 사용하

표 2-2 스펙트럼 파형과 속도 기준에 따른 내경동맥질환 분류(university of washington)

Arteriographic diameter reduction	Peak systolic velocity	End-diastolic velocity	Spectral waveform characteristics
0% (normal)	< 125 cm/s	-	Minimal or no spectral broadening; boundary layer separation present in the carotid bulb
1~15%	< 125 cm/s	-	Spectral broadening during deceleration phase of systole only
16~49%	< 125 cm/s	-	Spectral broadening throughout systole
50~79%	≥ 125 cm/s	< 140 cm/s	Marked spectral broadening
80~99%	≥ 125 cm/s	≥ 140 cm/s	Marked spectral broadening
100% (occlusion)	-	-	No flow signal in the ICA; decreased diastolic flow in the ipsilateral CCA

Diameter reduction is based on arteriographic methods that compared the residual ICA lumen diameter to the estimated diameter of the carotid bulb, based on the angle-adjusted velocity using a Doppler angle of ≤ 60 degrees.

는 계산법보다 협착 비율이 더 낮게 계산된다.

2002년에 Society of Radiologists in Ultrasound (SRU)에서는 경동맥 협착정도를 평가하기 위해 기본적으로 도플러를 기준으로 사용하도록 권장하였다(표 2-3). SRU 지침의 주요 요소들은 다음과 같다. 첫째, 모든 내경동맥 검사는 반드시 회색조, 컬러 도플러, 스펙트럼 도플러 초음파를 시행하도록 권장하였다. 둘째, 도플러 초음파 소견은 정상, 50% 미만 협착, 50~69% 협착, ≥ 70% 이지만 폐색직전(near occlusion)이전, 폐색직전, 그리고 폐색으로 나누었다. 셋째, 내경동맥 최고 수축기속도와 회색조 및 컬러 도플러 이미지에서의 플라크의 존재를 내경동맥 협착정도를 평가하는데 기본적으로 사용했다. 또한 다음 두 가지의 부가적인 변수를 측정. 계산하였다.

내경동맥-총경동맥 최고 수축기속도비율(PSV ratio)과 내경동맥 확장기말속도를 사용하여 내경동맥 PSV가 경동맥 질환의 정도를 대표할 수 없을 때 사용하였다. 넷째, 내경동맥은 내경동맥 PSV가 125 cm/sec 미만일 때와 플라크가 없을 때 또는 내막비후(intimal thickening)가 보이질 않을 때 정상으로 정의하였다. 50~69%의 협착은 내경동맥 PSV가 125~230 cm/sec와 플라크가 초음파에서 보일 때로 정의하였으며 70% 이상의 협착은 내경동맥 PSV가 230 cm/sec 이상일 때와 플라크가 보이고 내경축소 소견까지 보일 때 중증 협착으로 간주하였다. 근접 폐색 병변은 컬러 도플러 초음파에서 현저하게 좁아진 내경 소견을 보일 때로 정의하였다.

폐색 병변은 회색조, 스펙트럼, 파워 및 컬러 도플러초음파에서 감지 가능한 개방 내경(patent lumen)이 보이지 않을 때로 하였다. 정리하면, 여기에서 패널들은 최고 수축기속도 기준을 사용하여 추정된 협착의 정도가 회색조 및 컬러 도플러 소견과 연관되어야 한다고 다시 한번 강조하였다. 그러나 다른 기준들도 똑같이 효과적일 수 있으므로 혈관 검사실은 선택한 기준을 검증하기 위해 정기적인 질관리(quality assurance, QA)를 수행하는 것이 권장된다.

표 2-3 내경동맥 협착정도 평가 지침(society of radiologists in ultrasound, SRU)

% Stenosis	Primary criteria		Additional criteria	
	ICA PSV	Plaque estimate (%)[a]	PSVR	EDV
< 50%	< 125 cm/s	< 50%	< 2.0	< 40 cm/s
50~69%	125~230 cm/s	≥ 50%	2.0~4.0	40~100 cm/s
≥ 70%, near occlusion	> 230 cm/s	≥ 50%	> 4.0	> 100 cm/s
70~90%	Variable (high, low or undetectable)	> 95%	Variable	Variable

[a] Plaque estimate (diameter reduction) with gray-scale and color Doppler US.
From Grant EG, Benson CB, Moneta GL, et al. Carotid artery stenosis: gray-scale and Doppler US diagnosis-Society of Radiologists in Ultrasound consensus conterence. Radiology 2003;229(2):344; with permission.

5) 조영증강 초음파

미세기포를 기반으로 한 조영제를 사용하는 조영증강 초음파는 동맥경화성 플라크를 발견하고 평가하는 데 있어서 향상된 영상기술로 부상하고 있다. 조영증강 초음파는 컬러 도플러검사와 비교하여 동맥 내강을 보다 더 정확히 시각화할 수 있고, 플라크 내 신생혈관 평가와 경동맥 플라크 궤양 식별의 정확도가 좀 더 높은 것으로 나타났다.

조영증강 초음파에 사용되는 조영제는 초음파빔에 대한 비선형(nonlinear) 반응을 나타내는 가스 함유 미세기포로 구성된다. SonoVue^{R}가 가장 일반적으로 사용되는 조영제이며 인지질 껍질 내부에 육플루오르황(sulphur hexafluoride)을 포함한다. 일반적으로 경동맥 검사 시 사용하는 조영제의 용량은 1~4.8 mL이다. Sonovue의 경우 1.6~2.4 mL를 가장 흔히 사용한다. 미세기포 투여 직전에는 탐색자를 관심 지점 위에 놓아야만 한다. 일단 조영제를 투여하면 동맥 내강 조영증강이 약 10~30초 후에 시작되며, 최대 2~5분 동안 지속된다. 조영제는 신독성이 없고 갑상선에 영향을 미치지 않으며 특별한 검사도 필요치 않다. 아나필락시스 반응도 X선 조영제 보다 낮아 0.002% 정도로 보고되고 있다.

조영증강 초음파검사는 특히 경동맥 협착이 심한 부분에서의 혈류에 대한 더 정확한 영상을 제공한다(그림 2-9). 움직이는 미세기포에 반사된 에코발생은 조영제의 증가된 농도로 인해 일반 혈관보다 높다. 조영제를 사용하면 플라크 표면의 윤곽과 협착 등급의 평가를 크게 향상시킨다. 또한 조영증강 초음파검사는 가늘고 긴 혈관에서조차도 협착전, 협착 내 또는 협착 후 부위에 대한 혈류 및 혈관벽의 윤곽을 좀더 개선하여 시각화한다. 디지털감산 혈관조영술(digital subtraction angiography)이 아직 경동맥 폐색의 진단에 최적표준(gold standard)이기는 하지만 검사자체에 뇌졸중의 위험이 존재한다.

조영증강 초음파는 경동맥의 중증 협착으로부터 폐색을 성공적으로 감별할 수 있다. 조영증강 초음파는 폐색과 중증 협착을 진단하는데 있어서 Time-of-Flight MRI보다 우수하고 조영증강 MRI와 비슷한 성적을 보인다. 조영증강 초음파에 대한 초기의 연구들도 기존 초음파에서 놓칠 수 있는 혈관벽의 불규칙, 궤양, 박리를 식별할 수 있는 잠재력을 보였주었다. 조영증강 초음파는 경동맥 플라크 궤양에 대해 컬러 도플러보다 더 민감하게 발견할 수 있다(그림 2-10). 또한 진성 내강 및 가성 내강의 묘사 또는 총경동맥과 내경정맥 사이의 누공(fistulous)의 소통(communication)을 발견함으로써 경동맥 박리를 효과적으로 식별할 수 있다.

플라크 내 신생혈관 증식(intraplaque neovascularization, IPN)은 플라크 내 출혈의 존재와 연관있다고 알려져 있다. 경동맥 플라크 내 신생혈관의 형성은 저산소증과 염증에 의해 유발되며, 신생혈관증식이 동반된 플라크는 진행 및 파열되기 쉬운 취약 플라크를 형성한다. 플라크 내 신생혈관의 파열은 플라크 내 출혈의 원인이다. 플라크 내 신생혈관증식은 조영제 투여 후 동맥경화성 플라크 내부에서 움직이는 에코발생 미세기포로 초음파에서 볼 수 있다. 조영증강 초음파에서 경동맥 플라크의 조영증강은 강화 등급이 더 높을수록 조직학적으로 미세혈관의 밀도가 더 높기 때문에 플라크 내 신생혈관 증식의 정도와 관련있게 된다(그림 2-11).

객관적으로 평가하였을 때 플라크의 조영증강은 경증, 중등도, 중증으로 분류할 수 있다. 경증은 움직이는 미세기포가 외막근 플라크의 바깥 부위에서만 보이는 경우, 중등도는 미세기포가 플라크의 끝(apex)이 아닌 어깨부위와 안쪽에서 보이는 경우이고, 미세기포가 플라크의 끝을 포함하여 플라크 전반에서 보이는 경우는 중증으로 분류한다. 하지만, 경동맥 플라크 신생혈관증식 형성의 평가에 조영증강 초음파의 사용, 최적의 증강 정량화 방법, 정규

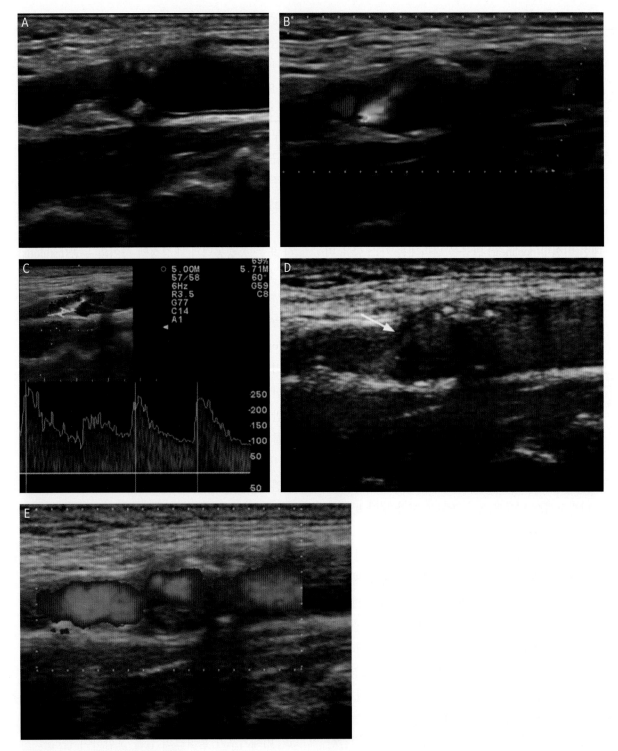

그림 2-9 근위 내경동맥의 중증 협착
A. 동맥경화성 혼합(mixed) 플라크를 보이는 회색조 영상, B, C. 컬러 도플러 영상, D. 조영증강 초음파, E. 미세기포 투여 후의 파워 도플러

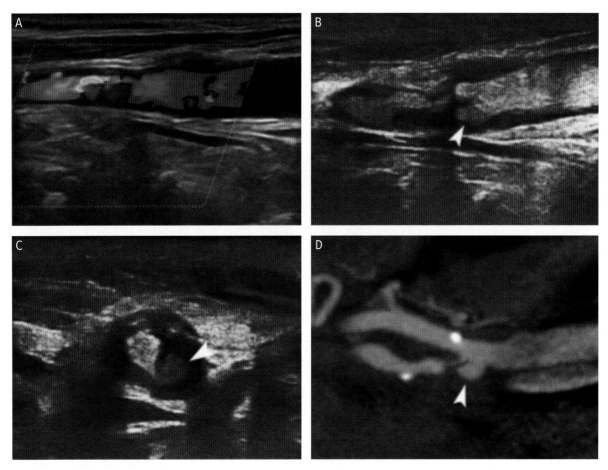

그림 2-10 궤양이 동반된 경동맥 플라크
A. 비교적 불규칙한 표면을 동반한 고도의 협착성 플라크, B. Type 3 궤양(화살표), C. 궤양을 동반한 플라크에서의 조영증강 초음파, D. 고도의 협착성 및 궤양성 경동맥 플라크

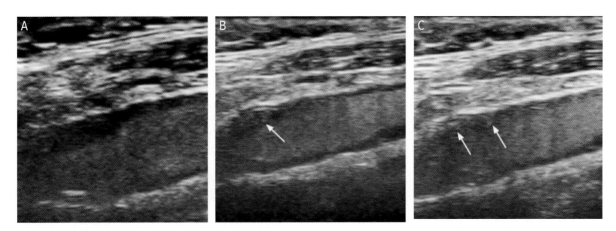

그림 2-11 조영증강 초음파 소견
플라크내 신생혈관 증식을 동반한 내경동맥 플라크(화살표)

화의 필요성 및 조영증강 기술 표준화와 관련하여 여전히 해결해야 할 문제들이 있다.

최근에 3D 초음파가 개발되어 플라크 용적을 측정하는데 이용되고 있다. 2D 회색조 영상에서 플라크 크기는 길이와 높이를 근거로 하여 측정할 수 있으나 총 플라크 용적은 구할 수 없다.

3D 초음파는 플라크를 모니터링하는데 유용할 뿐 아니라 새로운 치료법에 대한 평가를 위해서도 유용하다. 또한 치료 후 경동맥 플라크 진행을 평가하는데 있어서도 내중막 두께보다 더 민감하다. 3D 초음파는 에코발생과 같은 플라크 특성에 대한 평가에도 유용한 장비이다.

2. 드문 경동맥 질환

1) 서론

경동맥의 죽상동맥경화성 병변에서 가장 중요한 것은 내경의 협착 정도이다. 경동맥 완전 폐색(total occlusion)과 폐색직전(neartotal occlusion), 중증 협착(high-grade stenosis)을 구분하는 것은 환자의 관리면에서 매우 중요하다. 만일 내경동맥이 완전 폐색되어 있다면 수술이나 방사선 중재적 시술이 불가능하며, 후자에서는 제한적이기는 하나 가능할 수 있기 때문이다. 따라서 이 장에서는 폐색을 정확히 진단하는 방법에 대해 중점적으로 설명하고, 드물지만 알아야 할 경동맥 질환에 대해서도 설명한다. 이러한 질환들은 드물기 때문에 진단이 어려우며, 정확한 진단이 치료에 매우 중요한 요소이다.

2) 경동맥 폐색

경동맥 폐색(carotid occlusion)의 가장 흔한 원인은 죽상동맥경화증이고, 이외에도 섬유근육형성

이상(fibromuscular dysplasia)과 경동맥 박리(carotid dissection) 등이 원인이 될 수 있다. 대부분의 폐색은 내경동맥에서 발생하지만 총경동맥이나 외경동맥에서도 발생할 수 있다. 모든 뇌경색은 국소적인 혈관 폐색에 의한 결과이다. 혈관 폐색이 있는 환자들의 대부분은 증상이 없지만, 이중 약 25%는 일과성 뇌허혈(transient cerebral ischemia)이 발생하고, 10~15%는 뇌경색이 발생한다. 혈관 폐색에 의한 뇌경색의 크기와 모양은 막힌 혈관과, 폐색의 형태, 범위, 그리고 주변 혈관의 연결에 의해 결정된다.

총경동맥 폐색 발생률은 내경동맥 폐색의 약 1/10 정도이다. 총경동맥 폐색에도 불구하고 외경동맥으로부터 혈류의 방향이 역전되어 내경동맥으로 혈류를 공급하는 측부혈관의 역할을 하게 되는 경우, 내경동맥은 열려 있을 수도 있다. 아주 드물게는 내경동맥의 혈류가 바뀌어서 외경동맥에 혈류를 공급하는 경우도 있다(그림 2-12). 따라서 총경동맥이 완전히 막혀있는 경우, 내경동맥과 외경동맥에서의 재개통 여부와 혈류의 방향 등을 주의 깊게 관찰하여야 한다. 외경동맥에는 많은 분지들이 있어 외경동맥이 막히는 경우는 드물다. 만일 외경동맥이 막혀 있는 경우로 의심된다면, 표재측두동맥(superficial temporal artery) 또는 안면동맥(facial artery)을 가볍게 두드려 보아 외경동맥의 파형이 진동하는 지를 확인한다. 진동이 없다면 외경동맥이 막힌 것으로 볼 수 있다.

경동맥 질환의 정확한 진단을 위해서는 도플러의 주파수와 위치를 적절히 조절하는 것이 필요하며, 더불어 혈관 내강의 철저한 평가가 필요하다. 경동맥 폐색은 컬러, 파워, 펄스파 도플러를 이용한 검사에서 경동맥의 혈류가 없는 것으로 인지된다. 폐색이 된 경우 낮은 펄스반복주파수(PRF)에서는 펄스파 도플러에서 혈류가 감지되지 않는다. 펄스파 도플러는 컬러 도플러보다 느린 혈류를 찾는데 더 민감하다. 정맥혈류와 헷갈리지 말아야 하고, 그러

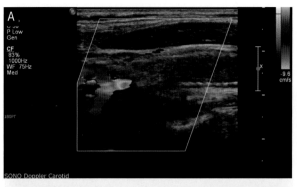

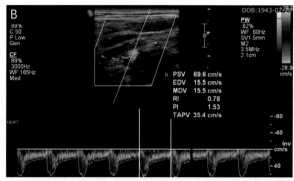

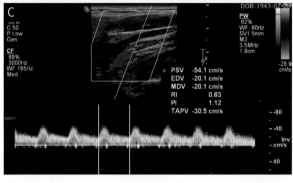

그림 2-12 경동맥 폐색
A. 총경동맥의 완전 폐색
B. 외경동맥에서 혈류 방향이 역전됨
C. 내경동맥 안에 스텐트가 삽입되어 있고, 역전된 외경동맥의
　혈류로 인해 내경동맥은 열려 있음.

기 위해 혈류의 방향을 확인하는 것이 중요하다. 마지막으로 혈류가 없다고 결론짓기 전에 횡단면을 포함하여 여러 방향에서 폐색부위를 봐야 한다.

폐색의 발생 시점 역시 검사 진행에 중요한 정보이다. 신선한 혈전은 저에코성이고, 정확히 보기 위해 회색조 게인을 증가하는 것이 필요할 수도 있다. 아급성 또는 만성 폐색에서는 에코성 물질이 동맥의 내강을 채우고 있는 게 보일 수도 있다. 만성 폐색은 혈관이 가늘 수도 있고, 주변조직과의 구분이 어려울 수도 있다. 만성 폐색에서는 또한 두드러진 측부혈관이 외경동맥 분지로부터 보일 수도 있다.

내경동맥 폐색을 나타내는 간접적인 증거로는 다음과 같은 것이 있다. 도플러 스펙트럼에서 총경동맥에 고도의 박동성 신호가 관찰되고, 이완기에 혈류가 거의 없거나 또는 아예 없다. 폐색부위에 가까워질수록 파형은 감소하여, 아주 작은 신호(blip)만을 보이게 된다. 폐색부위 바로 직전에서 혈류는

역류하여, 역전된 파형을 보이게 된다. 또한 혈류를 증가시키기 위해 측부혈관이 발달하여 낮은 저항으로 변화하게 되면서, 외경동맥의 파형이 내경동맥의 파형처럼 변하게 된다. 이것은 내경동맥화(internalization of the ECA)라고 불리고 뇌로 가는 측부혈류(collateral flow)를 반영한다(그림 2-13).

폐색의 오진단은 석회화 플라크(calcified plaque)에서 음향음영(acoustic shadowing)에 의해 동맥이 분명하지 않거나, 화질이 나쁘거나, 도플러 신호가 약할 때 발생할 수 있다. 특히 거의 폐색되어 혈류가 약하게 흐르는 경우(trickle flow) 오진단을 할 수 있다(그림 2-14). 이때 낮은 PRF 또는 컬러 스케일로 설정하여야 혈류가 측정이 가능하다.

내경동맥 폐색과 관련된 초음파 특징들

－ 여러 부위에서 도플러 신호가 잡히지 않음
－ 정상범위에서부터 더 낮은 PRF로 컬러, 파워,

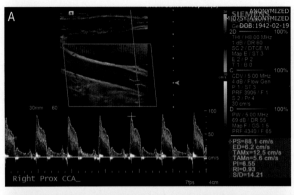
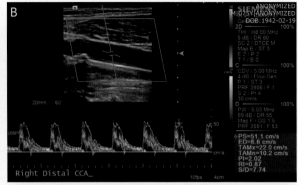
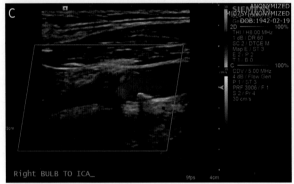
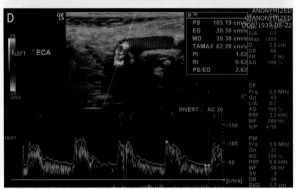

그림 2-13 내경동맥 폐색 환자
A. 총경동맥 근위부의 파형
B. 총경동맥 원위부 파형
C. 내경동맥의 완전 폐색
D. 외경동맥의 파형이 내경동맥화(internalization of the ECA).

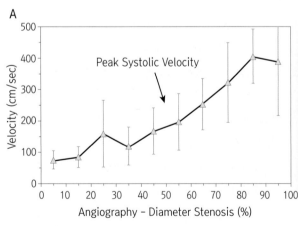
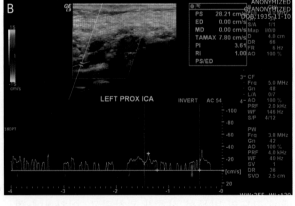

그림 2-14 내경동맥 폐색
A. 최고 수축기속도와 조영술 상의 협착정도를 나타낸 그래프. 거의 폐색되는 경우 오히려 혈류가 약하게 흐르는 것을 확인할 수 있음 (Radiology. 2000;214(1):247-52.).
B. 내경동맥의 폐색직전 파형.

펄스파 도플러를 이용했을 때 혈류가 없음.
- 내경동맥에 혈전이 존재.
- 내경동맥의 구경이 좁아져 있을 가능성 있음.
- 아래와 같은 검사 술기 관련 오류가 없음.
  - 석회화 플라크로 인한 음향음영 위에 sample gate를 위치시키면 안됨.
  - PRF가 너무 높게 설정되어 있으면 안됨.
  - 도플러 각이 90°이면 안됨.
  - 도플러 게인을 너무 낮게 설정하면 안됨.

3) 경동맥 박리

경동맥 박리는 혈관벽에 혈류가 유입되어 가성 내강(false lumen)이 형성되는 것을 의미한다. 혈류가 벽으로 들어가 박리를 유발하기 위해서는 내막(intima)에 틈이 있어야 하며 그것은 외상 혹은 혈관벽의 약화로 발생할 수 있다. 혈관벽이 분리되는 위치는 다양하다. 내막만 혈관벽에서 박리되거나, 중막(media)또는 중막과 외막(adventitia)이 박리될 수도 있다. 그러므로 진성(true)과 가성 내막의 사이의 막의 두께는 다양하다. 가성 내강의 끝은 막혀 있거나 혹은 진성 내강과 연결될 수 있다. 끝이 막힌(blind-ended) 가성 내강은 혈전으로 막히고 진성 내강 쪽으로 불룩해져 진성 내강의 협착이나 폐색을 유발할 수 있다. 원위부 말단이 진성 내강으로 재 연결되면 혈류는 가성 내강으로 계속 흐른다. 경동맥 박리가 생기면 색전이 생기거나 혈류가 감소하여 두개 내 혈관에 혈전이나 뇌손상을 일으킬 수 있다.

(1) 근위부 박리(proximal dissection)

보통 죽상동맥경화증과 연관이 있으나 마르팡증후군(Marfan syndrome)이나 앨러스-단로스 증후군(Ehlers-Danlos syndromes)과 같은 결체조직질환에 의해서도 발생한다. 총경동맥 박리는 보통 대동맥궁에서 시작되어 경동맥분기까지만 이어지고, 내경동맥까지 박리가 이어지는 경우는 드물다. 대동맥궁 박리의 3~7%에서는 뇌졸중이나 일과성 뇌허혈의 합병증이 동반된다. 총경동맥까지 연장된 박리는 상행대동맥 박리-Stanford type A와 동반하여 발생한다. 대동맥궁 원위부에서 발생하는 하행대동맥 박리-Stanford type B는 보통 경동맥에 영향을 주지 않는다.

(2) 원위부 내경동맥 박리(distal ICA dissection)

드물기는 하지만 자연적으로 혹은 외상으로 인해, 내경동맥 안에서부터 경동맥 박리가 발생할 수도 있다. 비외상성 경동맥 박리를 유발할 수 있는 질환으로는 섬유근육형성이상, 마르팡증후군, 낭성중간막괴사(cystic medial necrosis), 앨러스-단로스 증후군 등이 있다. 일부 자발적 박리(spontaneous dissections)는 반드시 자연적으로 발생하는 것이 아니라 격렬한 운동이나 빠른 목의 움직임과 같은 경미한 외상 후 발생할 수도 있다. 예를 들어 재채기나 기침과 연관되어 발생할 수 있으며, 환자가 선행 외상(precipitating trauma)을 기억하지 못할 수도 있다.

자발적이거나 경미한 외상 후 발생하는 내경동맥 박리의 70%는 35~50세에 발생하며, 남녀에서 동일하게 발생한다. 증상은 두통, 목과 안면부 통증, 반구 허혈증상(hemispheric ischemic symptom), 뇌신경 마비(cranial nerve palsy)로 나타날 수 있다. 내경동맥 박리는 45세 이하의 뇌졸중 환자의 병인의 약 20%를 차지한다. 중증 협착이나 폐색이 있었던 환자 대부분에서, 가성 내강의 혈전이 없어지면서 진성 내강의 압박이 감소하게 되어 자연적으로 내경동맥 혈류가 회복되게 된다. 경동맥 박리에는 주로 항혈전제와 항고혈압약이 사용된다. 폭력에 의한 경동맥 박리는 내경동맥의 직접적인 손상과 연관이 있는데, 이는 동맥의 스트레칭이나 경추나 하악골의 직접적인 동맥 압박에 의해 발생한다. 외상은 내막에 상처를 만들고 동맥벽을 약화하는 손상을 유발하여 박리를 초래한다. 심각한 신경학적 손상은 비외상성 박리보다 외상성 박리에서 더 흔하다. 사망률은 허혈성 뇌졸중이 없는 환자에서 7%, 있는 환자에서 32%이다.

박리와 연관된 초음파 소견은 내막이 나머지 구조물에서 떨어져서 각 심장 주기마다 혈류를 따라 펄럭(flutter)일 때 매우 극명하다(그림 2-15). 퍼덕이는 내막(flapping intima)에 의해 심한 혈류 장애가 발생한다. 그러나 진성과 가성 내막 사이의 조직이 두꺼우면, 박리는 컬러 도플러에서 경동맥 내강의 중복으로만 확인된다. 때론 얇은 내막 피판이 컬러번짐 허상(color blooming artifact)으로 인해 컬러 도플러검사에서 보이지 않을 수 있다. 다시 말하자면, 컬러는 얇은 피판을 가리고, 단지 컬러흐름장애로만 보이게 할 수 있다. 컬러를 끄고 회색조 초음파로 혈관을 검사하면 피판이 더 잘 보인다.

총경동맥 박리와 달리 내경동맥 박리에서 가성 내강은 거의 항상 혈전에 의해 막힌다. 이 병변들은 전형적으로 내경동맥의 중간부터 원위부 안에서 발생한다. 내경동맥 박리의 전형적인 초음파 소견은 부드럽고, 점차 좁아지는 협착(smooth, tapering stenosis)으로 보통 죽상경화성 협착이 있는 환자보다 더 젊은 환자에서 발생한다(<50세). 그러나 나이에 상관없이, 죽상경화판이 없으면서 부드럽고 점차 좁아지는 내경동맥 협착이 관찰될 때는 박리를 고려한다. 또한 원인이 없는 내경동맥 폐색 환자에서도 경동맥 박리를 고려해야 한다. 만약 박리가 뇌기저부(skull base)에서 시작되고 초음파가 보이는 지점까지 연장되지 않았다면 내경동맥 내강은 경동맥분기부 직상방에서는 정상으로 보일수도 있다. 이런 경우 관찰할 수 있는 비정상소견은 도플러 파형에서 보이는 혈류 저항의 증가나 원위부 내경동맥 폐색에 의한 감소된 혈류속도가 있을 수 있다. 고식적 동맥조영(conventional arteriography), 자기공명 혈관조영(magnetic resonance angiography, MRA), 또는 컴퓨터단층 혈관조영(computed tomographic angiography, CTA)를 이용한 추가 검사가 전체 박리 범위를 평가하기 위해 시행된다.

4) 경동맥 가성동맥류

진성동맥류(true aneurysm)는 동맥벽이 유지되면서 늘어난 것을 말한다. 가성동맥류(pseudoa-

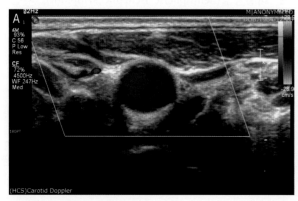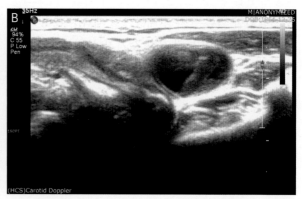

그림 2-15 원위부 내경동맥 박리
A. 박리의 컬러 도플러 소견
B. 박리의 회색조 초음파 소견. 가성 내강에 혈전이 일부 차 있음.

neurysm)는 동맥벽이 존재하지 않으며, 동맥벽에 구멍이 생겨서 만들어진 연부조직과 혈종으로 둘러싸인 덩어리이다. 경동맥 가성동맥류는 대부분 외상성 손상에 의해 발생하지만, 혈관중재시술을 위한 통로로 인해 의인성으로 발생하기도 한다. 그 외에 경동맥 박리나 혈관염, 섬유형성이상(fibrous dysplasia), 마르팡증후군, 앨러스-단로스 증후군과 같은 혈관벽이 약해지는 병이 원인이 될 수 있다.

외상성 혹은 의인성 가성동맥류는 반상출혈, 혈종 혹은 다른 외상과 관련된 징후를 보통 동반한다. 비관통성 외상, 동맥성 병변 혹은 카테터 삽입에 의한 가성동맥류는 박동성 종괴, 목 통증 혹은 뇌신경 마비로만 나타날 수 있다. 뇌경색 같은 신경학적 증상이 40% 정도에서 보고된다. 경동맥 가성동맥류의 가장 극적인 결과는 파열과 생명을 위협하는 연부조직 출혈이나 이는 매우 드물다. 최근까지 경동맥 가성동맥류의 치료는 수술이었다. 그러나 임상적으로 안정적인 병변은 covered wall stents로 치료될 수도 있다.

초음파에서 가성동맥류는 동맥벽 바깥에 위치한 구형의 병변으로, 안으로 경동맥으로부터 피가 흐르는 것이 보인다. 병변의 크기는 다양하며 가성동맥류 안의 혈전과 흐르는 피는 비율도 다양하다. 일부 가성동맥류는 대부분 혈전으로 막히고 단지 소량의 혈류만 흐를 수도 있다. 다른 병변에서는 혈전은 거의 없고 소용돌이치는 혈류가 대부분일 수도 있다. 그러나 모든 케이스에서 가성동맥류의 경부(neck)에서 앞뒤로 움직이는 혈류 패턴(to-and-fro flow pattern)이 보이며, 이는 서혜부에서 발견되는 가성동맥류와 비슷하다. 가성동맥류와 경동맥까지의 거리는 다양하며, 또한 경부의 지름도 다양하다(그림 2-16). 경부의 길이와 직경, 혈전과 혈류의 비율 등의 소견은 중요하며 치료 방법에 영향을 줄 수 있다. 혈류가 적고, 길고 얇은 경부를 가진 작은 가성동맥류는 자연적으로 막힐 수 있어 치료가 필요 없을 수 있다. 추적관찰 시에 도플러검사는 혈전이나 크기 변화를 평가하기 위해 사용된다.

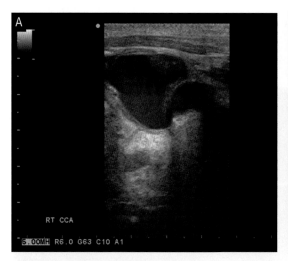 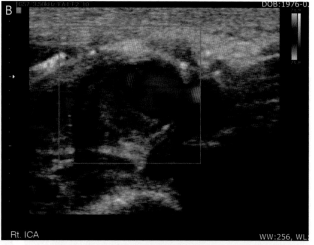

그림 2-16 경동맥 가성동맥류
A. 동맥벽 바깥에 위치한 가성동맥류. 경부(화살표)
B. 가성동맥류 컬러 도플러 소견. 경부와 동맥류 내의 와류로 인해 특징적인 음양 효과(yin-yang sign)를 보임.

5) 경동맥소체 종양

정상 경동맥소체는 1~1.5 mm의 매우 작은 구형체로 경동맥분기부 외막에 위치한다. 경동맥소체의 기능은 잘 알려져 있지 않으나 자율신경계의 일부로써 혈액 중의 산소, 이산화탄소 분압 및 수소이온농도를 조절하는데 관여한다. 경동맥소체 종양(carotid body tumor)은 경동맥소체에서 발생하는 부신경절종(paraganglioma)으로 매우 드문 종양이다.

경동맥소체 종양의 가장 흔한 증상은 두통을 동반한 만져지는 목의 종괴이고, 두 번째로 흔한 증상은 목의 통증이다. 매우 드물어 조직검사를 시행하기 전에는 약 25%까지도 림프절 비대로 오인되며, 이외 감별질환으로는 경동맥류, 신경섬유종(neurofibroma), 전이성 종양 등이 있다. 경동맥소체 종양은 매우 천천히 자라며 악성도는 낮지만 크기가 커짐에 따라 후두신경 마비나 경동맥 침범을 초래할 수 있다. 진행됨에 따라 경동맥 협착이나 폐색을 유발하거나 파열을 초래할 수 있어 절제가 표준치료이다. 수술 전 보통 조영술을 시행하며, 종양의 외경동맥의 영양동맥을 색전술로 막아 혈관분포를 감소시킬 수도 있다. 국소 재발은 6%에서 발생하며 2%에서 원격 전이가 생긴다. 초음파는 기대여명이 제한적이거나 수술하기 적합하지 않은 환자에서 경동맥소체 종양을 수술하지 않고 추적관찰할 때 사용된다.

회색조 초음파검사에서 경동맥소체 종양은 경계가 분명한 종양으로 다양한 에코성을 보일 수 있고, 경동맥분기부 사이에서 자리잡고 있다. 종양이 커지면 내경동맥과 외경동맥의 간격을 넓이는 형태를 보인다(그림 2-17). 일부에서 종괴는 외경동맥이나 내경동맥을 둘러싸서, 협착을 유발하거나 수술적 절제가 어려울 수 있다. 따라서 분기부 부위 혈관과 종양의 관계를 평가하는 것이 중요하다. 도플러검사에서 외경동맥이 종양으로 혈액을 공급하는 것이 관찰되며, 고도의 혈관성 종괴로 낮은 저항의 파형을 보인다.

6) 섬유근육형성이상

섬유근육형성이상(fibromuscular dysplasia, FMD)은 원인을 알 수 없는 질환으로 중간 크기 동맥에 영향을 준다. 이 질환은 40~60세 사이의 여성에서 가장 흔하다. 남자 역시 영향을 받을 수 있으며 여성보다 동맥류나 동맥 박리의 위험성이 높다. 가족력은 11%에서 보고된다. 섬유근육형성이상이 가장

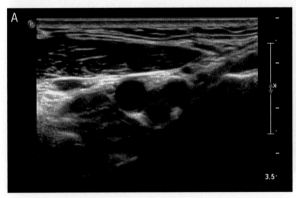
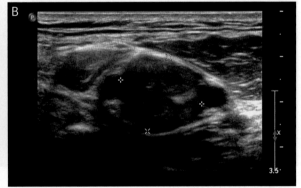

그림 2-17 경동맥소체 종양
A. 경동맥분기부 사이의 경동맥소체 종양
B. 종양이 커지면서 내경동맥과 외경동맥의 간격을 넓이는 형태

흔히 침범하는 부위는 신동맥이고, 두 번째는 내경동맥이다. 다른 중간 크기 동맥에서도 종종 발생한다. 섬유근육형성이상 환자의 가장 흔한 임상 증상은 전신 고혈압으로, 신동맥 협착으로 인해 발생한다. 경동맥에 발생 시 뇌졸중이 발생할 수도 있지만, 보통은 일과성 뇌허혈이 주 증상이다. 섬유근육형성이상 환자의 30%에서 두개 내 동맥류가 동반되고 뇌출혈의 증상이 보일 수도 있다.

섬유근육형성이상은 퇴행성이나 염증성이 아닌 형성이상장애(dysplastic disorder)이다. 병태생리는 동맥벽의 평활근세포(smooth muscle cells)와 섬유조직의 과도한 증식이다. 약 85%에서 관찰되는 가장 흔한 형태에서는 중막을 우선적으로 침범하고, 그 외에는 외막이나 내막을 침범한다. 중막형(medial form)은 조영술에서 중막의 섬유증식(fibroplasia)과 국소 동맥류성 확장(focal aneurysmal dilatation)에 의해 유발된 염주알(string-of-beads) 형태가 특징적으로 관찰된다.

초음파에서는 전형적인 섬유근육형성이상은 주로 내경동맥에 울퉁불퉁한 병변을 형성한다. 섬유근육형성이상의 다른 두 가지 소견은 길고 관상(tubular)의 내경동맥 협착이나 비대칭적 낭상돌출(asymmetric outpouching)이다. 섬유근육형성이상에서 전형적인 염주알이 보이면, 다른 경동맥 질환의 감별은 어렵지 않다. 그러나 긴 협착을 보이면 감별진단이 어려울 수 있다. 이 형태는 전형적이지 않으며 죽상동맥경화증이나 박리로 오인될 수 있다. 특히 박리로의 오진은 문제가 될 수 있는데, 섬유근육형성이상의 20%에서 경동맥 박리가 합병증으로 동반될 수 있기 때문이다. 죽상동맥경화증과의 감별은 보통 나이와 위치로 한다. 섬유근육형성이상은 죽상동맥경화증보다 젊은 나이에 발생하고 경동맥 분기부 약 1 cm 상방에서 발생하기 때문이다. 석회화 플라크가 보이지 않는 것도 섬유근육형성이상을 시사하는 소견이다.

거의 모든 경우에서 내경동맥은 선택적으로 침범되고, 내경동맥의 상대적으로 원위부에 발생한다. 초음파로는 내경동맥 원위부가 잘 관찰되지 않을 수도 있어 섬유근육형성이상의 유무를 평가하기 어려울 수도 있다. 젊은 여성에서 동맥경화증이 없는 근위부의 내경동맥에서 동맥벽을 따라 컬러 색조의 와류현상과 국소적인 혈류속도의 증가를 보인다면 섬유근육형성이상의 가능성을 고려해야 한다. 섬유근육형성이상에서 확진을 위해서는 동맥조영, MRA, CTA의 추가검사가 필요하다.

3. 경동맥 내막절제술 및 스텐트삽입술 후 초음파 감시

1) 서론

경동맥 내막절제술(carotid artery endarterectomy, CEA)은 신경학적 증상을 동반한 경동맥 협착에서 약물치료에 비해 선호되는 치료법이다. 그러나 다른 혈관 수술과 마찬가지로 경동맥 내막절제술 이후에도 재협착 또는 폐색이 발생한다. 최근에는 경동맥 스텐트삽입술(carotid artery stenting, CAS)이 경동맥의 내막절제술이 어려운, 방사선치료를 받은 환자나 목 수술 받았던 고위험 환자에서 비교적 안전하게 시행되고 있다. 70% 이상의 경동맥 협착증과 일과성 허혈발작(transient ischemic attack) 등의 신경증 증상을 동반한 고위험 증상 환자에 대해 FDA에서 경동맥 스텐트삽입술이 승인되면서, 미국 내에서도 최근 경동맥 스텐트삽입술이 증가하고 있다. 또한 국내에서는 경동맥 내막절제술에 비해 경동맥 스텐트삽입술의 비율이 현저하게 높은 것으로 알려져 있다. 경동맥 내막절제술에 비해 통계학적인 차이는 없으나, 경동맥 스텐트삽입술에서 재협착이나 폐색의 발생빈도가 높은 것으로 알려져 있다.

경동맥 내막절제술이나 스텐트삽입술 이후 재협착이나 폐색을 확인하기 위한 추적검사에는 여러 가지 방법이 있다. 일차적인 경동맥 질환의 진단처럼 이중(duplex) 초음파검사의 유용성에 대해서는 앞에서 논의가 되어진 것처럼 비교적 논란의 여지가 없지만, 경동맥 내막절제술이나 스텐트삽입술 이후 추적관찰에 대한 검사로 이중 초음파의 정확성에 대해서는 아직까지 논란이 있다. 초음파검사가 비침습적이고, 합병증이 없으며 쉽게 실시할 수 있는 특징이 있지만, 특히 스텐트삽입술 후 혈류속도는 스텐트에 의해 영향을 많이 받기 때문에 정확도에 대한 논란이 많이 있었던 것이 사실이다. 특히 초기 24개월 이전에 발생하는 협착증은 내막증식증에 의해 발생하므로 혈류속도의 이상 없이 내강의 형태학적인 변화만 발생하는 경우가 있어 주의가 필요하다. 또한 스텐트는 경동맥의 생체역학적 특성을 변화시켜 순응도가 감소되도록 하여 동맥을 확장하기 위해 일반적으로 가해지는 에너지가 혈류속도가 증가하도록 유발시킨다고 알려져 있어 초음파를 이용하여 검사하는데 많은 경험이 필요하다.

2) 검사방법

그림 2-12에서 언급했던 것처럼 경동맥 내막절제술이나 스텐트삽입술 이후 검사방법은 B 모드로 내강의 단면을 검사하고 이후 이중 초음파로 혈류속도를 측정하여 진단하는 일차 경동맥 질환의 진단방법과 유사하다. 그러나 서론에서 이야기 한 것처럼 스텐트삽입술 이후 스텐트 전후에서 협착이 있더라도 스텐트 사이로 혈류가 있고 변화가 생기기 때문에 속도파형이나 내강 직경의 측정은 여러 번 시행하여 혈류속도 측정 오류를 줄이기 위해 주의해야 한다. 일차 경동맥 질환의 진단과 같이 혈류속도는 내경동맥에서 최고 수축기속도와 확장기말속도를 측정한다. 특히 스텐트삽입술 후 스텐트의 근위부, 중간, 원위부에서 혈류속도를 측정하는 데 있어 많은 주의가 필요하다. 스텐트 내부의 협착률을 추정하기 위해 속도 기준의 정확도를 보완하고 향상시키기 위해 B 모드를 같이 호환해서 해석해야 한다. 그림 2-18은 혈류속도의 증가는 심하지 않으나 스텐트 내부 재협착이 발생된 증례이다. 경동맥 내막절제술 이후에는 협착이 없거나 혈류속도가 정상이라고 하여도 수술 이후 발생하는 경동맥 직경이 정상의 두 배인 1 cm 이상이 되는 동맥류 등에 대해서 B 모드를 통해서 꼭 확인을 해 주어야 한다. 그림 2-19는 경동맥 내막절제술 이후 발생된 동맥류의 증례이다.

추적관찰을 위한 이중 초음파검사 시기는 2019년 미국 혈관외과학회 가이드라인에서 내막절제술이나 스텐트삽입술을 시행한 뒤 시행직후 기준치를 측정하고 이후 혈관 초음파를 이용하여 2년 동안 6개월마다 시행하고 그 후 안정될 때(2회 이상 재협착이나 문제가 발생하지 않는 경우)까지 매년 감시하는 것을 권고하였다. 당뇨나 과거 재협착의 치료를 한 경우, 치료를 받지 않은 경동맥의 협착이나 폐색이 있는 경우, 이전 경부 방사선 또는 심한 석회화가 있어 스텐트삽입술을 받는 환자의 경우에 있어서 안정적인 임상 패턴이 확립될 까지 6개월마다 이중 초음파검사를 시행하는 것을 권고하고 있다.

3) 진단기준

일반적인 경동맥 질환의 진단기준과 같이 경동맥 내막절제술이나 스텐트삽입술 이후 시행하는 이중 초음파에서 재협착의 진단기준도 PSV, EDV 및 내경동맥/총경동맥의 PSV 비율 등으로 판단된다. 그러나 치료가 필요한 70~80% 이상의 중등도 이상 재협착의 기준을 보면 표 2-4처럼 다양하나 현

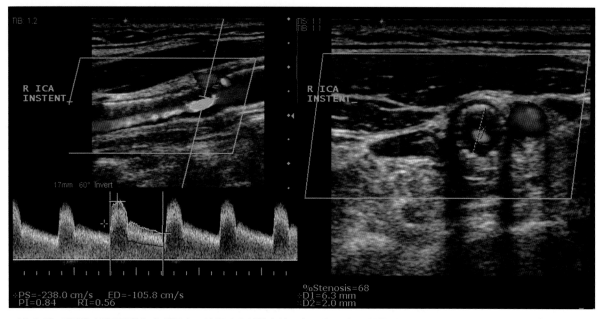

그림 2-18 경동맥 스텐트삽입술 후 혈류속도의 증가가 심하지 않으나 스텐트 내부 재협착이 발생된 증례

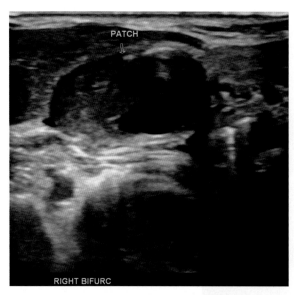

그림 2-19 경동맥 내막절제술 이후 발생된 동맥류의 증례

재 우리나라에서 가장 많이 사용되고 있는 기준인 South florida university protocol은 표 2-5과 같다. 그림 2-20은 South florida university 기준에 의해 진단된 경동맥 내막절제술 후 재발된 협착증 환자의 증례이다.

4) 결론

경동맥 내막절제술이나 스텐트삽입술 이후 추적관찰에 대한 검사로 이중 초음파는 현재까지 가장 효과적이고 유용한 방법 중 하나이다. 추적관찰을 위한 이중 초음파검사는 기준치를 확인하기 위해 수술 직후에 시행하고, 당뇨 환자, 경부에 방사선치료나 수술을 한 경우, 석회화가 심한 경우, 반대측 경동맥의 폐색이나 협착이 있는 경우에는 좀 더 자주 추적관찰할 것을 권고하고 있다. 이중 초음파에서 70%이상의 고도 협착이 의심되는 기준인 내경동맥의 PSV 300 cm/s, EDV 125 cm/s 및 내경동맥/총경동맥의 PSV 비율이 4 이상으로 측정이 되면 적극적인 치료를 고려해야 한다.

표 2-4 중등도 이상 스텐트 재협착의 이중 초음파 진단기준 비교

	PSV	EDV	ICA/CCA ratio
Lumsden	300 cm/s	90 cm/s	> 4
AbuRahma	325 cm/s	119 cm/s	> 4.5
Brajesh	340 cm/s	NA	> 4.15

PSV, peak systolic velocity; EDV, end diastolic velocity; NA, not applicable.

표 2-5 경동맥 스텐트삽입술 또는 내막절제술 후 재협착 진단 기준(university of south florida)

Stenosis degree	PSV	EDV	ICA/CCA ratio
< 50%	< 150 cm/s	NA	< 2
50~75%	150~300 cm/s	< 125 cm/s	> 2
> 75%	> 300 cm/s	> 125 cm/s	> 4
Occlusion	NA	NA	NA

PSV, peak systolic velocity; EDV, end diastolic velocity; NA, not applicable.

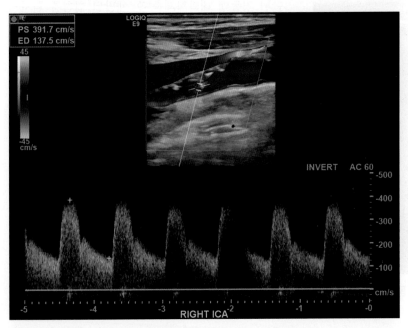

그림 2-20 경동맥 내막절제술 시행받은 환자로 University of South Florida 진단기준에 따르면 75%이상의 고도 재협착으로 진단할 수 있다.

4. 척추동맥 초음파

1) 서론

척추동맥(vertebral artery) 질환은 경동맥 질환에 비해 증상과 치료에 대한 연구는 부족하다. 환자는 종종 시야 흐림, 운동 실조, 현기증, 실신 또는 전신 사지 쇠약과 같은 국소화되지 않은 증상을 나타낸다. 일과성 허혈발작 및 뇌졸중의 최대 20~30%는 후부(척추뇌기저, vertebrobasilar) 순환 장애로 인한 것일 수 있다. 후방 순환 허혈(posterior circulation ischemia)의 증상은 일반적으로 다양하므로 척추뇌기저 부전이 증상의 원인이라는 것을 알기 어렵다. 최근 전향적 연구 결과에 따르면 척추동맥 협착증의 혈관내 치료는 임상적 이점이 없을 수 있다.

이중 초음파는 척추동맥을 평가하는 데 효과적인 비침습 검사방법이다. 98% 이상의 환자와 혈관에 대해 척추동맥의 중간 부분에서 정량적 도플러파형 및 속도 추정치를 얻을 수 있다. 또한 환자의 92~94% 이상에서 오른쪽 척추동맥의 기시부와 60~86%의 환자에서 왼쪽 척추동맥의 기시부에서 영상 및 도플러파형을 수집할 수 있다. 이중 초음파 평가 기술, 정성 및 정량 데이터, 이러한 결과의 해석 및 가능한 임상적 중요성에 대해 설명하고자 한다.

2) 해부학

척추동맥은 쇄골하동맥의 첫 번째 분지로, 쇄골하동맥의 상측이나 후상측에서 시작하며 6번째 경추에서 가로구멍(transverse foramen)으로 들어간다. 척추동맥은 대개 쇄골하동맥에서 나오지만 왼쪽 척추동맥의 4~6%는 대동맥궁에서 직접 나오기도 한다. 오른쪽에 비하여 왼쪽 기시부는 깊고 낮아 초음파로 보기가 다소 어렵다. 척추동맥 기시부 바로 바깥쪽에서 갑상목동맥(thyrocervical trunk)이 쇄골하동맥으로부터 기시하여 혼동을 일으킬 수 있다. 척추동맥은 4 분절로 나눈다. 첫 번째 분절은(V1) 쇄골하동맥 기시부부터 가로구멍으로 들어가는 부위까지로 기시부와 함께 동맥경화성 변화가 가장 잘 발생하는 부위이다. 두 번째 분절은(V2) V1 부위의 끝부터 두 번째 경추 부위까지로, 가로돌기(transverse process)의 음향음영으로 인해 척추 사이 부위만 관찰할 수 있으며, 이중 초음파검사 시 가장 잘 관찰할 수 있는 부위이다. V3는 척추 강으로 들어가기 전까지 부위로, 여기까지가 두개 외 척추동맥 부위이다. V4는 두개 내 부위로 기저동맥(basilar artery)과 만나는 부위까지의 부분이다(그림 2-21).

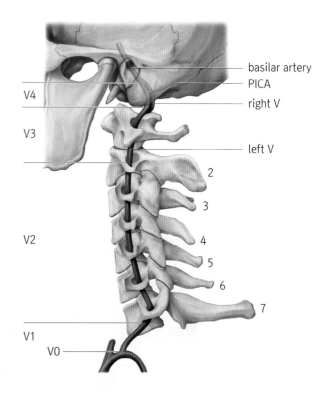

그림 2-21 척추동맥
V1(pre-transverse segment; 척추전구역: 기시부부터 C6 가로구멍 입구 사이), V2 (vertebral segment; 척추구역: C6-C2 가로구멍을 통과하는 부위), V3 (atlantic segment; 고리뼈구역: C2 척추와 고리뼈 사이의 구불구불한 부분), V4 (intracranial segment; 두개 내 구역)

3) 검사 프로토콜 및 방법

척추동맥 검사를 위해서는 머리를 검사하고자 하는 방향의 반대측으로 약 10° 정도 돌린 채로, 대개 C4-5 가로돌기 사이에서 측정한다. 척추동맥을 관찰하려면 먼저 총경동맥을 세로축으로 관찰하고(그림 2-22), 탐색자를 뒤쪽방향으로 향하여 가로돌기의 음향음영을 찾아 그 사이의 척추동맥을 관찰한다(그림 2-23). 이 부위가 V2로 C4-5 부위까지 잘 관찰할 수 있는데, 보통 V2는 95%에서 관찰할 수 있다. 컬러 도플러로 혈류 방향을 평가하고 펄스 도플러로 파형을 평가한다(그림 2-24). V2를 관찰하고 V2에서 근위부 방향으로 추적해 내려가거나 쇄골위와(supraclavicular fossa) 쇄골하동맥 부위에서 척추동맥의 기시부를 관찰할 수 있다(그림 2-25).

4) 판독

혈류방향은 선행방향이다. 파형은 최고 수축기속도와 확장기말속도의 비가 낮은 저저항성 혈류 파형을 가지며, 내경동맥 보다는 낮은 속도를 보인

다. 보통 PSV는 41에서 64 cm/sec를) 가지며, PSV가 100 cm/sec 이상 시 협착이 있는 것으로 간주한다. 그 밖에 저항지수(resistance index)가 0.5~0.9 사이일 경우 정상으로 간주하기도 한다. 혈류속도를 얻기 위해서는 혈관 내경을 다 포함하도록 넓게 표본용적을 유지시키고 시평균속도(time-averaged velocity, TAV), 혹은 시평균최대속도(time-averaged maximum velocity, TAMX)를 적어도 3개의 심박동에 걸쳐 얻는다. 이후 혈류속도를 얻은 바로 그 지점에서 내경의 최대값을 얻는다. TAV는 기준선 위, 아래 모든 주파수의 평균을 의미하며, TAMX는 최대혈류속도의 평균값을 의미한다. 아직 척추동맥 형성저하의 기준은 통일되어 있지 않다. 일부 저자는 지름 2 mm 미만을, 일부 저자는 3 mm 미만을 기준으로 하고 있다. 도플러파형도 정상이기도 하고, 양방향, 고저항성, 저저항성 파형 등 다양해서 파형으로 형성저하를 구별하기는 어렵다.

기본적으로 척추동맥의 협착과 폐색을 찾는 원리는 경동맥과 비슷하다. 그러나 척추동맥의 모든 부분을 볼 수 없고, 대부분의 협착은 쇄골하동맥과 척추동맥 기시부에 발생하기 때문에 진단은 간접적으로 하는 경향이 있다. PSV와 척추동맥 협착 정

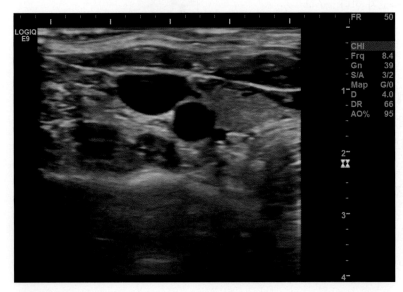

그림 2-22 경동맥과 내경정맥의 횡단면 관찰

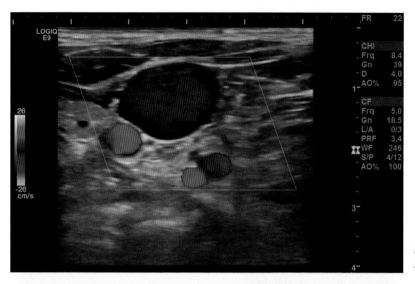

그림 2-23 경동맥과 내경정맥 하방 척추
동맥, 정맥 관찰

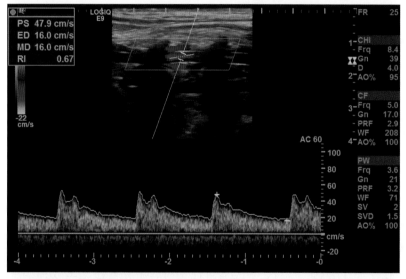

그림 2-24 척추동맥 종단관찰을 통한 컬
러 도플러와 펄스 도플러

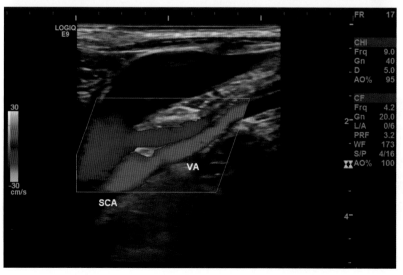

그림 2-25 쇄골하동맥의 첫 번째 분지인
척추동맥

도와의 관계는 아직 잘 확립되어 있지 않다. 그러나 국소적으로 PSV가 100 cm/sec를 넘거나 정상 혈관보다 PSV가 두 배가 넘고 앨리어싱 혈류 양상이면 협착을 의심할 수 있다. 도플러파형에서 수축기 파형이 천천히 증가하고(tardus) 진폭이 낮은 경우(parvus) 근위부나 기시부의 협착을 의심할 수 있으며, 고저항성 파형을 보이는 경우 원위부의 폐색을 의심할 수 있다. 그러나 이 두 가지 모두 척추동맥이 형성저하인 경우에도 보일 수 있어 판독에 주의를 요한다.

5) 쇄골하동맥 도류증후군

척추동맥이 기시하는 곳보다 근위부의 쇄골하동맥이나 상완두동맥에 심한 협착이나 폐색이 있을 때 발생하는 혈류 장애이다. 쇄골하동맥이나 상완두동맥을 통한 혈류감소에 의해서 척추동맥의 혈류방향이 수축기에는 팔을 향해서, 이완기에는 뇌를 향해서 흐르게 된다. 도류 현상이 심해지면 병변 측 척추동맥의 혈류방향이 지속적으로 팔을 향하게 된다. 쇄골하동맥의 협착 정도에 따라 척추동맥의 특징적인 혈류 파형을 보인다. 쇄골하동맥이 50% 정도의 협착이 있을 시, 속도가 빨라지면 압력이 낮아지는 벤튜리 효과에 의해 음압이 생겨, 수축기 중간에 V자 모양의 골이 생기는데 이를 "pre-bunny" 파형이라고 한다(그림 2-26A). 협착이 더 심하여 55%

이상 협착 시에는 골이 더 심해져 확장기말속도까지 떨어지는 데, 모양이 토끼의 옆모습 같다고 하여 "bunny" 파형이라고 한다(그림 2-26B). 80% 이상 협착 시에는 처음 수축기에는 순방향이었다가 역방향으로 바뀌는 양방향 파형을 보인다. 그 이상의 협착이나 폐색 시에는 완전히 역방향으로 바뀌게 된다(그림 2-26C). 판단이 애매한 경우에는 팔의 물리적인 운동을 시키거나, 혈압계를 감고 띠(cuff)를 팽창시키고 갑자기 공기를 빼내는 충혈검사(hyperemic test)를 시행하면 파형을 유발할 수 있다.

6) 결론

초음파는 척추동맥 평가를 위한 신뢰할 수 있는 비침습적 기술이다. 척추동맥 혈역학은 (1) 흐름의 유무, (2) 혈류 방향 및 파형 모양의 변화, (3) 척추동맥 크기, (4) 최고 수축기 및 확장기말속도를 측정하여 평가할 수 있다. 양적 혈류량 측정은 후방 순환 허혈 증상이 있는 환자를 검사할 때 추가 할 수도 있다.

척추동맥은 초음파로 전체를 볼 수 없으며 병변이 잘 생기는 부위들이 특히 보기 힘들어, 척추동맥 초음파는 경동맥 초음파보다 검사가 다소 어렵다. 하지만, 최근 여러 간접적인 지표들도 소개되고 다른 비침습적인 검사보다 우월한 면도 있어 숙련하고 좀 더 관심을 기울인다면 여러 척추동맥 질환의 진단과 추적 검사에 많은 도움을 줄 수 있을 것이다.

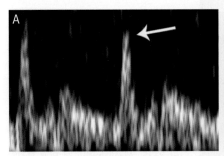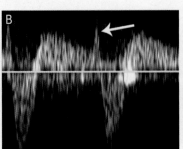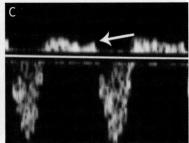

그림 2-26 쇄골하동맥 협착이 심해짐에 따른 척추동맥 도플러파형의 변화

·⫸ 참고문헌

1. Armstrong PA, Bandyk DF, Johnson BL, et al. Duplex scan surveillance after carotid angioplasty and stenting: a rational definition of stent stenosis. J Vasc Surg 2007;46:460–6.

2. Bluth EI, Kay D, Merritt CR, et al. Sonographic characterization of carotid plaque: detection of hemorrhage. AJR Am J Roentgenol 1986;146:1061–5.

3. Bonati LH, Nederkoorn PJ. Clinical perspective of carotid plaque imaging. Neuroimaging Clin N Am 2016;26:175–82.

4. Bots ML, Hoes AW, Koudstaaal PJ, et al. Common carotid artery intima-media thickness as a risk factor for myocardial infarction: The Rotterdam Study. Circulation 1997;96:1432–7.

5. Chambless LE, Heiss G, Folsom AR, et al. Association of coronary heart disease incidence with carotid arterial wall thickness and major risk factors: The Arteriosclerosis Risk in Communities (ARIC) Study 1993-1997. Am J Epidemiol 1997;146:483–94.

6. Crisan S. Carotid ultrasound. Med Ultrason 2011;13(4):326-30.

7. Dai Z, Xu G. Restenosis after carotid artery stenting. Vascular 2017;25(6):576–86.

8. Den Ruijter HM, Peters SA, Anderson TJ, et al. Common carotid intima-media thickness measurements in cardio-vascular risk prediction: a meta-analysis. JAMA 2012;308(8):796–803.

9. Eliasziw M, Streifler JY, Fox AJ, et al. Significance of plaque ulceration in symptomatic patients with high-grade carotid stenosis. Stroke 1994;25:304-8.

10. El-Sabrout R, Cooley DA. Extracranial carotid artery aneurysms: Texas Heart Institute experience. J Vasc Surg. 2000;31(4):702-12.

11. European Carotid Surgery Trialists'Collaborative (ECST) Group. MRC European Carotid Surgery: Interim results of symptomatic patients with severe (70-99%) or with midl (0-29%) carotid stenosis. Lancet 1996;347:1591-3.

12. Executive Committee for the Asymptomatic Carotid Atherosclerosis Study. Endarterectomy for asymptomatic carotid artery stenosis. JAMA 1995;273:1421–8.

13. Fairhead JF, Rothwell PM. The need for urgency in identification and treatment of symptomatic carotid stenosis is already established. Cerebrovasc Dis 2005;19:355-8.

14. Gasecki AP, Eliasziw M, Barnett HJ. Risk factors for cervical atherosclerosis in patients with transient ischemic attack or minor ischemic stroke. Stroke 1994;25:226.

15. Gerrit L, Sijbrands EJ, Straub D, et al. Noninvasive imaging of the vulnerable atherosclerotic plaque. Curr Probl Cardiol 2010;35:556–91.

16. Gibbs JM, Wise RJ, Leenders KL, et al. Evaluation of cerebral perfusion reserve in patients with carotid-artery occlusion. Lancet. 1984;1(8372):310-4.

17. Grant EG, Benson CB, Moneta GL, et al. Carotid artery stenosis: gray-scale and Doppler US diagnosis--Society of Radiologists in Ultrasound Consensus Conference. Radiology 2003;229(2):340-6.

18. Grant EG, Duerinckx AJ, El Saden SM, et al. Ability to use duplex US to quantify internal carotid arterial stenoses: fact or fiction? Radiology 2000;214(1):247-52.

19. Gupta A, Kesavabhotla K, Baradaran H, et al. Plaque echolucency and stroke risk in asymptomatic carotid stenosis: a systemic review and meta-analysis. Stroke 2015;46:91–7.

20. Hansson GK. Inflammation, atherosclerosis, and coronary artery disease. N Engl J Med 2005;352:1685–95.

21. Helfand M, Buckley DI, Freeman M, et al. Emerging risk factors for coronary heart disease: a summary of systemic reviews conducted for the U.S. Preventive Services Task Force. Ann Intern Med 2009;151: 496–07.

22. Khan S, Cloud GC, Kerry S, et al. Imaging of vertebral artery stenosis: A systematic review. J Neurol Neurosurg Psychiatry 2007;78:1218-25.

23. Langheinrich AC, Kampschulte M, Buch T, et al. Vasa vasorum and atherosclerosis - Quid novi? Thromb Haemost 2007;97:873–9.

24. Lee JY. Duplex Ultrasonography in Vertebrobasilar System. J Neurosonol Neuroimag 2009;1(1):14-8.

25. Lee SJ, Yu SW, Hong JM, et al. Extracranial Carotid Duplex Ultrasonography. Part I - Basic Principles and Standard Examination for Carotid and Vertebral Arteries, and Jugular

Veins. J Neurosonol Neuroimag 2018;10(2):47-60.

26. Lee W. General principles of carotid Doppler ultrasonography. Ultrasonography 2014;33(1):11-7.

27. Lorenz MW, Markus HS, Bots ML, et al. Prediction of clinical cardiovascular events with carotid intimamedia thickness: a systemic review and meta-analysis. Circulation 2007;115:459–67.

28. Mayberg MR, Wilson SE, Yatsu F, et al. Carotid endarterectomy and prevention of cerebral ischemia in symptomatic carotid stenosis: Veterans Affairs Cooperative Studies Program309 Trialist Group. JAMA 1991;266: 3289-94.

29. Moreno PR, Purushothaman KR, Sirol M, et al. Neovascularization in human atherosclerosis. Circulation 2006;113:2245–52.

30. MRC Asymptomatic Carotid Surgery Trial (ACST) Collaborative Group. Prevention of disabling and fatal strokes by successful carotid endarterectomy in patients without recent neurological symptoms: Randomized controlled trial. Lancet 2004;363:1491-502.

31. Nicolau C, Gilabert R, Chamorro A, et al. Doppler sonography of the intertransverse segment of the vertebral artery. J Ultrasound Med 2000;19:47-53.

32. North American Symptomatic Carotid Endarterectomy Trial (NASCET) collaborators. Beneficial effect of carotid endarterectomy in patients with high-grade carotid stenosis. N Engl J Med 1991;325:445-53.

33. North American Symptomatic Carotid Endarterectomy Trial Collaborators (NASCET), Barnett HJM, Taylor DW, Haynes RB, et al. Beneficial effect of carotid endarterectomy in symptomatic patients with high-grade carotid stenosis. N Engl J Med 1991;325(7):445–533.

34. O'Leary DH, Polak JF, Kronmal RA, et al. Carotid-artery intima and media thickness as a risk factor for myocardial infarction and stroke in older adults. N Engl J Med 1999; 340:14–22.

35. Polak JF, Shemanski L, O'eary DH, et al. Hypoechoic plaque at US of the carotid artery: an independent risk factor for incident stroke in adults aged 65 years or older. Cardiovascular Healthy Study. Radiology 1998;208(3): 649–54.

36. Ross R. Atherosclerosis-an inflammatory disease. N Engl J Med 1999;340:115–6.

37. Rothwell PM, Eliasziw M, Gutnikov SA, et al. Analysis of pooled data from the randomized controlled trials of endarterectomy for symptomatic carotid stenosis. Lancet 2003;361:107–16.

38. Saha SA, Gourineni V, Feinstein SB. The use of contrastenhanced ultrasonography for imaging of carotid atherosclerotic plaques: current evidence, future directions. Neuroimaging Clin N Am 2016;26:81–96.

39. Salonen JT, Salonen R. Ultrasonographically assessed carotid morphology and the risk of coronary heart disease. Arterioscler Thromb 1991;11:1245–9.

40. Schievink WI. Spontaneous dissection of the carotid and vertebral arteries. N Engl J Med. 2001;344(12):898-906.

41. Schinkel AF, Kaspar M, Staub D. Contrastenhanced ultrasound: clinical applications in patients with atherosclerosis. Int J Cardiovasc Imaging 2016;32:35–48.

42. Scoutt LM, Gunabushanam G. Carotid ultrasound. Radiol Clin North Am 2019;57(3):501-18.

43. Setacci C, Chisci E, Setacci F, et al. Grading carotid intrastent restenosis: a 6-year follow up study. Stroke 2008; 39:1189–96.

44. Shalhoub J, Owen DR, Gauthier T, et al. The use of contrast enhanced ultrasound in carotid arterial disease. Eur J Vasc Endovasc Surg 2010;39:381–7.

45. Shamblin WR, ReMine WH, Sheps SG, et al. Carotid body tumor (chemodectoma). Clinicopathologic analysis of ninety cases. Am J Surg. 1971;122(6):732-9.

46. Sidhu PS. Ultrasound of the carotid and vertebral arteries. Br Med Bull 2000;56:346-66.

47. Slovut DP, Olin JW. Fibromuscular dysplasia. N Engl J Med. 2004;350(18):1862-71.

48. Trattnig S, Hubsch P, Schuster H, et al. Color-coded doppler imaging of normal vertebral arteries. Stroke 1990;21: 1222-5.

49. van den Oord SCH, Sijbrands EJG, Gerrit L, et al. Carotid intima-media thickness for cardiovascular risk assessment: systemic review and meta-analysis. Atherosclerosis 2013;228:1–11.

50. Varetto G, Gibello L, Castagno C, et al. Use of contrastenhanced ultrasound in carotid atherosclerotic disease: limits and perspectives. BioMed Res Int 2015;293:163.

51. Zavodni AEH, Wasserman BA, McClelland RL, et al. Carotid artery plaque morphology and composition in relation to incident cardiovascular events: The Multi-Ethnic Study of Atherosclerosis (MESA). Radiology 2014; 271(2):381–9.

52. Zierler RE, Dawson DL. Duplex scanning in vascular disorder. United States: Wolters Kluwer; 2014.

사지동맥

1. 하지동맥 초음파

하지동맥 초음파검사는 병력조사, 신체검사 및 비영상적 생리검사인 발목상완지수(ankle-brachial index, ABI)와 함께 하지동맥 폐쇄성질환의 진단에 중요한 정보를 제공한다. 많은 환자가 하지의 간헐적 파행증이나 휴식기 통증 혹은 괴사 등으로 병원을 찾게 되는데, 발목상완지수검사를 시행하고, 이상 소견이 관찰되면 하지동맥 초음파검사를 시행한다. 하지동맥 초음파검사는 해부학적인 영상정보뿐만 아니라 혈류역학적 정보를 제공하기 때문에 치료여부를 결정할 때 실제 임상에서 유용하게 사용되고 있다. 하지동맥 초음파검사를 완전하게 시행하기 위해서는 하지동맥의 해부학적 특징을 이해해야 하고, 검사를 위한 적합한 공간과 장비에 대한 이해뿐만 아니라 검사방법을 숙지해야 하며 마지막으로 검사결과에 대한 정확한 해석이 필요하다.

1) 하지동맥의 해부학

외장골동맥부터 발까지의 하지동맥의 해부학적 특징은 그림 3-1과 같다. 총장골동맥은 대동맥분기부부터 요추천골연접부(lumbosacral junction)에서 외장골동맥(external iliac artery)과 내장골동맥(internal iliac artery 혹은 hypogastric artery)으로 이분되는 부위까지를 말한다. 총장골동맥은 가지를 내지 않고 총장골정맥보다 외측에 위치한다.

내장골동맥은 골반강 내의 장기와 근육에 혈액을 공급하고 제동맥(umbilical artery), 폐쇄동맥(obturator artery), 내음부동맥(internal pudendal artery), 중간직장동맥(middle rectal artery), 하둔동맥(inferior gluteal artery), 장요동맥(iliolumbar artery), 외측천골동맥(lateral sacral artery), 상둔동맥(superior gluteal artery)의 분지를 낸다. 이 동맥들은 외장골동맥이나 총대퇴동맥(common femoral artery)의 폐색 시 중요한 측부혈관으로 작용한다. 외장골동맥은 총장골동맥에서 연속되는 동맥으로 총장골동맥의 분기부부터 서혜인대(inguinal ligament)까지를 말한다.

외장골동맥은 외장골정맥보다 외측에 위치하고, 대요근(psoas major muscle)의 내측연을 통과하며, 하복벽동맥(inferior epigastric artery)과 심장골회선

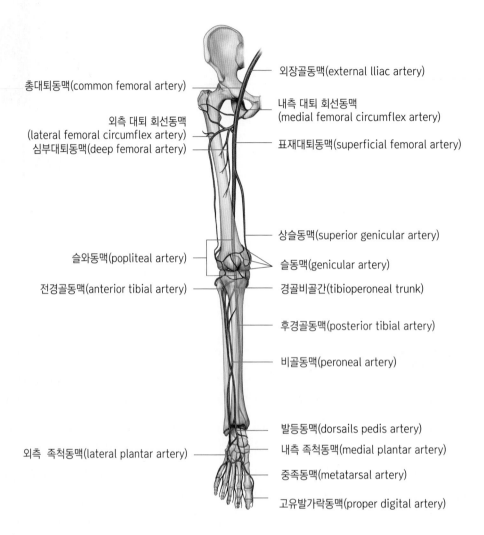

총대퇴동맥(common femoral artery)

외측 대퇴 회선동맥
(lateral femoral circumflex artery)
심부대퇴동맥(deep femoral artery)

슬와동맥(popliteal artery)

전경골동맥(anterior tibial artery)

외측 족척동맥(lateral plantar artery)

외장골동맥(external lliac artery)

내측 대퇴 회선동맥
(medial femoral circumflex artery)

표재대퇴동맥(superficial femoral artery)

상슬동맥(superior genicular artery)

슬동맥(genicular artery)

경골비골간(tibioperoneal trunk)

후경골동맥(posterior tibial artery)

비골동맥(peroneal artery)

발등동맥(dorsails pedis artery)
내측 족척동맥(medial plantar artery)

중족동맥(metatarsal artery)

고유발가락동맥(proper digital artery)

그림 3-1 하지동맥의 해부학적 특징

동맥(deep circumflex iliac artery)의 가지를 낸다.

총대퇴동맥은 서혜인대부터 약 5 cm 아래에서 심부대퇴동맥(deep femoral artery 혹은 profunda femoris artery)과 표재대퇴동맥(superficial femoral artery)으로 이분되는 부위까지를 말한다. 총대퇴동맥은 총대퇴정맥보다 외측에 위치하고, 대퇴신경보다 내측에 위치한다. 중요한 가지로는 표재장골회선동맥(superficial circumflex iliac artery), 표재복벽동맥(superficial epigastric artery), 표재외음부동맥

(superficial external pudendal artery)이 있다.

심부대퇴동맥은 총대퇴동맥에서 외측으로 분지되어 아래쪽으로 진행하면서 대퇴부의 깊은 부위로 들어간다. 표재대퇴동맥과 정맥의 후방, 대퇴골(femur)의 내측에 위치하고 내측대퇴회선동맥(medial femoral circumflex artery), 외측대퇴회선동맥(lateral femoral circumflex artery), 보통 3개의 관통동맥(perforating artery)이 있다. 이 가지들은 표재대퇴동맥이 폐색되었을 때 중요한 측부혈관이 된다.

표재대퇴동맥은 총대퇴동맥의 분기부부터 대퇴 원위부에서 대내전근(adductor magnus muscle)의 인대(tendon)에 의해 만들어진 내전근열공(adductor hiatus)까지를 말한다. 표재대퇴동맥은 심부외음부동맥(deep external pudendal artery)과 하행슬동맥(descending genicular artery)의 가지를 내고, 표재대퇴정맥보다 얕은 부위에 위치한다.

슬와동맥(popliteal artery)은 표재대퇴동맥에서 연속되고, 내전근열공부터 슬와(popliteal fossa) 부위부터 슬와근(popliteus muscle)의 하방에서 분지되는 전경골동맥(anterior tibial artery)의 분기부까지를 말한다. 슬와동맥은 외측상슬동맥(lateral superior genicular artery), 내측상슬동맥(medial superior genicular artery), 외측하슬동맥(lateral inferior genicular artery), 내측하슬동맥(medial inferior genicular artery), 중슬동맥(middle genicular artery), 비복동맥(sural artery)의 분지가 있다. 슬와부에서는 슬와동맥이 슬와정맥보다 깊은 부위에 존재한다. 전경골동맥은 슬와부에서 슬와동맥으로부터 분지되어, 다리 상방의 경골(tibia)와 비골(fibula) 사이에 있는 골간막(interosseous membrane)을 뚫고 앞쪽으로 나와 다리의 전구획(anterior compartment)에 위치한다. 전경골동맥은 비골의 내측을 따라 발쪽으로 연장되어 신근지대(extensor retinaculum)의 하방을 통과하면서 발목관절에서 발등동맥(dorsalis pedis artery)으로 이어진다. 후경골동맥은 약 2~3 cm 하방에서 비골동맥(peroneal artery)의 분지를 낸다. 비골동맥의 분기 전까지를 경골비골간(tibioperoneal trunk)이라고도 한다.

비골동맥은 후경골동맥으로부터 분지되어 주로 종아리의 외측에 있는 근육에 혈액을 공급한다. 후경골동맥은 비골동맥의 가지를 낸 후 내측으로 방향을 이동하여 심부후구획(deep posterior compartment)을 통해 발목쪽으로 연장된 후 모지모음근(adductor hallucis muscle) 부위에서 내측족척동맥(medial plantar artery)과 외측족척동맥(lateral plantar artery)으로 분지된다. 전경골동맥에서 연장된 발등동맥은 먼저 외측족근동맥(lateral tarsal artery)의 가지를 낸 후 궁상동맥(arcuate artery), 배측중족동맥(dorsal metatarsal artery), 배측발가락동맥(dorsal digital artery)을 통해 발가락의 발등쪽에 혈액을 공급한다. 1번 배측중족동맥에서 분지된 심부족척동맥(deep plantar artery)은 1번과 2번 발가락 사이를 관통하여 외측족척동맥과 연결된다. 내측족척동맥은 내측으로 연장되어 1번 발가락의 고유발가락동맥(proper digital artery)이 된다. 외측족척동맥은 족척동맥궁(plantar arterial arch)을 형성한 후 족측중족동맥(plantar metatarsal artery)을 통해 2번부터 5번까지의 고유발가락동맥이 된다.

2) 검사장비 및 검사방법

검사장비는 회색조 영상, 컬러 도플러 영상, 스펙트럼 도플러 영상 촬영이 가능한 초음파 장비를 이용하여 장골동맥, 대퇴동맥, 슬와동맥, 경골동맥과 비골동맥, 족척동맥, 고유발가락동맥 순서로 진행한다. 장골동맥은 깊은 부위에 위치하기 때문에 투과력이 좋은 2.5~3.5 MHz의 탐색자를 사용하고, 마른 환자의 경우에는 5 MHz 탐색자를 사용한다.

검사방법은 먼저 환자를 안정시키고 검사방법과 검사하는 이유, 검사시간 등을 설명한 다음, 환자를 바로 누운 자세로 취하게 하고(supine position), 고관절은 외회전(external rotation)시키고 슬관절은 굴절(flection)시키면 대부분의 하지동맥을 검사할 수 있다. 그러나 전경골동맥은 슬관절을 편 상태에서 검사하는 것이 용이하다. 환자의 체형이나 상태에 따라 원위부 표재대퇴동맥이나 슬와동맥을 검사할 때에는 엎드려 누운 자세(prone position)로 검사할 수 있다.

3) 결과판독

(1) 하지동맥의 정상소견

하지동맥의 정상적인 초음파소견은 회색조 영상에서 동맥 내에 혈전이나 죽상판이 관찰되지 않고, 컬러 도플러 영상에서 혈관 전체에 혈류가 유지되어야 한다. 도플러파형은 고저항의 혈류형태를 보인다. 정상 하지동맥의 직경 및 최고 수축기속도는 Jager 등에 의해 발표되었다(표 3-1). 20세에서 80세 사이의 정상 성인 55명(남자 30명, 여자 25명)을 대상으로 측정한 하지 각 부위별 정상 직경 및 최고 수축기속도를 조사한 것이다. 비록 여자에서 혈관 직경이 남자보다 작지만 혈류속도는 남자와 여자에서 차이가 없었다. 최고 수축기속도는 하지 원위부로 갈수록 감소한다.

(2) 협착에 따른 혈류변화

정상, 협착증 및 폐색에 따른 스펙트럼 도플러파형을 통해 하지동맥의 협착증을 분류하면 아래와 같다. 협착증의 정도에 따른 특징적인 파형은 그림 3-2와 같다.

① 정상

저항이 높은 혈관에서 특징적으로 관찰되는 삼상형의 파형을 보이고, 스펙트럼 광역화가 관찰되지 않는다.

② 1~19% 협착증

특징적인 삼상파형의 형태를 보이지만, 약간의 스펙트럼 광역화(spectral broadening)가 관찰된다. 스펙트럼 광역화는 수축기 말기와 이완기 초기에만 관찰된다. 최고 수축기속도는 근위부 정상 부위와 비교하여 30% 이내의 증가를 보인다. 병변의 근위부와 원위부의 파형은 정상을 유지한다.

③ 20~49% 협착증

삼상파형은 유지되나 이완기 초기 혈류역전이 감소하고, 스펙트럼 광역화가 뚜렷하게 관찰된다. 최고 수축기속도는 근위부 정상부위와 비교하여 30~100%의 증가를 보이고, 병변 근위부와 원위부의 파형은 정상을 유지한다.

④ 50~99% 협착증

이완기 초기의 혈류역전이 관찰되지 않아 심장박동 동안에 전방혈류를 유지한다. 심한 스펙트럼 광역화가 관찰되고, 최고 수축기속도는 근위부 정상부위와 비교하여 100% 이상의 증가를 보인다. 병변의 원위부 파형이 단상파형으로 관찰되고, 또한 최고 수축기속도도 감소한다.

⑤ 완전폐색

동맥에 혈류가 관찰되지 않고, 폐색부위보다 근위부에서는 수축기에 폐색부위에 부딪히는 소리

표 3-1 하지동맥의 평균 직경 및 최고 수축기 혈류속도

동맥	직경, cm 평균 ± 표준편차	최고 수축기 혈류속도, cm/초 평균 ± 표준편차
외장골동맥	0.79 ± 0.13	119.3 ± 21.7
총대퇴동맥	0.82 ± 0.14	114.1 ± 24.9
근위부 표재대퇴동맥	0.60 ± 0.12	90.8 ± 13.6
원위부 표재대퇴동맥	0.54 ± 0.11	93.6 ± 14.1
슬와동맥	0.52 ± 0.11	68.8 ± 13.5

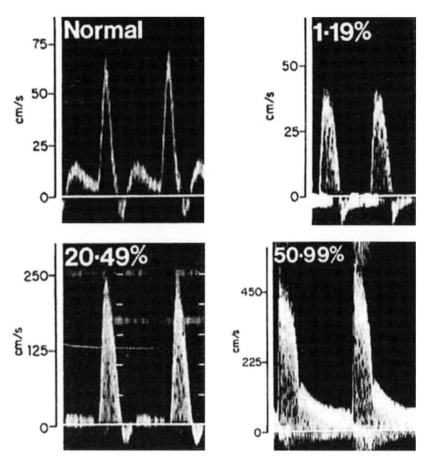

그림 3-2 하지동맥협착증 정도에 따른 스펙트럼 도플러파형

(thump)가 들린다. 원위부 파형은 단상파형이고, 수축기 혈류속도는 심하게 감소한다.

2. 비죽상경화성 동맥질환 초음파

비죽상경화성 하지동맥질환은 매우 다양한 질환 및 환자 상태가 포함된다. 환자의 이중 스캔을 통한 초음파 평가는 임상 병력과 신체검사를 통해 얻은 환자의 임상적 추정 진단에 대한 직접 해부학 및 생리학 정보를 제공함으로써 진단에 유용하게 이용할 수 있다. 본 장에서는 다양한 비죽상경화성 하지동맥질환에서 이중 스캔을 통한 초음파의 진단 또는 치료 목적의 임상 활용에 대해 알아 보고자 한다.

1) 하지동맥의 외상성 손상

하지의 혈관 손상은 대개 급성 동맥 기능 부전으로 인한 명확한 말단 하지 허혈 또는 다량의 출혈을 동반한 혈관 손상의 두 가지 형태로 나타날 수 있으며 모두 신속한 진단과 치료를 요하는 상태로 일반적으로 출혈 및 하지 허혈을 치료하기 위해 즉시 수술 치료 또는 혈관내 중재가 필요할 수 있다.

외상의 메커니즘이나 상처의 위치로 잠재적인 혈관 손상의 위치나 상태를 짐작하지만 정확한 최종 손상의 위치 확인 및 치료 계획을 위해서는 진단검사가 필수적이다. 수년 동안 카테터 동맥조영은 급성 동맥 외상의 진단을 위한 표준 방법이었으나 최근에는 많은 센터에서 CT 혈관조영이 카테터 동맥조영을 대체하여 일차검사로 이용되고 있다.

이중 초음파는 외상으로 인한 동맥 손상이 의심되나 뚜렷한 혈역학 변화나 동맥 손상의 증상이나 징후가 보이지 않는 환자들에서 선별검사로 유용할 수 있으며, 동맥 협착 또는 폐색, 동맥벽의 내막 손상 이나 벽내 혈종, 외상성 가성동맥류 및 동정맥루에 대해 진단의 유용성이 있다. 혈관 내부의 불규칙성이나 피판(flap) 형성 및 혈전의 존재를 찾기 위해 회색조 초음파를 수행해야 하며 컬러 도플러처럼 혈관벽을 덮어 쓰지 않기 때문에 B 모드는 혈관벽 이상을 시각화하는 데 특히 유용 할 수 있다. 외상 부위에서 발생한 협착 정도를 평가하려면 도플러 스펙트럼 파형을 평가해야 한다. 또

한 연부조직 혈종의 유무를 확인할 수 있는데 혈종은 근육 내 국한되어 발견되거나 근막면을 따라 확산되어 나타날 수 있으며 큰 혈종의 경우 외인성 압박과 인접 혈관의 협착을 유발할 수 있다 (그림 3-3).

비교적 최근에 발생한 혈종의 경우는 단단하고 비균질 에코양상을 보이는 경향이 있는 반면, 시간이 경과되어 액화 정도에 따라 혈종은 복잡낭종과 유사하게 보일 수 있다. 또한 혈종의 연속적인 초음파검사는 출혈의 지속 여부 및 재발성 출혈을 평가하는데 유용하게 이용될 수 있다. 하지만 외상성 손상의 경우 여러 요인으로 이중 초음파검사가 어려울 수 있다. 특히 통증으로 환자가 비협조적이거나 상처 드레싱, 정형외과용 고정 장치 및 연조직의 공기 또는 금속 이물질로 인해 적절한 음향창을 얻을 수 없는 경우가 있고 열린 상처를 통해 검사를 진행할 때에는 감염 위험을 최소화하기 위해 멸균 탐색자 커버와 멸균 젤을 사용해야 한다.

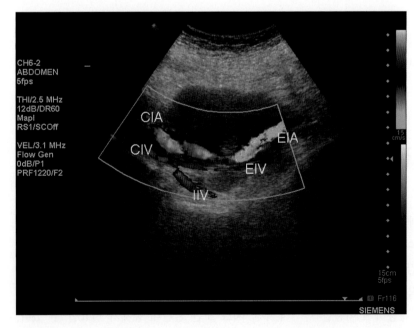

그림 3-3 근막면을 따라 발생한 큰 혈종으로 눌린 우측 장골동맥 및 정맥

2) 급성 하지동맥 허혈

하지의 급성 허혈은 심장 또는 근위 동맥의 색전증(arterial embolism), 그리고 영향을 받은 동맥의 급성 혈전증(thromobosis)으로 인해 발생한다. 말초동맥 색전의 약 80%는 심장에서 발생하며 대개 부정맥에 의해 이차적으로 발생한다. 이외에도 복부대동맥이나 장골동맥 등 근위부 동맥 내 플라크나 혈전에 의해 동맥 대 동맥 색전이 발생할 수 있으며 동맥류를 동반하는 경우에는 초음파검사로 쉽게 진단할 수 있다. 불규칙한 내강 윤곽(irregular luminal contour)과 비균질 에코를 가진 내강 내 플라크와 혈전은 혈전이 없는 부드럽고 균질한 플라크보다 색전 위험이 더 높다. 이중 초음파는 급성 하지동맥 허혈에서 색전 부위를 식별할 수 있는데 컬러 도플러는 혈류가 있는지 혈관의 긴 부분을 조사하고 폐색 부위의 비정상적인 색상 패턴과 측부가지를 식별하는 데 필수적이며(그림 3-4) 도플러 스펙트럼 파형을 분석하면 폐색 부위 전 후로 동맥 파형의 특징적인 변화를 찾을 수 있다. 폐색의 근위부 파형은 임피던스가 증가하고 삼상(triphasic) 흐름에서 이상(biphasic) 흐름으로 전환될 수 있고, 폐색의 원위부에서 파형은 일반적으로 단상이며 종종 낮은 저항으로 최고 속도가 감소한다.

3) 하지동맥류

이중 초음파로 측정한 하지동맥의 정상 직경은 건강한 남성의 경우 대퇴동맥, 표재대퇴동맥 및 슬와동맥이 각각 평균 9.3 mm, 7.3 mm 그리고 6.9 mm이며 건강한 여성의 경우는 약 0.9~1.1 mm 더 작다. 동맥은 직경이 정상 근위 동맥 분절 직경의 1.5~2배보다 클 때 동맥류로 진단될 수 있는데 하지에서는 슬와동맥류(popliteal artery aneurysm, PAA)가 가장 흔하고, 그 다음으로 대퇴동맥류 및 동맥 가지 동맥류가 흔히 발견된다. 죽상경화증은 동맥류 발생의 가장 흔한 원인이며 그 외에도 감염, 외상 및 결합조직 질환이 등이 있을 수 있다. 남성

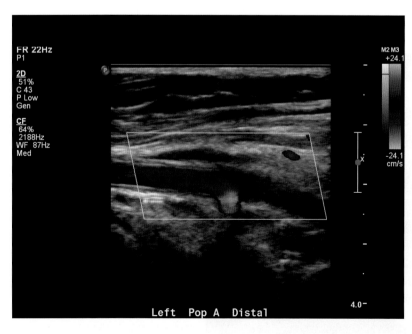

그림 3-4 좌측 원위부 슬와동맥 급성 폐색에서 컬러 도플러를 이용한 슬와동맥 폐색 부위의 비정상적인 색상 패턴과 측부가지 확인

에서 더 흔히 발견되며 복부 대동맥류를 동반하는 경우가 흔하다. 말초동맥류의 합병증에는 동맥 혈전증, 말초 색전증, 인접 구조의 외인성 압박이 포함되며 동맥류 파열 시에는 응급 상황이 발생 할 수 있다.

슬와동맥류 환자의 30~50%는 복부 대동맥류를 동반하며 복부 대동맥류 환자의 10~14%가 슬와동맥류를 동반한다. 슬와동맥류는 50~70%가 양측성이며 1/3은 진단 당시 무증상이나 동맥류의 혈전증 또는 원위 색전술 또는 인접 구조물의 압박으로 인한 동맥 폐쇄 증상이 동반될 수도 있다. 초음파는 슬와동맥류를 진단하는데 가장 일반적으로 사용되는 방법으로서, 동맥류의 크기, 위치, 개통, 혈전 및 협착 정도를 정확하게 측정할 수 있다(그림 3-5). 또한 슬와동맥류와 슬와낭종, 혈종 및 종양을 포함한 다른 슬와 종괴와 구별하는데 유용하게 이용될 수 있다. 슬와동맥의 초음파검사는 일반적으로 환자가 무릎을 구부린 상태에서 앙와위 자세를 취하고 다리를 검사대 위로 바깥쪽으로 회전하거나 올려서 수행한다.

굴곡이 있는 경우 환자의 무릎을 약간 구부린 상태에서 엎드린 자세로스캔하여 긴장을 완화하면 슬와와에 접근 할 수 있다. 전체 슬와동맥의 B 모드 및 컬러 도플러검사는 근위부 대퇴동맥에서 원위부 슬와동맥을 거쳐 경골 및 비골동맥의 기시부까지 수행되는데 일반적으로 슬와동맥의 근위부와 중간 부분에서 발견된다. 동맥류 직경은 전후방 및 횡단 측정값을 얻고 복부 대동맥류 검사와 유사하게 외벽에서 외벽까지 측정 값을 얻는다. 컬러 도플러는 혈관 개통을 평가하기 위해 수행되며 잔류 내강 및 펄스파 도플러 속도 측정도 시행한다.

4) 외상성 동정맥루

말초 혈관계의 동정맥루는 관통 외상 후에 발생 할 수 있는데 대퇴동맥의 의인성 손상으로 인해 가장 자주 발생한다. 종종 가성동맥류와 함께 발견되기도 하며 작은 동정맥루의 경우 무증상이지만 고유량 병변은 원위 허혈 또는 고출력 심부전을 유발 할 수 있다. 환자의 1/3은 자발적으로 닫히는 경우

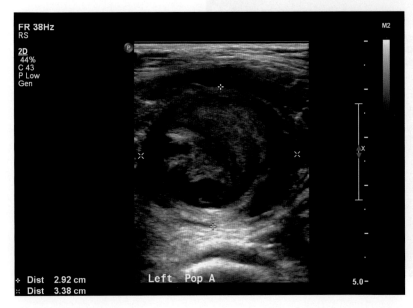

그림 3-5 좌측 슬와동맥류 내 혈전

도 있으나 증상이 있는 누공은 수술이나 스텐트그라프트 등 치료가 필요할 수 있다. 컬러 도플러는 동맥과 정맥 사이의 누공을 검사하는데 유용하며 (그림 3-6) 관련 동맥과 정맥이 종종 서로 바로 인접해 있기 때문에 누공 관(fistular tract)이 항상 시각화 되는 것은 아니다. 누공 관 위로 떨림(thrill)이 발견될 수 있고 이 누공 관의 경우 수축기 동안 가장 잘 보이며 이외 동맥화 된 흐름 패턴을 배액 정맥 (draining vein)에서 볼 수 있다.

5) 대퇴 가성동맥류

말초동맥 혈관조영술 및 카테터 삽입술 후 발생되는 합병증으로 대퇴 가성동맥류가 있는데 중재적 시술 후 약 8%에서 발생할 수 있다고 보고된다. 진성동맥류는 동맥벽의 세 가지 조직학적 층을 모두 포함하는 반면 가성동맥류는 이러한 층을 포함하지 않는다는 점에서 진성동맥류와 다른데 이중 초음파 영상으로 대퇴동맥 가성동맥류를 진단 할 수 있다. 가성동맥류는 일반적으로 천자부위의 동맥 표면적

측면에서 발생하고 일반적으로 대퇴동맥에서 가장 흔히 발생되나 장골동맥의 서혜인대 위나 심부대퇴동맥의 분지 아래에서 발생하기도 한다. 가성동맥류의 내강은 길이와 직경이 가변적이고 원통형 목에 의해 기저 동맥과 연결되는데 컬러 도플러는 가성동맥류와 목을 감지하는 데 유용하게 사용된다 (그림 3-7). 목 내에서 양방향으로 이리저리 흐르는 흐름을 보여주는 도플러 스펙트럼 파형은 진단적이며 혈류는 더 높은 동맥압으로 인해 수축기의 가성동맥류 내강으로 우선적으로 유입된다. 가성동맥류 내강은 직경이 1~3 cm인 경우가 많지만 큰 가성동맥류는 5 cm를 초과할 수 있다. 컬러 도플러 영상은 복잡한 가성동맥류를 특성화하는 데 도움이 될 수 있으며 내강의 소용돌이 혈류 패턴은 종종 컬러 도플러 영상에서 특징적인 "음양"표시로 나타난다.

확장 및 파열의 잠재적 위험 때문에 가성동맥류는 일반적으로 진단 시 치료가 요구되는데 초음파 유도 압박은 효과적이고 안전한 치료 방법으로 대퇴 가성동맥류의 약 75%가 이 방법으로 성공적으로 치료될 수 있다. 하지만 항응고치료 환자에서는 성

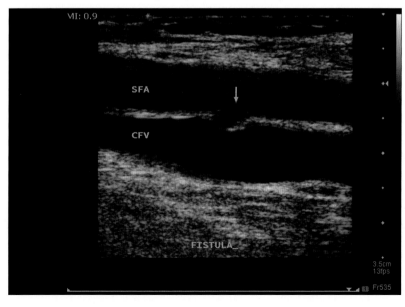

그림 3-6 대퇴동맥 및 대퇴정맥 사이의 외상성 동정맥루의 누공 관

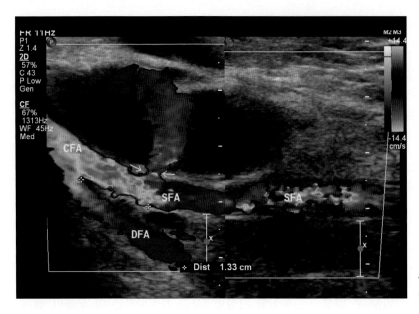

그림 3-7 중재술 이후 발생된 대퇴동맥의 가성동맥류

공률이 감소하고 환자는 장기간의 압박(최대 1 시간 또는 그 초과)이 필요할 수 있으며 통증으로 인해 불편감이 증가할 수 있다. 이외에도 초음파 유도 트롬빈 주사를 선택적으로 시행할 수 있으나 동맥류 확장과 의도하지 않은 동맥 또는 정맥 트롬빈 주입으로 혈전증 및 색전증을 유발할 수 있으므로 주의를 요한다.

6) 외막 낭성질환

외막 낭성질환(adventitial cystic disease)은 혈관 외막층 내 낭성 변화를 특징으로 하는 매우 드문 질환으로 모든 혈관에 영향을 미칠 수 있지만, 슬와동맥이 약 85%로 가장 흔하게 발견된다. 외막 낭성질환은 점액성 낭종이 혈관벽 비후 및 동맥 협착을 일으키기 때문에 점진적인 파행 및 다리 통증을 유발할 수 있다. 초음파에서는 슬와동맥 벽에 있는 작고 둥근 무반향 또는 저에코 덩어리로 보이며 낭성 덩어리에 의해 혈관 내강의 협착 또는 폐색이 발생할 수 있다(그림 3-8).

7) 슬와동맥 포획증후군

슬와동맥 포획증후군(popliteal artery entrapment syndrome, PAES)은 초음파 영상으로 확인할 수 있는 드문 혈관 질환으로 주로 젊은 건강한 남성에게서 많이 나타난다. 슬와동맥 포획증후군은 인접한 근육의 선천적 이상이나 힘줄 삽입으로 인한 슬와동맥의 압박으로 인해 발생하는데 동맥의 압박으로 파행 및 하지동맥 허혈의 증상으로 나타난다. 합병증에는 동맥 혈전증, 동맥류 형성, 협착 및 원위 색전증이 포함되며 주변 슬와동맥의 비정상적인 위치를 유발할 수 있는 비복근 내 가쪽 갈래의 이동과 관련이 있고 비복근 또는 드물게는 슬와근육 또는 섬유 밴드에 의해 동맥이 포획되고 이는 동맥의 이탈 및 압박을 유발할 수 있다.

환자의 다리가 중립 위치에서는 정상적인 맥박을 보이나 족저 굴곡 또는 발의 배측 굴곡으로 정상적인 맥박이 소실되는 것을 발견할 수 있으며 이는 진단을 위해 매우 중요한 소견으로 MRI나 CT 영상과 함께 진단에 매우 유용하게 이용할 수 있다(그림 3-9).

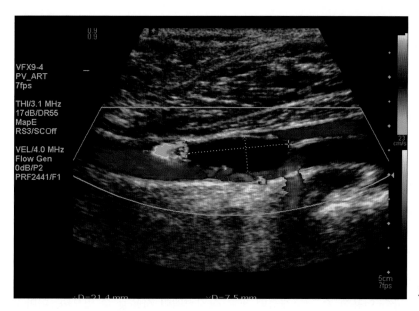

그림 3-8 슬와동맥 외막 낭성질환

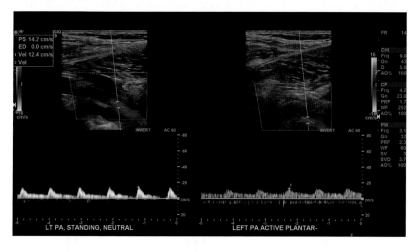

그림 3-9 슬와동맥 포획증후군. 중립 위치에서는 정상적인 맥박을 보이나 족저 굴곡 시 정상적인 맥박이 소실되는 것을 발견할 수 있음.

3. 술 후 초음파 감시

1) 서 론

하지동맥폐색증 환자에서 혈관재개통술(revascularization)은 동맥우회로술 또는 혈관내(endovascular) 치료를 통해 이루어질 수 있으며, 만성 하지절박허혈(chronic limb-threatening ischemia, CLTI) 환자에서 하지 구제(limb salvage)의 목적 또는 약물 및 운동 치료가 효과가 없는 파행증(claudication) 환자에서 시행된다. 혈관재개통술 후 추적 감시는 일반적으로 증상의 재발에 대한 문진과 병력청취, 신체검사 및 발목상완지수를 통해 이루어지며, 초음파를 이용한 감시(surveillance)는 치료의 적응증 및 종류, 환자의 상태에 따라 추가로 시행될 수 있다. 술 후 감시의 목적은 혈관재개통술 후 폐색을 일으킬 수 있는 협착을 미리 발견하고 이를 치료함으로써 이식편(graft) 또는 혈관내 치료 후 개통된 동맥의 폐색을 예방하는 것이다. 이식편 또는 재개통된 동맥이 다시 폐색된 경우 그 치료가 협착을 치료하는 것에 비해 어렵고 혈관우회로술과 같은 침습적인 치료를 요하는 경우가 많아 적절한 감시를 통해 혈관폐색을 일으킬 수 있는 심각한 협착을 미리 확인하고 치료를 할 수 있다면 이식편의 개존율을 증가시킬 수 있다는 데 그 이론적 배경이 있다.

아직까지 혈관재개통술 후 초음파를 이용한 일상감시(routine surveillance)에 대해서는 논란이 있는 상태이다. 최근 발표된 유럽 심장학회 및 혈관외과학회의 가이드라인에 따르면 초음파를 이용한 주기적인 감시는 자가정맥을 이용한 하지동맥 우회로술을 시행한 경우에는 2년간 권고되었으나(그림 3-10), 혈관내 치료를 시행한 경우에는 퇴원 시 및 시술 1개월 째 초음파 감시를 시행하고 이후에는 환자의 수술 적응증에 따라 CLTI의 경우는 1년간 주기적인 초음파 감시를 권고하였으나, 파행증의 경우에는 초음파를 이용한 주기적인 감시를 권고하지 않았다(그림 3-11).

이 장에서는 도관을 이용한 하지동맥 우회로술 및 혈관내 치료 후 초음파를 이용한 감시에 대해 논하고자 한다.

2) 이식편의 초음파 감시

하지동맥 우회로술 시 사용되는 도관(conduit)은 다양한 종류가 있으나. 크게 자가정맥 및 인조도관으로 나눌 수 있다. 자가정맥을 이용하는 경우 대복재정맥이 가장 흔히 사용되며, 술 후 그 개존율이 가장 좋은 것으로 알려져 있다. 대복재정맥의 직경 또는 성질이 우회로술에 적합하지 않은 경우 소복재정맥 또는 상지정맥이 사용될 수 있으며, 이마저도 적합하지 않은 경우 인조도관을 사용하게 된다. 인조도관은 합성 polyester (Dacron) 도관과 ePTFE (expanded polytetrafluoroethylene) 도관이 현재 임상에서 사용되고 있다(그림 3-12). 하지만, 특히 무릎 아래 동맥으로 우회로술을 시행하는 경우 그 개존율이 현저하게 감소하므로 원위부 문합부위에 정맥으로 이용한 Miller cuff, St. Mary boot cuff, Taylor patch 등의 변형이 필요하다.

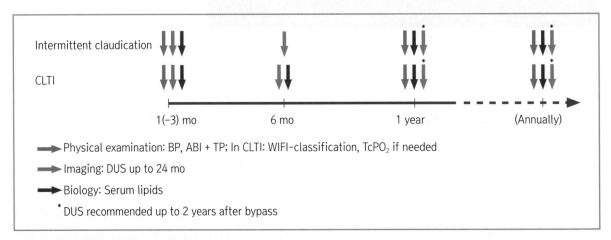

그림 3-10 하지동맥폐색증에서 자가정맥을 이용한 우회로술 후 감시 권고
감시는 신체검사, 발목상완지수 및 초음파검사를 포함하며, 통상적으로 수술 후 1개월에 감시를 시행하고, 이후 3개월, 6개월, 12개월 및 24개월에 시행할 것이 권고된다. 특히 만성 하지절박허혈(chronic limb-threatening ischemia) 환자에서는 이러한 감시프로그램이 더 중요하며, 만약 협착이 의심되는 경우 혈관조영술이 필요하다.

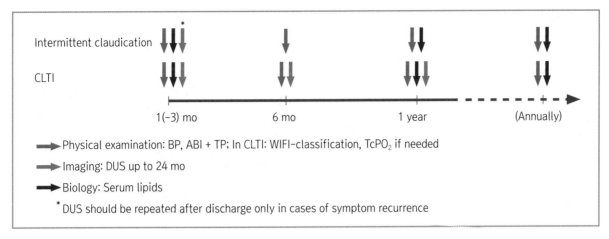

그림 3-11 하지동맥폐색증에서 혈관내수술 후 감시 권고

감시는 신체검사, 발목상완지수 및 초음파검사를 포함하며, 통상적으로 수술 후 1개월 내에 감시를 시행한다. 아직 혈관내수술 후 초음파를 이용한 일상감시의 효용성은 증명되어 있지 않은 상태로 파행증 환자에서는 증상이 재발하는 경우 초음파검사를 시행하고, 만성 하지절박 허혈(CLTI) 환자에서는 수술 후 6개월 및 1년 째 초음파를 이용한 감시를 시행하고 이후에는 증상이 재발하는 경우 초음파 감시를 권고하고 있다.

도관에 대한 초음파 감시의 효용성은 아직 논란이 있는 상태이다. 최근 발표된 자가정맥을 이용한 우회로술 후 초음파를 이용한 감시에 대한 메타분석에서는 초음파를 이용한 감시는 ABI 및 임상 진찰을 통한 감시와 비교하여 일차, 보조적 일차, 및 이차 개존율의 의미있는 증가는 보이지 않았으나, 하지절단의 빈도는 감소시키는 경향을 보고하였다. 아직 추가적인 연구가 필요하겠으나, 협착이 있는 도관에서의 치료가 폐색된 경우와 비교하여 덜 침습적이고 비용이 적은 점을 고려하여 사용의 여지가 있음을 보고하였다. 또 다른 문헌에서는 1,404명의 자가정맥을 이용한 우회로술 환자를 대상으로 한 연구에서 이식편 폐색의 위험인자로 초음파 감시의 불응(nonadherence)이 독립적 위험인자임을 보고하였다. 따라서 논란의 요지는 있지만, 자가정맥을 이용한 우회로술의 경우 점진적인 협착 및 이의 진행이 도관 폐색의 가장 중요한 원인이고, 협착 시의 교정이 덜 침습적이며, 자가정맥은 대체가 불가능한 도관으로 초음파를 이용한 감시의 효용성 및

전제가 된다고 할 수 있다. 인조혈관을 이용한 우회로술의 경우는 과거 무작위대조시험에서 초음파를 이용한 적극적인 감시가 개존율에 영향을 주지 못하는 결과를 보여 현재 일상감시는 권고되지 않는 실정이다.

(1) 검사방법

초음파를 이용한 감시 전에 문진을 통해 환자의 증상 재발 유무를 확인하고 의무기록 확인으로 수술의 종류와 사용된 도관을 파악하는 것이 중요하다. 환자가 추적 기간 동안 다시 증상이 발생한 경우 이식편의 협착에 대한 주의 깊은 검사가 필요하며, 도관을 이용한 이식편 외에 다른 동반된 수술 또는 혈관내 치료의 유무를 확인하는 것이 검사 시간을 줄일 수 있다. 또한 이전의 초음파검사가 있다면 이를 참고하는 것이 유용하다. 만약 이전 검사에서 협착을 포함한 문제가 있던 병변이 존재하였다면 이전 기록을 통해 위치를 쉽게 확인할 수 있으며 그 부위에 좀 더 많은 관심을 두고 검사를 진행하여

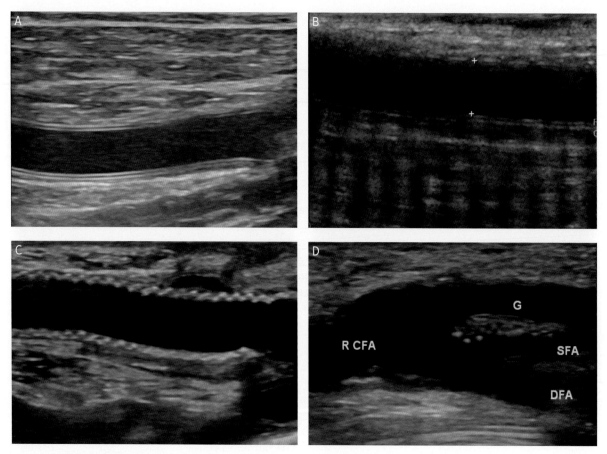

그림 3-12 도관의 초음파 소견
A. ePFTE 도관의 초음파 소견. 도관벽이 철도처럼 두 개의 줄로 나타난다(railroad tract)
B. 고리로 보강된 ePTFE 도관의 초음파 소견. 고리 부위가 초음파 투과가 차단되어 음향음영 소견을 보인다.
C. Dacron 도관의 초음파 소견. 진공청소기 호스와 같은 모양의 도관이 관찰된다.
D. 정맥도관의 초음파 소견. 도관벽을 관찰하기가 어렵고 내중막 두께가 관찰되지 않는다.

병변의 소실 또는 진행을 확인하는 것이 중요하다.

검사는 보통 하지동맥의 초음파검사와 같이 바로 누운 자세에서 시행하지만 슬와부를 검사할 때는 엎드린 자세에서 시행하기도 한다. 하지를 검사하는 경우 고관절은 외회전시키고 무릎관절은 약간 굴곡시킨 개구리다리자세(frog-leg position)를 취하게 하면 검사를 용이하게 할 수 있다. 이식편 감시에는 주로 5~12 MHz의 선형 탐색자를 사용한다. 만약 대동맥 및 장골동맥 위치에 대한 검사가 필요하다면 3~5 MHz의 곡선 탐색자를 사용한다. 이식

편 검사에서 필수적으로 검사해야 하는 부위는 1) 근위부 문합부위 2~4 cm 상방의 기존혈관 2) 근위부 문합부위 3) 도관의 근위부 4) 도관의 중간부 5) 도관의 원위부 6) 원위부 문합부위 7) 원위부 문합부위 2~4 cm 하방의 기존혈관으로 구성된다.

먼저 B 모드와 C 모드로 도관의 전체적인 모양, 개존여부, 협착의 유무, 도관벽의 불규칙성, 동맥류 또는 가성동맥류의 존재 여부 등을 확인한다. 내막증식에 의한 협착을 B 모드 및 C 모드로 관찰 시 적절한 게인을 조절하여 내막증식이 잘 보이도록 영

상을 조절하는 것이 중요하다. 동맥류 및 도관의 협착은 주로 문합부에서 발생하므로 문합부를 관찰할 때 상기 소견의 유무를 주의 깊게 확인하며(그림 3-13), 특히 정맥류가 있는 정맥도관을 사용한 경우 판막위치에서 동맥류가 발생할 수 있으므로 주의를 요한다(그림 3-14). 제자리(in-situ) 우회로술을 시행한 경우에는 결찰되지 않은 분지에 의한 동정맥루의 유무 및 불완전하게 절제된 판막과 이로 인한 도관의 협착에 대한 관찰이 필요하다. 또한 도관의 검사에서는 B 모드, C 모드를 포함하여 최고수축기속도를 앞서 기술한 부위에서 필수적으로 측정해야 한다. 평균 도관 혈류속도(graft flow velocity, GFV)는 협착증이 없는 3~4군데의 PSV의 평균으로 측정한다. 만약 협착증을 보이는 경우 협착이 있는 모든 부위에서 최고 수축기속도, 확장기말속도, 속도비(velocity ratio, Vr), 도관의 직경 및 협착부의 길이를 측정한다(그림 3-15).

(2) 결과의 해석

① 정상 도관(그림 3-16)

정상 도관은 적절한 게인 하의 B 모드 또는 C 모드영상에서 내강의 혈전 또는 심한 내막증식증이 없고 혈류가 전체적으로 유지되며 충만결손이 없어야 한다. 도플러파형은 초기 수술 후 기간(1주~2달)에는 수술 전 폐색으로 인한 원위부 혈관의 이완으로 인하여 저저항(단상성 파형, monophasic waveform)의 혈류 형태를 보이나, 이후에는 충혈이 약화되면서 골격근의 말초혈관저항이 점차 증가하여 보통의 사지에서 관찰되는 고저항의 혈류 형태로 전환된다. GFV는 성공적인 서혜하부 동맥 우회로술 후 45~100 cm/s (평균, 75±20 cm/s)의 혈류량을 보이나, 이는 도관의 지름과 유출동맥의 상태에 따라 변화가 있을 수 있다. 일반적으로 내경의 지름이 6 mm 이상의 도관이나 저항이 높은 발동맥으로의 우회로술 후에는 정상적인 도관에서도 낮은 값을 보일 수 있다.

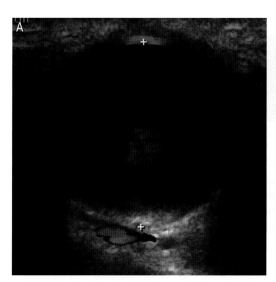
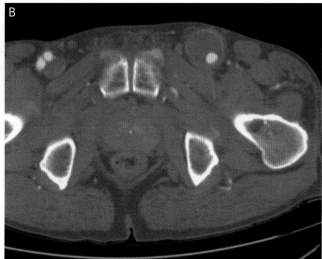

그림 3-13 ePTFE 도관을 이용한 대퇴-슬와동맥 우회로술 후 발생한 근위부 문합부 동맥류의 소견
A. 초음파 소견. 내막절제술을 시행한 대퇴동맥의 동맥류성 변화를 확인할 수 있으며, 위쪽에서 ePTFE 도관을 확인할 수 있다.
B. 컴퓨터단층촬영 소견

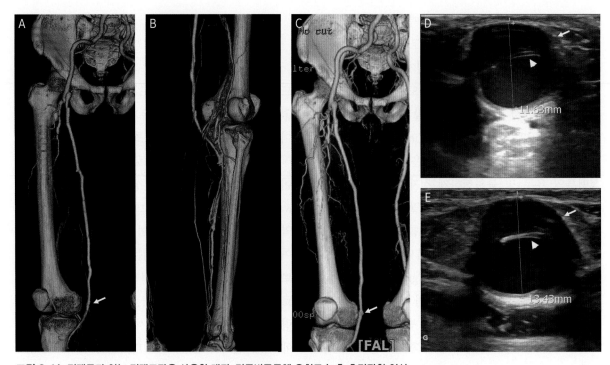

그림 3-14 정맥류가 있는 정맥도관을 사용한 대퇴-경골비골동체 우회로술 후 추적관찰 영상
무릎 근처의 판막첨판부가 경과 관찰 기간 동안 지속적인 동맥류성 변화 및 크기의 증가를 보인다. 초음파 영상에서 비후된 판막을 관찰할 수 있다.
A. 수술 후 컴퓨터단층 혈관조영, B. 후방영상, C. 수술 후 1년째 컴퓨터단층 혈관조영, D. 수술 후 3년째 초음파 소견, E. 수술 후 6년째 초음파 소견.

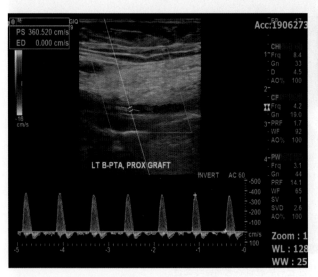

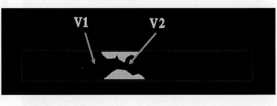

- PSV (proximal) = V1
- PSV (lesion) = V2
- EDV
- Velocity ratio (Vr) = V2/V1
- Graft diameter
- Stenosis length

그림 3-15 도관의 협착부위에서 시행해야 할 검사
PSV, peak systolic velocity; EDV, end diastolic velocity

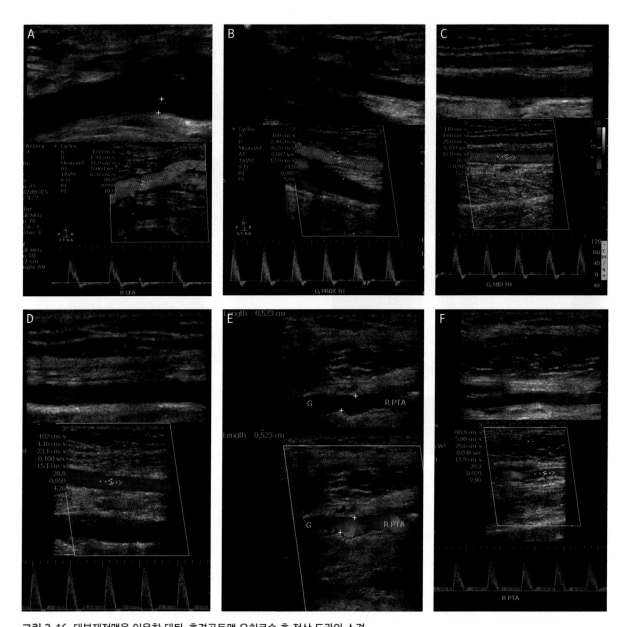

그림 3-16 대복재정맥을 이용한 대퇴-후경골동맥 우회로술 후 정상 도관의 소견
B 모드 및 C 모드에서 음영결손이 없으며 정상적인 삼상파형과 최고 수축기속도를 보인다.
A. 근위부 문합부위 2 cm 상방의 총대퇴동맥 및 근위부 문합부, B. 도관의 근위부, C. 도관의 중간부, D. 도관의 원위부, E. 원위부 문합부위,
F. 원위부 문합부위 2 cm 하방의 후경골동맥

② 협착이 있는 도관(그림 3-17)

도관의 협착이 있는 경우 B 모드에서 내막증식증에 의한 직경의 감소, C 모드에서 협착부 및 협착부 원위에서 와류에 의한 앨리어싱을 관찰할 수 있다.

협착의 정도가 심해질수록 PSV 및 Vr은 증가하고, GFV는 감소하게 된다. 이중 초음파의 속도인자를 이용하여 도관의 협착 정도를 구분하는 미국 혈관외과학회의 기준은 표 3-2과 같으며, 이중 초음파

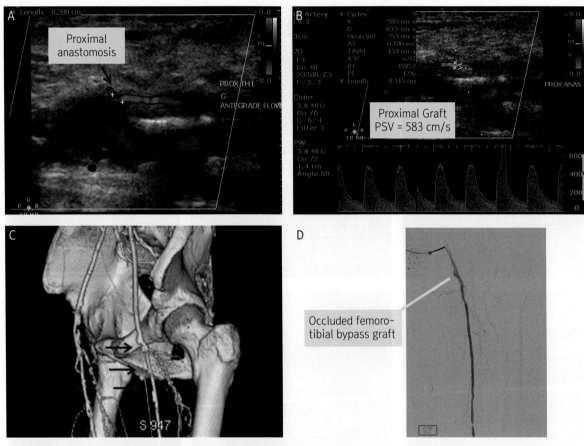

그림 3-17 대복재정맥을 이용한 대퇴-후경골동맥 우회로술 후 도관의 협착소견
A. 근위부 문합부위 및 근위부. 앨리어싱이 보이며 도관의 직경이 감소된 소견
B. 도관의 근위부. PSV가 583 cm/sec으로 70%이상의 협착소견
C. 컴퓨터단층 혈관조영 소견
D. 1개월 후 시행한 혈관조영에서 도관이 폐색된 소견

의 속도인자와 ABI를 조합하여 도관의 혈전성 폐색을 예측할 수 있는 기준은 표 3-3와 같다. 일반적으로 50% 이상의 협착이 진행된 경우 PSV가 180 cm/sec 이상, Vr이 2.0 이상으로 관찰된다. 70% 이상의 협착을 보이는 경우 PSV 300 cm/sec 이상, EDV 20 cm/sec 이상, 및 Vr 3.5 이상으로 관찰된다.

하지동맥폐색증 환자에서 동맥우회로술 후 초음파 및 ABI를 이용한 감시를 시행하는 목적은 앞서 기술한 바와 같이 적절한 치료를 시행하지 않는 경우 개존성을 상실할 수 있는 이식편 실패를 조기에 발견하여 치료함으로써 보조적 1차 개존율 및 2차 개존율을 향상시키는데 그 목적이 있다. 따라서 초음파 감시 중 협착이 발생한 경우 표 3-2~4에 따라 치료를 시행할 것을 권고하고 있다.

③ 도관의 폐색(그림 3-18)

도관이 폐색된 경우 초음파 소견은 B 모드에서 도관 내강에 혈전의 관찰, C 모드에서 색 음영이 관찰되지 않는 소견 및 도플러 신호가 관찰되지 않는 소견으로 확인된다.

표 3-2 이중 초음파에서 도관 협착 분류

	PSV at the site of stenosis		Post-stenotic PSV ratio	MGV (cm/s)	Duplex findings
	Absolute value (cm/s)	PSV ratio			
Abnormal				< 45 > 30 change from baseline	Anatomic graft abnormality (Aneurysm, thrombus)
Mild stenosis	< 200	< 2	> 0.5		< 50% stenosis
Moderate tenosis	200~300	2~3	0.5~0.4		50~75% stenosis
Critical stenosis	> 300	> 3	< 0.4		> 75% stenosis
Occluded	NA				

PSV, peak systolic velocity; post-stenotic PSV, the peak systolic velocity of blood flow in the graft downstream from the stenotic lesion; MGV, mean graft velocity.

표 3-3 도관의 혈전성 폐색 위험도 예측 기준

Category	PSV (cm/sec)	Vr	GFV* (cm/sec)	ABI change
I (Highest risk)	> 300	> 3.5	< 45, or staccato flow	> 0.15
II (High risk)	> 300	> 3.5	> 45	< 0.15
III (Modetate risk)	180~300	> 2.0, < 3.5	> 45	< 0.15
IV (Low risk)	< 180	< 2.0	> 45	< 0.15

PSV, peak systolic velocity; Vr, velocity rato; GFV, graft flow velocity; ABI, ankle-brachial index
* Low graft flow was a more common mode of prosthetic bypass failure than development of duplex scan-detected stenotic lesions during follow-up (J Vasc Surg. 1988 Dec:8(6):688-95.)

표 3-4 도관 폐색 위험도에 따른 치료

Category	Treatment and surveillance recommendation
I (Highest risk)	Prompt repair Surveillance 1~2 week after intervention Confirm normal graft hemodynamics (GFV > 45 cm/sec)
II (High risk)	Elective repair within 2~3 weeks Surveillance 1~2 week after intervention
III (Modetate risk)	Repeat surveillance 2 weeks later Elective repair if stenosis progress to high risk Surveillance at 3 months interval (without progression)
IV (Low risk)	At 3 months after operation Surveillance at 6 months interval

PSV, peak systolic velocity; Vr, velocity ratio; GFV, graft flow volume; ABI, ankle-brachial index

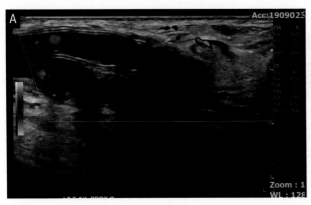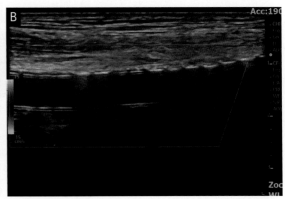

그림 3-18 고리로 보강된 ePTFE 도관을 이용한 대퇴-슬와동맥 우회로술 후 도관의 폐색소견
A. 근위부 문합부. 문합부에서 2 cm 하방에서부터 도관이 폐색된 소견
B. 도관의 중간부. C 모드에서 색음영이 관찰되지 않는 소견

3) 혈관내 치료 후 초음파 감시

최근 혈관내 치료의 기술 및 기구의 발전으로 인하여 하지동맥우회로술에 비하여 침습성이 적은 혈관내 치료가 혈관재개통술에 있어 많은 부분을 차지하며 그 비율도 증가되는 추세이다. 말초동맥의 혈관내 치료에 있어 과거의 단순 풍선확장술에 비해 현재는 죽종제거술 및 약물코팅풍선, 약물방출스텐트, 스텐트그라프트 등 다양한 혈관내 치료가 시행되고 있다. 혈관내 치료 후 초음파 감시의 목적은 경피적 경혈관성형술(percutaneuous transluminal angioplasty, PTA) 후 시술 부위의 개존을 평가하기 위한 객관적인 혈류역학적 및 해부학적 정보를 제공하고 재협착의 정도를 분류하며, 재시술(reintervention)을 위한 믿을만한 역치 기준을 제공하는 데 있다. 특히 이전의 우회로술 도관과 같이 초음파 감시의 목적은 개존의 유무를 판단하는 것보다 시술부위의 폐색을 일으킬 수 있는 임계협착(critical stenosis)을 확인하는 것이 주된 목적이다.

현재까지 하지동맥폐색증 환자에서 혈관내 치료 후 감시의 주기 및 방법에 대해서 일치된 기준은 없는 상태이다. 특히 초음파를 이용한 주기적인 감시에 대해서는 그 효용성에 대한 논란이 있다. 하지만 일반적으로 시술 후 1개월 내에 신체검사, ABI를 포함하여 초음파를 이용한 기준영상을 시행하는 것을 권고하고 있으며, 이는 추적관찰동안 시술 부위의 변화에 대한 기준이 되며, 시술 후 잔여 협착을 확인하는 데 그 목적이 있다. 이 검사에서 정상 소견을 보이는 경우 주기적인 신체검사 및 ABI를 통한 감시가 필요하며, 증상이 재발하는 경우 초음파를 이용한 감시를 시행한다. 만약 시술 후 처음으로 시행한 초음파검사에서 이상 소견을 보이는 경우에는 환자의 상태에 따라 주기적인 초음파 감시 또는 재시술이 필요하며, 특히 스텐트를 삽입한 경우나 CLTI 환자에서 혈관내 치료를 시행한 경우에는 초음파를 이용한 감시 및 좀 더 짧은 경과관찰 주기를 고려하여야 한다. 이는 스텐트가 폐색이 되는 경우 협착에 비해 그 치료가 어렵고 CLTI 환자의 경우 재발 시 다시 휴식통 및 족부 궤양, 괴저와 같은 하지 절박허혈을 일으키는 위험성이 높기 때문이다(그림 3-11). 현재까지 증상이 재발하지 않은 무증상의 환자에서 시술 1년 이후 주기적인 연단위 초음파 감시의 효용성에 대해서는 증명되지 않았다. 따라서 1년 이후에는 증상이 재발한 환자에서 초음파를 이용한 감시가 필요하겠다.

(1) 검사방법

하지동맥폐색증의 혈관내 치료 후 초음파 감시의 프로토콜은 우회로술 후 도관 감시와 유사하다. 일단 문진 및 신체검사를 통해 환자에게 파행증 및 휴식통의 유무, 하지허혈에 의한 소견(의존성 발적(dependent rubor), 궤양, 괴저, 청색증)이 있는지 파악한다. 또한 환자의 증상이 시술 전과 비교하여 임상적 호전이 있는지 여부를 확인하고 상처가 있었던 경우 그 호전 여부를 확인한다. 혈관내 치료 후 시술 부위의 초음파검사를 적절히 수행하기 위해서는 시행된 혈관성형술의 종류와 치료된 동맥 부위에 대한 지식이 있어야 한다. 따라서, 의무기록을 통하여 시술의 시행한 부위를 확인하고 치료 방법을 확인하는 것이 검사시간을 단축시키고 정확한 검사를 시행할 수 있다.

검사방법은 앞서 기술한 이식편의 감시와 유사하며 시술을 시행한 근위부, 시술부위 및 유출동맥에 대한 검사를 시행한다. 검사 전 환자를 안정시켜 맥박과 혈압을 기준선 수준이 되도록 하고 혈관수축을 막기 위해 따뜻한 방에서 시행한다. 일반적으로 검사는 총대퇴동맥에서 시작하며 B 모드 및 C 모드에서 총대퇴동맥의 협착여부를 확인 후 혈류속도와 파형을 측정한다. 만약 장골동맥에서 스텐트를 삽입하였거나, 총대퇴동맥의 파형이 단상성이며 감소되었거나 비정상적인 가속시간(acceleration time)을 보인다면 대동맥 및 장골동맥의 혈류장애가 있다는 소견이므로 대동맥 및 장골동맥 부위의 추가적인 초음파검사가 필요하다. 이 후 표재대퇴동맥과 심부대퇴동맥 기시부를 평가하고 표재대퇴동맥을 영상화하며 원위부로 검사를 진행하여 혈관내 시술부위의 근위부, 시술부위 및 원위부에 대한 평가를 시행한다(그림 3-19).

PTA 및 스텐트삽입부위의 초음파 평가는 혈관내

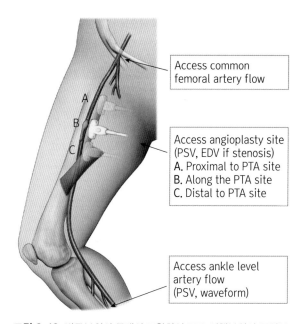

그림 3-19 발목부위의 동맥의 포함하여 PTA 시행부위의 근위부, 시술부위, 원위부에서 PSV를 측정한다.
PSV, peak systolic velocity; EDV, end diastolic velocity; PTA, percutaneous transluminal angioplasty

시술 부위의 근위에서 원위부로 이동하면서 B 모드, C 모드 영상과 펄스 도플러 영상을 시행한다. B 모드 영상은 혈관 또는 스텐트의 지름을 측정하고 죽상판의 특성을 평가하기 위하여 사용되며, C 모드 영상은 고속혈류와 와류(turbulence)를 확인하고 협착위치를 찾는 데 사용된다. 펄스파 도플러 영상을 이용하여 최고 수축기속도를 기록하며, 만약 협착이 있다고 판단되면 협착이 있는 모든 부위에서 PSV, EDV를 측정하며 근위부 정상부위의 PSV를 확인하여 Vr을 측정한다. 또한 협착부의 직경 및 길이를 측정한다.

(2) 결과의 해석

혈관내 치료 후 협착의 중증도를 분류하는 기준은 일차적으로 재협착부위의 PSV 및 근위부 정상혈관과의 Vr에 의존하며, 현재까지 보고된 혈관내 치료 후 협착의 중증도에 대한 분류기준은 표 3-5와

표 3-5 혈관내 치료 후 협착의 중증도에 대한 분류기준

Reference	Category	PSV (cm/sec)	Vr	EDV (cm/sec)	Distal artery waveform
University of South Florida classification	< 50% DR	< 180	< 2	NA	Normal
	> 50% DR (moderate)	180~300	2~3.5	> 0	Monophasic
	> 70% DR (severe)	> 300	> 3.5	> 45	Damped, monophasic
	Occluded			No flow	Damped, monophasic
University of Pittsburg classification	< 50% DR	< 190	< 1.5		
	> 50% DR (moderate)	190~275	1.5~3.5		
	> 70% DR (severe)	> 275	> 3.5		
	Occluded	No flow detected			
Bui et al. 2012	Normal	< 200	< 2.0		
	Moderate	200~300	2.0~3.0		
	Severe	> 300	> 3.0		
Shrikhande et al. 2011	> 70%	> 223	> 2.5		

DR, diameter reduction

같다. 정상 소견은 일반적으로 B 모드 및 C 모드에서 PTA 또는 스텐트삽입술을 시행한 부위의 협착 소견을 보이지 않고, 시술 부위의 PSV가 180 cm/sec이하, Vr가 2.0 미만인 경우를 이야기하며 과거의 검사와 비교했을 때 정상이거나 변화없는 ABI 값을 보여야 한다(그림 3-20). 70%이상의 심한 협착은 PSV가 300 cm/sec 이상의 소견을 보이며 Vr가 3.0 또는 3.5 이상인 경우를 이야기하며, 50~70%의 중등도의 협착은 이들의 중간 범위이다. 하지만, 최근 많은 임상시험에서 혈관내 시술 후 50% 이상의 재협착을 정의하는 기준으로 2.4 이상의 Vr가 주로 사용되고 있다.

추적관찰 중 시행한 초음파검사에서 이상 소견을 보이는 경우 재시술의 필요성 및 역치에 관해서는 아직 논란이 있는 상태이다. Bui 등의 대퇴슬와

동맥 혈관내 치료 후 초음파를 이용한 감시에 대한 연구에 따르면, 94예의 하지에 대해 혈관내 치료 후 주기적인 초음파 감시를 시행하였으며 심한 협착은 PSV가 300 cm/sec 이상, Vr가 3.0 이상으로 정의하였으며, 중등도의 협착은 PSV가 200~300 cm/sec 또는 Vr가 2~3인 경우로 정의하였다. 재시술은 초음파의 이상 소견이 아닌 환자의 증상이 있는 경우에만 시행하였다. 마지막 초음파 감시에서 25예의 하지에서 심한 협착의 소견을 보였으나 이들 중 13예(25%)의 하지에서만 증상을 보였으며, 11예의 폐색이 추적관찰 중 발견되었으나, 이전 초음파 감시의 소견은 심한 협착이 1예, 중등도의 협착이 9예, 협착이 없던 경우가 1예의 소견을 보였다. 따라서 저자들은 정맥도관과는 다른 자연경과를 가지는 것으로 보이며, 초음파 감시가 혈관내 치료 후 폐색을

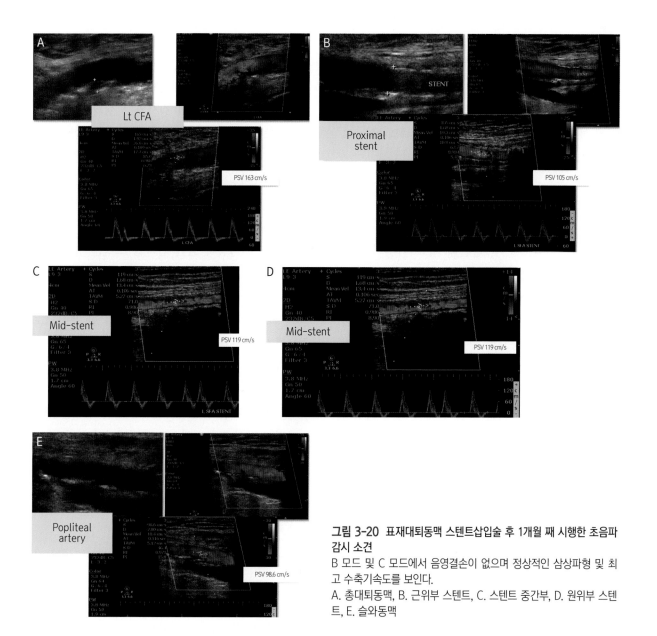

그림 3-20 표재대퇴동맥 스텐트삽입술 후 1개월 째 시행한 초음파 감시 소견
B 모드 및 C 모드에서 음영결손이 없으며 정상적인 삼상파형 및 최고 수축기속도를 보인다.
A. 총대퇴동맥, B. 근위부 스텐트, C. 스텐트 중간부, D. 원위부 스텐트, E. 슬와동맥

예측하는 데 제한이 있어 초음파를 이용한 일상감시의 효용성에 의문이 있다고 보고하였다. 하지만, 다른 여러 문헌에서 시술 후 초음파를 이용한 초기 감시가 보조 일차개존율 및 이차개존율을 증가시킬 수 있다고 보고하고 있다. Mewissen 등의 보고에 의하면, 경피적 풍선확장술 후 1주 내 시행한 초음파 검사에서 50% 이상의 협착을 보이는 경우와 그렇지 않은 경우 1년 추적관찰에서 50% 이상의 협착을 보이는 군에서 그 임상양상 및 혈류역학적 결과가 그렇지 않은 군에 비해 좋지 않음을 보고하여 시술 후 초기에 시행하는 초음파의 유용성을 보고하였다. 현재 보고되는 문헌에서 장골동맥 또는 대퇴슬와동맥의 혈관내 치료 후 재시술을 시행하는 초음파 소견의 역치는 PSV가 300 cm/sec 이상이며, Vr가 3.0

이상인 경우 재시술의 필요성에 대해 권고하고 있으며, 대퇴슬와동맥에 스텐트그라프트를 삽입한 경우 스텐트그라프트 내 PSV가 50 cm/sec 이하로 균일하게 관찰되는 경우 재시술의 역치가 될 수 있다. 서혜 하부 혈관내 치료 후 감시 알고리즘의 예는 그림 3-21과 같다.

4) 요약

하지동맥우회로술 및 혈관내 치료 이후의 감시 프로그램은 하지혈관 재개통술을 시행한 환자에서 수술 후 치료의 중요한 부분이다. 초음파 감시는 신체검사 및 ABI와 같은 간접검사와 같이 사용되며 감시 프로그램의 중요한 구성요소가 된다. 이식편을 이용한 하지동맥우회로술 후 도관의 감시의 목적은 협착의 유무를 판단하는 목적도 있지만, 폐색이 예측되는 임계협착을 도관의 폐색 전에 확인하고 치료함으로써 이식편의 개존율을 높이는데 그

목적이 있으며 특히 자가정맥을 이용한 우회로술 후 그 효용성이 강조된다.

초음파검사 시 수술 부위만이 아니라 유입동맥 및 유출동맥을 포함하여 검사가 시행되어야 하며, 혈류속도에 대한 검사가 상기 부위에서 포함되어야 한다. 우회로술을 시행한 도관감시의 초점은 PSV가 300 cm/sec이상 및 Vr가 3.5 이상의 70% 이상의 협착과 연관된 소견을 확인하는 것이 중요하며, 혈관내 치료를 시행한 경우에도 PSV가 300 cm/sec 이상 및 Vr가 3.0 이상의 심한 협착을 보이는 병변을 확인하는 것이 중요하다. 초음파를 이용한 일상감시에 대해서는 아직 논란이 있으나 정맥도관을 이용한 우회로술의 경우 주기적인 감시의 한 부분으로 초음파가 사용되어야 하며, 인조혈관을 이용한 우회로술 및 혈관내 치료 후의 일상감시는 수술 후 초기에 그 효용성이 있다고 생각되며, 환자의 증상 재발 및 ABI와 같은 간접검사에서 이상을 보이는 경우 추가적인 감시 프로그램으로 고려되어야 한다.

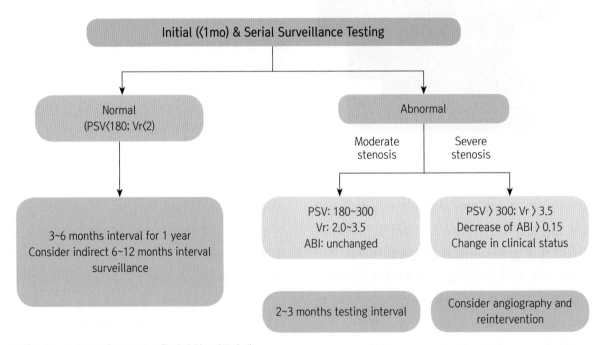

그림 3-21 서혜 하부 혈관내 치료 후 감시 알고리즘의 예

4. 상지동맥 초음파

1) 개요

상지동맥 초음파는 동정맥루의 조성 및 경과관찰, 상지동맥 질환에 의한 상지동맥의 협착 및 폐색, 색전증, 동맥류, 상지의 외상 등에서 활용될 수 있다. 하지만 동정맥루 검사를 제외하면 상지동맥에서의 초음파 활용도는 낮고, 상지동맥질환 자체가 비교적 흔치 않으며 해부학적 변이가 많아 다른 혈관 초음파에 비해 술자의 기술과 경험이 요구된다.

일반적으로는 혈관이 작고 그 깊이가 깊지 않아 5~12 MHz 정도의 선형 탐색자를 많이 사용하게 되며 질환에 따라 특수한 탐색자가 필요할 경우도 있다. 하지만 이 장에서는 비교적 상지동맥에서 유병율이 낮거나 초음파 활용도가 떨어지는 질환을 제외한 상지혈관질환에서의 초음파검사에 대하여 알아보고자 한다.

2) 상지혈관의 해부

상지혈관은 대동맥궁에서부터 시작한다. 우측 상지동맥은 우측 상완두동맥줄기에서 우측 경동맥과 쇄골하동맥으로 분지되며, 좌측 상지동맥은 대동맥궁에서 바로 분지된다. 쇄골하동맥은 첫 번째 갈비뼈를 지나면서 액와동맥이 되며 소흉근과 대원근 아래를 지나 상완동맥이 된다. 상완동맥은 팔꿈치를 지나면서 요골동맥, 척골동맥, 골간동맥으로 분지하고 요골동맥과 척골동맥은 손목을 지나 손에서 서로 만나는데 척골동맥은 표재손바닥궁과 심부손바닥궁을 형성하고 각 손가락에 혈류를 공급한다(그림 3-22). 이 표재와 심부손바닥궁이 형성되지 않은 경우도 3~20% 정도이므로 요골동맥을 이식편으로 채취한다면 손가락 허혈의 발생 가능성이 있다.

상지혈관의 해부학적 변이는 비교적 빈번하게 발견되며 그 상지동맥의 변이 빈도와 손동맥의 변이 모양은 아래와 같다(표 3-6, 그림 3-23). 단, 손동맥은 크기가 작아 초음파로 해부학적 변이를 확인하기는 어렵고 필요할 경우 동맥조영술이 변이 확인에 도움이 된다.

3) 검사 방법

바로 누운 자세에서 검사하고자 하는 팔을 외측으로 뻗은 후 검사한다. 때에 따라서는 증상이 발생하는 자세를 취하면서 검사를 시행한다. 쇄골하동맥부터 손동맥까지를 회색조 혹은 컬러 도플러를 이용하여 검사한다. 죽상경화판이 있는 경우 죽상경화판의 형태, 석회화 유무를 검사하고, 동맥류유무 및 박리 등 동맥 병변의 영상을 저장한다 컬러 도플러검사에서는 협착부위의 앨리어싱 유무, 협착 이후 부위의 와류 여부를 검사한다. 펄스 도플러검사에서는 협착부위와 협착부위 근위부 1~4 cm 정상 부위에서 각각 최고 수축기속도를 측정하여 PSV비를 계산한다. 도플러 입사각은 60°를 유지한다. 상지의 정상 초음파 소견은 다음과 같다(그림 3-24~28).

4) 상지의 폐쇄성 동맥질환

보통 상지동맥의 죽상경화판은 근위부 쇄골하동맥이나 액와동맥에 흔하게 발생하여, 상완동맥과 척골, 요골동맥에서는 비교적 발생빈도가 낮다. 동맥의 협착이 동맥 구경의 50% 이상 진행되었을 때 혈역학적으로 유의한 혈류의 감소가 발생한다. 죽상경화판의 협착은 회색조 영상에서도 확인할 수 있으며 PSV가 증가되는 현상을 보인다. 하지만 협착이 매우 심하거나 거의 막힌 경우는 PSV의 감소와 도플러 상 감쇠 파형이 나타나거나 컬러 도플러

가 관찰되지 않는다. 색전증이나 외상에 의한 동맥
벽의 손상에서 발생된 동맥 혈전증은 회색조 영상
에서도 동맥 내에 혈전이 관찰된다. 혈전에 의해 혈
관 폐색이 발생하였으나 동맥의 박동이 관찰되는
경우가 흔하므로 컬러 도플러를 이용하여 혈류의

유무를 확인하여야 한다(그림 3-29).

　기타 폐쇄성 혈관질환 중 레이노증후군(Raynaud
syndrome)이나 버거씨병과 같은 혈관염의 경우에도
초음파검사가 진단에 도움이 될 수 있다. 레이노증
후군의 경우 유발 요인이나 환경이 있다면 이러한

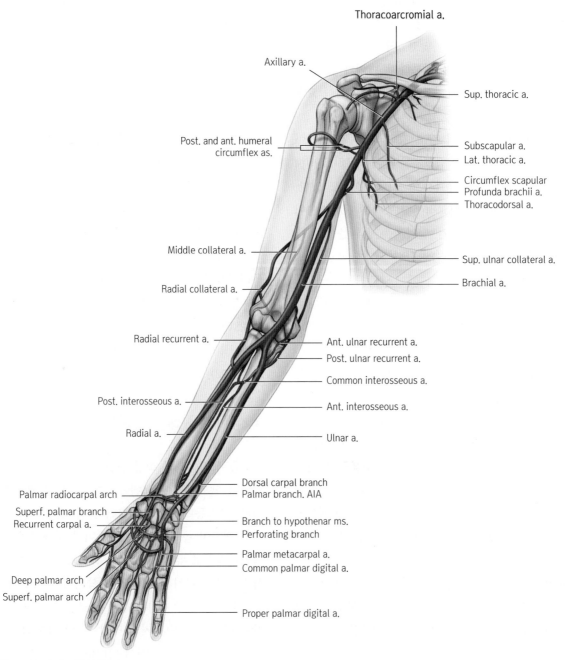

그림 3-22 상지동맥의 해부도

표 3-6 상지동맥의 변이

변이	빈도
Common origin of the right brachiocephalic and left common carotid arteries	22%
Radial artery origin from the axillary artery	1~3%
Early division of the brachial artery	19%
Ulnar artery origin from the brachial or axillary artery	2~3%
Low origin (5-7 cm below elbow joint) of ulnar artery	< 1%
Persistent median artery	2~4%

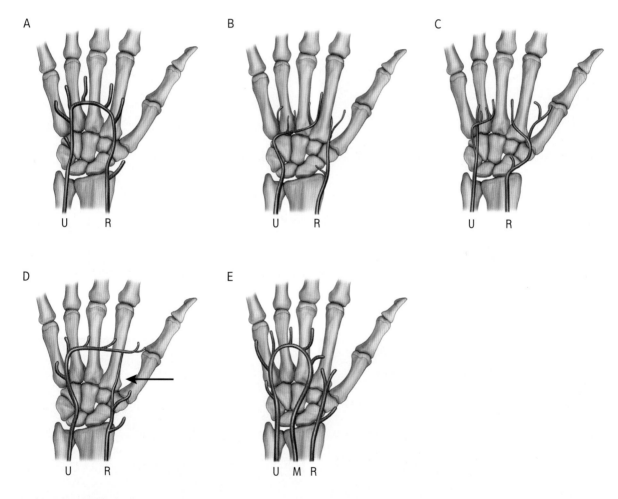

그림 3-23 손동맥의 변이
A. 요골동맥과 척골동맥이 손바닥궁을 형성한 경우
B, C. 심부손바닥궁을 형성하지 못한 경우
D. 척골동맥이 주가 되며 요골동맥이 이루는 심부손바닥궁에서 분지하여 표재손바닥궁을 형성하는 경우
E. 척골동맥이 정중동맥과 손바닥궁을 형성하는 경우

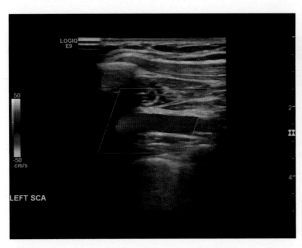
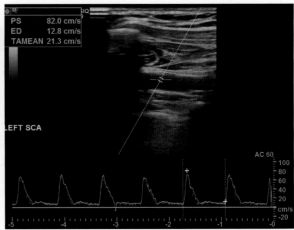

그림 3-24 좌측 쇄골하동맥의 컬러 도플러 영상과 펄스 도플러 영상: 정상소견

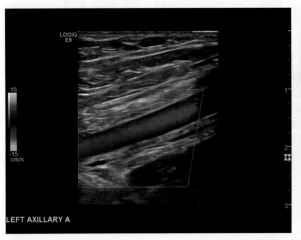
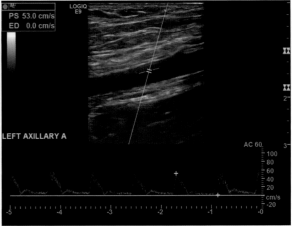

그림 3-25 좌측 액와동맥의 컬러 도플러 영상과 펄스 도플러 영상: 정상소견

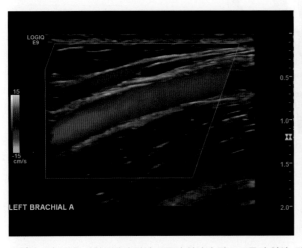
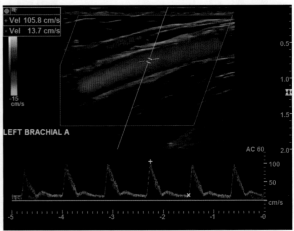

그림 3-26 좌측 상완동맥의 컬러 도플러 영상과 펄스 도플러 영상: 정상소견

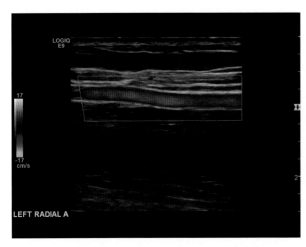
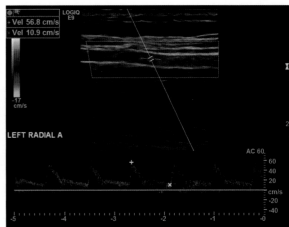

그림 3-27 좌측 요골동맥의 컬러 도플러 영상과 펄스 도플러 영상: 정상소견

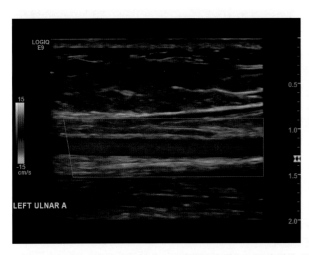
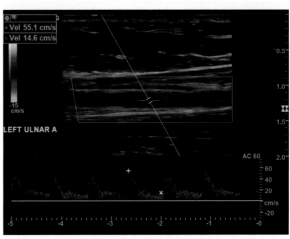

그림 3-28 좌측 척골동맥의 컬러 도플러 영상과 펄스 도플러 영상: 정상소견

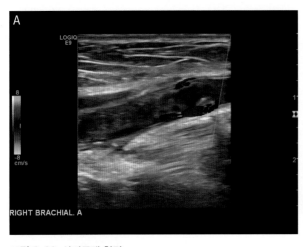
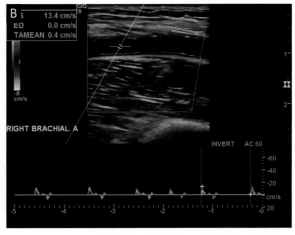

그림 3-29 상지동맥 혈전
A. 컬러 도플러 상 우측 상지동맥에 혈전에 의한 폐색이 관찰된다.
B. 상지동맥 폐색 직전의 상완동맥 사진이며, 도플러의 감쇠 파형이 관찰된다.

요인에 노출되기 전과 후를 비교하여 혈류의 변화를 측정한다(그림 3-30).

5) 상지혈관의 동맥류

동맥류는 모든 동맥에서 발생할 수 있으나 상지동맥에서는 유병율이 낮다. 쇄골하동맥이나 액와동맥에서는 방추형의 동맥류가, 상완동맥이나 요골, 척골동맥에서는 소낭형의 동맥류가 대부분 관찰된다. 그러나 그 빈도수는 동맥경화, 반복적인 손상이나 결합조직 이상에 의한 진성동맥류보다는 혈관접근이나 외상에 의한 가성동맥류가 관찰되는 경우가 훨씬 많다(그림 3-31).

상지의 동맥류는 혈전을 발생시키고 이 혈전이 혈류를 타고 떨어져 나가 하부동맥을 막을 수 있으므로 척골이나 요골동맥, 상완동맥에서 혈전이 발견될 때에는 혈전이 발생된 상부의 혈관, 즉 쇄골하동맥이나 액와동맥의 동맥류 유무를 확인하여야 한다.

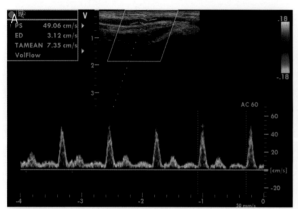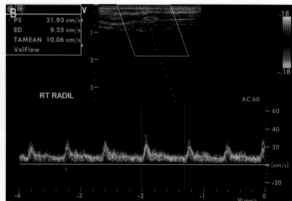

그림 3-30 레이노병 환자에서 유발요인(찬물에 손을 담금)에 노출하기 전(A)과 후(B)의 요골동맥 펄스 도플러 소견
찬물에 담근 후 요골동맥 도플러 상의 감쇄 파형(tardus-parvus)이 관찰된다.

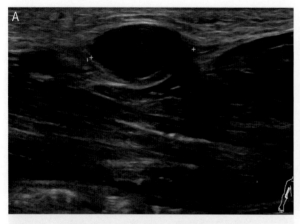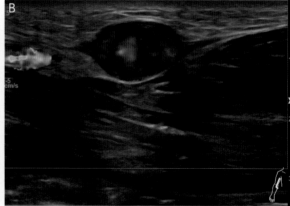

그림 3-31 요골동맥 천자후 발생한 가성동맥류
A. 회색조 영상에서 상완동맥에 약 9 mm 가량의 가성동맥류가 관찰된다.
B. 컬러 도플러에서 Yin-Yang sign 이 관찰된다.

·))) 참고문헌

1. Ahmad F, Turner SA, Torrie P, et al. Iatrogenic femoral artery pseudoaneurysm: A review of current methods of diagnosis and treatment. Clin Radio 2008;63(12):1310-6.

2. Boniakowski AE, Davis F, Campbell D, et al. Intravascular ultrasound as a novel tool for the diagnosis and targeted treatment of functional popliteal entrapment syndrome. J Vasc Surg Cases Innov Tech 2017;3:74-8.

3. Bynoe RP, Miles WS, Bell RM, et al. Non-invasive diagnosis of vascular trauma by duplex ultrasonography. J Vasc Surg 1991;14:346-52.

4. Diwan A, Sarkar R, Stanley JC, et al. Incidence of femoral and popliteal artery aneurysms in patients with abdominal aortic aneurysms. J Vasc Surg 2000;31(5):863.

5. Fry WR, Dort JA, Smith RS, et al. Duplex scanning replaces arteriography and operative exploration in the diagnosis of potential cervical vascular injury. Am J Surg 1994;168:693-5.

6. González SB, Busquets JC, Figueiras RG, et al. Imaging arteriovenous fistulas. AJR Am J Roentgenol 2009;193(5):1425-33.

7. Jager KA, Phillips DJ, Martin RL, et al. Noninvasive mapping of lower limb arterial lesions. Ultrasound Med Biol 1985;11:515-21.

8. Jager KA, Ricketts HJ, Strandness DE Jr. Duplex scanning for the evaluation of lower limb arterial disease. In: Bernstein EF, editor. Noninvasive Diagnostic Techniques in Vascular Disease. 3rd ed. St. Louis: Mosby; 1985. pp.619-31.

9. Johnston KW, Rutherford RB, Tilson MD, et al. Suggested standards for reporting on arterial aneurysms. J Vasc Surg 1991;13:452-58.

10. Kallakuri S, Ascher E, Hingorani A, et al. Impact of duplex arteriography in the evaluation of acute lower limb ischemia from thrombosed popliteal aneurysms. Vasc Endovascular Surg 2006;40(1):23-5.

11. Leu HJ, Bollinger A, Pouliadis G, et al. Pathology, clinical correlates, radiology and surgery of cystic adventitial degeneration of the peripheral blood vessels, 1: pathogenesis and histology of cystic adventitial degeneration of the peripheral blood vessels. Vasa 1977;6:94-9.

12. Michael GH, Doris NH. Vascular Diagnosis with Ultrasound. 2nd ed. New York: Thieme; 2006.

13. Paulson EK, Sheafor DH, Kliewer MA, et al. Treatment of iatrogenic femoral arterial pseudoaneurysms: comparison of US-guided thrombin injection with compression repair. Radiology 2000;215:403-8.

14. Pellerito J, Polak JF. Introduction to vascular ultrasonography. 7th ed. Philadelphia: elsevier; 2019.

15. Peterson JJ, Kransdorf MJ, Bancroft LW, et al. Imaging characteristics of cystic adventitial disease of the peripheral arteries: presentation as soft-tissue masses. AJR Am J Roentgenol 2003;180:621-5.

16. Zierler RE, Zierler BK. Duplex sonography of lower extremity arteries. Semin Ultrasound CT MR 1997;18:39-56.

사지정맥

1. 하지심부정맥혈전증 초음파

하지심부정맥혈전증의 진단방법으로는 초음파가 가장 좋다. 과거에는 정맥조영술이 심부정맥혈전증의 진단에서 중요한 진단법으로 여겨졌으나, 현재는 특수한 상황이 아니면 초음파가 더 보편적으로 사용된다. 초음파는 정확성, 저비용, 비침습성, 방사선조사가 없다는 장점뿐 아니라 혈전증 외의 부종의 원인이 될 수 있는 혈종, 농양, 베이커낭(Baker cyst)의 소견도 배제할 수 있다는 장점도 있다.

1) 하지심부정맥혈전증

심부정맥혈전증은 미국에서는 연간 350,000명 이상 이환되는 드물지 않은 질환이며, 주로는 하지 부종이 문제가 되지만 때로는 심각한 폐색전증을 동반하여 사망에 이를 수 있는 질환이기도 하다. 경우에 따라서는 영상학적으로만 진단되는 경우도 있으며, 또는 심각한 정맥성 하지허혈을 초래할 수 있어 다양한 정도의 임상증상을 나타낸다. 증상의 정도가 다양한 것은 혈전증 발생의 속도, 혈전증의 범위, 동반된 염증의 유무 또는 기존 정맥의 상태 및 림프관의 상태와도 관련이 있다. 증상은 근위부 정맥에 이환된 경우에 더 심하게 나타난다. 하지 통증과 부종이 주된 호소나 열감 또는 붉은색 변화를 동반할 수 있다. 이환된 하지에 색이 오히려 창백하거나, 청색의 변화를 보이는 경우 정맥성 하지허혈(phlegmasia cerulea dolens, phlegmasia alba dolens)을 의심해야 하며 신속한 진단과 처치가 필요하다.

심부정맥혈전증의 치료는 증상과 혈전증의 범위에 따라 결정된다. 일반적으로는 항응고제 치료가 표준치료이며 장골정맥과 대퇴정맥에 이환된 경우 혈전용해술 또는 기계적 혈전제거술을 시행하기도 한다. 또한 정맥성 하지허혈을 보이는 경우는 수술적 혈전제거술을 시행하기도 한다. 심부정맥혈전증이 발생하는 상태는 혈관 내벽손상, 정맥저류, 과응고장애의 Virchow's triad로 요약될 수 있으며, 이러한 상황이 발생하는 여러 임상상태가 정맥혈전증의 위험인자로 여겨진다.

또한 검사자는 하지의 통증과 부종을 동반할 수 있는 다른 원인에 대해서도 숙지할 필요가 있는데, 운동 후 근육통, 하지외상, 근육손상, 베이커낭의 봉와직염, 림프부종, 심부전, 만성 정맥기능부전 등이 하지 부종의 원인일 수 있다. 검사 전 병력청취를 통해 다른 가능한 원인에 대한 가능성을 염두에 두고 초음파검사를 진행한다면 검사 중 추가적인 소견을 발견하는 데 도움이 될 수 있다.

2) 하지심부정맥혈전증 초음파 진단

최근의 초음파 장비는 해상도가 우수해서 근위부나 원위부 모두 선형 탐색자로 검사가 가능하다. 일부 정맥의 위치가 깊거나, 복부의 정맥을 검사하기 위해서는 곡선 탐색자로 검사를 할 수 있다. 우선 B모드에서 전체 정맥의 혈전 유무를 관찰한 후, 혈전이 의심되는 부분이 있으면 컬러 모드와 도플러 모드에서 추가적인 영상을 획득할 수 있다. 일반적으로 정상의 정맥은 탐색자로 압박을 하면 정맥이 눌려서 관찰되지 않기 때문에 적절한 힘을 주어 관찰하여야 한다. 심부정맥혈전증의 경우에는 탐색자로 압박을 하여도 압박이 되지 않는다. 횡단면에서 선형 탐색자를 이용하여 2~3 cm 간격으로 압박과 이완을 반복하면서 검사를 하여 압박이 되지 않으면 혈전증을 진단할 수 있다(그림 4-1).

혈전은 형성시기에 따라 초음파 영상의 차이가 있다. 급성 혈전의 경우에는 압박이 되지 않는 것 외에 정맥의 굵기가 동맥이나 반대측의 정맥보다 굵고 내부의 혈전은 비교적 균질한 저음영을 보이며 컬러 초음파에서 색음영이 차지 않는 특성을 보인다. 반면 오래된 심부정맥혈전의 경우 정맥은 인접동맥과 비교하여 크기가 비슷하거나 오히려 가늘어져 있고, 내부의 혈전은 비균질의 고음영을 보이며 일부 재개통되거나 혈관벽에 혈전이 부착되어 혈관벽이 두꺼워진다(그림 4-2, 표 4-1).

이러한 초음파 소견의 차이로 혈전의 시기를 절대적으로 판단하는 데는 한계가 있다. 특히 과거 혈전이 있었던 혈관에 급성 재발하는 경우는 더욱 판별이 어렵기 때문에 증상과 위험인자, 약물 복용 등에 대한 자세한 병력청취와 함께 D이합체(D dimer) 검사 소견을 참고하는 것이 필요하다.

하지심부정맥혈전증 초음파검사의 표준 검사범위는 증상이 있는 하지의 장골정맥에서 대퇴정맥, 슬와정맥을 포함하여 비골정맥(peroneal vein) 및 반대측의 대퇴 또는 장골정맥까지 검사하는 것이다(complete duplex ultrasound, CDUS). 과거에는 무릎주위까지만 검사하는 경우도 있었으나, 비골정맥

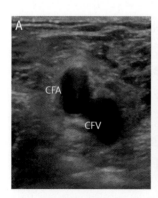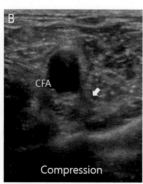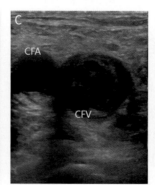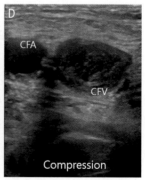

그림 4-1 심부정맥혈전증의 초음파 소견
A. 정상 총대퇴정맥(CFV)의 소견으로 총대퇴동맥과 직경이 비슷하고, 내부는 에코가 전혀 차지 않는다.
B. 정상 정맥을 압박하였을 경우, CFV이 압박되어 초음파에 관찰되지 않는다(화살표).
C. 급성 심부정맥혈전증 환자의 초음파 소견으로, CFV이 CFA에 비해 더 굵으며, 내부에는 비교적 균질한 저에코의 혈전음영이 관찰된다.
D. 심부정맥혈전증이 있는 CFV으로 압박을 하면 계란형으로 조금 변형이 되나 완전히 압박되지는 않는다.

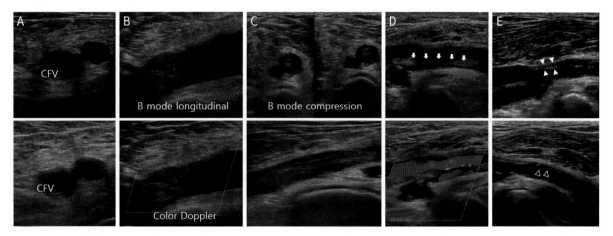

그림 4-2 급성 심부정맥혈전증과 만성 심부정맥혈전증의 초음파 소견
A. 급성 심부정맥혈전증에서는 압박이 되지 않는다.
B. 급성 심부정맥혈전증에서는 종단면에서도 혈관의 크기가 굵어져 있으며, 균질한 저음영의 혈전이 차있고, 컬러 도플러에서 혈관 전체에
  서 색음영이 관찰되지 않는다.
C. 만성 심부정맥혈전증에서는 횡단면에서 압박을 했을 때 전혀 압박이 되지 않아 계란형의 변형도 보이지 않는다. 비균질 고음영의 혈전을
  정맥 내부에서 관찰할 수 있다.
D. 만성 심부정맥혈전증에서 혈관의 내부에 고음영의 혈전이 부분적으로 남아있으며(화살표), 혈관의 내부가 부분적으로 재개통되어 컬러
  도플러에서 정맥혈류가 흐르는 것을 관찰할 수 있다.
E. 만성 심부정맥혈전증에서 혈관벽에 혈전이 부착되어 정맥벽이 두꺼워진 소견으로 보이거나(화살표 머리) 얇은 선으로만 흔적이 남아있
  기도 한다(투명한 화살표 머리).

표 4-1 급성 부정맥혈전증과 만성 심부정맥혈전증의 초음파 양상의 차이

	Acute thrombus	Chronic thrombus
Feature	Hypoechoic, anechoic	Hyperechoic, Echogenic
Compressibility	Slightly deformable, partially	Rigid, non-compressible
Lumen size	Distended	Reduced
Vein wall	Thin, smooth	Thickened, irregular
Collateral veins	Absent	Present
Thrombus characteristic	Homogeneous	Heterogeneous

또는 종아리근육 내 정맥의 혈전증이 적지 않게 있기
때문에, 하지 전체의 정맥을 검사하는 것이 환자의
안전과 정확한 진단을 위해 필요하다. 종아리근육 내
정맥에 국한된 혈전증의 경우 진단의 필요성과 치료
여부에 논란이 있기는 하다. 하지만 종아리근육 내
혈전이 근위부 혈전증으로 진행하는 경우가 있으며,

폐색전증을 일으키는 경우도 있기 때문에 하지심부
정맥혈전증이 의심되는 경우 전체 하지의 정맥을 검
사하는 것이 권고된다. 종아리근육 내 혈전증이 있으
나 치료를 하지 않는 경우에는 1~2주 내에 초음파검
사를 다시 시행하여 혈전의 잔존유무를 확인하거나
확장의 상태를 살피는 것이 권유되고 있다.

하지심부정맥혈전증의 진단을 위한 초음파검사의 민감도는 근위부 혈전증의 경우 96.5%에 이르지만 비골정맥 혈전증의 경우 56.8%정도로 낮아서, 초음파검사로 완전히 심부정맥혈전증을 배제할 수 없으며 증상이 지속되거나 악화되는 경우에는 반복적인 검사를 시행하는 것이 필요하다. 하지만 야간의 응급실 진료나 혈관질환에 숙련된 초음파검사자가 없는 상황에는 진단을 위해서 2부위 압박검사(2 region compression ultrasound, 2CUS)) 또는 대퇴정맥과 슬와정맥까지(extended compression ultrasound, ECUS) 제한적으로 시행할 수도 있다. 2CUS나 ECUS에서 심부정맥혈전증이 음성이었던 경우는 1주일 이내에 심부정맥혈전증을 완전히 배제하기 위해 CDUS를 하는 것이 바람직하다.

일부 날씬한 환자에서는 총장골정맥과 대정맥을 직접 초음파로 관찰할 수 있으나, 뚱뚱하거나 장내 가스가 가리는 경우에는 직접 대정맥 또는 장골정맥을 관찰하는 데 한계가 있다. 이러한 경우 대퇴동맥이나 관찰 가능한 외장골정맥에서 호흡에 따른 국면성(phasicity)을 관찰하여 간접적으로 근위부 정맥의 폐쇄 여부를 판단할 수 있다. 정상적으로 정맥이 개통되어 있는 경우 국면성을 관찰할 수 있으나, 근위부 정맥이 막힌 경우 국면성이 소실되며, 이러한 경우는 원인을 확인하고, 혈전의 양상을 확인하기 위해 컴퓨터단층촬영 등의 부가적인 영상검사를 하는 것이 필요할 수 있다(그림 4-3).

3) 감별진단

편측 하지의 부종 또는 통증을 호소하는 환자에서 심부정맥혈전증이 없는 경우, 만성 정맥기능부전의 감별을 위해서 도플러 모드에서 정맥역류의 유무를 검사할 수 있다. 또한, 하지 부종의 환자에서 흔히 감별하여야 하는 질환으로는 베이커낭 근육 내 혈종 그리고 림프부종 등이 있다(그림 4-4).

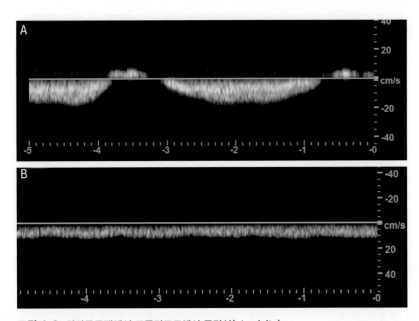

그림 4-3 외장골동맥에서 도플러모드에서 국면성(phasicity)
A. 건강한 정상의 여성에서 정상적인 국면성.
B. 54세 여성으로 총장골정맥이 만성적으로 막힌 환자의 초음파검사 소견으로 외장골동맥에서 국면성이 소실되고 단상파형(monophasic)을 보인다.

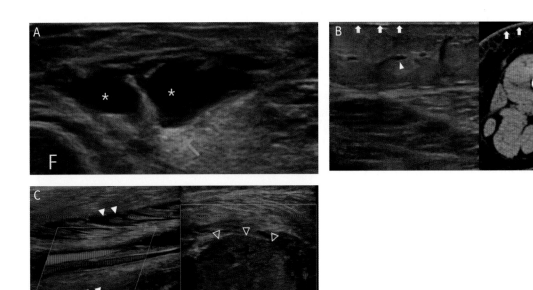

그림 4-4 하지부종에서 흔히 감별해야 하는 질환의 초음파 소견

A. 54세 여자로 갑작스러운 무릎 뒤쪽의 통증과 부종을 주소로 내원하였다. 초음파검사에서 슬와의 대퇴골(F) 관절구 뒤로 부정형의 액체 음영이 관찰된다.

B. 과거 자궁경부암으로 수술 후 방사선치료를 받은 병력이 있는 61세 여자로 좌측 하지 부종으로 내원하였다. 초음파에서 림프부종의 진단특이적 소견은 아니지만, 정상 하지에 비해 피부가 두꺼워져 있으며(화살표) 연부조직도 두꺼우면서 조직 내 액체음영의 저류(화살표 머리)가 관찰되면 림프부종을 의심할 필요가 있다. 우측의 컴퓨터단층촬영의 영상과 상응하는 소견이다.

C. 46세 남성으로 운동 후 갑작스러운 하지 통증과 부종을 주소로 내원하였다. 초음파검사에서 정맥은 정상 소견을 보이지만, 연부조직에 액체음영이 관찰되며(화살표 머리), 근육 내에 혈종을 시사하는 음영이 관찰된다.

2. 정맥기능부전 초음파

1) 서론

노령화, 장시간 근무 등으로 만성 정맥질환은 점점 증가하며, 통증, 부종, 경련 등의 증상을 유발하기도 한다. 정맥기능부전이란 하지정맥의 판막 이상으로 역류가 발생하여 흐름이 방해되는 상태로, 정맥의 혈류가 심장으로 잘 올라가지 못하고 정맥이 울혈되어 순환이 더딘 상태이다. 따라서 정맥기능부전의 증상은 정맥혈류가 고여서 생기는 부종, 무거운 느낌, 돌출된 혈관, 푸른색의 색소 침착 등을 보이고, 심하면 종아리의 피부 상처 및 궤양까지 유발할 수 있다. 그리고 돌출되어 굵어진 정맥은 하지정맥류로 나타나고, 장딴지 피로감과 동반되는 당기는 느낌 및 흔히 쥐라고 얘기하는 야간 경련도 만성 정맥기능부전의 증상이다. 이런 이유로 하지정맥류와 정맥기능부전이라는 말은 비슷한 의미로 혼용되는 경우가 많다. 정맥기능부전을 만드는 중요한 병인은 하지정맥의 폐색과 역류이다. 본 장에서는 현대인에게 하지 불편감을 유발하는 하지정맥의 역류를 이해하고, 혈관 초음파에서 역류를 진단하는 방법에 관해서 알아보고자 한다.

2) 해부학

하지의 정맥은 근막을 기준으로, 심부정맥과 표재정맥으로 나누어지며, 이를 연결하는 관통정맥(perforating vein)이 있다. 표재정맥은 대복재정맥과 소복재정맥과 가지들로 구성된다. 대복재정맥은 내측과(medial malleolus)의 앞쪽에서 출발하여 무릎의 뒤쪽 내측을 통과하여 허벅지의 내측을 통하여 대복재대퇴접합부(saphenofemoral junction)에서 총대퇴정맥으로 배액된다. 소복재정맥은 외측과(lateral malleolus)의 뒤쪽 외측에서 시작하여 종아리의 뒤쪽을 따라서 올라가다가 대복재슬와접합부(saphenopopliteal junction)를 통하여 슬와정맥으로 배액된다. 주로 정맥기능부전의 대상이 되는 표재정맥은 근막 위에 위치하며, 이는 초음파검사에서 중요하다.

표재정맥에서 심부정맥으로의 배액은 대복재대퇴접합부, 대복재슬와접합부를 통하지만, 하지의 많은 관통정맥을 통하기도 한다. 관통정맥은 주요한 접합은 아니지만, 근육에서 여러 가지를 통하여 표재와 심부정맥 사이의 다리 역할을 하고 있다. 관통정맥은 높이와 측을 포함한 위치에 따라 이름을 붙일 수 있고, 과거에 사용되었던 이름과 혼재되어 있다. 주로 관통정맥은 안쪽 대퇴부 및 안쪽 종아리에 분포하고 있다. 과거 코켓(Cockett) 관통정맥은 후경골(posterior tibial) 관통정맥으로 많이 불리고, 보이드(Boyd) 관통정맥은 근위부 후경골 관통정맥으로, 도드(Dodd) 관통정맥은 원위부 대퇴 관통정맥으로 불린다.

3) 병태생리학

하지정맥류의 초음파를 이해하기 위해서는 정맥기능부전의 병태생리를 이해하는 것이 중요하다. 몇 번의 업그레이드가 되기는 했지만, 임상적으로 중요한 점을 모아서, 만성 정맥질환에서 CEAP (clinical, etiologic, anatomic, pathophysiologic) 분류법을 주로 이용한다. C 분류법은 임상양상의 차이, E는 원인, A는 해당 정맥에 따라 나뉘고, P 분류법에서 역류와 폐색으로 나누어 정맥기능부전의 원인을 나눈다.

역류는 원위부에서 근위부로 오는 정맥의 정상적인 흐름과 반대되는 정맥 흐름을 의미하며, 만성 정맥부전을 이해하는데 중요하다. 특히 환자의 증상, 임상적 단계와 역류의 범위, 정도 간의 적절한 상관 관계의 이해는 치료의 방향을 정하는데 매우 중요하다. C1(모세혈관확장증, 망상정맥), C2(정맥류)는 표재정맥에 국한된 역류가 나타나는 경우가 많지만, C3 이상의 임상양상을 보이는 경우, 관통정맥이나 심부정맥의 부전까지 보이기도 한다. 따라서 역류와 임상양상 간의 상관 관계를 이해하는 것은 정맥기능부전의 진단과 치료에 중요하다.

역류는 심부정맥, 표재정맥을 포함하는 하지의 모든 정맥에서 일어날 수 있으나 본 장에서는 하지정맥 치료와 관련된 표재정맥(대복재, 소복재정맥)과 관통정맥의 역류만을 언급하였다. 대복재 및 소복재정맥의 역류는 임상 증상과 밀접하게 연관된 경우가 많아서 진단이 매우 중요하며 관통정맥 역류도 환자의 임상 증상에 따라 진단이 중요하다. 주로 임상적으로 중요한 관통정맥은 안쪽 대퇴부 및 안쪽 종아리에 분포하고 있다. 초음파에서 관통정맥을 확인하기는 쉽지 않다. 하지만 표재정맥의 역류 또는 혈류 장애가 있는 경우, 초음파에서 관통정맥이 확장되고 근막을 뚫는 모양으로 보일 때 의심할 수 있다. 하지정맥의 주 원인이 관통정맥인 경우, 역류되는 위치를 정확하게 파악하는 것이 수술에 중요하다.

4) 검사 프로토콜 및 방법

혈관 수축을 방지하기 위하여 방은 가능한 따뜻하게 유지한다. 하지정맥을 검사하기 위해서는 5.0~7.5 MHz의 탐색자가 필요하다. 간혹 서혜부 상방을 관찰하거나, 하지의 심한 부종 또는 비만한 경우에 3.5~5 MHz의 탐색자가 필요하기도 하다. 하지정맥을 검사하기 위해서는 정맥 울혈이 필요한데, 곧게 선 자세나 서 있기 힘든 환자에서는 역트렌델렌부르크(reverse Trendelenburg) 자세가 필요하다(그림 4-5). 고관절을 외회전시키고, 슬관절을 굴곡시키면 검사가 용이하다. B 모드에서 가로 및 세로스캔을 얻을 수 있다. 우선 정맥의 횡단면에서 탐색자에 힘을 주어 정맥의 압축을 확인하며 검사해

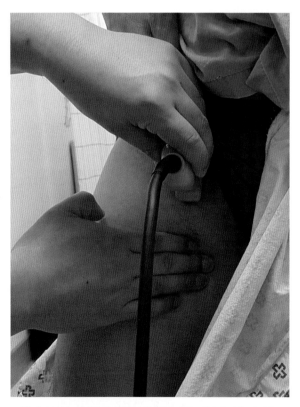

그림 4-5 선 자세에서 서혜부의 대퇴정맥, 대복재정맥 검사를 위한 세로 탐색자 검사 및 환자의 자세

야 하며, 혈전이나 염증, 압박하는 주위 구조물 등을 확인할 수 있다. 대복재대퇴접합부의 세로스캔을 볼 때, 문합부 2 cm 원위부에 마지막 정맥 밸브가 위치하는데, 이 곳에서 역류 검사가 필요하다.

컬러 도플러 및 펄스파 도플러 스펙트럼 분석에는 저유량(low-flow) 설정이 필요하다. 주파수는 1,500 Hz 이하로 설정해야 하지만, 너무 낮으면 색상 번짐허상을 유발할 수 있다. 도플러에서 정확한 속도는 유동 각도가 0°이거나, 흐름에 평행할 때 의미있게 해석할 수 있고, 따라서 역류의 관찰은 탐색자와 구조물의 유동 각도가 0°에 가깝게 해야 한다. 도플러에서 정맥 흐름의 방향을 이해하는 것도 중요하다. 파랑과 빨강색의 도플러 색이 순방향(antegrade), 역방향(retrograde)을 나타내며, 도플러의 파형이 기본에서 위에 있는지 뒤집혔는지에 따라서도 정맥 흐름의 방향을 알 수 있다. 역방향 정맥 흐름은 지속시간에 따라 생리적 또는 병적 역류로 나뉘어진다.

대복재대퇴접합부는 가로스캔에서 총대퇴정맥의 윗 안쪽에서 보인다. 세로스캔에서는 도플러를 이용하여 밸브의 역류를 관찰하는데 용이하다(그림 4-6). 발살바법이나 원위부 압박 등의 유발 검사에서 근위부 대복재정맥의 역행 흐름이 0.5초 이상 유지되면 병적인 역류로 진단할 수 있다(그림 4-7). 소복재정맥은 종아리의 비복근 힘살(gastrocnemius belly) 가운데로 주행하는데, 근위부로 올라오면서 슬와정맥으로 배액된다. 소복재슬와접합부에서 종아리 짜기(calf sqeezing)를 통하여 역류를 확인할 수 있다. 근육을 눌러서 정맥의 원위부 압박을 통하여 역류의 확인, 확대, 지속시간 등을 관찰할 수 있다. 역류의 확인에서 순간적인 역류의 발생이 중요한데, 서혜부 정맥은 발살바법이나 원위부 압박으로 가능하고 비골정맥은 발 정맥을 압박하거나, 발바닥쪽 굽힘을 통하여 역류를 확인할 수 있다.

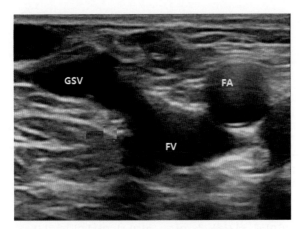

그림 4-6 총대퇴정맥 및 대복재대퇴접합부 검사를 위한 가로 영상

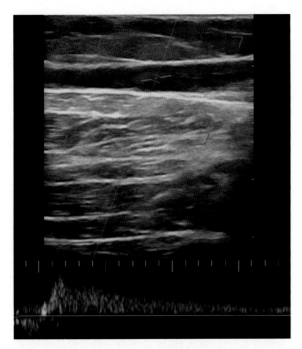

그림 4-7 펄스파 도플러검사 시 대복재정맥 종축영상에서 관찰되는 역류

5) 판독

일반적으로 대퇴정맥이나 슬와정맥에서의 역류는 1초 이상으로 진단할 수 있다. 하지만 표재정맥에서 보면, 발살바법이나 원위부 압박 등의 유발 검사

에서 근위부 대복재정맥의 역행 흐름이 0.5초 이상 유지되면 병적인 역류로 진단할 수 있다. 소복재정맥 또한 원위부 압박 후 0.5초 이상이면 역류 진단이 가능하다. 관통정맥도 0.5초 이상으로 진단한다. 하지만 관통정맥의 역류는 정확하게 측정하기 힘든 경우가 많은데 근막에서 단면의 지름이 3.5 mm 이상이면 90% 이상에서 역류와 동반된 것으로 보고되며, 이 방법으로 관통정맥의 역류를 좀 더 쉽게 찾을 수 있다.

6) 하지정맥류

하지정맥류는 보통 선 자세에서 3 mm 이상의 하지정맥을 가리키며, 사전적인 정의보다는 정맥기능부전에 대한 이해가 필요하며, 하지정맥류의 치료를 위해서는 표재정맥의 정맥기능부전에서 주로 나타나는 정맥 역류에 대한 이해가 매우 중요하다. 하지정맥류에 대한 이해는 위의 CEAP 분류법에서처럼 임상, 원인, 해부학, 병태생리적인 이해가 꼭 선행되어야 한다. 하지정맥류 치료의 방법이 다양해지고 간편한 수술 방법이 다양하게 소개되면서 광범위절제를 필요로 하는 암수술처럼 하지정맥류 치료가 되어 가는 경향이 있다. 환자의 하지정맥류에 대한 임상증상을 포함한 다양한 이해가 선행되어야 치료 후 좋은 만족감 및 좋은 결과를 얻을 수 있다.

3. 상지정맥 및 경정맥 초음파

1) 개요

동맥과 정맥 둘 다 혈액이 지나가지만 정맥의 구조와 기능은 동맥과 많은 부분에서 상이하다. 정맥은 혈액을 심장으로 되돌리고 체온이나 심박출량을 조절하며 혈액을 저장하는 기능을 한다. 환자의 상

태에 따라 저장된 혈액은 혈전형성으로 정맥혈전증
이나 폐색전증을 야기할 수 있다.

　일반적인 동맥 초음파는 협착이나 폐쇄에 중점을
두지만 상지정맥 초음파는 정맥혈전증을 감별하는
데 그 주된 목표가 있다. 상지정맥을 검사하는 초음
파 검사자는 정맥의 해부학적 특징을 숙지하고 정
맥 이상 소견을 진단할 수 있는 영상 획득에 주력해
야 한다.

2) 상지정맥의 해부학

　상지정맥은 하지정맥과는 다른 여러 특징이 있
다. 우선 하지정맥의 혈전은 혈류의 저류로 인해 증
상이 발생하지만 상지정맥의 혈전은 대부분 정맥벽
의 손상(주로 바늘천자)으로 인해 발생하는데 그 이
유는 상지에는 비복근동(soleal sinus)이 없기 때문이
다. 그래서 주사바늘 손상이나 정맥 내 유치 도관
이 없는 정맥혈전은 매우 드물다. 하지만 예외적으
로 흉곽출구증후군에 의한 만성 쇄골하정맥 손상이
나 혈액응고장애, 종양이나 다른 인자에 의한 만성
적인 정맥혈류 차단이 지속되는 상황이 있다면 발
생할 수 있다. 또한 상지정맥은 다양한 정상변이가
존재한다. 대부분의 변이는 정중주와정맥(median
cubital vein) 및 그와 연관된 두정맥(cephalic vein)
및 기정정맥(cephalic vein)에 존재한다.

3) 상지정맥 검사 방법

(1) 경정맥

　완벽한 상지정맥 초음파검사는 반드시 내경정맥
과 외경정맥을 포함해서 시행해야 한다. 내경정맥
은 경부의 외측부에 경동맥을 따라 주행한다(그림
4-8).

　외경정맥은 내경정맥의 뒤쪽 표면에 위치하며 쇄
골하정맥으로 배액된다. 초음파 탐색자로 약한 압
력으로도 쉽게 압박되기 때문에 매우 부드럽게 탐
색자를 사용해야 한다(그림 4-8).

(2) 상완두정맥(무명정맥)

　상완두정맥(무명정맥)은 탐색자로 찾기가 어려운
데 그 이유는 흉골이 앞쪽에 있고, 폐에 존재하는
공기가 초음파의 전달을 방해하기 때문이다. 하지
만 저주파수의 작은 탐색자를 이용하면 이 부분을
더 선명히 볼 수 있다(그림 4-9).

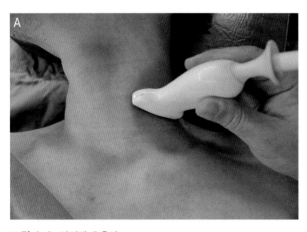
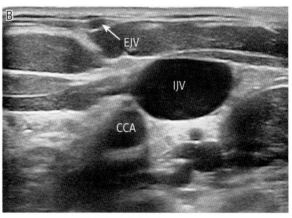

그림 4-8 경정맥 초음파
A. 경정맥을 탐지하는 탐색자의 위치, B. 내경정맥의 가로스캔, 대개 경동맥과 같이 주행한다.
(EJV: external jugular vein, IJV: internal jugular vein, CCA: common carotid artery)

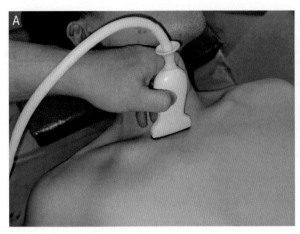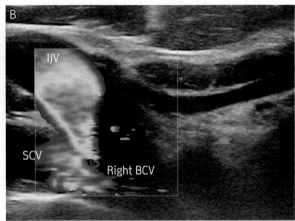

그림 4-9 상완두정맥(무명정맥) 초음파
A. 우측무명정맥을 보기 위한 초음파 탐색자의 위치, B. 상완두정맥의 초음파 영상
(IJV: internal jugular vein, SCV: subclavian vein, BCV: brachiocephalic vein)

(3) 쇄골하정맥

쇄골하정맥은 경정맥과 상완두정맥의 합류부부터 상완쪽의 정맥을 일컫는다. 쇄골하정맥은 쇄골 하방으로 주행하며 표피정맥인 두정맥은 이 부분에서 쇄골하정맥과 만나 배액된다(그림 4-10). 쇄골하정맥은 크고 깊은 정맥으로 쇄골하동맥과 나란히 주행한다(그림 4-11). 쇄골하정맥은 해부학적 위치

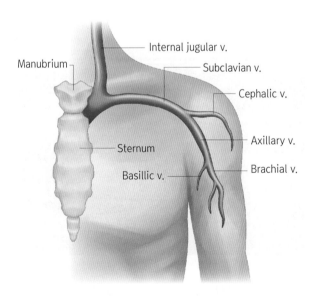

그림 4-10 쇄골하정맥과 주변 정맥

상 쇄골 밑에 위치하기 때문에 정맥 개통을 확인하기 위한 탐색자 압박이 매우 어려운 정맥이다. 초음파검사자는 환자에게 입술을 오므린 상태에서 숨을 얕게 쉬게 하여 정맥이 허탈해지게 하면 적절한 쇄골하정맥의 영상을 얻을 수 있다.

(4) 두정맥

두정맥은 쇄골하정맥으로 배액되는 표재정맥이며, 어깨를 가로질러 이두근의 앞쪽, 바깥측면을 따라 주행하는데 주변 동맥과 같이 주행하지는 않는다(그림 4-12). 상지의 오금 부근에서 정중주와정맥을 통해 기저정맥과 연결된다(그림 4-13). 아래팔의 두정맥은 2개의 정맥으로 분지된다. 하나는 아래팔의 손바닥 측면에서 팔목관절쪽으로 주행하며 또 하나는 아래팔의 등쪽으로 팔목을 향해 주행한다.

(5) 정중주와정맥

앞서 언급했듯이, 정중주와정맥은 기저정맥과 두정맥을 연결하는 표재정맥이다. 대개 상완동맥과 정맥을 가로질러 상지오금 앞쪽을 주행하지만 사람마다 조금씩 다른 변형이 있을 수 있다(그림 4-14).

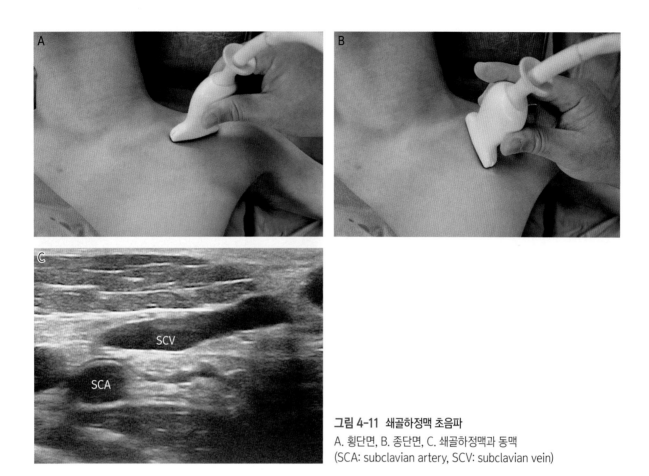

그림 4-11 쇄골하정맥 초음파
A. 횡단면, B. 종단면, C. 쇄골하정맥과 동맥
(SCA: subclavian artery, SCV: subclavian vein)

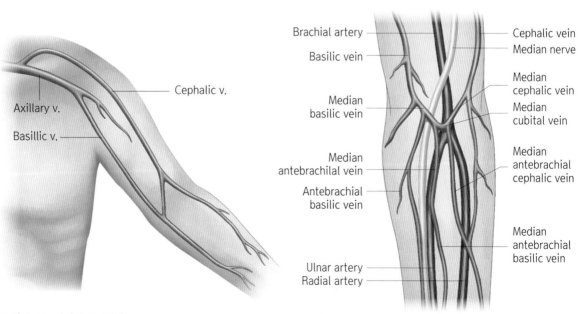

그림 4-12 상지의 표재정맥

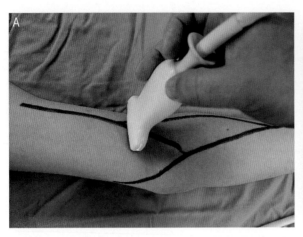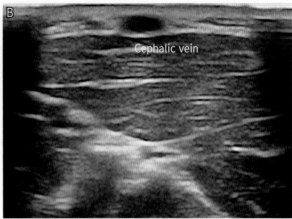

그림 4-13 두정맥 초음파
A. 상지의 표재정맥을 보기 위한 초음파 탐색자의 위치, B. 두정맥의 초음파 영상

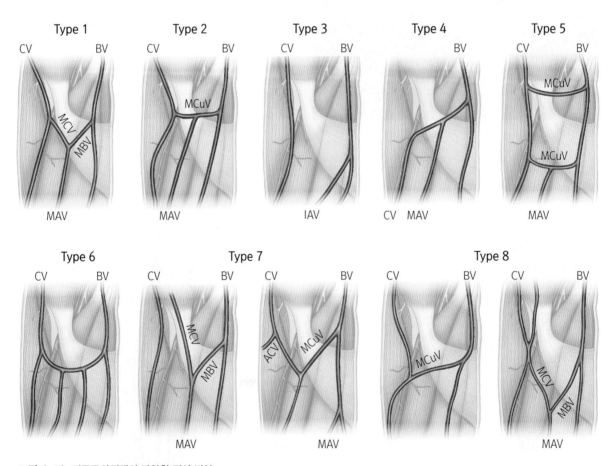

그림 4-14 정중주와정맥의 다양한 정상 변이
(CV = cephalic vein; BV = basilic vein; MAV = median antebrachial vein; MCuV = median antecubital vein; MBV = median basilic vein; MCV = median cephalic vein; ACV = accessory cephalic vein)

(6) 액와정맥

쇄골하정맥이 두정맥과 만나는 부분 이하부터 액와정맥이 시작되며 겨드랑이를 따라 주행한다. 대부분의 심부정맥이 동맥과 같이 주행하는 것에 반해 액와동맥과 정맥은 겨드랑이에서 약간의 거리를 두고 주행한다. 기저정맥은 상완의 중간부분에서 액와정맥으로 배액된다(그림 4-15). 기저정맥은 이두근의 안쪽 경계를 따라 주행하지만 상완동맥이나

정맥과 나란히 주행하지는 않는다. 기저정맥이 액와정맥과 합류하는 부분은 사람마다 다르며 상완보다 더 위쪽에서, 또는 아래팔의 중간에서 만날 수도 있다(그림 4-16).

(7) 상완정맥

상완정맥은 상완동맥을 따라 주행하며 보통 작은 두 개의 쌍을 이룬다. 그래서 상완정맥은 표재정맥에 비해 직경이 작다(그림 4-17). 상완정맥은 상완동맥을 따라 팔꿈치 직하방까지 주행하며 이 부분에서 요골정맥과 척골정맥으로 나뉜다.

(8) 요골정맥

요골정맥은 아래팔에서 엄지방향으로 주행하며 보통 2개의 작은 정맥으로 쌍을 이루어서 손바닥까지 주행한다(그림 4-15, 18).

(9) 척골정맥

척골정맥은 상완정맥부터 척골동맥을 따라 손목의 척골면을 향해 주행한다(그림 4-15, 19).

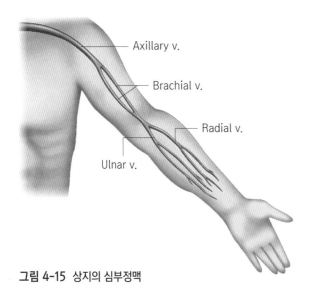

그림 4-15 상지의 심부정맥

- Axillary v.
- Brachial v.
- Radial v.
- Ulnar v.

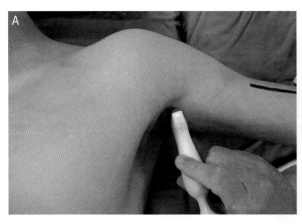
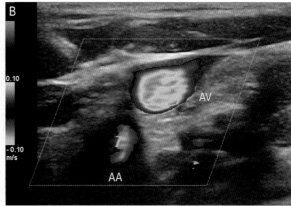

그림 4-16 액와정맥 초음파
A. 액와정맥을 보기 위한 초음파 탐색자의 위치, B. 액와정맥의 초음파 영상
(AA: axillary artery, AV: axillary vein)

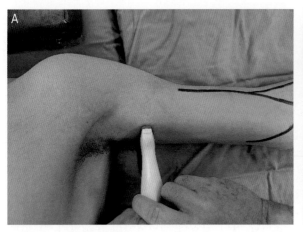

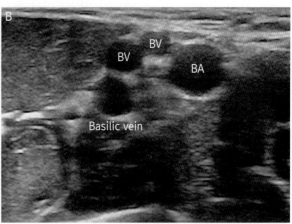

그림 4-17 상완정맥 초음파
A. 상완정맥을 보기 위한 초음파 탐색자의 위치, B. 상완정맥의 초음파 영상
(BA: brachial artery, BV: brachial vein)

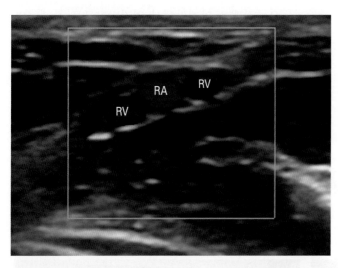

그림 4-18 아래팔의 요골정맥과 요골동맥의 초음파
(RA: radial artery, RV: radial vein)

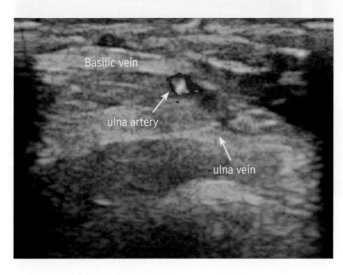

그림 4-19 아래팔의 척골정맥과 기저정맥의 초음파

(10) 기저정맥

기저정맥을 확인하기 위해서 검사자는 상완의 중간부분부터 액와정맥과 만나는 부분의 끝을 찾아야 한다. 기저정맥은 대부분 상완동맥의 내측으로 주행하며 상완정맥과 평행하게 주행하기도 한다(그림 4-19). 상지오금 근처에서 정중주와정맥과 만나며 이 부분에서 상완동맥과 상완정맥 위쪽을 가로지르게 된다. 정중주와정맥은 많은 검사자들이 상지의 정맥을 검사할 때 훌륭한 지표로서 가장 먼저 검사를 하는데 그 이유는 표피 근처에 위치하고 찾기가 쉬우며 내측으로 기저정맥과, 외측으로는 두정맥과 연결되기 때문이다(그림 4-12). 정중주와정맥을 검사한 후 바로 그 아래 위치하는 상완혈관들을 검사한다.

4) 상지정맥의 혈전증

상지정맥혈전증은 상대정맥증후군, 원발성, 도관 관련 또는 흉곽출구증후군에 의한 혈전증으로 나눌 수 있다. 지난 20년 동안 액와정맥 및 쇄골하정맥혈전증 발생이 많아진 것은 중심정맥도관 사용의 증가와 연관이 있다(그림 4-20~22). 중심정맥관과 관련 없는 혈전증은 악성종양(특히 종격동 림프종)이나 외상, 수술 및 방사선요법을 받는 환자에서 상대정맥증후군이나 액와 또는 쇄골하정맥혈전증으로 발생할 수 있다. 그러나 Paget-Schroetter 증후군은 이러한 질병이나 시술과 관련 없이 암이 없는 정상보행하는 사람에서 자발적으로 액와-쇄골하정맥혈전증이 나타날 수 있다. 또한 흉곽입구(경부갈비

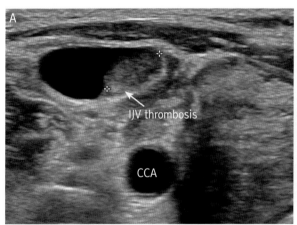

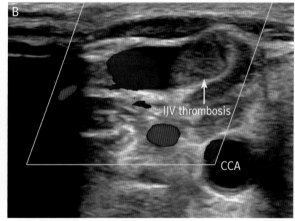

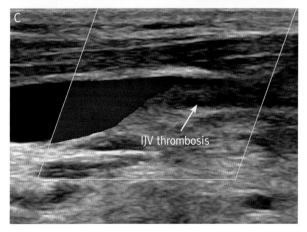

그림 4-20 내경정맥을 통한 중심정맥관 삽입 후 발생한 내경정맥 혈전증
A. 종단면 B 모드
B. 종단면 컬러 도플러 모드
C. 횡단면 컬러 도플러 모드
(IJV: internal jugular vein, CCA: common carotid artery)

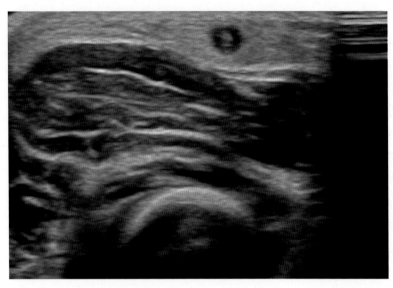

그림 4-21 정맥주사 후 발생한 두정맥혈전증

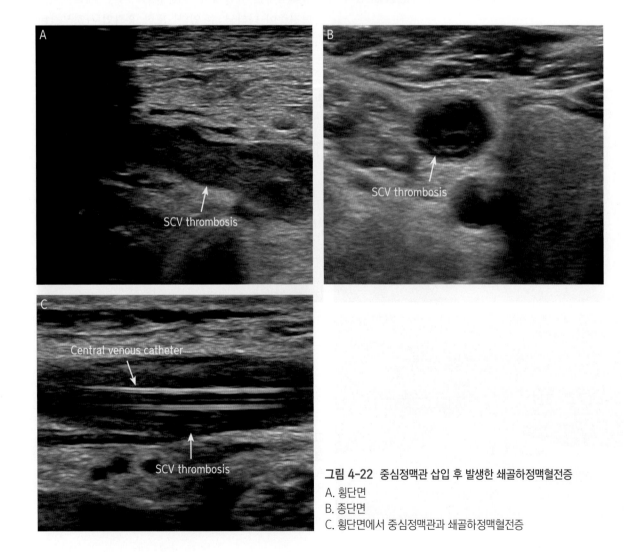

그림 4-22 중심정맥관 삽입 후 발생한 쇄골하정맥혈전증
A. 횡단면
B. 종단면
C. 횡단면에서 중심정맥관과 쇄골하정맥혈전증

뼈)의 해부학적 이상과 관련해서 발생하기도 한다. 상지정맥혈전증은 여자보다 남자에서, 그리고 우세한 상지의 정맥에서 발병율이 더 높으며 갑자기 증상이 발생하는 경우가 많다. 갑자기 발생한 현저한 상지 부종과 눈에 띄는 표재정맥돌출은 임상적으로 상지정맥혈전증을 강력히 의심할 수 있는 임상 증상이며 이중 초음파검사로 확진이 필요하다. 상지 부종이 현저하지 않는 환자가 상지의 불편함만을 호소할 수 있는데 이러한 경우에도 이중 초음파검사는 정맥 상태를 평가하는 효과적인 방법이다. 상지의 근위부는 목과 어깨 주위의 풍부한 측부정맥에 의해 연결되어 있으나 목과 어깨의 뼈 때문에 쇄골하정맥의 내측 부분을 초음파로 확인하는데 어려움이 있을 수 있지만 쇄골하정맥의 근위부와 상완두정맥의 혈류를 초음파로 확인할 수 있다면 심장으로 배액되는 혈류 및 혈역학적 정보를 통해 중심정맥 개통을 간접적으로 유추할 수 있다.

참고문헌

1. 조진현. 혈관초음파. 서울: 가본의학서적; 2007.
2. Bates SM, Jaeschke R, Stevens SM, et al. Diagnosis of DVT: Antithrombotic Therapy and Prevention of Thrombosis, 9th ed: American College of Chest Physicians Evidence-Based Clinical Practice Guidelines. Chest 2012;141(2 Suppl):e351S-e418S.
3. Caggiati A, Bergan JJ, Gloviczki P, et al. Nomenclature of the veins of the lower limbs: an international interdisciplinary consensus statement. J Vasc Surg 2002;36:416-22.
4. Garcia R, Labropoulos N. Duplex Ultrasound for the Diagnosis of Acute and Chronic Venous Diseases. Surg Clin North Am 2018;98:201-18.
5. Goodacre S, Sampson F, Thomas S, et al. Systematic review and meta-analysis of the diagnostic accuracy of ultrasonography for deep vein thrombosis. BMC Med Imaging 2005;5:6.
6. Guideline developed in collaboration with the American College of R, Society of Pediatric R, Society of Radiologists in U. AIUM Practice Guideline for the Performance of Peripheral Venous Ultrasound Examinations. J Ultrasound Med 2015;34:1-9.
7. Kret MR, Liem TK, Mitchell EL, et al. Isolated calf muscular vein thrombosis is associated with pulmonary embolism and a high incidence of additional ipsilateral and contralateral deep venous thrombosis. J Vasc Surg Venous Lymphat Disord 2013;1(1):33-8.
8. Labropoulos N, Delis K, Nicolaides AN, et al. The role of the distribution and anatomic extent of reflux in the development of signs and symptoms in chronic venous insufficiency. J Vasc Surg 1996;23:504-10.
9. Lee DK, Ahn KS, Kang CH, et al. Ultrasonography of the lower extremity veins: anatomy and basic approach. Ultrasonography 2017;36:120-30.
10. Meissner MH. Lower extremity venous anatomy. Semin Intervent Radiol 2005;22:147-56.
11. Min RJ, Khilnani NM, Golia P. Duplex ultrasound evaluation of lower extremity venous insufficiency. J Vasc Interv Radiol 2003;14:1233-41.
12. Needleman L, Cronan JJ, Lilly MP, et al. Ultrasound for Lower Extremity Deep Venous Thrombosis: Multidisciplinary Recommendations From the Society of Radiologists in Ultrasound Consensus Conference. Circulation 2018;137(14):1505-15.
13. Oguzkurt L. Ultrasonographic anatomy of the lower extremity superficial veins. Diagn Interv Radiol 2012;18:423-30.
14. Porter JM, Moneta GL. Reporting standards in venous disease: an update. International Consensus Committee on Chronic Venous Disease. J Vasc Surg 1995;21:635-45.
15. Righini M. Is it worth diagnosing and treating distal deep vein thrombosis? No. J Thromb Haemost 2007;5(1):55-9.
16. Sandri JL, Barros FS, Pontes S, et al. Diameter-reflux relationship in perforating veins of patients with varicose veins. J Vasc Surg 1999;30:867-74.

복부 혈관

1. 복부 동정맥 해부학

1) 복부 대동맥

복부 대동맥(abdominal aorta)은 대략 12번째 흉추의 하단에서 횡격막의 대동맥구멍을 통과하여 복부로 들어오며 정중선에 위치한다(그림 5-1). 계속하여 하방으로 1번째 요추와 4번째 요추의 몸통 앞면을 따라 내려가다가 4번째 요추의 하단 정중선 바로 왼쪽에서 우측과 좌측 총장골동맥으로 나뉜다. 나뉘는 위치를 복벽에 투영하면 배꼽아래 약 2.5 cm 지점 또는 양쪽 장골 능선(iliac crest)의 최고점 사이를 잇는 선에 위치한다. 한국 성인을 대상으로 컴퓨터단층 혈관조영술 사진을 이용한 연구의 결과도 복부 대동맥분기(aortic bifurcation)는 4번째 요추 하부(35.4%), 4번째 요추 상부(31.6%), 4~5번째 요추 추간판(17.8%) 순서로 4번째 요추에 67.0%가 위치하였다.

복부 대동맥의 직경은 신장동맥 하방 2 cm에서 측정한 결과, 남자는 19.5±1.6 mm, 여자의 경우는 18.5±1.2 mm로 남녀 간에 유의한 차이를 보이지는 않았으며, 50% 이상 확장 즉 직경이 3 cm 이상인 경우 복부 대동맥류(abdominal aortic aneurysm)라고 진단한다.

2) 복강동맥

복강동맥(celiac trunk)은 1번째 요추 위쪽 부분의 앞쪽, 즉 횡격막의 대동맥구멍 바로 아래에서 복부 대동맥으로부터 첫 번째로 분지된다. 복강동맥은 곧이어 좌위동맥(left gastric artery), 비장동맥(splenic artery), 총간동맥(common hepatic artery)으로 나눠진다(그림 5-2). 이러한 정상적인 형태로 분지되는 경우는 전체 인구의 72~89% 정도이며 한국인에서는 89.1%였다.

(1) 좌위동맥

좌위동맥은 복강동맥에서 첫 번째로 분지되는 가장 작은 가지이다. 좌위동맥은 분문-식도 이행부로 올라가면서 식도의 뒤쪽으로 식도 분지를 내고, 이어 오른쪽으로 돌아 소망(lesser omentum) 속에서 위의 소만부를 따라 내려간다.

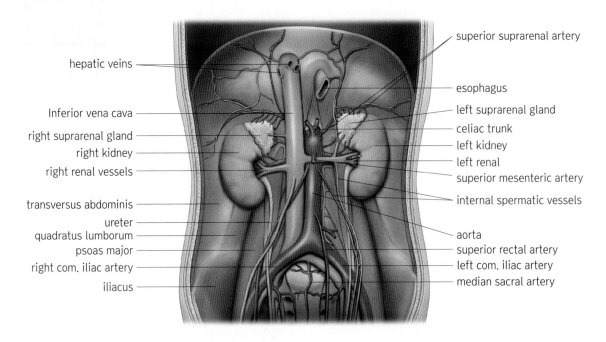

그림 5-1 복부 대동맥과 하대정맥

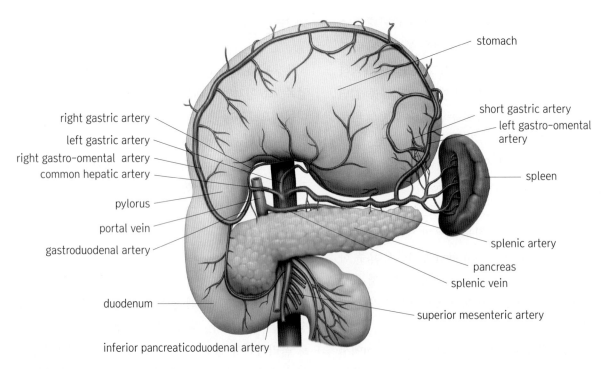

그림 5-2 복강동맥과 상장간막동맥

(2) 비장동맥

복강동맥의 가장 큰 가지인 비장동맥은 췌장의 위 가장자리를 따라서 왼쪽으로 구불구불한 경로를 지나간다. 비장동맥은 비신인대(splenorenal ligament) 속을 지나며 여러 가지로 나뉘어 비장으로 들어간다. 비장동맥은 비장 가까이에서 단위동맥(short gastric artery)을 분지하는데 이 가지들은 위비장인대를 따라 위바닥(gastric fundus)에 분포한다.

(3) 총간동맥

총간동맥은 복강동맥의 중간크기 가지이며 오른쪽으로 나아가 고유간동맥(hepatic artery proper)과 위십이지장동맥(gastroduodenal artery)으로 나눠진다. 위십이지장동맥은 상췌십이지장동맥(superior pancreaticoduodenal artery)을 거쳐 하췌십이지장동맥(inferior pancreaticoduodenal artery)으로 상장간막동맥(superior mesenteric artery)과 연결된다.

3) 상장간막동맥

상장간막동맥은 복부 대동맥의 앞 가지로서 중장(midgut)에 분포하며 1번째 요추 아래 부분의 앞쪽, 즉 복강동맥의 바로 아래쪽에서 대동맥으로부터 분지된다(그림 5-2, 4). 상장간막동맥의 앞쪽으로 비장정맥이 가로로 지나가고, 뒤쪽에는 좌신정맥과 십이지장의 아래부분이 위치한다. 상장간막동맥의 첫째 가지인 하췌십이지장동맥이 분지한 후, 왼쪽으로 공장동맥(jejunal artery)과 회장동맥(ileal artery)이 분지한다. 상장간막동맥의 주된 가지인 3개, 즉 중결장동맥(middle colic artery), 우결장동맥(right colic artery), 회결장동맥(ileocolic artery)은 오른쪽으로 분지한다.

4) 신장동맥

복부 대동맥의 옆쪽에서 나오는 굵은 가지로서 1번째 요추와 2번째 요추 추간판 높이에서 분지되며, 상장간막동맥 바로 아래에서 나와 신장으로 들어간다(그림 5-3). 신장동맥의 길이는 약 4~6 cm이며 직경은 5~6 mm이다. 우신장동맥은 좌신장동맥에 비해 더 길며, 대동맥의 전외측면에서 분지되어 하대정맥 뒤에서 아래쪽으로 주행하여 우측 신장에 들어가는 반면, 좌신장동맥은 약간 더 높고 대동맥의 측면에서 시작하여 거의 수평으로 주행하여 좌신장으로 들어간다. 70%에서 신동맥은 각각 하나씩이며 30%에서는 여러 개의 부신장동맥(accessory renal artery)을 갖는다. 부신장동맥은 주신장동맥의 위아래 대동맥에서 분지하나 대동맥의 다른 분지동맥, 즉 상·하장간막동맥이나 장골동맥에서도 분지될 수 있다. 약 10%에서는 신장으로 들어가기 전에 신장동맥의 기시부에서 일찍 분지(early branching)되는 형태를 보이기도 한다.

5) 하장간막동맥

하장간막동맥(inferior mesenteric artery)은 앞쪽 3개의 대동맥 가지 중 가장 작은 가지로서, 3번째 요추 몸통의 앞쪽에서 대동맥으로부터 분지하여 후장(hindgut)에 분포한다(그림 5-4). 하장간막동맥은 처음에 복부 대동맥의 앞쪽으로 내려가다가 왼쪽으로 꺾여서 아래로 내려간다. 이 동맥의 가지는 좌결장동맥(left colic artery), 구불결장동맥(sigmoid artery), 상직장동맥(superior rectal artery)이다. 중결장동맥과 좌결장동맥을 연결하는 동맥을 리올랑궁(arc of Riolan)이라 하며, 모서리동맥(marginal artery of Drummond)이라고도 하고, 횡행결장과 하행결장 사이에 위치한다. 리올랑궁은 전체 인구의 0.1~1%에서는 보이지 않을 수 있다.

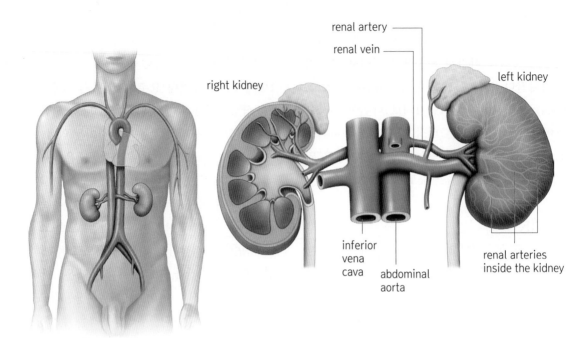

그림 5-3 신장동맥과 정맥

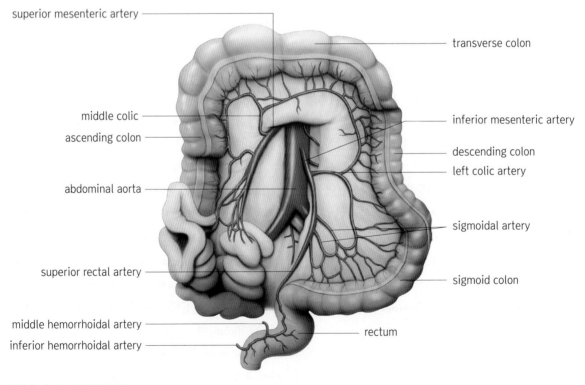

그림 5-4 상, 하장간막동맥

6) 총장골동맥

총장골동맥은 4번째 요추높이에서 복부 대동맥으로부터 분지되는 동맥이며 내, 외장골동맥으로 나누어 진다. 성인에서의 길이는 약 4 cm이며 직경은 1 cm 정도이고 1.2 cm 미만인 경우 정상이며 1.8 cm 이상인 경우 동맥류로 진단한다. 우총장골동맥은 대동맥 분기점이 중앙선보다 왼쪽에 위치하여 좌총장골동맥 보다 약 1 cm 길다.

7) 내장골동맥

내장골동맥은 총장골동맥의 분지이며 골반벽, 골반 장기, 둔부와 허벅지의 내측부분에 혈류를 보낸다. 외장골동맥 보다는 작고 짧고 두꺼우며 길이는 약 3~4 cm이다.

8) 외장골동맥

외장골동맥은 총장골동맥의 분지이며 하방, 측방, 외측으로 주행하여 서혜인대 밑을 지나 총대퇴동맥으로 이어지고 하지에 혈류를 공급한다(그림 5-5). 2개의 주된 분지로 하복벽동맥(inferior epigastric artery)와 심장골회선동맥(deep circumflex iliac artery)이 있으며, 하복부의 근육과 피부에 혈류를 공급한다.

9) 하대정맥

하대정맥은 하지와 하부 몸통에서 정맥혈을 우심방으로 보내는 정맥으로 5번째 요추 부위에서 좌우 장골정맥이 합쳐져서 형성되고, 복강의 뒤쪽으로 후복막강에 위치하며 척추의 우측을 따라 주행한다. 2번째 요추 부위에서 우생식선정맥(right

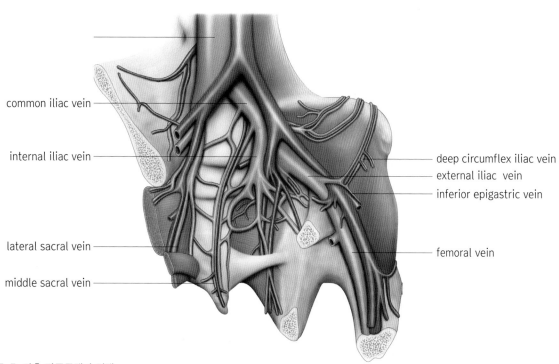

common iliac vein

internal iliac vein

lateral sacral vein

middle sacral vein

deep circumflex iliac vein
external iliac vein
inferior epigastric vein

femoral vein

그림 5-5 좌측 장골동맥과 정맥

gonadal vein)이 합류하며, 1번째 요추 부위에서 양측 신정맥과 우부신정맥(right suprarenal vein)이 합류하고, 8번째 흉추 부위에서 간정맥이 합류한다. 좌생식선정맥은 좌신정맥에 합류하여 대정맥으로 들어간다(그림 5-1).

국내 연구에 의하면 양측 총장골정맥-하대정맥 연결부위는 5번째 요추 상부(43.0%), 4~5번째 요추 추간판(21.5%), 4번째 요추 하부(17.7%), 5번째 요추 하부(16.5%)로 총 59.5%가 5번째 요추에 있었고, 남녀 간의 통계학적으로 유의한 차이는 없었는데 이는 지금까지의 다른 보고와 크게 다르지 않았다. 유전적으로 하대정맥이 좌측에 위치하는 기형이 전체 인구의 0.2~0.3%에서 발견되며, 간혹 신장정맥 하부에서 중복(duplication)인 경우도 관찰된다.

10) 신정맥

우신정맥은 신장의 문(hilum)에서 신장동맥의 앞에서 시작하여 앞쪽 상부로 주행하여 하대정맥과 이어지고 길이는 2~3 cm 정도이다(그림 5-3). 좌신정맥은 길이가 평균 7~8.5 cm이며 하대정맥까지 수평으로 주행하며, 대동맥의 앞쪽, 상장간막동맥의 하부로 두 혈관의 사이에 위치한다. 좌부신정맥과 하횡격막정맥(inferior phrenic vein)이 좌신정맥의 위쪽으로 합류하고, 좌생식선정맥이 좌신정맥의 아래쪽으로 대동맥을 지나기 전에 합류한다.

11) 총장골정맥

내장골정맥과 외장골정맥이 천장관절(sacroiliac joint) 부위에서 합쳐져 총장골정맥을 이루며 5번째 요추 높이, 좌총장골동맥 뒤에서 좌우가 합쳐져 하대정맥이 된다(그림 5-5). 하대정맥이 중앙선보다 우측에 위치하므로 좌총장골정맥이 우총장골정맥보다 길다. 우총장골동맥과 5번째 요추사이에서 좌총장골정맥이 눌리는 May-Thuner 증후군이 발생하기도 하며 총장골동맥의 지속적인 맥박으로 인해 총장골정맥 내에 염증반응이 발생하고 탄력소(elastin)와 콜라겐의 축적으로 내막의 섬유화가 일어나 정맥내 돌기(spur)와 망(web)이 형성되어, 지속적인 단측 하지 부종과 심부정맥혈전증이 발생하기도 한다.

12) 내장골정맥

다수의 정맥들이 대좌골공(greater sciatic foramen) 위에서 모여 내장골정맥을 형성한다. 내장골정맥의 여러 가지들은 외장골정맥의 혈류가 차단되는 경우 측부혈관의 역할을 한다.

13) 외장골정맥

서혜인대 상부부터 내장골정맥과 합류하는 부분까지 하지에서 정맥혈이 이동하는 대퇴정맥과 이어지는 정맥이다(그림 5-5). 판막이 하나 있는 경우도 있으나 없는 경우가 더 많다. 동맥과 마찬가지로 하복벽정맥와 심장골회선정맥이 합류한다.

14) 간문맥

간문맥(portal vein)은 위장관, 췌장, 비장 및 담낭 등으로부터 정맥이 하나로 합쳐져 만들어진다. 즉 상장간막정맥과 비장정맥이 합쳐져 형성되며, 성인에서 길이가 8 cm 정도이다(그림 5-6). 간문맥은 위, 췌장, 소장, 대장 등과 같은 소화관에서 흡수한 영양성분을 운반하는 중요한 통로이며, 간문맥의 혈액은 간 전체 혈액 공급의 75%를 담당하고, 간에 영양분을 남기고, 간의 모세혈관들을 지나면서 해독과 대사 과정을 거쳐 정화된다. 간문맥의 특이한 점은 우리 몸을 순환하는 혈액 중 유일하게 모

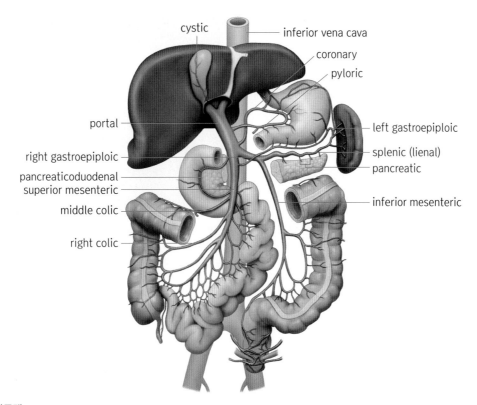

cystic

inferior vena cava

coronary

pyloric

portal

left gastroepiploic

right gastroepiploic

splenic (lienal)

pancreaticoduodenal
superior mesenteric

pancreatic

middle colic

inferior mesenteric

right colic

그림 5-6 간문맥

세혈관을 두 번 거친다는 점이다. 한 번은 위장관계의 모세혈관, 또 한 번은 간 속 모세혈관이다. 엄밀히 말하면 간문맥은 정맥혈관이라고 말할 수 없는데, 그 이유는 심장과 연결되는 혈관은 아니기 때문이다. 간문맥은 위장관계의 모세혈관으로부터 시작되어 간의 모세혈관으로 이어진다. 간문맥 내부에는 판막이 존재하지 않는다.

2. 복부 대동맥류 초음파

1) 서론

복부 대동맥류는 대동맥의 직경이 정상보다 1.5배 이상 확장되거나 3 cm 이상 확장된 것을 의미한

다. 파열되지 않은 복부 대동맥류는 무증상을 보이는 경우가 대부분으로 우연히 발견되는 경우가 많다. 신체검사에서 만져지는 박동성 복부 종괴로 복부 대동맥류를 검진하는 것은 정확도가 떨어진다. 따라서 복부 대동맥류 고위험군(고령, 남성, 흡연력, 고혈압, 고질혈증, 가족력)에서는 선별검사를 시행하는 것이 필요하다. 초음파검사는 비침습적이고 조영제에 대한 위험부담이 없어 복부 대동맥류의 선별검사로 이용되고 있다. 또한 혈관 내강만을 조영하는 조영술에 비해 초음파검사(혈전이나 죽종을 포함한)는 혈관 외벽을 관찰할 수 있는 장점이 있다. 이러한 초음파검사에서의 직경 측정은 컴퓨터단층촬영 및 수술 소견과도 비교적 일치하여 그 정확도가 이미 검증되었으므로 복부 대동맥류의 발견뿐만 아니라 추적 관찰에도 유용하다. 다만 검사

의 질이 비만, 장내 가스와 같은 환자요인이나 검사자의 숙련도와 같은 인적 요인에 따라 달라질 수 있는 제한점이 있으며, 신장동맥과 장골동맥에 있어서는 조건에 따라 판독이 불확실하므로 수술 전 계획 검사로는 주의를 요한다.

2) 초음파 술기

(1) 환자 준비사항 및 장비 준비

복부 가스를 최소화하기 위해 6~8시간 이상 공복이 필요하다. 자세는 앙와위 자세에서 주로 시행한다. 필요한 경우 측면 접근을 시행하기도 하는데 측면 접근 시에는 우측와위/좌측와위 자세에서 신장이나 하대정맥 등의 주변 조직을 음향창으로 활용하기도 한다. 또한 상체를 살짝 거상하여 검사하거나 앉아서 검사를 시도해보기도 하며 여러 가지 자세에서도 검사가 어렵다면 시간을 두고 재검사를 시행하는 것이 좋다.

복부 대동맥류 검사를 위한 탐색자는 주로 2~5 MHz의 저주파로, 부채꼴 모양의 곡선 탐색자를 사용한다. 간혹 야윈 환자는 선형 탐색자로도 관찰이 가능하나 주변 조직과의 상관관계를 파악하기 위해 곡선 탐색자를 주로 사용한다.

(2) 가로스캔

우선 가로스캔으로 복부 대동맥을 관찰한다. 대동맥은 복부 중앙선에서 약 1~2 cm직경의 박동하는 관상 구조로 보인다. 후면의 척추가 명확히 구분되어 보이는 정도로 영상 깊이 조절을 해주는 것이 좋다(그림 5-7). B 모드에서 초점을 대동맥 수준 또는 그 아래로 놓고, 비만도에 따라 투과(penetration)와 게인(gain) 정도를 조절하며 명치에서 하복부까지 관찰한다. 직경이 점진적으로 작아지지 않고 늘어나는 부위가 있는지 살펴보며 스캔한다. 이미 동맥류를 진단받은 환자라면 6개월 동안 0.5 cm 이상

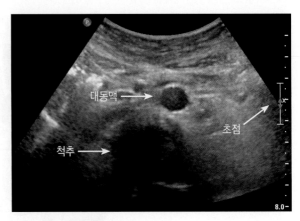

그림 5-7 대동맥 초음파 기본 스캔
복부 중앙선에 척추가 구분되는 영상 깊이로 조절하고, 초점을 대동맥 위치로 맞춘다.

의 팽창의 증거나 동맥류 부위의 압통, 동맥류에서 기인할지 모르는 등 또는 복부 통증이 있으면 신속히 동맥류 수술을 받아야 하므로 검사 전에 환자가 압통이 있는지 점검하는 것이 좋으며, 직전의 검사 결과를 참고하여 최대 크기의 변화가 있는지를 비교하며 검사하는 것이 필요하다.

기본적인 크기 측정 위치는 첫 번째로, 검상돌기 하방의 복강동맥 기시부이다. 복강동맥줄기에서 간동맥과 비장동맥이 분지되는 모양이 마치 갈매기와 같아 'seagull sign'이라고 부르기도 한다(그림 5-8A). 두 번째로, 상장간동맥 분지 직하방 부위로 하대정맥에서 좌신정맥이 분지되는 위치이다(그림 5-8B). 세 번째로, 대동맥-장골동맥 분지부이며, 각 위치에서 복부 대동맥의 최대 크기를 기록한다(그림 5-8C). 마지막으로, 가능하다면 서혜부까지 평가를 하되 장골동맥류를 간과하지 않도록 하여야 한다(그림 5-8D). 물론 독립적인 장골동맥류는 드물고, 장골동맥 전장 관찰이 쉽지 않으나, 장골동맥류는 위치 상 촉진이 어렵고, 증상이 비특이적이어서 파열되어 위급한 상황에 이르기 전까지는 발견되기 어렵기 때문에 선별검사를 위해서라도 되도록 장골동맥을 포함하여 검사하는 것이 좋다.

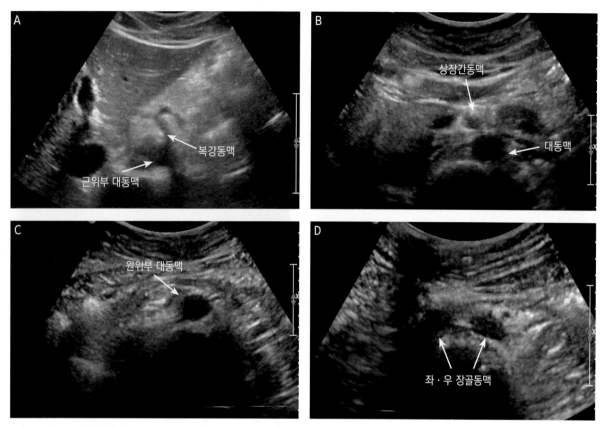

그림 5-8 대동맥 크기측정 위치
A. 근위부 대동맥(검상돌기 하방, 복강동맥 함께 보임)
B. 중간부 대동맥(상장간막동맥 함께 보임)
C. 원위부 대동맥(장골동맥분지 직상방)
D. 장골동맥

또한 대퇴동맥 협착이나 장골동맥 협착이 동반된 경우나 신하부 동맥이 짧거나 굽은 경우 그리고 대장 허혈의 위험이 있는 경우는 혈관내 시술의 접근 방법이 달라질 수 있고, 수술적 치료가 고려될 수도 있으므로 횡격막 아래 복부 대동맥부터 서혜부 대퇴동맥까지 이러한 상관 관계를 포함하여 기록하는 것이 도움이 된다. 크기를 측정할 때는 탐색자의 입사각이 최대한 혈관과 직각이 되게 하여야 좋은 영상을 구할 수 있다.

대동맥이 방추상(fusiform) 또는 낭상(saccular)으로 팽대 되어 늘어난 부위가 있다면 길이와 위치를 평가하고, 혈관의 기울어짐에 유의하여 최대 직경을 측정한다. 초음파검사에서 혈관의 크기 측정방법 중 축방향 해상도(axial resolution)가 측방향 해상도(lateral resolution)보다 좋으므로 전후방 길이(anteroposterior diameter) 측정이 표준 측정이 된다. 그러나 혈관이 팽대된 모양이 구형이 아닌 타원형이거나 불규칙하다면 전후방 측정 외에 추가적인 측정이 필요하며 이런 경우 결과지에 측정법을 함께 표기 해두는 것이 좋다. 아울러 혈전이나 죽종이 있는 경우 내강의 크기를 함께 측정하는 것이 도움이 된다(그림 5-9). 또한 혈관벽 확장을 정확히 계측하기 위해 외벽 기준(outer to outer) 측정이 일반적으로 사용되고 있다(그림 5-10). 외벽 측정 시 외벽과 인접한 연부조직을 구분하지 않아 크기가 과대평가되지 않도록 주의가 필요하다. 또한 CT 검사와 초음파검사에서 차이가 발생할 수 있는데 일부 보고에 의하면 95%에서 초음파검사 시 측정치가 약 5 mm 정도 주로 작게 측정되는 경향이 있다고 한다. 이러한 차이는 첫째, 초음파 측정 시 외벽(outer wall)이 아닌 내벽(inner wall)을 기준으로 측정하거나, 둘째, 복부 혈관은 깊이 위치하고 있어 압력을 가하면서 검사를 시행하게 되고, 이 과정에서 탐색자로 복부를 누르는 압력에 의해 전후방 길이가 작게 측정될 수 있다. 세 번째로, 초음파는 검사자가 입사각을 유연하게 변경할 수 있으므로 동맥류가 심한 경우 기울어짐이 발생하고 진성 횡단면(true transverse view)을 구하기 위해 검사자는 비스듬히 측정을 시행하게 된다(그림 5-11). 이런 경우, CT 검사에서 축방향에서의 단면으로만 크기를 측정하여 판독할 경우 차이가 발생할 수 있다. 따라서 이러한 측정법에 따라 차이가 발생할 수 있다는 것을 인지하고 혈관벽의 기준이나 측정법에 대해 사전에 협의되어 있는 것이 좋고, 초음파에서 표준 측정법 외에 추가 측정을 시행한 경우는 구분하여 표기하는 것이 좋겠다.

다음으로 가로스캔에서 컬러 도플러를 이용하여 전장을 천천히 관찰한다. 펄스반복주파수와 게인을 적절히 조정하여 혈류의 결손 여부를 관찰하는데, 동맥류가 있는 경우 와류가 생기면서 혈류속도가 느려지기 때문에 펄스반복주파수를 낮추고 게인을 높인 상태에서 검사를 시작하는 것이 좋으며, 속도가 빨라진 구간에서 점차 펄스반복주파수를 높이고 게인을 낮춘다. 이렇게 단계적으로 적합하게 조절된 컬러 도플러는 박리나 협착에 의한 와류를 개괄적으로 판단하기가 조금 더 용이하며 저에코성 혈전 감별에도 도움을 준다. 동맥류에서 기인하는

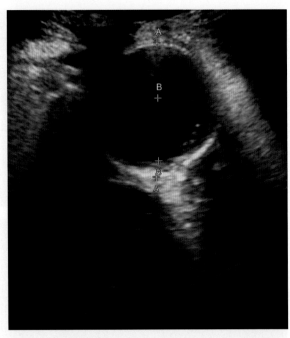

그림 5-9 혈관 내 혈전이 있는 경우 외벽 측정과 내강 측정

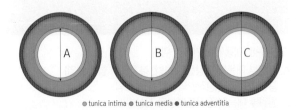

● tunica intima ● tunica media ● tunica adventitia

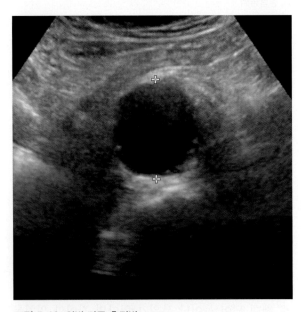

그림 5-10 외벽 기준 측정법

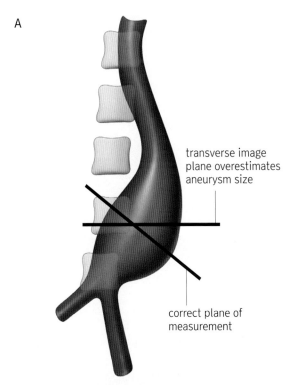

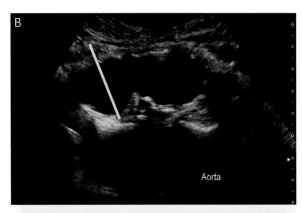

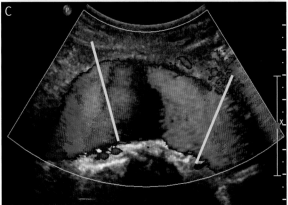

그림 5-11 혈관이 기울어진 경우 횡단면에서의 오류
혈류와 직각 방향으로 비스듬한 측정법

말초혈관의 색전은 동맥류의 크기에 상관없이 동맥류 수술의 적응증이 되므로 혈전의 유무를 같이 기록한다.

야윈 환자는 전복벽에 위치하는 대동맥을 복부 종괴로 오인하거나 척추를 동맥류로 오인하는 경우가 있다.

(3) 세로스캔

가로스캔과 마찬가지로 횡격막 부위부터 하복부 장골동맥까지 평가한다. 먼저 복강동맥과 상장간막동맥 분지부가 포함되는 복부 대동맥의 근위부를 촬영한다(그림 5-12A). 다음으로 신장동맥 분지부가 포함되는 복부 대동맥의 중간부를 촬영한다(그림 5-12B). 마지막으로 장골동맥 분지부가 포함되는 복부 대동맥의 원위부를 촬영한다(그림 5-12C).

복부 대동맥류 및 장골동맥류가 의심된다면 길이와 위치를 평가한다. 세로스캔 역시 전후방 길이 측정을 외벽(outer to outer) 기준으로 측정한다. 세로스캔에서는 동맥류가 신장동맥보다 위쪽까지 확장되어 있는지 확인한다. 세로스캔으로 신장동맥의 위치 확인이 어려운 경우 상장간막동맥과의 거리를 측정하여 기록한다(그림 5-13). 신장동맥과 상장간막동맥 거리가 2 cm를 넘지 않으므로 보조적인 측정치가 될 수 있다.

가로스캔과 마찬가지로 컬러 도플러의 펄스반복주파수와 게인을 적절히 조절한다. 부채꼴모양의 탐색자의 세로스캔에서 구현되는 컬러 도플러는 혈관 정중앙 부위의 도플러 각이 90°를 이루어 중앙 부위에 색채가 표현되지 않을 수 있다. 이것을 색채 결손으로 판단해 혈전이나 병변으로 오해하지 않아

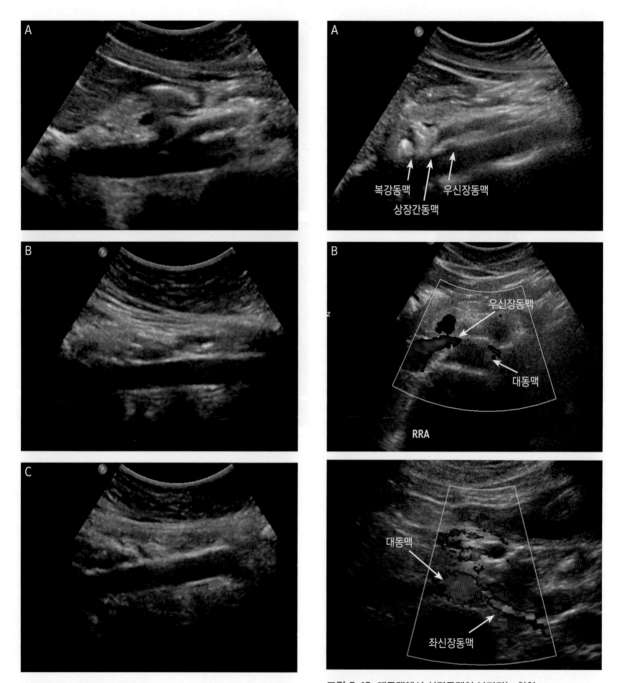

그림 5-12 대동맥 세로스캔
A. 근위부(복강동맥과 상장간막동맥 분지부 포함)
B. 중간부
C. 원위부

그림 5-13 대동맥에서 신장동맥이 분지되는 위치
A. 세로스캔
B. 가로스캔

야 하며, 탐색자를 옮겨가며 검사하면 감별이 된다. 또는 각도에 영향을 덜 받는 파워 도플러를 활용하는 것이 도움이 된다(그림 5-14). 또한 부채꼴모양의 탐색자에서는 구현된 혈관의 정중앙을 기준으로 좌·우측의 혈류 방향이 정 반대로 표현되므로 이 점을 감안하여 혈류 방향에 대한 정보를 판단한다.

다음으로 펄스 도플러를 기록하는데, 근위부와 중간부의 대동맥 혈류의 최고 수축기속도를 기록한다. 일반적으로 신장동맥 상방에서는 저저항 혈류 패턴을 보이고, 신장동맥 하방에서는 고저항 패턴을 보인다(그림 5-15A, B). 혈전, 박리, 협착 등으로 혈류속도 증가가 보이는 구간이 있다면 해당 병변에서 최고속도를 기록하고, 정상 부위에 대한 혈류속도 증가비를 구한다. 이때 도플러 각도는 60° 이하를 유지하는 것이 적합하다. 장간막동맥이나 장골동맥의 협착을 평가할 때 혈류역학적으로 의미있는 병변을 가려내기 위해서는 병변부의 최고 속도 부위를 정확히 샘플링하여 기저 혈류에 대한 증가 비를 구하여야 한다(그림 5-15C, D). 병변의 최고 속도를 구하기 위해 컬러 도플러에서 앨리어싱이 발생되는 부위를 먼저 찾고, 색조가 가장 밝은 병변이 감별될 때까지 펄스반복주파수를 점차 높여가면서 검사하면 효율적으로 최고 속도에 이르는 병변을 찾을 수 있다.

(4) 관상스캔(coronal scan)

굴곡진(tortuous) 동맥류일 때 각도 때문에 진성 횡단면은 과대 측정 될 수 있다. 이럴 경우 비스듬한 면으로 측정하거나 세로스캔 또는 관상스캔이 더 정확할 수 있다. 단, 앞서 설명한 바와 같이 CT 검사와 오차가 발생할 수 있으므로 가로스캔에서의 횡단면과 비스듬한 측정을 함께 시행하고 측정한 방향에 대한 정보를 결과에 구체적으로 첨언해 두는 것이 도움이 된다.

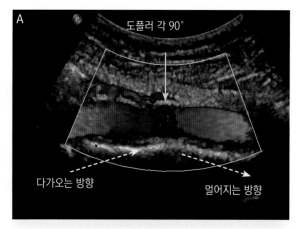
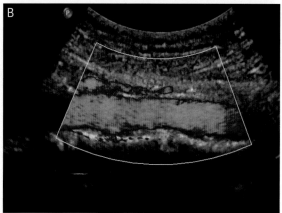
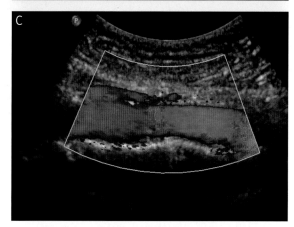

그림 5-14 복부 대동맥의 컬러 도플러 스캔
A. 부채꼴 탐색자에서 컬러 도플러의 양상(중앙부는 도플러각이 90°로, 컬러가 표현되지 않는다)
B. 파워 도플러
C. 방향성 파워 도플러

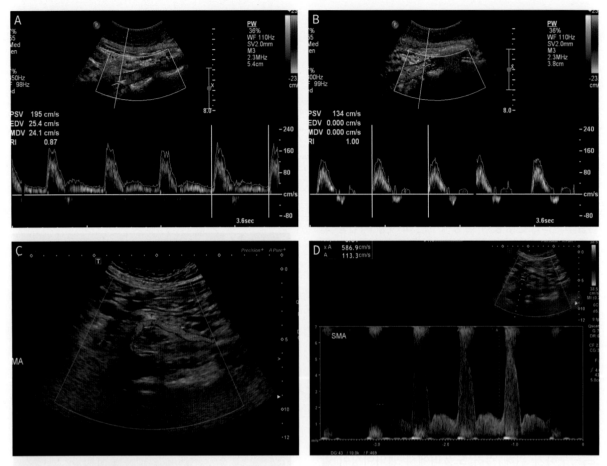

그림 5-15 복부 대동맥의 파워 도플러 스캔
A. 근위부 복부 대동맥 혈류 파형(저 저항)
B. 신장동맥 하방의 복부 대동맥 혈류 파형(고 저항)
C. 상장간막동맥 기시부에서 컬러 도플러 평가 상 협착이 의심됨
D. 상장간막동맥 협착부위(그림 C)에서의 최고 혈류속도 측정(PSV 586cm/s, 대동맥과의 속도비 9.3으로 기시부 고도 협착이 의심된다)

3) 합병증을 동반한 복부 대동맥류

(1) 파열 대동맥류(ruptured aortic aneurysm)

앞서 언급한 바와 같이 일반적인 추적검사에서 복부 통증과 압통이 동반되거나, 이전 검사와 비교하여 급격한 크기 변화가 있다면 파열의 위험이 크므로 즉각적인 추가 검사나 수술 계획이 필요할 수 있기에 환자 관찰에 유의해야 한다.

파열 복부 대동맥류가 의심되는 응급환자는 일반적으로 CT를 시행하여 대동맥류의 존재여부와 그 범위, 파열 부위 그리고 장골동맥 침범 정도를 확인한다. 그러나 만약 환자가 CT를 시행할 만큼 안정되지 않았다면 파열 대동맥류의 존재 여부는 병상에서 초음파검사로 시도해 볼 수 있다. 초음파로 파열을 직접 확인하고 범위를 정확히 감별하기는 어렵겠지만 대동맥주위나 후복막에서 혈종이 비대칭적으로 위치하는 것을 초음파로 확인하는 것은 파열의 중요한 단서가 된다.

(2) 박리 대동맥류(dissecting aortic aneurysm)

박리 대동맥류는 대동맥의 3개층 중, 내막에 결손이 발생하여 혈액이 중막으로 유입되고 대동맥 내강이 진성 내강(true lumen)과 가성 내강(false lumen)으로 분리되어 2층 구조를 나타낸다(그림 5-16A). 가성 내강은 말초에서 다시 진성 내강을 뚫고 들어가 재입구(reentry)를 형성한다. 원인은 동맥경화가 가장 많고 그 이외 점액 변성, 감염, 외상 등이다. 장기 및 사지 허혈이 동반되거나 지속적인 증상이 있는 경우 또는 파열의 위험성이 있는 경우에는 수술 및 혈관내 시술의 적응증이 된다.

초음파 소견 상 박리 대동맥류는 벽으로부터 박리된 내막이 가로스캔 또는 세로스캔에서 얇은 막 모양의 구조물로 보인다. 박동이 강하고 움직임이 빠르므로 실시간 영상으로는 잘 보이지만 정지 화면에서는 희미하게 보일 수 있다. 단, 박리된 내막이 두꺼워지거나 내강에 혈전이 차면 움직임이 없을 수 있으므로 주의해야 한다(그림 5-16B). 박리된 내막의 길이가 길다면 흉부대동맥(thoracic aorta)이나 장골동맥까지 연결되었을 가능성이 있는지 확인해야 하며, 가능하다면 대동맥 가지들(mesenteric arteries)의 박리 여부를 함께 평가하는 것이 좋다.

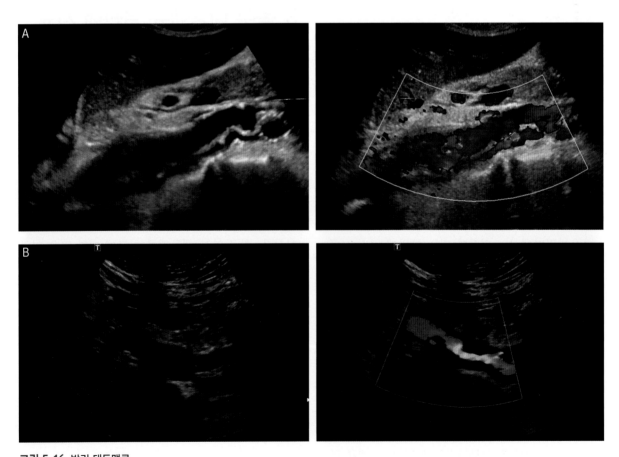

그림 5-16 박리 대동맥류
A. 박리된 내막이 관찰되며 박리로 인해 진성 내강과 가성 내강으로 분리되어 2층 구조로 보임
B. 혈전형성으로 가성 내강이 보이지 않아 죽종으로 오인할 수 있는 박리 대동맥류

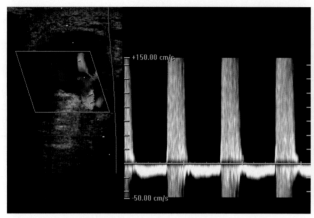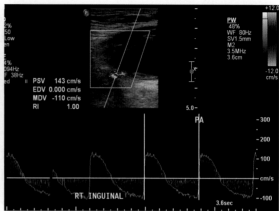

그림 5-17 가성동맥류에서 볼 수 있는 음양 현상과 전후 현상

(3) 가성동맥류(pseudoaneurysm)

가성동맥류는 동맥벽의 일부가 결손되어 그 부위에 종창이 만들어지고 동맥강과 혈종 사이의 혈류의 교통이 있는 상태를 말한다. 최근 진단적, 치료적 중재 시술이 증가하면서 접근부위에서 가장 흔하게 발생되고 문합부에서도 발생한다. 복부 대동맥에서 발견되는 가성동맥류의 경우는 감염성 대동맥류(mycotic aneurysm)를 반드시 감별해야 한다. 이 경우 임상적으로 감염의 증거가 있는지를 확인하고 추가 검사를 시행할 필요가 있다.

초음파검사에서는 의심이 되는 부위에 컬러 도플러로 관찰을 하면 특징적으로 음양 현상(yin-yang sign)을 관찰할 수 있고, 펄스 도플러에서는 전후 현상(to and fro sign)을 관찰할 수 있다(그림 5-17). 혈전이 차면 박동성이 약해지고 특징적인 소견들이 불명확해지므로 다른 종괴로 오인할 수 있으니 주의해야 한다. 누출 부위를 확인하기 위해 인접한 혈관과의 연결성을 세심하게 관찰해보는 것이 중요하다. 또한 동맥류 주변 조직에서 감염 또는 염증을 시사할만한 소견 유무(불규칙한 동맥벽, 동맥류 주변 부종/가스/종괴 등)를 확인하여야 한다.

3. 복부 대동맥류 혈관내 치료 후 초음파 감시

1991년 최초로 복부 대동맥류의 치료에 성공적으로 혈관내 도관(intraluminal graft)을 이용한 Parodi 등의 보고 이후, 최근 복부 대동맥류 환자의 치료에 개복을 통한 기존의 고식적 복부 대동맥류 절제 및 우회로 조성술을 포함한 치환술보다 혈관내 접근(endovascular approach)을 이용한 치료가 50%를 넘어섰다. 최근 복부 대동맥류 치료에 대한 많은 연구는 혈관내 대동맥류 복원술(endovascular aneurysm repair, EVAR)의 장점으로 기존에 절대적 치료원칙으로 받아들여지던 수술적 복부 대동맥류 복원술과 비교하여, 수술시간과 입원기간이 짧고, 수술 전후 단기간의 경과에서는 비교적 낮은 이환율과 사망률을 보고한다. 하지만 EVAR 후의 장기적인 예후 및 결과는 아직 논란의 여지가 있으며 확립되지 않았다.

1) EVAR 후 감시

대동맥류낭(aortic aneurysm sac)의 팽창, 동맥류낭의 지속된 가압에 의한 혈관누출(endoleak), 스텐트 파열 및 누출, 혈관내 도관의 이동, 장골동맥도관의 협착 또는 폐색 등을 포함한 EVAR 후 장기적 합병증의 발생 가능성은 환자의 생존기간 전반에 걸친 혈관내 도관 상태와 대동맥 및 장골동맥을 포함한 대동맥 이하 동맥으로의 혈류의 감시가 절대적으로 필요한 이유이며, 감시를 통하여 대동맥류의 퇴행(regression)이나 성장(expansion)과 파열의 위험을 보일 수 있는 상태를 미리 확인해야 한다.

수술 중 endoleak의 존재여부와 EVAR 후 endoleak의 잔존여부와 추가 발생여부는 EVAR를 통한 복부 대동맥류의 치료에서 가장 중요한 성공 여부에 대한 기준으로, endoleak의 지속적 존재는 대동맥류낭의 팽창과 파열 가능성의 위험 때문에 반드시 주의 깊게 평가하고 판단해야 한다.

EVAR 후 추적관찰 및 감시는 주로 컴퓨터단층촬영으로 시행되는데, 대동맥류낭의 크기와 이전 검사와의 변화를 평가하고, endoleak의 유무 등을 관찰하기 위한 계획된 감시의 최적표준으로 평가되고 있다. 일반적으로 권고되는 임상 추적관찰 일정은 EVAR 후 약 1개월, 6개월, 12개월에 시행되며, 그 이후에는 매년 1년 주기로 CT를 시행하도록 권고하고 있으나, 단점으로는 신독성이 큰 조영제의 사용과 이온화방사선에 환자가 노출된다는 점이다. 그래서 현재에는 이중 초음파검사가 임상에서 널리 사용되는 주요한 EVAR 후 감시 영상법이다(그림 5-18). 이중 초음파는 개복을 통한 대동맥류 복원술 후에 복부 대동맥 혈관내 도관과 혈류를 평가하는 데 많이 사용되고 있으며, EVAR 후 감시에는 초

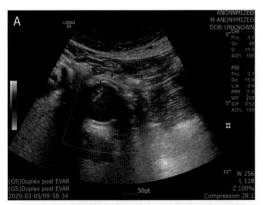
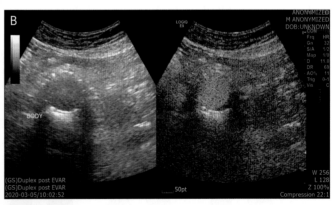
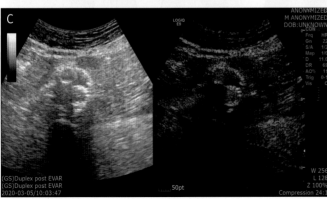

그림 5-18 EVAR 후 이중 초음파검사의 정상소견
A. 혈관내 도관 몸통부의 컬러 도플러 소견
B. 몸통부의 B 모드와 조영증강 초음파 소견
C. 양측 분지의 B 모드와 조영증강 초음파 소견

기 CT 검사 이후 주로 특이사항이 없는 경우의 감시 영상법으로 적용될 수 있다. 최근 EVAR 후 다양한 합병증을 발견하고 치료를 결정하는 감시 방법으로 이중 초음파와 CT 혈관조영술을 비교한 많은 연구가 있으며, 이중 초음파의 효율성과 경제적 이점 등이 잘 알려져 있다. 자기공명 혈관조영(MRA)은 EVAR 후 감시 영상법으로는 제한된 환자에서 제한적으로 사용된다.

이번 장에서는 다양한 EVAR 후 감시 영상법 중에서 이중 초음파를 이용한 감시에 대하여 기술하고자 한다.

2) Endoleak의 분류

EVAR 후 endoleak의 존재여부와 추가 발생여부는 EVAR 치료에서 가장 중요한 성공 기준이며, 대동맥류낭의 지속적 팽창과 파열 가능성의 위험이 높기 때문에 반드시 주의 깊게 평가하고 판단해야 한다. Endoleak은 EVAR 후 혈관내 도관 주변의 대동맥류낭 내로의 혈류 누출 이유에 따라 분류된다 (그림 5-19).

Type I endoleak은 신장아래(infrarenal) 대동맥류의 목에 해당하는 근위부 혈관내 도관 부착부위에서 동맥류낭으로 혈류가 유입되는 경우(Ia), 또는 장골동맥의 원위부 부착부위(landing zone)에서 혈류가 유입되는 경우(Ib)를 말한다(그림 5-20). Type I endoleak은 7% 이하로 비교적 덜 발생한다고 알려져 있으나, 수술 중 또는 수술 후 감시에서 발견되는 경우, type Ia는 추가적이고 반복적인 풍선 혈관성형술을 시행하거나, 대동맥 커프(cuff)나 풍선 확장식 스텐트(balloon expandable stent)를 추가 사용하여 대동맥 벽에 혈관내 도관이 더욱 밀착되도록 해야 한다. Type Ib의 경우도 장골동맥분지 연장 도관을 추가로 사용할 수도 있다. EVAR 후 감시에서 중재시술로 해결되지 않는 지속적으로 존재하는 Type I endoleak은 수술적 치료를 고려해야 한다.

Type II endoleak은 하나(IIa) 또는 그 이상(IIb)의 요동맥(lumbar artery), 하장간막동맥 또는 다른 측부혈관에서 대동맥류낭으로 역류하는 혈류가 존재하는 경우에 발생한다(그림 5-21). Type II endoleak은 상대적으로 빈번하며 추가적인 중재시술 없이 일정기간 추적관찰할 수 있는데, 대부분은 혈전

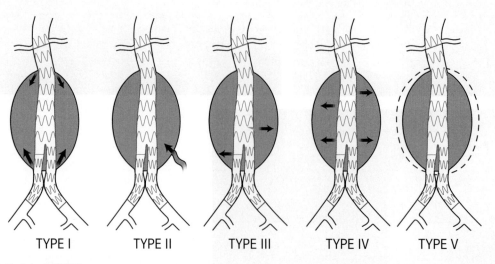

TYPE I   TYPE II   TYPE III   TYPE IV   TYPE V

그림 5-19 Endoleak의 분류

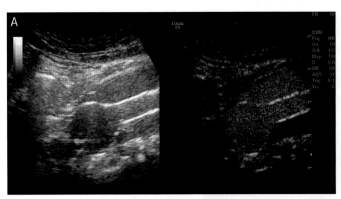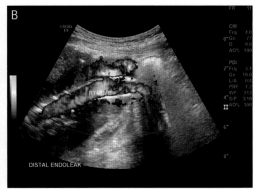

그림 5-20 Type I endoleak의 B 모드와 조영증강 초음파 소견
A. Type Ia endoleak, 조영증강 초음파에서 대동맥 주몸통 근위부 부착부위 사이로 누출되는 혈류가 관찰된다.
B. Type Ib endoleak, 도플러에서 장골동맥 원위부 부착부위에 역방향의 혈류 누출이 관찰된다.

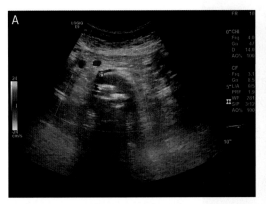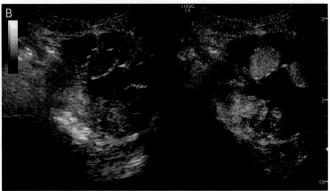

그림 5-21 Type II endoleak의 B 모드와 조영증강 초음파 소견
하장간막동맥(A)과 요추 허리동맥(B)에서 각각 대동맥류낭으로 역류하는 혈류가 관찰된다.

에 의하여 자연적으로 사라지기 때문이다. 1~2년 EVAR 후 감시에서 계속 존재하여, 대동맥류낭이 커지거나 기존 직경이 큰 대동맥류낭의 크기가 줄지 않는 경우에는 코일색전술(coil embolization)이나 수술적 혈관결찰술(ligation)이 필요할 수 있다.

Type III endoleak은 인공혈관인 혈관 내 스텐트 도관의 이음새나 두 도관의 연결부위 결함(IIIa), 또는 직물(fabric)의 구조적인 결함이나 찢어진 경우(IIIb)에 발생하는데(그림 5-22) 드물게 생기지만 지속적으로 대동맥류낭에 혈압이 직접 전달되기 때문

에 중재적 시술을 통한 교정 또는 수술적 치료가 필요하다.

Type IV endoleak은 도관 다공성(graft wall porosity)에 의한 것으로 5%의 미만의 발생률을 보이며(그림 5-23), 최근 사용되는 도관에서는 그 발생이 거의 없다고 알려져 있다.

Type V endoleak은 endotension이라 언급되는데, 대동맥류낭으로의 확인 가능한 endoleak 없이 지속적으로 낭이 팽창되는 것을 말한다.

Endoleak은 비교적 흔히 발생하지만 그 자연적 경

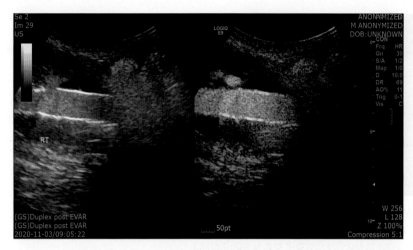

그림 5-22 Type III endoleak의 B 모드와 조영증강 초음파 소견
장골동맥도관 이음사이에서 누출되는 혈류가 관찰된다.

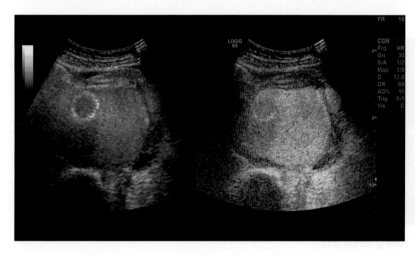

그림 5-23 Type IV endoleak의 B 모드와 조영증강 초음파 소견
혈관내 도관에서 전체적으로 지연성으로 누출되는 혈류가 관찰된다.

과는 아직 완전히 알려져 있지 않다. 스스로 해결되는 경우가 대부분이며, 추가적인 중재 시술 없이 몇 개월에서 몇 년 동안 추적관찰하는 경우도 있다. 시술 후 몇 개월까지 지속되는 endoleak, 또는 동맥류낭 팽창이나 임상 증상을 동반하는 endoleak은 대퇴동맥 경유, 상완동맥 경유, 또는 요동맥 경유 접근법을 이용한 추가적 중재시술로 치료할 수 있다. 흔히 사용되는 추가적인 중재시술은 혈관조영술을 기반으로 endoleak의 분지혈관을 찾아 코일 혹은 글루(glue)나 onyx 같은 물질들로 색전화하는 방법으로 Type II endoleak의 코일색전술은 요동맥과 연결

되는 내장골동맥 분지 또는 하장간막동맥의 분지와 연결되는 상장간막동맥의 분지를 통해서 접근하여 시행할 수 있다.

3) 이중 초음파

이중 초음파는 최근 복부 대동맥류의 일상적인 진단과 감시에 광범위하게 사용되고 있다. 특히 EVAR 후 감시 방법의 하나로 이중 초음파는 CT와 비교하여 많은 장점이 강조되고 있다(그림 5-24). 신장기능이 약한 환자들은 CT에 필수적인 신독성

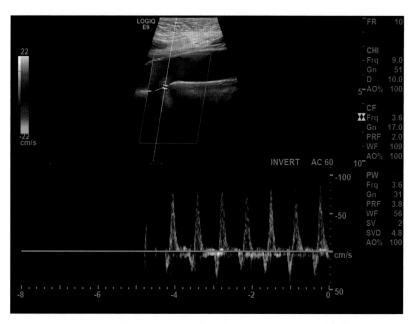

그림 5-24 이중 초음파
회색조 B 모드, 스펙트럼 도플러, 컬러 도플러의 영상을 제공한다.

조영제와 이온화방사선에 대한 반복적 노출을 피할 수 있으며, 검사의 비침습성과 넓은 유용성, 이동 및 휴대 편리성도 있다. 하지만 대동맥이나 장골동맥이 요추전방, 후복막 공간에 위치하기에 장 가스, 체위, 복수, 혈관굴곡 정도에 따라 상당한 제한을 받을 수 있다. 하지만 최근 기존의 EVAR 후 감시 및 평가의 표준인 CT와 이중 초음파의 결과를 여러 부분에 대하여 비교한 많은 연구가 보고되어 있어 EVAR 후 이중 초음파 감시는 동맥류 직경의 측정과 평가, 그리고 endoleak의 존재 유무를 찾기 위한 효율적인 방법이라고 받아들여진다. 복부 대동맥류낭의 정확한 직경 측정에 있어서 CT와 이중 초음파의 직경 비교에서 70~92%의 경우에 5 mm 이내로 상호 연관된 것으로 보고하고 있다. 두 영상기법 사이에 대동맥류의 단축 측정치 간의 최소의 불일치가 존재하지만, 복부 CT 검사를 EVAR 후 평가의 표준으로 이중 초음파검사와 비교하면, 이중 초음파의 결과는 42%의 민감도, 96%의 특이도, 양성 예측값 54%, 음성 예측값 94%로 비교적 우수한 결

과를 보여준다고 보고한다.

이중 초음파는 또한 endoleak의 존재 유무와 도관 유출부(outflow)나 대동맥 분지혈관의 혈류와 협착, 폐색 등을 평가하는 데 사용된다. 최근 이중 초음파 기기의 발달로 해상도와 영상기술이 향상되어 스캔을 통한 미미한 endoleak 등을 확인할 수 있는 기능도 향상되었다. CT 영상과 비교하였을 때 이중 초음파검사는 endoleak의 진단에 있어서도 81%의 민감도, 95%의 특이도, 94%의 양성 예측도, 90%의 음성 예측도를 보인다고 보고하였다. CT 검사로만 진단되는 endoleak의 경우는 대부분 작은 요동맥들이었다. 또한 도관 개존율(graft patency) 비교는 CT 스캔과 이중 초음파에서 99%인 것으로 보고되었다. 동맥류낭의 크기 측정과 endoleak과 관련된 정보 이외에도 EVAR 후 장골동맥부나 유출부 도관 협착 유무를 이중 초음파를 통하여 쉽게 진단할 수 있다. 외장골동맥과 같은 통로 혈관은 심한 석회화를 동반한 죽상동맥경화성 변화와 협착이 흔히 동반되어 있기 때문에 큰 직경의 유도관의 진입이나 전진이

제한되는 혈류 역학적으로 유의한 동맥 협착부위는 전 확장(predilatation)이나 풍선 혈관성형술, 스텐트 도관 삽입술 등의 추가적인 치료를 필요로 할 수도 있다. EVAR가 진행되는 동안의 진입통로 혈관 합병증은 박리, 출혈, 가성동맥류, 동맥 혈전, 동맥 색전 등을 포함하며 EUROSTAR registry에서는 13%에서의 발생을 보고하고 있으며, EVAR 후의 장골동맥 스텐트 도관 협착은 5.5~9%로 보고하였다. 따라서 진입통로동맥과 외장골동맥의 EVAR 전 후 확인도 이중 초음파 감시의 중요한 부분이다. 스텐트 도관의 이동은 10 mm 이상의 위치 변화로 정의되며, EVAR 후 1년에 1.4%의 발생률을 보인다. 드물게 도관 물질이 짧은 동맥류 목이나 도관의 잘못된 사용으로 의하여 신동맥의 입구에 부착될 수 있다. 이상이 생긴 신동맥은 초기 EVAR 시술이나 추후의 혈관조영술 중에 스텐트시술로 복구될 수 있다. 개존율을 평가하고 신동맥에 존재하는 어떠한 중증도의 협착 유무를 확인하는 것도 이중 초음파검사에서 중요하다.

4) EVAR 후 이중 초음파

EVAR 후 이중 초음파의 평가와 판독에 있어서 표준화된 기준은 아직까지 존재하지 않는다. EVAR 후 감시에서 혈관내 도관(endovascular graft)의 영상화와 평가에 있어 이중 초음파 기준의 일반적인 접근법은 대동맥류낭 측정, 스텐트 도관 개존율과 무결성(integrity), endoleak의 존재, 유출도관의 협착, 신동맥 협착이나 도관 내 혈전과 같은 부수적인 소견 등에 기반한다. EVAR 후 이중 초음파검사의 기본 구성 중 스텐트 도관 외의 혈류의 존재를 평가하여 endoleak을 확인하는 것은 매우 중요한데, 이는 endoleak 종류와 부위에 따라 치료의 필요성과 긴급성을 결정해야 하기 때문이다. 도관의 장골동맥부에서, 그리고 분절의 인접 원위부에서의 혈류속도 측정은 원위부 스텐트 도관의 협착에 대한 정보를 제공할 수도 있다. 스텐트 도관의 근위부 이동은 원위부 이동보다는 덜 흔하지만 신동맥은 이중 초음파로 협착 등의 유무도 확인되어야 한다. 총대퇴동맥은 혈관절개(cutdown)나 경피적 접근이 사용되었을 때, 통로부위 합병증 발생 여부를 확인하기 위해 평가되어야 한다. 또한 발목상완지수를 측정하는 것은 대퇴동맥 이하 하지동맥의 관류를 평가하기 위해 중요하며, 반드시 수술 전후 ABI 값이 비교되어야 한다. 국내에서 사용이 승인된 신동맥 이하 복부 대동맥류 치료를 위한 다양한 혈관내 도관은 모두 nitinol, 스테인리스스틸 또는 코발트-크로뮴 합금으로 제작된 자가팽창(self-expandable) 금속 스텐트를 구조 뼈대로 하여 격자폴리에스터(woven polyester)나 expanded polytetrafluoroethylene (ePTFE)로 된 구성 직물이 둘러싸고 있다. 혈관내 도관의 종류에 따라 직물이 금속스텐트 안쪽 또는 외측에 위치할 수 있어 이중 초음파 감시 검사 시 endoleak 여부 확인에 구별되어 진행되어야 한다. 신동맥 상방고정(suprarenal fixation)은 도관을 대동맥 벽에 고정하는 직물로 피복된 신동맥 하방 스텐트 상방에 피복되지 않은 금속만으로 된 부위로 혈관내 도관 제품에 따라 다르기에 구별되어 검사가 진행되어야 한다. 대부분의 혈관내 도관의 구조가 대동맥 주몸체 기구(main body device)에 하나 또는 두 개의 장골동맥 그래프트를 결합하는 형태인 이분(bifurcated) 모듈시스템으로 대동맥류낭 내에서 교차하는 두 장골동맥 그래프트는 이중 초음파로 비교적 쉽게 확인이 가능하다(그림 5-25).

5) 초음파검사 장비

복부 대동맥 혈관내 도관의 이중 초음파 평가는 혈관분야의 여러 검사 중 가장 어렵고 기술적으로 복잡한 검사이다. 복부 대동맥과 내장혈관들을 검

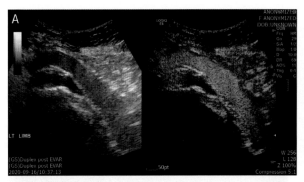 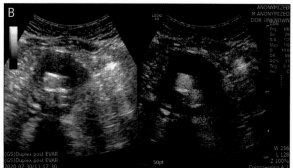

그림 5-25 두 장골동맥 그래프트의 B 모드와 조영증강 초음파 소견

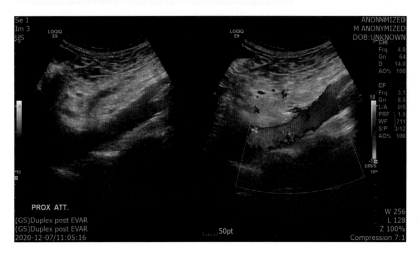

그림 5-26 컬러 도플러 초음파
회색조 B 모드와 컬러 도플러 영상

사하는 데에는 2~5 MHz 주파수의 탐색자가 주로 사용된다. 초음파 탐색자의 선택은 원하는 영상면의 깊이와 스캐닝 방법에 따라 결정하며 저주파수 곡선 선형배열은 전방 또는 측면 접근 시 복부 대동맥과 장골동맥을 검사하는 데 사용된다. 컬러 도플러 영상은 복부 대동맥 혈관내 도관 평가에 있어서 필수적인 항목으로 endoleak 평가 시 고유 대동맥류낭 내의 혈류의 시각화를 용이하게 해주는데(그림 5-26), 컬러 도플러와 도플러 펄스반복주파수를 가능한 낮게 설정하여 동맥류낭 내의 비교적 적은 혈류량이나 느린 속도도 관측할 수 있도록 해야 한다. Persistence는 중간 레벨로 놓고 색잡음(color noise)이나 색반점(color speckling)이 스크린에 나타날 때

까지 컬러 도플러 게인을 높이고, 색잡음이 사라지는 역치값까지 다시 낮추는 방법 등도 사용한다.

6) 환자 준비와 자세

복부 대동맥은 장 뒤편 후복막에 위치하기에 영상의 간섭을 유발하는 장운동이나 장 가스를 최소화하기 위해, 환자는 검사 며칠 전부터 가스 생성이 많은 음식을 피해야 하고 검사 전에는 껌을 씹거나 흡연을 해서는 안 된다. 이상적으로 검사 전 약 4~6시간의 금식을 권고하며 가능하면 공복인 상태가 좋다. 자세는 반듯이 누운 상태로 복부, 측부, 서혜부를 영상화하기 위하여 적절히 노출되어야 한

다. 환자와 검사자 사이에서 검사자는 검사 부위 표면보다 높게 위치하여야 하고, 팔로 적절히 지지하면서 살짝 굽혀 가능한 복부 중앙에 가깝게 위치되어야 한다. 탐색자로 압력을 가해야 하는 경우 검사 중에 일어나도 되며, 이때 검사자는 검사를 시행하는 팔을 일자로 유지하면서 비교적 약한 압력을 탐색자에 가하여 이동이 가능한 내장을 주변으로 옮기고 대동맥 근처로 탐색자를 이동시킬 때 용이하다.

환자가 우측 또는 좌측 옆으로 누운 자세로 검사하는 방법이 유용할 수도 있다. 측면 검사법은 깊이나 굴곡, 장 가스로 인한 제약을 극복하는 데 도움이 될 수 있다. 다양한 접근법을 사용하는 것이 검사 전반적으로 같은 위치에 지속적인 압력을 피하게 할 수 있어 환자의 불편감을 줄일 수 있다.

7) 검사 프로토콜

(1) B 모드 영상

복부 대동맥 초음파검사는 횡격막 부근의 복강동맥의 높이에서 가로스캔 전방 접근법으로 시작한다. 도플러 영상은 모호한 위치에서 분지혈관 확인에 도움이 될 수 있으며, 대부분의 혈관내 도관이 고에코 양상으로 보여 복부 대동맥류 벽과 쉽게 구분될 수 있다. 가로스캔에서 혈관내 도관은 복부 대동맥 내에서 구별되면서 동맥류낭 안에 혈전으로 둘러싸여 있어야 한다(그림 5-27). 대부분의 모듈 이분형 혈관내 도관(modular bifurcated endograft [Medtronics, COOK])의 위치 배열은 복부 대동맥류낭 안에 이분된 도관(iliac graft)을 갖고 원위부 대동맥에서 장골동맥들로 횡단하는 두 개의 분지를 갖는 형태이며, 일체 이분형 혈관내 도관(unibody bifurcated endograft [Endologix])은 대동맥 분지에 직접적으로 설치되어 있어, 두 이분된 도관은 대동맥에서 보이지 않는다. 낮은 빈도로 대동맥-단측 장골동맥 도관(aorto-uni-iliac device)은 편측 총장

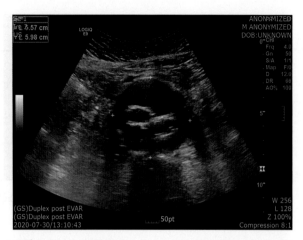

그림 5-27 복부 대동맥류낭 안에 이분된 장골도관의 B 모드 영상

골동맥이 조건에 맞지 않은 환자에서 복부 대동맥류를 치료하는 데 사용될 수도 있는데, 반대 측 분지의 관류는 대퇴동맥-대퇴동맥우회술(femoro-femoral cross-over bypass graft)에 의해 유지되며, 대퇴-대퇴우회로는 혈류의 방해나 혈류의 변화가 있는지를 평가하여야 한다. 혈관내 도관 상방의 대동맥, 혈관내 도관의 근위부, 고유 동맥류낭의 가장 큰 부위 등의 여러 부위에서 복부 대동맥 지름을 측정하여야 한다. 총장골동맥, 외장골동맥, 내장골동맥의 최대지름도 측정 기록하여야 하는데, 스텐트 도관의 원위부 부착부위는 주로 총장골동맥에 있지만, 도관은 외장골동맥으로 확대되어 있을 수도 있으며, 내장골동맥이 막혔거나 총장골동맥이나 내장골동맥의 동맥류를 치료해야 할 환자에서 흔히 시행된다. 도관의 가장 원위부와 말단부를 지난 위치에서 외장골동맥 지름을 측정하고 원위부 부착부위를 평가하여야 한다. B 모드 영상에서 혈류가 차단된 동맥류낭을 평가하는 것도 중요한데, 보통의 혈전은 복부 대동맥류 안에 균일하게 형성되며 전체적으로 동일한 에코를 나타낸다. 또한 시간이 지나면 지속적으로 수축하면서 복부 대동맥류낭의 지름은 줄어들게 된다. 혈전 내에 무에코 부위가 관찰

된다면 대동맥류낭 내에 혈류가 있음을 시사하며, endoleak의 가능성을 암시하는 것으로 이해하여야 한다. 원위부 혈관내 도관의 이동 여부를 확인하기 위하여 낮게 위치하는 신동맥에서부터 혈관내 도관의 근위부 사이의 거리를 측정하여 비교하는 것이 필요하다.

(2) 컬러 도플러 평가

대동맥류 동맥, 혈관내 도관 체부, 스탠트 도관, 신동맥을 포함한 내장혈관 등 전반적으로 펄스 도플러와 해당하는 스펙트럼 파형으로 가능하면 60° 도플러 입사각을 이용하여 도플러 평가와 혈류패턴을 평가하여야 한다. 혈류속도가 상승된 부위가 있다면 바로 근위부와 원위부를 비교 측정하여 기록하여야 한다. 혈관내 도관 내부의 협착 정도에 대하여 확립된 기준이 없으나, 말초동맥 같이 혈류속도 비율(velocity ratio)이 2.0 이상일 경우 최소 50%의 협착을 의미한다는 기준을 적용할 수 있다. 상장간막동맥, 신동맥 등의 기시부를 확인하고, 최고 수축기속도 및 확장기말속도와 혈류 방향도 관찰하여야 한다. 또한 원위부 부착부위를 넘어서 총장골동맥, 외장골동맥, 내장골동맥에서 도플러 스펙트럼 파형을 통하여 개존, 협착, 혈류 특성을 확인하여야 한다.

(3) Endoleak 평가

EVAR 후 초음파를 포함한 영상검사의 주 역할은 endoleak의 존재 여부를 정확하게 확인하는 것인데, 확인하지 못한 endoleak이 대동맥류의 파열을 일으킬 수도 있기에 정확하고 조심스럽게 관찰하는 것이 중요하다. Endoleak과 관련된 혈류 통로는 작고 혈류속도가 매우 낮을 수도 있기 때문에 endoleak을 찾는 것은 기술적으로 어려워 검사자는 충분한 시간을 갖고 세밀하게 시행해야 하며, 전방(anterior), 경사면(oblique), 측방(oblique decubitus) 영상 등을 포함한 다양한 접근법으로 시행되어야 한다. 최적

화된 컬러 도플러는 endoleak을 확인하는 데 반드시 필요하다. 검사자는 컬러 도플러 영상의 제한과 환자에 적용할 때 문제점과 차이를 충분히 이해하여야 하는데, 장 가스, 환자의 움직임, 호흡에 의한 움직임에 의한 컬러 도플러 허상을 얻게 될 수도 있고, 부적절한 컬러 도플러 세팅은 "섬광허상(flash artifact)" 또는 혈류가 존재하지 않는 부위에 "픽셀 출혈"이 관찰되어 잘못된 결과를 보고하거나 endoleak을 놓칠 수도 있기 때문이다.

컬러 도플러 펄스반복주파수를 낮추고 게인과 persistence를 증가시키는 것이 도움이 될 수 있으며, 스탠트 도관을 포함시키지 않고 동맥류낭에만 색상자를 선택적으로 위치시켜 가로면과 종단면 모두에서 검사되어야 하고 색혈류가 보이는 부위에서는 펄스 도플러로 재차 확인하여야 한다. Type I endoleak을 평가할 때는 B 모드와 컬러 도플러 모두 사용하여 근위, 원위 혈관내 도관 부착부위를 세심하게 확인하여야 하며, Type II endoleak의 경우에는 전형적인 도플러 혈류신호가 말초동맥 가성동맥류에서 관찰되는 것과 유사하게 관찰될 수 있다. 동맥류 벽의 앞쪽은 하장간막동맥에서 유래하는 type IIa endoleak일 수도 있으며, 대동맥류 뒤쪽은 요동맥에서 나오는 type IIb endoleak일 가능성이 높다.

8) 조영증강 초음파

조영제를 이용한 조영증강 초음파검사는 최근 초음파 진단능력 향상을 위하여 안정화된 미세기포를 사용한다. 이 미세기포는 지름 1.1~3.3 um의 지질 또는 단백질 기반 미세구(microsphere) 외피로 싸여진 perflutren 가스로 이루어져 있으며, 주변의 혈구세포들보다 낮은 음향저항을 가지므로 매우 반향성을 띄어 B 모드 영상에서 혈류의 시각화를 향상시키고 혈류에서 7~10분 내에 빠르게 분해되어 perflutren 가스는 배출되고 외피는 흡수된다.

이중 초음파검사에서 사용되는 조영제는 신호강도의 후방산란을 증가시켜 도플러 분석을 향상시킬 수 있으며 신호강도는 기존의 전형적인 이중 초음파에 비해 100에서 1,000배 높은 것으로 평가된다 (그림 5-28). 조영증강 초음파 영상은 컬러 도플러 사용 없이 미세한 혈류를 관측하고 식별할 수 있기에 EVAR 후 endoleak의 존재를 확인하는데 기존의 이중 초음파나 CT 혈관조영술에서 불분명한 소견을 보인 환자들에서 선택적으로 적용하여 사용된다. 조영증강 초음파검사를 수행하는 혈관검사실은 조영제 사용을 위해 병원의 약물치료위원회의 승인을 거친 제품표시와 경고문을 표기하고 시행하는 술기와 사용 금기 등을 명시하여야 하며, 조영제 투입, 영상기법 그리고 주입 후 환자 모니터링의 방법 등이 포함된 프로토콜을 가져야 한다. 투여 부위의 통증, 두통, 구토, 안면홍조와 일시적인 식욕 변화 등과 심혈관적 폐의 부작용(흉부 통증과 호흡곤란)을 포함한 부작용이 있기에 검사 전에 환자의 동의를 얻어야 하며 유의한 신독성이나 간독성은 없는 걸로 알려져 있다. 컬러 도플러초음파와 조영증강 초음파를 CT 영상과 비교한 연구에서 이중 초음파의 민감도, 특이도는 각각 33.3%, 92.8%였지만 조영증강 초음파의 민감도, 특이도는 각각 100%, 93%였다. 양성 및 음성 예측값 또한 조영증강 초음파에서 월등히 높았다.

9) 결론

이중 초음파는 EVAR 후 감시에 효과적으로 사용될 수 있는 영상 검사방법으로 신독성 조영제를 사용하지 않고, 이온화방사선에 노출되지 않으며, CT 등 영상으로 인한 높은 비용에 대한 경제적 부담을 줄이는 이점이 있다. 이중 초음파로 동맥류낭 지름을 측정하는 것은 CT 영상과 유사한 상호 연관을 보여주며, 특히 초음파 조영제를 동반 이용하였을 때, EVAR 후에 endoleak 관찰에 탁월한 특이도와 민감도를 보여준다고 알려져 있다. EVAR 후 약 1개월의 CT 스캔에서 endoleak을 보이지 않거나 작은 type II endoleak이 관찰되는 경우, 연속적인 이중 초음파검사를 시행하여 환자를 조심스럽게 추적 관찰하여야 하며, CT 혈관조영술이 EVAR 후 감시의 최적표준으로 고려되기는 하지만, 기술의 향상과 조영증강 초음파의 사용으로 이중 초음파검사법이 EVAR 후 감시의 새로운 최적표준이 될 수도 있다.

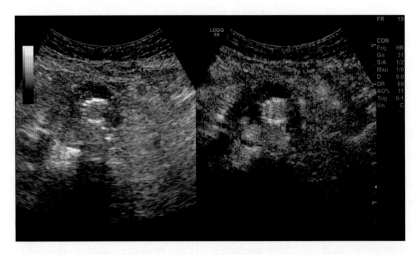

그림 5-28 복부 대동맥류낭 안에 B 모드에서는 보이지 않던 endoleak이 조영증강 초음파에서 관찰된다.

4. 내장동맥 초음파

1) 서론

장간막동맥에 대한 초음파검사는 주로 비정형적인 복부 불편감이 있는 환자에서 소장 또는 대장으로의 혈류의 장애 여부를 평가하기 위해 수행된다. 이 검사는 복부 대동맥 및 복강동맥, 상장간막동맥 및 하장간막동맥에 대한 평가를 포함한다. 장간막동맥에 대한 도플러 초음파 촬영을 통해 혈관의 개통 여부, 죽상경화 여부, 동맥 협착 정도를 포함하여 해부학적 및 생리적 특징을 정확하게 평가할 수 있다. 이 장에서는 장간막동맥의 성공적인 평가를 위한 장간막동맥의 주요 해부학 및 생리학, 기술적 요인, 질환의 진단 기준과 임상적 적용법에 대해 기술한다.

2) 병태생리학

정상적인 혈류 패턴은 복강동맥과 장간막동맥에서 다르게 나타난다. 체강동맥은 간과 비장과 같이 저항이 낮은 장기에 혈액을 공급한다. 따라서 복강동맥과 그 분지 혈관의 파형은 도플러 영상에서 높은 확장기말속도를 가진 저저항 패턴을 보여준다. 이 낮은 저항 흐름 패턴은 간과 비장을 향해 수축기 및 확장기 동안의 혈액이 지속적으로 전방으로 흐르기 때문이다. 복강동맥의 저저항 혈류 패턴은 음식 섭취와 무관하며 따라서 식사 후 체강동맥의 최고 수축기속도 또는 확장기말속도에 큰 변화는 없다.

상장간막동맥 및 하장간막동맥은 소장 및 결장과 같이 고저항을 가진 장기의 혈관층에 혈류를 공급한다. 따라서 도플러검사에서 공복 상태에는 낮은 이완기 속도로 높은 임피던스 흐름을 나타내며, 이것은 식사 전에 장간막 혈관 분지 혈관들의 상대적인 혈관 수축 때문이다. 그러나 식사 후 소화를 돕

기 위해 장간막 혈관의 분지 혈관들이 확장하게 되어 장간막동맥의 혈류가 증가하게 된다. 한 연구에 따르면 식사 후 최고 수축기속도와 확장기말속도가 모두 증가하며, 식사 후 상장간막동맥에서 확장기말속도가 적어도 두 배로 증가하는 것으로 나타났다. 이를 근거로 환자에게 식사를 제공하는 것이 장간막 순환의 반응성을 평가하기 위한 테스트로 사용될 수 있고, 식사 후 장간막동맥의 유속이 증가하는 것을 통해 내장동맥의 개통성을 추론할 수 있다는 연구가 있었으나, 음식에 대한 반응에는 상당한 변동성이 있어 식전 및 식후 검사 방법은 선호되지 않으며 현재 임상에서 일반적으로 사용되지 않는다.

3) 검사방법

장간막동맥의 초음파검사에는 근위부 복부 대동맥과 복강동맥, 상장간막동맥 및 하장간막동맥의 기시부 및 근위부에 대한 평가를 포함한다. 장간막동맥의 원위 부분은 일반적으로 초음파로 잘 관찰할 수 없고, 대부분의 죽상경화성 병변은 장간막 혈관들의 기시부에서 발생한다.

장간막 혈관에 대한 초음파검사 시 장 가스에 의한 산란 및 감쇠를 줄이기 위해서 금식이 선호된다. 또한 금식 상태에서 검사를 시행하게 되면 식후 상태에서 볼 수 있는 상승된 PSV를 협착에 의한 결과로 오해하지 않을 수 있다. 장간막동맥에 대한 초음파검사를 위해서는 고해상도 회색조 영상과 고품질의 컬러 및 파워 도플러 이미지 및 펄스 도플러파형을 이용할 수 있는 초음파 장비를 사용하여야 한다. 장간막 혈관이 복부 깊숙이 위치하기 때문에 저주파(2~5 MHz)의 곡선 탐색자를 사용하여야 넓은 영역에서 적절한 해상도로 시각화된 영상을 얻을 수 있다.

일반적으로 환자가 앙와위 자세를 취한 상태에서 복부 앞쪽에서 검사를 수행한다. 장 가스가 검사에

장애가 될 경우 탐색자로 점진적으로 가스를 밀어 내어 복부 구조를 압박하고 가스를 함유한 장 루프를 이동시키면 도움이 된다. 지속적인 압박 기술에도 불구하고 혈관의 시각화가 장 가스에 의해 제한되는 경우 환자를 옆으로 눕히거나 또는 비스듬한 위치로 바꿀 수 있다. 적절한 스펙트럼 도플러 샘플을 얻기 위해 필요한 경우 환자에게 숨을 참거나 조용히 숨을 쉬도록 요구하여야 한다.

일반적으로 복부 대동맥은 흉골의 검상돌기 바로 아래에 탐색자를 대고 전방 접근법을 통해 먼저 평가하고, 가로와 세로스캔으로 검사하여 대동맥의 직경과 속도를 평가한다. 복부 대동맥은 장간막동맥에 대한 검사 전에 대동맥류, 대동맥박리 및 기저 죽상경화성 질환을 평가하기 위해 반드시 검사에 포함되어야 한다.

장간막동맥을 검사할 때 몇 가지 지표가 장간막 혈관의 해부학을 정확하게 식별하는데 도움을 준다. 가로스캔에서 복강동맥은 특징적인 T자 모양의 분지가 있는 모양을 보인다(그림 5-29). 정상 환자에서 상장간막동맥은 상장간막정맥의 왼쪽, 비장정맥과 췌장의 뒤쪽, 좌측 신정맥의 앞쪽에 있다. 상장간막동맥은 복강동맥 바로 아래에서 발견되며 장축을 따라 아래로 따라 내려가며 관찰할 수 있다(그림 5-30, 31). 하장간막동맥은 대동맥의 왼쪽 앞쪽, 신장동맥 바로 아래, 대동맥의 장골동맥 분기점에서 약 4 cm 위에서 관찰된다(그림 5-32).

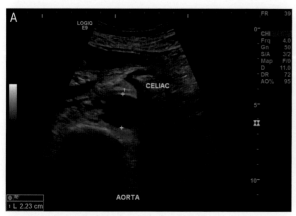
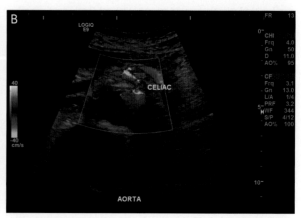

그림 5-29 복강동맥의 초음파 소견

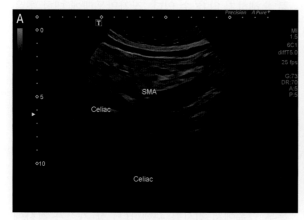
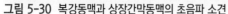
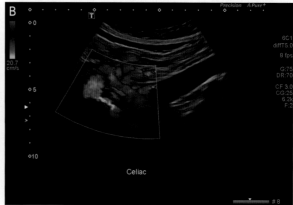

그림 5-30 복강동맥과 상장간막동맥의 초음파 소견

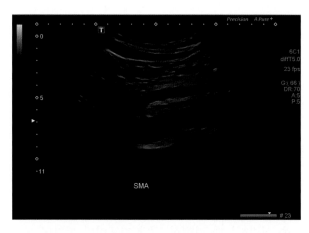

그림 5-31 상장간막동맥의 기시부

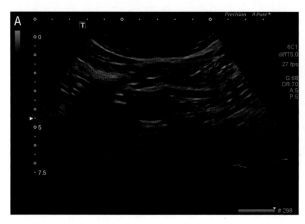

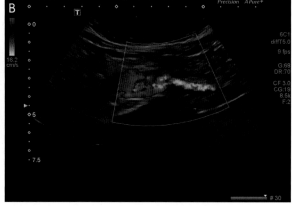

그림 5-32 하장간막동맥의 초음파 소견

장간막동맥의 초음파검사에서 빠른 검사를 위해서는 일정한 양의 경험이 필요하고, 주어진 환자에서 성공적인 검사를 시행할 수 있는지 여부를 빠른 시간 내에 결정할 수 있어야 한다. 과도한 배변 가스, 환자의 빠른 호흡, 큰 체형 또는 심각한 죽상동맥경화성 질환이 검사의 성공을 저해하고, 이런 요인들에 의해 이 환자에서 성공적인 검사가 불가능하지는 않은지 대부분 검사 후 10분 이내에 결정할 수 있다.

펄스 도플러파형을 측정할 때에는 작은 샘플 볼륨(1.5~3 mm)을 사용하여 인접한 구조가 아닌 관심 혈관에서의 속도 정보를 측정하도록 해야 한다.

각도의 보정은 항상 정확한 도플러 분석을 위해 필요하고, 정확한 속도 측정을 제공하기 위해 60° 이하의 도플러 각도가 필요하다. 도플러 각도를 60° 이상으로 잡게 되면 속도를 과대 평가하게 될 수 있다. 경동맥에 대한 검사에서와 같이 대부분 60° 각도에서 도플러 속도를 측정하는 것을 선호하지만, 체강동맥에서는 동맥이 탐색자를 향해 0~30°의 각도로 주행하므로 60° 각도를 얻기 어려울 수 있다. 장간막 혈관 혈류의 스펙트럼 샘플을 정확히 얻기 위해서는 혈관 주행의 세로 방향으로 이미지를 정확하게 얻을 수 있어야 한다.

4) 검사 프로토콜

죽상경화판, 내강의 협착, 해부 및 동맥류의 유무를 평가하기 위해 복부 대동맥에 대한 회색조 이미지를 유심히 관찰하여야 한다. 복부 대동맥에 심각한 죽상경화성 변화가 보인다면 잠재적으로 장간막동맥의 질환을 의심할 수 있다. 초기에 회색조 이미지에 대한 평가 후 컬러 도플러를 사용하여 혈관 구경 내의 잠재적인 이상을 검색하는데, 이는 컬러 흐름의 이상 여부를 통해 판단한다. 장간막동맥 수준의 복부 대동맥에서 혈류의 도플러 샘플을 측정하여야 하는데, 이는 장간막동맥 PSV와 비교하기 위한 기준 속도로서 의미가 있고, 대동맥 PSV에 대한 장간막동맥 PSV의 비율을 계산하는 데 사용된다. 그 다음 복강동맥, 상장간막동맥 및 하장간막동맥의 기원 및 특정 관찰 영역에서 PSV를 측정한다. 협착부위에서 가장 높은 속도 측정값이 관찰되므로 각 동맥의 가장 높은 PSV를 측정하고 협착 후 와류 및 잡음(bruit)의 징후를 관찰하여야 한다.

5) 진단 기준

복강동맥의 정상 혈류속도 범위는 98~105 cm/s로 좁은 편이다. 반면 상장간막동맥에서는 97~142 cm/s 및 하장간막동맥에서는 93~189 cm/s로 정상 범위가 좀 더 넓게 보고된다. 장간막동맥협착증의 진단을 위해 다양한 기준이 제안되었으나, 최적의 기준에 대한 합의에는 도달하지 못하였다. 가장 널리 사용되고 널리 인정되는 기준은 PSV값, 속도의 비율 및 tardus-parvus 파형의 유무를 기반으로 하고 있다. Moneta 등은 장간막동맥 내의 PSV값이 70% 이상의 협착을 진단하는 가장 신뢰할 수 있는 진단 기준이라고 결론지었다. 후향적 연구에서 PSV가 복강동맥에서 200 cm/s 이상, 상장간막동맥에서 275 cm/s 이상이면 70% 이상의 협착을 시사하였고,

이의 민감도, 특이성 및 양성 예측값은 상장간막동맥에서 89%, 92% 및 80%였으며, 체강동맥에서는 75%, 89%, 85%였다. 100명의 환자를 대상으로 한 후속 전향적 연구에서 이 저자들은 초음파검사가 복강동맥 및 상장간막동맥 협착을 감지하는 선별검사 도구로 임상적으로 유용하다고 제안했다. 이러한 진단 기준은 이후 다른 연구자들에 의해서도 높은 민감도와 특이도를 가짐이 검증되었다. 다른 연구자들은 EDV가 상장간막동맥 및 복강동맥 협착증을 식별하는데 탁월한 진단 지표이며 협착이 50% 이상인 경우 임상적으로 유의미하다고 보고하였다.

최근 연구에서 50% 이상 및 70% 이상의 협착이 발견된 153명의 환자에서 PSV, EDV 및 상장간막동맥 또는 복강동맥과 대동맥 간 PSV 비율을 비교했다. 그들은 PSV가 EDV 및 PSV 비율보다 50% 및 70% 이상의 협착을 검출하는 데 더 우수하다는 것을 발견했다. 복강동맥의 경우 ≥240 cm/s (50% 이상 협착) 및 ≥320 cm/s (70% 이상 협착)의 PSV는 50% 이상의 협착에 대해 각각 87%, 83% 및 86%의 민감도, 특이도 및 정확도를 보였고, 70% 이상의 협착의 경우 각각 80%, 89% 및 85%의 민감도, 특이도 및 정확도를 보였다. 상장간막동맥의 경우, ≥295 cm/s (50% 이상 협착) 및 ≥400 cm/s (70% 이상 협착)의 PSV는 ≥50% 협착에 대해 각각 87%, 89% 및 88%의 민감도, 특이도 및 정확도를 보였고, 70% 이상의 협착에 대해 각각 72%, 93% 및 85%의 민감도, 특이도 및 정확도를 보였다.

하장간막동맥은 여러 연구에서 포함되지 않았다는 점에 유의해야 한다. 이는 대부분의 만성 장간막 허혈증에서 앞서 언급하였듯이 적어도 두 혈관의 이상이 있어야 임상적인 증상이 나타나기 때문이다. 따라서 임상 증상이 있으면서 복강동맥 또는 상장간막동맥에서 심각한 협착 또는 폐색이 확인 될 때에는 하장간막동맥에 대한 검사가 필요할 수 있다. 최근 연구에 따르면 하장간막동맥은 대부분의 환

자에서 초음파로 쉽게 관찰할 수 있고, 적절한 도플러파형을 통해 PSV를 계산할 수 있었다. Mirk 등은 116명의 환자를 대상으로 한 연구에서 88.8%에서 하장간막동맥을 관찰할 수 있었고, Denys 등은 100명의 성인을 대상으로 한 연구에서 92%에서 하장간막동맥을 성공적으로 시각화하였다고 보고하였다. 그러나 PSV 및 저항률 지수 측정은 연구 간에 결과 차이가 있었으며 하장간막동맥 PSV 값은 정상 환자에서는 93~189 cm/s의 범위였다. Erden 등은 복부 대동맥 및 기타 장간막동맥의 폐쇄성 질환이 있을 때 하장간막동맥 PSV가 달라짐을 관찰하였고, 복강동맥, 상장간막동맥 또는 장골동맥이 폐색된 환자에서 최대 190 cm/s까지 하장간막동맥 PSV가 증가함을 보고하였다. 최근 연구에서는 PSV ≥250 cm/s, EDV ≥90 cm/s, PSV 비율 ≥4 또는 4.5가 50% 이상의 하장간막동맥 협착을 감지하는데 유용하다고 보고되었다. 관련 연구들을 종합하였을 때 200 cm/s 이상의 PSV를 하장간막동맥 협착을 진단하는 가장 좋은 기준으로 볼 수 있으며, 민감도, 특이성, 양성 예측값, 음성 예측값 및 정확도는 각각 93%, 97%, 93%, 97% 및 95%였다.

대동맥–장간막 속도 비율(MAR)은 심각한 장간막동맥 협착을 평가하는데 유용하다. 이것은 신장동맥 협착증을 진단하는 데 사용되는 신장동맥–대동맥 속도 비율과 유사하고, 대동맥–장간막 속도 비율은 환자 간의 혈역학적 변동성을 보상해 줄 수 있다. 대동맥–장간막 속도 비율은 장간막동맥 수준에서 장간막동맥 협착부위의 PSV를 복부 대동맥의 PSV로 나누어 계산한다. 정상 MAR은 일반적으로 1.0보다 약간 크다. 대동맥–장간막 속도 비율 3.0 이상은 비정상으로 간주되며 혈역학적으로 유의한 협착을 시사한다. 속도 비율은 전신적으로 동맥 순환 속도가 비정상적으로 높거나 낮은 환자에게 유용하다. 예를 들어, 심장 기능 불량, 패혈증 또는 죽상동맥경화성 질환과 같은 저출력 상태를 가진 환자는 동맥 순환 전반에 걸쳐 전체적으로 낮은 최고 속도를 보일 수 있다. 이런 경우 장간막동맥 PSV는 장간막동맥 내에 심각한 협착이 존재하더라도 심각한 협착에 대한 진단 임계값에 도달할 만큼 충분히 높지 않을 수 있다. 그러나 대동맥–장간막 속도 비율이 3.0보다 크면 협착부위의 PSV가 임계값보다 낮은 경우에도 심각한 협착을 암시한다. 반대로, 기저 협착증이 없는 환자, 특히 심장 박출량이 높거나 대사 상태가 증가한 어린이의 경우 동맥 순환 전반에 걸쳐 속도 상승이 발생할 수 있고, 이 환자들에서 높은 PSV가 감지되는 경우에도 혈역학적으로 중요한 질병을 암시하는 국소적 속도 상승이나 대동맥–장간막 속도 비율의 유의한 증가는 없다. 한 연구에서 3.5이상의 대동맥–장간막 속도 비율은 심각한 장간막동맥협착증의 검출에 대해 87%의 특이도와 81%의 음성 예측값을 보여주었다.

Tardus–parvus 파형 또한 심각한 협착에 대한 중요한 단서를 제공한다. Tardus–parvus 파형 패턴이 감지되면 심각한 협착이 있다는 의심을 가지고 진단을 확인하기 위해 장간막 순환에 대한 신중한 평가를 수행해야 한다.

6) 성공적인 검사를 위한 팁

성공적인 복부 도플러검사를 위해서는 적절한 환자 준비, 최신 초음파 장비, 검사자 경험, 입증된 진단 기준의 숙지가 필요하다. 정확한 검사를 위해서는 하룻밤 금식 후 아침에 초음파검사를 시행하는 것이 좋다.

컬러 도플러검사에서 색잡음 허상은 고속 제트 혈류에 의해 협착 병변을 둘러싼 조직에서 발생하는 주파수 변화에 의해 생성된다. 컬러 및 파워 도플러 영상을 사용하여 이러한 "도플러 단서"를 주의 깊게 관찰하는 것이 협착증 진단에 용이하다. 혈관 내강에 색 흐름 신호가 없다는 것은 동맥 폐색을 시사한다. 장간막동맥의 흐름 역전 또한 장간막 혈관 질환의 중요한 징후이다. 구체적으로, 간 및 위 십이지장 동맥의 혈류 역전은 복강동맥의 폐색 시 볼 수 있으며, 원위 상장간막동맥의 혈류 역전은 상장간막동맥 입구의 폐색에서 볼 수 있다. 펄스 도플러 검사는 협착 및 폐색의 식별 및 특성화에 필수적이다. 협착부위 말단 영역에서 수축기 혈류에 와류가 발생하여 적혈구는 서로 다른 속도로 서로 다른 방향으로 이동하게 되는데, 이것을 협착 후 와류라고 한다. 이는 불규칙하면서 저속의 양방향 패턴의 파형으로 나타나고, 협착의 말단부 1~2 cm 내에서 관찰된다. 협착 후의 파형은 최고 수축기까지의 지연 양상(tardus–parvus 패턴)을 보여줄 수 있고, 이러한 저속의 파형은 더 근위부의 협착 또는 폐색을 시사한다.

요약하면, 심한 협착 병변이 있을 시 회색조 영상에서 죽상경화판, 내강 협착이 나타나고, 도플러 영상에서 앨리어싱 및 색잡음 허상과 같은 특징적인 소견과 협착 후 와류 증가된 PSV 및 대동맥-장간막 속도 비율이 관찰된다. 회색조와 도플러 영상 결과 간에 불일치가 있는 경우 추가 조사가 필요한데, 초음파검사가 불확실할 경우에는 CT 또는 MR 혈관조영술을 포함한 기타 비침습적 검사를 시행하여야 한다.

7) 한계점

장간막동맥을 평가할 때에는 이전에 언급했듯이 연구자가 정상적인 해부학적 변형을 인식할 수 있어야 하고 여기에는 대체된 우측 간동맥, 상장간막동맥 또는 간동맥의 변칙적 기원 등이 있다.

한 내장동맥의 중요한 협착 또는 폐색이 있을 때 이에 대한 보상으로 협착이 없는 다른 내장동맥의 PSV가 증가할 수 있다. 다시 말하면, 한 장간막동맥의 협착으로 인한 측부혈행의 발달이 다른 장간막동맥의 협착처럼 오인될 수 있는 것이다. 이러한 경우는 국소적인 PSV 상승이 아니라, 보상 혈류가 흐르는 혈관 전체에서 PSV가 증가함을 식별함으로써 확인할 수 있다. 또한 앨리어싱, 협착 후 스펙트럼 파형의 확장 등 협착의 이차 징후가 관찰되지 않는다.

복강동맥 협착증으로 오인될 수 있는 질환으로 정중활꼴인대증후군(median arcuate ligament syndrome)이 있다. 정중활꼴인대는 대동맥 양쪽의 횡격막에 연결된 섬유 밴드인데, 일반적으로 복강동맥보다 위쪽으로 지나가나, 일부 사람들에서는 복강동맥의 앞쪽 가장자리를 따라 지나가면서 호기 동안 체강동맥을 압박할 수 있다. 이럴 경우 초음파로 검사를 시행할 때 호흡 주기의 여러 단계에서 체강동맥 모양의 변화를 관찰할 수 있다. 숨을 내쉴 때 복강동맥은 인대에 의한 혈관의 압박으로 인해 갈고리 모양을 보이고 숨을 들이쉴 때 복강동맥의 압박은 사라지게 된다. 펄스 도플러를 사용하면 정중활꼴인대에 의한 복강동맥의 기계적 압박으로 숨을 내쉴 때 PSV가 증가하고 숨을 들이쉴 때 PSV가 정상화된다. 정중활꼴인대에 의한 복강동맥의 만성적인 압박은 복강동맥의 고정적인 협착을 유발하여 지속적으로 PSV가 증가할 수도 있다.

장간막 혈관은 혈관 주행이 구불구불하기 때문에 컬러 도플러검사가 어려울 수 있다. 특히 복강동맥의 경우가 해당되며, 정확한 검사를 위한 적절한 각도를 유지하는 것이 불가능할 수 있다. 도플러 각도를 늘리면 속도가 실제보다 높게 측정되게 된다.

심장 박출량이 낮거나 패혈성 쇼크가 있는 환자와 같이 여러 조건에서 장간막동맥의 혈류속도가 낮아질 수 있다. 혈류속도가 낮은 환자의 경우 대동맥-장간막 속도 비율을 측정하면 측정된 장간막 혈류속도(PSV)가 협착에 대한 임계값을 충족하지 못할 때 장간막동맥 병변의 진단이 가능하다.

복부 대동맥의 현저한 협착이 있을 경우 장간막

동맥의 PSV가 상승할 수 있다. 이럴 경우 장간막동맥 기시부의 협착증으로 잘못 해석될 수 있다. 또한 장간막 협착이 없는 젊은 환자에서 장간막 혈류의 속도가 흔히 빠를 수 있으며, 속도 비율은 정상 범위를 벗어난 기준 속도를 가진 환자에서 장간막 협착 여부를 평가하는 더 정확한 방법이다. 장 혈류는 식사 후 정상적으로 증가하기 때문에 상승된 PSV에 대한 정확한 해석을 위해서는 최근 식사 섭취 여부에 관한 정보가 있어야 한다. 심한 심장 부정맥이 있는 경우 심박출량이 불규칙적으로 변화하여 혈류속도의 변동이 관찰될 수도 있다.

5. 하대정맥 및 신정맥 초음파

1) 해부학

(1) 하대정맥

하대정맥은 척추의 앞, 대동맥의 우측에 위치하며, 하지에서 유입되는 혈액과 모든 복강 내 장기의 혈액을 심장으로 유입시킨다(그림 5-33). 하대정맥의 시작은 양쪽 총장골정맥의 합류로부터 시작되며 우심방에서 끝이 난다. 하대정맥의 크기는 보통 2.5 cm을 넘지 않으나 호흡이나 심장혈류 상태에 따라 변하기도 한다.

(2) 신정맥

좌측 신정맥은 신문부에서 나와 위쪽으로 부신정맥과 아래쪽으로 생식선정맥으로부터 혈액이 유입되어 대동맥의 앞쪽, 상장간막동맥의 뒤쪽으로 주행하여 하대정맥의 좌측으로 합류하게 된다. 우측 신정맥은 좌측에 비해 짧으며, 신문부의 앞쪽에서 나와 하대정맥의 우측으로 바로 합류한다(그림 5-33).

2) 검사방법

(1) 환자 전처치

복부 혈관을 검사하기 위해서는 환자의 전처치가 필요하다. 환자는 검사 전날 기름진 음식, 가스음료 및 유제품을 피하고 예약 당일에 껌을 씹는 것과 흡연을 피해야 한다. 이는 내장 내에 존재하는 가스가 음향저항이 높아 초음파 투과가 저하되기 때문이다. 또한 검사 전 최소한 12시간 금식이 필요하며, 금식에 따른 환자의 불편감을 피하기 위해서 저녁 동안 금식을 하고 아침에 검사를 해야 한다.

(2) 초음파

복부정맥을 검사하기 위해서는 고해상도 컬러 도플러초음파가 필요하며, 저주파영역인 곡선 탐색자를 사용한다. 프레임 속도를 최대화하고 초점을 최적화하기 위해 복부정맥 사전설정을 해야 한다. 펄스반복주파수는 낮은 설정에 있어야 하며, 그에 따라 게인이 조절되어야 한다.

(3) 환자 자세

환자는 바로 누운 자세에서 두부를 10~15° 정도 약간 위로 한 자세(reverse trendelendburg position)에서 검사하며 필요 시 우측와위(lateral decubitus position)를 하기도 한다.

3) 하대정맥

하대정맥은 복부 중앙에서 약간 오른쪽에서 관찰된다. 보통 종단면과 횡단면을 검사하는 것이 일반적이지만, 종단면 영상이 검사하기 용이하고 많은 정보를 얻을 수 있다(그림 5-34). 하대정맥의 초음파 상의 특징은 간과 인접하고 있으며, 혈관벽이 대동맥에 비해 얇고, 걸이침대(hammock) 모양으로 관찰되고, 가지혈관은 대동맥은 여러 개인 반면 하

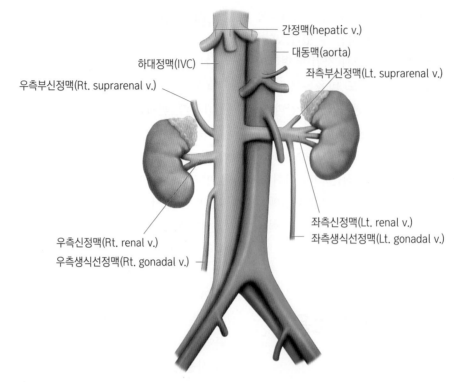

그림 5-33 하대정맥 및 신정맥의 해부학

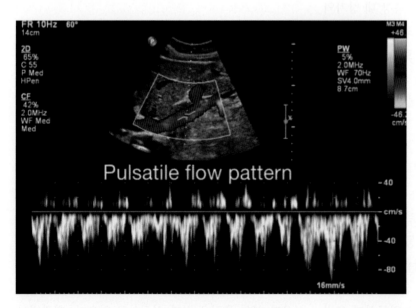

그림 5-34 하대정맥 초음파 소견
심장의 박동파가 전달되어 관찰된다.

대정맥은 간정맥 가지만 있으며, 초음파의 파형도 정맥신호의 파형을 가진다. 근위부 하대정맥은 우측 심장의 압력이 전달되어 심장박동에 따라 맥박성의 도플러파형을 보이는 반면, 분기부 근처의 하대정맥은 심장박동이 아닌 호흡 변화에 의한 파형을 보인다(그림 5-35). 탐색자를 검상돌기에 위치하여 우측 신정맥상부에서 총장골정맥까지 내려오면서 혈관의 개존상태, 파형의 형태, 직경 등을 확인한다. 만약 협착이 의심되면 환자를 측와위로 자세변화시킨 후 다시 검사를 시행하여 직경을 확인한다.

(1) 하대정맥혈전증

급성 하대정맥혈전증의 초음파 소견은 혈관의 확장, 혈류 소실, 하대정맥 내 충만결손등이 있다. 혈전의 음영은 발생 기간에 따라 달라진다. 급성기에는 저에코 소견이 있다가 시간이 지나면 칼슘이 침착되면서 고에코 소견을 보인다. 하대정맥혈전증 이하 부위에서는 정상적인 정맥의 혈류 형태를 보이지 않고 일정한 속도의 지속적인 혈류 형태를 보인다(그림 5-36). 따라서 하대정맥이나 그 원위부의 정맥에 지속적인 혈류 형태를 보이는 경우 하대정맥혈전증을 의심하고 주의 깊게 검사해야 한다.

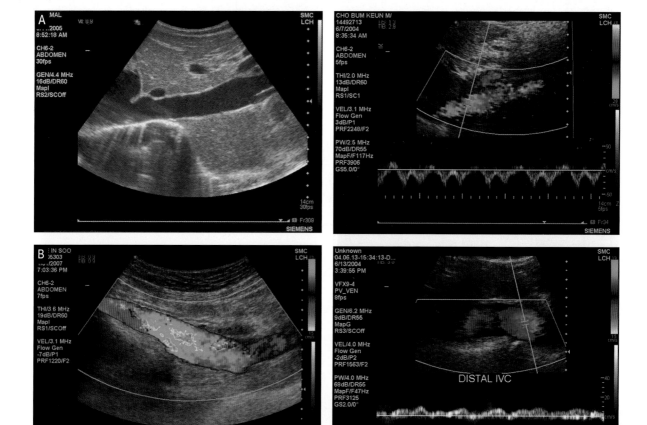

그림 5-35 하대정맥 초음파소견
A. 근위부 하대정맥, B. 원위부 하대정맥

4) 신정맥

신정맥은 한 개 혹은 여러 개로 존재할 수 있지만 부신장정맥(accessory renal vein)은 크기가 작아 초음파 상 거의 관찰되지 않는다. 우측 신정맥은 신문부의 앞쪽에서 나와 하대정맥의 후측방으로 연결되고, 좌측 신정맥은 신문부에서 나와 상장간막동맥과 대동맥 사이를 통과하여 하대정맥으로 연결된다(그림 5-37).

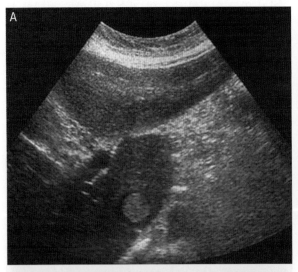

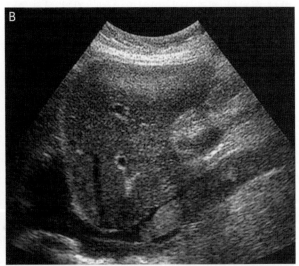

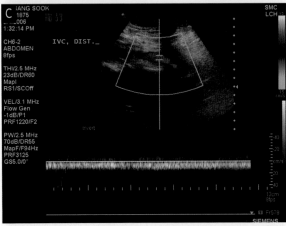

그림 5-36 하대정맥혈전증 초음파 소견
A. 횡단면 초음파 소견
B. 종단면 초음파 소견
C. 혈전으로 폐색된 하대정맥 원위부에서 관찰되는 도플러파형

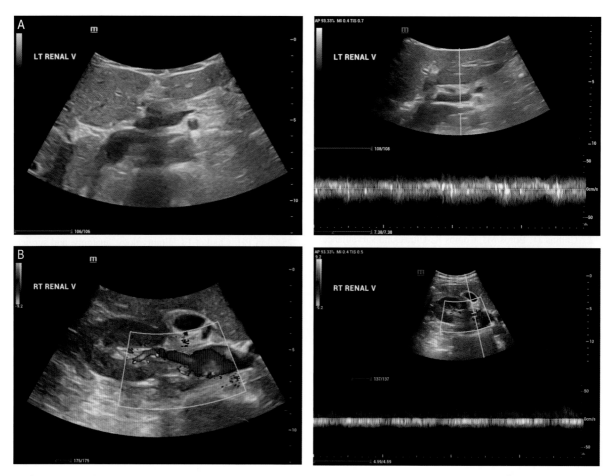

그림 5-37 신정맥 초음파소견
A. 좌측 신정맥, B. 우측 신정맥

·))) 참고문헌

1. 강성희, 강세식 외. 일반 초음파 영상학. 서울: 정문각; 2004.

2. 조진현. 혈관초음파. 서울: 가본의학서적; 2007.

3. 조희중. Gray 해부학. 제2판. 서울: 이퍼블릭; 2010.

4. AbuRahma AF, Bergan JJ. Noninvasive Vascular Diagnosis. 2nd ed. German: Springer; 2007.

5. AbuRahma AF, Dean LS. Duplex ultrasound interpretation criteria for inferior mesenteric arteries. Vascular 2012;20(3):145-9.

6. AbuRahma AF, Stone PA, Srivastava M, et al. Mesenteric/ celiac duplex ultrasound interpretation criteria revisited. J Vasc Surg 2012;55(2):428-36.

7. AbuRahma AF. Fate of endoleaks detected by CT angiography and missed by color duplex ultrasound in endovascular grafts for abdominal aortic aneurysms. J Endovasc Ther 2006;13(4):490-5.

8. Arko FR, Filis KA, Heikkinen MA, et al. Duplex scanning after endovascular aneurysm repair: an alternative to computed tomography. Semin Vasc Surg 2004;17(2):161-5.

9. Beales L, Wolstenhulme S, Evans JA, et al. Reproducibility of ultrasound measurement of the abdominal aorta. Br J Surg 2011;98:1517–25.

10. Bowersox JC, Zwolak RM, Walsh DB, et al. Duplex ultrasonography in the diagnosis of celiac and mesenteric artery occlusive disease. J Vasc Surg 1991;14(6):780–8.

11. Clevert DA, Minaifar N, Weckbach S, et al. Color duplex ultrasound and contrast-enhanced ultrasound in comparison to MS-CT in the detection of endoleak following endovascular aneurysm repair. Clin Hemorheol Microcirc 2008;39(1-4):121-32.

12. Collins JT, Boros MJ, Combs K. Ultrasound surveillance of endovascular aneurysm repair: a safe modality versus computed tomography. Ann Vasc Surg 2007;21(6):671-5.

13. Criado FJ, Fairman RM, Becker GJ. Talent LPS Pivotal Clinical Trial investigators. Talent LPS AAA stent graft: results of a pivotal clinical trial. J Vasc Surg 2003;37(4):709-15.

14. Denys AL, Lafortune M, Aubin B, et al. Doppler sonography of the inferior mesenteric artery: a preliminary study. J Ultrasound Med 1995;14(6):435-9.

15. Erden A, Yurdakul M, Cumhur T. Doppler waveforms of the normal and collateralized inferior mesenteric artery. AJR Am J Roentgenol 1998;171(3):619-27.

16. Granger DN, Richardson PD, Kvietys PR, et al. Intestinal blood flow. Gastroenterology 1980;78(4):837-63.

17. Hansen KJ, Tribble RW, Reavis SW, et al. Renal duplex sonography. Evaluation of clinical utility. J Vasc Surg 1990;12:227-36.

18. Jäger K, Bollinger A, Valli C, et al. Measurement of mesenteric blood flow by duplex scanning. J Vasc Surg 1986;3(3):462-9.

19. Jeffrey P. Carpenter. Midterm results of the multicenter trial of the Powerlink bifurcated system for endovascular aortic aneurysm repair. J Vasc Surg 2004;40:849-59.

20. Joshua S. Hill, MD, James T. McPhee, et al. MDRegionalization of abdominal aortic aneurysm repair: Evidence of a shift to high-volume centers in the endovascular era. J Vasc Surg 2008;48:29-36.

21. Kornblith PL, Boley SJ, Whitehouse BS. Anatomy of the splanchnic circulation. Surg Clin North Am 1992;72(1):1-30.

22. Lee CH, Seo BK, Choi YC, et al. Using MRI to evaluate anatomic significance of aortic bifurcation, right renal artery, and conus medullaris when locating lumbar vertebral segments. AJR Am J Roentgenol 2004;182(5):1295-300.

23. LewisBD, James EM. Current applications of duplex and color Doppler ultrasound imaging: abdomen. Mayo Clinic Proc 1989;64(9):1158-69.

24. Lim HK, Lee WJ, Kim SH, et al. Splanchnic arterial stenosis or occlusion: diagnosis at Doppler US. Radiology 1999;211(2):405-10.

25. Lin PH, Chaikof EL. Embryology, anatomy, and surgical exposure of the great abdominal vessels. Surg Clin North Am 2000;80(1):417-33

26. Makaroun M, Zajko A, Sugimoto H, et al. Fate of endoleaks after endoluminal repair of abdominal aortic aneurysms with the EVT device. Eur J Vasc Endovasc Surg 1999;18(3):185-90.

27. Maleux G, Poorteman L, Laenen A, et al. Incidence, etiology, and management of type III endoleak after endovascular aortic repair. J Vasc Surg 2017;66(4):1056-64.

28. Michels NA, Siddharth P, Kornblith PL, et al. Routes of collateral circulation of the gastrointestinal tract as ascertained in a dissection of 500 bodies. Int Surg 1968;49(1):8-28.

29. Michels NA. Newer anatomy of the liver and its variant blood supply and collateral circulation. Am J Surg 1966;112(3):337-47.

30. Mirk P, Palazzoni G, Cotroneo AR, et al. Sonographic and Doppler assessment of the inferior mesenteric artery: normal morphologic and hemodynamic features. Abdom Imaging 1998;23(4):364-9.

31. Moneta GL, Lee RW, Yeager RA, et al. Mesenteric duplex scanning: a blinded prospective study. J Vasc Surg 1993;17(1):79–86.

32. Moneta GL, Taylor DC, Helton WS, et al. Duplex ultrasound measurement of postprandial intestinal blood flow: effect of meal composition. Gastroenterology 1988;95(5):1294-301.

33. Moneta GL, Yeager RA, Dalman R, et al. Duplex ultrasound criteria for diagnosis of splanchnic artery stenosis or occlusion. J Vasc Surg 1991;14(4):511–20.

34. Park SC, Park JS, Kim SD, et al. The Anatomical Relationship of the Aortic Bifurcation and the Iliocaval Junction to the Lumbar Vertebrae in a Korean Population. Korean J Vasc Endovasc Surg 2008; 24(2): 101-5.

35. Parks DA, Jacobson ED. Physiology of the splanchnic circulation. Arch Intern Med 1985;145(7):1278-81

36. Parodi JC, Palmaz JC, Barone HD. Transfemoral intraluminal graft implantation for abdominal aortic aneurysms. Ann Vasc Surg 1991;5:491-9.

37. Pellerito JS, Polak JF. Vascular Ultrasonography. 7th ed. Philadelphia: Elsevier; 2019.

38. Pellerito JS, Revzin MV, Tsang JC, et al. Doppler sonographic criteria for the diagnosis of inferior mesenteric artery stenosis. J Ultrasound Med 2009;28(5):641-50.

39. Perko MJ, Just S, Schroeder TV. Importance of diastolic velocities in the detection of celiac and mesenteric artery disease by duplex ultrasound. J Vasc Surg 1997;26(2):288-93.

40. Perko MJ, Perko G, Just S, et al. Changes in superior mesenteric artery Doppler waveform during reduction of cardiac stroke volume and hypotension. Ultrasound Med Biol 1996;22(1):11-8.

41. R. Eugene Zierler. Strandness's Duplex Scanning in Vascular Disorders. 4th ed. Philadelphia: Lippincott Williams & Wilkins; 1994.

42. Raman KG, Missig-Carroll N, Richardson T, et al. Color-flow duplex ultrasound scan versus computed tomographic scan in the surveillance of endovascular aneurysm repair. J Vasc Surg 2003;38(4):645-51.

43. Ruzicka FF Jr, Rossi P. Normal vascular anatomy of the abdominal viscera. Radiol Clin North Am 1970;8(1):3-29.

44. Schaberle W. Ultrasonography in Vascular Diagnosis: A Therapy-Oriented Textbook and Atlas. 2nd ed. German: Springer; 2017.

45. Sloves J, Almeida JI. Venous duplex ultrasound protocol for iliocaval disease. J Vasc Surg Venous and Lymphat Disord 2018;6:748-57.

46. Song SY, Chung JW, Yin YH, et al. Celiac axis and common hepatic artery variations in 5002 patients: systematic analysis with spiral CT and DSA. Radiology 2010;255:278-88.

47. Thomas PR, Shaw JC, Ashton HA, et al. Accuracy of ultrasound in a screening programme for abdominal aortic aneurysms. J Med Screen 1994;1:3-6.

48. Van Bel F, Van Zwieten PH, Guit GL, et al. Superior mesenteric artery blood flow velocity and estimated volume flow: duplex Doppler US study of preterm and term neonates. Radiology 1990;174(1):165-9.

49. Wolf YG, Johnson BL, Hill BB, et al. Duplex ultrasound scanning versus computed tomographic angiography for postoperative evaluation of endovascular abdominal aortic aneurysm repair. J Vasc Surg 2000;32(6):1142-8.

50. Zwiebel WJ, Pellerito JS. Introductin to vascular ultrasonograhy. 5th ed. USA: Elsevier saunders; 2003.

51. Zwolak RM, Fillinger MF, Walsh DB, et al. Mesenteric and celiac duplex scanning: a validation study. J Vasc Surg 1998;27(6):1078-88.

혈액투석 접근로

1. 수술 전 검사

혈액투석 접근로에는 혈액투석관과 동정맥루가 있다. 혈액투석관은 응급으로 혈액투석을 요하는 경우, 동정맥루 수술 전 및 수술 후 성숙을 기다리는 시간 동안에 혈액투석을 해야 하는 경우, 환자의 상태 및 동반질환이 동정맥루 수술에 적합하지 않은 경우 등이 적응증이 된다. 물론 지속적인 혈액투석을 요하는 경우에 성숙된 동정맥루가 가장 유용하고 효과적인 접근로가 된다. 따라서 환자에게 가장 적절한 종류의 혈액투석 접근로, 특히 동정맥루 종류(자가정맥, 인조혈관) 및 위치(손목, 전완, 팔꿈치, 상완, 액와부, 하지 등)를 결정하는 것이 매우 중요하며, 이와 함께 혈액투석 접근로 수술의 성공률과 개존율 및 혈액투석을 위한 유용성을 높이기 위해 효과적인 수술 전 검사를 시행하는 것이 필요하다.

1) 혈액투석관

(1) 과거력 확인 및 신체검사

혈액투석관을 포함한 중심정맥관 시술력, 동정맥루 수술력, 혈액응고장애력, 심장박동기 사용력 등을 확인해야 한다(Kidney Disease Outcomes and Quality Initiative, KDOQI Grade A)(표 6-1). 신체검사에서 목과 가슴에 혈액투석관 삽입 흔적, 상지 또는 얼굴 부종 여부, 혈관확장 및 부행혈관 형성여부 등을 확인해야 한다. 이것을 통해서 중심정맥의 협착 또는 폐색 등의 병변 여부를 예상할 수 있다.

(2) 중심정맥에 대한 영상검사
① 이중 초음파

비침습적인 이중 초음파검사(duplex ultrasonography)는 혈액투석관 삽관을 위해 가장 먼저 시도할 수 있는 영상검사 방법이다. B 모드와 컬러 흐름 화면을 이용해서 중심정맥의 해부학적인 상태와 혈류의 특징을 확인할 수 있다. 그러나, 흉곽의 뼈 구조와 공기음영 때문에 제한이 있을 수 있다(그림 6-1).

표 6-1 혈관접근로 수술 전 환자 평가(KDOQI)

Consideration	Relevance
Patient History	
History of previous CVC	Previous placement of a CVC is associated with central venous stenosis.
Dominant arm	To minimize negative impact on quality of life, use of the nondominant arm is preferred.
History of pancemaker use	There is a correlation between pacemaker use and central venous stenosis.
History of severe CHF	Accesses may alter hemodynamics and cardiac cotput.
History of arterial or venous peripheral catheter	Previous placement of an arterial or venous peripheral catheter may have damaged target vasculature.
History of diabetes mellitus	Diabetes mellitus is associated with damage to vasculature necessary for internal accesses.
History of anticoagulant therapy or any coagulation disorder	Abnormal coagulation may cause clotting or problems with hemostasis of accesses.
Presence of comorbid conditions, such as mailgnancy or coronary artery disease, that limit patient's life expectancy	Morbidity associated with placement and maintenance of certain accesses may not justify their use in some patients.
History of of vascular access	Previously failed vascular accesses will limit available sites for accesses; the cause of a previous failure may influence planned access if the cause is still present.
History of heart valve disease or prosthesis	Rate of infection associated with specific access types should be considered.
History of previous arm, neck, or chest surgery/trauma	Vascular damage associated with previous surgery or trauma may limit viable access sites.
Anticipated kidney transplant from living donor	Catheter access may be sufficient.
Physical Examination	
Physical Examination of Arterial System	
Character of peripheral pulses, supplemented by hand-held	An adequate arterial system is needed for access; the quality of the arterial system will influence the choice of access site.
Doppler evaluation when indicated	
Results of Allen test	Abnomal arterial flow pattern to the hand may contraindicate the creation of a radial-cephalic flstula.
Bilateral upper extremity blood pressures	Pressures determine suitability of arterial access in upper extremities.
Physical Examination of Venous System	Edema indicates venous outflow problems that may limit usefulness of the associated potential access site or extremity for access placement.
Evaluation for edema	
Assessment of arm size comparability	Differential arm size may indicate inadequate veins or venous obstruction which should influence choice of access site.
Examination for collateral veins	Collateral veins are indicative of venous obstruction.
Tourniquet venous palpation with vein mapping	Palplation and mapping allow selection of ideal veins for access.
Examination for evidence of previous central or peripheral venous catheterization	Use of CVCs is associated with central venous stenosis; previous placement of venous catheters may have damaged target vasculature necessary for access.
Examination for evidence of arm, chest, or neck surgery/trauma	Valscular damage associated with previous surgery or trauma may limit access sites.
Cardiovascular Evaluation	
Examination for evidence of heart failure	Accesses may alter cardiac output

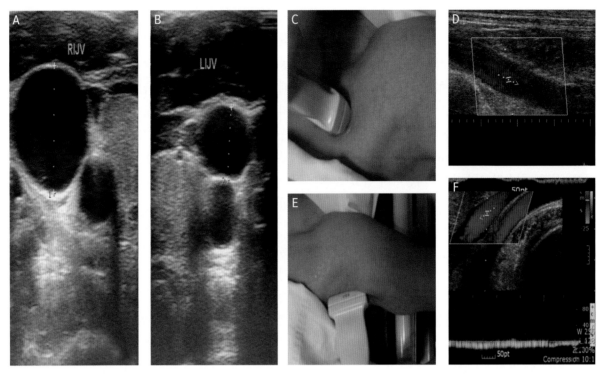

그림 6-1 정맥의 이중 초음파 소견
A. 우측 내경정맥, B. 좌측 내경정맥, C, D. 좌측 쇄골하정맥, E, F. 좌측 액와정맥

② 자기공명 정맥조영

가돌리늄(gadolinium)을 이용해서 3차원적으로 중심정맥을 확인할 수 있고, 중심정맥의 협착 및 폐쇄에 대한 정확도가 높다. 하지만, 가돌리늄에 의한 신장기원 전신섬유증(nephrogenic systemic fibrosis)이 발생할 수 있어서 특히 사구체여과율(glomerular filtration rate, GFR)이 30 mL/min 이하인 경우는 주의를 기울여야 한다.

③ 컴퓨터단층 정맥조영

중심정맥에 대한 해부학적 상태 및 병변 여부에 대한 정보를 쉽고 빠르게 확인할 수 있으나 조영제에 의한 신독성 및 알러지 반응 등이 발생할 수 있다.

④ 카테터 정맥조영

중심정맥의 협착 또는 폐색을 확인하기 위한 표준검사 방법이고, 병변이 확인되면 추가적인 혈관내 시술이 가능하다. 진단 목적으로는 컴퓨터단층 정맥조영보다 적은 양의 조영제로도 검사가 가능하다.

2) 동정맥루

(1) 과거력 확인 및 신체검사

혈관수술력 여부 및 동반질환 여부에 대한 확인이 필요하며, 혈관접근로 수술 및 교정술 경험 여부 및 합병증 발생 여부, 중심정맥 및 말초정맥관 삽관, 심장박동기 사용, 심부전, 혈액응고장애, 당뇨, 심장판막질환, 신장이식술, 상지 부종 및 수부 허혈증 발생 여부 등에 대한 과거력 확인이 필요하다 (표 6-1). 신체검사에서 동맥에 대해서는 상완동맥, 요골동맥 및 척골동맥의 맥박과 상태를 함께 확인하며, 앨런검사(Allen test)를 시행하고, 필요 시 양측 상지 혈압 측정 및 도플러검사를 시행한다. 정맥에 대해서는 양측 상지의 표재성정맥(요골측피부정맥(두정맥, cephalic vein), 척골측피부정맥(기저정맥, basilic vein))의 상태와 목과 가슴의 부행혈관, 부종, 양측 팔의 굵기 비교, 중심정맥 및 말초정맥 삽관 증거, 상체의 수술이나 외상 여부를 확인한다 (표 6-1). 비우성측(non-dominant) 팔의 혈관들을 천자, 삽관, 침습적 시술 등에 사용하지 말고 보존해야 한다.

(2) 영상검사

① 이중 초음파검사

수술 전 이중 초음파검사는 동정맥루 조성술의 성공률과 성숙률을 향상시킨다. 2018 유럽혈관외과학회가이드라인(2018 Clinical Practice Guidelines of the European Society for Vacular Surgery, ESVS)은 수술전 이중 초음파에 의한 양측 상지동맥 및 정맥의 검사를 동정맥루 조성술을 계획한 모든 환자에서 시행해야 한다고 제시했다(Grade IA). 그리고 이중 초음파를 이용한 정맥 지도화(mapping)는 혈관 깊이의 정확한 평가와 신체검사로 놓친 혈관구조를 인지할 수 있게 한다(그림 6-2). 또한, 무작위 시험결과, 수술 전 이중 초음파검사를 시행하지 않은 경우와 시행한 경우에 동정맥루 실패율이 각각 25%와 6% 나타났다.

B 모드, 컬러 흐름 및 도플러파형을 이용해서 상지동맥과 정맥의 해부학적인 특징(직경, 협착, 폐쇄, 석회화, 혈전, 분지 등)과 혈역학적 특징(혈류방향, 결손, 폐쇄, 속도 등)을 확인할 수 있다. 이때 단축과 장축 화면을 적절하게 같이 이용한다. 상지동맥은 액와동맥, 상완동맥, 요골동맥, 척골동맥 등을 검사해서 동맥들의 직경과 해부학적 이상 여부(협착, 폐색, 석회화 등) 및 혈류 등을 확인한다. 이 때, 손목부위 동맥의 직경이 2 mm 이상이며 죽상경화증 같은 병변이 없는지 확인한다(그림 6-3).

상지정맥은 요골측피부정맥과 척골측피부정맥을 손목부위부터 액와부위까지 검사를 하며 이 때 근위부에 압박대 또는 고무줄을 위치시키고 정맥들의 직경 및 확장 정도 및 분지여부 등을 확인해야 한다. 이때 초음파 탐색자로 정맥을 압박하지 않도록 주의한다. 또한 상지심부정맥도 검사를 시행해서 혈전증 등의 병변 및 해부학적 이상여부를 확인한다. 이와 함께 표시기구를 이용해서 상지에 직접 정맥위치를 표시하여 정맥 지도화를 시행한다(그림 6-2). 이 때 손목 또는 아래팔에 직경이 2.5 mm 이상인 정맥의 존재 여부와 협착이나 폐쇄 여부를 확인한다. 또한 액와 및 쇄골하정맥의 협착이나 폐쇄 여부를 확인한다. 유용한 비침습적 검사이지만 검사자의 숙련도에 따라 차이가 있을 수 있으며 중심정맥을 확인하기 어려운 단점이 있다. 2018 ESVS guidelines는 손목부위의 동정맥루 조성술을 위해 동맥과 정맥 모두 내부직경이 2 mm 이상, 팔꿈치의 인조혈관을 이용한 동정맥

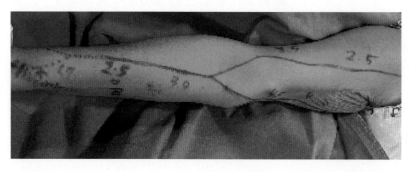

그림 6-2 우측 상지정맥 지도화(mapping)

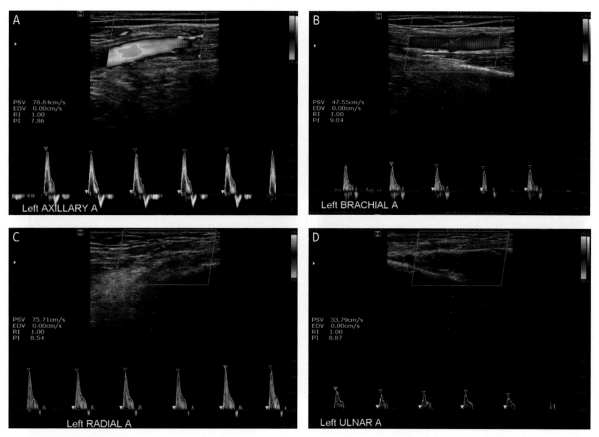

그림 6-3 상지동맥 이중 초음파
A. 액와동맥, B. 상완동맥, C. 요골동맥, D. 척골동맥

루 조성술을 위해 출구정맥 내부직경이 4 mm 이상이어야 한다고 제시한다. 2006 K-DOQI guidelines는 손목부위의 동정맥루 조성술을 위해 동맥직경은 2 mm, 정맥직경은 2.5 mm 이상이어야 한다고 제시한다(그림 6-4, 표 6-2).

② 카테터 혈관조영

동맥조영(arteriography)은 말초동맥폐쇄 질환, 당뇨병, 다발적인 혈관접근로시술 실패, 비정상적인 비침습 검사 결과, 혈관접근로 관련 수부허혈증 등이 있는 경우에 선택적으로 적응증이 된다. 정맥조영(venography)은 상지 부종, 다발성 부행혈관, 심박동기 사용, 다발적인 중심정맥관 삽입, 다발적인

혈관접근로 시술 시행 등의 경우가 적응증이 되며, 중심정맥을 포함한 전체적인 정맥의 지도를 나타낼 수 있다(그림 6-5). 하지만, 조영제에 의한 신독성 가능성에 대해 주의를 기울여야 한다.

③ 자기공명 혈관조영

상지동맥과 정맥의 협착과 폐색에 대해 정확한 수술 전 파악이 가능하게 한다. 가돌리늄에 의한 신장기원 전신섬유증이 발생할 수 있어서 신기능이 손상된 경우 주의해야 한다. 결과적으로, 혈액투석 접근로의 성공률을 높이고 최선의 결과를 얻기 위해 정확하고 효과적인 수술 전 검사를 통해 환자에게 가장 적절한 혈액투석 접근로 수술을 하도록 노

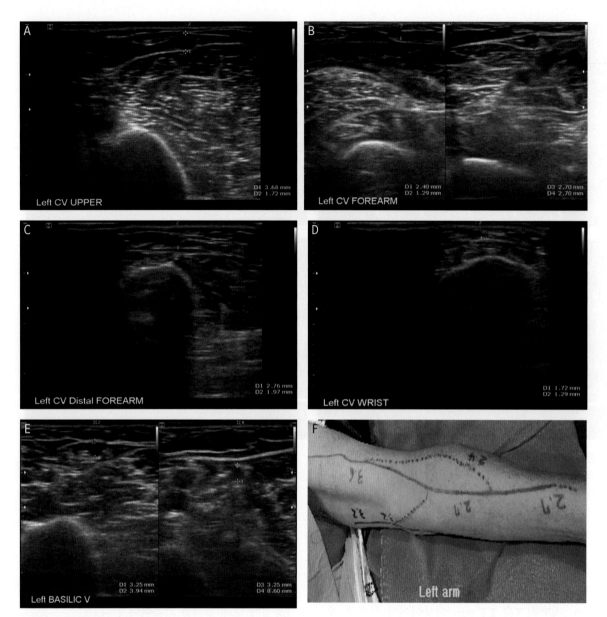

그림 6-4 상지정맥 이중 초음파
A. 상완부 요골측피부정맥, B. 전완부 요골측피부정맥, C. 손목부위 요골측피부정맥, D. 척골측피부정맥, E. 요골측피부정맥, F. 상지정맥 지도화

표 6-2 동정맥루 조성술을 위한 동맥과 정맥의 적절한 혈관크기(KDOQI 2019 UPDATE)

7.5 KDOQI	considers it reasonable that while there is no minimum diameter threshold to create an AVF, arteries and veins of < 2 mm in diameter should undergo careful evaluation for feasibility and quality to create a functioning AVF. (Expert Opinion)
7.6 KDOQI	considers it reasonable to evaluate multiple characteristics of vessel quality for AVF creation (size, distensibility, flow, etc). (Expert Opinion)

KDOQI Clinical Practice Guideline for Vascular Access: 2019 Update. Am J Kidney Dis. 2020 Apr:75(4 Suppl 2): S59.

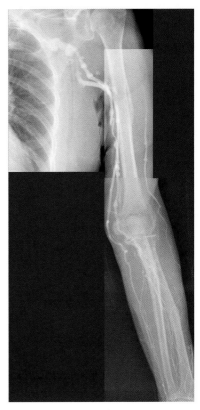

그림 6-5 좌측 상지정맥 혈관조영

력해야 한다. 이를 위해 과거력 확인 및 신체검사를 충실하게 선행하고 이중 초음파를 통한 상지동맥 및 정맥의 해부학적 상태와 혈류를 충분히 파악해야 하며, 환자의 증상 및 병변에 따라 카테터 혈관조영, 컴퓨터단층 또는 자기공명 혈관조영 등을 적절하게 이용해야 한다.

2. 동정맥루 평가

1) 서론

혈액투석 접근로는 만성 신장병 환자에서 혈액투석을 시행하는 환자의 주요 사망 원인과 관련이 있다. 미국에서는 장기간 혈액투석을 시행하는 환자

의 투석 접근로와 관련된 합병증이 입원 사유의 약 30%를 차지한다. National Kidney Foundation (NKF)은 Kidney Disease Outcomes and Quality Initiative (KDOQI) 권고안 및 개정안을 통해 투석 접근로의 시진과 청진, 촉진을 통한 모니터링을 권장하고 있다. 투석 접근로의 개존률을 높이기 위한 혈류량, 투석압 측정 및 영상검사 등 주기적인 감시는 임상 소견의 변화에 근거하여 혈전의 조기 발견 및 협착의 교정을 통한 개존률 향상을 목표로 시행되어야 한다.

2) 초음파검사의 적응증

감시 프로그램으로써 초음파검사의 주기적 시행 근거는 명확하지 않다. 모니터링 단독과 모니터링 및 감시를 병행하여 비교한 연구들은 주로 초음파 희석법을 이용하여 투석 접근로의 혈류량을 평가 후 모니터링 단독에 비해 협착과 혈전 형성의 예측 정도를 비교하였으며 협착의 조기 발견에 유의한 차이를 보이지 못했다.

American Institute of Ultrasound in Medicine (AIUM)에서 제안하는 초음파검사의 적응증은 표 6-3과 같다.

3) 초음파검사의 실제

투석 접근로의 정확한 기능을 평가하기 위해 다음의 위치에서 혈관의 직경, 깊이, 도플러파형, 최고 수축기속도를 기록한다.
- 투석 접근로 근위부의 유입동맥(inflow artery)
- 투석 접근로 원위부의 유입동맥
- 문합부위(동정맥루는 한 군데, 혈액투석관은 두 군데)
- 천자부위
- 유출정맥(outflow vein)이나 투석관의 근위부,

표 6-3 혈액투석 접근로의 초음파 적응증

1. Hemodialysis access blood flow inadequate for dialysis, defined as a flow volume of less than 500 to 600 mL/min or patients who have an interval 25% decrease in blood flow.
2. Patients who develop persistent ipsilateral upper extremity edema or pain after access placement or during hemodialysis.
3. Patients with delayed maturity (> 6 weeks) of a surgically created AVF.
4. Patients suspected of having a pseudoaneurysm, AVF, graft stenosis, perigraft soft tissue infection, or adjacent fluid collection.
5. Patients with a decreased or absent thrill or abnormal bruit over hemodialysis access.
6. Follow-up after an intervention.
7. Patients with clinical signs or symptoms of hand/ digit ischemia typically during or immediately after hemodialysis but that may occur at other times.
8. Access collapse during hemodialysis.
9. Prolonged bleeding (> 20 minutes) from access needle sites.
10. Unexplained decrease in the delivered dose of hemodialysis (Kt/V). Kt/V is the product of dialyzer clearance and time divided by the volume of water in the patient.
11. Repeated difficult cannulation.
12. Thrombus aspiration during hemodialysis.
13. Elevated venous pressure greater than 200 mm Hg on a 300-mL/min pump.
14. Elevated recirculation time greater than 15%.

중간 및 원위부
• 액와정맥과 쇄골하정맥

(1) 성숙(maturation)의 평가

이전의 연구에서 임상적으로 투석 접근로 성숙 여부의 결정을 위한 촉진은 숙달된 투석전문 간호사의 경우 80~96%의 민감도를 갖는다. 만약 수술 후 4~6주 경과 후 촉진을 통해 성숙 여부를 결정하지 못할 경우 초음파를 시행하여 성숙을 저해하는 해부학적인 구조를 파악할 수 있다. 성숙의 기준은 연구자에 따라 다양한 정의를 사용하고 있으나, KDOQI의 2006년 개정안에서 성숙의 지표로 "Rule of 6s"를 제안한 바 있으며 임상적으로 가장 쉽게 적용할 수 있는 기준이다. 초음파를 이용하여 직경(>6 mm), 깊이(<6 mm), 혈류량(>600 mL/min)을 측정하여 혈액투석 시 천자 가능성을 예측할 수 있다. B 모드 및 컬러 도플러 모드에서 투석 접근로/유출정맥 전장을 스캔하고 직경을 측정한다.

투석 접근로/유출정맥의 깊이는 피부에서부터 정맥의 앞벽(anterior wall)까지의 거리를 측정한다. 혈류량은 투석 접근로/유출정맥 중간 부위에 곧고 직경의 변화가 적으며 와류가 없는 부위로 문합부 상방 10 cm 정도에서 측정한다. 스펙트럼 도플러 모드에서 샘플용적 마커를 정맥벽에 수평으로 하고 도플러 각을 60°로 하여 3~5 심박주기를 얻어 혈류량을 측정한다(그림 6-6).

(2) 협착(stenosis)의 평가

의미있는 심각한 협착은 정상 직경과 비교하여 50% 이상 감소한 것으로 정의하며 스펙트럼 도플러 모드에서 최고 수축기속도를 측정하여 혈류 상방 2 cm 지점의 PSV와의 비율로 평가한다. 문합부 협착

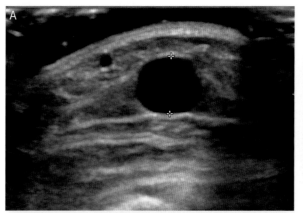
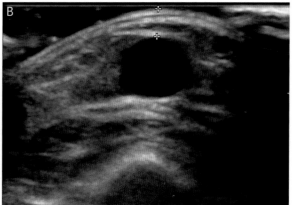
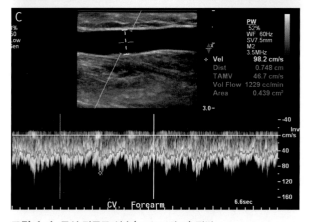

그림 6-6 투석 접근로 성숙(maturation) 평가

A. 아래팔의 요골측피부정맥 수술 후 회색조 가로스캔에서 구경이 7.06 mm로 측정되어 6 mm 이상 구경에 합당하다.

B. 회색조 가로스캔에서 피부로부터 요골측피부정맥까지의 깊이가 3.43 mm로 측정되어 6 mm 깊이 이내에 합당하다.

C. 혈류량 측정을 위해서는 비교적 구경이 일정한 부위에서 세로스캔을 이용한다. 샘플 게이트/도플러 수신기는 구경 내부를 채울수 있는 크기로 맞춘다. 도플러 커서는 혈류에 평행하게 맞춘다. 측정된 혈류량은 1229 mL/min으로 600 mL/min 이상에 합당하다.

의 경우 문합부 2 cm 상방의 유입동맥의 PSV와 문합부의 PSV 비율이 3:1 이상일 경우 50% 협착으로 평가할 수 있다. 문합부 외 투석 접근로/유출정맥의 협착은 협착부위 PSV와 혈류 상부(upstream) 2 cm 에서의 PSV 비율이 2:1 이상일 경우 50% 협착으로 평가할 수 있다(그림 6-7).

(3) 유입동맥(inflow artery)의 평가

혈액투석 환자의 유입동맥은 석회화 및 협착을 동반하는 경우가 많고 투석 접근로 기능 저하 및 성숙 저하의 주요 원인이 된다. 따라서 유입동맥 전장에 대해 B 모드 및 컬러 도플러 모드로 관찰하여 협착 유무를 관찰한다. 협착 정도는 PSV 비율로 평가할 수 있다. 스펙트럼 도플러 모드에서 관찰되는 협착 후 parvus-tardus 파형은 유입동맥의 적절성을 평가하는데 반드시 고려되어야 한다. 문합부의 원위부 동맥 혈류 방향은 도혈증후군 증상이 관찰되는 환자에서 진단에 중요한 소견이 되므로 수부 허혈 환자에서 반드시 기록한다(그림 6-8).

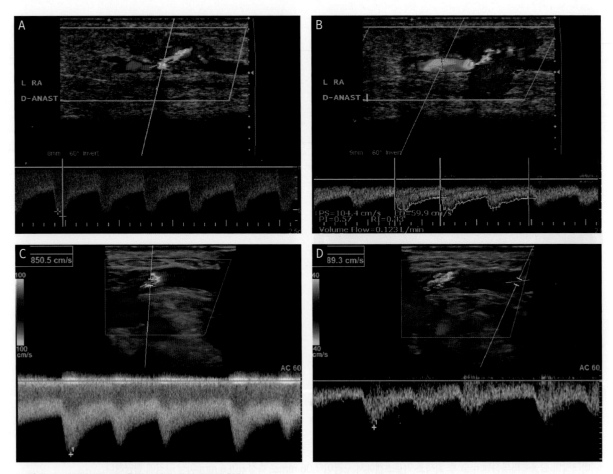

그림 6-7 요골동맥-요골측피부정맥 동정맥루의 협착
A. 문합부에서 측정한 혈류속도가 571 cm/s이다. 이 부위는 컬러 도플러에서도 앨리어싱으로 보인다.
B. 문합부 협착이 있는 상방 약 2 cm부위의 요골동맥에서 측정한 혈류속도는 104 cm/s이다. 문합부 PSV를 문합부 상부 동맥에서 얻은 PSV로 나누어 3배 이상이면 50% 이상의 협착에 해당한다(PSV ratio > 3) 이 영상에서는 5배 이상의 속도 증가를 보이고 있다.
C. 요골측피부정맥궁 부위이며 액와정맥에 합류하기 직전의 요골측피부정맥에서 PSV가 850 cm/s로 측정되었다.
D. 참고 부위에서 얻은 PSV는 89 cm/s이다. PSV는 9배이상의 증가를 보인다.

(4) 동맥류와 가성동맥류

천자부위 주변으로 동맥류와 가성동맥류의 발생을 초음파로 확인할 수 있다. 직경을 측정하여 크기 변화를 추적 관찰할 수 있으며 내부의 혈전 형성 및 협착 유무를 쉽게 관찰할 수 있다. 특히 가성동맥류의 경우 혈관벽 혹은 인조혈관의 결손을 초음파로 확인할 수 있다(그림 6-9).

(5) 감염

혈액투석 환자에서 투석 접근로의 감염은 매우 중요한 합병증이다. 진단을 위해 초음파가 필수적이지 않으나 임상 소견이 모호할 경우 진단에 도움이 된다. 특징적으로 B 모드에서 투석 접근로 주변으로 체액 분포를 관찰할 수 있다(그림 6-10).

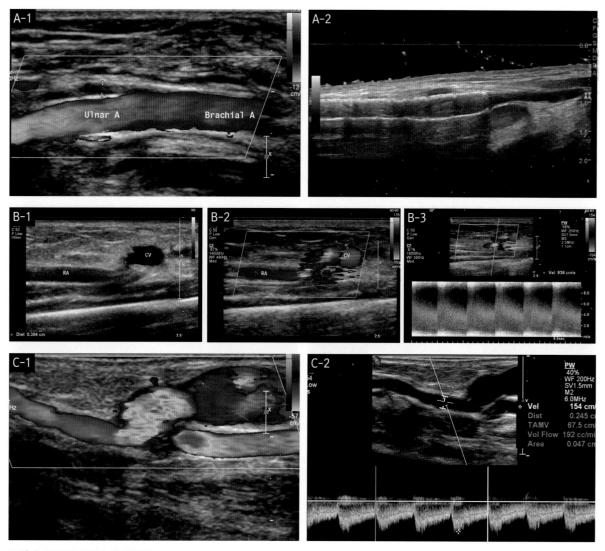

그림 6-8 투석 접근로 유입동맥

A-1. 상완동맥 분기부로 요골동맥의 완전폐색이 있으며, 척골동맥의 구경 증가가 보인다.

A-2. 요골동맥에서 혈관벽 미만석회화 변화로 인한 후방음향음영을 동반한다.

B-1. 요골동맥 협착이 있는 세로스캔으로 문합부 직상방의 요골동맥에서 약 3.9 mm에 걸친 협착이 보인다.

B-2. 같은 위치의 컬러 영상으로 회색조와 같은 위치에서 협착 소견에 해당하는 앨리어싱이 일치하게 보인다.

B-3. 협착을 확인하기 위해 얻은 PSV는 936 cm/s로 측정되었다.

C-1. 문합부 하방 요골동맥의 역방향혈류가 컬러 영상에 보인다.

C-2. 펄스 도플러에서도 역방향혈류가 보이며, 혈류량은 192 mL/min으로 측정되었다.

(6) 곁가지

유출정맥의 곁가지는 혈류량이 많을 경우 성숙의 방해요인이 된다. 성숙을 저해하거나 팔 부종 등 증상을 유발하는 곁가지혈관은 초음파로 혈류량을 추적 관찰하여 결찰을 계획하는데 도움이 된다(그림 6-11).

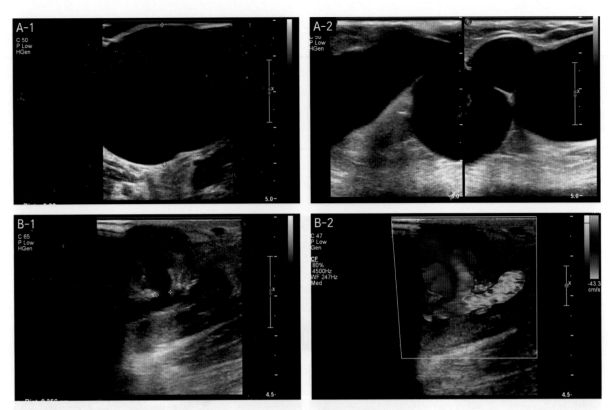

그림 6-9 투석 접근로의 동맥류와 가성동맥류
A-1. 요골측피부정맥 동맥류의 횡단 영상으로 최대 구경은 39 mm이며, 내부에코 상 혈전은 동반하지 않고 있다.
A-2. 동맥류 주위로 이중모드로 얻은 회색조의 종단 영상으로 구불구불한 주행과 함께 동맥류를 동반하고 있다.
B-1. 투석 접근로의 벽 결손이 3.56 mm에 해당하는 가성동맥류의 소견이다.
B-2. 컬러 도플러를 이용하여 벽 결손으로부터 컬러 유무를 보아 혈종과 구별한다.

(7) 중심정맥 협착(central vein stenosis)

혈액투석 환자의 일부에서 투석도관 삽입의 병력이 있는 경우 중심정맥 협착이 발생할 수 있다. 초음파로 중심정맥 전체를 관찰하는데는 해부학적으로 제한이 있으나 액와 및 쇄골 상부로 접근할 경우 쇄골하정맥 및 무명정맥의 일부를 관찰할 수 있다 (그림 6-12).

4) 요약

혈액투석 환자에서 투석 접근로 관리는 매우 중요한 치료 중 하나이다. 투석 전후로 시행되는 모니터링은 반드시 시행되어야 할 추적 관찰 방법이다. 모니터링 중 이상 소견이 보일 경우 다양한 방법으로 감시를 시행할 수 있으며 초음파검사는 이 중 신뢰할 만한 검사법이다. 초음파를 통해 유입동맥, 유출정맥/인조혈관 및 중심정맥의 협착, 혈류량 감소, 혈전 등을 객관적으로 추적관찰하여 투석 접근로의 개존율을 증가시키는 것이 혈액투석 환자의 치료에 중요하겠다.

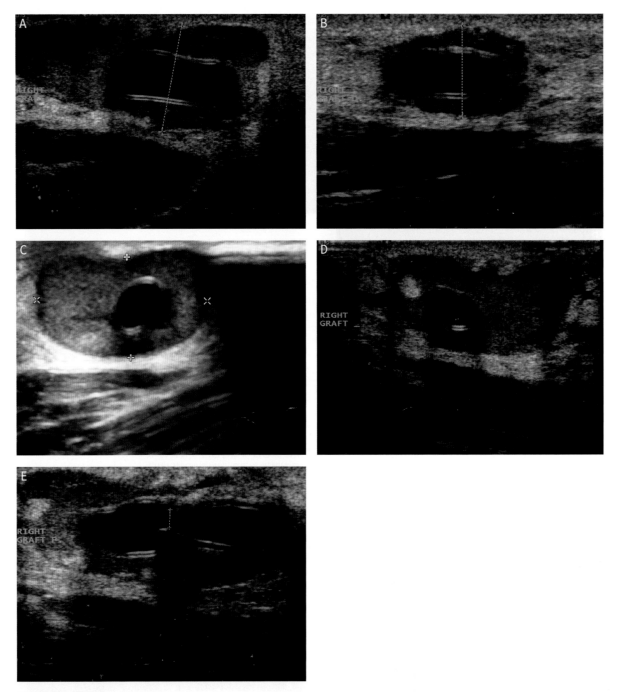

그림 6-10 투석 접근로의 감염

A. 접근로 주변 액체저류가 PTFE 인조혈관 주위에 저에코로 보이며 전체범위는 14.4 mm이다.

B. PTFE 인조혈관 주위로 저에코의 액체저류가 보이며 범위는 10.1 mm이다.

C. PTFE 인조혈관 주위로 경계가 분명한 균질한 에코를 가진 액체저류가 1.26cm x2.19cm크기로 관찰되며 후방음향증강 소견이 보인다.

D. 횡단 영상에서 PTFE 인조혈관 주위로 저에코의 비교적 균질한 액체저류가 보인다.

E. PTFE 인조혈관의 종단 영상에서 인조혈관 주위로 저에코의 액체저류가 보인다.

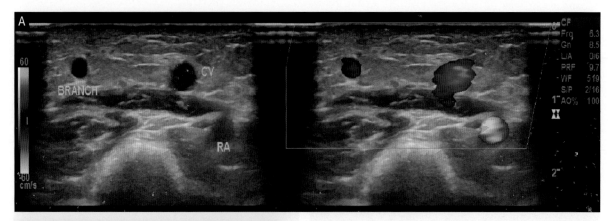

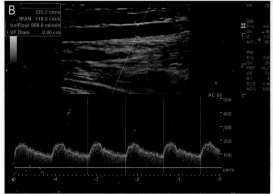

그림 6-11 유출정맥의 곁가지

A. 요골측피부정맥과 인접하는 곁가지의 횡단 영상으로 컬러 도플러에서 반대 방향에 요골동맥이 관찰된다.

B. 도혈정맥(stealing vein)에서 측정한 혈류량으로 888mL/min이며, 동정맥루 혈류의 대부분에 해당한다.

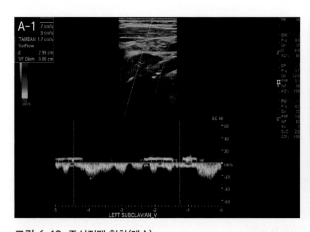
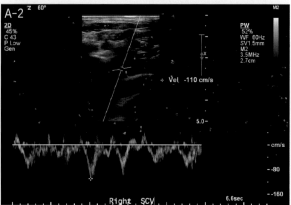

그림 6-12 중심정맥 협착(계속)

A-1. 쇄골하정맥에서 얻은 도플러파형으로 박동성 정맥파형의 소실이 있어 근위부 의미있는 협착에 해당한다.

A-2. 정상 측 쇄골하정맥에서 얻은 도플러파형으로 박동성 정맥파형이 보인다. 이것은 심장과 인접한 정맥 내에서 보이는 특이적 정상 파형이다.

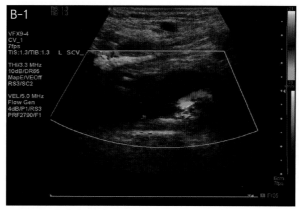
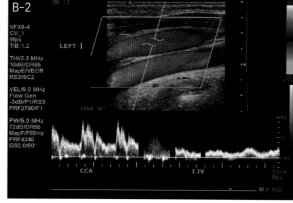

그림 6-12 중심정맥 협착

B-1. 화살표는 상완두정맥으로 컬러 도플러에서 색이 없는 완전폐색이다.

B-2. 내경정맥이 총경동맥과 같은 역방향혈류를 컬러와 펄스 도플러에서 보이며, 상완두정맥 폐색에 부합한다.

·»» 참고문헌

1. 김상준, 민승기. 투석을 위한 혈관접근. 서울: 바이오메디북; 2012.

2. American College of Radiology (ACR), Society of Radiologists in Ultrasound (SRU), American Institute of Ultrasound in Medicine (AIUM). AIUM practice guideline for the performance of a vascular ultrasound examination for postoperative assessment of dialysis access. J Ultrasound Med 2014;33(7):1321-32.

3. Charmaine E, LokThomas S.Huber, et al. KDOQI Clinical Practice Guideline for Vascular Access: 2019 Update. Am J Kidney Dis 2020;75(4Suppl2):S1-S164.

4. Cronenwett JL, Johnston KW. Rutherford' Vascular Surgery. 8th ed. United States: Saunders; 2014.

5. R. Eugene Zierler, 조진현. 혈관초음파. 4th ed. 서울: 가본의학서적; 2013.

6. Schmidli J, Widmer MK, Basile C, et al. Editor' choice-Vascular access: 2018 Clinical practice guidelines of the European society for vascular surgery. (ESVS). Eur J Vasc Endovasc Surg 2018;55:757-818.

7. Teodorescu V, Gustavson S, Schanzer H. Duplex ultrasound evaluation of hemodialysis access: a detailed protocol. Int J Nephrol 2012;2012:508956.

8. Vascular Access 2006 Work Group. Clinical practice guidelines for vascular access. Am J Kidney Dis 2006;48(1): 176-247.

혈관내 시술 시 초음파의 역할

1. 초음파 유도 혈관 천자

1) 서론

총대퇴동맥은 말초동맥질환의 혈관내 시술을 위해 가장 자주 사용되는 혈관 천자부위이며, 혈관 천자부위 합병증이 혈관내 시술 부작용의 가장 흔한 원인이 된다. 혈관 천자가 적절하지 않을 경우 다양한 합병증의 발생 위험이 높아지는데 서혜인대보다 위쪽을 천자할 경우 후복막 출혈의 위험이 높고, 총대퇴동맥 분지보다 아래쪽을 천자할 경우 가성동맥류나 동정맥루의 발생 위험이 높아진다. 총대퇴동맥을 천자하는 방법에는 주변 조직이나 구조물의 위치를 확인하고 총대퇴동맥을 촉진하면서 천자를 시도하는 방법(landmark technique)과 X선 투시 하에 혈관을 천자하는 방법, 실시간으로 초음파 유도 천자를 하는 방법 등이 있다. 다양한 연구결과 초음파 유도 혈관 천자 방법이 혈관 천자의 정확성 및 성공률을 높이고 혈관접근로와 관련된 잠재적인 합병증의 발생률을 낮출 수 있어 혈관 천자 시 초음파 사용이 적극 권장되고 있다.

2) 초음파 유도 혈관 천자 방법

초음파 유도 혈관 천자 방법에는 크게 단축 접근 방식과 장축 접근방식이 있는데, 단축 접근방식은 기술적으로 덜 까다롭고 배우기 쉬울 뿐만 아니라 주변 구조물과 바늘에 대한 상대적 위치를 시각화 할 수 있는 장점이 있다. 그렇지만 바늘의 작은 단면만 한 화면에 시각화 할 수 있어 우리가 보는 점이 바늘 끝을 나타내는지 바늘의 몸통 부분을 나타내는지 구별이 어려울 수 있다. 또한 바늘의 진행을 지속적으로 추적하는 것이 어려워 실제로 혈관 천자 시 바늘 끝의 위치를 확인하지 못해 주변의 중요 구조물인 총대퇴정맥을 천자하거나 대퇴신경을 손상시킬 수 있어 합병증으로 진행할 수 있다. 바늘의 피부 천자부위와 초음파 탐색자 사이의 거리는 피부 표면에서 천자할 대상 혈관 사이의 거리와 같게, 바늘은 피부 표면에 대해 45° 각도로 유지하는 것이 좋다(그림 7-1A). 검사자는 흰색 또는 회색 점으로 표시되는 바늘의 끝을 식별해야 하지만, 경우에 따라 바늘의 진행이 주변 조직 및 초음파 인공음영 때문에 구별이 어려울 수 있어 초음파 탐색자를 앞뒤

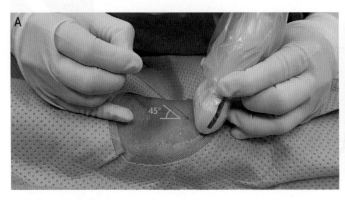
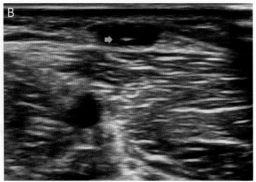

그림 7-1 단축 접근방식
A. 바늘의 피부 천자부위와 초음파 탐색자 사이의 거리는 피부 표면에서 천자할 대상 혈관 사이의 거리와 같게, 바늘은 피부 표면에 대해
　45° 각도로 유지하는 것이 좋다.
B. 혈관의 횡단면 안에 바늘의 끝(화살표)이 흰색 점으로 확인된다.

로 이동시키거나 바늘에 진동을 줌으로써 바늘의 끝을 확인할 수 있다. 바늘의 끝이 혈관벽을 천자할 때 일시적으로 혈관의 모양이 변형되면서 저항이 느껴지지만 추가적인 압력을 가해 혈관벽을 통과하면 혈관이 원래 모습으로 돌아오고 바늘의 끝이 혈관 내에 위치하게 된다(그림 7-1B).

장축 접근방식은 바늘 전체의 주행을 지속적으로 시각화할 수 있어 실시간으로 바늘이 혈관벽을 뚫고 들어가는 것을 확인할 수 있다. 그러나 초음파 빔의 가로 범위가 매우 좁아 바늘의 조작을 초음파 단면에 정확하게 유지하려면 많은 연습이 필요하다. 바늘의 피부 천자부위는 초음파 탐색자의 한쪽 끝에 근접해서 시행하며 바늘은 30° 각도로 유지하면서 초음파 탐색자와 같은 평면상에서 앞으로 진행하는 것이 좋고(그림 7-2A), 바늘이 주변 조직을 통과하는 전체 과정을 확인하면서 바늘이 진행됨에 따라 혈관과 평행하게 초음파 탐색자를 유지해야 한다(그림 7-2B). 장축 접근방식을 사용하면 전체 과정 동안 바늘의 진행을 시각화 할 수 있으며 가이드와이어 삽입도 용이하지만 바늘의 장축을 초음파 탐색자 및 혈관의 장축과 같은 단면상에 성공적으

로 정렬하기가 어려워 많은 경험이 필요하다.

3) 초음파 유도 혈관 천자 과정

천자할 부위를 멸균 소독하고 소독포로 덮고 천자할 다리의 엉덩이 관절을 약간 굽힌 상태에서 바깥으로 외전시킨 자세를 취한 후, 초음파 탐색자에 충분히 젤을 바르고 무균 비닐로 씌운 뒤 천자를 진행한다. 초음파를 이용해 가장 먼저 동맥과 정맥을 구분해야 하는데, 동맥의 경우 정맥보다 좀 더 원형에 가깝고, 박동성이 있으며 혈관벽이 두껍고 압착이 잘 되지 않는 특성이 있어 구별이 가능하다. 간혹 B 모드로 구별이 어려운 경우 도플러 모드를 이용하면 좀 더 도움을 받을 수 있다. 총대퇴동맥을 서혜인대에서부터 아래쪽으로 대퇴골두와 대퇴동맥의 분지 사이를 확인하고 동맥경화판 및 혈전 등 천자할 부위에 병변이 없는지 확인하여 이러한 병변을 피해서 천자할 부위를 결정해야 한다.

치료할 병변이 대동맥 또는 같은 쪽 장골동맥이거나 반대편 하지동맥일 경우 동맥혈류의 방향과 반대(retrograde)로 다리에서 머리 방향으로 총대퇴

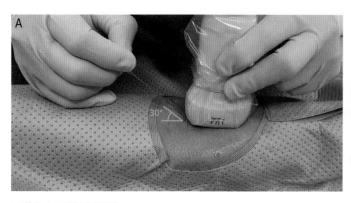
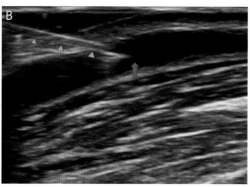

그림 7-2 장축 접근방식
A. 바늘의 피부 천자부위는 초음파 탐색자의 한 쪽 끝에 근접해서 시행하며 바늘은 30° 각도로 유지하면서 초음파 탐색자와 같은 평면상에
　서 앞으로 진행하는 것이 좋다.
B. 혈관 천자 과정 중 바늘의 전체 주행과정(삼각형) 뿐만 아니라 바늘의 끝(화살표)이 혈관을 뚫고 들어가는 것을 확인할 수 있다.

동맥을 천자해서 시술을 진행하게 되며, 병변이 같은 쪽 하지동맥일 경우 동맥혈류의 진행 방향대로 (antegrade) 머리에서 다리 방향으로 혈관을 천자하게 된다. 동맥혈류의 방향대로 혈관을 천자할 경우 가이드와이어를 표재대퇴동맥으로 진입시켜야 하는데 초음파 장축 접근방식을 이용하면 가이드와이어의 위치를 확인하면서 표재대퇴동맥으로 진입시도를 할 수가 있다. 배가 많이 나오거나 총대퇴동맥이 높은 부위에서 분지하고 있는 경우, 서혜인대보다 근위부에서 피부를 뚫고 총대퇴동맥을 천자해야 하는 경우가 있는데 천자 시 후복막 출혈의 위험이 높아 주의해야 한다.

동맥천자 시 18게이지 셀딩거 바늘(Seldinger needle)이 가장 많이 사용되지만 초심자의 경우 21게이지 미세천자바늘(micropuncture needle)을 사용해 혈관벽과 혈관주위 중요한 구조물의 손상을 줄일 수 있다. 혈관을 천자하면서 초음파 유도하에 피부와 가까운 바깥쪽 혈관벽만 뚫고 안쪽 혈관벽을 통과하지 않아야 혈관 손상 및 출혈을 줄일 수 있다.

2. 초음파 유도 혈관내 치료

혈관질환의 중재치료는 기본적으로 방사선 투시촬영기 하에서 조영제를 이용한 혈관조영술 중에 이루어지는 것이 표준방법이다. 그러나 투시촬영기에서 발생하는 이온화방사선은 환자와 시술자 모두에게 해가 될 수 있다. 또한 조영제도 환자에게 신장기능의 악화, 과민반응 등의 부작용을 유발할 수 있다. 특히 말초혈관질환은 대부분 고령에서 발생하며 심혈관계에 동반질환의 빈도가 높은 상황이어서 연구자에 따라서 12%까지 일시적인 신장기능 장애를 보고하기도 한다. 이에 비하여 초음파는 동맥, 정맥 혈관질환의 진단에 효율적인 방법으로 사용될 뿐 아니라 초음파 유도하에 다양한 혈관 중재시술이 적용되고 있기도 하다. 비록 혈관조영술에 비하여 제한점이 있기는 하지만 적절히 사용될 경우 안전한 시술의 장점을 고려할 수 있다. 이번 장에서는 대표적인 초음파 유도 혈관 중재시술에 대해서 소개하려고 한다.

1) 초음파 유도 대퇴동맥 풍선확장술

죽상경화성 하지동맥폐색에 대한 풍선확장술은 허혈성 동맥폐색질환 치료에 중요한 수단으로 자리 잡고 있다. 특히 최근에는 최소침습 시술에 대한 요구의 증가와 기술의 발전에 따라 혈관내 치료의 양적 증가가 현저하다 아울러 내막밑혈관성형(subintimal angioplasty)과 같은 새로운 치료 기술의 지속적 발전은 풍선확장술이 향후 수술치료와 대등하고 안전도에서는 우위에 있을 가능성을 제시하고 있다. 비록 단점으로 지적되는 장기적 개존율이 우회수술에 비해 2년에 73% 정도로 낮지만, 최소침습으로 인한 낮은 시술관련 합병증은 우수한 장점으로 인정되고 있다.

방사선 투시촬영기 하에서 시술 중에 노출되는 이온화방사선은 환자와 시술자 모두에게 피해가 될 수 있다. 특히 시술자는 누적 피폭량이 의미가 있어서, 미국의 경우 NCRP (national council on radiation protection and measurements)에서 규정하는 납 가운을 이용하여 몸, 갑상선, 눈에 대한 예방을 권장하고 있고 연간 50 mSv 이상의 피폭을 금지하고 있다. 특히 진단 목적의 혈관조영술에 비해서 치료목적의 중재치료인 혈관내 치료는 시술 시간에 따른 장시간 노출을 피할 수 없으며 그로 인한 피폭량이 높은 만큼 이온화방사선 노출로 인한 피부염, 백내장, 피부암 등의 부작용을 주의할 필요가 있다. 또한 아이오딘화 조영제의 사용은 당뇨, 고령, 고혈압, 심장질환 등의 동반질환 빈도가 높은 말초동맥질환 환자에서 신장 기능장애의 발생 위험을 높일 수 있다. 보고자에 따르면 조영제로 인한 신장 기능장애의 발생률을 13%까지 보고하기도 하여 중대한 관심사로 인식되고 있다.

1985년 Jager 등이 하지동맥폐색질환에서 초음파를 이용한 진단의 활용성을 보고한 뒤 여러 연구자들에 의해 그 사실이 확인이 되었고 진단적 활용이 증가되어 왔다. 본 시술은 중재 시술자와 초음파검사자 두 명에 의해 시행되는 것이 권장된다. 구체적 시술 방법은 초음파 유도하에 순방향으로으로 23게이지 바늘로 천자하여 0.018인치 미세 가이드와이어를 통과한 후 6 F sheath를 대퇴동맥 내로 위치시킨다. 시술 전 확인된 협착 병변 부위를 다시 확인한 후 병변의 통과를 위해 5 F 도관과 0.035인치 가이드와이어를 위치시킨다. 가이드와이어의 끝 부위는 슬와동맥 이하 부위에 위치시키고 초음파로 확인하여 부주의한 원위부 혈관 손상을 예방한다. 풍선확장술이 시행될 대퇴동맥의 병변에 적절한 풍선 직경을 결정하기 위해서 초음파를 이용한 동맥 직경을 측정한다.

초음파로 시술 부위를 지속적으로 관찰하는 가운데 풍선확장술을 시행하며, 풍선이 수축된 후 시술 동맥부위에 동맥박리, 혈전 형성 등의 합병증 유무를 관찰한다. 시술이 완료된 후에 원위부 슬와동맥의 혈류역학적 상태를 혈류속도를 확인하여 시술 전 결과와 비교한다.

증례: 혈청 크레아티닌이 2.5 mg/dl로 증가되어 있는 당뇨질환이 있는 68세 남자가 우측 엄지 발가락의 괴저를 호소하여 혈관폐색증이 진단되었다. 대퇴동맥의 협착성 병변이 진단되었고 초음파 유도 풍선확장술을 계획하였다. 총대퇴동맥을 천자하여 전방향으로 0.035인치 가이드와이어를 삽입한 후 협착부위의 병변을 통과시켰다. 환자의 대퇴동맥 직경을 측정한 결과 4 mm 풍선의 사용이 적절할 것으로 판단되었으며 시술 전 슬와동맥에서 최고 수축기 혈류속도는 28.1 cm/sec였다. 풍선확장술을 시행하였고 시술 후 초음파에서 특별한 합병증은 관찰되지 않았다. 시술 후 원위부 동맥인 슬와동맥에서 측정한 혈류속도는 54.1 cm/sec로 증가되어 혈류 개선을 판단할 수 있었다 (그림 7-3A~D).

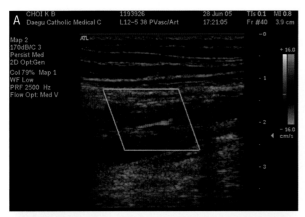
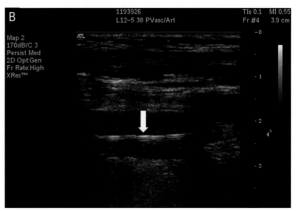
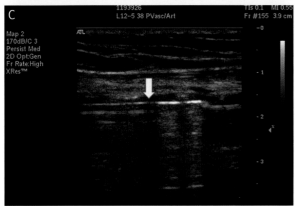
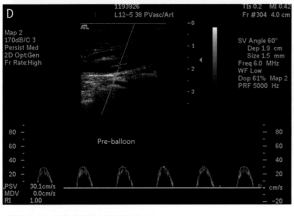
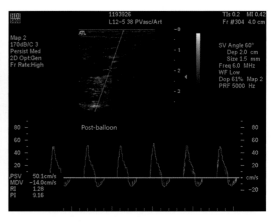

그림 7-3 초음파 유도 풍선확장술

A. 초음파 세로스캔에서 대퇴동맥 내 협착부위가 확인됨

B. 초음파에서 풍선카테터의 위치가 확인됨(화살표-풍선카테터)

C. 병변 부위에 대하여 풍선확장술 시행 중

D. 원위부 슬와동맥에서 수축기 혈류속도의 측정이 풍선확장 시술 전(pre-balloon) 30.1 cm/sec에서 시술 후(post-balloon) 50.1 cm/sec로 개선됨을 확인

시술이 끝난 후 수술실에서 연속적으로 슬와동맥 하부에서 동맥간 우회수술을 시행하여 발쪽으로 완전한 혈류 개선을 얻을 수 있었다. 이 시술의 술기적 성공을 결정짓는 요소로는 초음파를 통한 영상 정확도가 가장 중요하며 여기에 대한 부정적 요인으로는 동맥의 광범위한 석회화, 주위 조직의 병적 조건으로 인해 초음파 투시가 용이하지 않은 경우, 동맥의 직경이 너무 작은 경우 등을 예상할 수 있고 이 경우에는 기존의 방사선 투시를 이용한 시술이 권장되겠다. 특히 당뇨병과 만성 신부전증이 있는 환자에서는 동맥의 석회화가 심하여 초음파에서 동맥의 병변 확인이나 동맥 내의 도관에 대한 확인이 어려운 경우가 많아서 실패할 확률이 높으며 Reinhold 등의 연구에서도 이 같은 결과를 보고하였다. 초기의 경험에서는 초음파의 적용이 용이한 대퇴동맥의 국소 병변이 가장 적절하다. 향후 경험과 기술이 축적되면 장골동맥, 슬와동맥 이하 부위에도 시행이 가능해질 것으로 예상된다.

2) 초음파 유도 하대정맥 필터삽입술

하지의 심부정맥 혈전증에서 기인하는 폐색전증의 물리적 예방을 위한 하대정맥 필터의 효용성은 잘 알려져 있다. 특히 최근 일시적 필터(temporary filter)의 개발과 혈전용해, 혈전흡입 등의 적극적 혈전제거 시술이 증가함에 따라 과거보다 필터 시술의 빈도가 증가하는 추세이다. 필터삽입을 위한 방사선 투시 유도 정맥 조영술 시행이 표준 방법이나 환자의 상태에 따라 초음파 유도 하에서도 시도될 수 있음이 보고되고 있다. 표준술식에 의한 삽입술의 경우 방사선 노출, 조영제 사용, 혈관촬영실이나 수술실로의 환자의 이동이 반드시 필요하기에 중환자실에서 기계환기치료를 받거나 신장 기능의 이상이 있거나 이동이 불가능한 다발성 손상 환자의 경우에 시술이 제한적일 수밖에 없다.

초음파 유도 필터삽입술은 병실에서 시술이 가능하기에 특히 중환자실에서 표준 술식의 여러 가지 단점을 극복할 수 있다. 이미 초음파를 이용한 하대정맥 필터삽입의 효율성이 보고되었고 특히 초음파의 영상이 점차 발전하면서 표준 술식과의 비교에서도 97.4%의 기술적 성공률과 1.8%의 합병증을 보고하여 표준 술식과 차이가 없으며 다발성 손상 환자에서는 초음파 유도 필터삽입이 적절한 술식으로 제안되고 있다. 초음파는 2~5 MHz의 곡선 탐색자를 사용하고 시술 전 금식이 권장된다. 복부 대동맥 앞쪽을 지나는 좌측 신정맥과 하대정맥 뒤쪽을 지나는 우측 신동맥을 확인하여 필터의 전개(deploy) 위치를 결정한다. 혈전 형성의 반대측 다리 대퇴정맥을 통해 sheath와 필터를 삽입한다. 하대정맥 내 sheath는 초음파에서 관찰되며 필터가 거치되는 상황과 전개되는 상황도 통상 잘 관찰된다.

초음파를 이용하여 시술 직후 필터의 위치 및 혈종 형성과 같은 합병증 유무도 확인 가능하다. 필터 삽입 시 전개의 위치를 신정맥의 아래쪽에 위치시키기 위하여 좌측 신정맥과 우측 신동맥을 찾는 것이 가장 중요하다. 금식을 할 경우 초음파의 화질이 더 좋아지지만 환자의 복부비만이나 팽만 정도에도 영향을 받게 된다.

증례: 84세 여자로 우측 하지 급성 심부정맥혈전증과 양측 폐동맥 기시부에 색전성 혈전폐색증이 진단되어 항응고제 치료를 시작하였다. 하지혈전의 근위부가 장골정맥까지 있었고 고령과 기저질환으로 고혈압, 당뇨, 심방세동을 가지고 있어 심폐기능 악화가 우려되는 환자였다. 추가 색전증 발생으로 인한 호흡부전의 위험을 줄이기 위하여 하대정맥 필터 사용을 계획하였다. 복부비만이 동반되어 있어서 초음파의 선명도가 명확하진 않았으나 좌측 신정맥이 잘 관찰되었고 Gunter-

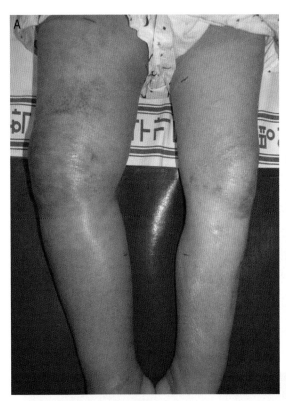
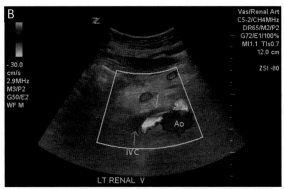
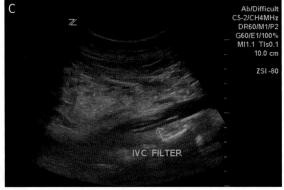

그림 7-4 초음파 유도 하대정맥 필터삽입술
A. 출혈경향이 있는 84세 여자로 우측 하지 급성 심부정맥혈전증과 양측 폐동맥혈전증으로 진단되었다.
B. 초음파 가로스캔에서 대동맥을 가로지르는 좌측 신장정맥과 하대정맥을 확인한다.
C. 필터가 하대정맥 내에 적절하게 전개되어 있다.

Tulip 필터(cook Incoprorated, Bloomington, USA)의 전개도 잘 관찰되었다(그림 7-4).

3) 초음파 유도 가성동맥류 치료

통계청의 보고에 따르면 국내 심도자술 건수가 10만명 당 13명까지 증가하였다. 심도자술 시행과 동시에 시술을 병행하게 되면 합병증으로 발생하는 대퇴동맥의 가성동맥류는 2~8%까지 보고되고 있다. 의인성 가성동맥류는 환자뿐 아니라 의사에게도 심각한 시술 관련 합병증으로 인식되어왔다. 증가하는 심도자술 건수에 따라 가성동맥류 치료의 중요성이 높아져 가고 있다. 선택할 수 있는 치료방법은 도수 압박술, 수술, 트롬빈 주사 이 세 가지이다. 도수 압박술은 비용이 적게 들지만 환자의 통증이 심하고 큰 크기의 가성동맥류의 경우 그 효과를 알 수 없다. 수술은 치료효과는 높지만 수술과 마취에 따른 합병증, 상처로 인한 통증 및 감염의 위험성이 있고 재원기간이 길어진다는 문제가 있다. 이에 비해 트롬빈 주사는 상처없이 시술이 간단하고 환자의 통증이 적다. 하지만 이런 트롬빈 주사도 혈전의 이동에 따른 말초 혈전색전증이 발생할 수 있으며, 동정맥루가 함께 있는 환자의 경우 폐동맥색전증까지 발생이 가능하다.

구체적 방법으로 3.6~12.3 MHz 선형 탐색자를 사용하여 대퇴동맥부위의 동맥류를 확인한다. 초음파 유도 하에 트롬빈 주사를 종괴의 박동성과 동맥으로부터 혈류흐름이 없어질 때 주사한다.

증례: 83세 여성으로 숨찬감을 주소로 내원하였다. 시행한 흉부단순촬영 상 폐부종 소견이 보였고 울혈성심부전 및 허혈성심질환 소견 하에 본원 순환기내과에서 진단적 심도자술을 시행하였다. 심도자술 시행 후 일주일 뒤 우측 서혜부에 멍이 관찰되며 통증을 호소하였고 박동성 종괴가 만져졌다.

가성동맥류 의심 하에 진단 목적으로 초음파를 시행하였다. 총대퇴동맥에서 혈액이 유입되는 다발성 낭을 가지고 있는 가성동맥류가 관찰된다.

이중 총대퇴동맥에서 가장 가까운 낭에만 2,000 u의 트롬빈을 주사하였고 추적관찰 초음파 컬러 도플러상 가성동맥류로의 혈액유입이 완전히 차단된 것이 관찰된다(그림 7-5).

가성동맥류를 진단하는 데에 있어 초음파는 매우 강력한 도구이다. 특히 컬러 도플러를 이용한 초음파는 가성동맥류로의 혈액유입을 명확하게 관찰할 수 있으며 이는 컴퓨터단층촬영에서 놓칠 수 있는 가성동맥류를 보다 정확하게 진단할 수 있다. 가성동맥류를 임상적으로 추정하기는 어려운 일이 아니므로 가성동맥류가 의심될 때는 진단 도구로 초음파가 접근 가능할 시에는 초음파를 먼저 사용하

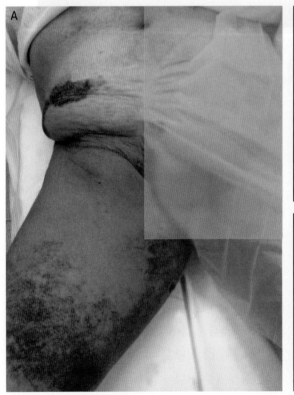
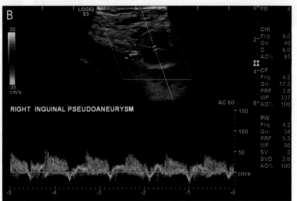
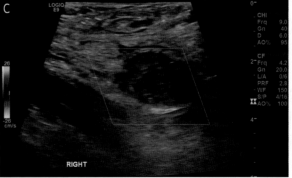

그림 7-5 초음파 유도 가성동맥류 치료
A. 83세 여자로 심도자술 시행 후 발생한 우측 서혜부의 멍과 통증을 동반한 박동성 종괴가 관찰된다.
B. 초음파에서 우측 대퇴동맥과 연결된 가성동맥류가 관찰된다.
C. 트롬빈 주사 후에 가성동맥류 내의 혈전 유도와 혈액유입이 완정히 차단되었다.

는 것이 진단 가치가 높다. 초음파가 보급됨에 따라서 가성동맥류의 치료방법 중 하나인 초음파 유도 도수 압박술을 시행하기가 조금 더 용이해졌다. 하지만 마지막 증례에서 보는 것과 같이 큰 크기의 가성동맥류는 압박하기도 힘들고 압박을 시행할 때 환자가 겪을 통증도 고려되어야 할 것이다. 트롬빈 주사의 안전성에 대해서는 Webber 등의 보고에서 성공률은 97.5%이며 혈전색전증이 일어날 확률은 0.5%로 보고하고 있고 Esterson과 Pellerito는 85.7%의 성공률에 3%의 합병증률을 보고하고 있다. 저자의 경험보고는 트롬빈 주사를 시행한 11명의 가성동맥류 환자에서 술기적 성공률이 100%였으며 혈전색전증은 발생하지 않았던 경험을 보고한 바 있다.

3. 혈관내 초음파

1) 서론

혈관내 초음파(intravascular ultrasound, IVUS)는 작은 초음파 탐색자를 가진 카테터를 혈관 내에 위치시켜 영상을 구현하는 장치이다. 혈관질환의 혈관내 치료가 발전하면서 시술 중에 좀 더 정확한 영상이 필요하게 되었다. 시술 중에 가이드와이어를 따라서 혈관 병변 주위에 IVUS를 위치시켜 영상을 만든다. 1980년대 심혈관 중재시술에서 처음 도입된 이 후 현재 IVUS는 대동맥질환, 말초동맥질환, 정맥질환 등 다양한 혈관내 치료에서 사용되고 있고, 혈관질환 병변 평가, 치료방침 결정, 치료결과 평가 등에 이용되고 있다

2) IVUS 영상의 원리와 이해

IVUS는 가이드와이어를 타고 혈관 내로 들어간 카테터 끝에 달려있는 탐색자에서 나오는 초음파가

360° 돌면서 카테터 종축에 수직인 초음파 영상을 만든다. 이 영상은 기계적인 방법과 전자적인 방법으로 만들어질 수 있다. 기계적인 방법은 카테터 끝에 부착된 하나의 탐색자가 기계적으로 빠르게 돌면서 영상을 만들어내는 방법이고, 전자적인 방법은 카테터의 기계적인 움직임 없이 카테터 끝 둘레에 위치한 64개의 작은 탐색자 칩들이 만들어낸 영상들을 합쳐서 하나의 영상을 만들어내는 방법이다. 이 영상들은 컴퓨터 재구성을 통해 정지영상과 동영상으로 만들 수 있다. IVUS 영상은 다른 초음파기기와 마찬가지로 흑백의 이차원 영상을 보여준다. 초음파는 물질을 투과하면서 반사되는 신호에 따라서 상대적인 밝고 어두움이 결정되는데 에코발생(echogenecity), 무에코(echolucency)라고 표현한다. 혈관조영술은 막힌 혈관은 조영하지 못하고 조영제가 지나가는 혈관을 보여주기 때문에 혈관 병변 자체를 직접적으로 평가하기 어렵다. 하지만, IVUS는 막힌 혈관을 재관통한 후에 주로 보는 검사법으로 병변 내 혈관을 평가할 수 있는 장점이 있다.

그림 7-6은 정상 전경골동맥의 IVUS 영상이다. 혈관의 내막, 중막 및 외막을 보여준다. 그림 7-7~9은 죽종을 동반한 대퇴동맥의 IVUS 영상이다. 혈관 직경, 혈관 원주, 혈관 면적, 혈관 협착과 혈관 병변 특징을 보여준다. 그림 7-7에서 대퇴동맥의 직경(파란선)과 동맥의 내경(초록선)을 보여준다. 죽종에 의해 대퇴동맥이 동심(concentric)으로 50% 좁아진 것을 볼 수 있다. IVUS 영상에 따라 죽상경화판을 분류할 수 있다. 그림 7-10는 심한 석회화 병변을 가진 죽종인데, 매우 밝고 후방음향음영을 보인다. 그림 7-11는 섬유판으로 덜 밝지만 후방음향음영이 없다. 부드러운 지방충만판은 무에코로 어두워 보이고 후방음향음영이 없다. 좋은 영상을 얻기 위해서는 혈관에 맞는 IVUS 카테터를 선택해야 한다. 초음파의 주파수가 높을수록 영상의 해상도는 높아지지만 투과하는 깊이는 줄어든

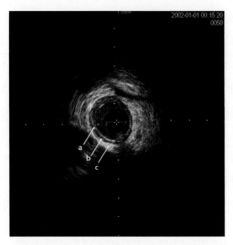

그림 7-6 정상 전경골동맥 영상으로 내막(a), 중막(b), 외막(c)이 보인다.

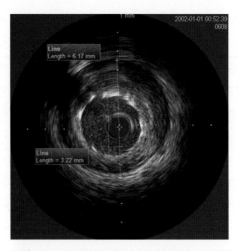

그림 7-7 대퇴동맥 영상으로 동맥의 직경과 협착 정도를 잴 수 있다.

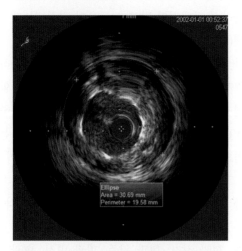

그림 7-8 대퇴동맥 영상으로 동맥의 면적을 잴 수 있다.

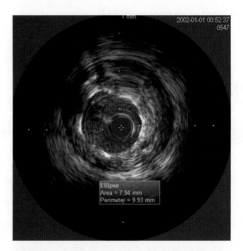

그림 7-9 대퇴동맥 영상으로 동맥경화에 의한 죽종으로 인해 좁아진 동맥 내측의 면적을 잴 수 있다.

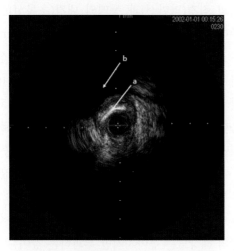

그림 7-10 전경골동맥 영상으로 동맥 석회화(a)와 후방음향음영(b)이 보인다.

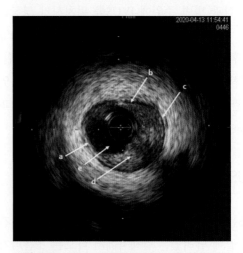

그림 7-11 얕은 대동맥 영상으로 내막(a), 중막(b), 외막(c)이 보이고 좁아진 혈관 내경(e)과 동맥경화에 의한 죽종(d)을 볼 수 있다.

다. 따라서, 보통 45 MHz는 관상동맥에 20 MHz는 말초동맥에, 10 MHz는 대동맥에 사용한다. 시술 종류에 따라, 결과의 크기에 따라 카테터의 종류를 결정한다. 대동맥질환, 정맥질환 인 경우 0.035 인치 가이드와이어에 맞는 10 MHz 카테터를 사용하는데 영상은 60 mm까지 볼 수 있고 8.5 F sheath에 들어간다. 말초동맥질환은 0.014 또는 0.018 F 가이드와이어에 맞는 20 또는 30 MHz 카테터를 사용하고 영상은 12~24 mm 구현 가능하며 5~6 F sheath에 들어간다.

기존의 이차원 영상의 제한점을 극복하기 위해 IVUS의 Pullback 기능을 이용해 혈관 촬영과 비슷한 혈관의 종축 영상을 재구성할 수 있다(그림 7-12). IVUS 도관 끝이 항상 혈관의 중앙에 있는 것이 아니어서 종축의 혈관영상에서는 직경과 거리의 정확도가 떨어진다.

도플러 기능을 장착한 컬러흐름 IVUS는 혈류를 확인할 수 있다. Volcano사의 ChromaFlo는 초당 30장의 영상을 통하여 혈류의 속도를 잴 수는 없지만, 혈류의 속도에 따라 빨강과 노랑으로 색깔로 구분한다(그림 7-13).

초음파의 주기와 진폭을 사용하여 반사되는 조직의 특성에 따라 색을 입혀 조직을 특성을 파악하여 죽종의 조성을 분석할 수 있다. The Carotid Artery Plaque Virtual Histology Evaluation (CAPITAL) study 에서는 내막절제술로 확보한 실제 조직소견과 가상조직 혈관내 초음파(virtual histology intravascular ultrasound, VH IVUS) 영상을 비교하여 thin-cap fibroatheromas, calcified thin-cap fibroatheromas, fibroatheromas, fibrocalcific plaques, pathologic intimal thickening, calcified fibroatheromas으로 분류하였다. 죽종 분석을 통하여 병변의 풍선확장술이나 스텐트 설치에 죽종의 파열, 색전 저항성 등을 예측하여 치료 결과를 향상시킬 수 있다. 그러나, 아직까지 20mm이하의 작은 혈관에서만 가능하다.

3) IVUS를 활용한 혈관내 치료

IVUS 장비와 카테터는 고가이고 아직까지 국내에서 급여가 되지 않고 있어 시술 비용이 증가한다. 그러나, 복잡한 심혈중재시술인 경우 재협착 예방, 합병증 감소과 사망률 감소의 효과로 비용대비효과가 있다고 보고되었다. 말초동맥 혈관내 치료에 있어서 치료 전 평가, 치료 후 평가를 통하여 합병증

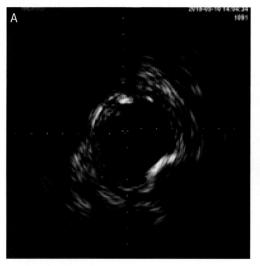

그림 7-12 A는 IVUS 횡축 영상이고 B는 IVUS 종축 영상이다. 동맥촬영과 비슷하게 좁아진 부위를 볼 수 있다.

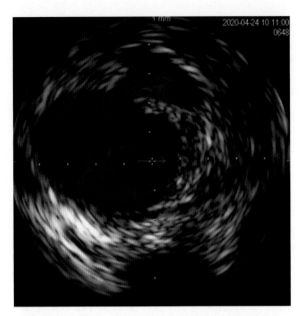

그림 7-13 대퇴동맥 영상으로 동맥경화에 의한 죽종으로 인해 좁아진 동맥 내측 혈류를 도플러 영상(빨간색)을 통해 알 수 있다.

의 예방과 재치료 감소 효과가 있지만 아직까지 비용대비효과는 더 연구가 필요하다. IVUS는 혈관 병변을 정확히 판단하는데 도움을 준다. 시술 중 생생한 영상을 통해 스텐트삽입 전 혈관 병변 평가와 스텐트삽입 후 평가를 가능하게 하여 시술의 정확도를 높인다. IVUS는 혈관 조영제가 필요하지 않아 신부전 환자 또는 조영제 알러지가 있는 환자에게 유용하다. 또한, 방사선 조사가 필요하지 않아 시술 중 방사선량을 줄일 수 있다. 굴곡인 있는 혈관에서는 IVUS 카테터가 혈관의 중심이 있지 못하여 정확한 혈관 병변의 평가가 어려울 수 있다.

(1) 말초동맥질환 혈관내 치료

말초동맥질환의 혈관내 치료 후 60%이상 협착이 남아있으면 장기간 개존율이 떨어진다. 더 정확히 동맥 직경을 측정하여 풍선확장술과 이에 맞는 스텐트를 삽입하면 개존율을 높일 수 있다. IVUS를 사용하여 동맥 직경과 협착 정도를 측정하면 사용

해야 할 정확한 풍선과 스텐트의 크기를 정할 수 있다. 또한, IVUS는 풍선확장술 초기 결과를 평가하여 스텐트 같은 남아있는 협착을 펴주는 추가 치료가 필요한지 판단할 수 있다. 스텐트 설치 후 풍선확장술을 시행 후에 동맥조영술로 확인할 수 없었지만 IVUS에서 스텐트가 충분히 펴지지 않은 것이 확인되어 추가적인 풍선확장술을 시행하면 장기간의 개존율을 높을 수 있다.

(2) IVUS 유도 혈관 재개통술

만성 말초동맥폐색증(chronic total occlusion, CTO)의 재개통을 위한 혈관내 치료는 내막밑혈관성형으로 시행할 수 있는데 이때 혈관 밖(subintima)으로 나간 도관과 가이드와이어가 다시 혈관 내로 들어와야 재개통이 이루어지는데 종종 실패하는 경우가 있다. 이때, IVUS를 탑재한 재개통 장비(Pioneer Plus)를 사용하면 도움을 받을 수 있다. 내막밑혈관성형 중에 이 도관을 사용하면 재개통 해야 하는 혈관을 탑재되어 있는 IVUS로 확인하고 그 방향으로 바늘을 찔러 재개통할 수 있다. 아직까지 국내에서는 사용할 수 없다.

(3) 대동맥류 혈관내 치료

복부 대동맥류 혈관내 치료는 매우 빈번하게 시행되고 있다. 시술 전 복부 대동맥류의 해부학적인 특징을 알기 위하여 고화질의 영상을 사용하여 스텐트그라프트를 설치할 근위부와 원위부 동맥의 정확한 평가가 필요하다. 이를 위해 컴퓨터단층 혈관조영을 주로 사용하는데, IVUS를 사용하면 방사선량과 조영제를 줄일 수 있고, 스텐트그라프트를 선택할 때 필요한 설치부위의 길이, 직경, 혈전, 석회화 등을 좀더 정확하게 측정할 수 있다. 복부 대동맥류 혈관내 치료를 위해 IVUS를 사용하여 스텐트그라프트를 삽입하기 전 장골동맥을 평가하여 혈관의 협착이나 박리 등을 파악하여 장골동맥 풍선확

장술 또는 장골동맥 이식편 등 추가적인 시술이 필요한지 평가하여 장골동맥 박리 또는 파열 같은 합병증을 예방할 수 있다. 스텐트그라프트 설치 중에는 대동맥 가지혈관의 위치를 파악하여 정확한 설치에 도움을 줄 수 있고, 반대쪽 스텐트그라프트 설치 전 IVUS를 통하여 contralateral gating의 성공 여부도 확인할 수 있다. 복부 대동맥류 혈관내 치료 후에 스텐트그라프트가 동맥벽 또는 스텐트그라프트 간에 얼마나 잘 붙어있는지 확인할 수 있어서 Endoleak 발생 시 풍선확장술, 근위부 스텐트그라프트 추가설치 등 어떻게 추가적인 시술을 해야 할지 평가하는데 도움을 줄 수 있다.

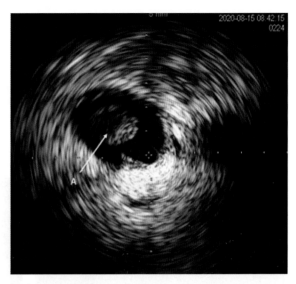

그림 7-14 하대정맥 내 움직이는 혈전(A)을 볼 수 있다.

(4) 흉부대동맥질환 혈관내 치료

IVUS는 흉부대동맥류, 대동맥박리증, 관통대동맥궤양(penetrating aortic ulcer), 벽내 혈종(intramural hematoma), 축착(coarctation), 흉부대동맥 손상 등의 시술 전후에 사용하여 컴퓨터단층 혈관조영에서 얻을 수 없는 병변의 특징을 파악하여 시술하는데 도움을 줄 수 있다. 특히 흉부대동맥질환 혈관내 치료는 직경이 큰 스텐트그라프트를 사용하여 장골동맥의 합병증이 높은데 이를 예방하는데 도움이 된다.

(5) 정맥질환 혈관내 치료

IVUS는 정맥질환을 진단하는 데 매우 유용하다. 단면 또는 다면 정맥조영술에서 얻을 수 없는 정보를 얻을 수 있다. 정맥조영술은 정맥의 협착 또는 폐색이 있는 경우, 측부정맥까지 조영되어 정맥의 흐름을 반영할 수 있지만, 정맥 내 병변의 특징과 정맥의 특징을 알 수 없다. IVUS는 정맥 병변을 관통하여 영상을 만들기 때문에 정맥 내 병변, 내막 증식증, 혈전의 정도, 혈전의 움직임 여부 등 정맥 질환의 특징과 정맥조영술에서 얻을 수 없는 정맥의 직경 등을 측정할 수 있다(그림 7-14). 심부정맥

혈전증의 경피적 제거술에서 남아있는 혈전증을 더 잘 발견하여 추가적인 혈전용해술의 필요성을 판단할 수 있다. 특히 근위부 심부정맥혈전증을 유발하는 May-Thurner 증후군은 우측 장골동맥과 척추 사이에 있는 좌측 장골정맥이 압박되어 정맥혈류장애가 발생하는 질환이다(그림 7-15). 기존의 단면 또는 다면 정맥조영술로는 정맥 병변 특징과 우측 장골동맥의 위치를 파악할 수 없지만, 0.035 인치 IVUS는 6 cm 크기의 병변을 볼 수 있어서 정맥 내 뿐만 아니라 정맥주위의 조직까지 관찰이 가능하여 좁아진 장골정맥 병변주위에 있는 장골동맥의 위치를 파악할 수 있다. 장골정맥 스텐트삽입 시 스텐트 삽입위치에 대한 정확한 정보를 제공할 수 있다.

4) 제한점

컴퓨터단층 또는 자기공명 혈관조영은 고화질의 영상을 제공하지만 시술 중 사용할 수 없다. IVUS와 같이 시술 중에 사용할 수 있는 검사방법으로는 동맥조영술, 정맥조영술 이외에도 정맥 자기공

명영상(intravenous MRI), 빛간섭단층촬영(optical coherence tomography, OCT), 식도경유심초음파(transesophageal echocardiography, TEE), 근적외분광학(near infrared spectroscopy, NIRS), 혈관조영과 분획혈류예비력(fractional flow reserve, FFR) 등

이 있다. OCT, TEE, FFR 등은 관상동맥 이외에서는 아직 평가가 되어 있지 않다. IVUS는 영상 화질이 아직까지 제한적이어서 다른 영상도구와 비교하여 개선의 여지가 많다.

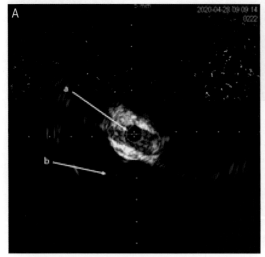
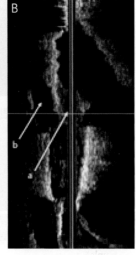

그림 7-15 좌측 장골정맥(A)이 우측 장골동맥(B)에 눌려 있다(May-Thurner 증후군). A 영상은 횡축영상이고 B는 종축영상이다.

⠂⠞ 참고문헌

1. Abboud PA, Kendall JL. Ultrasound guidance for vascular access. Emerg Med Clin North Am 2004;22:749–73.

2. Altin RS, Flicker S, Naidech HJ. Pseudoaneurysm and arteriovenous fistula after femoral artery catheterization: association with low femoral punctures. AJR Am J Roentgenol 1989;152:629-31.

3. Bae MS, Lee SH, Park KH, et al. Ultrasound guided thrombin injection in a lower extremity pseudoaneurysm. J Surg Ultrasound 2018;5:18-22.

4. Benjamin ME, Sandager GP, Cohn EJ Jr, et al. Duplex ultrasound insertion of inferior vena cava filters in multitrauma patients. Am J Surg 1999;178:92-7.

5. Blaivas M, Brannam L, Fernandez E. Short-axis versus long-axis approaches for teaching ultrasound-guided vascular access on a new inanimate model. Acad Emerg Med 2003;10:1307–11.

6. Chandrasekar B, Doucet S, Bilodeau L, et al. Complications of cardiac catheterization in the current era: a single-center experience. Catheter Cardiovasc Interv 2001;52:289–95.

7. Corley JA, Kasliwal MK, Tan LA, et al. Delayed vascular claudication following diagnostic cerebral angiography: a rare complication of the AngioSeal arteriotomy closure device. J Cerebrovasc Endovasc Neurosurg 2014;16:275-80.

8. Corriere MA, Passman MA, Guzman RJ,, et al. Comparison of bedside transabdominal duplex ultrasound versus constrast venography for inferior vena cava filter placement: What is the best imaging modality? Ann Vasc Surg 2005;19(2):229-34.

9. Ellis SG, Bhatt D, Kapadia S, et al. Correlates and outcomes of retroperitoneal hemorrhage complicating percutaneous coronary intervention. Catheter Cardiovasc Interv 2006; 67:541-5.

10. Esterson YB, Pellerito JS. Recurrence of thrombin-injected pseudoaneurysms under ultrasound guidance: a 10-year retrospective analysis. J Ultrasound Med 2017;36:1617-24.

11. Gabriel M, Pawlaczyk K, Waliszewski K, et al. Location of femoral artery puncture site and the risk of postcatheterization pseudoaneurysm formation. Int J Cardiol 2007;120: 167-71.

12. Gomes AS Baker JD, Martin-Paredero V, et al. Acute renal dysfunction after major arteriography. Am J Roentgenol 1985;145(6): 1249-53.

13. Jager KA, Phillips DJ, Martin RL, et al. Noninvasive mapping of lower limb arterial lesions. Ultrasound Med Biol 1985;11(3):515-21.

14. Katzenschlager R, Ahmadi A, Minar E, et al. Femoropopliteal artery: initial and 6-month results of color duplex US-guided percutaneous transluminal angioplasty. Radiology 1996;199(2):331-4.

15. Kohler TR, Nance DR, Cramer MM, et al. Duplex scanning for diagnosis of aortoiliac and femoropopliteal disease: a prospective study. Circulation 1987;76(5):1074-80.

16. Legemate DA, Ackerstaff RG, Eikelboom BC. Duplex scanning in cerebral, abdominal and peripheral arterial disease. Eur J Vasc Surg 1989;3(4):287-95.

17. Maleux G, Hendrickx S, Vaninbroukx J, et al. Percutaneous injection of human thrombin to treat iatrogenic femoral pseudoaneurysms: short- and midterm ultrasound follow-up. Eur Radiol 2003;13:209-12.

18. McGee DC, Gould MK. Preventing complications of central venous catheterization. N Engl J Med 2003;348:1123-33.

19. Patel MR, Jneid H, Derdeyn CP, et al. American Heart Association Diagnostic and Interventional Cardiac Catheterization Committee of the Council on Clinical Cardiology, Council on Cardiovascular Radiology and Intervention, Council on Peripheral Vascular Disease, Council on Cardiovascular Surgery and Anesthesia, and Stroke Council. Arteriotomy closure devices for cardiovascular procedures: a scientific statement from the American Heart Association. Circulation 2010;122: 1882-93.

20. Rich MW, Crecelius CA. Incidence, risk factors, and clinical course of acute renal insufficiency after cardiac catheterization in patients 70 years of age or older. A prospective study. Arch Intern Med 1990;150(6):1237-42.

21. Schillinger M, Haumer M, Mlekusch W, et al. Predicting renal failure after balloon angioplasty in high-risk patients. J Endovasc Ther 2001;8(6):609-14.

22. Sherev DA, Shaw RE, Brent BN. Angiographic predictors of femoral access site complications: implication for planned percutaneous coronary intervention. Catheter Cardiovasc Interv 2005;65:196–202.

23. Sinclair WK. Radiation protection recommendations on dose limits: the role of the NCRP and the ICRP and future developments. Int J Radiat Oncol Biol Phys 1995;31(2):387-92.

24. Stone MB, Moon C, Sutijono D, et al. Needle tip visualization during ultrasound-guided vascular access: short-axis vs long-axis approach. Am J Emerg Med 2010;28:343–47.

25. Tepel M, van der Giet M, Schwarzfeld C, et al. Prevention of radiographiccontrast- agent-induced reductions in renal function by acetylcysteine. N Engl J Med 2000;343(3): 180-4.

26. Tiroch KA, Arora N, Matheny ME, et al. Risk predictors of retroperitoneal hemorrhage following percu taneous coronary intervention. Am J Cardiol 2008;102:1473-6.

27. TransAtlantic Inter-Society Consensus (TASC). Management of peripheral arterial disease. Eur J Vasc Endovasc Surg 2000;19:S115-S143.

28. Webber GW, Jang J, Gustavson S, et al. Contemporary management of postcatheterization pseudoaneurysms. Circulation 2007;115:2666-74.

외상초음파
Trauma ultrasound

외·과·초·음·파·학
Textbook of Surgical Ultrasound

TEXTBOOK
OF
SURGICAL
ULTRASOUND

SECTION 7

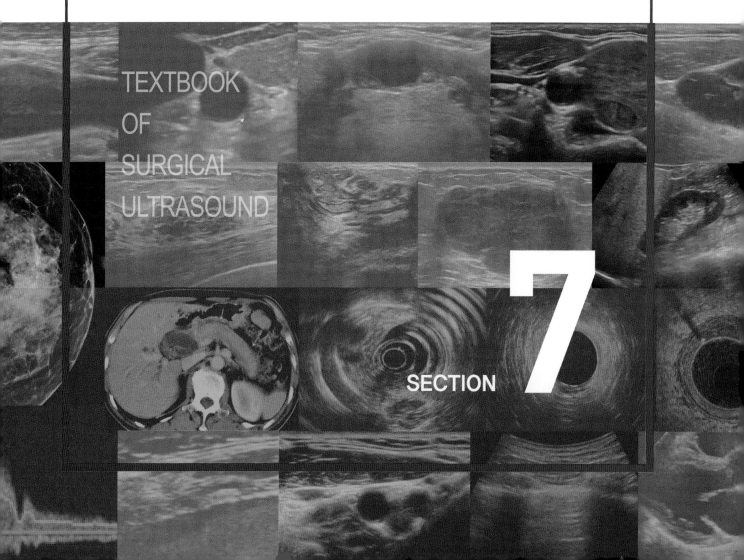

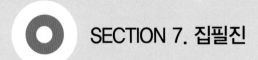

SECTION 7. 집필진

CHAPTER 1 기본 외상초음파 (**이길재:** 가천의대 외상외과)

CHAPTER 2 확장 외상초음파 (**조항주:** 가톨릭의대 외상외과)

CHAPTER

1

기본 외상초음파

1) 개요

1970년대 초에 초음파를 이용하여 약 100 cc 정도의 복강 내 액체를 확인하였고, 1980년대에 이르러 복부외상환자의 복강 내 출혈을 확인하는데 초음파가 활용되기 시작하였다. 1990년대부터 미국에서 외과의사들을 위한 교육에 초음파를 포함시키면서 심장주위 및 복강 내 출혈을 확인하는 검사를 복부외상초음파(focused abdominal sonogram for trauma, FAST)로 명명하였고, 현재는 외상초음파(focused assessment with sonography for trauma, FAST)로 통칭되고 있다.

2) 기본 외상초음파

외상초음파 검사의 주요 목적은 바로 누운 자세에서 심장 주변과 복강 내에 고인 액체를 확인하는 것이다. 응급실에 도착한 외상환자의 일차평가 중에 시행이 가능하여 환자 도착 5분 이내에 검사를 시행한다. 외상초음파 결과와 환자의 혈역학적 상태를 고려하여 응급수술이나 CT 등의 추가검사 여부를 고려할 수 있고 반복적인 검사가 가능하여 응급 상황에서의 치료 결정에 도움이 된다.

(1) 검사 방법

기본적으로 바로 누운 자세로 시행하고, 머리 부위를 낮춘 Trendelenburg 자세를 취하면 복강 내 액체 확인에 도움이 된다. 검사 부위는 검상돌기 하방의 심낭(subxiphoid pericardial window), 우상복부의 간콩팥오목(hepatorenal recess 또는 Morison pouch), 좌상복부의 비장(perisplenic view), 치골상방(suprapubic window 또는 Douglas pouch) 등의 4 구역을 확인한다. ATLS (Advanced Trauma Life Support)는 위의 순서로 검사하는 것을 추천하지만, 검사자의 선호도에 따라 순서나 위치는 다르게 할 수 있다. 복강 내 검사는 낮은 주파수(2.5~3.5 MHz)의 탐색자를 사용하고, 흉강을 확인하는 경우는 좀 더 높은 주파수(5 MHz)의 탐색자를 사용하면 좀 더 선명하고 흉막 확인이 쉽지만, 응급 상황의 경우엔 바꾸지 않고 검사할 수 있다.

① 검상돌기 하방에서 심장주위 검사 (subxiphoid pericardical window)

탐색자를 검상돌기 하방에 위치하고 마커는 환자의 우측으로 향한다. 탐색자로 환자의 복부를 누른 상태에서 조금 눕혀서 심장 방향을 향하면 심낭에 액체가 고인 것을 확인할 수 있다(그림 1-1A, B).

② 우상복부 간콩팥오목부위 검사 (hepatorenal recess, Morison pouch)

오른쪽 전방 겨드랑이 선에 탐색자를 위치하고 마커는 머리 방향으로 향한다. 간과 우측 콩팥이 동시에 보일 때까지 탐색자를 이동하고, 간과 콩팥 사이에 검은색의 저에코 음영이 확인되면 양성으로 판단한다(그림 1-2A, B).

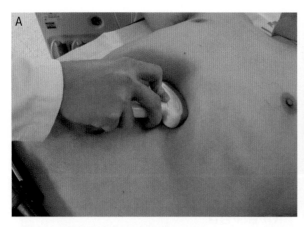
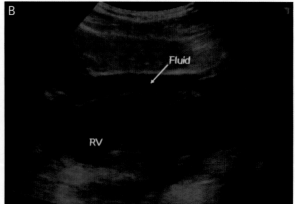

그림 1-1 검상돌기 하방에서 심장주위 검사
마커는 환자의 우측으로 향하고 복부를 누른 상태에서 조금 눕혀서 심장 방향을 향한다.

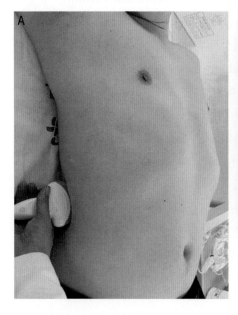
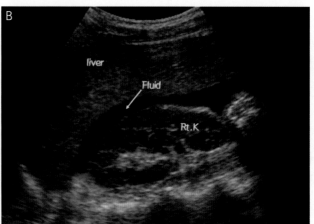

그림 1-2 우상복부 간콩팥오목부위 검사
우측 전방 겨드랑이 선에서 마커는 머리 방향으로 향하여 간과 우측 콩팥을 동시에 확인한다.

654

③ 좌상복부 비장주위 검사(perisplenic view)

간콩팥오목부위 검사와 같은 방법으로 환자의 좌측 부분을 검사하여 비장과 좌측 콩팥이 같은 화면에 오도록 위치하고, 저에코 음영이 확인되면 양성으로 판단한다. 일반적으로 좌상복부의 검사는 우측의 간콩팥오목부위 검사에 비해 좀 더 환자의 머리쪽과 등쪽으로 이동한 위치에서 검사를 시작하는 것이 잘 관찰된다(그림 1-3A, B).

④ 치골상방부위 검사
(suprapubic window, Douglas pouch)

탐색자를 치골 상방에 위치하고 가로방향과 세로방향으로 돌려가며 방광의 전후면에 저에코 음영이 있는지 확인한다. 방광이 차있는 경우가 좀 더 잘 관찰되므로 도뇨관을 삽입하기 전에 시행하면 좋다(그림 1-4A, B).

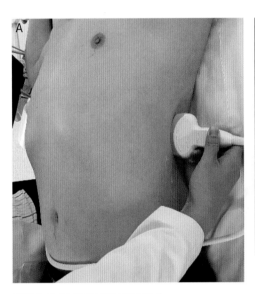
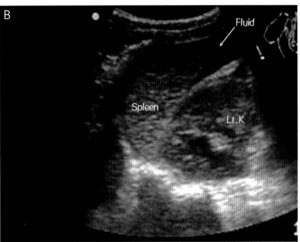

그림 1-3 좌상복부 비장주위 검사
우상복부 검사에 비해 약간 머리쪽과 등쪽으로 이동한 위치에서 검사를 시작하고 비장과 좌측 콩팥을 확인한다.

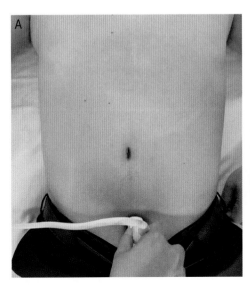
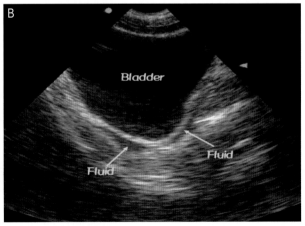

그림 1-4 치골상방부위 검사
치골 상방에서 가로와 세로방향으로 돌려가며 방광 주위를 확인한다.

확장 외상초음파

1. 서론

외상초음파(FAST) 검사는 기존의 진단적 복강 세척술(DPL)에 비해서 1) 시간이 짧고, 2) 비침습적이고 3) 심장눌림증의 진단까지 가능한 점에서 DPL을 거의 완전히 대체하게 되었다. 하지만 외상으로 응급처치가 필요한 폐의 손상은 기존의 외상초음파에 포함되어 있지 않아 흉부까지 영역을 확장하여 생존율을 높이는 노력을 하게 되었고, 2000년대 초반부터 기존의 FAST에 더해서 흉부 손상의 진단까지 포함시키는 것을 확장 외상초음파(extended FAST 또는 E-FAST)라고 명칭하여 시행하게 되었다. 확장 외상초음파에서는 기존의 복강 내 액체의 저류와 심장눌림증의 진단에 더해서 기흉과 혈흉을 추가하여 진단하게 된다. 이에 예방가능 외상사망율의 중요한 요소인 출혈에 대해서 복강 내 출혈뿐 아니라 혈흉까지 포함하게 되었고 긴장성 기흉과 같은 흉부의 초응급 상황도 초음파로 빠르게 진단하고 바로 처치가 들어갈 수 있게 되면서 초음파는 외상환자를 보는 일선에서 필수 불가결한 요소가 되었다. 그 이후에는 초음파로 하대정맥을 관찰하여 체액량을 평가하거나 골절을 진단하는 데에까지 영역을 넓히게 되었다. 이번 장에서는 확장 외상초음파의 구체적인 내용과 방법 그리고 외상초음파의 알고리즘 및 실제적 접근에 대해서 알아보겠다.

2. 흉부

1) 기흉

기흉의 진단은 외상에 있어서는 매우 중요한 부분이다. 특히 긴장성 기흉은 초기 진단에 실패할 시에 빠르게 환자를 악화시켜 죽음에 이르게 할 수도 있다. 한 연구에 의하면 약 63~76%의 환자가 이학적 검사나 단순 X선 촬영으로는 기흉을 진단하지 못하고 늦게 발견하게 된다고 한다. 기흉을 진단하는 데는 CT가 물론 가장 정확하지만 환자의 상태가 안정되기 전까지 외상환자에게 CT를 시행하는 것은 여러 가지 이유로 오히려 환자를 죽음에 이르게 할 수도 있기 때문에 환자 옆에서 시행할 수 있는 초음파가 진단에 중요한 역할을 하게 된다. 기흉의 진단에 있어서 단순 X선의 민감도가 46%, 특이도가 100%에 비해서 초음파의 민감도와 특이도는 각각 88%와 99%로 단순 X선에 비해서는 상당히 높은 민감도를 보인다.

(1) 술기

초음파로 기흉을 진단하는 데는 선형 탐색자(5~10 MHz)가 추천이 되지만, 시간이 없다면 곡선 탐색자(3.5~5 MHz)의 깊이를 줄여서 시행해도 큰 문제는 없다. 하지만 탐색자를 바꾸어서 얕은 곳(선형 탐색자 사용)과 깊은 곳(곡선 탐색자 사용)을 모두 관찰하는 것이 전체적으로는 제일 정확한 방법이다.

환자를 앙와위로 눕힌 상태에서 가슴 앞쪽을 스캔한다. 보통은 양측 가슴에 두 군데 이상(전방과 전외측 가슴)을 검사하므로 양측 합쳐서 최소 4군데를 검사하게 된다(그림 2-1). 외상환자는 시간의 제약이 있기에 다친 쪽 가슴(바깥에 외상의 흔적이 있거나 사고 기전으로부터 예상이 되는 쪽)부터 먼저 검사를 시행한다. 환자가 누웠을 경우 당연히 가슴의 가장 앞쪽에 공기가 모이게 되기 때문에 이 부분이 초음파 검사의 주요 목표가 된다(그림 2-2). 탐색자를 세로방향으로 늑골 두 개에 걸쳐 위치시켜 검사를 시행한다. 강한 후방음향음영을 보이는 두 개의 늑골 사이에 흉막이 관찰되며, 이 모습이 마치 박쥐와 닮았다고 하여 박쥐 징후(bat sign)로 불린다(그림 2-3). 정상적인 환자에서는 초음파 B 모드에서 벽흉막과 내장흉막이 맞닿아서 생긴 선이 호흡에 따라서 움직이게 되며 이를 흉막활주 징후(sliding sign)라고 한다. 이를 초음파 M 모드로 관찰하게 되면 흉막활주가 있는 경우에 해변양 징후(seashore sign)로 나타나게 된다(그림 2-4). 해변양 징후는 흉막 바깥쪽의 흉벽의 정적인 부분이 여러 가로 줄로 나타나게 되고, 흉막 안쪽은 폐의 움직임이 알갱이 모양의 패턴을 만들게 되어 해변과 모래사장의 패턴을 만든다. A선은 정상의 허상으로서

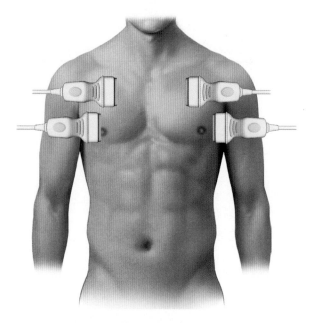

그림 2-1 초음파를 이용한 기흉의 진단
최소 4군데(좌우 두 군데)를 관찰하여 기흉의 유무를 관찰한다. 탐색자는 세로방향으로 위치하고 마커는 머리쪽을 향한 상태에서 늑골 사이에 있는 흉막의 움직임을 관찰한다.

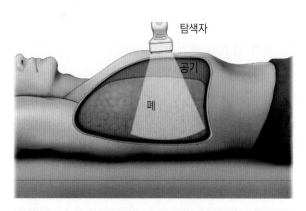

그림 2-2 공기는 환자가 앙와위로 누운상태에서 앞쪽에 위치하게 되므로 당연히 초음파로 앞쪽을 관찰한다.

고에코의 선이 같은 깊이로 반복되어 나타나는 것을 말한다(그림 2-5). 흉막선이 관찰되지 않는다면 탐색자의 기울기를 확인하여 흉막에 정확히 직각이 되어 있는지 확인할 필요가 있다. 정상적인 폐 초

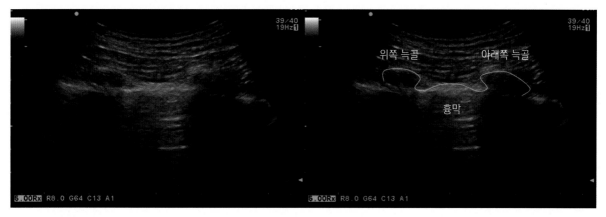

그림 2-3 박쥐 징후
탐색자를 세로로 잡고 마커를 머리쪽으로 한 상태에서 늑골과 늑골 사이에 위치시키면 위쪽 늑골과 아래쪽 늑골사이에 위치한 흉막이 마치 박쥐와 같다고 하여 박쥐 징후라 불린다.

그림 2-4 해변양 징후
벽흉막과 내장흉막이 맞닿아서 생긴 선이 호흡에 따라 움직이는데 이를 M 모드로 보게 되면 바다와 모래사장처럼 보이게 되는데 이를 해변양 징후라고 한다. 해변양 징후는 기흉이 없는 정상 징후이다.

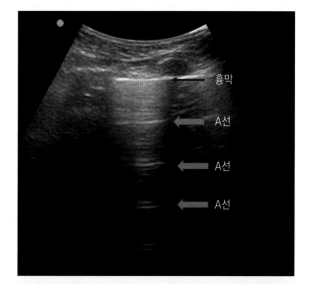

그림 2-5 A선
A선은 정상의 허상으로서 고에코의 선이 같은 깊이로 반복되어 나타나는 것을 말한다. (화살표) 정상과 기흉 모두에서 A선이 보일 수 있다.

음파라면 흉막활주 징후와 함께 A선이 나타나야 한다. 하지만 A선은 정상 뿐만 아니라 기흉일 때도 나타날 수 있다는 점을 알아두자.

(2) 기흉의 초음파 소견
기흉은 벽흉막과 내장흉막 사이의 공간에 공기가 찬 것을 말한다. 제일 첫 번째 소견으로 B 모드에서 '흉막활주 징후의 소실'을 관찰할 수 있다. 기흉의 경우 흉막 사이의 공기로 인해 초음파가 통과하지 못하게 됨으로써 내장흉막의 영상을 얻을 수가 없어서 정상에서는 관찰되는 흉막활주가 관찰되지 않는다. 이를 M 모드로 관찰하면 B 모드에서의 '흉막활주 징후의 소실'이 마치 바코드와 비슷하다고 하여 '바코드 징후'(barcode sign) 또는 비행기 편대가 날아가면서 생긴 선들과 비슷한 모양이라고 하여 '성층권 징후'(stratosphere sign)로 부르게 된다(그림 2-6). 두 번째 소견으로는 A선이 보이게 된다. 물론 앞서 설명하였듯이 정상소견에서도 A선이 관찰된다. A선은 정상과 기흉에서 모두 보일 수 있으므로 진단을 위해서는 기흉의 다른 징후를 관찰해야 하겠지만, 만약 A선이 보이지 않는다면 기흉은 없다고 판단할 수 있다. B선은 흉막에서 시작하여 직각으로 아래로 뻗는 여러 선이 보이는 패턴으로 관찰되며 보통 3개 이상의 선이 보일 때 의미있게 해석하게 된다(그림2-7). B선은 보통 외상에서는 폐 타박상일 때 관찰되며 그 외에도 여러 폐의 질환에서 보일 수 있는데 즉, B선이 보이는 경우라면 기흉은 배제할 수 있다. 기흉의 세 번째 소견으로는 'Lung point 징후'가 있다. 'Lung point'는 정상폐와 기흉의 경계선으로서 Lung point를 중심으로 한 쪽은 흉막활주 징후가 보이고(정상) 다른 한쪽은 보이지 않는(기흉) 지점을 말한다(그림 2-8). 'Lung point 징후'는 기흉의 크기를 초음파로서 측정할 수 있는 유용한 징후로서 lung point가 앞쪽에 있을수록 기흉의 크기는 상대적으로 작다고 생각되며, 더 바깥쪽으로 갈수록 크기가 상대적으로 크다고 여겨지게 된다. Lung point 징후의 민감도와 특이도는 약 66%와 100%로 보고되고 있다. 만약에 너무 큰 기흉이 있을 경우에는 lung point의 관찰이 불가능 할 수도 있다는 점을 알아야 하겠다.

그림 2-6 바코드 징후

기흉 환자의 초음파에서는 흉막사이에 있는 공기로 인해 내장흉막의 영상을 얻을 수 없어서 흉막활주가 소실이 된다. 이를 M 모드로 관찰하게 되면 바코드와 같이 보인다고 하여 바코드 징후라 한다. 또는 비행기 편대가 날아가면서 생긴 구름의 모양과 비슷하다고 하여 성층권 징후(stratosphere sign)라고도 한다.

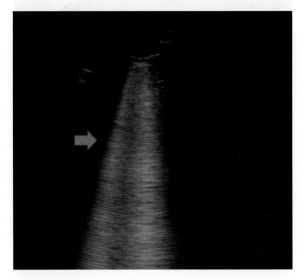

그림 2-7 B선

B선은 흉막에서 시작하여 아래로 길게 뻗은 선을 말한다.(화살표) B선이 보인다면 기흉은 없다고 판단할 수 있지만 폐 타박상과 같은 손상을 의심할 수 있다.

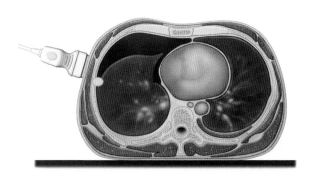

그림 2-8 Lung point 징후
정상폐와 기흉의 경계선으로서 Lung point를 중심으로 한쪽은 흉막활주 징후가 보이고(정상), 다른 한쪽은 보이지 않는(기흉) 지점이다(주황색 점). 기흉의 크기를 초음파로서 측정할 수 있는 지표이다. 하지만 기흉이 너무 클 때, 활력징후가 불안정 할 때는 유용성이 떨어진다.

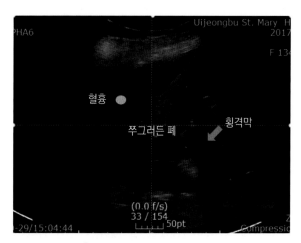

그림 2-9 혈흉의 초음파 소견
쭈그러든 폐와 그 주변에 무에코의 혈흉(노란색 점)이 보이고 있다. 다리 쪽으로 고에코의 횡격막이 관찰된다(화살표).

2) 혈흉

(1) 혈흉의 초음파 소견

혈흉은 흉강에 피가 차있는 것을 말한다. 피는 액체이므로 초음파가 잘 통과할 수 있어 기본적으로 무에코 또는 저에코로 보이지만 경우에 따라서는 살짝 고에코로 보이는 부분도 관찰될 수 있다(그림 2-9). 환자가 앙와위로 있을 경우 중력에 따라 혈액이 아래로 이동하게 되므로 앞쪽까지 관찰될 경우 혈액의 양이 많다고 판단하게 된다. 초음파 상에서 혈흉은 기본적으로는 액체이므로 흉막 삼출과 잘 구별이 되지 않을 수 있지만 무에코의 안에 작은 알갱이들이 떠다니는 패턴은 혈흉 쪽을 더 생각할 수 있다.

(2) 술기

곡선 탐색자를 이용하여 늑골 9~10번째 정도에서 중간-후 겨드랑이 선을 따라서 횡격막을 찾고 횡격막의 머리 쪽에 무에코로 나타나는 액체의 저류를 확인한다. 횡격막의 아래쪽에는 좌우측에 따라서 간이나 비장이 위치하여 이를 기준으로 횡격막을 찾기도 한다. 환자의 활력징후를 고려하여 저류된 액체가 혈액인지 또는 삼출액인지 확인하기 위해 흉관삽관을 시행할 수 있다. 혈흉의 진단에서 초음파의 민감도는 약 20 cc 정도의 액체만 고여도 진단할 수 있으며 100 cc 정도면 100% 진단이 가능하게 된다. 일반 흉부 X선에서는 최소 약 200 cc의 액체가 있어야 진단이 가능하며 500 cc 정도는 고여야 100% 진단이 가능하다.

3) 심장

심장의 검사는 기본적으로 심장눌림증의 유무를 판단하기 위해서 시행한다. 이를 위해서 늑골하 영상을 FAST에서 시행하게 되며 우심실과 간 사이의 공간의 저에코성 액체의 여부를 확인한다(기본 외상초음파 참조). 하지만 심장이 잘 보이지 않거나, 보이더라도 심낭삼출이 명확하지 않을 경우 추가

영상을 통해서 더 정확한 진단을 할 수 있다. 또한 심장눌림증의 유무에 더해서 좌심실의 수축기능 및 혈액의 충전을 관찰하고 저혈량성 쇼크로 인한 혈압의 저하까지도 판단할 수 있다.

(1) 초음파 소견 및 술기

기본적인 검상하 영상에 더해서 흉골의 좌연에서 ① 복장곁긴축단면도, ② 복장곁단축단면도, ③ 심첨사방도를 추가로 시행하게 된다. 검상하 영상은 시간관계 상 특히 FAST를 할 때라면 곡선 탐색자를 이용해서 시행해도 큰 문제는 없다. 하지만 추가로 검사할 복장곁 영상이나 심첨 영상은 부채꼴 탐색자(그림 2-10)를 이용해서 시행하는 것을 추천한다. 환자의 자세는 좌측와위로 눕도록 하는게 좋지만 다발성 중증 외상환자의 경우 앙와위로 누워있는 상태에서 시행되는 경우가 많다. 외상에서 하는 심장초음파는 기본적으로 흉부경유 초음파이다.

① 복장곁긴축단면도는 흉골의 바로 좌측의 늑골 2-4번 공간에서 마커가 우측 어깨를 향하도록 하고 영상을 얻는다(그림 2-11). 이 때 필요하다면 정확한 박출률(ejection fraction)을 구할 수도

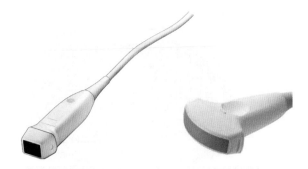

그림 1-10 부채꼴 탐색자
일반적으로 FAST는 곡선 탐색자를 이용(좌측)하지만, 심장에 대한 추가 영상을 얻는 경우에는 부채꼴 탐색자(우측)를 이용하여 시행하게 된다.

있지만 외상에서는 대부분 좌심실의 기능을 눈으로 확인을 하는 정도로만 시행한다.

② 복장곁단축단면도는 복장곁긴축단면도의 탐색자를 같은 위치에서 그대로 시계방향으로 90° 돌려서 마커가 좌측 어깨를 향하게 하여 얻는다(그림 2-12). 역시 박출률을 구할 수 있는데 이 때는 좌심실의 정가운데를 정확히 관통하도록 하여 영상을 얻어야 정확한 박출률을 얻을 수 있다.

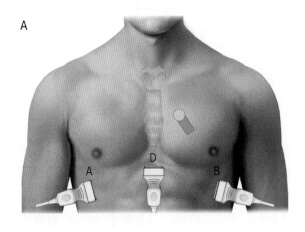

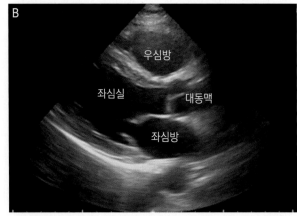

그림 2-11 복장곁긴축단면도
A. 흉골의 바로 좌측의 늑골 2~4번 공간에서 마커가 우측 어깨를 향하도록 하여 영상을 얻는다.
B. 좌심방과 좌심실, 우심방이 보이고 있다.

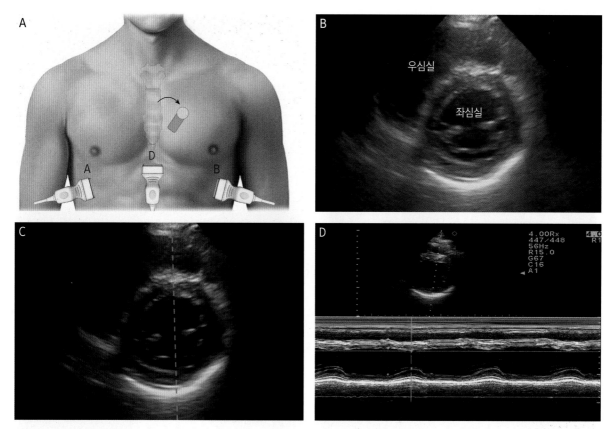

그림 2-12 복장곁단축단면도
A. 복장곁긴축단면도에서 탐색자를 같은 위치에서 그대로 시계방향으로 90° 돌려서 마커가 좌측 어깨를 향하게 하여 얻는다.
B. 좌심실과 우심실이 보이고 있다.
C, D. 심박출량을 얻는 사진으로 정확히 가운데를 관통하도록 하여야 정확한 박출률을 얻을 수 있다.

③ 심첨사방도는 복장곁단축단면도에서 탐색자의 마커를 왼쪽 어깨로 향하게 하고 조금 더 시계방향으로 돌려가며 탐색자의 위치를 심장의 첨부로 옮긴 후 머리쪽으로 기울이면서 심장을 관찰한다(그림 2-13). 심장 전체의 모습을 직관적으로 관찰할 수 있어 심실의 기능이나 심장눌림증을 진단하기에 쉬운 영상이다. 박출률을 계산할 때는 이완기와 수축기의 좌심실의 면적을 구하여 그 비율로서 산출할 수 있다.

혈심낭은 심실과 간 사이 공간에 저에코 또는 무에코의 액체가 관찰된다(그림 2-14). 간혹 지방과 구별이 잘 되지 않을 수 있다. 그럴 경우 좌심실의 기능을 잘 관찰하고 하나의 영상이 아닌 다른 영상에서 관찰을 하면 조금 더 판단이 쉬워질 것으로 생각된다.

4) 골절

외상에서 초음파를 이용한 골절의 진단은 여러 군데가 가능하지만 주로 흉골과 늑골의 골절을 진단하는 데 사용이 된다.

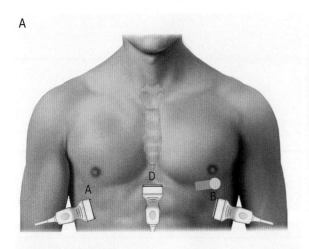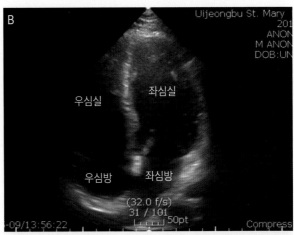

그림 2-13 심첨사방도

A. 탐색자의 위치를 심첨부로 옮긴 후 머리쪽으로 기울이면서 마커를 약간만 더 시계방향으로 돌려서 영상을 얻는다.

B. 심장 전체의 모습을 직관적으로 관찰할 수 있다.

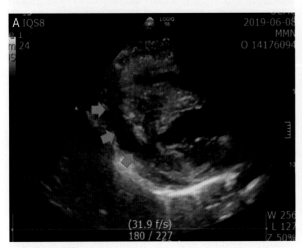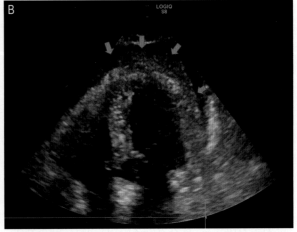

그림 2-14 혈심낭의 소견

A. 복장곁긴축단면도에서 보이는 혈심낭 부분(화살표). 심실 바깥쪽으로 저에코성 액체가 심낭에 저류되어 있다.

B. 심첨사방도에서 보이는 혈심낭 소견. 심실의 바깥쪽에 무에코성 액체 안에 살짝 고에코로 보이는 부분도 관찰된다(화살표). 혈액이 강력히 의심된다.

(1) 흉골 골절

흉골 골절은 X선검사로도 진단이 가능하지만 초음파로도 신속하게 골절을 진단할 수 있다. 사실 미세골절의 경우에는 초음파가 X선보다 훨씬 더 민감하게 골절을 진단할 수 있다. 술기는 선형 탐색자를 이용하여 방향은 종축 방향으로 위치하고 흉골절흔에서 시작해서 꼬리쪽으로 천천히 미끄러지면서 1) 골피질 연결의 소실과 2) 그 주변의 혈종을 관찰한다(그림 2-15).

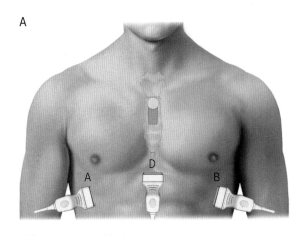
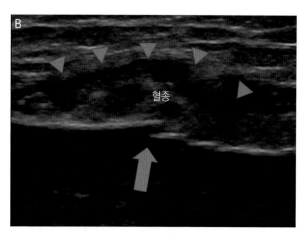

그림 2-15 복장곁긴축단면도
A. 선형 탐색자를 사용하여 종축방향으로 마커를 머리쪽으로 하여 위치한 후 슬라이딩을 이용하여 천천히 관찰한다.
B. 골피질 연결의 소실(화살표)과 함께 주변의 혈종이 관찰된다(화살표 머리).

(2) 늑골 골절

늑골 골절 또한 X선으로 진단이 가능하지만 초음파로 훨씬 더 민감하게 검사가 가능하다. 다만 늑골은 양측 흉부에 12개씩 위치하고 있는데다가 흉벽 전후에 걸쳐 있으므로 스크리닝 목적의 검사보다는 환자가 아프다고 호소하는 쪽을 집중적으로 관찰하는 focused 초음파로 활용하는 편이 낫다(그림 2-16).

5) 알고리즘 및 실제적 접근

외상센터 또는 응급센터에서 다양한 외상환자를 보게 되는데 초음파는 보통 초기 소생술에서 시행된다. 알고리즘은 크게 1) 관통상인지 둔상인지에 따라서와 2) 활력징후의 안정 여부에 따라서 나뉘게 된다. 일반적으로는 활력징후가 불안정한 환자가 FAST에서 양성이라면 혈복강 또는 심장눌림증의 의심 하에 응급수술을 시행해야 한다.

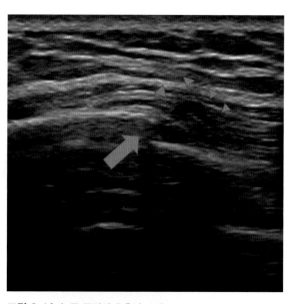

그림 2-16 늑골 골절의 초음파 소견
늑골은 24개나 있는데다가 흉벽 전후로 걸쳐 위치하므로 스크리닝보다는 아프다는 곳을 집중적으로 관찰하여 골절을 확인하는 편으로 활용하는 것이 낫다. 골피질 연결의 소실(화살표)과 함께 주변의 혈종(화살표 머리)이 보이고 있다.

(1) 기본적인 복부 외상 알고리즘

복부의 둔상 환자가 왔을 때 활력징후가 불안정하고 FAST에서 양성이라면 바로 응급수술을 시행한다(그림 2-17). 혈역학적으로 불안정한 혈복강 환자의 경우 수상 후 1시간 이내에 수술을 할 수 있도록 서두른다. 만약 FAST가 음성이라면 다른 원인을 감별해야 하겠다. 활력징후가 안정되었다면 차분히 원인을 찾아낸다. 알고리즘에서 혈역학적으로 안정되고 FAST가 음성이면 CT, FAST가 양성이라면 언제든 혈압이 떨어질 가능성이 있으므로 CT를 빨리 시행해야 하고, 환자 옆에서 모니터링을 해서 혈역학적 변화 시 CT가 없더라도 바로 대처할 수 있게 해야 하겠다. 상황에 따라서 반복 초음파를 약 30분 간격으로 시행하여 복강 내 혈액의 양이 증가하는지 확인하거나 관찰을 할 수도 있다.

알고리즘을 조금 더 자세히 나누어 보면 1) 혈역학적으로 불안정한 환자(그림 2-18), 2) 혈역학적으로 안정된 관통상 환자(그림 2-19), 3) 혈역학적으로 안정된 둔상 환자(그림 2-20), 이렇게 세 가지로 나눌 수 있다. 외상환자의 초기 소생의 순서인 ABC(Airway, Breathing, Circulation)에 따라서 시행하게 된다.

(2) 혈역학적으로 불안정한 몸통의 관통상 및 둔상 환자의 알고리즘

먼저 Airway에서는 기관삽관 시에 식도로 기관튜브가 잘못 들어갔는지 알 수 있다. 또한 윤상갑상막 절개술이나 기관절개술에서 삽입 위치를 확인하는 데 유용하다. 다음으로 Breathing에서는 흉부의 초음파를 시행하게 된다. 기흉이나 혈흉이 파악되면 혈역학적으로 불안정한 환자라면 흉관을 삽관하고 환자의 활력징후의 변화를 유심히 관찰한다. 특히 둔상의 경우에는 동반 손상이 있을 수 있으므로 추가로 손상 여부를 확인한다. 혈흉의 경우에는 초기에 1,500 cc의 혈액이 배액된다면 응급수술의 적응증이 된다. Circulation에서는 FAST를 시행하게 된다. 곡선 탐색자를 이용하여 검상하에서 심장의 영상을 얻어서 심장눌림증 유무를 판단한다. 심장눌림증이

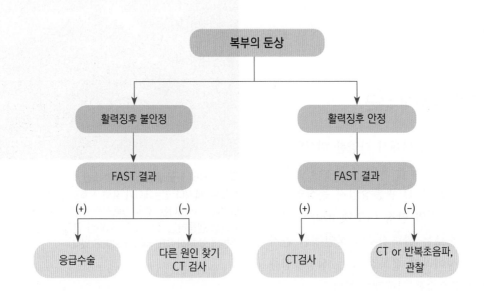

그림 2-17 기본적인 복부 외상 알고리즘
제일 널리 알려진 알고리즘으로 혈역학적 안정성과 FAST의 결과에 따라서 나뉘게 된다. 활력징후가 안정되어 있더라도 FAST에서 혈복강이 관찰되는 경우, 다음 과정을 서두르지 않으면 곤란한 상황에 빠질 수 있다.

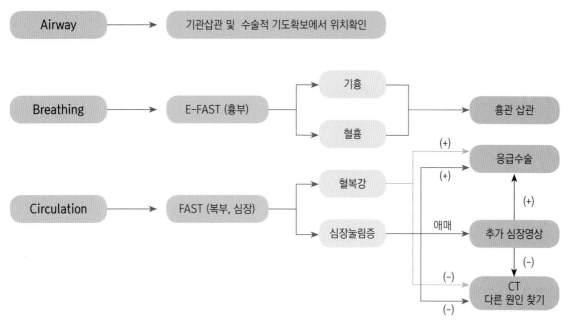

그림 2-18 혈역학적으로 불안정한 몸통의 관통상 및 둔상 환자의 알고리즘

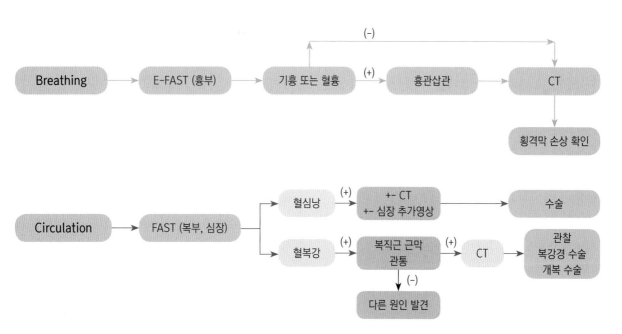

그림 2-19 혈역학적으로 안정된 몸통의 '관통상'

ABC 순서에 따른 알고리즘. 혈역학적으로 안정되어 약간의 여유는 있지만 혈복강이나 혈흉이 초음파에서 발견된다면 이 후 과정을 빨리 서둘러야 한다. 사고 기전에서 좌측 횡격막의 손상이 의심되는 경우에는 CT에서도 잘 보이지 않을 수 있으므로 복강경 등으로 확인을 하는 경우도 있다. 혈복강의 경우 복직근의 관통 여부가 중요한데 복직근이 관통되었다면 거의 수술쪽으로 생각을 하고 원인을 찾기 위한 CT를 진행하는 경우가 많다.

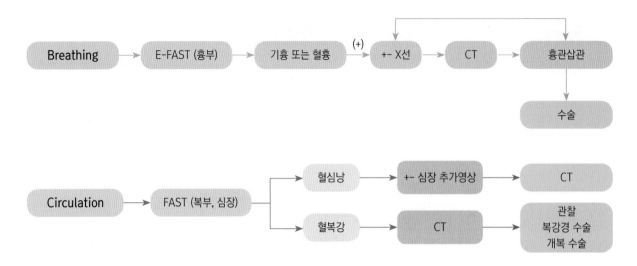

그림 2-20 혈역학적으로 안정된 몸통의 '둔상'
앞선 관통상의 알고리즘과 비슷하지만 기흉 또는 혈흉이 있더라도 바로 흉관삽관을 하기 보다는 추가로 X선이나 CT를 통해서 정도를 파악하고 흉관삽관을 시행한다. 혈복강에 대해서는 서둘러 CT를 진행한 후 다음의 과정을 결정한다.

명확하지 않다면 추가 심장영상(복장곁긴축단면도, 단축단면도, 심첨사방도)을 통해서 진단이 조금 더 명확해질 수 있다. 심장눌림증이 진단되었다면 빠르게 수술준비를 해야 하겠다. 혈복강의 경우에는 우상상한(RUQ)부터 초음파를 시행하여 좌상상한(LUQ), 골반(Suprapubic)의 순서로 시행하게 되며, 외상환자에게는 시간이 매우 중요하므로 만약에 우상상한에서 초음파 양성이라면 다음의 좌상상한이나 골반의 영상은 생략한 채로 응급수술을 서두르게 된다.

(3) 혈역학적으로 안정된 몸통의 관통상

먼저 흉부의 초음파를 통하여 기흉이나 혈흉의 유무를 확인한다. 관통상의 경우라면 기흉이나 혈흉이 진단되면 흉관을 삽관하는 편이 낫다. 또한 좌측 상부의 관통상(특히 등쪽)이라면 횡격막 손상을 의심해야 하며 확인을 위해서 복강경이나 흉강경을 이용하여 횡격막을 육안으로 확인할 수도 있다. Circulation에서는 혈심낭이 관찰될 경우 환자가 혈

역학적으로 안정되어 있으므로 추가 심장영상이나 CT를 통해서 조금 더 자세히 손상의 부위와 정도를 확인할 수도 있다. 하지만 환자가 금방 혈역학적으로 불안정해질 수 있으므로 서둘러서 시행하여야 하며 수술할 가능성이 많으므로 수술을 염두에 두고 진행을 하여야 하며 CT없이 수술을 바로 시행할 수도 있다. 혈복강이 발견되었다면 특히 칼에 의한 자상이라면 복직근 근막을 관통하였는지 상처를 탐색하여 확인을 한다. 복직근 근막을 관통하였다면 빠르게 CT를 찍어 손상당한 장기의 위치와 정도를 파악하고 수술을 시행하여야 하겠다. 경우에 따라서 관찰하면서 추적 초음파를 시행하는 경우도 있지만 대부분 수술을 필요로 한다.

(4) 혈역학적으로 안정된 몸통의 둔상

Breathing에서는 앞서 있는 관통상의 알고리즘과 비슷하지만 기흉 또는 혈흉이 있더라도 바로 흉관삽관을 하지 않고 추가로 X선이나 CT 등을 통하여 정도를 확인하고 술기를 진행하게 된다. Circulation

에서는 혈심낭이 있을 경우 수술보다는 관찰 쪽을 염두에 두고 진행하며 CT나 심장에 대한 추가영상을 획득한다. 혈복강에 대해서는 현재는 혈역학적으로 안정되어 있다고 하더라도 금방 악화될 수 있으므로 빠르게 CT를 진행하게 된다. 만약에 고형 장기의 손상이라면 관찰, 반복 초음파나 혈관조영술을 시행할 수 있으며, 장관의 천공 등이 의심된다면 수술을 시행해야 하겠다.

3. 외상초음파의 미래

현재 외상초음파는 외상환자의 생존율을 높이는 데 있어서 시간 단축과 휴대성, 방사선 노출이 없다는 점에서 큰 역할을 하고 있다. 특히 병원 내에서뿐 아니라 전쟁 및 사고 현장과 같은 열악한 환경에서도 큰 역할을 하고 있다. 최근에는 조영증강 초음파가 점차 널리 쓰이게 되면서 혈복강의 유무 뿐 아니라 다친 장기를 찾아내거나 활동성 출혈까지도 진단이 가능하게 되어 외상센터의 소생실과 병원 전 단계에서 표준 장비로서 자리매김을 하게 되었다. CT의 경우에도 hybrid 소생실과 같은 곳에서는 환자가 내원한 후 CT까지의 시간이 상당히 단축되면서 역할이 상대적으로 더 커지게 되기도 하였다. 하지만 앞서 말한 휴대성과 방사선 노출이 없다는 점 등 여러 가지 장점으로 인해서 초음파의 쓰임새는 더 넓어질 것으로 생각된다.

◦))▶ 참고문헌

1. Anavekar NS, Gerson D, Skali H, et al. Two-dimen-sional assessment of right ventricular function. an echocardio-graphic- MRI correlative study. Echocardiography 2007;24:452-6.

2. Bouferrache L, Vieillard-Baron A. Acute respiratory distress syndrome, mechanical ventilation and right ventricular function. Current opinion in critical care 2011; 17:30-5.

3. Fremont B, Pacouret G, Jacobi D, et al. Prognostic value of echocardiographic right/left ventricular end-diastolic diameter ratio in patients with acute pulmonary embolism. results from a monocenter registry of 1,416 patients. Chest 2008;133:358-62.

4. Ianniello S, Di Giacomo V, Sessa B, et al. Firstline sonographic diagnosis of pneumothorax in major trauma: Accuracy of e-FAST and comparison with multidetector computed tomography. Radiol Med 2014;119:674-80.

5. Jardin F, Brun-Ney D, Auvert B, et al. Sepsis-related cardiogenic shock. Crit Care Med. 1990;18:1055-60.

6. Jardin F, Gueret P, Prost JF, et al. Two-dimensional echocardiographic assessment of left ventricular function in chronic obstructive pulmonary disease. Am Rev Respir Dis 1984;129:135-42.

7. Jardin F, Vieillard-Baron A. Is there a safe plateau pressure in ARDS? The right heart only knows. Intensive Care Med 2007;33:444-7.

8. Kirkpatrick AW, Sirosis M, Laupland KB, et al. Handheld thoracic sonography for detecting post traumatic pneumothoraces, The extended focused assessment with sonography for Trauma(EFAST). J Trauma 2004;57:288-95.

9. Kitabatake A, Inoue M, Asao M, et al. Noninvasive evaluation of pulmonary hypertension by a pulsed Doppler technique. Circulation 1983;68:302-9.

10. Kurzyna M, Torbicki A, Pruszczyk P, et al. Disturbed right ventricular ejection pattern as a new Doppler echocardio-graphic sign of acute pulmonary embolism. Am J Cardiol 2002;90:507-11.

11. Lamia B, Teboul JL, Monnet X, et al. Relationship between the tricuspid annular plane systolic excursion and right and left ventricular function in critically ill patients. Intensive Care Med 2007;33:2143-9.

12. Levitov AB, Mayo PH, Slonim AD. Critical care ultrasonography. 2nd ed. United States: McGrawHill; 2014.

13. Lumb P, Karakitsos D. Critical care ultrasound. United States: Elsevier Saunders; 2015.

14. McConnell MV, Solomon SD, Rayan ME, et al. Regional right ventricular dysfunction detected by echocardiography in acute pulmonary embolism. Am J Cardiol 1996;78: 469-73.

15. Miller D, Farah MG, Liner A, et al. The relation between quantitative right ventricular ejection fraction and indices of tricuspid annular motion and myocardial performance. J Am Soc Echocardiogr 2004;17:443-7.

16. Nagre AS. Focus-assessed transthoracic echocardiography: Implications in perioperative and intensive care. Ann Card Anaesth 2019;22:302-8.

17. Nickson C, Rippey J. Ultrasonography of sternal fractures. Am J Ultrasound Med 2011;14:6-11.

18. Rowan KR, Kirpatrick AW, Liu D, et al. Traumatic pneumothorax detection with thoracic US: Correction with chest radiography and CT-Initial experience. Radiology 2002;225: 210-4.

19. Rudski LG, Lai WW, Afilalo J, et al. Guidelines for the echocardiographic assessment of the right heart in adults: a report from the American Society of Echocardiography, J Am Soc Echocardiogr 2010;23:685-713.

20. Ryan T, Petrovic O, Dillon JC, et al. An echocardiographic index for separation of right ventricular volume and pressure overload. J Am Coll Cardiol 1985;5:918-27.

21. Soni NJ, Robert A, Pierre K. Point of Care Ultrasound. 2nd ed. Philadelphia: Elsevier; 2020.

22. Tamborini G, Pepi M, Galli CA, et al. Feasibility and accuracy of a routine echocardiographic assessment of right ventricular function. Int J Cardiol 2007;115:86-9.

23. Torbicki A, Kurzyna M, Ciurzynski M, et al. Proximal pulmonary emboli modify right ventricular ejection pattern.

Eur Respir J 1999;13:616-21.

24. Turk F, Kurt AB, Saglam S. Evaluation by ultrasound of traumatic rib fractures missed by radiography. Emerg Radiol 2010;17:473-7.

25. Vieillard-.Baron A, Naeije R, Haddad F, et al. Diagnostic workup, etiologies and management of acute right ventricle failure. Intensive Care Med 2018; 44:774–90.

26. Vieillard-Baron A, Caille V, Charron C, et al. Actual incidence of global left ventricular hypokinesia in adult septic shock. Crit Care Med 2008;36:1701-6.

27. Vieillard-Baron A, Charron C, Chergui K, et al. Bedside echocardiographic evalution of hemodynamic s in sepsis: is a qualitative evaluation sufficient? Intensive Care Med 2006; 32:1547-52.

28. Vieillard-Baron A, Page B, Augarde R, et al. Acute cor pulmonale in massive pulmonary embolism: incidence, echocardiographic pattern, clinical implications and recovery rate. Intensive Care Med 2001;27:1481-6.

29. Vieillard-Baron A, Prin S, Chergui K, et al. Echo-Doppler demonstration of acute cor pulmonale at the bedside in the medical intensive care unit. Am J Respir Crit Care Med 2002;166:1310-9.

30. Vieillard-Baron A, Prin S, Chergui K, et al. Hemodynamic instability in sepsis: bedside assessment by Doppler echocardiography. Am J Respir Crit Care Med 2003;168: 1270-6.

31. Vieillard-Baron A, Schmitt JM, Augarde R, et al. Acute cor pulmonale in acute respiratory distress syndrome submitted to protective ventilation: incidence, clinical implications, and prognosis. Crit Care Med 2001;29:1551-5.

32. Wongwaisayawan S, Suwannanon R, Prachanukool T, et al. Trauma Ultrasound. Ultrasound Med Biol 2015;41:2543-61.

33. You JS, Chung YE, Kim D, et al. Role of sonography in the emergency room to diagnose sternal fractures. J Clin Ultrasound 2010;38:135-7.

중환자 초음파
Critical care ultrasound

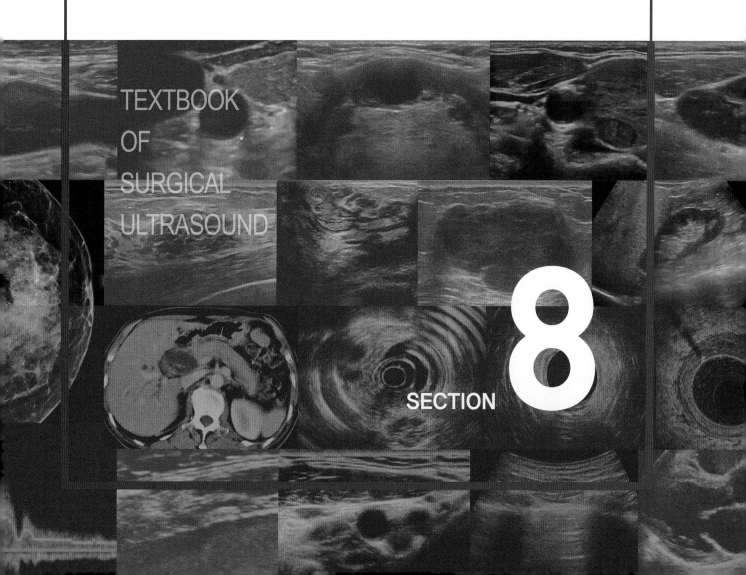

TEXTBOOK
OF
SURGICAL
ULTRASOUND

SECTION 8

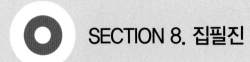

SECTION 8. 집필진

CHAPTER 1 심장
1. 중환자실에서 심초음파의 역할 (**홍석경:** 울산의대 외과)
2. 심초음파 해부학 (**백종관:** 한림의대 외과)
3. 좌심실 기능평가 (**홍석경:** 울산의대 외과)
4. 우심실 기능평가 (**금민애:** 울산의대 외과)
5. 심낭 평가 (**선현우:** 을지의대 외과)

CHAPTER 2 폐, 흉강, 횡격막
1. 폐 (**이아란:** 고려의대 외과)
2. 흉강 (**이재명:** 고려의대 외과)
3. 횡격막 (**이학재:** 울산의대 외과)

CHAPTER 3 쇼크 시 초음파 감시 (강민창: 순천향의대 외과)
1. 초음파를 이용한 쇼크의 감별
2. 초음파를 이용한 수액 반응성 평가

CHAPTER 4 초음파 유도 집중치료 술기
1. 중환자에서 초음파 유도 술기의 적용 (**김임경:** 연세의대 외과)
2. 초음파 유도 혈관 접근법 (**김임경:** 연세의대 외과)
3. 초음파 유도 흉수 천자 및 배액술 (**오승영:** 서울의대 외과)
4. 초음파 유도 복수 천차 및 배액술 (**정윤태:** 울산의대 외과)
5. 초음파 유도 경피적 기관절개술 (**이재길:** 연세의대 외과)

CHAPTER

1

심장

1. 중환자실에서 심초음파의 역할

중환자 집중치료는 과학의 비약적 발전과 함께 이를 적용하는 다양한 진단법 및 치료법이 개발되고 근거중심의 연구결과들이 축적되면서 신의료기술의 활용도가 높아지고 있다. 그 중 대표적인 것이 초음파이다. 중환자실에서 초음파는 다양한 진단과 치료 및 시술을 위해 활용도가 높아지면서 현장에서 실시간 사용하는 Point-of-care의 필수장비로서 자리매김하고 있다.

1) 중환자실에서 초음파의 역할

중환자 초음파는 심혈관 기능과 환자의 상대적 혈장량에 대한 정보를 실시간으로 제공하여 소생술 시 치료결정에 중요한 역할을 하고 있다. 초음파는 다른 검사들과는 달리 혈역학적으로 불안정한 환자에게 비침습적으로 이동없이 현장에서 바로 시행할 수 있다는 큰 장점이 있다. 기존의 혈역학적 모니터링으로 사용하던 침습적 폐동맥카테타나 비침습적

으로 동맥압을 통해 간접적으로 심장기능을 평가하는 방법에 비해 심장의 움직임을 직접 눈으로 치료효과를 확인할 수 있으며 또한 혈장양을 평가하는 데도 활용되어 소생술 시 치료방침을 결정하는 데 큰 도움을 주면서 중환자실 내에서의 활용도가 점차 증가하고 있다. 진단 목적뿐 아니라 중환자 대상의 많은 침습적 시술 즉, 각종 카테타 삽입 및 체강의 감압 혹은 배액 시행 시 초음파 유도를 통한 시술을 함으로서 좀 더 안전하게 시행할 수 있어 그 활용도는 점차 확장되고 있다.

2) 중환자 초음파 적응증(표 1-1)

3) 중환자 초음파 특징

중환자전문의가 시행하는 초음파는 심장, 혈관, 복부 등 부위별 초음파를 전문적으로 시행하는 전문분과의 초음파와 검사목적, 검사시기, 활용법에 차이가 있다. 예를 들면 일반적인 심초음파의 경우 각 세부 구조들의 기능을 정밀하게 평가하는데 초점이 되어 있는 반면, 중환자 초음파는 혈역학적으

표 1-1 중환자 초음파 적응증

중환자실에서의 초음파 적응증	감별진단
순환쇼크	
쇼크	쇼크원인 감별
심근경색	심벽운동이상, 좌심실부전, 우심실부전
판막질환	급성 대동맥판막 폐쇄부전증
대량폐색전증	급성폐성심
심장눌림증	심낭삼출액, 심낭막천자의 유도
급성호흡부전	
심인성 폐부종 vs. 급성호흡곤란증후군	심실충만압 상승여부
기계환기이탈 실패	심장원인 감별
보상부전 만성호흡부전	폐성심, 폐고혈압
원인미상저산소증	심장 내 션트, 개존난원공(patent foramen ovale)
초음파 유도 각종 시술	
혈관 내 카테타 삽관	중심정맥관
	말초삽입용중심정맥카테터(peripherally Inserted Central Catheter, PICC)
	미드라인카테터(midline catheter)
초음파 유도 체강 내 각종 카테터 삽입	흉수배액, 농흉배액
	복수배액

로 불안정한 쇼크 환자에게 침상에서 실시간 연속적으로 초음파를 통해 심혈관 기능의 변화를 관찰하며 원인을 감별할 뿐만 아니라, 수액 및 약물 치료 효과를 확인하기 위한 수단으로 활용되고 있다. 중환자에게는 검사의 정확성과 함께 적시에 환자의 상태를 파악하는 것도 못지않게 중요하기 때문에 중환자 초음파 활용도는 점차 증가하고 있다.

중환자에서 쇼크 환자의 경우 심기능평가는 절대적 기능평가보다는 비정상적 혈역학적 상황에서 전부하 및 후부하의 변화에 따른 상대적 기능평가를 시행한다. 예를 들면, 패혈증유도심근병(sepsis-induced cardiomyopathy)의 경우, 패혈증으로 인한 상대적 혈관저항감소로 후부하가 급격하게 감소되고 초음파검사에서는 마치 좌심실의 기능이 정상(pseudo-normalized)으로 보여, 절대적인 심실기능은 정상으로 보이지만 환자의 후부하가 감소한 것에 적절히 반응하지 못하고 있어 기능감소로 해석하게 된다. 따라서 현재 환자의 전부하 및 후부하 상태 등 환자의 혈역학적 상태 및 변화를 파악하고 있는 중환자전문의가 적시에 초음파를 통해 혈역학적으로 추적 관찰할 때 더욱 많은 정보를 얻을 수 있다.

중환자 특성상 현재 중환자의 심혈관 상태뿐만 아니라 혈역학에 영향을 미칠 수 있는 약물 및 치료를 포함하여 포괄적으로 환자상태를 이해하여야 검사의 정확한 해석이 가능하다. 특히 중환자에게 적용되는 양압기계환기적용, 폐순응도, 부정맥 등에 의한 간섭을 감안한 해석이 필요하다.

4) 중환자 초음파 역량강화

(1) 중환자 초음파 수련과정

초음파는 시술자의 경험과 실력에 따라 질적 차이가 크게 나타날 수 있으므로 기본 역량을 갖추고 유지할 수 있도록 일정의 수련과정을 거쳐야 한다. 지식, 술기, 현장적응 능력을 바탕으로 객관적으로 평가할 수 있어야 하며, 필수 능력을 획득할 수 있는 수련과정 혹은 인증제도가 필요하다. 제도적 인증과정 혹은 학회 단위의 수련과정에 전문가들의 공감대가 마련된 필수능력을 평가하도록 구성하여야 한다.

(2) 수련

아직 국내에서는 중환자 초음파 수련제도는 초기단계로 전공의 혹은 전임의 등 중환자 집중치료 수련과정 중 초음파과정을 넣는 것으로 시작한다. 따라서 중환자 집중치료 수련과정이 있는 기관은 중환자실에 24시간 사용 가능한 초음파 장비를 구비하여 수련 및 진료 시 언제든지 사용할 수 있어야 한다. 그 외에도 중환자관련 학회의 다양한 연수강좌 및 초음파 술기 워크샵을 통해 기본적인 기술 및 지식을 추가적으로 습득할 수 있다. 아래는 국내외 중환자 초음파 관련 연수교육을 시행하는 학회이다. 또한 전문초음파과정을 위해서는 심초음파를 주로 시행하는 심장내과 등에 파견수련 등이 도움이 된다.

> **〈중환자 초음파 연수강좌를 유치하는 학회정보〉**
> 대한외과초음파학회(The Korean Surgical Ultrasound Society, www.ksus.or.kr)
> The World Interactive Network Focused On Critical UltraSound (WINFOCUS, www.winfocus.org)
> 미국중환자의학회 Critical care ultrasound(www.sccm.org)

무엇보다도 중요한 것은 습득한 지식과 기술을 직접 환자에게 적용하여 초음파검사를 바탕으로 내려진 치료결정에 따라 현장에서 직접 적용해 보는 것이다.

(3) 중환자 초음파 수련내용

① 기초지식

초음파의 기본원리 및 탐색자의 특성, 도플러, M 모드 등 다양한 모드의 원리를 이해하고, 이와 함께 검사하고자 하는 장기의 해부학적 이해 및 생리학적 변화를 숙지한다.

② 영상구득

초음파를 능수능란하게 다룰 수 있어야 한다. 구득하고자 하는 장기에 따라 탐색자를 선택하고 조작할 수 있어야 하며, 관찰하고자 하는 장기의 영상을 잘 확보하도록 반복적으로 시행하되 무엇보다도 가장 좋은 방법은 경험많은 교육자와 함께 현장에서 함께 영상을 구득하는 것이다. 그리고 하나의 단면 영상만으로는 영상의 오류로 인해 정확한 정보를 얻을 수 없으므로 경험 많은 숙련자와 다양한 모드 및 단면을 활용하여 환자의 상태를 가장 잘 반영할 수 있는 영상을 구득한다.

③ 영상해석

무엇보다도 중요한 것은 임상에서 반복적으로 시행하면서 임상상황에 맞추어 적용해 보는 것이다. 목표지향적인(goal-directed) 검사수단으로 초음파를 사용함으로써 치료반응 여부를 판단하는 수단으로서의 정확성을 객관적으로 판단하고, 반복적으로 시행하면서 숙련도를 높인다. 이 또한 경험 많은 교육자와 함께 환자에게 직접 적용하고 해석한다면 시행착오를 최소화하고 효율적인 수련을 할 수 있다.

④ 체험실습(hands-on) 기록

실제 체험했던 실습증례를 기록한다. 환자증례, 시행한 검사, 구득한 영상을 모두 기록으로 남긴다. 이는 후에 스스로 자심감을 갖는 데 유용한 자료로 쓰일 뿐 아니라 수련평가 혹은 인증을 받기 위한 근거로 사용할 수 있다.

5) 결론

중환자 초음파는 쇼크나 호흡곤란을 동반한 환자들의 원인을 감별하고 치료반응을 평가하는 일차적 수단으로 자리잡고 있다. 따라서 환자의 혈역학적 상태를 가장 잘 이해하고 있는 훈련된 중환자전문의에 의해 적시에 반복적으로 시행하였을 때 그 유용성이 증가되고 많은 정보를 얻어 실제 임상에 적용할 수 있다. 이제 중환자 초음파는 중환자실에서

필수적인 point-of-care로 그 역량을 유지하기 위한 지속적인 노력과 훈련을 함께 객관적으로 평가하고 인증할 수 있는 체계적 수련과정 및 인증제도의 국내정착이 필요하다.

2. 심초음파 해부학

심장은 좌우 심방 및 심실의 4개의 방으로 이루어지며 우심방과 우심실 사이에는 삼첨판, 우심실과 폐동맥 사이에는 폐동맥판이 존재한다. 또한 좌심방과 좌심실 사이에는 승모판, 좌심실과 대동맥 사이에는 대동맥판이 존재한다.

심초음파에서 표준 이미지 평면(plane)은 좌심실의 장축과 평행인 장축 평면(long axis plane), 장축 평면과 수직인 단축 평면(short axis plane), 장축 및

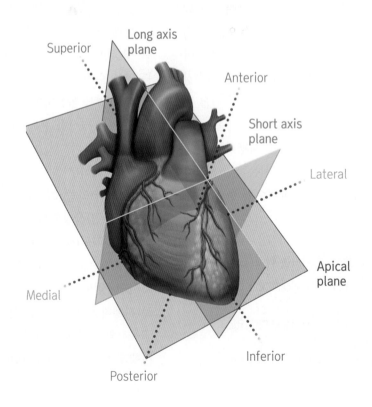

그림 1-1 심장의 평면(plane)

단축 평면과 수직으로 좌심실 심첨부를 통과하고 좌심실과 우심실 및 심방을 교차하는 평면으로 정의되는 4방 평면(four chamber plane)이 있다. 각각의 다른 평면에 탐색자를 옮겨가며 심장을 통과하며 얻은 단층 평면을 통해 정보를 얻는다(그림 1-1).

1) 복장곁긴축단면도

복장곁긴축단면도(parasternal long-axis view)는 흉골 좌연 3번째 또는 4번째 늑간에 탐색자를 두고 탐색자의 표지자를 환자의 오른쪽 어깨 방향으로 가리키게 하면서 관찰한다. 화면의 상부에 우심실이 관찰되고 그 후방에 심실중격, 좌심실, 대동맥(판), 좌심방이 관찰된다(그림 1-2).

이 단면도를 통해서 박출률(ejection fraction), 좌심실 및 우심실 벽의 두께, 좌심실 벽의 부분적 기능(segmental wall function), 승모판 및 대동막판의 구조와 기능, 하행대동맥 등을 확인할 수 있다.

2) 복장곁단축단면도

복장곁긴축단면도(parasternal short-axis view)에서 탐색자를 시계방향으로 90° 회전시키면 복장곁단축단면도가 된다(그림 1-3). 이때 표지자는 환자의 좌측 어깨를 기준으로 1~2시 방향에 향하게 된다.

환자의 우측 어깨-좌측 엉덩이 축을 따라 탐색자의 각을 변화(angling)하여 대동맥판 단면(aortic valve plane), 심실기저부 단면(basal ventricular plane), 심실중간단면(mid-ventricular plane)을 얻을 수 있다. 이 중에서도 심실중간단면에서의 복장곁단축단면도를 통해 심낭삼출(pericardial effusion), 좌심실 및 우심실의 크기와 기능을 평가할 수 있고 다른 단면을 통하여 판막의 구조 및 기능을 평가할 수 있다.

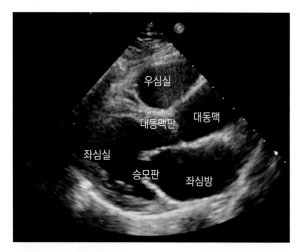

그림 1-2 복장곁긴축단면도

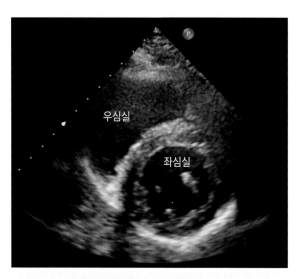

그림 1-3 복장곁단축단면도, 심실중간단면

3) 심첨사방도

심첨사방도(apical four-chamber view)는 탐색자를 좌심실 심첨부에 위치시키고 초음파 빔이 환자의 우측 어깨를 향하도록 하여 두 심실과 심방을 이등분 평면을 얻을 수 있다(그림 1-4) 이때 표지자는 환자의 좌측 어깨를 기준으로 3~4시 방향을 향하게

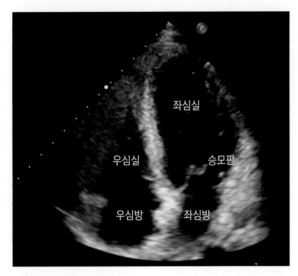

그림 1-4 심첨사방도

의 크기, 승모판 및 심청판의 구조 및 기능을 확인
할 수 있고 특히 우심실/좌심실 비율을 통해 우심실
의 비후를 확인하는데 유용하다.

4) 심첨이방도

심첨사방도(apical two-chamber view)에서 탐색자
를 반시계방향으로 60° 회전시키면 심첨이방도가 된
다(그림 1-5). 중환자 심초음파에서 일반적으로 잘
쓰이지 않는 단면도로 좌심실 및 좌심방의 크기 및
기능, 승모판의 기능, 박출률을 확인할 수 있다.

5) 늑골밑사방도

탐색자를 환자의 검상돌기(xiphoid process) 바
로 아래에 두고 초음파 빔을 환자의 왼쪽 어깨 방
향을 향하게 하며 탐색자의 표지자는 왼쪽으로 향
하게 하여 얻을 수 있다(그림 1-6). 늑골밑사방도
(subcostal four-chamber view, subcostal long-axis
view)는 환자가 누운 자세일 경우 가장 정확히 얻을
수 있다. 중환자에서 특히 기계환기를 적용하며 과
환기(hyperinflated)되어 있는 환자에서는 종종 가장

된다. 환자마다 탐색자의 위치가 다를 수 있어 탐색
자를 환자의 좌측 유두의 외측, 하방에서부터 확인
하고 탐색자를 이동하며 영상을 얻는다. 이 단면도
는 좌측 측와위 자세에서 가장 잘 보이며 환자의 자
세가 최적화되어야 가능하여 중환자에서는 어려울
수 있다.

이 단면도를 통해서 좌심실 및 우심실의 크기 및
기능, 좌심실 벽의 부분적 기능, 좌심방 및 우심방

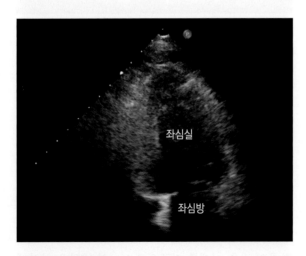

그림 1-5 심첨이방도

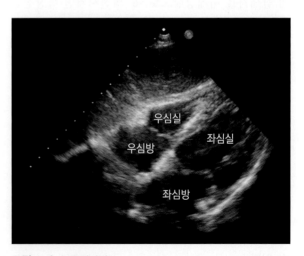

그림 1-6 늑골밑사방도

좋은 시야를 보일 수 있다. 또한 심정지 시에 선호되는 단면도이기도 하다.

이 단면도를 통해 좌심실 및 우심실의 크기와 기능을 확인할 수 있고 특히, 우심실/좌심실 비율을 통해 우심실의 비후를 평가할 수 있다.

6) 늑골밑단축도

늑골밑장축도(subcostal short-axis view)에서 탐색자를 반시계방향으로 90° 회전하여 얻을 수 있다. Angling을 통해 복장곁단축단면도와 유사한 단면을 얻을 수 있다.

이 단면도를 통해 좌심실 및 우심실의 크기와 기능, 심막 삼출 등을 확인할 수 있다.

3. 좌심실 기능평가

중환자의 좌심실 기능평가는 혈역학적으로 불안정한 환자의 경우 많은 정보를 전달해 준다. 쇼크환자의 혈역학적 상태를 판단하기 위해서 청진, 피부상태, 소변양 등의 신체검사와 침습적 폐동맥카테터 및 동맥압 파형 분석을 통한 심기능 측정 등 다양한 방법이 있으나 초음파를 통해 심장의 기능을 직접 관찰하는 것은 그 어느 검사보다도 많은 정보를 전달해 준다. 뿐만 아니라 최근에는 초음파를 통해 좌심실 기능 뿐만 아니라 좌심실 기능에 영향을 미치는 혈장량을 평가하는데도 활용되고 있어 그 활용도가 점차 증가하고 있다. 쇼크를 동반한 환자의 경우 심부전에 의한 쇼크 및 급,만성 호흡부전을 감별하는데 도움을 준다.

일반 심초음파와는 달리 중환자의 좌심실 기능평가 시 단순히 장기기능을 평가하는 것이 아니라 현재 환자의 혈역학적 상태와 현재 투여되고 있는 심혈관약물 및 좌심실에 영향을 미칠 치료적 원인을 고려하여 심기능을 해석하고 평가하여야 한다.

좌심실 기능평가 시에는 다음의 순서로 검사를 시행한다. 1) 좌심실은 충만한가? 2) 좌심실 수축력은 잘 유지되는가? 3) 좌심실 심벽의 수축력은 균일한가? 순서로 확인한다.

1) 좌심실은 충만한가?

(1) 임상적 의미

좌심실 기능에 영향을 미치는 것 중 중요한 것은 전부하 즉 혈장량이다. 전부하의 감소는 좌심실 기능을 저하시키는 가장 흔하면서도 교정 가능한 원인이므로 우선적으로 이에 대한 평가가 필요하다. 초음파를 통해 전부하를 측정하는 방법에는 좌심실이완말내경, 좌심실이완말용적, 상대정맥수축력, 하대정맥수축력 등 여러 가지가 있는데 이 중 좌심실이완말내경, 좌심실이완말용적은 전부하를 직접 측정하는 방법이다. 전부하가 부족한 극단적인 상황에는 'kissing ventricle' 즉 좌심실 수축 시 심벽이 서로 맞닿는 현상이 관찰되는 경우도 있다. 여기서는 그 중 좌심실이완말내경 측정법에 대해서 알아보기로 한다.

(2) 초음파검사법

장축의 수직으로 승모판 초대(mitral chodae) 위치에서 좌심실의 이완말내경(end-diastolic diameter)을 측정한다. 초음파의 단면이 비틀어지면 길이가 달라질 수 있으므로 주 축의 수직으로 측정하도록 한다. 복장곁긴축단면도 및 복장곁단축단면도, 심첨도에서 다양하게 측정가능하다. 좌심실의 모양이 타원형이므로 오차를 최소화하기 위해 어떤 영상에서 측정하든 승모판초대 위치에서 내경을 측정한다(그림 1-7). 내경이 25 mm 이하인 경우 혹은 용적이 55 cm² 이하이면 전부하가 감소되었다고 볼 수 있다.

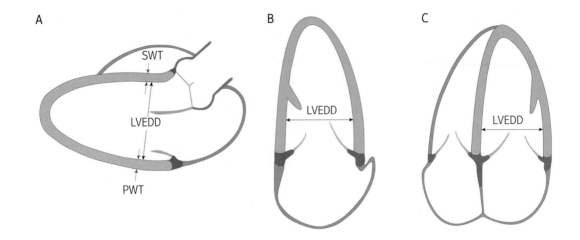

그림 1-7 좌심실의 이완기말 좌심실 내경
A. 복장곁긴축단면도면, B. 심첨이방도, C. 심첨사방도
SWT: Septal wall thickness, PWT:posterior wall thickness, LVEDD: LV end-diastolic diameter

2) 좌심실 수축력은 잘 유지되는가?

쇼크 환자에서 좌심실 수축력의 평가는 매우 중요하지만, 쇼크 환자의 경우 좌심실의 수축력은 전부하 및 후부하에 따라 달라질 수 있음을 유념하여야 한다. 따라서 좌심실 수축기능 평가 시 현재 환자의 전부하 및 후부하의 상태를 감안하면서 좌심실 수축기능을 판단하여야 한다. 무엇보다 정확한 검사를 위해서 중환자실에서 수액 및 소생술과 함께 반복적인 검사를 통해 치료에 대한 반응과 변화를 관찰할 때 환자의 혈역학에 대해 더 많고 정확한 정보를 얻을 수 있다.

좌심실의 수축기능을 평가하는 방법은 여러 가지가 있다. 박출률, 분획단축률(fractional shortening), 분획공간변화(fractional area change), 일회박출량 등이 있다. 그 중 흔히 쓰는 방법은 박출률과 일회박출량을 측정하는 방법에 대해 알아보고자 한다.

(1) 박출률
① 임상적 의의

박출률은 좌심실 이완기 시 충만된 전체 혈액양 중 좌심실 수축기 시 박출되는 혈액량의 비율을 측정하는 것이다. 가장 흔히 사용하는 측정법은 Modified Simpson's method이다(그림 1-8). 정확한 판단을 위해서는 하나의 축으로 판단하지 말고 두 개 이상의 축에서 좌심실의 수축기능을 평가한다. 객관적으로 정량화 할 때도 최소한 두 개 이상의 시야에서 측정하여 평균값을 낸다. 일반적으로는 심첨사방도, 심첨이방도에서 측정하여 평균값을 낸다.

박출률 = (좌심실확장말기용적-좌심실수축말기용적)/ 좌심실확장말기용적

평가기준
수축과다(hyperdynamic): 70% 이상
정상: 50~70%
수축저하(hypodynamic): 50% 이하

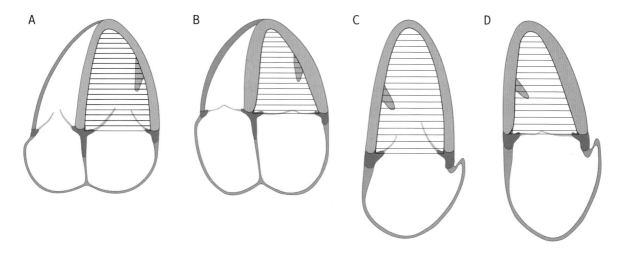

그림 1-8 Simpson 법을 이용한 일회박출량측정법
A. 심첨사방도 확장말기용적, B. 심첨사방도 수축말기용적, C. 심첨이방도 확장말기용적, D. 심첨이방도 확장말기용적

② 초음파검사법

좌심실이 가장 잘 보이는 이완말기와 수축말기 영상을 확보한 후 좌심실의 심내막 경계선을 따라 그려간다. 이때 좌심실벽은 포함하지 않으며, 좌심실에 걸쳐있는 잔기둥형성(trabeculation)과 유두근은 좌심실 공간으로 포함한다. 좌심실 용적 측정은 서로 직각인 두 가지 심첨단면(심첨사방도, 심첨이방도)에서 측정한 후 평균값을 사용한다.

혈역학적으로 불안정한 경우 시야가 안 좋거나 승모판 혹은 심벽 잔기둥형성에 의한 장애, 혹은 각도에 따라 용적을 재는데 오차가 발생할 수 있으므로 경험 많은 중환자의사가 계측없이 직관적으로 심박출량을 평가하는 것이 더욱 정확하고 임상적 유용성이 높을 수 있다(그림 1-8).

① 심첨사방도의 적절한 영상을 확보한다.
② 수축기 및 이완기 내경의 차이가 0.5 cm 이상 차이가 나면 각도와 어긋나 투시도법적으로 감축되어 보이는 단축현상이 있을 수 있으므로 장축으로부터 수직으로 배치하여 단축현상이 일어나지 않도록 한다.

③ 좌심실이 틀 안에 잘 위치하도록 깊이와 너비를 조정한다.
④ 탐색자의 주파수를 높게 하여 영상을 최적화한다.
⑤ 심내벽의 윤곽을 따라 그린다. 승모판이 붙어있는 곳부터 시작하여 반개쪽 승모판 부착부위까지 그려나간다. 유두근과 심실의 잔기둥형성은 좌심실로 포함한다.
⑥ 승모판이 닫힌 직후 좌심실 용적이 가장 큰 시점과 승모판이 열린 후 좌심실 용적이 가장 적은 시점에 각각 측정한다.
⑦ 심첨이방도에서도 같은 작업을 반복한다.

(2) 일회박출량

좌심실 수축기능을 정량화하기 위해 사용하는 방법이다. 좌심실 수축기능을 나타내는 심박출량(cardiac output)은 일회박출량(stroke volume)과 심박수를 곱한 값이다. 초음파를 통해서 일회박출량을 직접 측정한 후 심박수를 곱해 심박출량을 계산한다. 일회박출량은 수축기 시 좌심실에서 박출되는 혈액량(mL)을 측정하는 원리는 다음과 같다.

① LVOT (left ventricle outflow tract)의 면적을 계산한다(그림 1-9). LVOT의 면적은 복장곁긴축단면도에서 측정되는 대동맥고리(aortic annulus)에서의 LVOT 직경(D)을 측정하여 아래의 공식에 따라 LVOT의 면적을 측정한다.

$$LVOT\ area\ (cm^2) = (\frac{D}{2})^2 \times \pi$$

② 심첨사방도에서 시계반대 방향으로 돌려서 만든 5방 영상에서 간헐파형도플러를 통해 대동맥판에서 혈류를 측정한다(그림 1-10). LVOT TVI (left ventricle outflow tract time velocity interval)의 면적을 측정한다.

$$SV\ (mL) = Area\ (cm^2) \times TVI$$

단, 중등도 이상의 대동맥판막 폐쇄 부전증이나 대동맥판하협착증이 있는 경우에는 LVOT TVI가 정확하지 않을 수 있다.

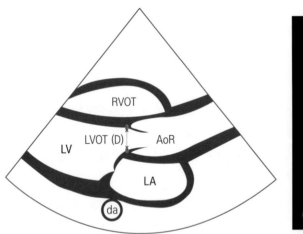
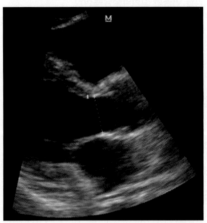

그림 1-9 복장곁단축단면도에서 aortic annulus의 직경(D)을 측정한다.

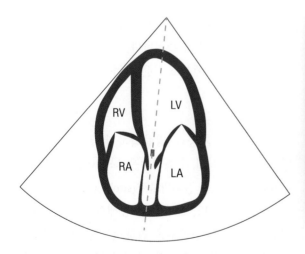
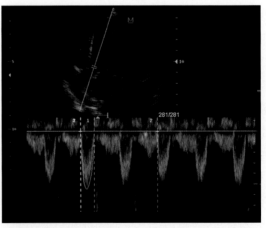

그림 1-10 심첨긴축단면에서 LVOT의 TVI를 측정한다(LVOT TVI 정상범위 18~22 cm).

3) 좌심실 심벽의 수축력은 균일한가?

(1) 임상적 의미

좌심실은 3개의 주 관상동맥으로부터 각각 혈류를 공급받는다. 1) left anterior descending artery, 2) circumflex artery, 3) right coronary artery. 심근경색이 발생하면 관련 관상동맥으로부터 혈류를 공급받는 심벽의 수축기능이 국소적으로 떨어지거나 움직이지 않는 것을 관찰할 수 있다.

(2) 초음파검사법

복장곁긴축단면도, 복장곁단축단면도, 심첨사방도, 심첨이방도 등 4개의 시야를 모두 관찰하여 심벽의 수축력을 관찰하되 아래 그림과 같이 좌심실을 17구역으로 나누어 심벽운동능력을 모두 관찰할 수 있다(그림 1-11). 심벽운동능력은 수치로 정량화하는 것이 아니라 시각적으로 주관적 판단을 하게 되므로 반복적인 훈련이 필요하다. 또한 좌심실벽두께를 통해서도 심근기능을 예측할 수 있다. 평상시 좌심실두께 및 수축 시 좌심실벽이 두꺼워지는지 확인한다. 정상적으로 좌심실이 수축 시 좌심실벽이 두꺼워지는 것은 심근기능이 좋다는 것을 의미한다. 좌심실벽이 얇다는 것은 이전에 심근경색으로 인해 반흔이 남아있다는 것을 반영한다. 심근의 두께가 얇은 것은 이전에 경색이 있었던 것을 의미한다.

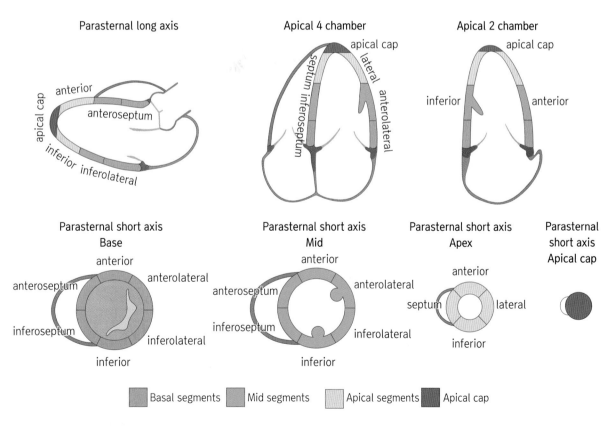

그림 1-11 심벽의 17구역 관찰법

4) 임상에서의 활용법

(1) 패혈쇼크
① 개요
일반적으로 패혈쇼크 환자의 심장기능은 쇼크에 대한 보상으로 과역동(hyperdynamic) 상태를 보인다. 과역동 상태란 심박출량이 증가하고 전신혈관저항(systemic vascular resistance, SVR)이 감소된 상태를 말한다. 그러나 패혈증 환자 중 심기능저하를 보이는 경우도 40~60%에 이르며 예후가 나쁘다. 따라서 초음파검사를 통해 소생술의 치료 평가 뿐 아니라 심기능저하가 합병하는지 확인하여야 한다.

② 초음파 활용법
패혈증 초기에는 조직의 저관류가 지속되는 시기에는 초음파를 반복적으로 시행하여 치료에 대한 반응여부를 확인하며 심혈관계의 상태를 이해한다(그림 1-12).

- **1단계:** 상대정맥의 수액치료 반응여부를 확인한다. 호흡의 주기에 따라 상대정맥의 직경이 35% 이상 차이가 있는 경우 추가로 수액을 투여한다.
- **2단계:** 수액요법에 더 이상 반응이 없으면서 저관류가 지속되는 경우, 박출량을 측정하여 40% 이하이면 강심제를, 40% 이상이면 혈관수축제를 투여한다.
- **3단계:** 저관류가 지속적으로 유지되는 경우 반복적으로 수액치료 반응여부와 심박출량을 재측정한다.

(2) 심장성 쇼크
심장성 쇼크는 심박출량 감소에 따른 조직으로의 저관류에 의해 발생한다. 초음파는 심장성 쇼크를 진단하는 가장 중요한 수단이 되며 침상에서 비침습적으로 사용할 수 있으므로 쇼크를 동반한 환자

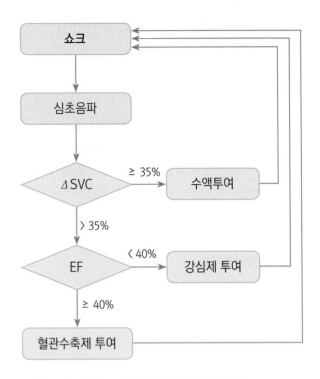

그림 1-12 패혈쇼크에서 초음파를 통한 환자평가법
⊿SVC: 상대정맥(SVC,superior vena cava)변화,
EF: 박출률(ejection fraction)

에서 심장성 쇼크를 확인하는 것은 매우 중요하다.
쇼크를 발생시키는 심질환으로는 급성심근경색, 스트레스심근병(stress cardiomyopathy), 심근염, 판막질환 등이 있을 수 있다. 각각의 질병에 따른 초음파소견을 이해하여야 한다. 심장성 쇼크에서도 소생술은 패혈쇼크의 초음파를 통한 환자평가법을 따른다.

4. 우심실 기능평가

1) 서론

중환자의 혈역학 상태를 판단하기 위한 진단기술이 발달함에 따라 좌심실 기능부전 뿐만 아니라 우

심실 기능부전 또한 중환자 치료에서 중요한 부분으로 대두되고 있다. 우심실 기능부전은 폐색전증(pulmonary thromboembolism, PTE), 패혈증, 심근경색, 급성호흡부전증후군(acute respiratory distress syndrome, ARDS)환자를 혈역학적으로 불안정하게 만드는 주요한 문제로, 중환자에서 비교적 흔히 발생하나 임상적으로 그 중요성이 간과되어 왔다. Vieillard-Baron은 우심실 기능부전에 대해 '우심실이 Frank-Starling 기전을 과도하게 사용하지 않고서는 관류 요구량을 충족하지 못하는 상태'라 정의하였으며, 이로 말미암아 심박출량을 유지하기 위해 우심실이 커지는 현상이 동반된다고 하였다. 새로운 질환에 의해 발생할 수도 있고, 이전에 존재하던 질환의 악화로 발생(acute-on-chronic)할 수도 있는 등, 원인은 다양하지만 결국 압력 과부하(pressure overload), 용적 과부하(volume overload) 혹은 수축력의 감소와 관련이 있기 때문에 중환자 초음파를 통한 우심실 기능평가는 우심실 기능부전의 존재 유무와 그 원인을 감별하고 적절한 치료계획을 수립하여 환자의 혈역학 상태를 개선하는 중요한 단서가 된다.

초음파를 통한 우심실 기능평가에 앞서, 독특한 우심실의 해부학적 구조에 대해 살펴볼 필요가 있다. 비교적 대칭적인 원통 형태의 좌심실과는 달리, 우심실은 좌심실을 V 모양으로 크게 감싸 안은 형태로, 다소 복잡한 구성을 하고 있다. 유입부로서의 공동(sinus) 공간과 유출부로서의 원뿔(cone or infundibulum) 공간으로 구성되어 있으며, 이는 해부학적으로나 기능적으로 서로 다른 두 개의 공간이 합쳐진 독특한 형태여서 우심실의 정확한 초음파 영상을 얻고 이를 정량적으로 평가하는데 어려움이 있다. 또한 좌·우 두 심실은 심막에 의해 싸여 있어 한 심실의 기능변화는 다른 심실의 크기와 기능에 영향(left-right ventricular interdependency)을 주게 되며, 정상적으로 좌심실은 심실간 중격(interventricular septum, IVS)을 통해 우심실 수축의 25% 정도를 담당하는 것으로 알려져 있다. 우심실은 좌심실보다 더 적은 근육으로 구성되어 있어, 우심실의 외측벽(RV free wall or lateral wall)은 통상적으로 3~4 mm 정도인데, 이러한 구조는 폐동맥압(pulmonary artery pressure, PAP)과 같은 우심실의 후부하에 민감하기 때문에 후부하가 급격하게 증가하는 경우 우심실 확장이 발생하는 이유가 된다. 이에 반해 만성적으로 후부하가 높은 경우에는 우심실 벽의 비후(hypertrophy)가 발생하게 된다. 또한 우심실은 관상동맥의 관류에 매우 민감하며 좌심실과는 달리 수축기와 이완기에 모두 관류되는 특징이 있다.

2) 우심실 크기에 따른 기능 평가

(1) 우심실 직경(RV diameter)

우심실의 크기는 크기가 가장 크게 관찰되는 이완기말에, 심첨사방도에서 시계 혹은 반시계방향으로 탐색자를 회전하여 우심실이 가장 크게 보이는 위치에서 측정한다(그림 1-13). 이 영상에서 우심실의 기저부 직경, 우심실 중간부 직경, 우심실 길이를 측정할 수 있으며, 기저부 직경의 경우 42 mm, 중간부 직경은 35 mm, 우심실 길이는 86 mm를 상회하는 경우 비정상 소견임을 시사한다. 하지만 검사자에 따라 정확한 영상을 얻는 방법이 다를 수 있어 이러한 정량적 지표는 우심실의 정확한 기능을 평가하기에 제한적이라는 단점이 있다.

(2) 우심실 두께

급성으로 우심실의 후부하가 증가하는 경우 우심실 벽 비후가 관찰되지 않지만, 만성적인 경우(예: 원발성 폐동맥 고혈압 혹은 좌심실 부전)에는 우심실 벽 비후가 관찰되기 때문에 우심실 벽의 두께를 확인하는 것은 후부하 증가의 원인이 만성적으로

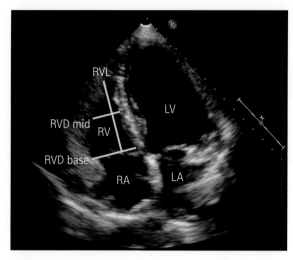

그림 1-13 우심실의 직경
심첨사방도에서 이완기말에 측정하며 우심실 기저부(RVD base), 우심실 중간부(RVD mid), 우심실 길이(RVL)을 다음과 같이 확인할 수 있다.

(사진 출처: 울산대학교병원 심뇌혈관센터 심장 초음파검사실)

러한 경우 우심실 벽 비후는 보통 4~6 mm 정도에 그치며, 그보다 오랜 시간 지속된 경우에는 10~11 mm까지 증가하기 때문에 감별에 도움이 된다. 복장곁긴축단면도 혹은 늑골하축도에서 이완기말에 2D 혹은 M 모드를 이용하여 측정할 수 있다(그림 1-14).

(3) 우심실의 면적

우심실 확장 역시 과부하 소견을 시사하며, 상기에 기술한 직경과 두께는 우심실의 실제 용적을 잘 반영하는 지표는 아니다. 우심실의 독특한 해부학적 구조로 인해 우심실의 용적을 정확하게 측정하기는 어렵기 때문에, Jardin 등은 우심실과 좌심실 면적의 비율을 이용하는 반정량적 지표(semi-quantitative assessment)가 우심실 확장소견을 설명할 수 있음을 보고하였다. 이완기 말, 심첨사방도에서 심내막을 따라 이루어진 우심실 면적(RV end-diastolic area, RVEDA)과 좌심실의 면적(LV end-diastolic area)을 측정하여 그 비율(RVEDA/LVEDA)을 구한다(그림 1-15A, B). 정상적인 경우 이 비율

존재하는지에 대한 좋은 평가 지표가 된다. 하지만 급성으로 후부하가 증가하고 나서 48시간이 경과한 경우에도 우심실 벽 비후가 관찰되기도 하는데, 이

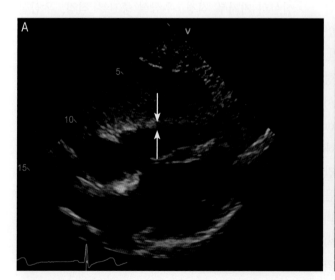
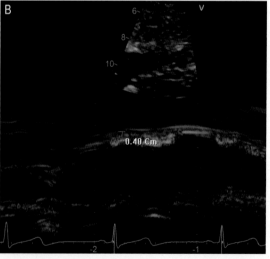

그림 1-14 우심실의 두께
A. 늑골하축도, 이완기말에 우심실 벽을 확인하고 두께를 측정할 수 있다.
B. 같은 영상에서 M 모드를 이용하여 두께를 측정한다.

(사진 출처: 울산대학교병원 심뇌혈관센터 심장 초음파검사실)

은 0.36~0.6이며, 0.7~0.9는 중등도의 우심실 확장을, 1 이상에서는 극심한 우심실 확장소견을 시사하며, 이 비율은 폐색전증 환자의 경우에서 예후를 예측하는 인자로도 알려져 있다. 이렇게 면적의 비율을 구하는 방법은 정량적인 검사와 비교하여, 보다 간단하며 검사자 간의 오차범위를 줄일 수 있다는 점에서 유용하다.

우심실과 좌심실의 면적을 반정량적으로 비교하는 것 외에도, 단순하게 두 심실의 크기를 비교하는 정성적인 방법(qualitative assessment)도 중환자 심초음파에서 유용하다. 정상적으로 우심실은 좌심실보다 용적이 작기 때문에 초음파검사에서 두 심실이 유사한 크기로 보인다면 우심실 확장소견은 이미 있는 것으로 판단할 수 있으며, 우심실이 좌심실보다 더 크게 보인다면 극심한 우심실 확장소견이 있음을 시사한다. 또한 우심실의 모양을 관찰하는 것으로도 확장소견을 감별하기도 하는데, 심첨사방도에서 본래의 삼각의 모양이 아닌 보다 둥근 형태를, 복장곁단축단면도에서는 반달 모양이 아닌 둥근 형태를 관찰할 수 있다(그림 1-15C).

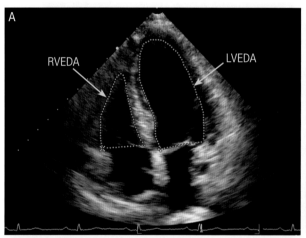

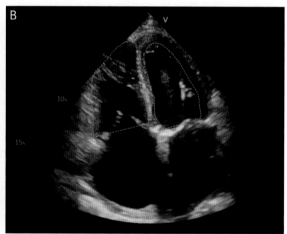

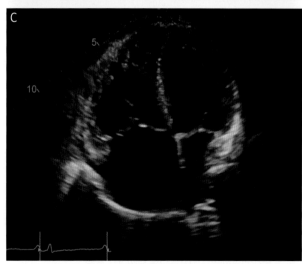

그림 1-15 우심실의 면적
A. 심첨사방도, 이완기말에 측정한 RVEDA (9.46 cm²)와 LVEDA (24 cm²)로 ratio는 0.39이며, 정상소견이다.
B. RVEDA (27 cm²)/LVEDA (21 cm²)가 1.2로 우심실 확장소견을 확인할 수 있다.
C. 우심실 확장소견으로 인해 A에서 관찰되는 삼각형 모양의 우심실이 아닌 둥근 형태로 변화된 우심실을 볼 수 있다.
(사진 출처: 울산대학교병원 심뇌혈관센터 심장 초음파검사실)

3) 우심실 수축 기능의 평가

(1) 심실간 중격의 운동장애
(interventricular dyskinesia)

우심실의 수축기에 후부하가 증가하면 이를 극복하기 위해 우심실의 수축기는 좌심실의 수축기 보다 더 오래 지속되면서, 좌심실의 이완기가 시작될 때까지도 수축을 유지하게 된다. 이때 일시적으로 우심실의 수축기압이 좌심실이 수축기압보다 상승하게 되면서 심실간 중격은 좌심실 방향으로 밀리게 되는 현상(septal flattening 혹은 septal dyskinesia)이 발생하고, 이 현상으로 인해 복장곁단축단면도의 mid-ventricular level에서 좌심실의 O shape이 D shape으로 변형되어 관찰된다(그림 1-16A, B).

이를 정량적으로 측정하는 방법으로 수축기 편심 지표(systolic eccentric index, systolic EI)를 사용한다. 수축기 말, 복장곁단축단면도의 mid-ventricular level에서 좌심실의 유두근(Lt. papillary muscle)을 이등분하는 좌심실의 직경(D1)과 이에 직각에 해당하는 좌심실의 직경(D2)이 비율을 측정하는데, 정상

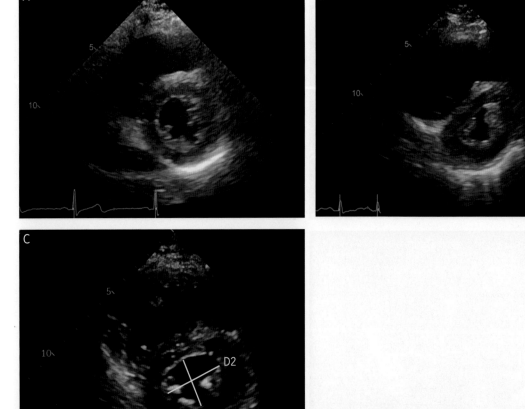

그림 1-16 심실간 중격의 운동장애
A. 복장곁단축단면도, 수축기말에 정상적인 심실간 중격 형태
B. 우심실의 수축기압 상승으로 인해 septal flattening 소견 및 D-shape으로 변한 좌심실
C. 수축기 편심지표(D2/D1)가 1을 상회하는 모습
(사진 출처: 울산대학교병원 심뇌혈관센터 심장 초음파검사실)

적으로 D2/D1은 1이지만, septal flattening이 있는 경우 D1이 감소하면서 systolic EI는 1을 상회하게 된다(그림 1-16C).

(2) 우심실 부분 면적 변화
(RV fractional area change, RV FAC)

우심실의 부분 면적 변화(RV FAC)는 심장 자기공명영상을 통해 얻은 우심실 박출계수(RVEF)와 상관관계가 있는 것으로 알려져 있어 이를 대신할 수 있는 유용한 지표로 알려져 있다. 심첨사방도에서 우심실의 외측벽(lateral wall)이 충분히 보이도록 탐색자를 위치시킨 후, 이완기말과 수축기말에 삼첨판륜과 외측벽, 첨부, 심실중격의 심내막을 따라 면적을 측정(그림 1-17A)하여 다음과 같은 식으로 계산한다.

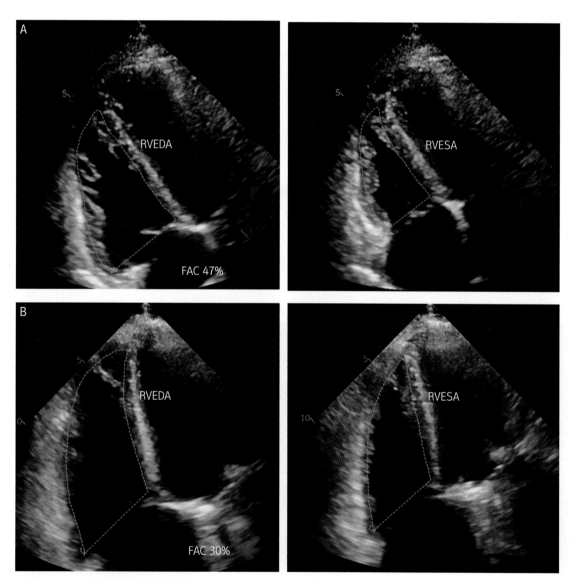

그림 1-17 우심실 부분면적변화(RV FAC)
A. 심첨사방도에서 이완기말과 수축기말에 우심실면적을 측정하여 구한 RV FAC, 정상소견
B. RV FAC 30%로 감소한 소견

(사진 출처: 울산대학교병원 심뇌혈관센터 심장 초음파검사실)

RV FAC (%) = (RVEDA − RVESA)/RVEDA × 100

(RVEDA, Rt ventricle end−diastolic area; RVESA, Rt ventricle end−systolic area)

정상범위는 35~40% 이상으로 35% 미만인 경우 수축기능이 감소한 것으로 평가한다(그림 1−17B).

(3) 삼첨판륜 수축기 편위(tricuspid Annular plane systolic excursion, TAPSE)와 수축기 편위 속도(S' on tissue doppler image)

삼첨판륜의 수축기 편위 감소 또한 우심실 수축 기능저하와 관련이 있는 것으로 알려져 있다. 심첨 사방도에서 삼첨판륜을 M 모드로 추적하여 움직임의 정도를 측정할 수 있는데, 16 mm 이하로 확인되면 수축기능이 감소한 것으로 판단할 수 있다(그림 1−18). 그리고 심첨사방도에서 우심실의 외측벽과 삼첨판륜의 접점에서 삼천판륜의 수축기 편위 속도(S)를 도플러 영상으로 얻을 수 있다(그림 1−19). 이 속도가 10 cm /sec 이하인 경우 우심실 박출계수(RVEF)가 50% 미만인 것과 관련이 있다고 알려져 있다.

4) 폐동맥압의 측정

우심실의 기능부전을 유발하는 후부하의 급격한 증가를 초음파를 이용한 폐동맥압(pulmonary arterial pressure, PAP) 측정으로 확인할 수 있는데, 베르누이의 방정식과 삼첨판과 폐동맥판의 역류 속도(tricuspid and pulmonary regurgitation)를 이용하여 폐동맥압을 구할 수 있다. Peak TR velocity는 우심방과 우심실의 최고 수축기 압력 차이를 반영하고, 여기에 우심방압을 더하면 우심실의 수축기압을 계산할 수 있으며, 폐동맥압의 협착이 없다는 조건하에 이는 수축기 폐동맥압과 같다고 평가한다(그림 1−20A). 우심방압(Rt atrial paressure, RAP)은 보통 중심정맥압(CVP)로 측정하거나 하대정맥(IVC)의 크기와 collapsibility를 참고하여 얻을 수 있지만, 하대정맥을 이용하여 우심방압을 추정하는 방법은 자발호흡환자에서 유용하며 인공호흡기를 유지하고 있는 중환자의 경우 활용이 어렵다.

$$PAPs = 4 \times (\text{Tricuspid regurgitant flow peak velocity } [\text{m/sec}])2 + RAP$$

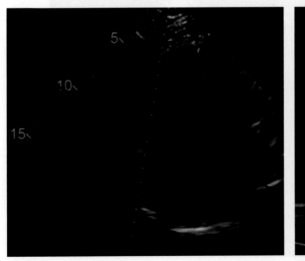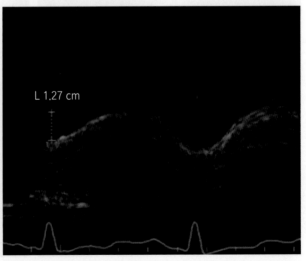

L 1.27 cm

그림 1−18 삼천판륜 수축기 편위
심첨사방도, M 모드에서 관찰, 폐색전증 환자로 삼천판륜 수축기 편위가 12.7 mm로 확인되어 우심실 수축기능 감소로 판단할 수 있다.
(사진 출처: 울산대학교병원 심뇌혈관센터 심장 초음파검사실)

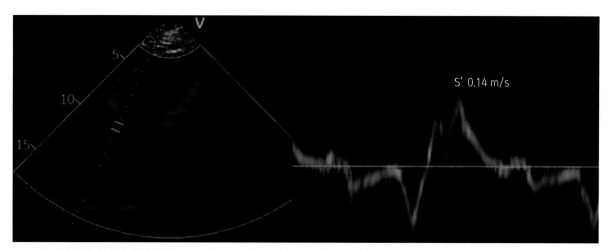

그림 1-19 삼천판륜 수축기 편위 속도(Tricuspid annular tissue Doppler image, S')
14 cm/sec 소견으로 정상범위 해당한다.

(사진 출처: 울산대학교병원 심뇌혈관센터 심장 초음파검사실)

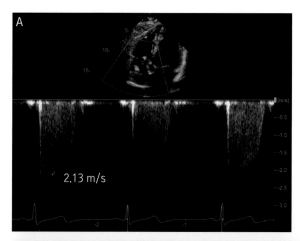

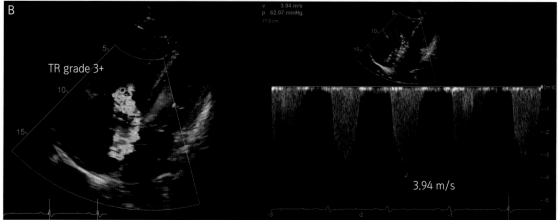

그림 1-20 수축기 폐동맥압의 측정
A. 심첨사방도, systolic TR peak velocity는 2.13 m/s로 확인되며, 이 환자의 수축기폐동맥압은 18 mmHg이다.
B. 폐색전증 환자로 TR grade 3+, TR peak velocity가 3.94 m/s로 확인되고 수축기 폐동맥압은 62 mmHg이다.

(사진 출처: 울산대학교병원 심뇌혈관센터 심장 초음파검사실)

상기의 방법으로 도출한 수축기 폐동맥압이 35~40 mmHg를 초과하는 경우 폐동맥압이 높다고 판단(그림 1-20B)할 수 있으며, 이와 비슷하게 폐동맥판의 이완기 역류 속도를 이용하면 이완기 폐동맥압을 측정할 수 있다.

PAPd = 4×(Pulmonic regurgitant end diastolic velocity [m/sec])2+RAP

폐동맥압을 간접적으로 추정하는 방법 중, 우심실 유출부(Rt ventricle outflow tract, RVOT)의 도플러 영상에서 가속 시간(acceleration time: 폐동맥판이 열리고 유속이 최고 속도가 될 때까지 걸리는 시간)을 확인하는 방법이 있다(그림 1-21). 가속 시간이 100 msec 이하로 측정되는 경우 폐동맥 고혈압 소견을 시사하며, 특히 60 msec 이하인 경우 폐동맥압이 60 mmHg 이상(60/60 sign)임을 시사한다.

5) 우심실 기능부전의 접근

앞서 기술한 것처럼, 우심실 기능부전은 '우심실이 Frank-Starling 기전을 과도하게 사용하지 않고서는 관류 요구량을 충족하지 못하는 상태'이며 이로 말미암아 우심실이 커지는 현상이 동반된다. 중환자 심초음파를 통해 우심실의 과부하 및 수축력 감소 소견을 확인하여 그 원인을 감별하는 것은 환자의 불안정한 혈역학 상태를 개선하는 중요한 단서를 제공할 수 있다

(1) 급성 폐성심(acute cor pulmonale)

폐성심(cor pulmonale=pulmonary heart disease)은 폐질환에서 기인한 심부전상태로, 폐동맥압의 증가로 인해 우심실 확장소견을 동반한다. 급성 혹은 만성으로 발현하기도 하며, 만성 폐성심 상태에서 급성으로 악화되어 발현할 수도 있다. 급성 폐성심을 유발하는 원인은 다양하며, 중환자 진료에서 흔히 만나게 되는 원인은 급성호흡부전증후군(ARDS), 폐색전증(pulmonary thromboembolism) 등이 있다. 급성 폐성심은 수축기, 이완기에 모두 과부하가 걸리는 특징이 있어 초음파검사에서 우심실의 급격한 확장소견을 볼 수 있다. 앞서 언급한 것처럼, 심첨사방도에서 우심실 면적/좌실심 면적(RVEDA/LVEDA)의 비율이 증가하며, 육안으로도 둥글게 확장된 우심실의 모습으로 확인할 수 있다.

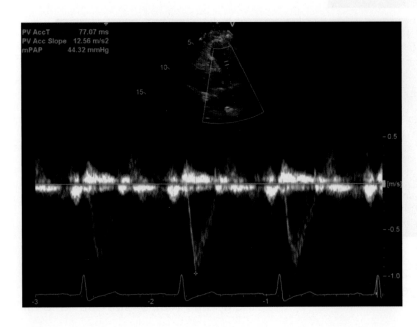

그림 1-21 우심실 유출부 가속시간 (RVOT acceleration time)
77 msec으로 확인되며, 폐동맥 고혈압 소견을 시사한다.
(사진 출처: 울산대학교병원 심뇌혈관센터 심장 초음파검사실)

또한 복장곁단축단면도에서 우심실 압력 증가에 따른 D-shape의 좌심실과 이로 인해 systolic EI가 1이상으로 측정된다.

① 급성호흡부전증후군(ARDS)

급성호흡부전증후군의 환자에서 급성 폐성심은 드물지 않게 발생한다. 폐보호환기(lung protective ventilation)를 받는 급성호흡부전증후군 환자의 약 25%에서 발견할 수 있었다고 하며, 염증이나 미세 색전, 간질 부종이나 무기폐 등으로 이한 폐혈관의 폐색, 호기말양압(PEEP)으로 인한 transpulmonary pressure 상승, 폐혈관 수축에 의한 산혈증이나 저산소증에서 기인한다. 이러한 상황에서 급성 폐성

심을 확인하는 경우 기계환기의 설정을 조절하거나 급성호흡부전증후군에 대한 다른 치료 대안을 모색해야 한다.

② 폐색전증
(massive pulmonary thromboembolism)

폐색전증 또한 급성 우심실 기능부전의 중요한 원인이며, 폐색전증 환자에서 RVEDA/LVEDA 비율은 사망을 예측할 수 있는 인자이기도 하다. 복장곁단축단면도에서 주폐동맥과 근위부 폐동맥까지 관찰 할 수 있기 때문에 이곳의 혈전을 발견함으로써 폐색전증을 진단할 수도 있다. 우심실 첨단부위를 제외한 나머지 우심실 벽의 전반적인 운동저하 상

표 1-2 급성 우심실 기능부전의 원인

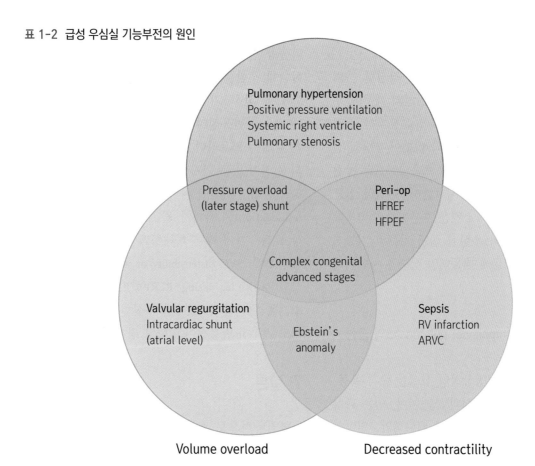

Vieillard-Baron A, Naeije R, Haddad. F, et al. Diagnostic workup, etiologies and management of acute right ventricle failure. Intensive Care Med. 2018; 44:774-90

태로 확인되는 McConnell sign이나 폐동맥수축압이 60 mmHg 이상일 때 RVOT acceleration time이 60 msec 이하로 관찰되는 60/60 sign은 폐색전증을 시사하는 간접적인 소견이다.

(2) 패혈증에 동반된 우심실 기능부전

패혈증 환자에서 좌우심실의 기능저하는 잘 알려져 있는 장기기능부전 중 하나이다. 가역적인 심근병증이 특징이며, 주로 좌심실 기능저하에 의해 유발된다. 특히 좌우심실의 기능이 저하된 패혈증 환자에서 기계환기를 적용하는 경우 급성 우심실 기능부전의 증상으로 발현하기 때문에 이러한 경우 기계환기의 설정을 조절하거나 저산소증 및 산혈증의 교정, 수액 제한 그리고 관상동맥 관류압을 유지하기 위한 적절한 승압제의 사용을 고려해야 한다.

(3) 우심실 심근경색

우관상동맥의 폐색으로 발생하며, 좌심실 하벽 및 심실중격 하벽의 혈류 또한 담당하기 때문에 우심실 심근경색에서는 상기 부위의 운동저하 소견을 종종 동반된다. 이러한 소견과 더불어 우심실 심근의 부분적인 운동저하 소견이 초음파상으로 발견된다면 우심실 심근경색을 시사한다. 우심실 심근경색에 의한 우심실 확장소견은 후부하가 증가하는 급성 폐성심과는 달리 우심실 심근 자체의 기능저하에서 비롯되기 때문에 폐동맥압 상승은 동반되지 않을 수 있다.

(4) 만성 폐성심(chronic cor pulmonale)의 급성 악화

우심실 확장소견, 비정상적인 심실간 중격 운동, 폐고혈압 등은 만성 폐성심의 소견이며, 이는 좌심실 부전, 폐질환에 기인한 만성 폐고혈압, 원발성 폐고혈압, 혹은 선천성 심혈관 질환 등이 그 원인이다. 이러한 경우 늑골하 또는 복장곁단면도에서 이

완기 말에 우심실 벽 비후 소견을 관찰 할 수 있으며 만성 폐성심의 경우 통상적으로 10 mm를 상회한다. 만성 폐성심의 환자에서 좌심실 기능부전이 발생하면 급성 폐성심이 발현하게 되는데, 이러한 경우 급격하게 좌심실 부전을 유발한 원인, 예를 들면 판막 기능부전이나 심근부전 등의 원인을 찾아내는 것이 중요하다.

6) 우심실 기능부전 환자의 전부하 반응성 평가

혈역학적으로 불안정한 환자에서 수액치료를 결정하는 중요한 인자는 바로 전부하 반응성(preload responsiveness)이다. 보통 중환자실에서는 이 반응성에 대한 지표로 동적 지표(dynamic parameter)인 맥압변동(pulse pressure variation, PPV)이나 심박출량 변동(stroke volume variation, SVV)을 참고하는데 우심실 기능부전의 경우 그 자체로도 PPV, SVV가 발생하기 때문에 환자의 혈장량과 무관하게 전부하 반응성이 있다고 평가할 수 있어 주의 깊은 감별이 필요하다. 따라서 초음파상 급성 폐성심의 소견이 있는 환자의 경우에는 동적 지표상 전부하 반응성이 있음을 시사하더라도 수액 소생술(fluid resuscitation)은 금기가 될 수 있다. 하지만 초음파상 호흡주기에 따른 하대정맥 혹은 상대정맥의 변동성(IVC, SVC distensibility or variability)과 하지거상법(Passive leg raising, RLR)에 따른 심박출량 증가 소견을 확인할 수 있다면 우심실 기능부전 환자에서도 전부하 반응성이 있다고 평가할 수 있다.

7) 결론

혈역학적으로 불안정한 환자를 치료함에 있어서 중환자 초음파를 통한 우심실 기능 평가는 매우 중요하다. 정확하고 다양한 이미지와 도플러 검

사를 통한 여러 가지 정량적인 지표를 얻기에는 한계가 있기 때문에 다소 간결하게 영상을 확보할 수 있는 접근 방법을 통해 심기능을 평가하는 것이 유용하다. 앞서 심첨사방도, 복장결긴축단면도, 복장결단축단면도, 늑골하단면도 2D 영상이나 M 모드 영상을 이용하여 우심실 기능을 평가하는 방법을 나열하였으며 각 지표들의 비정상 범위에 대해서는 표 1-3에 기술하였다. 급성 폐성심에 동반된 우심실 기능부전의 경우 우심실 확장소견이 매우 중요한 소견이며, 이 경우 RVFAC 혹은 RVEDA/LVEDA ratio 등의 지표와 중격이상운동증(D-shape LV), systolic EI 지표 등을 확인하는 것이 도움이 된다. 또한 중환자 초음파는 급성 우심실 기능부전의 원인을 판단하는 것뿐만 아니라 그 원인(폐색전증이나 ARDS 환자의 부적절한 기계환기 설정, 저산소증, 산혈증, 우심실 심근경색 등)에 따른 적절한 중재를 시행하고 그 결과를 모니터링하는 데에도 유용하게 사용할 수 있음을 기억해야 한다.

5. 심낭 평가

1) 서론

심낭질환은 외과의가 응급실에서나 중환자실에서 흔하게 볼 수 있으며, 혈역학적 이상을 유발하거나 종종 환자를 사망에 이르게 한다. 심낭질환 환자들은 흉통, 호흡곤란, 다리 부종 그리고 저혈압 등의 다양한 증상을 호소할 수 있다. 심낭질환은 급성 심낭염, 심낭삼출, 심장눌림증, 협착심낭염, 심낭종양, 선천성 기형 등으로 나눌 수 있는데 본문에서는 임상에서 출현 빈도에 따라 상위 3개의 질환을 다루고자 한다.

(1) 심낭의 해부 및 생리

심낭은 심장과 대혈관의 기시부를 둘러싸고 있는 섬유성 장막으로 벽심낭막(parietal pericardium)과 내장심낭막(visceral pericardium, epicardium)으로 구성되어 있다. 벽심낭막의 정상 두께는 0.8~1.0 mm이지만 심초음파에서는 두 층의 심낭막 초음파가 분리되지 않아 2 mm 이상으로 보이는 경우가 많으며 심장 박동으로 인해 정확한 측정이 어렵다. 두 심낭막 사이에는 정상적으로 50 mL 미만의 장액이 존재하며 림프절에서 순환한다. 심낭은 폐와 심장을 분리하여 폐에서 직접적으로 전파되는 감염을 막는 역할을 하며 갑작스런 혈액량 증가에도 심방과 심실의 변형과 확장을 제한한다. 또한 심방과 심실의 혈역학적 상호작용을 가능하게 한다.

표 1-3 초음파를 이용한 우심실 기능부전의 평가와 비정상 지표

	비정상 범위
RV dimensions	> 42 mm
RVD base	> 35 mm
RVD mid	> 86 mm
RVL	
RV free wall Thickness	> 5 mm
RVEDA/LVEDA	> 0.6
Systolic EI	> 1
RV FAC	< 35%
TAPSE	< 16 mm
S' on Tissue Doppler Image	< 10 cm/sec

RV, right ventricle; RVL, RV length; RVEDA, RV end-diastolic area; LVEDA, Left ventricle end-diastolic area; EI, eccentric index; RV FAC, RV fractional area change; TAPSE, Tricuspid annulus plane systolic excursion

데이터 출처: Lawrence G. Rudski, Wyman W. Lai, Jonathan Afilalo, et al. Guidelines for the echocardiographic assessment of the right heart in adults: a report from the American Society of Echocardiography. J Am Soc Echocardiogr 2010;23:685-713.
Vieillard-Baron A, Prin S, Chergui K, et al. Echo-Doppler demonstration of acute cor pulmonale at the bedside in the medical intensive care unit. Am J Respir Crit Care Med. 2002;166:1310-9.

(2) 심초음파 역할

심초음파는 병상에서 시행가능하다는 간편성과 해부학 및 생리적 정보를 동시에 얻을 수 있는 장점이 있어 대부분의 심낭질환에서 가장 먼저 시행하는 검사이다. 심초음파를 통해 심낭삼출이 있는 경우 그 크기와 혈역학적 영향에 대한 임상적으로 유용한 정보를 얻고 심낭천자 등 치료의 영역에서도 사용될 수 있다. 응급실이나 중환자실에서 급성심낭염, 심낭삼출 등의 의심환자가 발생하거나, 흉부외상, 급성 심근경색 환자 혹은 심장 수술의 과거력을 가진 환자를 진료할 때 사용할 수 있다.

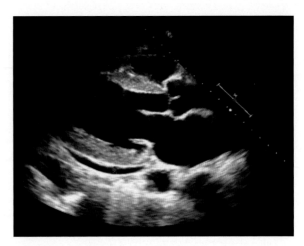

그림 1-22 급성심낭염 환자의 심초음파
복장곁긴축단면도 심초음파에서 심장 주위의 심낭삼출액(*)이 발견된다.

2) 심낭의 질환

(1) 급성심낭염(acute pericarditis)

급성심낭염은 심낭에 염증세포의 침윤이 발생하는 질환으로 특발성이나 바이러스에 의해 발생하여 대개 자연 치유된다. 급성심낭염은 임상적으로 진단을 내리게 되며 특징적인 심초음파 소견이 없다. 본 책에서는 급성심낭염의 진단 기준과 초음파 소견에 대해 알아보자(표 1-4).

① 심초음파 소견(그림 1-22)

정상 심초음파 소견을 보일 수 있으며 일부 환자에서 심낭삼출(60%) 혹은 심장눌림증(3%)이 보인

다. 이외에 심막의 밝기 증가, 심막의 두께 증가 등이 관찰될 수 있으나 진단적인 소견은 없다.

(2) 심낭삼출(pericardial effusion)

심낭막 사이에서 50 mL 이상 삼출액은 비정상적이며 외상 혹은 급성심낭염과 같은 국소적인 질환 또는 갑상선기능저하증, 신부전, 악성종양 등의 전신적인 질환으로 인해 발생할 수 있다. 심낭삼출은 양에 따라 다음과 같이 분류하고 심초음파로 평가할 때는 M 모드에서 이완기말 심낭 사이 거리를 측정하여 분류할 수 있다. 소량의 심낭삼출은 특발성 혹은 바이러스가 원인인 경우가 많으며 대량의 심낭삼출은 종양, 결핵 그리고 갑상선기능저하증 등이 원인인 경우가 많다.

표 1-4 급성심낭염 진단기준(2개 이상일 때 진단)

1. 특징적 흉통: 누웠을 때 악화되며 앞으로 숙일 때 호전됨.
2. 심낭 마찰음(Pericardial friction rub)
3. 특징적 심전도: 모든 극에서 오목한 형태의 ST 절 증가
4. 새로 발생한 혹은 악화된 심낭삼출
5. 염증 수치 증가: C-reactive protein, Erythrocyte sedimentation rate
6. MRI에서 염증 소견

- 소량   = 50~100 mL (< 10 mm*)
- 중등도 = 100~500 mL (10~20 mm*)
- 대량   = > 500 mL (> 20 mm*)
* 국한된(loculated) 삼출액을 평가하는 데 제한이 있다.

① 심초음파 소견(그림 1-23)

심초음파는 심낭삼출 진단에서 가장 먼저 시행하는 검사이다. 심낭삼출이 의심되었을 때 즉시 시행할 수 있으며 진단 정확도가 100%에 달하고 혈역학적 영향을 동시에 평가할 수 있다. 심낭삼출을 평가할 때는 심장눌림증이 있는지 확인해야 한다.

M 모드를 통해 벽심낭막과 내장심낭막 사이 공간을 측정하여 양을 측정하고 국한되어 있는지 여부를 확인한다. 국한되지 않은 심낭삼출이 두 심낭막 사이의 공간이 심장 수축기에만 확인된다면 심장 삼출액이 정상 혹은 미량이거나 임상적으로 의미 없음을 보여준다.

좌측 흉수는 심낭삼출과 유사하게 관찰될 수 있어 감별이 필요하다. 복장곁긴축단면도에서 하행 흉부대동맥의 위치로 감별이 가능한데 심낭삼출액은 좌심방과 대동맥 사이에 위치하며 흉막삼출액은 대동맥 후 하방에 위치한다(그림 1-24).

(3) 심장눌림증(cardiac tamponade)

심장눌림증은 심낭삼출액의 증가로 인해 심낭내압이 증가하여 심방과 심실을 압박하고 혈액 충만을 억제하여 쇼크를 일으켜 생명을 위협하는 상태를 말한다. 심장눌림증은 외과의가 응급실 혹은 중환자실에서 마주할 수 있는 응급상황이므로 병태생

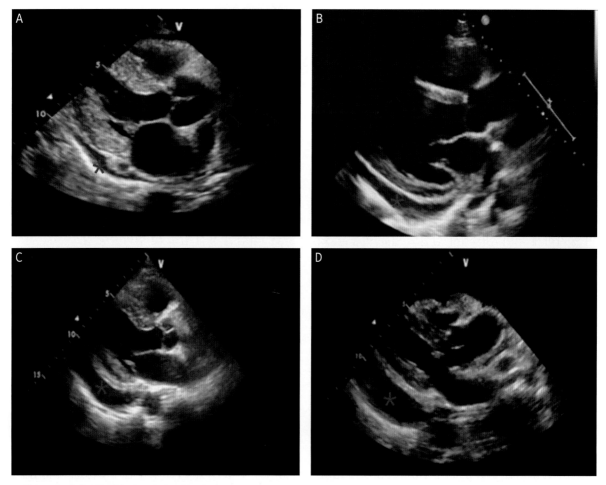

그림 1-23 심낭삼출액(*) 정도에 따른 심초음파 소견
A. 미량, B. 소량, C. 중등도, D. 대량

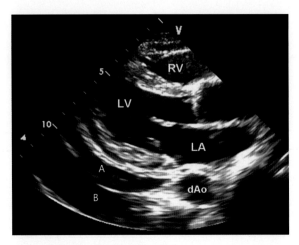

그림 1-24 심낭삼출과 흉수의 감별
복장곁긴축단면도에서 A. 심낭삼출은 하행 대동맥 앞쪽에 위치하고,
B. 흉수는 하행 대동맥 뒤쪽에 위치한다.

리, 임상양상 그리고 심초음파 소견을 숙지하고 있
어야 하며 환자의 평가와 치료에 지연을 막을 수 있
어야 한다.

① 병태생리

심낭내압은 정상적으로 대기압보다 낮으며 흉강
내압과 같다. 수축기에 심실 크기 감소로 심낭내압
이 더욱 감소하게 되어 정맥에서 심방으로 환류를
촉진시키고 이완기에는 심실 크기 증가로 심낭내압
이 증가하게 되어 심방에서 심실로 혈류 이동을 도
와준다. 충분한 시간을 두고 심낭삼출이 증가하게
되면 심낭이 확장되어 심낭내압과 기능을 일정하
게 유지한다. 심장눌림증은 심낭삼출이 빠른 속도
로 증가되어 심낭내압이 심방과 심실의 이완기 압
을 넘게 될 때 발생하며 이완기 혈액 충만을 방해하
여 다음의 혈역학적 이상을 만든다.

- 늦은 이완기에 심낭내압은 중심정맥과 심방의
  압력보다 높게 되어 중심정맥과 우심방을 허
  탈 시키며 우심실의 혈액 충만을 억제시킨다.
  우심방 허탈이 심장 주기의 1/3 이상 및 우심실
  의 허탈은 높은 특이도(〉80%)를 가진다.

- 좌심방의 허탈도 같은 기전으로 발생하나 단
  25% 환자에서 발견되며 높은 특이도를 지닌다.
- 심실중격의 움직임은 호흡주기에 따라 극대
  화 된다. 흡기 시 흉강 내압의 감소로 우측 심
  장에 혈액 유입이 증가하게 되며 심장눌림증
  에서 증가된 주위 압력으로 우심실의 압력 증
  가는 심실중격을 좌심실로 밀어내게 한다. 이
  결과로 흡기시에 좌심실 수축기 박출량을 감
  소시켜 더욱 혈압을 떨어뜨리는 모순 맥박
  (pulsus paradoxus)을 만든다.
- 상기 과정들은 정맥의 환류를 감소시켜 하대
  정맥 및 간정맥에 울혈시킨다.

② 임상양상

심낭눌림증은 질병의 진행에 따라 무증상부터 폐
쇄성 쇼크까지 여러 임상양상이 나타난다. 혈압 감
소, 빈맥, 경정맥 확대, 전신 관류의 감소로 나타나
는 증상 및 젖산 증가 등이 보일 수 있다. 모순 맥박
과 심낭 마찰음(pericardial rub)을 관찰할 수 있다.

③ 심초음파 소견

- 심낭삼출
- 하대정맥과 간정맥 확장
- 좌심실 용적 감소 및 심박출량 감소
- 이완기 우심방, 우심실 허탈
- 호흡에 따른 우심실과 좌심실 용적 변화: 흡
  기에서 우심실 용적 증가 및 좌심실 용적 감소
- 호흡에 따른 심실중격 변화: 흡기에서 심실중
  격이 우측에서 좌측으로 밀려남
- 호흡에 따른 승모판 및 삼첨판의 혈류 속도의
  변화: 흡기에서 승모판 E파 혈류 감소

심낭눌림증의 심초음파 소견은 앞서 기술한 병태
생리를 반영한다. 이완기 후반에 보이는 우심방 허
탈은 심장눌림증의 초기 징후이며 심장 주기의 1/3

이상 지속되면 94% 민감도와 100% 특이도로 진단할 수 있다(그림 1-25). 이완기 초기 우심실 허탈은 질병이 진행되어 심박출량이 20% 가량 감소된 후 발생하는데 60~90% 민감도와 85~100% 특이도로 심장눌림증 진단에 중요한 소견이다. 하대정맥의 확장은 심장눌림증 환자의 90% 이상에서 발견되며 하대정맥이 2.1 cm 이상 증가 및 흡기 시 50% 미만 감소를 보인다(그림 1-26). 또 흡기 시 도플러 초음파에서 승모판 E파 혈류가 30% 이상 감소하거나 삼첨판 E파 혈류가 60% 이상 증가하면 진단 가능하다.

④ 심낭눌림증의 치료

심낭눌림증 치료 목표는 심낭삼출이나 외상에 의한 혈종을 제거하여 폐쇄성 쇼크를 개선시키는 것이다. 먼저 수액의 공급이 중요하며 심낭천자술 (pericardiocentesis) 혹은 개흉을 통한 심낭창냄술 (pericardiotomy)을 할 수 있다. 심낭천자술은 시술자가 심초음파를 보면서 삼출액 혹은 혈종이 가장 많이 고여있는 부분의 시야를 확보해야 하며 필요 시 조영제를 사용하여 정확한 카테터 삽입을 확인할 수도 있다. 16~18게이지 바늘을 검상밑돌기 (subxiphoid process)와 좌측 늑골 사이의 공간에 삽

입하여 심초음파에서 바늘이 심낭을 통과하는 것을 확인한다(그림 1-27). 바늘 삽입 후 지속적으로 배액할 수 있으며 50 mL 정도의 작은 양을 제거하여도 혈역학적 호전을 만들기도 한다. 심낭천자술은 외상 등에 의한 심낭눌림증의 완결 치료는 아니기 때문에 지속적으로 배액하면서 빠른 수술을 계획한다.

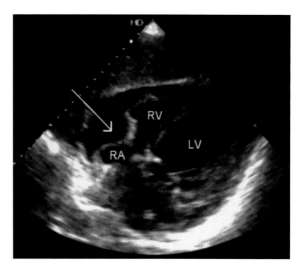

그림 1-25 이완기 우심방 허탈

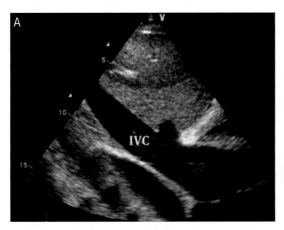
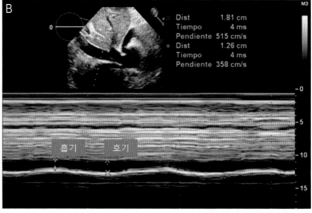

그림 1-26 하대정맥 확장 심초음파 소견
심낭눌림증에서 심낭의 압력이 증가하여 정맥압보다 상승하게 되면 하대정맥이 2.1 cm 보다 증가하며 흡기 시에도 50% 이상 감소하지 않는다.

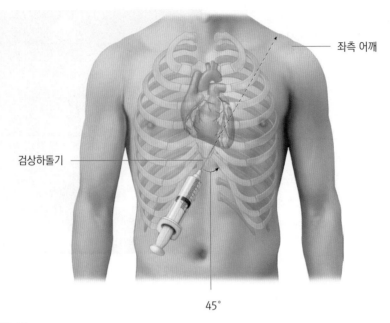

좌측 어깨

검상하돌기

45°

그림 1-27 심낭천자술

·∭▶ 참고문헌

1. 심초음파학회. 심초음파학. 제4판. 서울: 도서출판 대한의학; 2019.

2. 영남심초음파연구회. 심초음파. 서울: 도서출판 대한의학; 2018.

3. 외상술기교육연구학회. 그림으로 보는 외상학. 파주: 군자출판사; 2015.

4. Carol Mitchell, Peter S. Rahko, Lori A. Blauwet, et al. Guidelines for Performing a Comprehensive Transthoracic Echocardiographic Examination in Adults: Recommendations from the American Society of Echocardiography. J Am Soc Echocardiogr 2019;32(1):1-64.

5. Di Segni E, Feinberg MS, Sheinowitz M, et al. Left ventricular pseudohypertrophy in cardiac tamponade: an echocardiographic study in a canine model. J Am Coll Cardiol 1993;21:1286-94.

6. Ferrans VJ, Ishihara T, Roberts WC. Anatomy of the pericardium. In: Reddy PS, Leon DF, Shaver JA, editors. Pericardial disease. New York: Raven; 1982. pp.77-92.

7. Fowler NO. Cardiac tamponade. In: Fowler NO, editor. The pericardium in health and disease. Mount Kisco, NY: Futura; 1985. pp.247-80.

8. Gillam LD, Guyer DE, Gibson TC, et al. Hydrodynamic compression of the right atrium: a new echocardiographic sign of cardiac tamponade. Circulation 1983;68:294-301.

9. Himelman RB, Kircher B, Rockey DC, et al. Inferior vena cava plethora with blunted respiratory response: a sensitive echocardiographic sign of cardiac tamponade. J Am Coll Cardiol 1988;12:1470-7.

10. Ivatury RR, Cayten CG. The Textbook of Penetrating Trauma. United States: Williams & Wilkins; 1996.

11. Klein AL, Abbara S, Agler DA, et al. American Society of Echocardiography Clinical Recommendations for Multimodality Cardiovascular Imaging of Patients with Pericardial Disease. J Am Soc Echocardiogr 2013;26:965-1012.

12. Lange RA, Hillis LD. Clinical practice. Acute pericarditis. N Engl J Med 2004;351:2195-202.

13. Levitov AB, Mayo PH, Slonim AD. Critical care ultrasono-graphy. 2nd ed. United States: McGrawHill; 2014.

14. Levy PY, Corey R, Berger P, et al. Etiologic diagnosis of 204 pericardial effusions. Medicine (Baltimore) 2003;82:385-91.

15. Settle HP, Adolph RJ, Fowler NO, et al. Echocardiographic study of cardiac tamponade. Circulation 1977;56:951-9.

16. Spodick DH. Acute cardiac tamponade. N Engl J Med 2003;349:684-90.

17. Viera Lakticova; Paul H. Mayo, Transthoracic echocardio-graphy: Image aquisioton. In: Alexander Levitov, Paul H. Mayo, Anthony D. Slonim. Critical Care Ultrasonography. 2nd ed. McGraw-Hill Education, 2014

18. Weitzman LB, Tinker WP, Kronzon I, et al. The incidence and natural history of pericardial effusion after cardiac surgery-an echocardiographic study. Circulation 1984;69: 506-11.

폐, 흉강, 횡격막

1. 폐

폐 초음파는 중환자 진료 시 다양한 폐질환 환자에게 방사선의 노출없이 빠르게 반복적으로 검사할 수 있는 방법이다. 폐실질은 공기로 차 있기 때문에 초음파로 보기는 어렵지만, 공기가 없거나 적은 무기폐나 폐렴, 공기는 있지만 부종이 있는 폐 같은 경우는 정상적인 폐와는 달리 초음파적 특징을 나타낸다.

1) 탐색자 선택

선형, 곡형선형, 위상차배열(phased array) 탐색자 모두 사용할 수 있으며, 투과 정도에 따라 선택이 달라질 수 있다.

① 선형: 흉막 같은 표면적인 구조를 보기에 적합하다.

② 곡형선형: 투과가 좋고, 넓은 부위를 볼 수 있어 흉수액, 경화, 횡격막을 보기에 적합하다.

③ 위상차배열: 심장 초음파와 같이 연계하여 검사가 가능하며, 갈비뼈 사이를 쉽게 관찰할 수 있다.

2) 스캔 방법

① 환자를 똑바로 눕힌다.

② 탐색자를 피부에 수직으로 세로로 둔다(스크린의 왼쪽은 머리쪽, 오른쪽은 꼬리쪽).

③ 앞쪽, 옆쪽, 뒤쪽 가슴 부위로 나눠 검사한다. 앞쪽 가슴 부위(흉골 바로 옆), 옆쪽 가슴 부위(앞쪽 겨드랑이 선), 뒤쪽 가슴 부위(뒤쪽 겨드랑이 선)를 위아래로 나누어 양측 폐를 스캔한다.

3) 정상 초음파 소견

(1) 박쥐 징후(bat sign)

2개의 늑골과 늑골 그림자를 확인한 후, 늑골 사이를 세로스캔하면 양쪽 늑골과 그 사이의 고에코를 보이는 흉막이 박쥐 모양을 만들게 되는데 이를 박쥐 징후라고 한다(그림 2-1).

(2) 폐 미끄럼현상(lung slinding)

흉막선은 벽흉막(parietal pleural)과 내장흉막

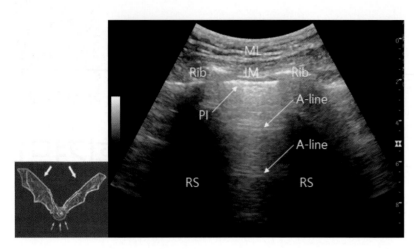

그림 2-1 박쥐 징후(bat sign)
IM: 늑간근(intercostal muscle)
ML: 근육층(muscle layer)
PI: 흉막강(pleural interface)
RS: 늑골 그림자(rib shadow)

(visceral pleural)이 겹쳐진 상태로 보이며, 호흡주기에 따라 내장흉막과 벽흉막이 서로 움직여지면서 폐 미끄럼현상을 만들어 낸다. 이 움직임을 M 모드로 보면 흉막선을 경계로 상대적으로 정적인 체표면과 근육층은 해변의 바다처럼 보이고, 폐의 움직임은 해변가의 모래처럼 보여 해변양 징후(seashore sign)라고 한다(그림 2-2). 호흡주기에 따라 흉막이 움직여지지 않고(폐 미끄럼현상이 없고), 내장흉막만이 심장박동에 따라 움직여질 때 lung pulse라고 한다(그림 2-3). 폐 미끄럼현상과 lung pulse가 있다면 기흉을 배제할 수 있다.

① 폐 미끄럼현상이 줄어든 경우: 폐과다팽창, 폐기종
② 폐 미끄럼현상이 없는 경우:기흉, 기관지 막힘, 심한 폐렴, 무호흡, 급성호흡곤란증후군, 흉막유착

(3) A선(A-line)

A선은 건강한 폐에서 관찰되며 흉막과 탐색자 사이에 반향으로 생긴다. 흉막선 아래로 일정한 간격(피부표면과 흉막선 거리만큼)을 두고 반복적으로 보이는 수평적인 고에코의 인공음영이다(그림 2-1).

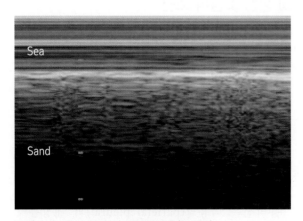

그림 2-2 폐 미끄럼현상, 해변양 징후(M 모드)

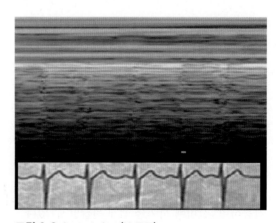

그림 2-3 Lung pulse (M 모드)

4) 폐질환

(1) 간질성 증후군

폐 간질이나 실질에 액체가 차게 되는 것으로 수분 과다나 심부전 또는 급성폐부전 등에 의한 폐부종이나, 간질성 폐렴 등에서 볼 수 있다. B선이 3개 이상으로 보인다.

B선(B-line) (그림 2-4)

폐 미끄럼현상과 함께 움직이며, 흉막선에 수직으로 혜성 꼬리 모양(or lung rockets)의 고에코의 인공 음영으로 A선은 없어진다. 폐포 사이의 부종성 조직안에 초음파의 반향에 의해 생긴 것으로 알려져있다. 늑골 사이 공간당 B선의 개수는 폐에 차있는 물의 양이나, 폐부종의 정도와 비례하며, 3개이상은 병적인 것이지만, 2개의 B선은 정상적으로도 보일 수 있다. 부종이 심한 경우 B선의 개수는 많아지고 간격은 가까워진다. 부종인 매우 심한 경우는 B선끼리 융합되어 폐가 하얗게 보인다(white lung). B선은 폐부종을 예측하는데 민감성이 높지만, 특이성은 높지 않다.

① 국소적인 3개이상의 B선: 폐렴, 무기폐, 폐좌상, 폐색전, 흉막질환 또는 종양

② 확산된 3개이상의 B선: 심장성 부종은 균일한 흉막선을 가지고 흉막삼출이 흔하며, 균일한 3개이상의 B선을 보인다. 반면, 급성호흡곤란 증후군은 폐 미끄럼현상이 없거나 감소된 상태로, lung pulse가 보이는 경우도 있으며, 흉막선은 불규칙적이며 두꺼워져 있고, 경화를 보이면서 비균일한 3개이상의 B선을 보인다. 확산성실질폐질환(섬유화, 유육종증, 규폐증)에선 불규칙하고 두꺼워진 흉막에 균일한 3개이상의 B선을 보인다.

(2) 기흉

흉막 표면 사이로 공기가 생기게 되면, 공기는 초음파의 장애물로 작용해 폐 미끄럼현상은 없어지게 된다. 폐 미끄럼현상이 없는 것은 기흉 진단에 비특이적이나, 앞쪽 가슴의 가장 높은 부위에서 초음파를 보았을 때, 폐 미끄럼현상이 있다면 기흉을 배제할 수 있다. 폐 미끄럼현상이 없고 [M 모드에서 성층권 징후(stratosphere sign) 그림 2-5], lung pulse가 없고, lung point가 있다면 기흉으로 진단한다.

Lung point (그림 2-6)

폐가 허탈되지 않은 부위와 공기가 차있는 흉강

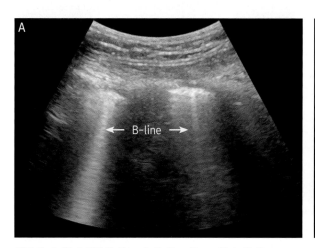
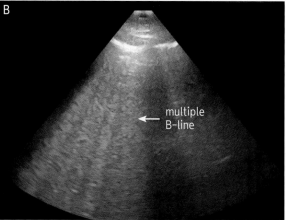

그림 2-4 폐 초음파 B-line. A. B-line, B. multiple B-line

그림 2-5 성층권 징후(Stratosphere sign), 폐 미끄럼현상이 없다(M 모드).

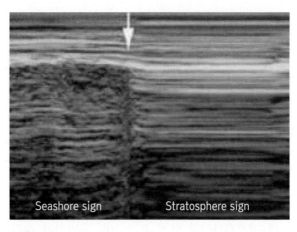

Seashore sign   Stratosphere sign

그림 2-6 Lung point

과의 경계에서 생겨, 폐 미끄럼현상이 생겼다가 사라지는 현상을 보이며, M 모드에서 해변양 징후와 성층권 징후(stratosphere sign)가 같이 보인다. Lung point는 기흉 진단에 100%의 특이도를 보인다. 만약 lung point가 중간 겨드랑이선 아래에 있다면 폐허탈이 30% 이상인 것을 나타낸다. 폐가 완전히 허탈되었다면 lung point가 안보일 수 있다.

(3) 폐포 경화(alveolar consolidation)

폐포가 삼출액, 피, 섬유소, 다른 액체나 물질로 가득 차 있는 상태로 흉막 가까이 발생하며 A선이 없어진다.

① 찢김 징후(shred sign)(그림 2-7)

경화가 광범위하지 않은 경우, 부분적으로 흉막 아래에 불규칙적인 경계를 가진 저에코 부분으로, 폐렴을 강하게 시사한다. 폐색전증에서 흉막하경색과 연관이 있을 수도 있다.

② 조직유사에코패턴

경화가 광범위하여 폐가 액체로 가득 차 있다면, 초음파 상 간이나 비장과 유사하게 보인다.

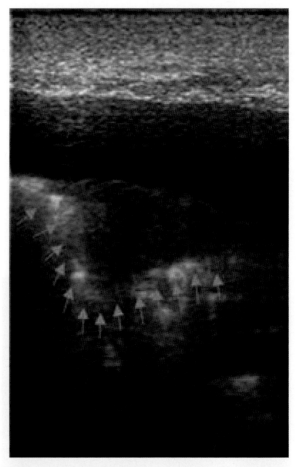

그림 2-7 폐포 경화(찢김 징후, shred sign)

③ 공기 또는 액체 기관지조영상 (air or fluid bronchogram)

공기기관지조영상(그림 2-8)은 조직유사패턴인 폐실질 안에 고에코의 점이나 선형태로 보인다. 경화안에 공기가 가두어진 상태이다. 호흡에 따라 움직이는 동적(dynamic) 기관지조영상이라면 폐렴을 시사하고 무기폐를 배제할 수 있으며, 한 곳에 고정되어 있는 형태인 정지(static) 기관지조영상이라면 무기폐를 시사한다. 액체기관지조영상은 저에코 또는 무에코의 관 형태의 구조로 보인다. 경화부분에 환기가 부족한 상태로 기관지의 막힘을 시사하며 폐렴에서 나타난다.

위의 내용을 질환별로 정리하면 그림 2-9와 같다. 폐질환 이외에도 폐 초음파를 심장 초음파와 연계하여 혈역학적인 평가를 통해 쇼크의 원인을 감별하는 데 사용할 수도 있다.

폐 초음파는 중환자실에서 폐질환 시 빠르고 반복적으로 할 수 있는 검사이나, 스캔을 정확하게 하고, 해석을 적절히 하기 위해선 중환자 전문의들의 반복적인 훈련이 요구된다.

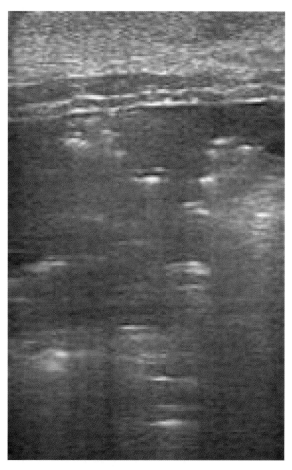

그림 2-8 공기기관지조영상

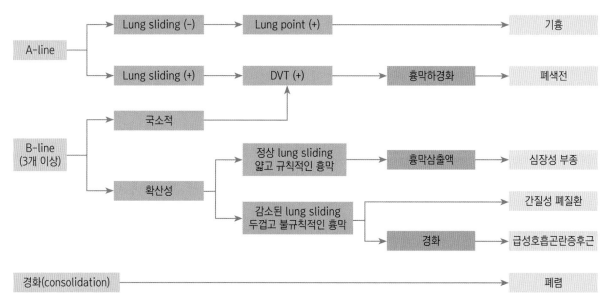

그림 2-9 폐 초음파로 폐질환별 접근하는 방법, DVT (deep vein thrombosis).

2. 흉강

1) 흉강

흉강은 공기와 물이 혼재되어 있는 공간이다. 흉강을 관찰할 때, 큰 흉강 내 단일 기관으로서 크기가 큰 폐 표면과 인접하여 있다는 것을 기억할 필요가 있다. 폐가 어디까지인가를 알고 그 주변 부위를 초음파 탐색자로 대어 보면 흉강이 보인다. 성인의 폐는 주로 젖꼭지 선에서 세 손가락 두께 정도 아래까지 위치한다고 생각하면 된다. 환자의 몸통 앞쪽에서 보면 갈비뼈가 보이는 위치 정도와 맞물려 이해가 되지만, 환자의 옆구리 쪽에서 보면 갈비뼈가 아래쪽으로 길게 내려오기 때문에 마치 폐와 흉강 역시 아래쪽으로 많이 내려와 있는 것으로 착각할 수가 있다. 하지만, 실제로 흉강과 횡격막은 갈비뼈만큼 길게 내려오지 않는다는 것을 기억해야 한다.

흉강은 기본적으로 흉막에 둘러싸인 공간이다. 흉막은 내장흉막과 벽흉막이 있다. 폐 미끄럼현상은 흡기 시 내장흉막이 벽흉막면에 접촉한 상태로 미끄러져 내려가고 호기 시에는 올라가는 양상의 흉막에서 발생하는 움직임이다. 흉막선을 관찰하면 폐의 호흡에 따라 위아래로 움직이는 왕복운동을 관찰할 수 있다. 흉막은 초음파 탐색자가 폐의 어디에 있던지 관찰이 가능하지만, 환자의 등쪽 바깥쪽, 횡격막에서 약간 머리쪽에 탐색자를 갖다 대면 흉막 뿐 아니라 흉수, 폐포 경화 등이 잘 관찰된다.

흉강의 아래쪽으로는 초음파검사에서 중요한 표지점이 되는 횡격막이 있다. 횡격막은 복부와 흉부를 나누는 근육으로, 복부 및 흉부 초음파를 볼 때 중요한 구조물이다. 횡격막을 관찰하려면 먼저 오른쪽에서는 간, 왼쪽에서는 비장을 관찰한 후, 환자의 머리 방향에서 흉막층과 이어지고 간과 비장의 윗부분을 감싸듯이 내려오는 두꺼운 띠와 같은 구조물을 발견하면 된다. 횡격막은 고에코로 관찰되

는 하얀 조직이므로 쉽게 구별할 수 있다. 위에 언급한대로, 폐를 더 아래쪽에 있다고 착각하면 간과 신장의 경계나 비장과 신장의 경계를 횡격막으로 착각할 수 있으므로 주의를 요한다.

횡격막의 두께가 1 cm 미만이면 기계환기 이탈 시간이 길어진다는 등의 연구가 활발하게 시행되었고, 초음파로 횡격막을 관찰하는 그 자체로도 의미가 있다. 하지만, 흉강을 관찰하는데 있어서는 호흡에 따라 위아래로 움직이는 구조물이며, 쉽게 관찰되는 횡격막 상부가 흉강이라는 것을 감안하고 흉강 내 구조물을 관찰하는 지표로 삼을 수 있다. 분명 횡격막 상부인데 비교적 큰 덩어리 조직이 관찰되고, 아래쪽으로 간 혹은 비장 역시 관찰될 경우 폐포 경화를 의심하는 식이다. 횡격막이 위아래로 움직이지 않을 때는 횡격막신경 마비를 의심할 수 있다.

2) 흉강 질환

흉강 내 고일 수 있는 가장 대표적인 것들은 공기(기흉), 피(혈흉), 물(흉수, 흉막누출액 또는 흉막삼출액), 농(농흉) 등이 있다. 초음파로 흉강을 관찰할 때는, 1) 언급한 물질들이 고여 있는가? 2) 양은 얼마나 되는가? 3) 배액관을 삽입하는 등의 치료를 요구하는 정도인가? 등에 대한 판단을 내리기 위한 수단으로써 초음파를 이용한다.

각각 고인 물질들의 밀도에 따라 초음파에서 관찰되는 위치가 다르다. 기흉은 공기이므로 중력의 반대쪽에 위치하므로 몸의 위쪽, 즉 가슴 쪽에 위치하게 되고, 피나 물 등 밀도가 높은 것이 고인 경우에는 중력에 따라 몸의 아래쪽, 즉 등 쪽으로 고이게 된다. 따라서 기흉 치료를 위한 흉관은 가슴 쪽으로 흉관이 위치하도록 넣고, 흉수 배액을 위한 pigtail이나 흉관은 환자의 등 쪽으로 관이 위치하도록 넣는다.

특히 흉수배액술 등을 시행할 때는 너무 아래쪽

으로 바늘을 찌르지 않도록 반드시 주의해야 한다. 흉강으로 접근한다고 생각하지만, 복강 내로 접근하는 경우가 흔하기 때문이다. 누워있는 중환자에서 흉수배액술을 할 때는 '너무 높은 것 아닌가?' 하는 의문이 들 정도로 높게, 젖꼭지 선 높이 옆구리에서 바늘을 찔러야 안전하다. 시술 후 흉부방사선촬영에서 삽입할 때 생각했던 것 보다 아래쪽에 관이 위치해 있는 것을 확인할 수 있다.

(1) 흉막누출액

흉막누출액은 흉막의 두 층 사이에 맑은 액체가 차서 균질한 형태로 보이고 무에코이기 때문에 까맣게 보인다. 그리고 안쪽으로 쪼그라든 형태의 무기폐가 납작한 모양으로 흉수 안에서 펄럭펄럭거리는 것을 관찰할 수 있다(그림 2-10). 흉막누출액의 양이 적을 경우 흡기 시 폐가 팽창하면서 검은색 무에코음영이 잘 보이지 않는다.

초음파검사는 흉막누출 또는 삼출액 발견에 아주 유용하며, 방사선촬영에서 폐렴인지 무기폐인지 흉수인지 잘 감별이 되지 않는 병변도 초음파검사를

통해서는 쉽게 감별할 수 있다. 또한 흉수 양이 방사선촬영 상에서 그다지 많지 않아 보여도, 초음파검사 상에서는 양이 꽤 많은 것을 확인할 수 있다(그림 2-11A, B). 흉강을 관찰할 때는 항상 흉강이 초음파 화면에서 왼쪽에 오도록 영상을 잡는 것이 구조물을 헷갈리지 않고 감별하기에 편하다.

(2) 흉막삼출액

흉막누출액이 검은색 무에코로 보인다면, 흉막삼출 중 혈흉과 농흉은 균일한 무에코성 공간으로 보이지 않고 에코성 영상이 동반된다. 미세한 중격이나 지저분하게 보이는 에코 영상으로 보이는 화농성 흉막염이나 농흉은 폐포 경화 등으로 오인될 수 있어 주의해서 봐야 하며, 폐선(내장흉막)을 발견하려고 해야 한다. 비교적 매끈한 선으로 관찰되는 내장흉막을 찾아내고 이 선 안쪽의 에코음영인지, 이 선 바깥쪽 에코음영인지 감별하여야 폐실질의 문제인지 흉강의 문제인지 감별할 수 있다. 내장흉막마저 잘 보이지 않는다면 어려운 케이스라고 하겠다.

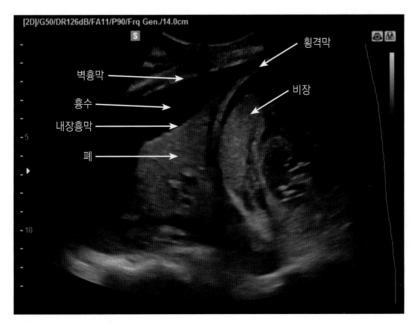

그림 2-10 흉막누출 시 관찰되는 초음파 영상

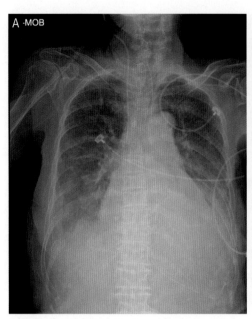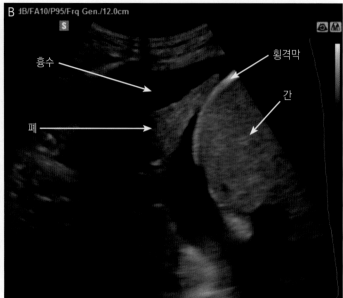

그림 2-11 흉막누출 시 관찰되는 초음파 영상

(3) 기흉

기흉은 순수 공기가 흉벽 앞쪽으로 고여서 폐 미끄럼현상이 관찰되지 않는 것을 초음파로 확인함으로써 진단한다. 폐 미끄럼현상은 초음파검사에서 상대적으로 반짝거리는 고에코 영상으로 관찰되는 흉막선이 움직임이 없는 흉벽을 향해 또는 흉벽을 따라 호흡에 맞춰 움직이는 현상이다. 즉 폐가 흉벽에 닿아있을 때 관찰되는 영상으로 폐의 첨부보다는 기저부에서 더 큰 진폭으로 관찰된다. 기흉은 흉강에 공기가 차 있어 폐가 흉벽에 닿지 않으므로, 흉벽 앞쪽에서 폐 미끄럼현상이 관찰되지 않는다.

그러나, 폐 미끄럼현상으로 기흉을 자신있게 감별하는데는 많은 경험을 필요로 한다. 일회 환기량이 감소되는 여러 폐질환이나 전신 상태에서 폐 미끄럼현상이 줄어들어서 보이기 때문에 자칫 착각을 할 수도 있기 때문이다. 방사선촬영 검사없이 초음파만으로 기흉을 자신있게 감별하기는 쉽지 않을 수 있다. 즉, 폐 미끄럼현상이 충분히 많은 상태, 감소되어 있긴 하지만 폐 미끄럼현상이 있긴 있는 상태, 폐 미끄럼현상이 아예 없는 상태를 감별할 수 있어야 초음파로 기흉을 놓치지 않고 잡아낼 수 있다고 하겠다.

3. 횡격막

횡격막은 호흡에 있어 중요한 부분을 차지하는 장기이다. 횡격막의 비정상적 움직임은 횡격막신경 손상, 신경근육병, 복부나 심장 수술 후, 또는 기계환기를 받는 중환자에서 주로 나타난다. 특히, 횡격막 기능에 대한 평가는 기계환기를 받는 중환자에서 기계환기 이탈(weaning) 등에 있어 중요한 부분을 차지하고 있다. 기계환기가 길어질수록 횡격막을 포함한 호흡근의 수축기능 저하를 유발하게 되며, 이런 호흡근의 위축은 기계환기 기간의 연장, 중환자실 재실기간의 증가, 합병증의 증가 등을 유발하게 된다. 기존의 횡격막 기능을 평가하는 방법으로는 X선이나 투시술(fluoroscopy), 횡격막 신경전

도검사 등을 통하여 평가하였으나, 중환자에서 적용하는 것에 많은 제한이 있었다. 초음파를 이용한 횡격막의 기능 평가는 침상 옆에서 시행하기 쉽고, 안전하고, 정확한 비침습적 검사 방법으로 최근에 많은 연구들이 진행되고 있다.

횡격막 기능을 초음파로 평가하는 대표적인 방법은 횡격막운동(diaphragm excursion)의 측정 및 횡격막 두께의 평가이다.

횡격막운동을 측정할 때는 환자의 자세를 바로 누운 자세나 반좌위를 취한다. 탐색자는 주로 3.5~5 MHz의 소형 곡선 탐색자를 사용하며, 중간 쇄골선과 앞겨드랑선 사이의 늑골연 아래에 거치한다(그림 2-12). 우측의 경우 간이 가장 먼저 보이는 경계가 되며, 좌측의 경우 비장을 중심으로 볼 수 있으나, 위 등의 가스 등에 의해 우측에 비하여 불분명하게 보일 수 있다. 탐색자를 통해 2D 모드에서 적절한 횡격막의 위치를 찾으면 M 모드를 통해 선택된 선을 따라 횡격막운동의 정도를 확인할 수 있다(그림 2-13). 흡기시에는 횡격막이 수축하면서 M 모드에서 상방으로 올라가고, 호기시에는 횡격막이 제자리로 돌아가면서 하방으로 내려간다. 이 양 끝의 굴곡점 사이의 거리를 횡격막운동으로 측정하였다(그림 2-14). 횡격막운동의 정상 범주는 건강한 남성 성인에서 편안한 호흡(quiet breathing) 시에 1.8 ± 0.3 cm, 깊은 호흡(deep breathing)시 7.0 ± 0.6 cm, 여성에서는 편안한 호흡 시 1.6 ± 0.3 cm, 5.7 ± 1.0 cm으로 보고하였다.

횡격막운동이 1.1 cm 이상인 경우 민감도 84%, 특이도 83%로 성공적으로 발관(extubation)을 예측한다고 보고하였다. 또한, 국내의 연구 결과에서도 횡격막운동이 10 mm 이하인 경우를 횡격막 기능부전으로 정의하였고, 내과계 중환자실 환자의 29% 정도에서 횡격막 기능부전이 있다고 보고하였다. 횡격막 기능부전이 있는 경우 이탈 실패의 빈도(83% vs. 59%, $p<0.01$)가 높고, 전체 기계환기 시간

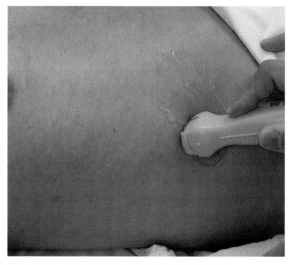

그림 2-12 횡격막운동 평가를 위한 탐색자의 위치

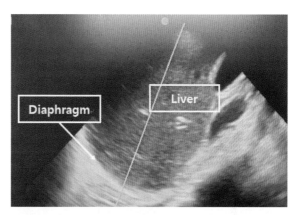

그림 2-13 2D 모드에서의 횡격막 위치

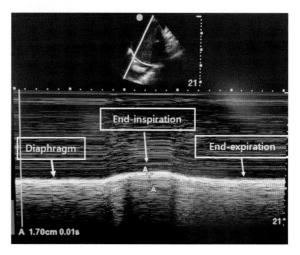

그림 2-14 M 모드에서의 횡격막운동

(576 시간 vs. 203시간, p⟨0.01)도 길었다고 보고하였다. 또한, 간절제술과 같은 상복부 수술 시에도 횡격막 기능부전이 동반되는 경우가 많이 있다. 국내의 한 연구에서 간절제술 환자에서 수술 전과 수술 후 1일, 2일, 그리고 7일째 폐기능 검사와 초음파를 통하여 횡격막운동을 측정하였다. 수술 직후 1일, 2일째에는 폐활량과 횡격막운동 정도가 수술 전과 비교하여 60%가량 감소하고, 수술 후 7일째에는 수술 전의 70%까지는 회복한다고 보고하였다. 초음파검사를 통한 횡격막운동 정도의 평가는 폐기능 검사와 높은 일치도(r=0.839, p⟨0.01)를 보이고 있어 중환자만이 아니라 수술환자의 폐기능 평가에 좋은 지표가 될 수 있다.

횡격막 두께의 평가 역시 횡격막 기능 평가에 있어 사용되는 방법 중의 하나이다. 횡격막 두께는 6~13 MHz의 선형 탐색자를 중간겨드랑선과 갈비뼈의 하단부위에 횡격막이 흉곽에 부착하는 영역에서 측정한다(그림 2-15). 이 위치에서 횡격막은 2개의 고에코층인 흉막과 복막 사이에 근육인 동일

에코층으로 나타난다(그림 2-16). 200명의 정상 성인을 대상으로 한 연구에서는 호기 말에 횡격막 두께가 1.9±0.5 mm, 흡기말에는 2.6±0.6 mm로 보고된다. 일반적으로 횡격막 두께를 이용한 횡격막 기능부전 평가에는 M 모드에서 횡격막 두께분율(diaphragmatic thickening fraction)을 구하여 평가한다. 횡격막 두께분율은 호흡 시 음압을 만드는 횡격막 효율의 지표로 사용될 수 있다.

횡격막 두께분율이 20% 이하라면 장기간의 중환자실 치료로 인해 발생하는 중환자 다발신경병증(critical illness polyneuropathy, CIPN) 등과 같은 질환의 상태를 의미할 수 있다. 최근에는 RSBI (rapid shallow breathing index)와 횡격막 두께분율을 조합하여 기계환기 이탈을 성공적으로 예측할 수 있다고 보고하였다. RSBI가 105 이하이면서 횡격막 두께분율이 26% 이상이라면 78%의 민감도와 92%의 특이도로 성공적으로 기계환기 이탈을 할 수 있다고 보고하였다.

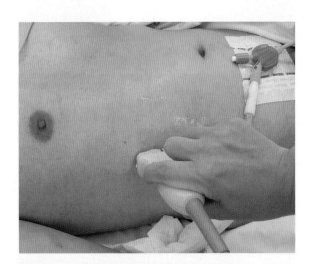

그림 2-15 횡격막 두께 측정을 위한 탐색자의 위치

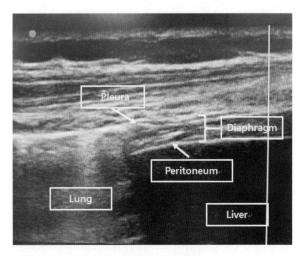

그림 2-16 M 모드에서의 횡격막 두께 측정

·⑴) 참고문헌

1. 중환자에게 전신초음파를 시행해야 하는 1001가지 이유 2
판. Daniel A. Lichtenstein. 군자출판사. 2013.08.10. 발행.

2. Boussuges A, Gole Y, Blanc P. Diaphragmatic motion
studied by m-mode ultrasonography: methods, reproduci-
bility, and normal values. Chest 2009;135(2): 391-400.

3. Boussuges A, Rives S, Finance J, et al. Assessment of
diaphragmatic function by ultrasonography: Current
approach and perspectives. World J Clin Cases 2020;8(12):
2408-24.

4. Goligher EC, Dres M, Fan E, et al. Mechanical Ventilation-
induced Diaphragm Atrophy Strongly Impacts Clinical
Outcomes. Am J Respir Crit Care Med 2018;197(2):204-13.

5. Jiang JR, Tsai TH, Jerng JS, et al. Ultrasonographic
evaluation of liver/spleen movements and extubation
outcome. Chest 2004;126(1):179-85.

6. Kim SH, Na S, Choi JS, et al. An evaluation of diaphrag-
matic movement by M-mode sonography as a predictor
of pulmonary dysfunction after upper abdominal surgery.
Anesth Analg 2010;110(5):1349-54.

7. Kim WY, Suh HJ, Hong SB, et al. Diaphragm dysfunction
assessed by ultrasonography: influence on weaning from
mechanical ventilation. Crit Care Med 2011;39(12):2627-30.

8. Levitov AB, Mayo PH, Slonim AD. Critical care ultrasono-
graphy. 2nd ed. United States: McGraw-Hill Education;
2014.

9. Lichtenstein D. Whole Body Ultrasonography in the
Critically Ill. Berlin, Germany: Springer-Verlag; 2010.

10. Lichtenstein DA. BLUE-Protocol and FALLS-Protocol;
Two Applications of Lung Ultrasound in the Critically Ill.
CHEST 2015;147(6):1659-70.

11. Lichtenstein DA. Lung ultrasound in the critically ill. Ann
Intensive Care 2014;4(1):1.

12. Matamis D, Soilemezi E, Tsagourias M, et al. Sonographic
evaluation of the diaphragm in critically ill patients. Tech-
nique and clinical applications. Intensive Care Med 2013;
39(5):801-10.

13. Mclean A, Huang S. Critical care ultrasound manual.
Sydney, Australia: Elsvier Australia; 2012.

14. Miller A. Practical approach to lung ultrasound. BJA
Education 2016;16(2):39–45

15. Mojoli F, Bouhemad B, Mongodi S, et al. Lung Ultrasound
for Critically Ill Patients. Am J Respir Crit Care Med
2019;199(6):701-14.

16. Pirompanich P, Romsaiyut S. Use of diaphragm thickening
fraction combined with rapid shallow breathing index for
predicting success of weaning from mechanical ventilator in
medical patients. J Intensive Care 2018;6:6.

17. Soni NJ. Point of care ultrasound. 2nd ed. St. Louis, MO:
Elsevier; 2019.

CHAPTER

3

쇼크 시 초음파 감시

1. 초음파를 이용한 쇼크의 감별

1) 서론

쇼크 환자를 진료할 때는 신속한 감별 진단과 그에 따른 의사결정이 중요한데, 초음파는 짧은 준비 시간으로 검사가 신속하게 시행될 수 있고, 공간적 제약이 적다는 점에서 쇼크 진료에 있어서 이점이 있다. 대부분의 초음파 기기가 환자 옆으로 이동이 가능하기 때문에 환자를 이송할 필요가 없고 환자를 진료 중인 의료진이 직접 시행하기 때문에 추가로 다른 의료인력을 호출해야 할 필요도 없다. 일부 초음파 기기는 소지하고 다닐 수 있을 정도로 경량화, 소형화되고 있기 때문에 검사를 위한 공간적인 제약은 점차 사라지고 있다.

초음파검사의 특성 상 실시간 영상을 얻고 저장할 수 있기 때문에 다른 영상검사에서 확인할 수 없는 장기의 움직임과 관련된 소견이나 기능적 측면(예: 좌심실 수축력, 수액치료에 대한 심박출량 변화)을 평가할 수 있는데, 쇼크 환자에서는 이런 동적 상태에 대한 감시가 매우 유용하다. 또한 환자의 움직임이나 자세에 따른 제약이 적다는 장점도 가지고 있다.

인체에 대한 초음파의 위해가 미미하다고 알려져 있기 때문에 반복적인 검사를 통해 주기적으로 환자의 상태를 재평가하거나 치료에 대한 반응을 반복적으로 평가할 수 있다. 가급적 방사선 검사를 피해야 하는 소아나 임산부에게 특히 유용하다. 하지만 초음파의 경우 시술자에 따라 검사의 정확도가 달라지기 때문에, 초음파를 통해 얻어진 정보를 의사결정에 사용함에 있어 시술자의 숙련도를 고려해야 한다. 또한 초음파의 특성 상 뼈나 공기를 투과할 수 없기 때문에, 관찰하고 싶은 장기가 뼈에 가려져 있거나, 피하기종이 있는 환자, 복부에 가스팽만이 심한 경우 또는 비만 환자의 경우 만족할만한 결과를 얻기 어렵다.

임상의는 초음파를 이용하여 쇼크 원인 감별을 위한 정보를 얻음으로써 더 정확한 진단에 이를 수 있고, 진단의 불확실성을 줄일 수 있다고 알려져 있다. 초음파를 통한 쇼크 원인을 감별하는 과정은 신속하게 이루어져야 하기 때문에 정식으로 시행되는 심장 혹은 폐 초음파와 달리 수치의 측정을 최소화하고 주로 정성적(qualitative)으로 이루어지며, 지엽적인 부분은 생략한다. 쇼크 감별을 위한 초음파는 전 과정이 평균 5분 이내에 시행된다.

2) 쇼크의 구분

쇼크는 전통적으로 저혈량, 심장성, 분포성, 폐쇄성 쇼크로 분류된다. 이와 같은 쇼크의 분류는 초음파를 이용한 쇼크의 감별에도 적용된다. 저혈량 쇼크는 주로 외상에 의한 출혈에 의해 발생하고, 장출혈 혹은 대동맥류 파열과 같은 비외상성 원인에 의해서도 발생한다. 출혈이 아닌 구토나 설사 등의 체액 손실에 의해서도 발생하는데, 결국 순환혈장량 감소로 인해 심장으로의 정맥환류가 감소하는 것이 기전이다. 저혈량 쇼크가 절대적 순환혈장량 감소로 인한 것이라면 분포성 쇼크는 상대적 순환혈장량 감소가 원인으로 패혈성 쇼크가 대표적인 예이다. 전신 염증 반응에 의한 혈관확장으로 인해 평균정맥압이 감소하는 결과를 초래한다. 척수손상에 의한 신경성 쇼크, 알러지반응에 의한 과민성 쇼크도 분포성 쇼크의 일종이다.

심장성 쇼크는 심장의 펌프 기능에 이상이 생기는 경우로 심근병(증), 심근경색, 급성판막질환 등이 그 원인이다. 폐쇄성 쇼크는 주로 혈관을 통한 혈류문제가 발생하는 경우로 심장눌림증, 긴장성기흉, 폐동맥색전증에 의해서 발생된다. 초음파를 통해 쇼크를 감별할 때, 프로토콜 또는 임상의에 따라 차이는 있지만 주로 폐쇄성 쇼크와 심장성 쇼크를 먼저 감별하고, 이후 저혈량 및 분포성 쇼크를 감별하는 순서로 진행하는 것이 일반적이다. 하지만 실제 임상에서는 한 환자의 쇼크상태에 여러 가지 기전이 동시에 작용하는 경우가 많아, 환자를 한 가지 쇼크로 분류하려고 노력하기 보다는, 여러 가지 쇼크 기전의 조합을 통해 개별 환자의 쇼크 발생에 대한 가설을 만들어 나가는 것이 중요하다.

3) 쇼크 감별을 위한 심장 초음파

(1) 심장눌림증(cardiac tamponade)

심장 초음파에서 심낭삼출액이 보이면 심장눌림증 여부를 확인하는 것이 급선무다. 심낭압력이 올라가면 이완기 때 우심낭이나 우심실이 이완하지 못하고 오히려 눌리는 모습이 관찰될 수 있고, 심낭압력이 우심방에 전달되어 하대정맥 다혈증(IVC plethora) 소견을 보일 수 있다. 심낭삼출은 주로 심장을 둘러싸고 있는 상태로 존재하지만 외상이나 수술 후 발생하였거나 화농성 심낭염의 경우, 국소적으로 모여있는 형태로 나타날 수 있다. 초음파검사에서 측정된 심낭삼출액의 깊이에 따라 small (0.5 cm 이하), moderate (0.5~2 cm,), large (2 cm 이상)로 분류한다. 심장눌림증 발생은 심낭삼출액의 절대적 양뿐만 아니라 증가 속도에도 영향을 받는다. 심장눌림증이 확인되면 즉시 배액해야 하며, 배액술 또한 초음파 유도하에 시행할 수 있다.

(2) 우심실 확장

정상적으로 좌심실과 우심실은 1:0.6의 크기 비율을 가지고 있다. 우심실 확장이 관찰될 때는 우심실에 부하가 걸리는 상황을 고려해야 한다. 대표적으로 폐동맥색전증이 그에 해당하고 급성호흡곤란증후군(ARDS)이나 우심실 심근경색에서도 가능하다. 우심실 비대가 관찰될 때, 우심실 벽의 비후가 없다면 급성으로 발생하였을 가능성이 높고, 우심실 벽의 비후(이완기 때 6 mm 이상)가 있다면 만성적인 폐동맥 고혈압에 의한 우심실 비대를 의심해 볼 수 있다. 우심실 확장이 관찰되는 경우에는 꼭 하지정맥에 대한 초음파검사를 시행하여 심부정맥혈전증 여부를 확인해야 한다.

(3) 좌심실 수축력

심장이 수축할 때의 심실 용적이 얼마나 변화하

는지 혹은 좌심실 확장소견이 있는지를 통해 좌심실의 수축력을 확인한다. 심장전문의에 의한 심장초음파와 달리 정량적인 측정보다는 대략적으로 수축하는 모습을 보고(eyeball method), 정상, 경도-중등도 감소, 중증 감소와 같이 정성적으로 판단하는 것이 일반적이다. 승모판 첨판의 움직임을 통해서도 좌심실의 수축력을 평가할 수 있는데, 승모판 전방 첨판(복장곁긴축단면도에서 윗쪽 첨판)이 이완기에 심실중격에 다가가는 정도는 이완기 혈류량과 비례하게 되는데, 정상의 경우 승모판 첨판이 심실중격과 거의 만날 정도 가깝게 이동하는 모습을 볼 수 있다(E-point septal separation; EPSS), 정상 7 mm 이하).

(4) 기타 확인해야 할 소견들

저명한 국소벽운동장애, 대동맥박리, 심장 내 종괴 등의 소견이 없는지 확인할 필요가 있다. 쇼크 감별을 위한 심장 초음파의 경우는 대부분 심장전문의가 아닌 의료진에 의해서 시행된다. 쇼크의 원인이 될 만한 저명한 소견이 있다면 그에 따라 치료방침을 결정하되 애매한 소견이나 이전부터 심장 관련 이상을 가지고 있었던 환자의 경우 정식 심장 초음파를 지체없이 의뢰해야 한다.

4) 쇼크 감별을 위한 폐 초음파

정식 폐 초음파의 경우 모든 갈비사이공간을 확인하지만 쇼크 감별을 위한 표적초음파에서는 좌우 각각 3~4개의 지점에서 폐 초음파를 시행하게 된다.

(1) 폐 미끄럼현상(lung sliding)

초음파를 이용해 폐 내장흉막이 벽흉막 아래에서 환자의 호흡에 맞추어서 움직이는 모습을 관찰할 수 있고 이를 폐 미끄럼현상이라고 한다. 쇼크 환자에서 폐 미끄럼현상이 있다면 기흉을 거의 배제할

수 있다(음성예측도 99%). 폐 미끄럼현상이 사라지는 경우는 기흉이 대표적이지만, 폐기종이 심한 경우, 폐렴, 폐허탈, 기관지삽관(one-lung ventilation) 등 다른 원인에 의해서도 사라지기 때문에 추가적인 감별진단이 필요하다. 기흉의 경우 B선도 보이지 않는다는 것이 감별점이 될 수 있다. 기흉에 특이적인 초음파 소견은 "lung point"이다.

(2) B선(B-line)

B선은 폐포부종이 초음파에서 관찰되는 소견이다. 심장 초음파 소견을 이용하여 폐부종이 심인성인지 비심인성인지에 대한 정보를 얻을 수 있다. 임상적 의미를 가지기 위해서는 갈비사이공간에서 3개 이상의 B선이 관찰되어야 한다. 혜성꼬리 허상(comet tail artifact)은 B선과 비슷하지만 흉막에서 수 cm 정도로 짧게 관찰되며, 정상 폐소견이다. B선과 혜성꼬리 허상 모두 기흉에서는 사라지게 된다.

(3) 흉막삼출(pleural effusion)

초음파는 흉막삼출을 신속·정확하게 진달해낼 수 있다. 다량의 흉막삼출은 저산소증, 호흡부전의 원인이 될 수 있고, 외상 환자의 경우 혈흉의 증거일 수 있다.

(4) 기타 확인해야할 소견들

환자가 심한 호흡곤란을 호소하는데 폐 초음파 소견에서 이상이 없다면 만성폐쇄성폐질환의 급성 악화, 천식 발작, 폐동맥색전증 등을 의심해 볼 수 있다.

5) 쇼크 감별을 위한 혈관 초음파

(1) 흉부대동맥

근위부 흉부대동맥박리(Stanford type A)의 경우에는 대동맥 뿌리의 확장(대동맥판막 부위)을 보이고 내막판(intimal flap)이 관찰될 수 있다. 심장 초음파

를 같이 시행해야 하며, 근위부 흉부대동맥을 관찰하기 위해서는 흉골위파임영상(suprasternal view)을 추가해 볼 수 있다.

(2) 복부대동맥

복부대동맥의 외경이 3 cm 이상으로 늘어나 있으면 복부대동맥류로 진단할 수 있다. 복부대동맥류는 신장동맥 기시부 하부에 주로 발생하며, 가급적 총장골동맥(common iliac artery) 부위까지 관찰하려는 노력이 필요하다. 복부대동맥류 파열의 경우 후복막으로 파열되는 경우가 있어 파열된 부위를 실제로 관찰하기는 어렵기 때문에 복부대동맥류가 있고 임상적으로 파열이 의심된다면 바로 혈관외과와 협진하여 다음 단계의 검사 및 치료를 계획해야 한다.

(3) 하지정맥

폐동맥색전증 환자의 50% 정도에서 심부정맥혈증이 발견된다. 주로 서혜인대 부위에서 시작해서 대퇴정맥의 주행을 따라 내려가면서 검사를 시행하고 오금에서 슬와정맥까지는 확인해야 한다. 탐색자에 압력을 주어 누르면서 관찰했을 때 정맥이 완전히 압박되지 않으면 진단될 수 있고 내부에 혈전자체가 보일 수도 있다. 하지만 증상이 있는 폐동맥색전증 환자의 20~40%에서는 심부정맥혈전이 발견되지 않기 때문에 폐동맥색전증의 위험인자 및

심장 초음파 소견(우심실 확장), 다른 쇼크의 원인 등을 고려하여 필요 시 CT 등의 다른 검사를 시행해야 한다.

6) 쇼크 감별을 위한 복부 초음파

쇼크 환자의 복부 초음파는 주로 저혈량 쇼크의 원인이 될 수 있는 출혈 소견을 찾는데 초점을 두고 있고, 방법은 복부 외상초음파(focused assessment with sonography for trauma, FAST)와 동일하다.

7) 쇼크 감별을 위한 프로토콜

쇼크 환자에서 원인의 감별은 가급적 신속하게 이루어져야 하기 때문에 프로토콜화되어 사용되고 있고 그 중 RUSH (Rapid Ultrasound in Shock)검사가 가장 잘 알려져 있다. RUSH 검사는 환자의 순환계를 "tank", "pump", "pipes"의 세 가지 요소로 나누어 평가하고 세 가지 요소에서 발생하는 이상의 조합으로 쇼크의 원인을 감별한다(표 3-1).

비록 쇼크 감별의 과정을 효율적으로 하기 위해 프로토콜들이 제시되고 있지만, 환자에게 일률적으로 적용하기 어려운 경우도 있다. 일부 환자의 경우 이전 과거력으로 인해 쇼크의 직접적인 발생과는 관련이 없는 초음파검사의 이상소견을 가지고 있을 수도 있다(예. 평소 좌심실 수축기능이 저하되어 있

표 3-1 RUSH검사에서 쇼크기전에 따른 감별점

	저혈량 쇼크	심장성 쇼크	폐쇄성 쇼크	분포성 쇼크
Pump	작고 과도하게 수축하는 심장	수축력 저하되고 확장된 심장	심막삼출, 우심실부하, 과운동성 심장	조기는 과운동성, 후기는 저운동성
Tank	하대정맥 수축, 내경정맥 수축, 흉수, 복수	하대정맥 팽창, 내경정맥 팽창, B선, 흉수, 복수	하대정맥 팽창, 내경정맥 팽창, 기흉의 경우, 폐미끄럼 소실	농흉, 복강 내 감염, 정상 혹은 작은 하대정맥
Pipes	복부대동맥류, 대동맥박리	정상	심부정맥혈전	정상

던 환자에서 발생한 폐동맥색전증으로 인한 폐쇄성 쇼크). 또한 한 환자에게서 발생한 쇼크가 하나의 발생기전으로만 설명하기 어려운 경우가 있기 때문에 순차적으로 쇼크의 원인을 배제해 나가는 프로토콜의 경우 의사결정에 혼선을 줄 수 있다(예. 패혈성 쇼크 환자에서 발생한 심부전). 따라서 환자의 임상경과 및 과거력을 바탕으로 유연하게 적용할 필요가 있다.

8) 쇼크 감별을 위한 초음파에서 확인해야 할 사항

심장_parasternal long axis view
a. 심낭삼출(눌림증 여부 판단)
b. 이완기 우심방 혹은 우심실압박(눌림증 발생 시) 우심실 확장 여부
c. 좌심실 수축력(with eyeball method) 승모판 판막이 심실중격과 만나는지
d. 대동맥 뿌리 확장 여부

심장_parasternal short axis view
a. 이완기 우심방 혹은 우심실압박(눌림증 발생 시) 우심실 확장 여부
b. 좌심실 수축력(with eyeball method)

심장_4 chamber view
a. 이완기 우심방 혹은 우심실압박(눌림증 발생 시) 우심실 확장 여부
b. 좌심실 수축력(with eyeball method) Apical ballooning (스트레스성 심근병증 발생 시) 승모판 판막이 심실중격과 만나는지
c. 심낭삼출 존재 여부

Subxiphoid view를 통해 하대정맥 관찰
a. 하대정맥 크기 호흡에 따른 하대정맥 크기 변화 [다혈증(plethora) 여부 확인]

폐 초음파_양측 폐 대칭적으로 4~6개 지점
- a. 폐 미끄럼현상 확인
  흉막삼출 확인(양과 양상 확인)
- b. A선 확인
  혜성꼬리 허상 확인(정상소견)
- c. B선 확인(한 갈비사이공간에서 3개 이상)

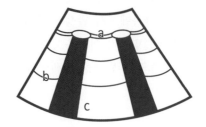

폐 초음파_양측 폐 하부
- a. 흉막삼출 확인
- b. 복강 내 체액저류 확인(출혈여부 판단)
- c. 폐 미끄럼현상 확인

복부 초음파_외상초음파(FAST)와 동일
- a. 복강 내 체액저류 확인(출혈여부 판단)

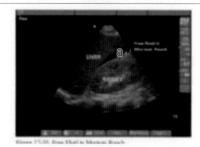

복부 초음파_대동맥의 주행따라 시행
- a. 대동맥 외경 확인(3 cm 이상 시 대동맥류)
  Pseudolumen 확인
  내막판 확인(대동맥박리 발생 시)

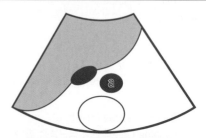

하지정맥초음파_양쪽 서혜부에서 오금까지 추적
- a. 압박 시 정맥의 내강 사라짐 여부
- b. 심부정맥혈전 확인

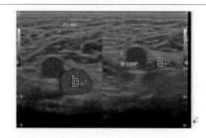

2. 초음파를 이용한 수액 반응성 평가

1) 수액반응성이란?

수액치료는 조직관류가 저하되어 있는 쇼크 환자에게 사용되는 주된 치료이다. 하지만 이전 연구들에 의하면 실제로 수액을 주었을 때 수액에 반응하여 심박출량이 증가하는 경우 쇼크 환자의 50%에 지나지 않는다. 즉 쇼크 환자의 50%에서는 수액치료가 이루어져도 조직관류가 호전되지 않는다는 것을 의미하며, 조직관류에 도움이 되지 않음에도 과다하게 투여된 수액은 오히려 환자에게 악영향을 미칠 가능성이 있다. 따라서 쇼크 환자에게 수액을 투여했을 때 그에 반응이 있을지 없을지를 미리 예측하는 것은 쇼크 환자를 치료함에 있어 매우 중요한 요소이다. 초기에 수액에 반응을 보였던 쇼크 환자에서도 수액반응성(fluid responsiveness)을 평가하는 것은 수액치료의 종료시점을 예측하고 혈관수축제의 증량 시점을 결정하는 데 사용될 수 있다. 많은 문헌에서 수액반응성은 7~8 mL/kg의 수액을 30분이내에 주입하여 15% 이상의 심박출량의 증가가 있는 경우로 정량적으로 정의하고 있다.

2) 정적(static) vs. 동적(dynamic) 측정치

과거에는 환자에게서 어느 한 순간에 측정된 측정치를 이용하여 수액반응성을 예측하려고 하였다. 대표적인 것이 중심정맥압(central venous pressure)이다. 중심정맥압이 낮게 측정된 경우 순환혈장량이 적은 것으로 간주하고 그 반대는 순환혈장량이 충분하거나 많은 것으로 해석하였으나, 이어진 여러 연구에서 중심정맥압과 순환혈장량과는 서로 상관관계가 적음이 밝혀졌다. 이는 우심실 유순도(compliance) 자체가 여러 인자에 영향을 받아 변화

한다는 것을 간과한 결과이다. 이완기말 좌심실용적, 이완기말 좌심방압력(=폐모세혈관쐐기압) 등도 중심정맥압과 같은 정적 측정치로 아주 낮거나 아주 높은 극단의 값을 갖는 경우를 제외하고는 수액반응성을 예측하는데 유용성이 떨어진다.

이에 반해, 환자의 호흡이나 자세에 따라 한 환자 내에서 어떤 측정치의 변화 정도를 살펴보는 동적 측정치는 정적 측정치에 비해 환자의 수액반응성을 더 정확하게 예측한다고 알려져 있다. 호흡주기에 따른 맥압의 변동성(pulse pressure variation) 및 자세 변화(예: passive leg raising)에 따른 심박출량의 변화가 대표적이다. 초음파를 이용한 혈관의 용적 변화 혹은 혈관 내 혈류의 변화를 측정하는 것도 수액반응성을 예측하는데 도움이 될 수 있다. 비록 동적 측정치가 정적 측정치에 비해 환자의 수액반응성을 더 정확하게 예측한다고 하나 각 검사마다 측정값이 의미를 갖기 위한 전제조건(예: 기계환기적용, 규칙적인 맥박)이 존재하므로 해석에 주의가 필요하다.

3) 심장-폐 상호작용

심장, 폐, 상/하대정맥, 대동맥은 흉곽이라는 같은 공간을 공유하고 있기 때문에 호흡에 의한 흉곽 내압의 변화는 심장을 비롯한 대혈관 내의 혈류량에 영향을 미치게 된다. 심장-폐 상호작용(heart-lung interaction)은 기계환기와 같은 양압환기 상황에서 잘 알려져 있다. 양압환기의 호기 시에는 흉곽 내압이 상승하게 되고 이는 우심방 및 우심실내 압력을 상승시켜 정맥환류(venous return)를 감소시키게 된다. 우심실로 정맥환류가 줄어들게 되면 폐순환의 혈류량이 줄어들면서, 2~3회의 심장주기 이후에 좌심실로의 정맥환류가 줄어들게 된다. 양압환기의 흡기 주기가 시작되면 앞서 설명한 과정의 되돌림이 일어나면서 좌심실로의 정맥환류는 회복되

게 된다. 환자가 수액반응성이 있는 상태라면 호흡주기에 따른 정맥환류량의 변화에 따라 심박출량이 의미있게 변화할 수 있다. 다르게 표현하자면 환자의 심장이 Frank-Starling 곡선의 기울기가 가파른 부분에 있게 된다면 호흡에 의한 정맥환류 변화에 민감하게 반응하여 심박출량에 변화를 보여줄 것이며, 곡선의 완만한 부분에 위치에 있다면 심박출량의 변동성을 확인할 수 없을 것이다. 수액반응성을 예측하는 여러 동적 측정치들이 이러한 심장-폐 상호작용을 원리를 이용한다. 단, 심장-폐 상호작용을 이용하는 동적 측정치들은 호흡량이 충분하고 일정하다는 것을 가정하기 때문에 자발호흡을 하고 있거나 일회호흡량이 적은 환자에서는 적용하기 어렵다. 따라서 호흡과 관련된 수액반응성을 평가할 때는 자발호흡이 없이 기계환기를 하고 있어야 하고 일회호흡량이 6~8 mL/kg이상이어야 한다. 또한 호흡 이외에 정맥환류를 방해하는 요소, 예를 들어 복압상승 소견이 있는 경우, 부정맥이 있는 경우, 높은 호기말양압이 적용되어 있는 경우에도 적용하기 어렵다.

4) 하대정맥

하대정맥의 절대적인 크기는 우심방의 압력을 반영할 수 있다고 알려져 있지만, 우심방의 압력과 같이 수액반응성을 예측하는 데는 유용하지 못하다. 호기말 하대정맥의 크기가 상당히 작거나(13 mm 이하) 크다면(25 mm 이상) 의미를 가질 수 있다는 연구가 있으나 실제 대부분의 환자가(70%) 13~25 mm 사이의 크기를 가지고 있어서 실제로 수액 반응성을 예측에 이용하기는 어렵다.

이에 반해, 호흡주기에 따른 하대정맥의 크기의 변화 정도를 이용하면 수액반응성을 예측하는데 도움을 받을 수 있다. IVC distensibility (공식1)을 이용한 연구에서는 18%를 기준으로 민감도 90%, 특이

도 90%로 수액반응성을 예측할 수 있다는 것을 확인하였으며, 하대정맥의 평균크기를 분모로 사용하여 변화값(공식 2)을 계산한 다른 연구에서는 12%를 기준으로 양성예측도 93%, 음성예측도 92%의 수준으로 수액반응성을 예측할 수 있음을 보여주었다. 하대정맥의 크기는 하대정맥과 간정맥이 만나는 부위 혹은 하대정맥이 우심방으로 들어가기 2cm 전 부위에서 측정하는 것이 일반적이다. 해당 부위에서 M 모드를 이용해서 측정하는 것이 일반적이다. 환자에게 가장 손쉽게 시행해 볼 수 있는 검사이나, 심장-폐 상호작용을 그 기전으로 하고 있어 자발호흡 없이 충분한 호흡량이 유지되어야 한다. 또한 자발호흡에 의한 복부의 움직임, 복통에 의한 복벽긴장, 기타 요인에 의한 복압상승(12 mmHg 이상) 등은 하대정맥의 크기에 영향을 미치므로 적용에 주의해야 한다. 실제 외과의가 임상에서 만나게 되는 중환자의 경우 복압이 상승해 있는 경우가 흔하기 때문에 해석에 유의해야 한다(그림 3-1).

5) 초음파검사를 동반한 수동적 하지거상법

수동적 하지거상법(passive leg raising test)을 통한 심박출량의 증가여부를 판단할 때도 초음파를 이용할 수 있다. 환자가 상체를 하지에 45°의 각도로 침대에 기대어 있는 자세를 취하다가 상체와 하지의 각도를 유지한 상태에서 머리를 수평으로 만드는 즉, 머리가 내려가도록 45° 기울이면서 심박출량의 증가여부를 판단하는 것으로, 하지거상을 통해 복강과 하지의 혈액을 심장으로 보내주는 작용을 이용한 검사법이다. 수액에 반응하여 증가하는 심박출량을 대동맥의 혈류량 변화(기준치: 8%)를 식도경유 심초음파로 측정하거나 흉부경유 초음파를 통해 좌심실 유출로(left ventircle outflow tract, LVOT)에서의 VTI (velocity-time integral) 변화를 이용해

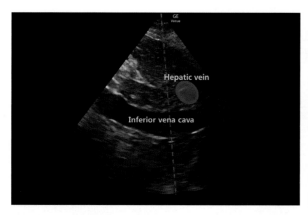

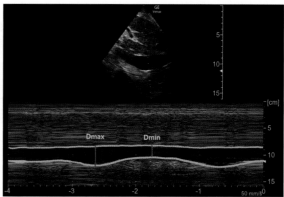

공식 1 $\quad$ dIVC $= \dfrac{Dmax - Dmin}{Dmin}$

공식 2 $\quad$ dIVC $= \dfrac{Dmax - Dmin}{mean\ (Dmax,\ Dmin)}$

dIVC: 호흡에 따른 하대정맥의 크기 변화정도
Dmax: 하대정맥 최대값 Dmin: 하대정맥 최소값

그림 3-1 호흡주기에 따른 하대정맥 크기의 변화

서 측정할 수 있다(기준치: 12.5%). 추가적으로 동맥도플러(연속도플러)를 이용해서 대퇴동맥에서 혈류의 최고속도 변동을 이용해서 환자의 수액반응성을 예측하는 방법도 소개되고 있다(기준치: 8%). 수동적 하지거상법은 부정맥이나 자발호흡이 있는 경우도 사용될 수 있다는 장점을 가지고 있다. 하지만 복압이 증가해 있는 경우에는 효용성이 떨어지게 되며, 외상이 심해서 상체와 하체 사이의 각도를 조정할 수 없거나 흡인의 가능성이 높은 경우와 뇌압이 상승해 있는 경우에도 사용하기 어렵다. 또한 초음파를 이용해서 심박출량을 측정하는 것이기 때문에 시행자의 숙련도에 영향을 받으며 실시간, 반복적인 측정에 제한이 있다.

추가적으로 흉부경유 심초음파를 이용해서 심박출량을 평가할 때는 환자의 자세가 바뀐 상태에서 정확하게 이전과 동일한 위치와 각도로 좌심실 유출로와 VTI를 평가하는 것이 쉽지 않다(그림 3-2).

6) 대동맥

수액반응성을 평가하기 위해 직접 대동맥의 혈류 변동을 측정할 수 있다. 먼저 흉부경유 심초음파를 이용하여 좌심실 유출로의 면적과 VTI (velocity-time integral)를 이용하면 심박출량을 계산할 수 있다. 이때는 좌심실 유출로를 관찰할 수 있는 5 chamber view를 이용한다. 좌심실 유출로의 경우 크기가 유의미하게 변동하지 않는다고 가정하면 호흡에 따른 VTI의 변동을 통해서 수액반응성을 예측할 수 있다(기준치: 20%). 호흡에 따른 최대 대동맥 혈류속도 변동도 12%를 기준으로 사용될 수 있다. 위의 소견들은 우심부전이 있는 경우 위양성의 소견을 보일 수 있으나, 이는 심장 초음파를 통해 감별할 수 있다. 식도경유 초음파를 이용하면 대동맥의 혈류를 좀 더 정확하게 평가할 수 있다.

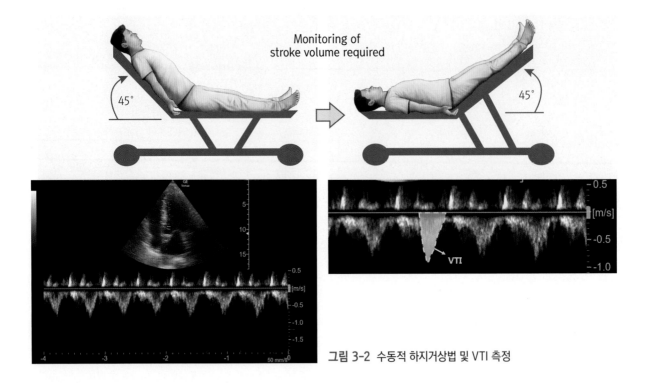

그림 3-2 수동적 하지거상법 및 VTI 측정

7) 결론

수액반응성이 있다고 수액을 주어야만 하는 것은
아니다. 쇼크 상태가 아닌 환자가 수액반응성이 있
다고 해서 수액을 줄 필요는 없을 것이다. 수액치료
는 수액반응성 뿐만 아니라 환자의 임상양상 및 다
른 초음파 소견을 종합하여 시작여부 및 그 정도를
결정해야 한다. 예를 들어, 패혈성 쇼크 환자가 수
액반응성이 있더라도 좌심실 수축력이 저하되어 있

고 폐 초음파검사에서 양측 폐에서 B선을 보인다면
수액치료보다는 약물치료에 더 비중을 두거나 소극
적으로 수액치료를 해야 할 것이다. 환자의 수액반
응성은 환자의 상태에 따라 자주 변화할 수 있기 때
문에 반복적으로 평가되어야 한다. 외과의는 환자
의 상태(예: 기계호흡여부, 부정맥여부)에 맞는 적
절한 수액반응성 평가 도구를 선택하고 정확한 검
사가 가능하도록 검사술기에 익숙해질 수 있게 노
력해야 한다.

·∭▶ 참고문헌

1. Barbier C, Loubieres Y, Schmit C, et al. Respiratory changes in inferior vena cava diameter are helpful in predicting fluid responsiveness in ventilated septic patients. Intensive Care Med 2004;30(9):1740-6.

2. Brakenridge S, Ahn JH, Jeon J, et al. SEARCH 8Es: A novel point of care ultrasound protocol for patients with chest pain, dyspnea or symptomatic hypotension in the emergency department. Plos One 2017;12(3).

3. De Backer D, Fagnoul D. Intensive Care Ultrasound: VI. Fluid Responsiveness and Shock Assessment. Annals of the American Thoracic Society 2014;11(1):129-36.

4. Feissel M, Michard F, Faller JP, et al. The respiratory variation in inferior vena cava diameter as a guide to fluid therapy. Intensive Care Med 2004;30(9):1834-7.

5. Feissel M, Michard F, Mangin I, et al. Respiratory changes in aortic blood velocity as an indicator of fluid responsiveness in ventilated patients with septic shock. Chest 2001;119(3):867-73.

6. Funk DJ, Jacobsohn E, Kumar A. The role of venous return in critical illness and shock-part I: physiology. Crit Care Med 2013;41(1):255-62.

7. Funk DJ, Jacobsohn E, Kumar A. The role of venous return in critical illness and shock-part I: physiology. Crit Care Med 2013;41(2):573-9.

8. Ha Y-R, Toh H-C. Clinically integrated multi-organ point-of-care ultrasound for undifferentiated respiratory difficulty, chest pain, or shock: a critical analytic review. J Intensive Care. 2016;15;4:54.

9. Lichtenstein D. FALLS-protocol: lung ultrasound in hemodynamic assessment of shock. Heart Lung Vessel 2013;5(3):142-7.

10. Mahjoub Y, Pila C, Friggeri A, et al. Assessing fluid responsiveness in critically ill patients: False-positive pulse pressure variation is detected by Doppler echocardiographic evaluation of the right ventricle. Crit Care Med 2009;37(9):2570-5.

11. Marik PE, Monnet X, Teboul J-L. Hemodynamic parameters to guide fluid therapy. Ann Intensive Care 2011;1(1):1.

12. Millington SJ. Ultrasound assessment of the inferior vena cava for fluid responsiveness: easy, fun, but unlikely to be helpful. Can J Anesthesia 2019;66(6):633-8.

13. Muller L, Bobbia X, Toumi M, et al. Respiratory variations of inferior vena cava diameter to predict fluid responsiveness in spontaneously breathing patients with acute circulatory failure: need for a cautious use. Crit Care 2012;16(5):R188.

14. Perera P, Mailhot T, Riley D, et al. The RUSH exam: Rapid Ultrasound in SHock in the evaluation of the critically Ill. Emerg Med Clin North Am 2010;28(1):29-56,vii.

15. Pinsky MR. Understanding preload reserve using functional hemodynamic monitoring. Intensive Care Med 2015;41(8):1480-2.

16. Preau S, Saulnier F, Dewavrin F, et al. Passive leg raising is predictive of fluid responsiveness in spontaneously breathing patients with severe sepsis or acute pancreatitis. Crit Care Med 2010;38(3):819-25.

17. Schmidt GA, Koenig S, Mayo PH. Shock: ultrasound to guide diagnosis and therapy. Chest 2012;142(4):1042-8.

18. Seif D, Perera P, Mailhot T, et al. Bedside Ultrasound in Resuscitation and the Rapid Ultrasound in Shock Protocol. Crit Care Res Pract 2012;2012:503254.

19. Shokoohi H, Boniface KS, Pourmand A, et al. Bedside Ultrasound Reduces Diagnostic Uncertainty and Guides Resuscitation in Patients With Undifferentiated Hypotension*. Critical Care Medicine 2015;43(12):2562-9.

20. Volpicelli G, Lamorte A, Tullio M, et al. Point-of-care multiorgan ultrasonography for the evaluation of undifferentiated hypotension in the emergency department. Intensive Care Medicine 2013;39(7):1290-8.

21. Weekes AJ, Lewiss RE. Clinical Emergency Radiology-Ultrasound in Resuscitation. Cambridge: Cambridge University Press; 2017.

초음파 유도 집중치료 술기

1. 중환자에서 초음파 유도 술기의 적용

병상에서의 초음파 사용은 임상의의 진단적 도구로서뿐만 아니라, 성공적 시술을 위해서도 유용한 도구이다. 시술 시 초음파 사용은, 주변의 해부학적 지표를 실시간으로 보여줌으로써 안전성을 증진하고, 시간을 절약하며 합병증을 최소화할 수 있다는 장점을 가진다.

병상에서 초음파를 이용한 시술 시, 다음의 두 가지 방법을 사용할 수 있다. ① 시술 전에 초음파를 이용하여 목표물을 확인하고 바늘을 삽입할 위치를 표기한 후 초음파 없이 시술을 진행하는 방법(static guidance)과 ② 시술 중 바늘의 움직임을 실시간으로 확인하면서 시술을 진행하는 방법(dynamic guidance)이다. 두 가지 방법 중 시술자의 기호에 따라 적절한 방법을 선택하여 사용할 수 있으나, 경험이 없는 시술자의 경우, 실시간 초음파로 확인하는 방법이 성공률을 높이는 것으로 알려져 있다.

2. 초음파 유도 혈관 접근법

중환자의 70% 이상은 다양한 이유로 중심정맥관을 필요로 한다. 전통적으로 임상의사들은 목표 혈관과 주변 구조물들의 해부학적 위치를 이용하여 중심정맥혈관을 천자하였다. 그러나, 문헌에 따르면, 전통적 방법은 35% 이상의 높은 시술 실패율과 합병증을 유발하였고, 환자의 9%에서는 정맥의 해부학적 변이로 인하여 천자 자체가 불가능한 경우도 보고되었다. 이러한 시술의 오류를 줄이고자 최근 국제 가이드라인에서는 중심정맥관 삽입 시 초음파의 사용을 권고하고 있다. 따라서, 이번 장에서는 초음파를 이용하여 4개의 서로 다른 혈관접근부위, 즉 내경정맥, 쇄골하정맥, 대퇴정맥 및 말초혈관을 이용한 중심정맥관 삽입 및 동맥관 삽입 방법에 대하여 알아보고자 한다.

1) 중심정맥관 삽입

중심정맥을 확보하는 것은 응급상황 및 중환자의 치료에 있어서 필수적인 기술이다. 중심정맥관은 수혈, 혈관작용약(vasoactive drugs)의 투여뿐만 아니라 정맥경유 심박동조율(transvenous cardiac pacing)까지 다양한 목적으로 사용할 수 있다. 그러나 경험이 많은 임상의사들도 심정지가 일어난 경우나 심한 탈수 상태, 정맥 주행에 변이가 있는 경우와 같이 특수한 상황에서는 빠르고 정확하게 중심정맥을 확보하는 것이 어려울 수 있다. 실시간 초음파를 이용한 중심정맥관 삽입은 응급 상황에서 시술의 안전성을 확보하고 불필요한 실패를 줄이는 효과적인 방법이다.

(1) 내경정맥(internal jugular vein)

내경정맥은 중심정맥관을 삽입하는 데 가장 널리 쓰이는 혈관으로, 전경삼각(anterior cervical triangle)에 경동맥과 나란히 위치한다. 전경삼각은 아래 경계로 쇄골, 내측으로는 흉쇄유돌근의 흉골갈래(sternal head)와 외측으로는 쇄골갈래(clavicular head)로 이루어져 있다. 대부분의 환자에서는 경동맥의 외측방향으로 내경정맥이 주행하지만, 머리의 위치와 해부학적 변이에 따라 주행이 달라지는 경우가 많다.

① 환자의 자세

환자의 침대는 시술자가 편안한 높이로 맞춘다. 내경정맥의 확장을 유발하고 공기색전을 피하기 위해 Trendelenburg 자세를 취한다. 환자의 머리는 하악에서부터 전경삼각을 최대한 노출할 수 있도록 천자를 계획한 내경정맥 쪽 반대방향으로 돌린다.

② 초음파를 이용한 혈관 확인

소독을 하기 전, ①번의 자세를 취한 뒤, 고주파 선형 탐색자를 이용하여 양측 내경정맥을 확인한다. 정맥 내 혈전이 있는 경우, 혈전이 없는 쪽 내경정맥에 정맥관을 삽입하도록 한다. 탐색자의 방향표지자는 시술자의 왼쪽에 위치하도록 하여 환자의 해부학적 기준과 초음파 화면이 일치할 수 있도록 한다(그림 4-1).

③ 시술 부위 소독 및 초음파 준비

중심정맥관 삽입 시술 전후로 손위생을 실시한다. 삽입 부위 주변으로 chlorhexidine을 원을 그리며 도포하고 소독제가 완전히 마를 때까지 자연 건조한다. 시술자는 모자, 마스크, 멸균 장갑, 멸균 가운을 착용하고 환자의 전신을 멸균 대공포로 덮어

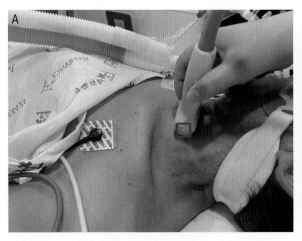
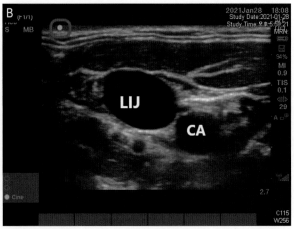

그림 4-1 A. 환자의 자세 및 초음파 탐색자 방향표지자의 위치. B. 초음파 화면에서 왼쪽 상단의 방향표지자의 위치
LIJ: Left internal jugular vein, CA: Carotid artery

최대 장벽 예방책을 시행한다. 삽입 부위의 멸균 준비가 모두 끝나면, 멸균 젤을 묻힌 탐색자에 멸균 비닐을 씌우고 탐색자와 비닐 사이에 공간이 최소화되도록 고무줄 등을 이용하여 고정한다.

④ 혈관 천자 및 중심정맥관 삽입

Non-dominant hand로 탐색자를 잡은 후 천자하고자 하는 혈관을 확인한 뒤 위치를 고정한 상태로 dominant hand를 이용하여 혈관 천자를 시작한다. 혈관을 천자 시에는 환자의 피부에서 45~60°로 바늘을 삽입하는데, 삽입하면서 주사기의 음압을 유지하여 혈액이 역류되는 것을 확인한다. 바늘의 끝이 혈관 내로 삽입된 것을 확인하면 혈관의 후면을 뚫지 않도록 주의하면서 바늘 끝을 고정한다. 이후 탐침을 제거 후 가이드와이어를 혈관 내로 전진시킨다. 가이드와이어가 혈관 내에 위치한 것을 초음파를 이용하여 확인할 수 있다(그림 4-2). 가이드와이어가 저항없이 잘 들어간 것을 확인한 뒤, 바늘을 제거하고 dilator를 이용하여 삽입 부위를 확장시킨 후 중심정맥관을 삽입한다.

⑤ 중심정맥관의 위치 확인

내경정맥과 쇄골하정맥에 중심정맥관을 삽입하는 경우, 관의 끝(tip)이 우심방의 1~2 cm 위쪽에 위치하여야 한다. 단순가슴방사선사진은 내경정맥과 쇄골하정맥에 중심정맥관을 삽입하는 경우, 적

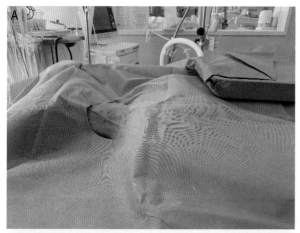

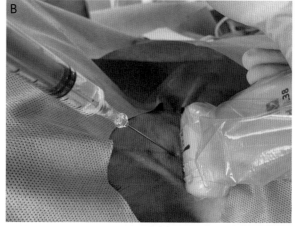

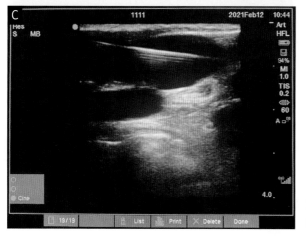

그림 4-2 A. 시술을 위한 최대 장벽 예방책 시행, B. 혈관 천자 시 바늘의 각도 및 위치, C. 가이드와이어가 혈관 내에 위치한 것을 확인

절한 위치에 삽입되었는지 확인하기 위하여 가장 많이 사용된다. 단순가슴방사선사진에서 기관용골(carina)은 상대정맥과 우심방이 만나는 지점 바로 위에 위치하고 있어 관의 끝의 위치를 확인하는 데 유용한 기준점이 된다. 그러나, 응급 상황에서는 빠른 소생을 위하여 단순가슴방사선사진 촬영이 진행될 때까지 기다리기 어려운 경우가 많은데, 이 경우 초음파를 이용하여 중심정맥관의 위치를 확인할 수 있다. 심첨사방도나 늑골밑사방도에서, 중심정맥관을 통하여 생리식염수를 주사하면 우심방에 거품을 만드는 것을 확인하여 중심정맥관의 끝이 적절한 위치에 들어가 있는 것을 확인한다(그림 4-3).

⑥ 합병증

내경정맥, 특히 오른쪽 내경정맥은 우심방 쪽으로 직진하는 주행으로 관 삽입의 실패율이 적어 심정맥관의 경로로 가장 많이 이용된다. 내경정맥을 통한 중심정맥관 삽입 중 가장 빈번하고 무서운 합병증은 경동맥 천자이다. 또한, 해부학적 기준만을 이용한 전통적 방법에서는 1% 이상에서 기흉이 보고되었다. 그러나 초음파를 이용하여 삽입하는 경

우, 전통적인 방법에 비해 성공률이 12% 증가하였고, 첫 번째 시도에서 성공할 확률도 57%로 상승하여 경동맥 천자나 기흉 등과 같은 합병증이 현저히 감소하는 것으로 알려져 있다. 따라서, 중환자실이나 응급상황에서는 실시간 초음파 유도 하에 내경정맥을 통하여 중심정맥관을 확보하는 것이 권고된다.

(2) 쇄골하정맥(subclavian vein)

쇄골하정맥은 액와정맥에서 연속되어 쇄골의 후하방으로 주행하여 흉곽입구로 이어지고 여기에서 내경정맥과 합쳐져 무명정맥을 형성한다. 쇄골하정맥은 경추의 움직임에 제한이 있거나 기도관리로 인하여 내경정맥의 접근이 어려운 경우 및 복강 내 출혈 등으로 인하여 대퇴정맥의 접근이 어려운 응급 소생상황에서 중심정맥관 삽입의 경로로 사용되어 왔다. 그러나 심한 호흡곤란이 있거나 항혈전제 또는 혈전용해제를 사용하는 환자에서는 쇄골하정맥은 삽입 경로로 추천되지 않는다. 쇄골하정맥을 삽관하는 중에 예상치 못하게 동맥을 천자하는 경우, 동맥이 쇄골 아래에 위치하여 외부의 압력으로

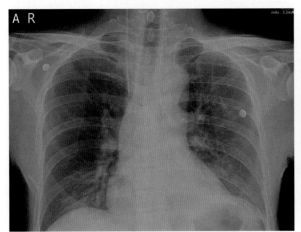
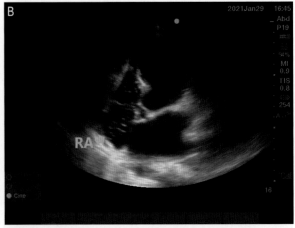

그림 4-3 A. 단순가슴방사선사진에서 중심정맥관의 끝(tip)의 위치, B. 삽입관을 통해 생리식염수 주사 후 우심방에 거품이 보임
RA: Right atrirum

지혈하는 방법이 효과적이지 않아 항혈전제 또는 혈전용해제를 사용하는 환자에서는 특히 주의하여야 한다.

환자를 앙와위로 편안한 자세로 눕힌 뒤, 초음파를 이용하여 쇄골하정맥을 확인한다. 삽입하고자 하는 쪽의 팔을 외전하거나 어깨 밑에 수건을 넣는 방법은 삽관을 용이하게 하는 방법으로 알려져 있지만, 실제로는 쇄골하정맥의 단면적을 감소시켜 임상적으로 크게 유의하지 않다. 쇄골하정맥을 천자할 때에는 두 가지 방법을 사용할 수 있는데, 단축(short-axis)으로 접근하여 혈관을 천자하는 방법(그림 4-4)과 장축(long-axis)으로 접근하여 혈관을 천자하는 방법(그림 4-5)이다.

쇄골하정맥을 이용하여 중심정맥관을 삽입할 때 발생할 수 있는 합병증으로는 예기치 않은 동맥 천자로 인한 출혈 이외에도 흉막과 가까운 해부학적 제한점 때문에 기흉이 발행할 수 있다. 초음파는 동맥과 정맥의 구조 및 흉막과의 관계 등을 실시간으로 확인할 수 있는 장점을 가지기 때문에 초음파를 이용한 쇄골하정맥 삽관은 기존의 전통적인 방법보다 실패율과 합병증을 낮춘다.

(3) 대퇴정맥(femoral vein)

대퇴정맥은 심장압박 중 혹은 기도관리가 필요한 응급 소생상황에서 가장 이상적인 중심정맥관 삽입 경로이다. 그러나, 외상이나 복부구획증후군과 같이 복강 내 급성 병변이 있는 경우나 중심정맥압이 필요한 경우에는 사용에 제한이 있다. 또한, 대퇴정맥은 적절한 멸균상태가 유지되지 않으면 감염에 더 취약한 것으로 알려져 있어 특히 관리에 주의를 기울여야 한다.

대퇴정맥은 대퇴동맥, 대퇴신경과 함께 대퇴삼각형 내에 위치하는데, 정맥은 동맥보다 안쪽에 위치한다. 초음파를 통해 대퇴정맥을 확인할 때에는, 삽입하고자 하는 쪽의 환자의 다리를 바깥쪽으로 신전시켜 동맥과 정맥이 겹쳐서 보이는 것을 최소화할 수 있다(그림 4-6).

(4) 말초삽입중심정맥관(peripherally-inserted central catheter, PICC)

말초삽입중심정맥관은 입원 환자에서 빈번하게 시행되는 술기이다. 장기적인 경정맥영양공급이 필요한 환자, 채혈이 자주 필요한 환자, 또는 말초정맥을 확보하기 어려운 환자에서 말초삽입중심정맥

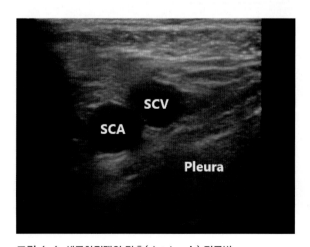

그림 4-4 쇄골하정맥의 단축(short-axis) 접근법

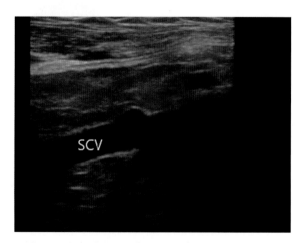

그림 4-5 쇄골하정맥의 장축(long-axis) 접근법

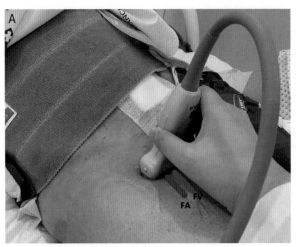 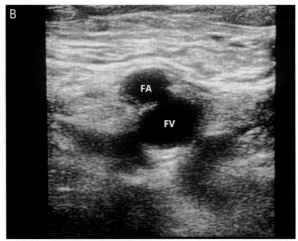

그림 4-6 A. 대퇴정맥의 위치, B. 오른쪽 다리 바깥쪽으로 신전 후 초음파에서 대퇴정맥, 대퇴동맥의 위치
FA: Femoral artery, FV: Femoral vein

관 삽입을 고려할 수 있다. 그러나 천자를 예정한 정맥의 직경이 너무 작거나 천자 부위 혹은 주변 피부에 염증이 있는 경우, 동정맥루를 가지고 있는 환자에서는 삽입이 불가능하다.

시술을 시작하기 전에 삽입 예정 부위에서부터 상완골두(humeral head)를 지나 흉골파임(sternal notch)까지의 길이를 측정하여 삽입관의 적절한 길 이를 확인한다. 환자는 앙와위로 편안하게 누우며 삽입 예정인 팔을 신전시켜 외측으로 돌린다. 팔의 전주와(antecubital fossa) 바로 위쪽의 척골측피부정맥(basilica vein)이나 요골측피부정맥(cephalic vein)을 천자하여 상대정맥으로 삽입하며, 앞서 기술한 중심정맥관과 같은 방법으로 거치시킨다(그림 4-7).

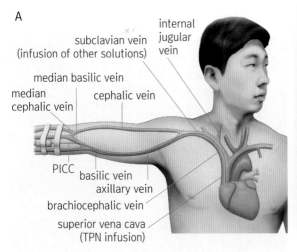 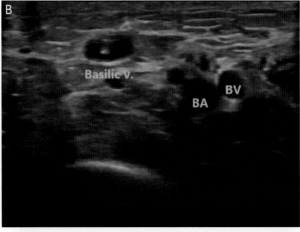

그림 4-7 A. 말초삽입중심정맥관 술기 시 환자의 자세, B. 척골측피부정맥(basilica vein)을 천자하여 바늘이 삽입된 상태
BA: Brachial artery, BV: Brachial vein

말초삽입중심정맥관은 전통적인 중심정맥관에 비하여 삽입이 쉽고 안전하며 기흉, 급성 출혈 발생의 위험성이 적은 장점을 가진다. 그러나 기존 대혈관을 이용한 중심정맥관에 비하여 카테터 관련 정맥 혈전증의 위험성이 2.5배 높고, 특히 일반병실 입원 환자에 비해 중환자실 내에서는 카테터 관련 혈액 내감염이 증가하는 결과를 보여 삽입과 관리에 더욱 주의하여야 한다.

2) 동맥관 삽입

동맥관을 통하여 혈압을 직접 측정하는 방법은 비침습적인 혈압 측정 방법보다 정확하고 적시에 측정할 수 있어 혈역학적으로 불안정한 환자를 관리하는데 유용하다. 잦은 검사용 혈액 채취 시에도

용이하며, 비만하거나 사지에 화상을 입은 환자 등 간접적인 혈압 측정이 불가능한 환자에서도 혈압을 지속적으로 측정할 수 있다. 더불어 특이한 동맥혈 파형의 형태학적 패턴을 감시함으로써 병리학적 상태를 진단하는데 유용하게 사용될 수 있다. 그러나 경험이 많은 임상의사들도 낮은 혈류 상태이거나 부종, 비만이 있는 상태에서 빠르고 정확하게 동맥관을 확보하는 것이 어려울 수 있다. 실시간 초음파를 이용한 동맥관 삽입 또한 중심정맥관 삽입과 마찬가지로 응급 상황에서 시술의 안전성을 확보하고 불필요한 실패를 줄이는 효과적인 방법이다.

(1) 요골동맥(radial artery)

동맥관 삽입에 가장 많이 사용하는 동맥은 요골동맥으로, 시술이 쉽고 합병증이 드물며 곁순환

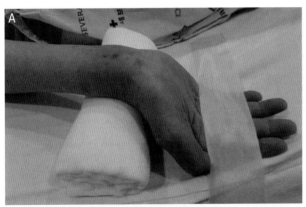
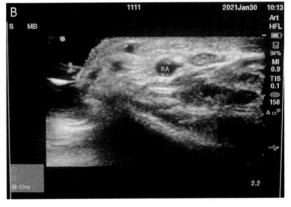
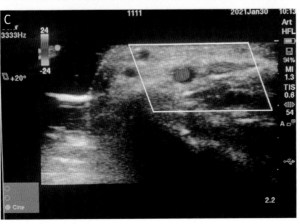

그림 4-8 A. 요골동맥관 삽입을 위한 자세, B. 초음파를 이용한 요골동맥의 확인, C. 컬러 도플러를 이용한 요골동맥의 확인

(collateral circulation)이 좋아 허혈의 위험성이 낮은 것이 장점이다. 시술 전에 알렌 검사(allen test)로 곁순환 동맥의 개통성을 평가하지만 문헌에서는 허혈과 알렌 검사와의 직접적 상관관계는 명확하지 않은 것으로 보고되고 있다.

시술 전 자세는 환자의 어깨를 외전시키고 팔은 손바닥이 위로 향하도록 한다. 손등을 뒤로 굽히기 위하여(dorsiflexion) 작은 타월을 말아 손목에 받힌다. 혈관을 천자하기에 앞서, 컬러 도플러를 이용한 동맥 박동의 확인은 요골동맥의 찾기 어려운 환자에서 유용하다(그림 4-8). 탐침을 연필을 쥐듯이 잡고 탐색자로부터 약간 떨어져 45° 각도로 피부를 통해 전진하여 동맥을 천자한다. 동맥이 더 표면에 가까운 경우에는 더 얕은 각도로 시행할 수도 있다. 합병증으로 혈종과 비폐쇄성 혈전이 발생할 수 있다.

(2) 대퇴동맥(femoral artery)

대퇴동맥이 대퇴정맥보다 바깥쪽으로 위치함에 유의하며 대퇴정맥관 삽입과 같은 방법으로 대퇴동맥관을 삽입한다. 합병증으로 가성동맥루, 동정맥루가 발생할 수 있으며 복강 또는 복막 천자는 드물게 발생하지만 매우 치명적이다.

3. 초음파 유도 흉수 천자 및 배액술

일반적으로는 흉수 천자로 알려진 흉강 천자 및 배액술은 진단 또는 치료상의 이유로 흉강 내의 흉수를 배출시켜주는 시술이다. 초음파 같은 영상 장비를 사용한 시술이 그렇지 않은 시술에 비해 합병증 발생율이 더 적은 것으로 보고되고 있기 때문에, 여러 국제 가이드라인에서는 초음파 유도 흉강 천자 배액술을 표준 치료로 권고하고 있다. 초음파 유도 흉강 천자를 시행하는 경우, 소량의 흉수인 경우

에도 시술 성공 확률이 60~90%에 이른다고 보고되었다.

1) 적응증

흉강 천자 및 배액술은 크게 진단적 흉강 천자 배액술과 치료적 흉강 천자 배액술로 구분할 수 있다. 진단적 흉강 천자 배액술은 악성 흉수, 부폐렴성 흉수, 혈흉, 유미흉 등 흉수의 원인을 감별하여 향후 치료 계획을 세우기 위해 시행한다. 흉수의 원인 질환은 심부전, 신부전, 간부전일 수도 있지만, 폐렴이나 결핵일 수도 있고, 출혈이나 림프관의 손상 또는 악성종양일 수도 있으며, 원인 질환에 대한 치료 방법이 크게 달라지기 때문에 정확한 원인의 감별이 매우 중요하다. 치료적 흉강 천자 배액술은 호흡 곤란이나 기침, 발열, 딸꾹질 등의 증상을 완화시켜 주기 위해 시행한다.

2) 금기증

흉강 천자 및 배액술의 금기증에는 교정되지 않는 응고병증이나 저혈소판증, 출혈성 질환, 흉수 천자가 필요한 반대쪽 폐절제술, 폐기종 등이 있으며, 환자가 호흡을 참을 수 없는 경우도 포함된다. 그러나 중환자의 대부분이 이 중 한 가지 이상에 해당하고, 흉강 천자 배액술이 반드시 필요한 경우가 많기 때문에 이 같은 금기증은 모두 상대적 금기증이라고 할 수 있다.

3) 준비

중환자실에서 시행하는 초음파 술기를 위해 필요한 일반적인 준비와 흉강 천자 배액술 후 압박 드레싱을 할 수 있는 준비가 필요하다. 또한, 시술의 필요성과 합병증, 그리고 시술 실패 가능성에 대한 충

분한 설명과 동의서가 필요하다. 이전에 시행한 영상검사들의 결과를 참고하여 흉수의 양을 대략적으로 예측한다. 배액을 위한 관을 거치할 예정이라면 흉강 내에 거치할 관의 길이를 계획한다. 흉수의 양(cc)은 2006년 발표된 Balick 공식을 사용하여 계산할 수 있으며, 호기말 초음파 사진에서 벽흉막과 내장흉막 사이의 최대 거리(mm)에 20을 곱해서 구할 수 있다. 대부분의 경우, 피하조직의 두께를 제외하고 흉강 내 10 cm 정도까지는 어느 방향으로 삽입되어도 안전하다.

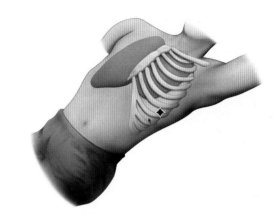

그림 4-9 침상에 누워있는 상태
가쪽에서의 접근을 위한 자세

4) 환자의 자세

환자가 스스로 앉을 수 있는 경우 침대에 앉아 테이블 등의 지지대나 보조 의료진의 도움을 받아 앞쪽으로 약간 기대도록 한다. 이 경우 흉강 천자는 등 쪽에서 시행하게 되는데, 대부분의 의료진이 이 자세를 선호한다. 그러나 중환자의 경우, 스스로 앉을 수 없는 경우가 많기 때문에 대부분 침대에 누운 채 시술을 시행하게 된다. 앙와위 자세에서 흉강 천자를 시행할 때는, 흉관을 삽입할 때와 유사하게, 흉강의 가 쪽에서 접근하게 된다. 환자의 팔을 위쪽으로 펴서 천자 부위를 노출시킨 후, 침대의 머리 쪽을 올려줌으로써 흉수의 체위배액(dependent drainage)를 최대화할 수 있다(그림 4-9).

5) 시술 시 주의 사항

흉강 천자 및 배액술을 시행하기에 앞서 초음파를 사용하여 천자 부위를 결정한 후에는 실제 천자를 시행할 때까지 환자의 자세가 바뀌지 않고 유지되어야 한다. 환자의 팔을 위쪽으로 펴는 방향이나 구부리는 정도에 따라 피부와 흉강 내 구조물 사이의 위치 관계가 변할 수 있으며, 잘못된 방향으로 천자를 시행하게 되는 경우 불필요한 합병증을 초

래할 수 있다. 환자가 같은 자세를 오래 유지할 수 없는 경우에는, 천자 직전에 초음파로 천자 위치를 재확인해야 한다. 또한, 복강 내에 간이나 비장이 정상적으로 위치한 경우에는 횡격막 아래쪽으로 고형장기가 쉽게 관찰되지만(그림 4-10), 간절제술이나 비장절제술을 시행한 경우에는 횡격막 아래쪽으로 고형장기가 관찰되지 않는다는 점도 명심해야 한다. 간절제술이나 비장절제술을 시행한 경우, 횡격막 아래쪽으로 고형장기 대신 복수가 관찰될 수 있는데(그림 4-11), 초음파 탐색자의 위치에 따라 복수를 흉수로 착각할 수 있으니 주의해야 한다. 마지막으로 가장 중요한 주의 사항은, 늑간강으로 바늘을 삽입할 때, 바늘이 아래쪽 늑골의 윗쪽으로 주행해야 늑골 아래쪽으로 주행하는 신경혈관다발의 손상을 방지할 수 있다는 점이다(그림 4-12).

6) 초음파 유도 흉수 천자 및 배액술과 경피배액관 삽입술

① 흉강 천자 및 배액술을 위한 자세를 잡고, 초음파의 모니터가 천자를 시행하는 자세에서 쉽게 바라볼 수 있는 곳에 초음파를 준비한다.

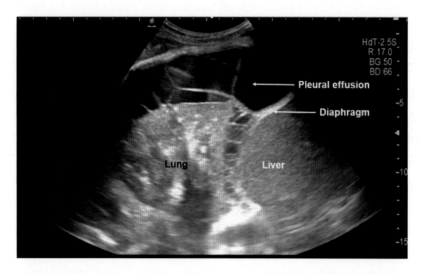

그림 4-10 격막이 동반된 흉수가 관찰되는 우측 흉수

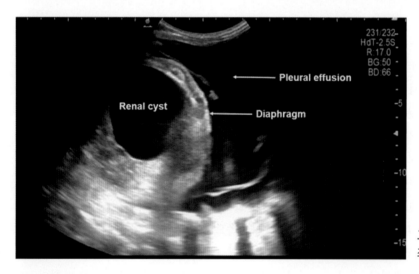

그림 4-11 비장절제술을 시행한 환자의 좌측 흉수

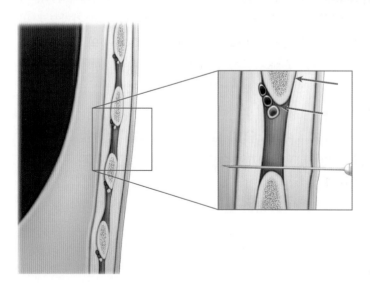

그림 4-12 늑간강 내 바늘 삽입 시 올바른 위치

② 곡선 탐색자를 사용하여 천자 부위와 천자 바늘의 삽입 방향, 대략적인 흉수의 양을 확인한다.

③ 최대 멸균 차단을 시행한 후, 초음파 탐색자에 멸균된 커버를 씌운다.

④ 천자 부위에 국소마취를 시행한다. 국소마취는 신경섬유가 주로 분포하는 벽흉막 깊이까지 충분히 시행해야, 시술이 끝날 때까지 환자가 편안하게 자세를 유지할 수 있다.

④ 초음파 탐색자를 사용하여 피부에서부터 흉수까지의 거리를 가늠하고, 사용할 바늘의 길이와 비교하여 바늘이 필요 이상으로 흉강 내에 삽입되지 않도록 한다.

⑤ 20 게이지 이상의 직경을 가진 바늘을 이용해서 천자를 시행하고, 흉수가 흡인되는 것이 확인되면 2~5 mm 정도 더 삽입한 후 바늘은 제거하면서 집(sheath)을 밀어 넣는다.

⑥ 주사기를 연결하여 진단적 검사를 위한 검체를 확보한다.

⑦ 배액 세트를 연결하여 배액을 시행한다. 흉수의 양이 매우 많거나 초기 배액 속도가 빠른 경우, 단기간에 다량의 흉수가 배액되면서 재팽창(reexpansion)으로 인한 폐부종이 발생할 수 있으니 주의해야 한다.

⑧ 이전에 흉강 배액술을 여러 차례 시행했음에도 불구하고, 배액이 필요한 흉수가 반복적으로 발생하는 경우 배액을 위한 관을 흉강 내에 거치시킬 수 있다. 이 경우, 경피배액관(percutaneous drainage) 삽입을 위한 키트를 준비해야 한다. 이 경우, ⑤의 천자 과정을 키트에 포함된 바늘을 사용해서 시행한다. 진단적 검사를 위한 검체를 확보한 후, 가이드 와이어를 넣고 집(sheath)을 제거한다.

⑨ 칼을 사용하여 경피배액관이 삽입될 수 있도록 피부를 절개한다.

⑩ 확장기(dilator)를 사용하여 피부하터널의 직경을 넓혀주고, 경피배액관을 삽입한다.

⑪ 흉부 X선 촬영을 시행하여 시술이 적절히 시행되었는지 확인한다.

7) 합병증

흉강 천자 및 배액술 시행 후에는 천자하는 과정에서 폐를 찔러 발생하는 기흉(심한 경우, 긴장 기흉), 늑간동맥의 손상으로 인한 출혈 및 혈흉, 늑간신경 손상, 다량의 흉수를 배액할 때 발생할 수 있는 재팽창 폐부종 등의 합병증이 흉강 내에 발생할 수 있다. 이 외에도, 잘못된 방향으로 천자하는 경우에는 횡격막 아래쪽 복강 내에 위치한 간이나 비장 등의 장기 손상도 발생할 수 있으며, 드물게는 감염성 합병증도 발생할 수 있다. 시술 후 기침이나 통증, 그리고 호흡곤란 등의 증상도 발생할 수 있다.

4. 초음파 유도 복수 천자 및 배액술

중환자에서 복강 내 삼출물 또는 농양 형태의 액체집적(fluid collection)은 합병복강 내감염(complicated intra-abdominal infection)으로 인한 패혈증의 원인이 될 수 있으며, 복수의 형태를 하고 있는 자유체액 또한 그 양에 따라 생리적예비력(physiologic reserve)이 적은 중증환자의 경우에는 임상적 악화의 원인이 될 수 있다. 초음파를 이용한 복수 천자와 삼출물 또는 고름집 배액술은 중환자 초음파의 중요한 부분이다.

1) 복수천자

복강 내 자유체액은 흔히 간경화 등으로 생긴 다량의 복수가 원인이 되는 경우가 많으며, 필요 시 초음파 유도 하에 복수천자(paracentesis)를 시행할 수 있다. 초음파를 이용한 복수천자는 전통적인 기준점(landmark)을 이용한 시술보다 여러가지 유리한 점이 있다. 초음파는 복수 유무 및 위치를 판정하는데 기존의 방법보다 유리하고 복벽 출혈과 천자 부위 감염의 발생을 줄여 입원기간과 의료 비용을 줄여준다.

복수천자를 하기 위한 최소한의 복수의 양은 환자의 자세와 방법, 시행자의 숙련도에 따라 100~400 mL까지 다양하게 보고되고 있다. 복수가 있는 경우 초음파를 통해 복벽 바로 아래 위치한 큰 저에코 구역을 확인할 수 있다(그림 4-13). 복수의 양(liter)은 가장 깊은 복벽의 경계(복막)에서부터 가장 가까운 곳에 위치한 창자고리까지의 거리(centimeter)인 "Smallest depth"로 추측할 수 있다. "Smallest depth"가 4.0 cm라면 이 방법으로 추측할

수 있는 복수의 양은 4.0 L가 되는 것이다. 복수를 효과적으로 배액하기 위해서는 먼저 복수의 양이 가장 많은 위치를 선정한다. 초음파 상의 복벽 두께를 이용하여 복수 흡인 시 처음으로 배액 가능한 바늘의 깊이를 예측하고, 가장 얕은 창자고리까지의 거리도 확인한다. 창자고리까지의 거리를 초과하여 복강 내로 바늘을 삽입하면 창자손상을 일으킬 수 있으므로 주의해야 한다. 또한, 선형 탐색자를 이용하여 바늘이 들어가는 예정 경로에 주요 혈관이 지나가지 않는지 확인해야 한다. 가장 주의해야 할 혈관인 하복벽동맥(inferior epigastric artery)은 외장골동맥(external iliac artery)에서 분지하여 머리 방향으로 상복벽동맥(superior epigastric artery)과 만날 때까지 복부중간선의 양측 4~6 cm 거리에서 주행한다. 바늘의 삽입 위치와 삽입 깊이가 정해지면, 초음파의 실시간 유도 없이 바늘을 삽입하는 초음파 보조법(ultrasound-assisted method) 또는 실시간 유도를 사용하는 초음파 유도법(ultrasound-guided method)을 이용하여 복수천자를 시행한다.

초음파 유도 복수천자는 숙련된 기술을 요하는

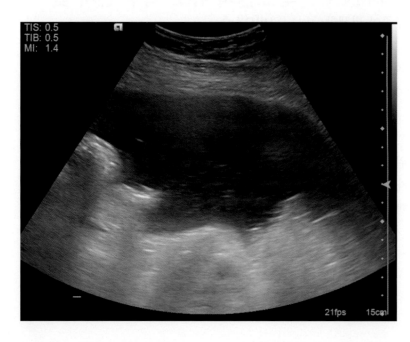

그림 4-13 복벽 아래에 많은 양은 복수가 저에코 구역으로 표현되고 있으며 복수 아래쪽으로는 고에코의 소장고리가 보인다.

술기이다. 한 손으로는 초음파를 잡아야 하고, 초음파 화면에 집중하는 과정에서 바늘의 삽입 각도와 깊이가 예정된 범위를 벗어나는 경우도 있으며, 바늘의 중간부위와 끝부위가 다르게 보이지 않기 때문에 많은 경험이 필요하다. 많은 양의 복수가 있는 경우에는 초음파 보조법으로도 충분히 복수천자가 가능하다. 하지만 다소 복잡한 위치에 적은 양의 액체주머니를 표적으로 배액해야 하는 경우에는 시술을 안전하게 성공하기 위해 초음파 유도법이 초음파 보조법보다 유리할 수 있다. 바늘을 원하는 부위에 삽입한 후에 체액을 흡인한다. 지속적인 배액이 필요한 경우에는 가이드와이어를 이용한 셀딩거법을 사용하여 배액관을 삽입할 수 있다.

복수천자를 시행하면서 여러 가지 합병증이 발생할 수 있다. 예상했던 위치에 복수가 없거나, 바늘의 깊이 또는 삽입 각도에 문제가 있는 경우 체액이 흡인되지 않을 수 있으며 이를 "dry tap"이라고 한다. 복수를 시사하는 신체검사 소견만으로 복수천자를 시행하는 경우보다 초음파를 이용하면 복수 감별율이 높아지며, 신체검사 후 계획된 복수천자의 25%는 초음파로 확인하였을 때 복수가 예상보다 적거나 없어 천자를 시행하지 않았다는 보고도 있다. 따라서 "dry tap"의 가능성을 줄이기 위해 시술 전 초음파를 사용하여 복수를 확인하는 과정이 필수적이다. 시술 후 복벽의 혈종이 발생하는 경우는 약 1~2%이다. 초음파를 사용하지 않은 시술의 0.8% 정도에서 가장 심각한 합병증인 장 천공이 생겼다는 보고도 있다. 또한, 약 5% 정도에서 시술 후 배액관 주변 피부로 체액 누출이 보고되었다.

2) 초음파 유도 경피농양배액술

초음파 유도 경피농양배액술(percutaneous abscess drainge)은 복강 내 국소적인 농양 또는 삼출물을 배액하는 효과적인 방법이다. 병상에서 시행할 수 있으며, 방사선 노출 없이 실시간 유도가 가능하다는 장점이 있다. 전통적으로 수술적 치료가 필요했던 국소적인 농양 또는 삼출물의 일부가 전신마취와 수술 없이 덜 침습적인 방법으로 치료가 가능해져 점점 복강 내 감염의 해결에 수술을 대체하는 안

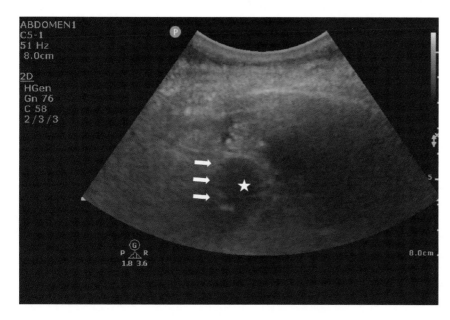

그림 4-14 초음파 유도로 원하는
부위(★)에 바늘(→)을 위치시킨 모습

전하고 효과적인 방법으로 인정받고 있다. 복강 내의 삼출물과 농양은 복강 내의 다양한 염증성 병변(게실염, 충수돌기염, 크론병 등)에 의해 생길 수 있으며, 최근에 시행된 복부수술의 합병증으로도 생길 수 있다. 수술 후 문합부 누출 등에 의한 국소적인 장주변 액체집적(localized peri-enteric fluid collection)에 대해서도 범복막염을 시사하는 소견이 없다면 경피적배액술로 수술 필요성을 줄이고 입원기간을 단축시킬 수 있다. 충수주위고름집의 경우에도 경피적배액술이 합병증을 줄이는 효과적인 방법일 수 있다. 다만, 3cm 미만의 병변은 항생제 단독치료로도 효과적인 경우가 많고, 병변이 작을 경우에는 기술적인 어려움도 있어 경피적배액술 시행전에 항생제치료를 먼저 고려해 볼 수 있다. 초음파유도 경피농양배액술은 초음파와 X선 투시기를 사용하는 경우가 많으며, 일반적으로 초음파 유도 하에 바늘을 원하는 곳에 위치시킨 뒤(그림 4-14) 조영제를 투여하고 X선 투시기로 위치를 확인한다. 바늘이 원하는 곳에 위치한 것이 확인되면 셀딩거법을 이용하여 배액관을 삽입한다.

5. 초음파 유도 경피적 기관절개술

기관절개술은 기도를 확보하고 유지하기 위한 방법으로, 기도가 막혔거나 악안면골절이 심한 경우, 목의 부종이 심한 경우 등에 사용할 수 있다. 응급상황에서는 윤상갑상연골절개술을 시행하는 것이 좋지만 기관절개술을 이용하기도 한다. 또한 장기간의 기계환기가 필요하거나, 기계환기에서 이탈이 어려운 경우, 의식 저하 또는 호흡근 약화에 의해 기도를 유지하기 어려운 경우에 시행할 수 있다. 일반적으로는 수직 또는 수평 절개를 이용한 기관절개술을 이용하였으나 최근에는 경피적확장 기관절

개술(percutaneous dilatational tracheostomy)을 위한 다양한 기구들이 개발되어 중환자실에서 손쉽게 시행하게 되었다. 또한 기관절개술을 시행할 때 초음파를 이용하여 정확한 위치를 잡는데 도움을 주기도 한다. 우선적으로 기관절개술의 기본적인 사항에 대해 정리한 이후 경피적확장 기관절개술 방법에 대한 설명, 초음파의 역할에 대해 기술하고자 한다.

1) 기관절개술의 적응증

① 장기간의 기계환기가 필요한 경우: 기관삽관후 7~10일 이상 지난 경우
  - 14일 이상 기관 내 삽관을 유지하는 경우 성문하협착이 발생할 수 있고, 탈관의 성공 가능성이 낮아짐
② 뇌손상 또는 뇌기능저하에 의해 의식이 저하되어 있는 경우
③ 과도한 분비물 또는 반복적인 흡인에 의해 기도 유지가 어려운 경우
  - 기관지 분비물을 흡인하여 기도를 유지하는데 도움을 줌
④ 심한 악안면 손상에 의해 기도 유지가 어려운 경우

2) 기관절개술의 시기

중환자에서 기관절개술을 시행하는 시기에 대해서는 명확하게 규정된 바는 없다. 그러나 대부분 기계환기를 14일 이상 유지하는 경우에 기관절개술을 시행하는 것이 흔히 받아들여지고 있다. 1주일이내의 조기 기관절개술은 호흡기 이탈이 빨라지고 중환자실 입원 기간을 줄일 수 있다는 보고는 있으나 환자의 전체적인 치료 결과에는 영향을 주지 않는다. 또한 호기말양압(Positive end-expiratory pressure, PEEPs)이 15 cmH$_2$O 이상으로 높은 경우,

인공호흡기의 산소 분압이 높은 경우, 산소농도를 적절하게 유지하기 어려운 경우에는 환자가 안정된 이후에 기관절개술을 시행하는 것이 바람직하다.

3) 기관절개술 시행 방법(그림 4-15)

① 기관절개술은 전신마취하에 시행하거나, 의식이 있으면서 기계환기를 하지 않고 있는 환자에서는 국소마취하에 시행할 수 있다. 중환자실에서 기계환기 중인 환자에서 기관절개술을 시행할 때는 전신마취에 준하는 깊은 수면과 근이완제의 사용이 필요하다.

② 환자는 누운 자세에서 목을 뒤로 젖히고 어깨 밑에 롤패드(roll pad)를 넣어 준비한다(그림 4-16).

③ 기관절개술을 시행할 때는 해부학적인 구조를 정확히 이해해야 한다. 갑상연골, 윤상연골, 흉골파임을 기준으로 하며, 윤상연골과 흉골파임의 중간 부분이 기준선이 된다. 2, 3번 기관연골고리(tracheal ring)를 만져 절개하는 것이 좋다. 기관절개 부위의 양측 앞목정맥의 주행을 확인하면서 손상에 주의하여야 한다.

④ 기관절개를 시행하기 전에 시술 부위를 소독하고 구멍포로 덮는다. 수술에 준하여 무균적으로 준비한다(full barrier precaution).

⑤ 절개는 수직과 수평방향 모두 가능하며, 2, 3번 기관연골고리 위쪽으로 절개한다. 절개의 길이는 2.5~4 cm 정도로 하며, 시야를 충분히 확보할 수 있어야 한다. 수평절개를 하는 경우 흉골파임에서 손가락 2개 간격 위쪽의 피부선을 따라 곡선으로 절개한다. 절개전에 에피네프린이 섞인 국소마취제를 주입하여, 출혈을

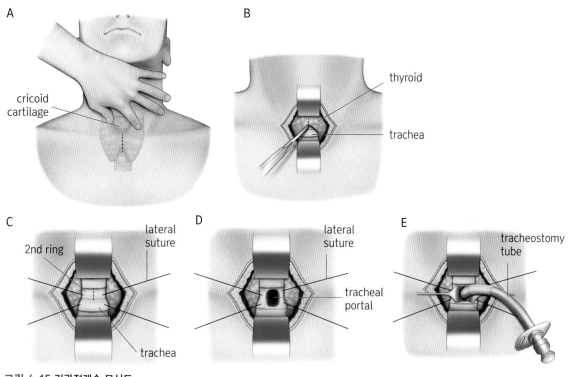

그림 4-15 기관절개술 모식도

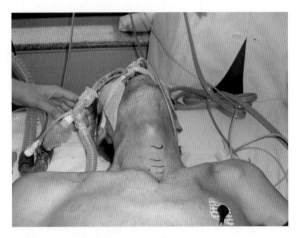

그림 4-16 기관절개술을 위한 자세
환자를 누운 자세에서 목을 뒤로 젖히고 어깨 밑에 롤패드를 넣어 목을 펴서 기관이 앞쪽으로 나오게 한다. 갑상연골과 윤상연골, 흉골파임을 기준으로 하여 기관연골고리를 만져 펜으로 표시한 상태이다.

줄이고 시술 중 환자가 느낄 수 있는 통증을 최소화한다.

⑥ 절개 후 피하지방과 넓은목근(plasysma)을 절개한 이후 흉설골근(sternohyoid muscle)과 흉갑상근(sternothyroid muscle)을 중심부에서 수직으로 양측으로 분리하여 들어가며, 갑상선과 협부를 확인한다.

⑦ 조직을 박리하면서 갑상선 협부를 잘라 분리하거나 위쪽으로 당기면서 기관연골고리를 찾는다. 갑상선 협부를 절개해야 하는 경우에는 전기소작기로 조심스럽게 박리 절개하거나, 수술용 클램프를 이용하여 봉합결찰할 수도 있다.

⑧ 2, 3번 기관연골고리 사이 또는 3, 4번 기관연골고리 사이에 수평으로 기관절개를 하며, 기관절개관을 삽입할 수 있도록 넓힌다.

⑨ 기관절개가 끝난 후에 기도에 삽관된 관을 기관절개부 위쪽까지 뽑아 재위치시킨다. 재위치시킬 때 관의 끝을 눈으로 확인하고, 발관이 되어 빠지지 않도록 주의하여야 한다.

⑩ 절개부위를 클램프를 이용하여 기관절개관이 들어갈 수 있도록 확장시킨 후, 기관절개관을 삽입한다.

⑪ 기관절개관의 기낭에 공기를 주입한 후 인공호흡기를 연결하여, 기관 내 위치 여부를 확인한다.

⑫ 기관절개관을 통해 기계환기가 잘 유지되며, 일회호흡량이 유지되면 구강을 통해 삽관된 관을 제거한다.

⑬ 기관절개 부위의 피부를 기관절개관의 크기에 맞추어 봉합하고, 출혈이 있는 경우 지혈을 시행한다.

⑭ 기관절개관이 빠지지 않도록 기관절개관을 피부에 고정시킨다.

⑮ 시술 중에 목의 중앙부위를 잘 확인하여야 하며, 출혈이 있는 경우에는 압박지혈하며, 혈관 손상에 의한 출혈이 있는 경우에는 결찰하여 지혈한다.

4) 경피적 확장기관절개술

경피적 확장기관절개술(percutaneous dilatational tracheostomy, PDT)은 최근 들어 중환자실에서 주로 시행되는 기관절개 방법이다. PDT는 1985년 Ciaglia 등이 처음 소개한 이후로 표준 시술 방법 중의 하나로 자리를 잡았다. PDT의 장점은 다음과 같다.

① 출혈의 위험성이 줄어듦
② 상처 감염 발생 낮음
③ 상처가 작음

5) PDT의 금기증

① 소아(< 8세)
② 목의 해부학적 변형 : 혈종, 종양 등
③ 시술 부위의 염증

④ 경추 골절

⑤ 심각한 응고장애

⑥ 중증의 호흡부전증(산소분압 〉 0.6, 호기말양압 : 〉 10 cmH$_2$O)

PDT는 셀딩거방법을 이용하여 기관에 주사바늘을 찌른 후 확장기를 이용하여 기관절개부위를 확장시키고, 기관절개관을 삽입하는 시술이다. 따라서 상용화된 제품을 사용한다(그림 4-17).

PDT는 단일 술자에 의해 시행될 수 없으며, 시술자와 기관지내시경 시행자, 보조자 등이 필요하다. 고전적으로 PDT는 기관지내시경 유도하에 시행한다. PDT는 셀딩거방법으로 시행하므로 기관의 뒷벽을 뚫을 수 있고, 주변 조직의 손상을 유발할 수 있으므로 가능한 기관지내시경으로 찌르는 부위와 시술 중 기관 손상 유무를 확인하는 것이 바람직하다.

구체적인 시술 방법은 다음과 같다.

① 환자는 누운 자세에서 목을 뒤로 젖히고 어깨 밑에 롤패드를 넣어 준비한다(그림 4-16). 과

도한 신전은 기관절개 부위가 너무 낮아질 수 있으므로 주의한다.

② 시술 부위를 소독하고 무균적으로 구멍포를 덮어 시술 부위를 노출시킨다.

③ 기관지내시경을 기관내관에 삽입하고, 기낭의 공기를 뺀 후 기관내관을 뒤로 뺀다. 기관지내시경의 끝을 기관내관의 끝 부분에 위치시켜 동시에 빼는 것이 좋다. 기관내관의 끝을 성대 아래쪽에 위치시킨 후 기낭을 확장시켜 고정한다.

④ 기관내관을 빼는 동안 기관절개를 할 부분에 불빛을 비춰 시술 부위를 확인할 수 있다(그림 4-18).

⑤ 2, 3번 기관연결고리 위쪽에 1~1.5 cm 길이로 수평 또는 수직으로 피부절개를 시행한다. 수술 클램프를 이용하여 하부 조직을 박리하고 기관 앞쪽을 확인한다.

⑥ 기관연결고리 사이를 손으로 만져 확인하고, 주사기를 찌를 부위에 불을 비쳐 확인한 후 (transillumination), PDT 셋트에 있는 주사기를 이용하여 기관을 수직으로 찔러서 공기가 나오

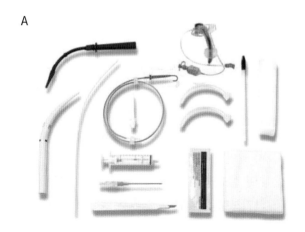
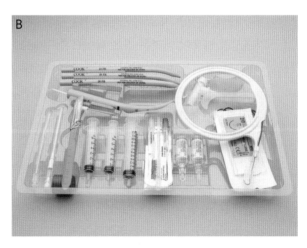

그림 4-17

A. Single Stage Dilator Technique Kits

B. Advanced Percutaneous Tracheostomy Introducer Sets and Trays

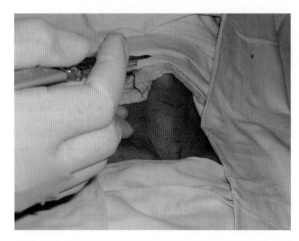

그림 4-18 기관지내시경의 광원을 피부에 비춰 기관절개를 시행할 부위를 확인하고 있다.

는지 확인한다. 기관지내시경을 통해 기관 내에 주사기의 위치가 올바른지, 뒷벽을 손상하지 않았는지 확인한다. 기관을 찌르지 못했거나 공기가 나오지 않는다면 주사기를 뺀 후 다시 찌른다. 기관 내에 주사바늘은 11시에서 1시 사이에 위치시키도록 하며, 이는 기관지내시경을 통해 확인이 가능하다. 주사기로 기관을 찌를 때는 반대쪽 손으로 기관을 고정시키는 것도 다른 부위를 찌를 위험성을 감소시킬 수 있다(그림 4-19A). 주사바늘의 바깥 캐뉼라는 기관 내에 유지한 채로 주사기를 뽑는다. 기관지내시경 사용이 어려운 경우 라이트완드(light wand)의 광원을 비춰 삽입부위를 확인할 수도 있다. 이 또한 여의치 않은 경우에는 기관과 기관내관을 다른 기구의 도움없이 손으로 만져서 위치를 확인하고 주사바늘을 삽입하는 방법이 있으나, 주변 조직의 손상이나 잘못 찌를 수 있음에 유의하여야 한다.

⑦ 캐뉼라를 통해 가이드와이어를 삽입하고, 가이드와이어가 기관 내에 위치하는지, 기관분지부로 향하는지 확인한다. 그리고 가이드와이어를 기관 내에 유지한 채로 캐뉼라를 제거

한다. 캐뉼라를 제거한 후 가이드와이어를 따라 주사부위확장기를 넣어 확장시킨 후 제거한다. 이때 가이드와이어는 기관내에 유지시키며, 시술 중에 기관 후벽 손상 여부 및 가이드와이어의 위치를 기관지내시경으로 확인하는 것이 좋다(그림 4-19B).

⑧ 가이드와이어를 따라 확장기를 삽입하여 기관절개관을 삽입하기 위한 구멍을 만든다. 확장기는 가로로 줄이 표시되어 있는 부분까지 부드럽게 삽입한다. 삽입한 이후 확장부위가 유지될 수 있도록 약 10초간 기다리는 것이 좋다. 확장기를 제거할 때 가이드와이어가 딸려 나오지 않도록 주의한다. 확장기가 부드럽게 삽입될 수 있도록 윤활젤리를 묻히거나, 물을 묻혀 사용한다.

⑨ 기관절개관에 안내도관(제품에 동봉된 도관을 사용하거나, 기관절개관에 미리 장착되어 있는 도관을 이용)을 장착하고, 가이드와이어를 따라 기관 내로 부드럽게 삽입한다. 기관내로 기관절개관이 삽입되면 기낭에 공기를 넣어 확장시킨다. 입으로 삽입된 기관내관을 제거하기전에 기관지내시경으로 기관절개관의 삽입 여부, 위치 등을 확인하고, 기관 내에 잘 위치한 경우 기관내관을 제거하는 것이 좋다(그림 4-20).

⑩ 기관절개관에 내관(inner tube)을 삽입하고, 인공호흡기에 연결한 후 환자의 일회호흡량 및 공기누출 여부 등을 확인한다. 또한 폐의 움직임, 청진 등을 통해 환기가 제대로 이루어지는지 확인한다.

⑪ 기관절개관을 삽입한 부위의 피부가 절개관의 크기보다 크다면 봉합을 시행하고, 기관절개관을 빠지지 않도록 목에 고정시켜 묶어준다. 기관절개관을 유지하기 위해 피부에 봉합하여 고정시키는 것도 도움이 될 수 있다.

A

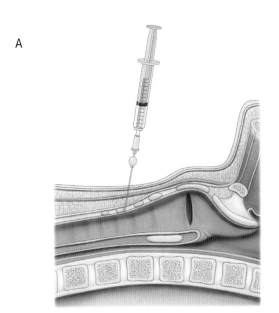

B

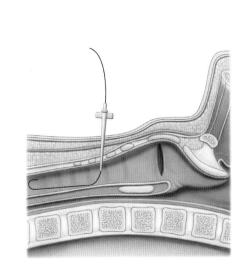

그림 4-19

A. 주사기의 올바른 위치. 기관의 정중앙에 위치시키며, 직각으로 삽입하고, 기관 내에 위치하며, 주사기를 약간 눕혀 끝부분이 아래쪽으로 향하게 한다.

B. 가이드와이어를 통해 주사부위확장기를 삽입한 상태이다. 주사부위확장기는 너무 깊이 찌르지 않으며, 기관 내에 끝부분이 삽입된 이후 기관분지부쪽으로 향하도록 눕혀서 추가적으로 삽입하는 경우 기관후벽의 손상을 예방할 수 있다.

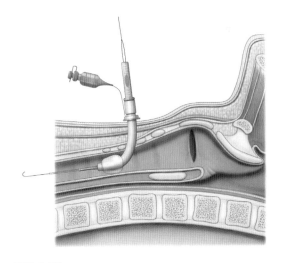

그림 4-20

기관절개관에 안내도관을 장착하고 가이드와이어를 따라 기관 내로 부드럽게 삽입한다.

경피적 확장기관절개술을 시행할 때 기관후벽의 손상, 기관절개관의 위치, 시술부위 출혈 여부 등은 기관지내시경의 도움을 받는 것이 좋다. 특히 처음에 시작하는 경우에는 기관지내시경의 도움 없이 시행하는 경우 시술중 발생된 합병증이나, 잘못 위치된 기관절개관을 놓치는 경우가 있어 주의가 필요하다. 그러나 기관지내시경을 중환자실에서 쉽고 빠르게 사용할 수 있다면 좋지만 그렇지 못한 경우도 많이있다. 따라서 기관지내시경을 통해 확인하는 절차 없이 기관절개관의 위치를 확인할 때는 기관내관 교체에 사용하는 라이트완드를 통해 확인하는 것도 쉽고 빠르며, 안전한 방법으로 여러 연구에서 소개하고 있다(그림 4-21).

또한 다른 방법으로 특별한 기구없이 기관절개술을 시행하듯이 피부 및 피하조직을 박리한 후 기관

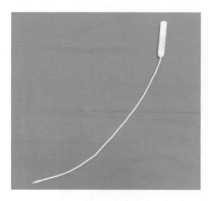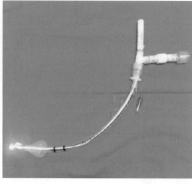

그림 4-21 라이트완드와 기관내관에 삽입후 불을 켠 상태

A

B

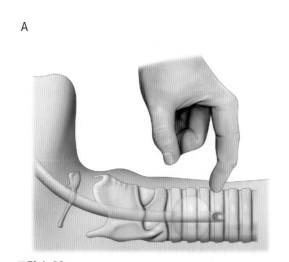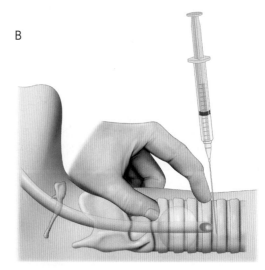

그림 4-22

A. 기관내관을 뒤로 뺄 때 손가락으로 기관내관과 기낭을 만져 확인한다. 기관내관이 주사기로 찌르는 부위 위쪽에 위치시킨다.

B. 손가락으로 기관내관을 만지면서 원위부쪽에서 기관 내로 주사기를 찌른 후 경피적확장성기관절개술을시행한다.

과 기관연결고리를 직접 손가락으로 만지면서 기관내관의 위치를 조정한 이후 경피적 확장기관절개술을 시행할 수 있다(그림 4-22). 이 방법은 기관지내시경의 도움 없이 사용하는 방법으로 연구 결과에서는 비교적 간단하고 쉽게 이용할 수 있으며, 시술과 관련된 합병증의 발생률에 차이가 없음이 보고되었다. 그러나 이 방법을 사용하는데 있어서는 해부학적 구조에 대한 이해, 기관절개술의 경험 등이 있는 경우에 추천할만한 방법이라 할 수 있다.

6) 초음파 유도 기관절개술

최근 들어 point-of-care 초음파(POCUS)는 응급실과 중환자실에서 환자의 초기 평가에서 흔히 사용되고 있다. 기관절개술에서도 초음파 사용은 시술의 편의성과 합병증 발생 감소의 측면에서 도움에 된다는 보고들이 있다. 초음파 유도 기관절개술은 일반적인 기관절개술이나 경피적 확장성기관절개술에서 보조적으로 사용되고 있으므로 우선 기관절개술에 대해 먼저 기술하였고, 지금부터는 초음파의 활용 및 영상, 시술과정에 관해 다루고자 한다.

초음파 탐색자는 선형 탐색자를 이용한다. 초음파로 영상을 얻을 때 해부학적인 구조물을 먼저 손으로 만져서 초음파 영상과 비교하는 것이 좋다. 갑상연골, 윤상갑상연골막, 윤상연골 및 기관을 먼저 손으로 만져 위치를 확인한 후 탐색자를 기관위에 위치시켜 영상을 얻는다. 기관은 공기로 채워져 있어 기관 내의 구조물을 영상에서 확인할 수 없으며, 위의 해부학적 기준들을 중심으로 영상을 판독한다. 먼저 탐색자를 수평으로 하여 갑상연골, 윤상연골, 기관, 갑상선을 확인한다. 이후 탐색자를 수직으로 돌려 위의 구조물을 확인한다. 기관과 기관연결고리가 만나는 기관벽은 초음파 영상에서 하얗게 연속적으로 보이게 된다. 그 위쪽으로 연하게 기관연결고리를 확인할 수 있다(그림 4-23). 가로스캔에서는 1, 2 기관연골이 있는 부위에서 갑상선 아래의 식도를 관찰할 수 있다. 또한 초음파로 기관 주변의 혈행을 확인할 수 있어 불필요한 출혈을 줄이는데 도움이 된다.

초음파 유도 기관절개술은 기관 내에 주사바늘

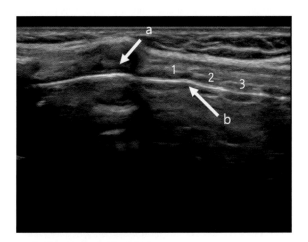

그림 4-23 기관의 초음파 영상
a. 윤상연골, b. 기관과 기관앞벽 사이 공기 음영

을 삽입할 때 삽입부위를 실시간으로 확인하고, 주사기를 삽입하는 영상을 얻어 기관절개관의 위치를 확인하는데 도움을 줄 수 있다. 또한 기관절개연결고리 사이를 보여줌으로써 시술 시 주사바늘의 삽입 부위를 정확하게 위치시키는데 도움을 줄 수도 있다. 초음파를 통해 기관절개술의 위치를 잡는 것이 기존 방법보다 더 정확하다는 보고들이 있으며, 이는 기관절개관의 삽입 부위가 윤상연골에 가까운 경우에는 기관협착의 위험성이 높고, 기관분지부에 가까운 경우에는 기관절개관의 비의도적인 발관, 상처 감염등의 위험성이 증가할 수 있기 때문이다.

초음파 유도 경피적 기관절개술은 기존 경피적 기관절개술과 같은 방법으로 하며, 삽입 부위를 초음파로 확인하면서 시행한다.

① 환자의 자세는 일반적인 기관절개술 방법과 동일하다.

② 시술 전 준비도 환자는 전신마취에 준하여 진정제 및 근이완제를 투여한다.

③ 기관지내시경으로 위치를 보면서 기관내관을 위쪽으로 뺀다.

④ 초음파를 이용하여 2, 3번 기관연결고리를 확인한 후 실시간 또는 표식 부위를 따라 기관절개용 주사기를 삽입한다.

⑤ 주사기가 삽입된 부위를 따라 피부를 절개 한 이후 캐뉼라를 남겨둔 채 주사기를 제거한다.

⑥ 캐뉼라를 통해 가이드와이어 삽입 및 이후 경피적 확장성기관절개술에 준하는 시술을 시행한다.

⑦ 기관지내시경 없이 시행하는 경우에는 먼저 초음파로 기관연결고리 및 기관의 위치를 확인한 후 피부에 표시 후 절개하여 앞에서 서술한 방법으로 기관절개술을 시행할 수 있다. 기관절개술 시행 과정 중에 초음파를 통해 주사기의 위치를 보는 것도 가능한 방법 중에 하나이다.

⑧ 기관내관은 기관 내에 위치하고 있어 위로 빼낼 때 초음파영상으로 확인되지 않는다. 기낭에 식염수를 채워 기낭의 위치를 확인하고, 기관내관을 빼는 방법이 소개되어 있으나 실제로 잘 보이지 않아 사용에 제한이 많다.

이상으로 초음파 유도 기관절개술에 대해 기술하였다. 초음파의 유용성이 많이 제시되었으며, 특히 중환자실에서는 대체하기 어려운 POCUS로 소개되고 있어 그 사용은 더 많아질 것으로 생각된다. 특히 기관절개술에서도 도움을 받을 수 있으나, 실제 사용해 보면 기관연결고리를 찾는 것이 쉽지 않아 많은 경험이 필요할 것으로 생각된다.

·⑴》 참고문헌

1. 대한중환자의학회. 중환자의학. 제4판. 파주: 군자출판사; 2020.

2. Ablordeppey E. Vascular access. In: Diaz-Gomez JL, Nikravan S, Conlon T, editors. Comprehensive critical care ultrasound. 2nd ed. Illinois: Society of Critical Care Medicine; 2020. p.848.

3. Addas BM, Howes WJ, Hung OR. Light-guided tracheal puncture for percutaneous tracheostomy. Can J anaesth 2000;47:912-22.

4. Akinci D, Akhan O, Ozmen MN, et al. Percutaneous drainage of 300 intraperitoneal abscesses with long-term follow-up. Cardiovasc Intervent Radiol 2005;28(6):744-50.

5. Andersson RE, Petzold MG. Nonsurgical treatment of appendiceal abscess or phlegmon: a systematic review and meta-analysis. Ann Surg 2007;246(5):741-8.

6. Baek JK, Lee JS, Kang M, et al. Feasibility of percutaneous dilatational tracheostomy with a light source in the surgical intensive care unit. Acute Crit Care 2018;35:89-94

7. Balik M, Plasil P, Waldauf P, et al. Ultrasound estimation of volume of pleural fluid in mechanically ventilated patients. Intensive Care Med 2006;32:318.

8. Balmert N, Espinosa J, Aafeh MO, et al. Integration of bedside ultrasound into the ICU-a review of indications, techniques and interventions. J Emerg Crit Care Med 2018; 2:17.

9. Bard C, Lafortune M, Breton G. Ascites: ultrasound guidance or blind paracentesis? CMAJ 1986;135(3):209-10.

10. Barr L, Hatch N, Roque PJ, et al. Basic ultrasound-guided procedures. Crit Care Clin 2014;30:275-304.

11. Branney SW, Wolfe RE, Moore EE, et al. Quantitative sensitivity of ultrasound in detecting free intraperitoneal fluid. J Trauma 1995;39(2):375-80.

12. Daniels CE, Ryu JH. Improving the safety of thoracentesis. Curr Opin Pulm Med 2011;17:232-6.

13. De Gottardi A, Théevenot T, Spahr L, et al. Risk of complications after abdominal paracentesis in cirrhotic patients: a prospective study. Clin Gastroenterol Hepatol 2009;7(8):906-9.

14. Feller-Kopman D. Ultrasound-guided thoracentesis. Chest 2006;129:1709-14.

15. Fortune JB, Feustel P. Effect of patient positio on size and location of the subclavian vein for percutaneous puncture. Arch Surg 2003;138(9):996-1000.

16. Fragou M, Gravvanis A, Dimitriou V, et al. Real-time ultrasound-guided subclavian vein cannulation versus landmark method in critical care patients: A prospective randomized study. Crit Care Med 2011;39:1607-12.

17. Frankel HL, Kirkpatrick AW, Elbarbary M, et al. Guidelines for the appropriate use of bedside general and cardiac ultrasonography in the evaluation of critically ill patients – Part I: general ultrasonography. Crit Care Med 2015;43: 2479-502.

18. Galloway S, Bodenham A. Ultrasound imaging of the axillary vein: anatomical basis for central venous access. Br

J Anaesth 2003;90:589-95.

19. Goldberg BB, Goodman GA, Clearfield HR. Evaluation of ascites by ultrasound. Radiology 1970;96(1):15-22.

20. Havelock T, Teoh R, Laws D, et al. Pleural procedures and thoracic ultrasound: British Thoracic Society Pleural Disease Guideline 2010. Thorax 2010;65:ii61–ii76.

21. Irshad A, Ackerman SJ, Anis M, et al. Can the smallest depth of ascitic fluid on sonograms predict the amount of drainable fluid? J Clin Ultrasound 2009;37(8):440-4.

22. Joyner CR Jr, Herman RJ, Reid JM. Reflected ultrasound in the detection and localization of pleural effusion. JAMA 1967;200:399–402.

23. Khurrum Baig M, Hua Zhao R, Batista O, et al. Percutaneous postoperative intra-abdominal abscess drainage after elective colorectal surgery. Tech Coloproctol 2002;6(3):159-64.

24. Kumar RR, Kim JT, Haukoos JS, et al. Factors affecting the successful management of intra-abdominal abscesses with antibiotics and the need for percutaneous drainage. Dis Colon Rectum 2006;49(2):183-9.

25. Lee Y, Ryu JA, Kim YO, et al. Safety and feasibility of ultrasound-guided insertion of peripherally inserted central catheter performed by an intensive care trainess. J Neurocrit Care 2020;13(1):41-8.

26. Mallory A, Schaefer JW. Complications of diagnostic paracentesis in patients with liver disease. JAMA 1978;239(7):628-30.

27. Marino P. Marino' the little ICU book. 2nd ed. Philladelphia: Wolters Kluwer; 2017.

28. Martynoga R., Danbury C. Percutaneous Dilatational Tracheostomy. In: Falter F. Bedside Procedures in the ICU. London: Springer; 2012. pp.37-47.

29. Mercaldi CJ, Lanes SF. Ultrasound guidance decreases complications and improves the cost of care among patients undergoing thoracentesis and paracentesis. Chest 2013;143 (2):532-8.

30. Nazeer SR, Dewbre H, Miller AH. Ultrasound-assisted paracentesis performed by emergency physicians vs the traditional technique: a prospective, randomized study. Am J Emerg Med 2005;23(3):363-7.

31. Nicolaou S, Talsky A, Khashoggi K, et al. Ultrasoundguided interventional radiology in critical care. Crit Care Med 2007; 35:S186-97.

32. Paran H, Butnaru G, Hass I, et al. Evaluation of a modified percutaneous tracheostomy technique without bronchoscopic guidance. Chest 2004;126:868-71.

33. Plata P, Gaszyńki T. Ultrasound-guided percutaneous tracheostomy. Anaesthesiol Intensive Ther 2019;51:126-32.

34. Runyon BA. Paracentesis of ascitic fluid. A safe procedure. Arch Intern Med 1986;146(11):2259-61.

35. Sartelli M, Chichom-Mefire A, Labricciosa FM, et al. The management of intra-abdominal infections from a global perspective: 2017 WSES guidelines for management of intra-abdominal infections. World J Emerg Surg 2017;12:29.

36. Seybt MW, Jackson LL, Terris DJ. Tracheostomy. In: Velasco JM, Ballo R, Hood K, et al, editors Essential Surgical Procedures. Edinburgh London New York Oxford Toronto: Elselvier; 2016.

37. Siewert B, Tye G, Kruskal J, et al. Impact of CT-guided drainage in the treatment of diverticular abscesses: size matters. AJR Am J Roentgenol 2006;186(3):680-6.

38. Sikora K, Perera P, Mailhot T, et al. Ultrasound for the Detection of Pleural Effusions and Guidance of the Thoracentesis Procedure. International Scholarly Research Notices 2012;Article ID 676524.

39. Soni NJ, Franco R, Velez MI, et al. Ultrasound in the diagnosis and management of pleural effusions. J Hosp Med 2015;10:811-6.

40. Taha A, Omar AS. Percutaneous dilatational tracheostomy. Is bronchoscopy necessary? A randomized clinical trial. Trend Anasesth Crit Care 2017;15:20-4.

41. Theisen J, Bartels H, Weiss W, et al. Current concepts of percutaneous abscess drainage in postoperative retention. J Gastrointest Surg 2005;9(2):280-3.

42. Von Kuenssberg Jehle D, Stiller G, Wagner D. Sensitivity in detecting free intraperitoneal fluid with the pelvic views of the FAST exam. Am J Emerg Med 2003;21(6):476-8.

43. Wong C, Merkur H. Inferior epigastric artery: Surface anatomy, prevention and management of injury. Aust N Z J Obstet Gynaecol 2016;56(2):137-41.

index

ㅅ *index*

ㅇ *index*

ㅈ   *index*